MANITOUWADGE PUBLIC LIBRARY

00016184

D1418009

Fr
817
Enc

En
du
Caste

MANITOUWADGE PUBLIC LIBRARY

MANITOUWADGE PUBLIC LIBRARY

Encyclopédie internationale
du rire

Encyclopédie internationale du rire

Le tour du monde en 4 000 histoires drôles
avec
Robert Castel
Franck Fernandel
Mina et André Guillois
Armand Isnard
Popeck
Ibrahim Seck

FRANCE LOISIRS
123, boulevard de Grenelle, Paris

Édition du Club France Loisirs, Paris,
avec l'autorisation des Éditions Mengès

© Copyright 1981, Éditions MENGÈS

ISBN 2-7242-1049-2

Robert Castel raconte

les meilleures histoires de Kaouito le Pied-noir

prix « Gaulois »

PREMIER ATTENTION !

Les livres commencent souvent, et même la plupart du temps, par une préface, un préambule, une introduction, un avant-propos, un prologue, une dédicace, un avis, et même des prolégomènes (voir dictionnaire ou l'emprunter).

Mais à quoi ça sert, une préface, un préambule, une introduction et tout le reste ?...

D'abord, des préfaces, il en existe un wagon plus quinze. Corneille, Racine, Molière, La Bruyère, Pascal, Bossuet, Voltaire, Chamfort, Diderot, Montesquieu, tous mes confrères ont écrit une ou plusieurs préfaces. Alors celui qui veut lire une préface, il a vraiment l'embarras du choix.

Une préface de plus ou de moins, ça ne va rien changer au prix des fraises, surtout en début de saison.

Ensuite, examinons l'utilité d'une préface. Généralement pour ne pas dire dans la plupart des cas, une préface sert de préambule, ou si vous préférez d'introduction. Vous ne verrez jamais une préface après la conclusion. C'est rare. A ma connaissance le cas ne s'est pas produit. Ou alors, il faut commencer par la fin, et considérer la conclusion comme un prélude, ce qui est une façon de voir les choses si l'on soutient que la fin est un commencement. De plus cette méthode présente un avantage inestimable : celui de vous faire gagner un temps énorme, ce qui de nos jours n'a pas de prix.

Vous me direz qu'on peut mettre aussi la préface au milieu du livre. C'est loin d'être inintéressant par l'originalité. D'autant qu'il n'existe aucun texte de loi empêchant cet usage. Mais à mon avis ce n'est pas ça non plus qui fera diminuer le prix des fraises, même en fin de saison.

Quoi qu'il en soit, l'auteur peut placer sa préface à sa fantaisie ou à son gré. On n'en a rien à glander, et en plus on s'en tape le coquillard. Ce qui est un euphémisme, voire une métaphore, ou à la rigueur une espèce de catachrèse.

Je crois donc, qu'on vient de faire le tour de la question d'une manière exhaustive.

Reste le problème de l'objet de la préface. J'ai bien étudié cette question, et je peux vous dire que les avis sont différents et même contradictoires, tout en étant estimables de part et d'autre. Ce qui nous donne donc une idée précise de l'ensemble.

Mais, si on veut pousser plus loin l'analyse, et je sens qu'on m'y invite de toute part, on peut dire sans risque de se tromper, et sauf erreur de ma part bien sûr, que la préface sert à informer le lecteur sur les intentions, les motifs, les buts et les raisons qui ont incité l'auteur à écrire le livre, sans parler des droits d'auteur évidemment.

On peut aussi écrire une préface pour formuler les raisons pour lesquelles il eût mieux valu ne pas écrire le livre, et ce, d'une manière rédhibi-

1

toire. On n'en lit pas souvent de cette sorte et nombreux sont ceux qui le regrettent profondément.

On peut aussi écrire une préface pour d'autres raisons. Mais alors, en l'occurrence, c'est à l'auteur de nous les exposer, et sous sa seule responsabilité. De toute façon, plus on est clair mieux on se fait comprendre. J'ai toujours été, quant à moi, un partisan farouche de ce principe.

Nonobstant, de sa préface, l'auteur peut en faire l'usage qu'il lui plaît. Même un cache-col pour la demi-saison. On s'en balance à un point que c'est pas croyable !

En ce qui me concerne et pour mon compte personnel, j'aurais beaucoup de choses à dire sur la préface et autres prodomes et proèmes (voir le même dictionnaire, ou mieux encore l'acheter carrément).

Mais toutes choses égales, et ayant analysé le sujet dans ses moindres aspects, je dirais qu'une préface m'apparaît de plus en plus vaine et stérile.

J'aurais pu, à l'aide d'un jeu de mots subtil m'en servir de pré-texte. Mais, las, à quoi bon ?

J'aurais pu, sans jeu de mots, m'en servir de prétexte pour régler des comptes avec Pierre, Paul, Jacques et d'autres ordures du même acabit. Ils ne perdent rien pour attendre, mais ce n'est ici ni l'endroit, ni le lieu, ni la place, ni le moment, ni l'heure.

J'aurais pu placer en exergue cette phrase d'un type qu'on appelle Rabelais et qui a dit : « Il faut que les hommes y rigolent, pourquoi rigoler, c'est la santé ! »

J'aurais pu paraphraser, avec aisance, mon aîné Chamfort qui a écrit que « La plus perdue de toutes les journées est celle où l'on n'a pas ri ».

Finalement non. Après examen, toutes ces incitations m'ont semblé superfétatoires et fallacieuses (si vous n'avez pas encore de dictionnaire, alors je ne peux plus rien pour vous !).

Et comme la chose que je hais le plus au monde c'est de parler pour ne rien dire, il m'est apparu qu'une préface s'avérait de plus en plus vaine, dérisoire, et chimérique, termes qui sont d'ailleurs tous synonymes entre eux, les uns les autres.

Alors, à quoi ça sert une préface ? A rien ! Non, décidément, je n'écrirai pas de préface.

DEUXIÈME ATTENTION !!

Finalement, après avoir bien réfléchi in petto, je me suis dit quand même qu'il n'était pas inutile de vous éclairer par une notice préliminaire — qui n'a rien à voir avec une préface stérile au sujet de laquelle vous connaissez mon opinion — sur certains aspects de l'ouvrage qui pourront légitimement vous étonner.

Laissez-moi d'abord vous dire, que je suis pied-noir. Je préfère annoncer la couleur. J'ai toujours réussi à le dissimuler, sauf aux États-Unis, où l'on me prend pour un Français d'Alger, et en Scandinavie où l'on sait que je suis rapatrié. En Chine, au Japon et en Afrique du Sud, là-bas aucun problème : on sait tout de suite que je suis né à Bab-El-Oued.

En dehors du style, qui vous fera songer tantôt au Chateaubriand des « Mémoires d'Outre-tombe » par le lyrisme et la majesté des périodes, tantôt à Chamfort par la vivacité du trait, l'ellipse de la pensée et l'ironie sous-jacente, tantôt à Pascal par la fulgurance et la profondeur, tantôt à beaucoup d'autres qui n'ont comme seul mérite que d'être nés avant moi, vous serez surpris de ne pas rencontrer à chaque page les mots : « couscous », « brochettes », « mon frère » par-ci « mon frère » par-là, le « po, po, po, » traditionnel, les « tchallefs » (bobards), les « merguez » de Fort-de-l'Eau, ou de « Chez Bitouche » rue de Tanger, sans parler des « Blisblis » (pois chiches grillés), des « tramousses » et de la « kémia » (amuse-gueule.) Il m'eût été facile de mettre par-ci, par-là, et ailleurs quelques « falso » pour parler des faux amis (et Dieu sait s'il y en a !). J'aurais écrit « tachtche » à la place de faconde, « rabia » pour rage ou colère, « tchouffa » pour échec, etc., etc., etc., etc., etc. (Je mets beaucoup d'etc. pour être sûr de ne rien oublier.)

De tout cela, j'aurais aimé vous parler. J'aurais aimé en saupoudrer ma prose. Mais c'est Kaouito lui-même qui m'en a dissuadé quand il a appris, je ne sais par quelle mauvaise langue, que j'allais parler de lui, de Pastafagoul, de Abbaz, et des autres...

— Je t'en supplie, m'a-t-il dit, n'emploie pas toutes ces expressions ! Pastafagoul, Abbaz et les autres, ils en ont ras le bol de ce folklore de bazar. Et moi, encore plus qu'eux !

— C'est difficile ! lui ai-je répondu. Tu me demandes l'impossible. Comment, nous pieds-noirs, pouvons-nous ne pas parler de couscous, merguez et brochettes ?

— Alors quoi ! m'a rétorqué Kaouito, vexé et indigné, c'est ça notre humour, si nous en avons un ? C'est un menu de restaurant avec des « po, po, po, » et des « mon frère » à tout va ! Tu me déçois, vraiment tu me déçois !

Décevoir Kaouito me chagrinait profondément. Il savait d'ailleurs qu'il m'était très cher. Et je crois que lui aussi m'aimait bien. J'essayais alors de le raisonner, de lui faire comprendre que ces évocations et ce vocabulaire faisaient partie de notre folklore, de notre univers.

Alors, il a bondi :

— C'était notre univers ! C'est devenu un folklore de pacotille. Laisse ça aux gens du Nord (c'est-à-dire à partir de Marseille). Eux ils ont le droit de se moquer de nous et de nous parodier avec ce pittoresque d'importation sans droits de douane ! Quand ils veulent nous imiter, c'est tout ce qu'ils ont, les pauvres. Ils puisent dans cet arsenal de « po, po, po, » et

de « mon frère » et de « purée » en croyant faire les intéressants. Ils exagèrent, en pensant que ça fait plus vrai, plus authentique. On va pas les vexer en leur disant qu'ils sont lourds comme des quinze tonnes chargés de fonte. Ils savent pas, ils sont excusables. Mais que les pieds-noirs aient recours à de tels artifices, alors ça, ça me tue ! C'est de la prostitution ! On n'a pas besoin de faire la pute pour amuser la galerie !

Là, Kaouito se trompait. Je lui aurais aisément démontré que bien souvent il fallait le faire. J'aurais même pu lui citer des noms, mais...

— Tu sais, Kaouito, excuse-moi de te le dire, tous les pieds-noirs ne sont pas comme toi !

Il laissa tomber la sentence comme un couperet de guillotine :

— Y'a des cons partout !

Que répondre à ça ? Je tentais quand même de tirer une dernière cartouche :

— Mais les gens ne vont pas comprendre ! Tu ne les connais pas. Ils aiment qu'on parle de tout ça. Ils adorent, et ils en redemandent. Toi, tu exiges trop de moi, je peux pas être plus royaliste que le roi ! Et en plus, moi, j'ai le droit, moi ! Et tu sais pourquoi. Depuis 1957, avant tout le monde et après en 1962, avant tout le monde, moi j'ai...

Il m'interrompit :

— Ouais !... je sais !... je sais... Mais ce serait plus beau si tu t'en servais pas ! Parce que si tu le fais, me dit Kaouito, alors c'est moi qui ne te parlerais plus. Explique-leur aux gens et ils comprendront ! A moins que tu en sois incapable. Ce qui m'étonnerait pas d'ailleurs, et encore moins Pastafagoul qui m'a toujours dit qu'aux Jeux Olympiques de la connerie, tu gagnerais la médaille d'or.

J'étais humilié et abasourdi par cette agression. Je ne répondis pas.

Kaouito alluma une cigarette sans m'en offrir. Ce qui était chez lui le signe de la réprobation ultime. Et, pour me bien faire comprendre que dans l'instant, il me tenait en piètre estime, il tourna les talons sans condescendre à m'accorder l'aumône d'un « au-revoir ».

Ulcéré j'étais ! Ravalant mon amertume, je me mis à réfléchir sur les raisons de sa conduite qui me paraissait le comble du paradoxe : un pied-noir qui reniait les us et coutumes de son passé par une coquetterie suprême ? Ce n'était pas possible ! Kaouito était plus intelligent, plus subtil qu'une contradiction, fut-elle, éminemment séduisante dans sa singulière ambiguïté !

Et au bout d'une semaine (il me fallut une semaine parce que je réfléchis lentement) la raison m'en apparut aveuglante de vérité et de logique. Elle ne manquait d'ailleurs pas de panache ! Puisque j'allais parler de lui et de ses amis, il ne voulait pas que je les fasse passer pour des rigolos de bas étage, puisant dans un magasin au pittoresque de troisième zone, des poncifs, des lieux communs, et des clichés galvaudés et avilissants. Kaouito à sa manière, refusait la démagogie. Chapeau Kaouito ! Je ne l'en estimais que davantage, et compris qu'il m'avait donné une petite leçon, sans prendre des airs pontifiants et sans pédantisme.

Je saurais m'en souvenir.

Certes, les Français de France, et certains autres aussi, auraient été sensibles à la couleur locale. N'y comprenant pas grand-chose, et pour cause les pauvres, ils auraient confondu le succédané qu'on leur sert copieusement quand on veut « faire du pied-noir », avec l'indispensable, et l'esbrouffe avec le naturel. Et il me revient en mémoire cette phrase de mon père (oh, oui, il avait raison !) « De loin, quand on n'a pas bonne vue, on prend toujours un corbeau pour un aigle. »

Mais hélas, six fois hélas, je ne me faisais aucune illusion sur l'efficacité de mon sacrifice, ni sur l'utilité de cette auto-censure, tant il est vrai qu'il ne sert de rien d'avoir raison tout

seul, ou de le croire, parce que soi-même plus soi-même ça ne fait toujours qu'un et le même. D'où la vanité des mathématiques primaires ! Ma seule consolation étant une satisfaction d'orgueil mal placé : exaucer Kaouito parce que c'est plus beau encore quand c'est inutile. La belle affaire !

Voilà pourquoi, cher lecteur, soucieux de respecter la volonté de Kaouito le Censeur, le couscous, les merguez, les brochettes et les autres... vous ne les trouverez point ici (je mets mon « style » au régime), mais vous les trouverez dans tous les restaurants de France et de Navarre, et même d'ailleurs ! Car c'est une invasion culinaire et linguistique à nulle autre pareille.

Voilà pourquoi, cher lecteur, les « po, po, po, » et les « mon frère » vous ne les trouverez point ici. Il y en a tellement ailleurs ! Et je ne veux pas ajouter à cette inflation.

L'amitié est exigeante.

J'espère que Kaouito, Pastafagoul, Abbaz et les autres m'en sauront gré, et que vous cher lecteur, vous m'approuverez d'avoir sacrifié à leur fraternelle et tacite sommation, et de vous avoir traité de la sorte en ami, aussi exigeant que les miens.

TROISIÈME ATTENTION
FINAL DE CONCLUSION

Kaouito allait disparaître. Je courais après lui pour le rattraper :

— Kaouito ! Kaouito !

Il se retourna :

— Ah... C'est toi !

— Eh ouais... C'est moi. Je suis content de te voir.

— Moi aussi. Tu vas bien ?

— Je vais bien. Et Pastafagoul, Abbaz, et les autres ?...

— Ils vont bien aussi, me dit Kaouito.

Il m'offrit une cigarette. J'avais reconquis son estime. Et ensuite, il prononça cette phrase demeurée historique dans les annales algéroises et métropolitaines :

— Viens, je te paie à boire.

Comme j'allais m'évanouir sur le coup de l'émotion, il me remit d'aplomb en ajoutant :

— Attention oh l'Ami !... Ne va pas le répéter à tout le monde, sinon je perds la figure.

Il était redevenu lui-même, fignolant son image de marque, tel que je l'aimais, généreux dans le fond et bourru en façade.

Devant le comptoir, je risquais :

— Et les autres, ils ne m'en veulent pas trop ?

— De quoi ?

— De les avoir raillés ?

— Qu'est-ce que ça veut dire ?

— Eh ben, que je les ai mis en boîte, que je les ai charriés, que je me suis un peu moqué d'eux...

— Penses-tu ! Au contraire ! Ils sont fous de joie. Et puis tu nous connais. Toute notre vie on s'est moqué l'un de l'autre, et chacun de lui-même. On t'a pas attendu...

J'étais heureux de l'entendre, et rassuré de ne pas avoir écorché leur susceptibilité. Et comme s'il avait deviné mes craintes il ajouta :

— Je vais te dire : y'en a plein qui sont vexés que tu n'as pas parlé d'eux.

— Sans blague !

— Sur ma parole d'honneur !

— Mais tu sais bien Kaouito, il m'aurait fallu trente livres et dix ans pour parler de tout le monde ! Les Hernandez, les Lopez, les Buadez, les Rodrigues, les Sanchez, les Ordinez, les Gomez, les Ramirez, les Testa, les Izzo, les Salva, les Rivas, les Coulonges, les Maccotta, les Mazolla, les Valenza, les Baeza, les Moll, les Lleber, les Scotto, les Pappalardo, les Bindinelli, les Léonetti, les Vitiello, les Zerath, les Molina, les Chiche, les Dahan, les Dayan, les Librati, les Mesguich, les Rachid, les Mustapha, les Djamal, les Kabatou, les Oualiken, les Ali, Abdelghani le grand violoniste, El Hadj le chanteur, Aâmi Said le cafetier, Bou Khebizi, Mohseghir le guitariste, Abdelkrim le tlémcénien, Aâlilo le drabki, Menouar l'autre chanteur, Latifa la danseuse, Kaltoum l'artiste, Mahiedinne le ténor, Abtouche le goal, Hââd l'avant-centre, Hamoutene l'arrière, Aouadj, Scandrani le pianiste virtuose, les Schneider, les Turner, les Pomar, les Humbert, les Mercier, les Bonnet, les Laporte, les Vadel, les Pelissier, les Picard, les cousins à Zacharie, les neveux à Chebat, le frère à Eschnauer, les Stein, les Muller, et même les Steinmuller, Deviterne le directeur, les Guedj, la famille Zermati, sans compter les oncles à Sam, plus les familles Solal, et les familles Cohen et Lévy, qui sont très nombreuses comme tu le sais et dont je n'ai pas le compte exact, comme tu dois t'en douter.

— Putain ! Tout ça tu connais comme monde, s'exclama Kaouito en posant son verre.

— Eh bien sûr ! Et ça, c'est le centième, le millième de ma mémoire !

— Tu te rends compte, murmura songeur Kaouito, si tous ceux-là y me donneraient cent balles, j'ai plus besoin de me faire du mauvais sang !

— De toute façon, lui dis-je, même s'ils ne te les donnaient pas tu t'en feras pas quand même !...

— Ouais, tu as raison, reconnut en souriant Kaouito le Superbe, mais enfin... ça m'aurait quand même bien arrangé !...

Il finit son verre et me dit :

— Bon, maintenant il faut que je m'en vais, parce que j'ai à faire.

— Pour l'amour de Dieu, qu'est-ce que tu as à faire ? La sieste ?

— Arrête de déconner ! me dit-il. J'ai rendez-vous pour chercher du travail.

— Quoi ? Répète ? Tu vas travailler ?

Je faillis une seconde fois m'évanouir.

Une seconde fois, il m'évita ce malaise en ajoutant :

— J'ai pas dit : « je vais travailler », j'ai dit : je vais « chercher » du travail.

— Ah bon ! J'ai comme dans l'idée que tu ne vas pas en trouver.

— Va savoir ! lança-t-il en riant. Le travail c'est comme la loterie ça te tombe dessus au moment où tu t'en attends le moins !

— Tu veux que je te donne une adresse sûre pour trouver du boulot où ils t'embauchent sur l'heure ?

— Parle pas de malheur ! cria-t-il en repoussant l'idée et la chose avec ses mains comme un spectre lugubre, maléfique, et maudit !

Il allait me quitter, je le retins encore une seconde :

— Kaouito, avant de partir, raconte-moi la dernière.

Alors il me prit par les épaules et me dit avec tendresse (je crois que c'était de la tendresse).

— Des histoires, je peux t'en raconter dix, vingt, trente, mais je vais te dire une chose meilleure qu'une histoire. Ne raconte jamais une blague, qui te fasse perdre un ami.

Après un bref silence, il ajouta :

— A moins que la blague ne soit meilleure que l'ami ! Allez Tchao l'écrivain !...

— Tchao Kaouito ! A bientôt si Dieu veut !

— Inchah Ellah !

Il me quitta comme un maître quitte un disciple. Il allait rejoindre ses pairs, Pastafagoul, Abbaz, et les autres...

6

Les types étaient assis à une table, chacun devant son verre, chacun dans sa pensée, chacun dans son rêve. Ils étaient tous là, ou presque. Et pourtant personne ne parlait.

Kaouito le premier brisa le silence :

— Rien n'est plus comme avant ! annonça-t-il d'un ton désabusé, désenchanté, et un peu triste même.

— Tu as raison !... Les choses de maintenant elles valent pas celles d'avant, répondit Pastafagoul, en lui empruntant le même ton (tout ce qu'il peut emprunter il emprunte, Pastafagoul, et en plus il rend jamais).

— Si on va bien qu'à voir, réciproquement c'est le contraire, ajouta Abbaz, philosophe et assez péremptoire.

— C'est juste, approuva Meuzllott. Regardez l'argent de maintenant, il vaut rien à côté de celui d'avant... Les tissus de maintenant, ils valent rien ! C'est tout artificiel, et cynergique.

— Tu veux dire synthétique, corrigea Kaouito.

— J'veux dire que c'est pas naturel !...

— Même la nourriture elle est pas ce qu'elle était, regretta Abbo qui commençait à avoir faim. Avant, le poulet, c'était du poulet, le lait c'était du lait, maintenant c'est tout du bidon...

— Et même les bidons ils sont pas les mêmes, dit Kaouito avec un haussement d'épaules.

— Même les saisons, elles sont plus ce qu'elles étaient, gémit Clémendo en pensant à un stock de chemisettes d'été qu'il avait acheté, et qui lui restait sur l'estomac comme un gilet pare-balles, vu que depuis six mois, ce putain d'hiver, y ne voulait pas finir. J'aurais dû prendre des imperméables, regretta-t-il, avec des sanglots dans la voix.

— Même la rigolade, c'est plus ce que c'était ! déplora Pastafagoul. Avant quand on rigolait, on rigolait ! Maintenant c'est tout de l'arnaque, c'est pas naturel, c'est du toc, du donbi...

— C'est quoi du Donbi ? demanda Messmoum, légèrement inquisiteur.

— C'est du bidon, au verslen ! expliqua Kaouito.

— Et c'est quoi le « verslen » ? surenchérit Messmoum. dont la curiosité était inépuisable.

— C'est l'envers retourné ! lui répondit Kaouito légèrement agacé. Putain, toi et le français vous êtes pas entrés par la même porte, hein !

— Ah... dans le temps, dit Bonazo, légèrement amer, c'était autre chose ! Quand on déconnait, on déconnait ! Qu'est-ce que je regrette le passé !...

— Et moi aussi je le regrette le passé, murmura Zarfana, avec mélancolie.

— Ah ! le passé !... on n'arrive pas à l'oublier ! Impossible. On a beau faire, quand on y pense on a toujours la nostalgie ! s'exclama Casse-ficelle, avec des montagnes de regrets dans la voix, les yeux, et les mains.

— C'est vrai, poursuivit Boogie, le représentant, la nostalgie y'a pas moyen de s'en défaire !

— Ah ouais la nostalgie, moi aussi je la sens, des fois, comme la menthe quand on sent le thé, soupira Bombe-à-l'Œil, qui avait beaucoup lu Apollinaire et Verlaine.

— Vous voulez que je vous dise, conclut Kaouito, l'air grave et doctoral : même la nostalgie, elle est plus ce qu'elle était !

Chacun reprit son rêve, peut-être en pensant qu'il y aurait un bon livre à écrire, avec un titre pareil. Et Pastafagoul, s'adressa à Kaouito pour lui remémorer des lambeaux du passé.

— Tu te rappelles Kaouito, quand on était à Alger, toutes les conneries qu'on a pu faire !

— Putain ! si je me rappelle !

— Tu te rappelles la fois où tu es rentré au Tantonville, le restaurant, avec les trois enfants !

— Tu parles, si je m'en rappelle !

— J'étais moi ? demanda Zarfana.

— Non, tu étais pas.

— Et alors, qu'est-ce qui s'est passé ? Vas-y, raconte. . . . .
. . . .

... Kaouito, flanqué de trois enfants, entre au « Tantonville » le grand restaurant du Square Bresson à Alger, commande une choucroute royale, et trois chocolats pour les trois bambins, avec pâtisseries, nombreuses et abondantes.

Quand il a fini, Kaouito appelle le garçon et lui dit :

— Ecoutez, je fais juste un saut au tabac à côté, vous voulez être gentil de veiller sur les gosses ?

— Certainement, fait le garçon.

Cinq minutes s'écoulent, puis dix, et encore dix, et Kaouito n'est toujours pas revenu.

Finalement le garçon s'adresse aux enfants :

— Alors, papa ne revient pas ?

— Mais c'est pas notre papa, répondent les enfants.

— Qui c'est alors ?

— Eh ben, on était en train de jouer dans la rue, et ce monsieur est venu. Il nous a demandé si on voulait du chocolat et des gâteaux. Nous, on a dit oui. Alors, il nous a emmené ici.

***

Au Sahara, dans la banlieue sud de Ouargla, où il fait encore plus chaud que dans le Nord, deux bédouins discutent :

— Alors, ce permis de conduire, tu as réussi à le décrocher ?

— Non, dit l'autre. Mais cette fois-ci, c'est pas ma faute ! L'examinateur, y peut pas me sentir. Alors, y m'a fait conduire sur le parcours le plus difficile..., tu sais, celui où il y a un palmier !

***

A la Grande Brasserie, autour d'une table, quatre types jouent aux cartes. Kaouito, Pastafagoul, Fartass le chauve, et un autre qui est borgne. Soudain, Kaouito, fou de colère, se lève et dit :

— Messieurs, il y en a un parmi nous qui triche avec effronterie ! Je dirai pas lequel, mais si il continue, je lui crèverai l'autre œil !

***

— Alors Kaouito, et ton fils, il travaille ?

— Ouais !... Et il a trouvé une bonne place hein !...

— Sans blague. Qu'est-ce qu'il fait ?

— Il est clerc de notaire chez un huissier.

***

Mme Palomba, qu'elle était gentille comme tout la pauvre, elle achetait depuis quelque temps du pain de régime, pour maigrir bien sûr. Mais elle abandonna son régime, en avouant au boulanger Mingual, que ce pain ne lui avait pas fait perdre un seul gramme ! L'autre, pour ne pas perdre la figure, vu que l'autre elle perdait rien non plus, il lui fait avec un sang-froid terrible :

— Mais enfin, madame Palomba, c'est pas étonnant ! Vous n'en mangez pas assez !

***

— Ça ne va pas très fort pour Kaouito, et il est obligé de faire la manche, avenue de la Bouzaréah, là où il y a beaucoup de passage. Il arrête un type.

— Je regrette, j'ai pas de monnaie. Je vous donnerai tout à l'heure, quelque chose en revenant.

— D'accord, fait Kaouito, en râlant, mais si vous saviez ce que j'ai déjà perdu, en accordant du crédit !...

***

— Je regrette, dit un monsieur, mais je ne donne jamais d'argent, à qui mendie dans la rue !

— Bah !... qu'à cela ne tienne dit Kaouito, montons dans mon bureau.

8

***

Kaouito est engagé comme caissier dans une banque. Et le chef de service lui dit :

— Prenez cette liasse, monsieur Kaouito, et vérifiez si il y a bien 100 billets.

Kaouito commence à compter : 1, 2, 3, 4, 5,... 25, 26, 27,... 48, 49, 50,...

— Bon, dit-il en rangeant la liasse dans le coffre, si le compte y est jusqu'ici, y'a pas de raison pour qu'il n'y soit pas par la suite.

***

A Alger, une jolie fille (n'importe laquelle, parce qu'elles sont jolies les filles de mon pays !) descend la rue Michelet à pied, quand une somptueuse voiture de sport arrive à sa hauteur, et ralentit. Le conducteur, ce prétentieux de Martial Badjidj, entrouve la portière et dit, en voulant imiter Tyrone Power dans « Le Brigand Bien-Aimé ».

— Alors, mademoiselle, je vais passer huit jours en Espagne. Ça vous intéresse ?

La fille, toise ce fanfaron de Martial et lui dit :

— Oui, beaucoup. Rapportez-moi un kilo d'oranges !

***

Kaouito est allongé. Il se repose de la sieste qu'il vient de faire. Arrive Pastafagoul, qui le secoue :

— Kaouito, tu dors ?

— Qu'est-ce qu'il y a ?... Qu'est-ce que tu veux ?...

— Je te demande si tu dors.

— Qu'est-ce que tu veux si je dors pas ?

— Je voudrais que tu me rendes un service... j'ai besoin de 100 F.

— Oh là là là !... fait Kaouito en se retournant de l'autre côté, tu vois bien que je dors !

***

A Alger, à la prison de Barberousse, un assassin devait être guillotiné. Au petit jour, le directeur de la prison, le sous-directeur, l'avocat, l'aumônier, le procureur de la République et diverses autres personnalités pénètrent dans la cellule. On réveille le condamné. Il ouvre les yeux, regarde tout ce monde autour de lui et demande innocemment : « Est-ce que ma présence est vraiment nécessaire ? »

***

C'est l'heure de l'apéritif chez Solivérés, à la Grande Brasserie. Chacun est devant sa petite anisette « cristal », et Pastafagoul, y veut faire l'intéressant.

— Moi, y dit, j'ai connu un noir, il était si tellement noir, mais tellement noir, que dans la nuit la plus noire, il faisait une tâche noire !

Fartasse y va pour répondre. Mais Kaouito y le bloque, et il dit :

— Laisse, je vais lui répondre moi à ce cataplasme ! Toi ! Toi ! Toi ! Prétentieux ! Moi, j'ai connu un type, il était tellement maigre, tellement maigre, que pour s'apercevoir qu'il était rentré dans un endroit, il fallait qu'il passe deux fois par la porte !

***

Kaouito, était envahi par la lecture des sondages. Sondage de ceci, sondage de cela ! Il téléphone à un grand institut de sondage.

— Voilà monsieur, y'a des tonnes de sondages partout, mais une chose m'étonne. Comment ça se fait, que depuis le temps, on m'a jamais interrogé à moi, pourquoi ?

— Monsieur, répond son correspondant, selon les lois de la probabilité vous n'avez pas plus de chance d'être interrogé que, — je ne sais pas moi... — que d'être frappé par la foudre...

— Eh bien, justement fait Kaouito, j'ai déjà été frappé deux fois par la foudre !

9

***

— Alors, comment va votre insomnie ? demande le docteur à Kaouito.

— Pire que jamais docteur ! A tel point, que j'ai même plus envie de dormir, quand c'est l'heure d'aller travailler !

***

Par quel miracle, ça on ne le saura jamais, toujours est-il que Kaouito va passer une semaine de vacances en Espagne. Et il se rend vers 16 heures, 16 h 30, dans une administration, où il trouve porte close. Il interroge le concierge :

— Les fonctionnaires espagnols, y travaillent pas l'après-midi ou quoi ?

— En fait, répond le concierge, c'est le matin qu'ils ne travaillent pas. L'après-midi, ils restent chez eux.

Inutile de vous dire que Kaouito fait encore les démarches, pour trouver une place dans ces bureaux !

***

Kaouito est invité à dîner chez Pastafagoul. Toute la famille est là. On sert un plat avec un petit poulet rôti, mais petit, mais petit le pauvre, plus petit que rôti ! Et Kaouito penche sa tête vers le poulet, et presqu'il colle son oreille.

— Qu'est-ce que tu fais ? lui dit Pastafagoul.

— Hé !... je l'écoute parler.

— Ah ouais !... tu l'écoutes. Et qu'est-ce qu'il te dit ?

— Il me dit : « Oh là là ! Qu'est-ce qu'il y a comme monde ! Qu'est-ce qu'il y a comme monde !... »

***

En pleine nuit, Sauveur Gambaruti, qu'il a l'appartement, rue Barrat, au-dessus du magasin, il est réveillé par un bruit bizarre, qui vient d'en bas. Il arme son revolver, descend sur la pointe des pieds, et surprend le cambrioleur :

— Haut les mains, ou je te brûle !

Le voleur lève les mains, fixe le revolver, et dit avec un sang-froid genre Alec Guiness dans « Le Pont de la rivière Kwaï » :

— Combien avez-vous payé ce magnifique revolver ?

— Hé, c'est une arme splendide, fait Sauveur ! Je l'ai achetée, heu... 2 millions !

— Je vous en offre le triple, fait le voleur.

— Le triple !!! Affaire conclue, dit Gambaruti. Et il lui donne son revolver !

***

A la place des Trois-Horloges, à Bab-El-Oued, Baptiste le guitche y tombe sur Kaouito. Il lui dit :

— Est-ce que tu peux garder un secret ?

— Moi ! Je suis un tombeau, tu sais ce que c'est, un tombeau !

— Dans ces conditions, prête-moi 500 F.

Alors Kaouito répond : « Écoute, je vais te dire : c'est comme si je n'avais rien entendu ! »

***

— Ah, dit Fartass, qu'est-ce que je voudrais être riche ! Si je pouvais connaître le chemin de la richesse !...

— Le chemin de la richesse, répond Kaouito, c'est très simple. Tu n'as qu'à prendre à droite, ensuite tu prends à gauche, puis à droite puis à gauche, enfin tu n'as qu'à prendre partout !

***

A la Grande Brasserie, accoudé au bar, devant une anisette Cristal il y avait un type qui répétait sans cesse : « Il vaut mieux donner que recevoir !... Il vaut mieux donner que recevoir !... »

— Mais qui c'est ce type ? demanda Jojo le postier, au patron. C'est un banquier, un évangéliste ou quoi ?

— Non, dit le patron. C'est un ancien boxeur.

***

On parle du bonheur. Et grâce à Dieu, c'est pas demain qu'on s'arrêtera...

— N'est-ce pas, dit quelqu'un à Kaouito, que l'argent seul, ne suffit pas à faire le bonheur ?

— Hélas, fait Kaouito, il faut aussi des billets de banque !

***

A la Pointe Pescade, sur le boulevard front de mer, un badaud s'approche de Kaouito qui est en train de pêcher.

— Vous en prenez beaucoup ?...

— Hé... fait Kaouito, si j'attrape celui qui est en train de tourner autour de mon hameçon, et puis deux autres après, ça m'en fera trois !

***

— Alors Clémendo, qu'est-ce qu'il a dit le docteur quand tu lui as dit que tu venais de ma part ?

— Il m'a dit qu'il fallait que je paie d'avance.

***

Grand combat de boxe en plein air, au Stade de Saint-Eugène. Sur le ring, y a Casse-ficelle, qu'il est en train de se faire corriger par Kid Bianco. Il voit plus rien. Il remue les poings en l'air, à droite à gauche, il agite les bras en haut en bas, de partout, mais jamais où il faut.

Entre deux rounds, Casse-ficelle demande à son manager :

— Tu crois que j'ai des chances de l'avoir ?

— C'est sûr, répond l'autre. Si tu continues comme ça à faire de l'air autour de lui, il va certainement choper une pneumonie !

***

Maître Goutermanoff, grand avocat à Alger, rend visite à son client un criminel extrêmement dangereux, et il lui dit :

— J'ai examiné votre dossier. Je ne sais pas comment faire ! Vous avez tué 4 personnes ! Comment voulez-vous que je trouve des circonstances atténuantes ?

— Hé... J'aurai pu en tuer 5 !

***

Une dame demande à Kaouito pourquoi il ne travaille pas.

— Pourquoi ? Parce que je ne trouve pas de travail !

— Et à quoi attribuez-vous ce fait, que personne ne vous ait jamais embauché ?

— A la chance, madame, à la chance !

***

Kaouito va faire des achats dans un grand magasin à Paris. Il paie avec un billet de 500 F nouveaux, une coupure toute neuve. Le caissier lui rend sa monnaie. Kaouito, la compte une fois, vérifie une deuxième fois, recommence minutieusement une troisième fois. Si bien qu'à la 4e fois le caissier lui dit :

— Alors monsieur, trouvez-vous bien votre compte ?

— Ouais, répond Kaouito déçu. Mais bien juste hein bien juste !

***

Au tribunal d'Alger, un pauvre diable, qu'on appelait Bombe-à-l'œil parce qu'il avait vraiment pas inventé ni le café en poudre, ni le fil à couper la margarine, il était accusé de 3 ou 4 larcins.

— La justice, lui dit le président, atteint tôt ou tard les coupables !

Et Bombe-à-l'œil murmura :

— Tard... ceux qui ont de la chance !

***

Au bureau des Pompes Funèbres, l'employé compatissant dit à Mme Zagate :

— Je connaissais bien votre pauvre mari. C'était un homme fort charmant.

Et la veuve répondit :

— Vous le connaissiez bien ? Oh, alors vous allez bien me faire une petite réduction ?

***

Kaouito s'arrache les cheveux et gémit :

— Encore 50 F de perdus !... Encore 50 F de perdus !...

— Mais pourquoi ? Pourquoi ?

Alors il explique :

— J'avais égaré mon portefeuille avec 1 000 F dedans. On me le rapporte. J'ai 50 F de perdus !

— Mais comment ?

— Comment !... Il faut que je donne 50 F de récompense ! Voilà comment !

***

Kaouito, après plusieurs tentatives, réussit quand même à se faire introduire auprès du grand financier Rothschild, pour demander un secours, une aide, ou les deux à la fois, ou bien un don, si possible en espèces.

— Monsieur, dit-il, au bord des larmes, je suis un artiste. Sans fanfaronnade, je peux vous dire que je suis un musicien très doué seulement voilà, tout ce que j'entreprends dans la vie, dans l'art, dans la musique, ne réussit jamais. J'ai pas de chance. Je suis guignard, comme il y en a pas deux, et chkoumounard unique au monde :

— Tiens, dit Rothschild, ému, vous êtes musicien ?

— Oui, monsieur, mais malheureusement j'ai pas de chance.

— Et de quel instrument jouez-vous ?

Kaouito réfléchit et dit :

— Du basson, monsieur Rothschild.

Le financier s'absente quelques instants, et revient, tenant dans la main un basson.

— Jouez-moi un morceau, monsieur Kaouito.

Alors Kaouito prend l'instrument, le regarde de tous les côtés et laisse tomber avec amertume :

— Vous voyez, monsieur Rothschild, quelle poisse j'ai !... J'ai dit que je jouais du basson, et vous avez *justement* un basson sous la main !

***

A la gare d'Alger, Mme Abbaz demande pour la 20e fois :

— Dites-moi porteur, c'est bien le train pour Constantine ?

— Madame, dit le porteur, le tableau indicateur, le chef de train, le chef de gare, le serre-frein, le chauffeur, tous les voyageurs qui y sont, et moi-même nous pensons que oui. C'est tout ce que je peux vous dire !

***

Kaouito a trouvé une place dans une station-service sur la route de Cherchell. Arrive une voiture en cahotant. Le chauffeur dit à Kaouito :

— Vous pouvez regarder le moteur ? Je crois que c'est la durite du radiateur qui a lâché.

Kaouito se lève (parce qu'il était assis, bien sûr) et murmure :

— Ouais... je peux regarder...

Il soulève le capot, il examine le moteur et fait :

— Bah, bah, bah !... C'est pas rien hein...

— Vous pouvez faire la réparation ?

Kaouito sourit tristement :

— Hé non, hélas ! Revenez demain, quand il y aura quelqu'un !

***

A Hydra, sur les hauteurs d'Alger, Mme de la Bournifaye vient d'engager un nouveau valet de chambre. Elle lui indique la marche à suivre, la façon de faire le service, etc., etc. Et elle lui donne cette dernière recommandation :

— Et je vous prie de noter que le petit déjeuner se sert tous les matins à 8 heures.

— Bien Madame, y répond l'autre. Mais si je suis en retard, ne m'attendez pas, commencez sans moi !

***

Kaouito et sa femme sont à la fenêtre en train de prendre le frais. C'est tout ce qu'ils peuvent prendre, mais enfin, c'est mieux que rien. Et à la fenêtre de l'immeuble d'en face, leurs voisins sont eux aussi à la fenêtre en train de prendre le peu de frais qu'il reste.

— C'est un monde ça ! dit Kaouito à sa femme, toutes les fois qu'on est à notre fenêtre, on les voit eux aussi à leur fenêtre ! On dirait qu'ils ont vraiment rien à faire !

***

— Comment, fait un client à l'hôtelier, vous me comptez, salle de bains 54 F, et y'a pas de salle de bains dans les chambres !

— C'est pour la faire installer, monsieur !

***

A Alger, au port, là où les bateaux, y z'arrivent et y partent un adjudant descend du bateau « Ville d'Oran », et Kaouito se précipite sur lui avec des courbettes et des cérémonies :

— Mon capitaine, vos bagages s'il vous plaît. Par ici, mon capitaine... Attention, mon capitaine !...

L'adjudant sourit. Il est amusé. Tout à coup, comme on arrive à l'extrémité de la passerelle, l'adjudant aperçoit un lieutenant du service portuaire. Alors il se tourne vers Kaouito :

— Ecoutez mon ami, je ne suis pas capitaine. Appelez-moi « mon adjudant ».

— Eh ben mon brave, fait Kaouito, genre comme si il était scandalisé, si on n'a pas nommé capitaine, un homme tel que vous, c'est qu'il y a pas de justice dans ce monde !

***

— Porteur, tous mes bagages sont bien dans le compartiment ? demande Mme Abbaz.

— Oui madame.

— Vous êtes sûr que j'ai rien laissé ?

— Rien madame, même pas un pourboire !

***

— Le perroquet que tu m'as vendu, il devait vivre 10 ans d'après toi, demande Clémendo à Fanfan.

— Oui, absolument.

— Tu me l'as vendu y'a un mois, et il est mort hier !

— Eh ben, y répond Fanfan, c'est qu'il a eu ses 10 ans hier !

***

La maman de Kaouito, c'est une maman comme on n'en fait plus. Kaouito il avait 18, 19 ans, et il téléphone à sa mère qu'il n'a pas vue depuis 6 mois.

— Allô maman !

— C'est toi mon fils ! Quel bonheur ! Quelle joie ! Et pourquoi tu me laisses comme ça, sans nouvelles, sans rien ?

— Tu sais ce que c'est maman ! J'ai eu à faire, j'ai voyagé, et j'ai une grande nouvelle à t'annoncer : je vais me marier !

— Aïe quelle joie ! Quel bonheur mon fils ! Quand c'est que tu nous amènes ta fiancée ?

— Justement maman, il faut que je t'avoue quelque chose. La femme que je vais épouser... c'est... c'est une femme divorcée...

— Divorcée !... Aïe mon fils !... Enfin ça fait rien. Tu l'aimes, elle t'aime, que Dieu vous bénisse !

— Mais il y a autre chose maman, elle a... elle a... deux enfants...

— Deux enfants mon fils ! Deux enfants ! Mais tu es si jeune ! Aïe Aïe Aïe. Enfin, ça fait rien, si tu l'aimes et qu'elle t'aime, que Dieu vous bénisse à tous !

— Mais y'a une chose encore que je voudrais te dire maman... elle est... elle est congolaise !...

— Aïe mon fils ! Qu'est-ce que tu me dis !... elle est divorcée, congolaise et elle a deux enfants ! Tu as dû chercher longtemps avant de la trouver alors !...

— C'est le destin maman, Mektoub !

— Enfin, mon fils si tu l'aimes, qu'elle t'aime, que Dieu vous bénisse à tous les deux, plus les deux enfants !...

— Merci maman. Mais si on vient à la maison, comment tu vas faire pour nous loger ? Tu n'as que deux pièces.

— Ecoute mon fils, on s'arrangera. Ton père y dormira sur un matelas par terre dans la cuisine. Tes deux frères ils dormiront par terre dans la salle de bains. Les deux enfants de ta femme y dormiront dans une chambre. Et toi et ta femme dans l'autre chambre.

— Et toi, maman, où tu vas dormir ?

— Moi, mon fils, moi, je raccroche et je meurs !

***

Au café de l'Olympique, où il y a tous les supporters du Gallia et de l'A.S.S.E., Kaouito joue aux cartes avec Pastafagoul. Tout d'un coup Pastafagoul s'arrête et commence à râler :

— Kaouito, tu triches !

— Où je triche, où ? Tu as des visions ou quoi ?

— Tu triches, j'te dis ! Et en plus tu es menteur. D'abord on connaît ta réputation de tricheur ! Et en plus tu as de qui tenir ! Ton père il a été en prison, ça on le sait ! Ton frère aîné il a fait une faillite frauduleuse, on le sait. Ton cousin, il a fait des chèques sans provision, soi-disant qu'il savait

pas son compte par cœur. Ton autre oncle, il s'est fait arrêter pour faux et usage de faux. Et d'ailleurs, c'était pas ton vrai oncle, c'était un faux oncle. Même ton beau-frère c'est un véreux ! Quant à toi tu es connu comme le loup blanc dans tout le département. Même à Constantine tu as laissé des ardoises et des drapeaux !

Alors, Kaouito pose les cartes sur la table et dit calmement :

— Oh ! Oh ! l'ami. Est-ce qu'on est ici pour *bavarder* ou pour *jouer* ?

***

Stéfano, qu'il a une petite épicerie au marché de Bab-El-Oued, il est convoqué par l'Inspecteur des Contributions.

— Qu'est-ce que j'ai fait encore ! commence à pleurer Stéfano. Je trime comme un bagnard pour gagner 3 sous. Ma femme et mes deux enfants travaillent avec moi, et vous me cherchez des noises pour ma déclaration de revenus !

— Il n'est pas question de vos revenus, fait l'Inspecteur, mais de tout ce que vous déduisez, sous prétexte de nombreux voyages à l'étranger. L'an dernier vous êtes allé quatre fois aux Baléares, vous et votre famille.

— Ah ! C'est pour ça ! y fait Stefano. D'accord, j'ai oublié de vous dire que nous livrons aussi à domicile !

***

Kaouito rentre précipitamment au café, et s'adresse au garçon :

— Dites-moi garçon, j'vous ai pas donné 50 F pour 10 F hier ?

— Jamais de la vie, répond le garçon !

— C'est curieux, répond Kaouito, j'avais un faux billet... et je ne l'ai plus...

— Ah !... attendez donc, je vais voir.

***

— D'où tu viens Baptiste ?

— De la pêche...

— De la pêche à quoi ?

— De la pêche aux manganilles...

— Les manganilles ?... Qu'est-ce que c'est ça ?

— Je sais pas... j'en n'ai pas pris un seul.

***

Zarfana veut se marier. Il est mis en relation avec une très riche veuve, qui a déjà enterré quatre maris. Il lui fait une cour à tout casser. Mais la veuve répond négativement :

— Vous comprenez, lui dit-elle, je commence à être découragée. Pensez donc : quatre fois veuve !

— Alors, Zarfana répond en souriant :

— Mais essayez encore une fois ! La chance va peut-être tourner.

***

Kaouito rencontre Liminana, le patron des anisettes, et il commence à se plaindre. C'est-à-dire que sans faire le voyage, il se trouve à Jérusalem devant le mur des lamentations :

— Hélas, ça va pas ! Ça va pas du tout. Et toi ça va Liminana ?

— Grâce à Dieu ça va !

— Eh ben tant mieux. Mais moi, ça va pas. Ça va pas du tout...! Mais pas du tout. C'est-à-dire rien quoi ?... Ça va pas !...

L'autre il comprend l'allusion en finesse et lui dit :

— Tiens Kaouito, voilà 2 000 F. Ça te dépannera.

Kaouito les prend comme si c'était lui qui rendait un service, et ils boivent un coup au compte de Liminana, bien sûr !

Un an se passe. Nouvelle rencontre. Et Kaouito se plaint toujours avec en plus des gémissements :

— Moi, ça va pas ! Ça va pas du tout ! Ça s'améliore pas !...

— Mais tu es incorrigible, il lui dit

Liminana, fais un effort. Tiens voilà 1 000 F. Ça te dépannera. Mais pour l'amour de Dieu, coupe-toi ce poil que tu as dans la main.

L'autre, il est déjà loin.

Un an se passe. Et Kaouito rencontre une nouvelle fois Liminana :

— Ça va pas ! Qu'est-ce que tu veux que je te dise. Moi, ça va pas !...

Fatigué de discuter, l'autre lui tend 500 F.

Kaouito les empoche et remarque tout à coup :

— Dis-moi Liminana, pourquoi tu me diminues chaque fois la somme de moitié ? C'est bizarre ça !

— Non, c'est pas bizarre. Je vais t'expliquer. La première année j'étais célibataire mon vieux. J'étais plus à l'aise. La deuxième année, je me suis marié, et la troisième année j'ai eu un enfant.

— Ah très bien, s'écrie Kaouito avec amertume. Alors c'est avec *mon* argent que tu élèves ton gosse !

***

— Et ton papa, il a commencé à travailler ? demande l'institutrice au fils de Kaouito.

— Oui, madame. Il est même en grève depuis hier !

***

— Combien coûtent ces choux-fleurs ? demande Kaouito à un marchand.

— 16 F les quatres.

— Quoi ?... 4 F pièce ! Mais ils sont petits, tout petits. On dirait des radis.

Le marchand est conciliant.

— Bon ça va... Prenez les quatre pour 16 F et le 5e je vous le donne pour rien !

— Alors, je prends le 5e, fait Kaouito. Avec un, ça me suffit !

***

Kaouito se promène avec sa femme.

15

Et il tombe sur un ami, Malio le chanteur, qu'il n'a pas vu depuis longtemps.

— Ecoute, lui dit Kaouito, pour fêter cette rencontre, tu vas venir dîner à la maison, à la fortune du pot.

Et il se lance dans une description détaillée et intarissable du menu : paella, soubressades grillées, sauté d'agneau, salade, haricots verts, champignons, fromage, etc.

Alors Kaouito se sent tiré par la manche et sa femme lui murmure à l'oreille :

— Tu es fou ou quoi ?... Tu sais bien qu'il y a rien à manger à la maison, et en plus j'ai pas un sou pour acheter quoi que ce soit.

— Laisse-moi tranquille, fait Kaouito avec un grand geste, tu vois bien qu'on *parle* !

***

Zarfana, celui-là qu'on appelle fifty-fifty, parce qu'il a un œil qui regarde à Blida, et l'autre à Boufarik, il cherche à se marier et il tombe sur une fille ravissante et riche. Coïncidence : c'est exactement ce qu'il cherche ! Il lui demande sa main. La fille lui dit :

— Vous pouvez toujours essayer... Mais ça fait trois prétendants que mon père jette par la fenêtre.

Zarfana, un peu refroidi, lui demande timidement :

— Heu... dites-moi... à quel étage habitez-vous déjà ?...

***

Rue de la Lyre, une dame bavarde avec un mendiant, qu'elle avait connu la veille. Et au bout d'un moment, elle lui dit :

— Mais dites-moi mon brave, vous ne me racontez pas du tout la même histoire qu'hier...

— Naturellement Madame,... celle d'hier, vous ne l'avez pas crue !...

***

Pastafagoul était très vilain, le pauvre ! Mais vraiment très vilain. Kaouito lui demande pour la 20e fois :

— Dis-moi Pastafagoul, à qui tu ressembles : à ton père, ou à ta mère ?

Pastafagoul, y fait semblant de pas entendre.

— Mais pourquoi tu veux pas répondre ? insiste Kaouito.

— Parce que je veux faire de tort à personne !

***

La fille de Zarfana, elle se marie. Enfin ! Et parmi les cadeaux de mariage exposés sur la table, figure un chèque de 1 million.

— Qu'est-ce que c'est ? demande Boogie.

— Ça, c'est le cadeau de Kaouito.

— Et qui c'est l'homme qui regarde le chèque en se tordant de rire ?...

— C'est le directeur de la banque où Kaouito a son compte !

***

Kaouito est invité à dîner chez Charly Driguès, que son père il avait une droguerie avenue de la Bouzaréah On passe un plat d'asperges succulentes. Kaouito les verse toutes dans son assiette.

— Mais Monsieur, fait son voisin, nous les aimons aussi !...

— Oh là là là !... Pas tant que moi, répond Kaouito.

***

A la Grande Brasserie, on n'a pas vu Boogie depuis trois mois.

Un beau matin il arrive, et Ninous il lui demande où il était pendant tout ce temps.

— Hé, j'étais en voyage. J'ai fait le tour du monde !

— Tu as été au Pôle Nord ! il lui demande Ninous.

— Bien sûr, que j'ai été.

— Et c'est vrai qu'il fait froid là-bas ?

— Si il fait froid !... Malheureux ! Il fait tellement froid, que pour se laver les mains, on est obligé de mettre des gants !...

***

Kaouito, au culot, va trouver un banquier, et il lui demande s'il veut escompter la traite d'un type très connu dans le monde de la finance.

— Mais certainement, fait le banquier. De qui est la signature ?

— De Rothschild !

— De Rothschild. Aucun problème. Apportez la traite quand vous voulez.

— Une demi-heure après, Kaouito lui remet la traite. Le banquier l'examine :

— Mais où est la signature ? Je ne vois pas de signature.

— Quoi !!... il lui fait Kaouito en explosant. Une traite de Rothschild ! Et en *plus* il vous faut la signature !

***

— Je suis pas comme vous, moi, Madame Abbaz ! Je ne cours pas le quartier pour raconter des histoires, sur X, Y, Z et même W !

— Naturellement !... Vous, vous avez le téléphone !

***

A Canastel, près d'Oran, Julio et sa femme pêchent, côte à côte. Arrive un badaud qui s'adresse à Julio.

— Ça mord ?...

Julio ne répond pas.

— Est-ce que ça mord, Monsieur ?

Julio ne répond toujours pas.

L'autre ne veut rien entendre, si on peut dire, et il redemande :

— Par ce temps-là, ça devrait mordre, hombre !

La femme se retourne, et en désignant son mari, elle dit à l'étranger :

— Il est muet.

— Pardon, je ne savais pas. Mais vous Madame, dites-moi si ça mord ?

La femme de Julio s'est remise à pêcher, et ne répond pas.

— Le temps est pourtant favorable. Ça devrait mordre par un temps pareil, reprend le badaud.

Cette fois, Julio se retourne vers lui, et lui dit :

— Elle est sourde, Monsieur.

***

La femme de Kaouito voudrait prendre l'avion pour aller en vacances. Mais Kaouito refuse énergiquement. Il a peur de l'avion.

— Mais pourquoi tu as peur ? lui dit sa femme. Si c'est pas ton heure. Tu n'as rien à craindre.

— Si c'est pas mon heure d'accord, fait Kaouito. Mais si c'est l'heure du pilote ?

***

— Moi, fait Kaouito, mes affaires vont très bien !

— Tant mieux, y lui dit Boogie ! Grâce à Dieu, c'est rare quand tu pleures pas !

— Ouais, je reconnais que mes affaires vont bien. Au jour d'aujourd'hui je peux signer un chèque d'un million comme un rien.

— Un million ! Tu me prends pour une tronche ou quoi !

— Tu veux pas me croire ? y fait Kaouito. Tiens, regarde.

Il prend son carnet de chèque, marque un million, signe, détache le chèque et dit à Boogie :

— Tiens ! Voilà ! Regarde ! Un million pour moi, c'est rien !... la preuve.

Il prend le chèque et le déchire en petits morceaux.

***

Kaouito est accusé d'avoir dérobé, dans un grand magasin une bouteille de whisky et d'être passé à la caisse sans la payer.

— Tant qu'à faire, vous avez pris le plus cher, lui dit le contrôleur.

— Remarquez, fait Kaouito, que j'ai payé tout le reste.

— Oui. Une boîte d'allumettes ! Mais la bouteille vous l'avez très bien camouflée. On a eu du mal à la trouver.

— Eh ben ! C'est justement pour ça que je l'ai pas vue !

***

— Comment, dit l'assistante sociale, à Madame Abbaz, vous avez 11 enfants ! Mais comment faites-vous pour vous occuper de tout ce monde-là ?

— Quand j'en avais qu'un seul, il prenait tout mon temps. Qu'est-ce que vous voulez que 11 enfants me prennent de plus !

***

Kaouito déjeune au restaurant avec son ami Pastafagoul. Comme aucun d'eux ne se décide à demander l'addition, le garçon l'apporte et la pose ostensiblement entre les deux. Stupeur : Kaouito la prend ! Il l'examine très attentivement, et il la tend à Pastafagoul, en lui disant :

— Tu peux payer. J'ai vérifié ! Y'a pas d'erreur !

***

Madame Chlomo, une brave dame, que Dieu la bénisse, offre à un mendiant une paire de vieux souliers. L'homme passe un doigt dans les trous des semelles, repose les souliers par terre en disant :

— Vous ne croyez tout de même pas que je vais mettre pareilles passoires ?

— Vous êtes bien difficile pour un mendiant. Mon pauvre mari a encore porté ces chaussures, le jour de sa mort !

— Eh ben, fait le mendiant, croyez-moi, Madame, il est mort à temps !

***

— Au secours ! Au secours !... hurle un homme tombé à l'eau, près de Saint-Eugène, aux Deux-Chameaux.

Passe Kaouito, qui regarde sèchement le spectacle.

— Au secours !... hurle le malheureux. Je ne sais pas nager !...

— Moi non plus, dit Kaouito, je ne sais pas nager. Est-ce que je gueule pour ça !

***

Boogie, qui fait voyageur de commerce des fois, et représentant les autres fois, est descendu dans un hôtel assez chic, le Cyrta à Constantine. Mais il en a assez de donner des pourboires. Il s'enferme dans sa chambre et jure qu'il ne lâchera plus un sou avant le lendemain matin. Tout à coup, on frappe à la porte.

— Qu'est-ce que c'est ? demande Boogie.

— Un télégramme pour Monsieur.

— C'est bien. Glissez-le sous la porte.

— Impossible, Monsieur.

— Et pourquoi ?

— Parce qu'il est sur un plateau, Monsieur.

***

On parlait de Martial, celui-là qui se prenait pour Tyrone Power parce qu'il savait 2 ou 3 mots d'espagnol qu'il prenait pour de l'anglais.

— Quel type ce Martial ! Quel abattage ! Quelle classe ! Quelle intelligence !

— Intelligence, intelligence !! Des clous, oui ! Qu'est-ce qu'il a fait ? dit Pastafagoul. Il s'est contenté d'épouser la fille d'un millionnaire. C'est tout !

— C'est tout ? répond Kaouito. Dis-moi, Pastafagoul, tu as déjà essayé d'épouser la fille d'un millionnaire !

***

— Quel voleur cet épicier ! s'écrie Madame Abbaz, quel voleur ! Je lui avais demandé du fromage à 3 F les 100 g, et il m'a collé du fromage à 2,50 F les 100 g.

— Eh ben, va lui rendre, dit son mari.

— Hé j'peux pas, répond-elle. Il a oublié de le compter dans la note !

***

Deux touristes s'arrêtent dans un petit village, à Oued-El-Aleug et demande à un type qui passe (va savoir pourquoi !) :

— Pouvez-vous nous dire s'il y a un restaurant dans le coin ?

— Ouais. Il y en a deux, un peu plus loin. Ils sont juste l'un en face de l'autre.

— Ah ! Et lequel est le meilleur ?

— Bah ! fait le type, vous pouvez entrer dans n'importe lequel des deux... De toute façon, après, vous regretterez de ne pas être allé dans l'autre !

***

Une jeune femme est très fière de son mari, qui est chanteur et qui vient de passer à la télévision. Elle en parle à Madame Chlomo, sa voisine en se gargarisant un peu :

— C'est formidable ! Vous ne pouvez pas savoir ce que son émission a pu faire vendre comme postes !

— Je pense bien ! lui répond Madame Chlomo. Moi, la première, après avoir entendu votre mari, j'ai vendu le mien !

***

Au restaurant le « P'tit Maxime » rue Fourchault, en plein midi, y'a un groupe qui commence à parler politique. Le garçon, qui sait que ce genre de sujet est délicat, s'en va chercher Maxime le patron. Il arrive, et après quelques secondes, il leur conseille :

— Ecoutez, Messieurs, pas de politique ici. Contentez-vous de manger !

Mais le conseil ne plaît pas à un de ses clients, qui répond d'un peu haut :

— Pardon Monsieur !... Si un homme doit se contenter de manger et de boire, qu'est-ce qui le différenciera d'un animal ?

Et Maxime qui l'attendait au tournant lui dit :

— Mais une chose essentielle, Monsieur... Lui, il paye !

***

— C'est vrai que tu es mon ami, mon frère ? demande Kaouito à Zarfana.

— Bien sûr, dit l'autre. Tu le sais bien.

— Alors, tu peux me faire une faveur.

— Dis-moi quelle faveur. Si je peux, c'est de tout cœur. Dis-moi quelle faveur ?

— Voilà, dit Kaouito. Tu voudrais me changer ce billet de 500 F contre 6 de cent francs ?

— Contre 5, tu veux dire, lui répond Zarfana.

— Non, contre 6.

— Non, contre 5, insiste Zarfana. Alors, Kaouito, amer, lui lance :

— Mais non ! Contre 6. Sinon, où elle est la faveur ?

***

Kaouito entre au café, et demande un verre d'eau. Le garçon pour faire de l'esprit lui lance :

— C'est pour boire ?

Kaouito répond :

— Et alors ? Qu'est-ce que vous croyez ? Que je vais apprendre à nager avec !

***

19

— Quand je me suis marié, dit Pastafagoul à sa femme, j'aurais jamais cru qu'une femme pouvait coûter si cher !

— C'est vrai chéri, je coûte. Mais en revanche, je dure longtemps !

***

Le valet de chambre a volé les bijoux de la maîtresse de maison.

— Rendez-les ! s'écrie le maître, et je ne déposerai pas plainte.

— Monsieur, fait le valet, cela s'appelle du chantage !

***

Dans le mur il y a un nombre incalculable de trous; c'est l'impact des balles tirées, toutes en plein dans le mille. L'expert chargé d'apprécier le tir, interroge Tobeu l'idiot du village.

— C'est le meilleur tir que j'ai jamais vu ! Comment avez-vous fait ?

— Facile, dit Tobeu. J'tire d'abord. -Après je trace le cercle !

***

Madame Aziz, la mère, celle que son fils il est marié avec une fille Lopinto, et qu'elle habite Oran. (C'est Madame Aziz qui habite Oran. Son fils lui il habite une villa à Palestro.) Donc Madame Aziz quitte Oran pour voir son fils. Elle arrive à la villa où elle trouve un petit garçon en train de jouer avec un train électrique. Alors, émue, elle lui dit :

— Tu sais mon petit garçon, tu me connais pas, mais je suis ta grand-mère, du côté de ton père.

Sans lever la tête, le petit garçon répond :

— Alors, j'aime mieux te le dire tout de suite : tu es du mauvais côté !

***

Un employé qui travaille chez Spadaro, celui qu'il a une petite usine de marteaux à bomber le verre, dit à son patron.

— Ecoutez, M'sieur Spadaro, voilà 6 mois que je travaille ici, et jamais je vous ai demandé une augmentation.

— Doucement ! Doucement ! fait Spadaro. Vous voyez les choses complètement de travers. Réfléchissez que si vous êtes resté 6 mois dans cette maison, c'est *parce que* vous n'avez pas demandé une augmentation !

***

Madame Sanchez rentre chez un marchand d'oiseaux, rue Juba :

— C'est combien celui-là ? elle demande, en désignant un beau perroquet.

— Madame, répond le vendeur à voix basse, il est tellement susceptible que pour le prix j'aimerais mieux que vous traitiez directement avec lui !

***

Boogie ouvre son enveloppe du mois, et se précipite vers le caissier :

— Dites donc, il me manque 10 F sur ma paie !

— Le mois dernier vous aviez 20 F en trop, vous n'êtes pas venu vous plaindre !

— Bien sûr, fait Boogie, j'allais pas discuter pour la première fois que vous faisiez une erreur. Mais 2 erreurs de suite, alors là, c'est inadmissible !

***

Dans un grand magasin de la rue Bab-Azoun, un client demande :

— Je voudrais un filet à cheveux invisible pour ma femme.

— Voilà, dit le vendeur, c'est 18 F.

— Vous êtes sûr qu'il est invisible. Ma femme a bien insisté là-dessus.

— S'il est invisible ! fait le vendeur. Et comment ! J'ai pas arrêté d'en vendre toute la matinée, alors que nous en manquons depuis 2 jours !

***

C'est la bagarre entre Zarfana et sa femme.

— Espèce de mufle ! Espèce de salaud ! Tu t'en vas partout raconter que tu m'as épousée pour mon argent, alors que tu sais très bien que je n'avais pas le sou !

Zarfana lève les bras au ciel, comme pour implorer le Seigneur et lui dit :

— Mais alors ! Quelle raison tu veux que je donne ?

***

C'est l'enterrement d'un riche banquier. Dans le cortège funèbre, on remarque un homme qui pleure, mais qui pleure, toutes les larmes de son corps. C'est Kaouito. Un de ses amis s'approche et lui dit :

— Tiens ! Mais je savais pas que tu étais un proche parent de ce millionnaire.

— Je ne suis pas parent, dit Kaouito, les larmes aux yeux.

— Alors pourquoi tu pleures ?

— *Justement*, parce que je ne suis pas parent !

***

Il fait beau. C'est le soir. Le ciel est illuminé d'étoiles. Et la baie d'Alger, la plus belle baie du monde, avant celle de Rio ou d'ailleurs, s'étend dans toute sa splendeur. Un couple d'amoureux romantiques, Gaston et Suzy, bavarde, sur les hauteurs de la ville.

— Regardez Gaston, ces milliers de petites lumières qui brillent dans la nuit. Ce sont des milliers de personnes qui vivent, qui souffrent, qui luttent, qui travaillent, qui s'aiment !...

— C'est extraordinaire, fait Gaston. Et moi qui avait toujours cru que c'étaient des lampes électriques !

***

Boogie se dispute avec Ninous, pour la 2 489e fois.

— C'est la dernière fois tu m'entends ! C'est la dernière fois que je te demande mon argent !

— A la bonne heure, fait Boogie, ça commençait à me pomper l'air !

***

Depuis une demi-heure Kaouito fait la queue devant la boulangerie. Excédé, il a une idée de génie :

— Il paraît qu'en face on distribue du riz gratuit, murmure-t-il à ses voisins.

La foule se rue aussitôt vers la boutique d'en face.

Kaouito est tout heureux de sa ruse. Soudain une pensée lui vient qui lui gâche sa joie :

— Et si c'était vrai !

Et il traverse la rue pour faire la queue.

***

— Quel est le prix de vos chambres ? demande Boogie le représentant au Grand Hôtel.

— 180 F au 1er étage, 140 F au second, 100 F au 3e, et 80 F au 4e.

— Merci, dit Boogie. Excusez-moi de vous avoir dérangé, mais votre hôtel n'est pas assez haut pour moi !

***

Liminana, le patron de l'anisette Cristal, téléphone au service des Impôts. Une voix féminine lui répond :

— Ici l'agence de protection de l'environnement et de la qualité de la vie.

Il pense qu'il y a erreur, raccroche, et refait soigneusement son numéro. Il y a de nouveau la même voix qui lui dit :

— Ici l'Agence de la qualité de la vie.

— Allons, pense Liminana, après tout c'est peut-être le bon numéro... Voilà Mademoiselle, je suis littéralement asphyxié par les Impôts, taxes et patentes. Qu'est-ce que vous pouvez faire pour moi ?

***

Kaouito a trouvé une place de pompiste sur la route nationale. Il y a une voiture qui s'arrête. Le chauffeur demande le plein d'essence. Kaouito fait le plein. Mais on sent que l'homme veut engager la conversation.

— Beau coin ici hein ?...

Kaouito fait :

— Ouais... Y'en a des mieux... Y'en a des pires... Ça varie.

— Il y a beaucoup de voitures qui passent ?

— Y'a des jours, y'en a beaucoup... Y'a des jours, y'en a moins... Ça varie...

L'autre insiste.

— Combien croyez-vous que ça fait en moyenne ?

Kaouito répond :

— Oh !... Vous savez... Même la moyenne varie !...

***

Ninous, celui-là qui travaillait à l'Hôtel Aletti, fait la cour à une jeune fille. La fille annonce ses fiançailles à son père. Alors le père fait :

— Ninous ? Bof... Est-ce qu'il a de l'argent ce Ninous ?

Et la jeune fille répond :

— C'est extraordinaire ! Vous les hommes vous êtes tous les mêmes. C'est exactement la question qu'il m'a posée sur toi !

***

Ça y'est ! Kaouito va se marier ! On décide de la date. On arrive à la mairie. Enfin le maire arrive et pose la question traditionnelle :

— Monsieur Kaouito, consentez-vous à prendre pour épouse, Mlle Messmouma, ici présente ?

— Eh bien sûr, M'sieur le Maire ! Maintenant qu'on a fait tous les frais, qu'on a payé la salle, le traiteur et tout ! Comment faire !

***

Boogie décide d'aller au restaurant pour se payer un gueuleton royal, parce qu'il a touché le tiercé dans le désordre. Mieux que rien ! Il fait un excellent repas, et quand il demande l'addition : il a un sursaut : 920 F ! Il manque attraper un infarctus (mais on prononce infractus). C'était un bon repas, mais quand même !... Y a des limites !...

Enfin, il se remet, et dit au garçon :

— Vous ne faites pas de remise aux confrères ?

— Je ne sais pas Monsieur, je vais me renseigner.

Le patron, en personne se dérange et demande à Boogie :

— Vous êtes également restaurateur, Monsieur ?.

— Non, dit Boogie, moi je suis voleur... Comme vous !

***

Il y a eu un crime rue Bab-Azoun. Les autorités enquêtent sur les lieux et le médecin légiste demande à un témoin :

— Vous dites, Monsieur Kaouito, que cette femme a tué son mari à bout portant.

— Oui docteur.

— Y'a-t-il des traces de poudre sur son corps ?

— Bien sûr docteur, lance Kaouito. C'est même pour ça qu'elle l'a tué !

***

Un adjudant interroge Kaouito :

— Vous êtes de garde, soldat Kaouito.

— Moi, non, je suis pas de garde, je viens d'arriver...

— Non, mais une supposition que vous êtes de garde. Soudain vous vous apercevez que le feu est dans la caserne. Que faites-vous ?

— Je crie, mon adjudant.

— Qu'est-ce que vous criez ?

— Cessez le feu !

***

A la communion du fils à Serrori, Mme Chlomo est abordée par une femme qu'elle ne connaît ni d'Adam, ni d'Eve, ni d'ailleurs.

— Comment allez-vous Madame Chlomo ?

— Très bien, je vous remercie.

— Et votre mari ?

— Il va bien, merci.

— Et votre charmant petit garçon ?

— Très bien, grâce à Dieu.

— Et votre charmante sœur ?

— Le mieux du monde.

— Et votre cousine Anna ?

— Elle va bien, elle aussi.

— Et votre neveu Lolo ?

— Il va bien merci.

Il y a un instant de silence. Alors Mme Chlomo ajoute :

— Vous savez que j'ai encore une nièce et une belle-sœur !

***

On a toujours intérêt à être franc.

Kaouito fait une partie de poker, à la Grande Brasserie. A la fin de la partie, c'est lui, et de loin, le plus gros perdant. Alors, il se lève et dit très triste :

— Mes amis, je dois vous avouer quelque chose. Je n'ai pas arrêté de tricher !

***

Charly Driguès, le restaurateur, prend le bateau pour aller voir sa fille qu'elle habite l'Amérique. Pendant la traversée, il demande à un passager américain :

— Pardon Monsieur, qui a découvert l'Amérique ?

— Christophe Colomb, répond l'autre.

Enfin, ils arrivent à New York tous les 2, et coïncidence, ils prennent le même train tous les 2 pour se rendre sur la côte Ouest des U.S.A. Ils voyagent 3 jours et 3 nuits dans cet immense continent, et à l'arrivée Charly y demande à l'Américain :

— Voulez-vous être assez aimable de me dire qui a découvert l'Amérique déjà ?

— C'est Christophe Colomb voyons !

— Je vous remercie, fait Charly. Excusez ma mauvaise mémoire, mais ce que je ne comprends pas, c'est comment il aurait pu faire pour ne pas la voir !

***

Un touriste rempli d'enthousiasme, se trouve à Cherchell et s'exclame :

— Mon Dieu !... Comme les couchers de soleil sont beaux ici !

— Oui... surtout le soir, répond un pêcheur à côté de lui.

***

A la douane, Mme Chlomo fait visiter ses valises.

— Quand vous faites une croix sur mes valises, est-ce que ça veut dire que j'ai gagné !

***

Un voyageur fourbu s'arrête dans un petit hôtel de Bir-Abalou, qui est lui-même un petit trou.

— Est-ce que je peux avoir une chambre avec salle de bains ?

— Non, Monsieur, nous n'en n'avons pas.

— Alors une chambre à un étage où il y ait une salle de bains.

— Mais on n'a pas de salle de bains, Monsieur. Ici, les clients ne restent jamais plus de 15 jours.

***

Il fut un temps où Kaouito avait une voiture. Comme tout le monde. Un jour Pastafagoul lui demande :

— Dis-moi, Kaouito, elle va vite ta voiture ?

— Si elle va vite ! Je pense bien !
Elle a 6 mois d'avance sur mes revenus !

***

A Alger, du temps où il y avait des tramways, Kaouito monte, et le receveur lui demande :

— Votre billet Monsieur ?

— Abonné, fait Kaouito.

— Vous avez votre carte ?

— Bien sûr, répond Kaouito, et il se prépare à avancer au milieu du couloir.

Le receveur l'arrête.

— Vous voulez me montrer votre carte s'il vous plaît ?

— Oh ! là là ! fait Kaouito, quelle méfiance ! Bon ça va, donnez-moi un billet !

***

Un célèbre professeur en médecine parcourt les salles de l'hôpital Mustapha à Alger, suivi par un groupe d'étudiants. Il s'arrête devant le lit d'un malade, et il dit :

— Messieurs, voici un cas très intéressant. Ce malade souffre d'une infection des gencives et du palais.

Le professeur se tourne vers le malade et lui dit :

— Vous êtes musicien, n'est-ce pas ?

— Oui docteur, répond le malade assez surpris.

— Et vous jouez d'un instrument en cuivre, n'est-ce pas ?

— C'est exact, fait le malade de plus en plus stupéfait.

Rayonnant, le professeur se tourne vers les élèves et leur déclare :

— Voyez : ce cas confirme parfaitement la théorie que je vous ai exposée hier sur l'influence des métaux, et particulièrement du cuivre sur les maladies de la bouche.

— A propos, dit-il, en se tournant vers le malade, de quel instrument jouez-vous ?

— Je joue des cymbales, docteur !

***

Mme Chlomo va faire une visite à Mme Abbaz, qui ne jette pas l'argent par les fenêtres. Sinon ça se saurait.

Elles bavardent un moment, et Mme Chlomo ne peut s'empêcher de dire en frissonnant :

— Quel froid il fait ici ! On gèle ma parole !

— Vous trouvez ! Pourtant, il fait 30° dans l'appartement.

— 30° ! Mais c'est pas possible ?

— Mais oui, 30°. Il y a 7° dans la cuisine, 8° dans l'entrée, 7° dans le salon, et 8° dans la chambre à coucher.

***

Début juillet, le père Souissou, rencontre un ami qui lui demande ses projets pour l'été :

— Eh ben, dit-il, ma fille Solange va passer ses vacances aux États-Unis, ma fille cadette, elle, elle va en Scandinavie, parce qu'elle connaît déjà les États-Unis, mon fils Gaston, il va en Afrique.

— Et toi, où tu vas passer tes vacances ?

— Moi, y fait Souissou, si je continue à faire des dettes, j'irai probablement les passer en prison !

***

Kaouito à force de traîner à droite, et à gauche, finit par rencontrer Pastafagoul.

— Ah ! Je suis bien content de te voir ! Tu sais, je suis un peu gêné en ce moment. Est-ce que tu pourrais me prêter 200 F, je te les rends à la fin de la semaine.

Pastafagoul lui donne les 200 F. La fin de la semaine arrive, et Kaouito aborde Pastafagoul :

— Je te dois 200 F.

— Oui, dit Pastafagoul, heureux d'être remboursé.

— J'ai pas oublié, le rassure Kaouito, mais j'arrive pas à m'en sortir. J'ai des ennuis. Je trouve pas de travail. Ecoute, sois un frère, prête-moi encore 200 F, je te les rends à la fin de la quinzaine.

L'autre accepte. L'échéance arrive. Et Kaouito dit à Pastafagoul :

— Je te dois 400 F.

— Oui, dit l'autre.

— Tu vas pas me croire, mais la rentrée que j'attendais, ça a été une sortie. Je suis dans la mélasse noire. Prête-moi 400 F, je te rends les 800 F à la fin du mois. Parole d'honneur !

L'autre finit par accepter. La fin du mois arrive. Et Kaouito voyant Pastafagoul, lui dit :

— Je te dois 800 F.

— Bien sûr, fait l'autre.

— Je sais que tu vas pas me croire, mais on m'a jeté un sort ! C'est la Sckoumoun noire ! Mais tu me prêtes 800 F encore et je te jure que le 15 je te rends tout ton argent, je te le jure !

Pastafagoul consent à lui prêter ces 800 F. Et le 15 du mois, Kaouito voit son copain et lui dit :

— Je te dois 1 600 F.

— A moi ! y fait Pastafagoul, jamais de la vie ! Tu me dois rien ! rien ! rien !

***

— J'ai entendu raconter des choses sur Mᵐᵉ Abbaz ! Mais des choses ! Je me demande si c'est vrai ?

— C'est sûrement vrai, fait Mᵐᵉ Chlomo. Et qu'est-ce qu'on vous a raconté, dites-moi ?

***

Deux retraités discutent à la terrasse du « Tantonville » à Alger.

— Qu'est-ce que vous faisiez avant de vous retirer ?

— J'étais comptable chez Vidal et Manégat.

— Oh là là ! Qu'est-ce que ça devait être monotone de faire des additions à longueur de journée, les 12 mois de l'année.

— Oh vous savez, répond le premier, je ne trouvais jamais les mêmes résultats !

***

Cela se passe ni à Alger, ni à Oran, ni à Constantine. Mais à Tokyo, au Japon. Enrico Macias, en tournée à Tokyo, découvre avec étonnement une synagogue. Il entre dans la synagogue, et après la prière, il demande respectueusement au Rabbin :

— Dites-moi, Monsieur le Rabbin, tous les types qui étaient là étaient juifs ?

— Sans aucun doute.

— Vraiment juifs ? insiste Enrico.

— Absolument, affirme le Rabbin.

— Et vous, vous êtes vraiment Rabbin ?

— Exactement.

— Eh ben, fait Enrico peu convaincu, vous êtes juifs d'accord, mais vous n'avez pas du tout le type !

***

Ninous va voir le docteur, qui l'examine longuement, longuement, de long en large, et de bas en haut, pour plus de sécurité.

Puis le médecin se relève, reste songeur, avec le visage grave.

— Qu'est-ce que j'ai docteur ? lui demande Ninous.

— C'est très difficile à dire !

— Mais je vous en prie docteur, dites-le-moi, s'il faut prendre des dispositions, je le ferai !

— Ce que vous avez, c'est très difficile à dire ! Très difficile !

— Enfin docteur, j'insiste ! Je voudrais savoir ce que j'ai ! J'ai le droit de savoir !

Le docteur accepte :

— D'accord ! Si vous y tenez, je vais vous le dire ! Vous avez une hyperstro... une hyperstron... une hyperphlectstron... une hyperclophe... une hypere... Je vous avais averti, c'est très difficile à dire !

***

Kaouito et Fanfan sont allés à la pêche ensemble, Kaouito prend un poisson derrière l'autre. Fanfan rien, rien. Humilié il se dit : « Cet enfoiré de Kaouito, il est tombé sur la bonne place. Demain je viens une heure avant lui, je prends sa place, et on va voir ce qu'on va voir. »

Et le lendemain, il s'installe exactement à la même place que Kaouito la veille. Il jette sa ligne. Il attend. Rien ne bouge. Il la rejette. Toujours rien. Et au bout d'un moment, un petit poisson sort la tête et demande à Fanfan :

— Ben alors, et votre collègue ? Il vient pas aujourd'hui ?

***

Kaouito qui ne travaille pas ce jour-là, puisqu'il est en congé de chômage illimité, apprend qu'un grand prédicateur doit venir prêcher. Il va assister à la séance. Et il entend l'orateur dire dans une grande envolée lyrique :

— Rares sont ceux d'entre nous qui peuvent concevoir le sens de l'éternité !... Quelque chose qui n'a pas de fin !...

Alors Kaouito se lève et lance :

— N'avez-vous jamais acheté quelque chose à tempérament ?

***

Mme Vidal téléphone au bureau de la Compagnie aérienne :

— J'attends quelqu'un qui doit rentrer par Caravelle. Pouvez-vous me dire où se trouve cette ville ?

— Mais Madame, répond son correspondant. Caravelle n'est pas une ville, c'est le type de l'appareil.

— Ne me racontez pas d'histoires, rétorque Mme Vidal. Le type de l'appareil je le connais ! C'est mon mari !

***

Dans un bar, avenue de la Bouzaréah, une bagarre éclate. Chaises renversées, bouteilles cassées, les verres volent de tous les côtés. Et au milieu de ce carnage, on voit Kaouito, imperturbable qui continue à déguster sa petite anisette Cristal.

Quand la bagarre est terminée, un étranger, sans doute un type de Constantine, félicite Kaouito pour son courage et son sang-froid.

— Vous n'avez pas eu peur de recevoir un mauvais coup ?

— Oh, fait Kaouito modestement, moi je risquais absolument rien. Je dois de l'argent à tout le monde.

***

Liminana, le patron de l'anisette Cristal, il a accepté de recevoir un représentant (et ce représentant c'est Boogie). Et il lui dit dès son entrée dans le bureau :

— J'espère que vous appréciez la chance que vous avez. Depuis ce matin j'ai refusé de recevoir 12 représentants.

— Je sais, y fait Boogie. C'est pas la peine de me dire ça à moi ! C'est la treizième fois que je viens !

***

En tournée, à Mostaganem, un fantaisiste comique, se trouve un soir devant une salle plus qu'à moitié vide. Alors sans se démonter, il regarde l'auditoire clairsemé, s'avance vers le micro et déclare :

— Mesdames et Messieurs, je ne pensais pas être dans une ville aussi florissante ! Où chaque spectateur peut se permettre de louer pour lui tout seul 2 ou 3 fauteuils !

***

A la gare de Tizi-Ouzou, un voyageur arrive en courant au portillon et demande à l'employé

— Le train de 6 h 20, il est déjà parti ?

— Bien sûr, Monsieur, il est 6 h 25.

— Oh là là ! Décidément où c'est qu'on va ! Voilà que maintenant les trains partent à l'heure, et on prévient même pas les usagers !

***

Au fin fond du Sahara, qui ressemble d'ailleurs au milieu, à cause du sable sans doute, un automobiliste tombe en panne.

— Eh ben, dit-il, j'ai bougrement bien fait d'emporter un livre sur : « L'Art de se dépanner en toutes circonstances ».

Il fouille dans sa boîte à gants, tire le livre, l'ouvre à la première page et lit :

— « Si après avoir vérifié l'allumage, le carburateur, le réservoir, le starter, votre véhicule ne démarre toujours pas, adressez-vous au concessionnaire le plus proche. »

***

Après avoir beaucoup, beaucoup, perdu au cours d'une partie de poker, Kaouito prit sa plume et écrivit à la direction d'une manufacture de cartes à jouer :

— « Messieurs, je vous prie de me faire savoir, si vous faites toujours des As et des Rois. »

***

Des comédiens amateurs, et en plus très mauvais, jouent une pièce à la salle Pierre Bordes à Alger. Soudain c'est le trou de mémoire, le gouffre. Le silence devenant de plus en plus gênant, le souffleur crie la réplique d'une voix de plus en plus forte. Alors, un des acteurs va vers lui, et lui dit sur un ton furieux :

— Oh ! le texte, on l'a entendu ! Mais qui c'est qui doit le dire ?

***

Kaouito téléphone à un grand magasin, et demande le service de la comptabilité :

— A qui désirez-vous parler ?

— A n'importe qui dans le service, dit Kaouito.

— Vous voulez Mlle Sfonquinze.

— Oui, dit Kaouito, enfin satisfait.

— Hélas ! Mlle Sfonquinze n'est pas ici. Voudriez-vous rappeler demain ?

***

Kaouito prend un taxi. Il paie la course. Et donne 50 centimes de pourboire.

— Non, mais ça va pas ! dit le chauffeur. 50 centimes de pourboire ! Vous vous payez ma tête ou quoi ?

— Excusez-moi, dit Kaouito, combien voulez-vous ?

— Encore 50 centimes !

— C'est pas possible !

— Et pourquoi, y fait le chauffeur.

— Enfin, je vais pas me payer votre tête, deux fois de suite !

***

Kaouito va dans un restaurant à Madrid, demande un steak et des champignons. Le garçon ne comprend pas. Alors pour se faire comprendre Kaouito dessine sur la nappe un champignon et un bœuf. Et au bout d'un moment, le garçon lui apporte un parapluie, et un billet pour la corrida.

***

Pastafagoul et Ninous, aussi véreux l'un que l'autre, s'apprêtent à signer un contrat d'association.

— Ça me paraît correct, dit Pastafagoul, après avoir examiné le contrat, sauf un point, que j'aimerais préciser

— Lequel ?

— C'est qu'en cas de faillite les bénéfices soient partagés en parts égales entre les deux associés.

***

Il était une fois un Sultan, qui comme dans les Mille et une nuits avait un très nombreux harem. Le Sultan fumait paresseusement son narguilé au milieu de ses femmes. Il s'adresse à celle qui est le plus près de lui :

— Tes yeux sont comme la lune et les étoiles. Tes lèvres sont comme des rubis sans défaut ! Fais passer le compliment.

***

De passage à Oran, Boogie descend à l'hôtel Martinez, 3 étoiles.

— A quelle heure voulez-vous être réveillé, lui demande-t-on ?

— Inutile. Moi, tous les matins, à 6 heures je suis debout.

— En ce cas, Monsieur, puis-je vous demander de réveiller la femme de chambre ?

***

Le fils aîné de Kaouito, est très brillant à l'école. A force d'études il est devenu médecin. Kaouito l'interroge :

— Et maintenant mon fils, dans quelle branche tu vas te spécialiser ?

— La médecine du travail, papa.

— Du travail ! s'écrie Kaouito, la médecine du travail ! Je savais bien qu'on finirait par reconnaître que c'est une maladie.

***

Pastafagoul était arrivé au point où il ne pouvait plus éviter d'aller chez le coiffeur. Ses cheveux s'étaient transformés en casque anti-nucléaire ! Il s'installe dans le fauteuil, et le garçon lui demande :

— Je vous coupe les cheveux comment ?

— Comme la dernière fois, y répond.

— Excusez-moi Monsieur, murmure le garçon, mais je ne suis ici que depuis 3 ans seulement.

***

— Ce qu'il nous faut, dit Spadaro, à un candidat qui cherche une place dans son usine, ce qu'il nous faut c'est un homme qui sache se tracasser. Un homme qui viendrait tous les jours se tracasser d'une façon constructive. Sa tâche serait de se tracasser, de passer son temps à se tracasser ! Le salaire est de 6 millions par mois. Cela vous convient-il ?

— Certainement, s'écrie le candidat. Mais dites-moi, qui c'est qui va me payer ces 6 millions ?

— Alors là, justement, c'est votre premier motif de tracas.

***

— Je suis sûr que tu n'as jamais vu un lever de soleil, dit la femme de Kaouito, à son mari.

— Qu'est-ce que ça a d'exceptionnel, un lever de soleil ? Après tout, ça n'est jamais qu'un coucher de soleil à l'envers !

***

Kaouito à sa femme :

— Contente-toi de laver, repasser, balayer et de faire la cuisine. Tu sais bien que je ne veux pas que ma femme travaille !

***

Martial pénètre dans la boutique d'un coiffeur et demande au patron :

— Il y a combien de personnes avant moi ?

— Sept, répond le coiffeur.

Martial remercie et sort sans ajouter un mot.

Le lendemain, il revient et pose la même question au patron :

— Il y a combien de personnes avant moi ?

— Ben, y'en a 5, répond le coiffeur.

Martial remercie et sort sans dire un mot.

Et pendant une semaine, chaque jour, Martial se présente, demande combien il y a de personnes avant lui, sort et disparaît.

Très intrigué, le patron dit à son commis :

— Ecoute, ce type y commence à me pomper l'air. S'il revient aujourd'hui tu le suivras et tu me diras où il va. Je veux savoir ce qu'il manigance.

Martial arrive le lendemain à 15 heures et demande :

— Combien y a-t-il de personnes avant moi ?

Le patron lui dit :

— 6 personnes.

Martial sort, suivi par le commis, qui revient un quart d'heure après.

— Alors, lui demande le coiffeur, où y va ce type ? Où y va ?

Et le commis lui dit :

— Ben, simplement y va chez vous. Il sonne à votre porte 3 fois, tac, tac, tac, et c'est votre femme en slip et soutien-gorge qui lui ouvre la porte !

***

Zarfana et sa femme vont dans une agence immobilière pour trouver un appartement. Tout ce qu'on leur propose, ils trouvent que c'est trop cher, trop cher, trop cher. Alors le directeur de l'agence leur déclare :

— Ecoutez, pour le prix que vous voulez y mettre, tout ce que je peux vous proposer c'est un igloo au Groenland !

***

La mère du petit Sanchez vient se plaindre à l'instituteur :

— Déjà que mon petit Michel a du mal à se laver ! Et il faut que vous alliez le traumatiser en lui racontant que Marat est mort dans sa baignoire !

***

Un jour, Kaouito entre dans un café où il connaît personne, et demande avec autorité :

— Un café, bien chaud, bien sucré, bien servi, et je paye pas.

Le patron, amusé le sert : « Pour 1,50 F, se dit-il, je vais pas faire une histoire, devant les autres clients. »

Le lendemain, même cinéma. Avec plus d'assurance que la veille, Kaouito comme un matamore demande :

— Un café, bien chaud, bien sucré, bien servi, et je paye pas !

Le patron, bon bougre, lui sert son café, et s'occupe des autres clients.

Le surlendemain, même chanson :

— Un café, bien chaud, bien sucré, bien servi, et je paye pas !

Et ce manège dure pendant une dizaine de jours. Le onzième jour le patron demande à Tino Lopez, une armoire à glace, ancien catcheur, de lui rendre service :

— Si ce type, y revient, tu t'occupes de lui fermement, parce que maintenant il me pourrit la vie. Alors, tu le vides en douceur, et qu'on n'en parle plus.

Voilà que Kaouito se pointe au café et commande :

— Un café bien chaud, bien sucré, bien servi, et je paye pas !

Tino le prend à part :

— Ecoute-moi un peu, ça fait dix jours que tu viens demander un café comme ça, sans payer. Tu n'as pas peur ?

— Non, moi j'ai pas peur, dit Kaouito. Et toi tu as peur ?

— Moi non, j'ai pas peur, il fait Tino en riant.

Kaouito se tourne vers le comptoir et commande :

— Alors, 2 cafés, bien chauds, bien sucrés, bien servis, et *on* paye pas ?

***

Attaque à main armée rue des Gétules. Le voleur pointe son arme dans les côtes de la dame et lui murmure à l'oreille :

— Ce que vous sentez là, c'est le

canon d'un revolver. Vous savez ce que ça veut dire ?

— Bien sûr, répond-elle ravie. Ça veut dire que j'ai maigri !

***

Au café, devant une petite anisette Cristal, Kaouito, Pastafagoul et Fartass discutent de la célébrité :

— La célébrité, dit Fartass, c'est d'être invité à l'Elysée pour une discussion avec le Président.

— Mais non, dit Pastafagoul, ça suffit pas. On est invité à l'Elysée, on a une discussion avec le Président, le téléphone sonne, et le Président n'interrompt pas la conversation !

— Vous vous trompez tous les 2, dit Kaouito. La célébrité, voilà ce que c'est : On est invité à l'Elysée, on a une discussion avec le Président, le téléphone sonne, et le Président décroche, écoute un instant, et vous tend l'appareil en disant : « Tenez, c'est pour vous Monsieur Kaouito » !

***

Ayant pris la route dès l'aube, un couple s'arrête dans une auberge de village. La femme qui a des goûts bizarres dit à la serveuse :

— Pour moi, ce sera des œufs au jambon. Les œufs très peu cuits, s'il vous plaît, et le jambon brûlé.

— Oh, oh! plaisante la serveuse, on voit que Madame connaît la maison !

***

Jean-Claude, six ans, regarde sa grand-mère, couper une tranche de gâteau et la mettre dans une assiette.

— Dis, mémé, tout ça c'est pour Jocya ?

— Non, Jean-Claude, c'est pour toi.

— Quoi ! dit l'enfant, rien que ce tout petit morceau !

***

Cherchant un laveur de carreau, Mme Chlomo demande à sa voisine si elle peut lui recommander le sien.

— Il travaille très bien, dit-elle, seulement il oublie les coins. Pendant la guerre il était dans la marine. Il a dû s'entraîner sur des hublots !

***

Enrico Macias était harcelé par les chasseurs d'autographes. Un jour, il fut arrêté par une dame qui lui demanda s'il était bien Enrico Macias.

— Non, dit-il pour plaisanter, je ressemble seulement à Enrico Macias.

Puis, à son tour il demanda à la dame si elle était une admiratrice d'Enrico Macias.

— Non, dit-elle, je ressemble seulement à une admiratrice d'Enrico Macias.

Maintenant Enrico y signe, et y demande plus rien !

***

Kaouito et sa femme sont assis côte à côte devant un bar très encombré.

— Je regrette, dit la serveuse quand elle arrive, mais je ne peux pas vous servir. Je ne sers que jusque-là (et elle leur désigne un trait rouge situé entre Kaouito et sa femme).

Kaouito cherche l'autre serveuse. Ne la voyant pas il dit :

— Ça ne fait rien. Ma femme prendra 2 tasses de café. Moi je ne prends rien !

***

Il faisait un épais brouillard ce matin-là. Arrive tout essoufflé à la gare un banlieusard, qui s'étonne que son train habituel soit parti avec plusieurs minutes d'avance sur l'horaire.

Un employeur lui explique :

— Avec un brouillard pareil, on a jugé préférable de le faire partir en avance, pour le cas où il serait en retard.

***

Kaouito va voir son docteur, parce qu'il se plaint d'une recrudescence de ses rhumatismes.

— Quand je me penche en avant, que j'étends un bras, puis l'autre, en faisant un moulinet d'arrière en avant comme ça, une douleur aiguë me transperse.

— Mais pourquoi toute cette gymnastique ?

— Vous connaissez un autre moyen de mettre un pardessus, docteur ?

***

En demandant une augmentation à son patron, Zarfana laisse entendre que plusieurs organismes lui courent après.

— Quels organismes ? demande le patron.

— Oh là là ! fait Zarfana, il y a la Compagnie du Gaz et de l'Electricité, le Centre Téléphonique, les Compagnies des prêts financiers, etc.

***

Quelqu'un va chercher un film qu il avait donné à développer la veille chez Ginestar le photographe. Ginestar lui annonce que ça n'est pas prêt.

Le type montre alors une affiche bien en évidence qui proclame : « Travaux en 24 heures. »

— Oui, dit Ginestar. Mais ça veut dire, 3 journées de 8 heures !

***

Actuellement la mode est aux émissions de radio auxquelles les auditeurs peuvent participer par téléphone. Et un jour dans une émission dont le thème était « La Vie Religieuse en France » on entend Mme Chlomo réciter une recette de cuisine.

— Madame, fait l'animateur, vous devez faire erreur.

— Je ne vous parle pas, répond Mme Chlomo.

— Mais enfin Madame, vous êtes sur les ondes.

— Je sais bien, répond Mme Chlomo toujours digne, je parle à ma sœur. Elle n'a pas le téléphone.

***

Kaouito un livre à la main, interroge le bibliothécaire :

— Monsieur, j'ai trouvé un billet de banque dans cet ouvrage. En avez-vous d'autres du même auteur ?

***

Le dentiste Jean-Pierre Oury, qu'il est maintenant très connu, puisqu'il va dans tous les pays du monde, et même ailleurs, des fois à ses frais, examine Spaza :

— Votre dent est morte, nous allons lui mettre une couronne. Spaza répond :

— Non, non, Docteur, je préfère l'enterrer sans cérémonie.

***

A Rovigo, où il y avait des Bains — il y en avait ailleurs aussi, mais ceux de Rovigo ils étaient connus dans le monde entier. Sauf peut-être en Chine, et encore ! Paraît-il qu'on en parlait à Shangaï. Enfin, bref à Rovigo, la police arrête une femme qui avait acheté de l'étoffe à des forains, à 8 F le mètre. On lui dit qu'elle est coupable de recel car c'était de l'étoffe volée, et le policier ajoute :

— Vous auriez pu vous doutez que c'étaient des voleurs pour vendre 8 F un tissu que vous trouvez dans le commerce à 40 ou 50 F le mètre !

Qu'est-ce qu'elle dit la femme ?

— Moi, au contraire, j'aurai pensé que les voleurs, c'est plutôt ceux qui le vendent à 50 F le mètre !

***

Pastafagoul reçoit une lettre de sa

31

femme qui se trouve dans le Nord, à Dijon, où elle lui dit qu'elle aurait bien besoin d'un manteau de fourrure, parce qu'il fait un froid terrible !

Deux jours après, elle reçoit 2 sacs de charbon !

***

Madame Abbaz, adresse ses recommandations à sa fille qui va bientôt se marier :

— Surtout, n'oublie pas ce conseil, qui sera toujours utile : Ne discute jamais, pleure.

***

Molina arrive en retard à son bureau, chez Vidal et Manégat.

— Pourquoi arrivez-vous en retard ? lui demande Vidal.

— Eh ! Parce que je suis sorti en retard de chez moi !

— Il fallait sortir plus tôt.

— J'y ai pensé, lui dit Molina, mais c'était déjà trop tard pour sortir avant

***

Depuis quelque temps, José Malio, le chanteur qu'il était très connu à Bab-El-Oued, et même rue Michelet, enfin dans tout Alger, il fait la cour à une jeune fille. Un beau jour le père de la petite lui demande un entretien :

— *Cela fait plus* d'un an que vous fréquentez ma fille. Quelles sont vos intentions ? Honnêtes, ou malhonnêtes ?

— Est-ce que j'ai le choix ? demande Malio.

***

L'instituer interroge le petit Mauricot.

— Ton père, il a une auto ?

— Oui M'sieur, mais elle est très vieille, c'est même plutôt une camionnette.

— Combien fait-elle de kilomètres à l'heure ?

— Mettons 20 kilomètres pour faire une moyenne.

— Bon, si nous prenons comme distance entre la terre et la lune un chiffre rond de 400 000 kilomètres, combien de temps ton père va mettre pour les faire ?

— Je peux pas vous le dire, M'sieur.

— Comment Mauricot ! C'est pourtant facile une simple division.

— Ouais, M'sieur, y répond Mauricot. Mais vous connaissez pas mon père. Tout dépend du nombre de bistrots qu'il y a sur la route.

***

A la gare d'Alger, devant le guichet des billets y'a une foule énorme, énorme. Alors Zarfana qui fait la queue avec sa femme et ses enfants, commence à gémir :

— J'ai peur que lorsque notre tour arrivera, les enfants n'auront plus droit au demi-tarif !

***

Madame Chlomo est un peu malade, alors son mari veut lui préparer une petite tasse de thé pour la réconforter.

De la cuisine, il lui crie, qu'il n'arrive pas à trouver le thé :

— Mais oui, elle crie à son tour, il y en a sur l'étagère, dans la boîte de *cacao*, qui est marquée *sel*.

***

Madame Palomba va chez le droguiste et demande :

— Je voudrais de la mort aux rats.

— Bien Madame. Est-ce que je dois vous l'envoyer à la maison ?

— Bien sûr, répond la femme. Je peux quand même pas vous apporter les rats ici !

***

32

— Voilà, dit Mme Souissou à son fils Gaston, je vais te présenter à Mlle Ouzana. C'est une très brave fille, bien élevée, intelligente, économe. Elle sait faire la cuisine, repriser...

— C'est-à-dire qu'elle n'a pas de dot quoi ?

***

Mais si vous n'êtes ni mariée, ni jeune fille, qu'est-ce que vous êtes alors ?

— Je suis fiancée !

***

Un soir, chez Badjidj, la famille regardait la télévision, et il y avait son beau-frère qui est inspecteur de police. On passait un film policier, et depuis une demi-heure déjà, le bandit, il arrêtait pas d'arnaquer les policiers grâce à sa ruse.

— Est-ce que les vrais truands sont aussi malins que celui-là ? demande Badjidj à son beau-frère.

— Jamais de la vie, il répond l'autre. Mais comme on ne l'est pas plus qu'eux, ça revient à peu près au même que dans le film !

***

Le maître d'hôtel d'un grand restaurant (lequel ? lequel ? Trouvez !) embrasse sa femme avant de partir travailler.

— A ce soir, ma chérie !

— A ce soir, mon trésor ! Tu as tout pris ? Ton chapeau, ton portefeuille, ton air hargneux ?

***

En plein rue d'Isly, un automobiliste demande à un badaud :

— Savez-vous conduire une automobile ?

— Non.

— Alors, auriez-vous la gentillesse de surveiller la mienne ?

***

A l'opéra d'Alger, on joue une pièce intitulée « Un mariage heureux. » En sortant, Mme Abbaz dit à son mari :

— Je vois vraiment pas à quel moment de la pièce, ce ménage a pu être heureux ?

— Pendant les entractes, répond son mari.

***

Deux amoureux avaient trouvé un moyen ingénieux de s'embrasser en public, sans offenser les passants. Ils se rendaient à la Gare d'Alger, et à chaque départ de train, ils se jetaient dans les bras l'un de l'autre et se baisaient longuement sur les lèvres.

Mais un jour où ils en étaient à leur cinquième adieu, un porteur qui avait remarqué leur manège, s'approcha d'eux :

— Vous feriez mieux d'aller à l'arrêt de l'autobus, il en part un toutes les trois minutes !

***

Il est 9 h 10, le directeur sonne pour demander une sténo-dactylo :

— Envoyez-moi Mlle Souissou, s'il vous plaît.

Le chef de bureau qui est tolérant, est pris à l'improviste, parce que Mlle Souissou n'est pas là. Alors, vainement il dit :

— Mais oui, certainement Monsieur le Directeur, seulement Mlle Souissou, n'est pas *complètement* arrivée !

***

Au guichet de la Gare, une dame demande deux billets pour ses deux enfants. Elle monte dans le train avec eux. Visite du contrôleur.

— Quel âge ont-ils ?

— Seulement quatre ans.

— Tous les deux ?

— Oui, ce sont des jumeaux.

— Ah, s'exclame le fonctionnaire, en regardant les bambins. Quels magnifiques enfants. Dieu bénisse. Et au fait, où ils sont nés ?

La dame flattée et heureuse répond :

— Ils sont beaux, n'est-ce pas ? Celui-là est né à Alger, et celui-ci à Oran.

***

Deux jolies filles se promènent rue Michelet, Martial se met à les suivre. A la fin, l'une des 2 filles se retourne et s'écrie :

— Espèce d'effronté, cessez de nous suivre ! Ou alors, allez chercher un camarade !

***

Mme Fortunato dit à une amie :

— Et pour notre anniversaire de mariage il m'a offert plusieurs disques de musique d'ambiance : « Repassez en musique », « Faites la lessive en musique », « Astiquez en musique »...

***

Au restaurant, Kaouito fait remarquer à sa femme, après avoir consulter la carte :

— Ma parole, un plat qui coûte aussi cher ! Et ils ont le culot de l'appeler « amuse-gueule ! »

***

Le téléphone sonne. Une voix d'homme demande :

— Est-ce que Suzy est là ?

— Je regrette, vous avez dû vous tromper de numéro.

Il y a un silence. Puis la voix d'homme demande :

— C'est Colette ?

— Oui, dit la femme, c'est moi.

— Excusez-moi, fait l'homme, après un silence embarrassé. Sur ma liste vous venez tout de suite après Suzy.

***

Au cours d'un repas, Pastafagoul essaie de calmer les éternelles disputes de ses enfants :

— Mais enfin, tout le monde n'en fait qu'à sa tête ici ! hein ! Quand c'est que je pourrai placer un mot ?

Alors le petit Maurice, 4 ans, le tire par la manche et lui dit :

— Pleure un peu.

***

Mme Sfonquinze se débat avec ses talons de chèques. Elle fait des additions, des soustractions, elle grogne, elle soupire ! Son mari, à côté n'en peut plus. Et tout à coup la femme s'écrie :

— Ça y'est ! J'ai retrouvé l'erreur !

— Enfin, voilà une bonne nouvelle. Et qu'est-ce que c'est cette erreur ?

— J'avais tout simplement oublié de déduire l'erreur du mois dernier !

***

Dans un restaurant, le cuisinier dit au maître d'hôtel :

— Tâchez de recommander le plat du jour. Il est d'hier !

***

Gaston, gronde son fils Jean-Claude.

— Comment ? Tu oses désobéir à ta mère ? Mais pour qui tu te prends ? Pour qui ?... Est-ce que je me le permets, moi !

***

Sauveur Spaza, il va avec sa femme dans un musée. Et il reste un long moment devant un tableau intitulé « Printemps ». La toile représente une très belle fille toute nue avec seulement une feuille de vigne.

— Alors ? lui lance sa femme, qu'est-ce que tu attends ?...

L'Automne !

34

***

Un malentendu de plus en plus classique au téléphone.

— Voulez-vous me passer Bolivar 45-08 ? demande Kaouito.

— Bolivar, c'est périmé Monsieur.

— Bon ! Alors donnez-moi périmé 45-08.

***

Kaouito buvait un café au bar « Le glacier » avant d'aller travailler, et Pastafagoul lui dit :

— Tu vas être en retard à ton travail, parce que ce café que tu bois, ton patron il va te demander, si tu le fais venir tous les matins du Brésil grain par grain !

— C'est vrai, dit Kaouito, mais si je prends l'habitude d'arriver tous les jours à l'heure, le patron, il aura vite fait de trouver ça naturel !

***

Deux hommes attendent, sous la neige qui tombe, à l'arrêt de l'autobus.

— Moi, dit Kaouito à l'autre, depuis que je suis à Paris, j'aime toutes les saisons. En été j'aime l'hiver, et en hiver j'aime l'été !

***

Dans le métro, un voyageur n'arrête pas de dodeliner de la tête avec la régularité d'un balancier, à tel point que Ninous, en face de lui, finit par lui demander pourquoi il fait ça.

— C'est afin de savoir l'heure, y répond l'autre.

— Ça alors ! Et quelle heure il est ?

— 4 h 30, annonce l'autre sans cesser de remuer la tête.

— Vous vous trompez, dit Ninous, il est 5 heures moins le quart.

— Ah ! Alors je dois retarder, dit l'autre. Et il accélère le mouvement !

***

Le patron d'un restaurant super-chic, est scandalisé de voir Zarfana pas mondain pour une pesetas, attablé, sa serviette autour du cou.

— Dites-lui que ça ne se fait pas ici, murmure le patron au maître d'hôtel; mais sans le froisser.

Le maître d'hôtel se dirige vers Zarfana, s'incline et demande :

— C'est pour la barbe, Monsieur, ou pour les cheveux ?

***

Ninous lève la tête de son journal, et dit à sa femme.

— Mais oui voyons ! Je t'aime... Je suis ton mari. Je suis là pour ça !

***

— Comme c'est cher ! s'écrie Kaouito, en parcourant le devis pour réparer sa voiture. Et combien coûterait la même réparation, sans les pièces et sans la main-d'œuvre ?

***

Spadaro, le patron, furieux, enguirlande sa secrétaire qui arrive en retard :

— Vous auriez dû être là à 9 heures.

— Pourquoi ? Qu'est-ce qui s'est passé à 9 heures ? demande la jeune fille en ouvrant de grands yeux.

***

On venait d'installer un appareil à sous, chez Solivérés à la Grande Brasserie, et José Biton, l'avant-centre, qui jouait arrière au Gallia il était fou de cet appareil. Il jouait sans arrêt Quand il avait plus de pièces, il retournait en faire au comptoir. Une fois, deux fois, trois fois. A la quatrième fois, il s'énerve et il crie :

— Mais cette putain de machine elle paye jamais !

Kaouito qu'il était là en spectateur il lui dit :

— Bien sûr qu'elle paie ! Cavé que

tu es ! Elle paie l'éclairage, elle paie la femme de ménage, elle paie le loyer. Elle paie même très bien. Demande à Solivérés le patron !

***

Kaouito se trouvait seul dans la pharmacie d'Aboulker aux « Trois Horloges » quand le téléphone sonna. Kaouito décrocha et dit :

— Allô ?

— Avez-vous de la teinture de trinitrosulfate en solution aqueuse ? demanda la voix.

— Monsieur, répondit Kaouito, après un silence, quand je vous ai dit : « Allô », je vous ai dit tout ce que je savais.

***

Plusieurs dactylos, délaissant leur machine, vont se coller aux vitres de leur bureau pour voir la manœuvre d'une grue géante sur un chantier au Square Bresson.

— A propos, dit l'une d'elles, est-ce que vous savez que les conducteurs de grues sont les ouvriers les mieux payés ?

— C'est ce qui vous trompe, dit Spadaro en arrivant derrière leur dos. Les mieux payés, ce sont les gens qui les regardent !

***

Accompagnant sa mère à une exposition de peinture, le petit Maurice tombe en arrêt devant une peinture ni abstraite, ni concrète, ni réaliste, ni impressionniste, enfin une toile, avec un cadre autour :

— Qu'est-ce que c'est ça maman ?

— Il paraît que c'est un paysan avec son cheval, dit la mère.

— Ah !... Alors pourquoi on les voit pas le paysan et le cheval ?

***

La scène se passe au Casino de l'Aletti, avant qu'il y ait le couvre-feu. Il est 2 heures du matin. On va fermer la salle de jeux, quand une jeune femme splendide fait son entrée. Il ne reste plus que 2 croupiers. La dame supplie qu'on la laisse risquer 5 millions sur un seul coup de dés.

Les croupiers acceptent.

La jeune femme dépose les 5 millions. On joue le coup. Elle gagne et sa mise est doublée.

A ce moment, elle s'excuse :

— Une seconde, dit-elle, le temps d'aller aux lavabos.

Et elle revient à poil, oui à poil, superbement nue, et d'un geste expérimenté prend les dés en déclarant :

— Je suis sûre que ça va être un 7 ! Je suis sûre que ça va être un 7.

Les dés s'immobilisent.

— Qu'est-ce que j'avais dit ! s'écrie la splendide créature, triomphante.

Elle ramasse ses gains, se rhabille et disparaît.

On éteint les lumières. Et au moment de sortir, un des croupiers demande à l'autre :

— Dis donc, tu l'as vu toi, le 7 ?

— Moi ? Non ! Et toi, tu ne l'as pas vu !

***

On demandait à Pastafagoul, son opinion sur Kaouito, et Pastafagoul déclara :

— Il appartient à cette catégorie d'individus qui perdent à être connus !

***

Il a de l'expérience, le vieux Serano, celui qui fait rempailleur des chaises au Frais-Vallon. C'est lui qui m'a dit :

— Quand une femme souffre en silence, c'est que son téléphone est en dérangement !

Le lendemain, après le café, il m'a confié :

— Plus on vieillit, plus on a du mal à joindre les 2 bouts, spécialement le bout des doigts, et le bout des pieds !

***

A l'hôtel Saint-Georges, à Alger, comme qui dirait le Waldorf Astoria à New York, mais en plus grand, un jeune fonctionnaire vient de sortir de sa chambre et attend l'ascenseur, quand une jolie brune s'approche de lui et lui demande :

— Vous êtes marié ?

L'homme réfléchit quelques secondes, et estimant que la franchise est la meilleure politique répond :

— Oui.

Sans plus attendre, elle lui tourne le dos, et lui dit simplement :

— En ce cas, auriez-vous l'obligeance de me remonter ma fermeture à glissière.

***

Kaouito demande à son patron :

— Eh bien, si vous ne pouvez pas m'augmenter, que diriez-vous de me verser les mêmes appointements, mais plus souvent !

***

La vieille, Mme Kaouito, avait dit à son mari :

— Bien sûr que je dépense plus que tu ne gagnes ! Mais j'ai tellement confiance en toi !

***

— Vous êtes le troisième médecin que je consulte, dit M. Smata au docteur Leyris.

— Ah ! Et que vous ont conseillé mes confrères ?

— Le premier, de pratiquer la marche à pied.

— Très bien. Et le second ?

De faire une cure à Rovigo.

— Excellent.

— Et vous, que me conseillez-vous, docteur ?

— Dans votre cas, le mieux serait, je crois, d'aller à pied, d'ici jusqu'à Rovigo.

***

Kaouito est surpris en train de dérober une montre. Le directeur de la boutique va appeler la police, quand Kaouito se met à sangloter, en le suppliant de lui laisser sa chance :

— C'était un moment de folie, supplie-t-il ! Je le regrette sincèrement ! Sur la tête de ma mère ! D'ailleurs je vais vous payer cette montre en espèces, et immédiatement.

Finalement le bijoutier se laisser attendrir. Il tend à Kaouito une facture à acquitter, correspondant au prix de la montre.

Kaouito regarde la facture, et demande poliment :

— Vous ne pourriez pas me montrer un autre article ? Celui-là coûte un peu plus que je ne comptais dépenser.

***

Rue Borély-la-Sapie, au quartier Nelson, Grosoli le glacier, reçoit un petit garçon :

— Je voudrais une glace à la vanille !... Parce que moi je n'aime que la vanille.

Le marchand n'avait plus que de la framboise. Mais comme il avait oublié d'être bête, pour ne pas rater la vente, il tend un cornet au garçon en lui disant :

— Tiens mon petit. Tu as de la chance toi, voilà une belle glace à la vanille, la vanille *rose*, la meilleure!

***

Un mendiant aborde Mme Smata qui revient du marché de Bab-El-Oued avec un panier plein de provisions.

— S'il vous plaît Madame, la charité.

— Hélas mon pauvre ami ! Je suis parti faire mon marché avec 150 F, et il ne me reste plus un sou !

37

Alors le mendiant jette un coup d'œil dans le panier de la dame et ricane :

— Bien sûr ! Madame se paie des gambas à 80 F le kilo, et après ça se plaint d'être fauchée !

***

Un jeune homme avait quitté son village, pour entrer dans une grande administration à Alger. Trois mois plus tard, son père un peu inquiet écrit au chef de service, pour lui demander si tout va bien, et comment son fils passe ses nuits.

A quoi le chef de bureau répond :

— Rassurez-vous, tout va bien. Pour ses nuits je ne peux pas vous dire. Mais ici, il dort paisiblement de 9 à 12, et de 14 à 18 heures, sauf le samedi et le dimanche !

***

— Moi, dit Stefano le petit épicier, à Ninous, ce que je voudrais, c'est avoir 10 clients comme vous, pas plus.

— Franchement, s'étonne Ninous, je ne vous comprends pas ! Je vous dois 1 200 F depuis 6 mois et vous souhaitez avoir 10 clients comme moi ?

— Oui, répond Stéfano, parce que vous voyez, des clients comme vous j'en ai au moins 50 !

***

Au bureau deux types bavardent.

— Tu sais que Gaston a quitté Alger. Il vit maintenant dans la Mitidja comme un véritable gentleman-farmer.

— Je t'en supplie, fait l'autre, n'emploie pas de mots dont tu ignores le sens. J'en ai connu un, de gentleman-farmer, mais celui-là c'était un vrai ! Il faisait habiller tous ces épouvantails en grande mesure, avec 3 essayages !

***

Le propriétaire d'une petite usine va consulter Mme Zigana, voyante extra-lucide par tous temps. Elle regarde la boule de cristal, et elle annonce :

— Compte tenu de la conjoncture économique, pendant 5 ans vous allez être très malheureux.

— Et après ? demande-t-il plein d'espoir.

— Après... vous y serez habitué.

***

Kaouito n'a pas de chance. Vraiment il n'a pas de chance. Il achète un costume avec 2 pantalons de rechange, et le premier jour, il brûle la veste !

***

Ninous est affamé. Il rentre dans un restaurant, donne son pardessus à la dame du vestiaire, s'assoit à la première table, jette un coup d'œil à la carte et commande :

— Je voudrais un steak frites.

— Y'en a plus, répond le garçon.

— Alors une saucisse purée.

— Y'en a plus.

— Ah ! Eh ben... un lapin chasseur.

— Y'en a plus.

— Tant pis, fait le malheureux vaincu, je vais déjeuner ailleurs. Donnez-moi mon pardessus.

— Hélas, dit la dame du vestiaire, y'en a plus non plus !

***

Au marché Nelson, Kaouito s'approche d'un marchand de poisson et sent la marchandise qui n'est pas d'une faîcheur extrême.

— Combien cette bonite ?

— Je vous la laisse à 12 F, dit le poissonnier.

— Moi aussi, fait Kaouito, et il s'en va.

***

Pour les fêtes de Noël, Kaouito a été engagé aux P.T.T. et affecté provisoirement au guichet des paquets recommandés.

Et à chaque fois que quelqu'un lui tend un colis enveloppé dans un emballage cadeau, il s'exclame :
— Oh ! C'est pour moi ! Comme c'est gentil ! Vous permettez que je l'ouvre tout de suite !

***

Fartass et Matass entrent dans un restaurant.
Le premier dit au garçon :
— Je voudrais un steak cuit au beurre, très saignant.
— Le mien, demande Matass, faites-le-moi au gril, à point. Mais surtout veillez à ce que l'assiette soit très propre.
— Entendu, répond le garçon.
Dix minutes plus tard, il revient avec 2 steaks semblables et demande :
— C'est pour qui l'assiette propre ?

***

Pour rigoler, Kaouito va consulter un psychiatre, le docteur Safar.
— Ne vous crispez pas, fait le psychiatre. Étendez-vous sur le divan. Relâchez vos membres et dites-moi franchement tout ce qui vous passe par la tête.
— Eh ben docteur, d'abord votre plafond aurait besoin d'une bonne couche de peinture, avec un bon lessivage.

***

Pour la peinture, il n'avait pas tort Kaouito.
— Si j'avais un fils, il dit toujours, je lui conseillerais de devenir marchand de peinture. C'est le seul métier où on est sûr de gagner sur tous les tableaux !

***

A « La Princière » le plus grand pâtissier de la rue Michelet, un bandit surgit, revolver au poing en criant :
— C'est un hold-up. Donnez-moi tout l'argent de la caisse.
Et la vendeuse, incroyable de sang-froid demande :
— Est-ce que c'est pour emporter ?

***

— Madame, dit le docteur Safar à Mme Smata, votre mari a besoin de beaucoup de repos. Voici une boîte de comprimés tranquillisants. Vous en prendrez un toutes les six heures !

***

José Malio, qui travaillait aux contributions, en haut du Parc de Galland, va voir Siari l'opticien :
— J'ai des ennuis avec mes yeux.
— Forcément, lui dit Siari, vous êtes dans la paperasse toute la journée.
— Eh oui, alors je voudrais m'acheter des lunettes.
— C'est pour voir de près ?
— Non; de loin, y dit Malio.
— Comment ça ?
— C'est simple ! A cause de ma myopie, je ne parviens jamais à voir arriver le chef de bureau. Alors, dans l'incertitude, je suis obligé de travailler tout le temps. Vraiment, j'ai hâte d'avoir mes lunettes !

***

— Ah ! fait le docteur, en rencontrant Kaouito, je voulais vous signaler que votre chèque, que j'avais envoyé pour encaissement à la banque, m'est revenu.
— Quelle coïncidence ! répond Kaouito. Le lumbago que vous m'aviez soi-disant enlevé, il est revenu lui aussi !...

***

Gaston, pas le blond, l'autre le

brun, — y'en a peut-être un qui est rouquin, mais je le connais pas ! — donc Gaston bavarde avec un peintre et lui demande :

— Vous avez hérité votre don, de vos parents ?

— Je ne crois pas à l'hérédité, affirme l'artiste. Prenez Michel-Ange, Courbet, Rembrandt, vous avez entendu parler de leur père ?

— Non, avoue Gaston.

— Et de leur mère ?

— Non plus.

— Remarquez, répond Gaston, je dois vous avouer que j'ai jamais entendu parler, non plus, ni de Michel-Ange, ni de Courbet, ni de Rembrandt !

***

— Ouvrez la bouche et faites « Ah », ordonne d'emblée le médecin à Chlomo qui vient d'entrer dans son cabinet.

— Mais... proteste Chlomo.

— Faites « Ah ».

— Mais docteur, je viens pour...

— Faites « Ah », ordonne le médecin.

— Enfin docteur, laissez-moi vous...

— Je vous dis de faire « Ah ».

Chlomo vaincu, fait : « Ah, Ah, Ah, Ah ! »...

— Bon, alors qu'est-ce qui vous amène ? demande le docteur.

— Eh ben, j'essayais de vous le dire ! Je ne suis pas venu pour une consultation, mais pour régler ma note en retard.

Alors sur le coup de la surprise le docteur s'écroule dans son fauteuil et fait :

— « Ah, Ah, Ah, Ah, Ah !... »

***

— S'il vous plaît, la charité, mon bon Monsieur, demande Bombe-à-l'œil. J'ai pas mangé depuis 8 jours.

— Tenez, fait le passant, voilà 10 centimes. Mais comment en êtes-vous arrivé là ?

Bombe-à-l'œil regarde la piécette et dit :

— Comment ?... Eh ben j'avais le même défaut que vous. Je jetais l'argent par les fenêtres.

***

Quand un client vient chercher ses lunettes, l'opticien un peu malin annonce :

— C'est 60 F...

Si le client ne bronche pas, il ajoute :

— Pour la monture... Et en plus 35 F...

Là encore, si le client ne sursaute pas, l'opticien conclut :

— ... Pour chaque verre !...

***

A Chiffalo, un pêcheur est en train de charger un casier de bouteilles de vins sur un bateau.

— C'est tout de même plus intelligent que de mettre des bateaux dans une bouteille ! dit-il.

***

Au beau milieu d'une pièce de théâtre ayant pour sujet les « Malheurs de Job », on entendit Clémendo dire à mi-voix.

— Ce Job, quand même ! Il croit qu'il a la vie difficile. Qu'est-ce qu'il dirait s'il était dans le commerce !

***

A l'Eglise Saint-Joseph, le curé mettait en garde les fidèles contre le péché de haine et de rancune. Il demanda :

— Que ceux qui ont vaincu la haine se lèvent.

Un seul se leva. Le père de Pastafagoul, qui avait 92 ans.

— Ainsi vous ne haïssez parsonne ! Racontez-nous comment vous êtes arrivé à ce résultat.

— C'est pas compliqué, fit le vieux Pastafagoul de sa voix cassée. Tous les salauds et les fumiers, sans compter les ordures qui m'ont joué des tours de cochons, eh ben, ils sont tous crevés, tous !

***

On transportait 20 000 volumes dans la nouvelle bibliothèque de la Faculté d'Alger. Kaouito avait trouvé une place comme déménageur. Au bout de 3 voyages, il lance cette remarque :

— Comment ! Ils construisent une nouvelle bibliothèque qui leur a coûté les yeux de la tête... Ils auraient pu quand même acheter aussi des livres neufs !

***

La fuite du robinet fut réparée en 2 temps 3 mouvements.

— Ça fera 97 F, dit Suissa le plombier.

— 97 F pour 10 minutes de travail ! Mais c'est une honte ! fait Chlomo.

— Monsieur, nous sommes obligés de compter 1 heure de travail pour chaque déplacement. C'est la règle de la maison.

— Bon. Alors dans ces conditions, asseyez-vous et parlon un peu. Il vous reste encore 50 minutes.

***

Enrico Macias, ayant décidé de maigrir, se fit adresser la notice d'un régime amaigrissant recommandé par une publication. A peine, avait-il pris connaissance du document qu'il le rejeta d'un d'air dégoûté :

— D'après eux, c'est sur la « nourriture » qu'on devrait se restreindre !

***

Kaouito est dans le train. Le contrôleur lui demande son billet :

— Qu'est-ce que vous venez me parler de billet ? Quel billet ? D'après l'indicateur horaire, je devrais être déjà chez moi, en train de dîner !

***

Une brave mère qui s'appelle Michèle, téléphone au Commissariat de police pour savoir si on n'a pas trouvé un chat dans le quartier. C'est son chat à elle. Le brigadier écoute poliment.

Et la dame ajoute :

— Mon chat est exceptionnellement intelligent. On dirait parfois qu'il va parler.

— Dans ce cas Madame, raccrocher vite. Il essaie peut-être en ce moment de vous appeler.

***

Gouzilou, celui-là qui met toujours une chemise quand il met une cravate, il a été renvoyé de son travail; mais poliment.

— Tu sais comment il m'a renvoyé mon patron ? y dit à Sauveur. Même au cinéma tu as pas vu ça ! Il m'a dit :

— « Cher monsieur Gouzilou, je ne sais comment nous ferons pour nous passer de vous, mais à dater de lundi, nous allons tenter l'expérience ! »

***

— A l'armée, disait un adjudant subtil, aux nouvelles recrues, on a beau vous engueuler comme le dernier des derniers, mettez-vous dans la tête que vous avez toujours le droit d'avoir le dernier mot.

Il s'arrrête. Les « bleus » ils n'en croient pas leurs oreilles !

Mais il ajoute :

— Ce dernier mot, c'est : « A vos ordres ! »

***

Un père de famille nombreuse se rendait fréquemment chez un psychiatre,

41

le docteur Safar, qu'il est vraiment gentil, honnête et tout, Dieu bénisse, et quel docteur !

— Je n'ai rien qui m'inquiète, expliquait le père, mais c'est vraiment le seul endroit où je puisse rester étendu, tranquillement, sans être dérangé !

***

Clémendo est en vacances à Rome avec sa femme Solange. Il demande à l'hôtel, quelles sont les heures des repas.

— Nous servons le petit déjeuner de 7 heures du matin à 11 h 30, le déjeuner de midi à 15 heures, et le dîner de 18 heures à 22 heures.

Alors, Clémendo se tourne vers Solange en lui disant tristement :

— Eh ben ! Voilà qui ne nous laisse pas beaucoup de temps pour visiter la ville !

***

— Moi, dit le fils de Fortunato, je rêve de gagner 2 millions par mois comme mon père.

— Il gagne 2 millions par mois ton père ?

— Non. Mais il en rêve aussi.

***

Un reporter, qui est journaliste en même temps, réussit à pénétrer dans un harem d'Arabie, et il interroge l'une des 300 femmes de l'Emir :

— Ça doit être terrible cette vie !

— Oh oui, dit la belle Yasmina, surtout le matin, quand il y a la queue pendant des heures devant la salle de bains !

***

Un pique-assiette, je ne dirai pas son nom pour ne vexer personne, mais grâce à Dieu on le reconnaîtra, est invité en vacances chez des amis. Il mange comme 4, il boit comme 8, il

dort comme 16, et il se plaint à une invitée :

— Vous savez ! Ils ne me donnent même pas d'argent de poche !

***

Raymond Zaoui, celui qui fait les pantalons sur mesure, pour le prêt-à-porter de luxe, il sort de son bureau, et il croise Kaouito :

— Tu as lu cette enquête dans le journal de ce matin ?

— Non, mon vieux, répond Kaouito, je lis plus les journaux depuis 15 jours.

— Et pourquoi ? demande Raymond.

— Parce qu'il y a 15 jours j'ai trouvé un bracelet en or, et j'ai peur de lire une annonce de la personne qui l'a perdu. Et tu me connais, je suis honnête, je serai obligé de le rendre.

***

Dans une petite auberge de campagne, qui fait épicerie en même temps, Boogie fait son entrée :

— Vous avez de la chicorée ?

— Bien sûr fait l'aubergiste.

— Parfait. Alors apportez-moi tout ce que vous avez comme chicorée.

Deux minutes plus tard, l'épicier revient avec 25 ou 26 paquets de chicorée qu'il pose.

— C'est tout ce que vous avez ? demande Boogie.

— Sûr, répond l'aubergiste. C'est absolument tout ce qu'il reste.

— Parfait. Laissez ça là. Et maintenant faites-moi un bon café !

***

Avant d'engager Ninous comme nouvel employé, le directeur d'un hôtel fait un petit interrogatoire de moralité :

— Que feriez-vous si vous trouviez un portefeuille contenant 5 000 F en billets de banque ?

— Eh ben, répond Ninous, sans

hésiter, j'offrirais 500 F de récompense à celui qui l'a perdu !

***

Au cours d'une réception au Champ de Manœuvre, une dame demande au docteur Safar, psychiatre spécialiste mondial du problème du couple :

— Cher Maître, j'aimerai que vous me disiez comment on peut expliquer le nombre si élevé de divorces.

Le docteur Safar réfléchit et répond :

— C'est très simple Madame. Par le nombre élevé de mariages.

***

Pastafagoul fouille dans ses poches.

— Qu'est-ce que tu cherches ? y lui dit Kaouito.

— Une pièce de 50 centimes pour téléphoner à un ami.

Kouito, sarcastique, ironique, et en plus caustique, y lui dit :

— Tiens, voilà 2 pièces, comme ça tu pourras téléphoner à *tous* tes amis !

***

— Non l'argent ne fait pas le bonheur. Mais non !

Franchement, pensez-vous qu'un individu qui possède 50 milliards soit plus heureux que celui qui n'en a que 45 !

***

— J'ai découvert une blanchisserie extraordinaire, dit Ray Marjory. J'avais donné 3 chemises à laver. Ils me les ont rendues blanches, mais blanches ! C'est d'autant plus étonnant qu'elles étaient bleues à rayures quand je les ai apportées !

***

Sur le coup de minuit une dame appelle la brasserie voisine de chez elle.

— Allô !... vous pourriez me faire monter une bouteille d'eau minérale bien fraîche ?...

— Madame, lui répond une voix pincée, ce n'est pas le patron de la brasserie que vous avez au bout du fil, mais le curé de votre paroisse.

— Oh ! Excusez-moi Monsieur le curé, murmure la dame confuse.

Puis, elle ajoute après quelques secondes de réflexion.

— Mais, dites-moi, que faites-vous au café, à une heure pareille ?

***

Au théâtre, Mme Kaouito au premier rang, se penche vers son mari et lui murmure :

— Regarde, regarde, mon voisin de droite s'est endormi.

A quoi son mari répond d'un ton hargneux :

— Et alors !... Et c'est pour ça que tu me réveilles !

***

Mme Abbaz ne parvenait pas à être en règle avec la compagnie d'électricité. Une fois elle devait de l'argent, une autre fois, on lui en remboursait. Finalement, elle reçut ce petit mot de l'E.D.F.

— « Madame, le montant que vous avez à régler est le dernier chiffre en bas, à droite de la quittance. Jusqu'à présent, vous nous avez toujours payé la date ! »

***

La sœur de Mme Abbaz téléphone à son électricien.

— Qu'est-ce qui se passe ? Je vous avais demandé de venir réparer ma sonnette.

— Mais je suis venu, répond l'électricien.

— Voyons, ne dites pas cela ! Je vous ai attendu toute la journée sans bouger.

— Mais si, je suis venu ! J'ai même sonné désespérément pendant 5 ou 6 bonnes minutes. Et puis comme personne ne venait ouvrir j'ai pensé que vous n'étiez pas là, et je suis reparti.

***

A 4 heures, en quittant la classe, le petit Mauricot, le fils à Fartass, demande gentiment à l'institutrice :
— S'il vous plaît Madame, pouvez-vous me dire ce que j'ai appris à l'école aujourd'hui. Papa me le demande tous les soirs, et je le sais jamais.

***

M. et Mme Abbo, aperçoivent un vieux, un très vieux château transformé en auberge, super-luxe, avec même eau chaude, eau froide, eau tiède :
— Il n'y a pas de revenants, au moins ? demande avec inquiétude Mme Abbo à un paysan voisin.
— Au prix où c'est ? fait le paysan. Y'à aucun danger !

***

Le condamné va prendre place sur l'échafaud pour être guillotiné. Il murmure soudain quelque chose à l'oreille du bourreau. Celui-ci se fâche :
— Ah non... Vous n'aviez qu'à prendre vos précautions avant !

***

Un matin Enrico Macias dit à sa femme :
— Quelle heure il est Suzy ?
Elle se tourna résolument du côté du mur et répondit :
— D'où je suis je vois pas le réveil.
— Suzy, dit Enrico, tu es la plus belle, la plus merveilleuse femme de la terre.
— Il est 8 h 15, répondit-elle.
Moralité : la flatterie fait tourner la tête aux femmes.

***

A l'opéra d'Alger, l'opérette était un four, un bide, un échec total. Le metteur en scène et chorégraphe fut renvoyé. Il poussa alors ce cri du cœur :
— Comment ! C'est moi qui ai conçu ce spectacle, moi qui en ai fait la mise en scène, moi qui en ai réglé la distribution, moi qui ai dessiné les maquettes, les décors et les costumes, moi qui ai réglé toutes les danses et les éclairages. Et à la première anicroche, c'est sur moi qu'on fait retomber toute la responsabilité !!!

***

Abbaz et son patron bavardaient dans le hall, quand passe une nouvelle employée, superbe, ravissante et plein d'autres choses encore :
— Quelle belle fille ! s'exclame Abbaz.
— Attention ! 5 enfants ! répond le directeur.
— C'est pas possible ! s'écrie Abbaz. Elle n'a pas 5 enfants ?
— Elle non, mais vous oui.

***

En sortant du cinéma, Kaouito déclare à des amis qui vont y entrer :
— Attention ! Ne vous laissez pas surprendre. Le film se termine par une surprise. Juste au moment où on pense qu'il ne finira jamais, il finit !

***

Mollement allongé sur sa chaise transatlantique, dans les affres du mal de mer, Chlomo, avise un steward qui passe, et lui montre quelque chose tout là-bas, là-bas...
— Ce qu'on voit au loin, c'est bien la terre n'est-ce pas ? demande-t-il plein d'espoir.
— Non, Monsieur. C'est l'horizon.
— Bah ! gémit Chlomo. C'est toujours mieux que rien !

***

Kaouito dit en parlant de sa femme :
— Elle a un caractère très égal ma femme, très égal. Elle est toujours de mauvaise humeur !

***

A Paris, le rideau venait de tomber sur le dernier rappel d'Enrico Macias à la première d'un spectacle dont il était la vedette. Regagnant sa loge, Enrico fut surpris d'y trouver déjà un admirateur tout essoufflé :
— Vous avez été magnifique ce soir ! Bravo ! C'était formidable ! Vraiment vous êtes en pleine forme, et vous êtes extraordinaire.
— Vraiment, dit Enrico. Alors, comment ça se fait que vous n'êtes plus dans la salle en train d'applaudir encore !

***

Mme Brimate dit à son mari, qui est sur le point d'appeler un taxi :
— Je t'avertis, ne commence pas à être familier avec le chauffeur. Ça finit toujours par des gros pourboires !

***

A Belcourt, quartier populaire d'Alger, une touriste va se plaindre à un agent qu'un individu l'a pincée.
L'agent lui demande de lui désigner le coupable. Elle le montre.
— Ça va, dit-il. Je le connais. Il est tout à fait comme il faut !

***

Kaouito achète des chaussures à 32,50 F la paire. Et il questionne le marchand :
— Est-ce que vous connaissez un moyen infaillible pour que j'économise mes semelles ?
— Certainement. Il suffit quand vous marchez, de les poser le moins

souvent possible par terre en faisant de grandes enjambées.
Quelques jours plus tard, Kaouito rencontre le marchand qui lui demande :
— Alors, vous avez essayé mon truc ?
— Oui, il fait Kaouito, je l'ai essayé. J'ai fait de grandes enjambées comme vous me l'avez conseillé. Et au premier coup, en voulant économiser mes chaussures à 32,50 F j'ai fendu en deux, un pantalon à 75 F !

***

Mme Smata, dit à son boucher Albert, le roi du kilo à 900 grammes :
— La semaine dernière les côtes d'agneaux étaient à 24 F le kg. Avanthier je les ai payées 30 F. Et aujourd'hui elles valent 36 F !!
— Et alors, fait le boucher, vous avez déjà vu, vous, une côte qui ne monte pas !

***

Pendant 3 ans, Anne-Marie Carrière s'est pesée cinq fois par semaine sur la même balance automatique, dans la même pharmacie. Enrico Macias lui a demandé combien elle avait perdu ?
— 3 820 F... et en toute petite monnaie.

***

Le chef du personnel s'adresse à Zarfana :
— Ecoutez monsieur Zarfana, si vous préférez, vous pouvez renoncer une fois pour toutes à la pause café... et prendre votre retraite trois ans plus tôt !

***

— Le matin, aussitôt que la radio commence à diffuser son heure de culture physique, mon mari saute en bas du lit, confiait Mme Chlomo à une amie.

— Il fait de la gymnastique à son âge ?

— Pas lui, la fille qui habite en face !

***

Un Cheik arabe, du Moyen-Orient, du Golfe Persique, ou va savoir d'où mais en tous les cas d'une région par là-bas, arrive avec sa voiture super dernier modèle, pare-chocs en or, phares en platine, guidon serti de diamants (enfin c'est pas une voiture, c'est une bijouterie ambulante !). Il s'arrête à une station-service, et demande au pompiste qu'il examine sa voiture. Le pompiste vérifie, et après un instant, va vers lui et lui déclare :

— Je ne sais pas bien comment vous dire ça, Monsieur, mais votre réservoir est vide !

***

Un serveur du petit restaurant de chez Maxime, rue Fourchault à Bab-El-Oued, répond à un touriste impatient :

— Comment vous pouvez dire, que le service est défectueux ? Je vous ai encore rien servi !

***

— Quelle insomnie, cette nuit ! dit Smata, en arrivant au café, je suis resté éveillé toute la nuit pendant une heure !

***

Cinq ou six personnes font la queue devant la caisse d'une épicerie, quand subitement la caisse enregistreuse est prise d'une crise de folie. Elle commence par marquer deux fois la même somme, puis la sonnerie retentit et la bande de papier se déroule sans s'arrêter ! Alors, Kaouito crie dans l'assistance :

— Il faut vite appeler le Ministre des Finances. Les prix sont tellement élevés que même les machines elles peuvent plus tenir le coup !

***

On demandait à Mme Smata, si elle ne trouvait pas qu'il y a actuellement trop de sexualité et de violence au cinéma.

— Oh moi, vous savez, je me mets toujours au fond de la salle. Et je ne fais jamais attention à ce que font les autres spectateurs.

***

La mère d'une brillante élève disait avec fierté :

— Chaque fois que nous recevons une lettre de notre fille, nous sommes forcés de consulter le dictionnaire.

— Vous avez de la chance, lui répondit Mme Drigués. Nous, chaque fois que notre fils nous écrit, nous sommes obligés de courir à la banque.

***

Mme Leyris (la mère du docteur, que Dieu les bénisse tous les deux !) attendais un colis. Obligée de s'absenter au moment de la tournée du facteur, elle laisse sur la porte le petit mot suivant :

« Je suis en ville, mais mon chien est à la maison. Sonnez longtemps il aboiera. Le chien d'à côté, il aboiera lui aussi. Son maître M. Ghrenassia, il finira bien par l'entendre, et il sortira. A ce moment-là soyez gentil de lui donner mon paquet. Merci. »

***

Spadaro, vient d'engager une nouvelle employée, et il l'accueille en souriant :

— Ici, on ne fait pas de différence entre les hommes et les femmes. Tout le monde se tue au travail.

***

La femme de Kaouito accompagne son mari chez l'inspecteur des impôts et avant de rentrer elle lui dit :

— N'oublie pas que moi je n'ai fait que signer la feuille. Toutes les déductions, c'est toi qui les as inventées.

***

Le fils de Pastafagoul demande à son père :

— Tu sais, on nous a dit en classe, que le papier peut tenir chaud. C'est vrai ça ?

— Si c'est vrai ! répond le père. Je sue sang et eau parce que je traîne depuis vingt ans une reconnaissance de dettes !

***

Mme Abbaz se plaint que son mari est un type sans entrain et sans imagination :

— Des danseuses aux seins nus, qui s'étaient mises en grève ont défilé l'autre jour. Eh bien croyez-moi si vous voulez. Il a été le seul à lire ce qui était écrit sur leurs pancartes !

***

Une femme, je crois que c'est Mme Bogado, la femme de l'avocat — mais j'en suis pas sûr — elle donnait une réception en l'honneur du Mouvement de libération de la femme, mouvement qui d'ailleurs commence à nous pomper l'air à force de se gargariser — Deux invités venaient d'arriver. Elle les présente en ces termes :

— Nous sommes heureuses d'avoir parmi nous M. et Mme Smata. Puis se rappelant tout à coup la raison de la réunion elle rectifia :

— Euh... enfin, c'est-à-dire, qu'on n'est pas obligé de les nommer dans cet ordre !

***

Un prêtre va dans un garage, se renseigner au sujet d'une nouvelle voiture. Le vendeur crie au chef d'atelier, qui est occupé un peu plus loin :

— Serrano, il consomme combien ce modèle-là ?

— 4 litres aux 100.

— C'est pour l'abbé.

— Ah ! Alors 10 litres ! fait Serrano.

***

— Aujourd'hui personne n'est d'accord sur rien, dit Pastafagoul.

— C'est pas vrai ! répond Kaouito.

***

Boulevard de Provence, un nouveau receveur d'autobus, tout frais dans le métier, attendait que les voyageurs soient assis pour donner le signal du départ. Giordano le conducteur, qui commençait à être agacé par ce retard, se retourne et lui crie :

— Oh ! l'ami, fais-les monter seulement. Moi je m'occupe de les faire asseoir !

***

Fartass et sa femme vont passer la soirée dans une boîte de nuit. Au cours du programme de chant, un étrange personnage aux longs cheveux s'installe sur scène :

— Qu'est-ce que c'est que ça ? demande Abbaz. Un homme ou une femme ?

— Comment veux-tu qu'on sache ? elle répond. Sa guitare cache tout.

***

A l'heure actuelle, chacun cherche à réduire ses dépenses. Même surtout Kaouito ! C'est ainsi qu'au restaurant il a dit au garçon :

— En guise de pourboire, ma femme va vous aider à desservir.

47

***

Un dimanche, au commissariat de Saint-Eugène quelqu'un d'anonyme, c'est-à-dire qui donne pas son nom pour pas qu'on sait qui c'est qui téléphone de façon à rester inconnu, donc cet anonyme téléphone pour signaler que Casse-ficelle il vend de la bière à la sauvette, à côté du stade où il y a le match A.S.S.E.-MOULOUDIA. Un agent arrive sur place et interroge Casse-ficelle, au milieu de la foule assoiffée.

— Mais non, M'sieur l'agent, y fait Casse-ficelle avec un air innocent, j'la vends pas. Je la donne.

L'agent, ne veut pas faire d'histoires et il dit à Casse-ficelle :

— C'est sympathique ça. Tiens, je vais vous donner un coup de main.

Et en 5 minutes, il distribue gratuitement 12 caisses de bière.

Quand on parle de bière à Casse-ficelle, il a des boutons !

***

A la gare, Kaouito va au guichet des billets, et demande :

— Il y a rien de meilleur marché que les secondes ?

— Ouais, fait l'employé. Par train de nuit, mais vous mettez 2 fois plus de temps. C'est un train de marchandises.

— Il y a rien de moins cher que ça encore ?

— Ouais, fait l'employé. Mais alors, il vous faut une muselière.

***

Un jeune garçon vole au secours d'une vieille dame, qui depuis quelques instants essaie, sans succès de traverser la rue.

En lui donnant le bras, il explique gentiment :

— Patientez encore une seconde Madame, le feu va changer.

— Oh ! Si c'est pour passer au feu

rouge, dit-elle déçue, je n'ai pas besoin de vous jeune homme !

***

Kaouito monte dans un autocar pour Blida et tend son billet au contrôleur.

— Il n'est pas valable, fait le contrôleur. C'est un billet retour

— Qu'est-ce que ça peut faire que j'aille à Blida, ou que j'en revienne ? C'est pas le même prix ?

— Ouais, dit l'autre c'est le même prix, mais je peux pas accepter un billet « retour » pour un billet « aller ».

Alors Kaouito, génial comme d'habitude il lui dit :

— Bon. Et si je voyageais à reculons, ça pourrait aller ?

***

A la messe de 9 heures, un fidèle arrive en retard. A celle de 11 heures, il était encore là. Quand le curé se dirigea vers la chaire pour faire son sermon, le type quitta sa place et sortit, en murmurant à sa voisine :

— C'est à ce moment-là que je suis arrivé tout à l'heure.

***

Anne-Marie Carrière demande au marchand de journaux :

— Vous n'avez pas un magazine féminin où il ne soit pas question de régime ?

***

Le chef du personnel demande à Kaouito quel effet ça lui ferait d'être placé sous les ordres d'une femme.

— Je me sentirais comme chez moi ! dit Kaouito.

***

— Il ne pleut jamais dans votre région ? demande Badjidj à un Mexicain basané !

48

— Vous vous rappelez l'histoire de l'Arche de Noé et du déluge, quand il a plu pendant 40 jours et 40 nuits sans arrêt ?

— Bien sûr.

— Eh ben, cette année-là, ici, il est tombé un centimètre d'eau !

***

L'autre jour, en arrivant à son travail, Kaouito tombe sur son patron.

— Encore en retard ! reproche le patron.

— Eh ouais, moi aussi, répond Kaouito.

***

A l'armée, des jeunes recrues sont à l'instruction, comme qui dirait qu'ils font leurs classes. Et le sergent leur dit :

— Devant vous, c'est le nord; à droite l'est; à gauche, l'ouest. Et derrière vous, qu'est-ce qu'il y a ?

— La vie civile, répond une voix pleine de tristesse.

***

Lorsque le docteur Safar commença à exercer la psychiatrie, sa première cliente fut une superbe jeune femme. Comme il lui faisait signe de s'étendre sur le divan et qu'elle hésitait, il dut lui expliquer que cela faisait partie du traitement.

La jeune femme s'allongea et arrangea avec soin les plis de sa jolie robe.

— Alors, demanda le docteur Safar, comment vos ennuis ont-ils commencé ?

— Exactement comme ça, dit-elle.

***

A une réunion de famille, Fartass retrouve un neveu qu'il n'a pas revu depuis assez longtemps.

— Quel âge tu as David ? demande Fartass.

— Qu'est-ce que tu veux dire au juste ? fait David. Quand je suis dans l'autobus, quand je vais au cinéma, ou dans la réalité ?

***

C'est l'heure de l'apéritif chez Solivérés à la Grande Brasserie et devant Borras le miroitier qui déguste une petite anisette Cristal, et qui offre une tournée générale, Zarfana, y fait tout à coup :

— Pour moi, le travail rêvé, le travail idéal, ce serait une boîte où on se quitte le lundi soir en se souhaitant un bon week-end !

***

Tout jeune marié, Kaouito explique à Zarfana sa nouvelle vie :

— Nous prenons très souvent nos repas dehors. C'est une grosse économie. Nous allons chez ma mère, chez la mère de ma femme, chez ma mère, chez la mère de ma femme, et ainsi de suite...

***

A Alger, pendant la guerre, il y avait des soldats américains qui étaient en stationnement. Et à la Place du Gouvernement, un couple de mendiants faisait la manche, chacun à un coin de la rue. Un soldat déposa un dollar dans la main de la femme.

— Salvatore, cria-t-elle à son homme, est-ce qu'on prend les dollars ?

***

Au bout de dix ans de mariage, un homme va consulter un psychiatre, le docteur Safar, qu'il est d'ailleurs connu dans le monde entier :

— Au début, dit le type, j'étais très heureux, quand je rentrais après une dure journée de travail, mon petit chien accourait au-devant de moi en aboyant, et ma femme m'apportait

49

mes pantoufles. Maintenant tout est changé. Quand je rentre, c'est mon chien qui m'apporte mes pantoufles et ma femme qui aboie.

— Je ne vois pas de quoi vous vous plaignez, répondit le docteur. Après tout, vous recevez toujours les mêmes services.

***

Boogie, il est voyageur de commerce. Un jour, il avait rendez-vous avec un client dans un quartier qu'il connaissait mal. Après avoir cherché un peu, il trouva un poteau indicateur avec ces mots : *Centre Industriel* — Il n'était pas absolument sûr que c'était la bonne adresse et pour en être certain, il fit demi-tour et arriva à un poste d'essence à 200 ou 300 mètres de là.

— Vous voyez ce panneau là-bas ? dit le pompiste en désignant le poteau.

— Vous voulez dire celui où il y a écrit : « *Centre Industriel* » ?

— Le pompiste le regarda, stupéfait !

— Eh ben ! Vous avez des yeux de lynx vous !

***

Kaouito, Pastafagoul, Abbaz et les autres, c'est-à-dire Smata, Casse-ficelle, et Fartass font un stage de formation de représentant.

— Le secret, dans ce métier, dit l'instructeur, c'est d'être persuasif. Et pour cela, y'a qu'un seul moyen : la répétition, la répétition, la répétition. Mais je vous vois vous lever tous les 6 ensemble, que voulez-vous ?

Et les six mousquetaires, appliquant la leçon, répètent en chœur :

— Aug-men-ta-tion ! Aug-men-ta-tion ? Aug-men-ta-tion !!!

***

— Ce que j'aime le moins au restaurant, c'est le dessert, dit Medj-rab. Il arrive trop près de l'addition

pour qu'on puisse le savourer complè-tement.

***

Allant chercher son costume au dégraissage, Chlomo s'indigne :

— C'est honteux ! Vous me comptez 65 F pour le nettoyage d'un complet !

— Parfaitement, dit la patronne. Il y a 45 F pour le complet lui-même et 20 F de supplément pour les 27 mouchoirs, les 8 paires de chaussettes et les 2 tricots que vous avez mis dans les poches !

***

Monsieur Julia, professeur de Lettres au collège Guillemin se trouve à table, entre deux femmes charmantes :

— L'ignorance des élèves, dit-il à sa voisine de droite, dépasse aujourd'hui tout ce qu'on peut imaginer. Figurez-vous chère madame que je faisais passer, ce matin, le baccalauréat. Je demande à l'un des candidats, s'il connaissait l'auteur d'Hamlet. Vous savez ce qu'il m'a répondu ? : « Je sais pas. Mais je vous jure ce n'est pas moi ! »

— Et c'était lui ? fait la dame.

Estomaqué, Julia ne répond pas, comme s'il était K.-O. debout. Il récupère et se penche vers sa voisine de gauche, et lui confie à l'oreille :

— L'ignorance de certaines gens est extraordinaire. Je parlais tout à l'heure avec votre voisine de droite d'un crétin qui ne connaissait pas l'auteur d'Hamlet : elle m'a demandé si c'était de lui !

— Et ce n'était pas de lui ? dit la dame.

Deuxième K.-O. Il lui faut au moins une heure pour récupérer cette fois.

A la fin de la soirée, il aborde la maîtresse de maison :

— Je n'ai pas de chance avec mes voisines. Je leur avais raconté l'histoire d'un jeune candidat qui m'avait déclaré ne pas connaître l'auteur d'Hamlet. Une m'a demandé si c'était lui ! Et l'autre si ce n'était pas lui ! J'en suis abasourdi !

— Ce qui fait, dit la maîtresse de maison, que vous ne saurez jamais de qui c'est alors ?

***

Dans le temps où la loterie commençait à tenter de plus en plus de joueurs, le curé d'une pauvre paroisse prêchait un jour contre ce jeu.

— Je ne sais que trop ce que vous faites ! S'il vous arrive de rêver du numéro cinq, vingt, ou soixante-trois, vous vous hâtez d'engager tout ce que vous avez gagné avec tant de peine, pour le placer sur ces numéros sans songer à votre famille, etc.

Le sermon fini, le curé descend de la chaire. Une pauvre vieille femme s'approche de lui :

— Monsieur le curé, voulez-vous avoir la bonté de me redire les trois numéros que vous avez dits tout à l'heure.

***

Madame Smata, qui souffre des dents, mais qui a une peur terrible des dentistes, sonne avec frayeur chez J. P. Oury le dentiste de la rue d'Isly.

Un domestique ouvre et déclare :

— Monsieur Oury n'est pas là.

Alors la dame soulagée, soupire :

— Ah !... Quel bonheur !

***

Une dame passe rue de la Lyre, près d'un mendiant qui n'a qu'une jambe. Elle tire une pièce et la jette dans sa casquette. Mais tout à coup elle s'écrie :

— Oh ! Mais hier, c'est l'autre jambe qui vous manquait !

— C'est vrai madame, sourit le mendiant, je suis obligé de changer de jambe pour user mes deux chaussures. Elles sont si chères en ce moment !

***

— Vous aimez les grandes promenades, monsieur Sylvain ?

— Oh ! oui, mademoiselle.

— Eh bien ! Allez, je ne vous retiens pas...

***

— Mon fils, disait Abbaz, il est formidable... surtout pour le calcul.

Pastafagoul qui veut faire l'intéressant, y demande au gamin :

— Alors, Mauricot, combien ça fait, cinq plus quatre, divisé par trois ?

Le petit Mauricot sèche lamentablement.

Alors son père dit :

— Oh !... ne le fatiguez pas ce gosse... C'est tout de même pas un ingénieur !...

***

Un client exprime son étonnement à J. P. Oury le dentiste :

— Quoi ! 4 000 F pour m'avoir enlevé deux dents ?... Vous plaisantez !

Alors, Oury le regarde en souriant et lui dit :

— Savez-vous combien prend Carlos Monzon, pour le même travail ?

***

Dans le bled à Dra-el-Mizan, en plein soleil, un curé disait à ses paroissiens :

— Comment ! Vous venez ici prier le Bon Dieu qu'il vous apporte la pluie ! Mais, hommes de peu de foi, il y en a pas un qui a mis un imperméable !

***

Le vendeur d'automobiles, explique à son acheteur le fonctionnement du tableau de bord :

— Et là, vous voyez, quand vous appuyez sur ce bouton, la date de votre prochain versement apparaît en rouge sur le cadran.

51

***

Au jour de l'An, Lucette dit à son mari :

— Voyons, nous leur avons envoyé une carte l'année dernière, mais eux ne nous en ont pas envoyé. Donc, ils ne nous en enverront probablement pas cette année, pensant que nous ne leur enverrons pas, puisqu'ils ne nous en ont pas envoyé.

On leur envoie ou on ne leur envoie pas ?

***

Le petit Robert a l'âge d'aller à l'école. Sa maman l'habille de neuf, lui parle de ses futurs petits camarades, et tout et tout.

Le lendemain matin, sa mère entre dans la chambre pour le réveiller et l'aider à s'habiller.

— Pourquoi faire ? demande Robert.

— Pour aller à l'école.

— Quoi ! Encore ?

***

— Comme c'est bizarre la vie ! dit le docteur Safar. On dépense de l'argent qu'on n'a pas, pour acheter des choses dont on a pas besoin, tout ça pour en mettre plein la vue à des gens qu'on ne peut pas voir !

***

Sur la Côte d'Azur, un portier d'hôtel descend les valises qu'il met dans une voiture. Le client de l'hôtel veut donner un pourboire au portier et lui demande la monnaie de 500 F.

— Ici, Monsieur, répond l'autre, 500 F c'est de la monnaie !

***

Entendu à la salle des ventes :

— Adjugé ! A la petite dame qui a la main de son mari sur la bouche.

***

Kaouito et sa fiancée vont chez le bijoutier. On leur montre toute une collection de solitaires.

— Ma chérie, dit Kaouito, est-ce que vous n'êtes pas d'avis qu'on devrait se marier sans toutes ces formalités ?

***

C'était une époque où la vie était moins chère qu'aujourd'hui. Il faisait une chaleur étouffante. Mme Lopinto s'en va au marché aux puces à El-Kettar et achète un éventail à 1 F. Une heure après elle revient trouver le marchand :

— Votre éventail ne vaut rien. A peine je m'en suis servi qu'il s'est cassé.

— Comment vous vous en êtes servi ? demande le brocanteur.

— Quelle question ! Je l'ai agité devant ma figure. Je vois pas ce que j'aurais pu faire d'autre.

— Erreur madame ! Grosse erreur ! Un éventail à 5 F on l'agite devant la figure. Mais un éventail à 1 F, on ne le remue pas, on agite sa figure devant...

***

Kaouito et Abbaz se disputent à propos d'une femme. Un mot, un autre, un mot, un autre, finalement ils en arrivent jusqu'au duel au pistolet.

Le jour fixé, à 7 heures du matin, Kaouito arrive sur le terrain accompagné de ses témoins, Boogie et Gaston.

Quelques minutes plus tard, un inconnu se présente avec une lettre de Abbaz :

« Mon cher Kaouito, si je suis un peu en retard ne m'attends pas. Tire sans moi. »

***

Dans le train Alger-Constantine, un jeune homme demande l'heure à son voisin, qui l'envoie dinguer grossièrement :

— Ce n'est pas à moi de vous le dire. Demandez ça au contrôleur.

— En voilà une façon de répondre. Quel mal élevé pour votre âge !

— Ecoutez-moi bien, mon petit, fait l'autre. Si je vous réponds poliment nous allons nous mettre à causer. Peut-être qu'on va descendre à la même station. Vous me direz que vous êtes étranger et, comme moi je suis de la ville, je ne pourrai pas faire autrement que de vous inviter à la maison, pour dîner. Une chose, une autre, une chose une autre, vous ferez connaissance de ma fille, vous tomberez amoureux d'elle, et vous me demanderez sa main. Mais laissez-moi vous dire franchement : jamais je ne donnerai ma fille à un homme qui n'a même pas une montre !

***

A Bel-Abbès, Juanito est en train de boire un café, quand un de ses amis, Lilito, vient à lui tout en émoi :

— Juanito ! Je viens de voir un homme entrer chez toi et se mettre à faire la cour à ta femme !

— Pas possible ? fait calmement Juanito tout en buvant son café. Il était grand ?

— Ouais ! Très ! crie l'ami tout excité.

— Ne t'énerve pas comme ça ! Est-ce qu'il avait un complet marron ?

— En effet !

— Et une grande moustache.

— Oui, c'est ça !

— Alors, c'est pas grave. C'est José. Il fait la même chose à toutes les femmes : alors que veux-tu, hombre, aujourd'hui, c'est le tour de la mienne.

***

La mariée se tournant vers le marié, à la sortie de la mairie :

— Eh bien tu vois, ça n'a pas été long !

***

Dans un restaurant, à « L'El-Baçour » chez monsieur et madame Oudina rue d'Umont-d'Urville à Alger, (je peux pas être plus précis !) un type aborde l'avocat Bogado :

— Tiens, tiens, ce vieux Lopez ! Comme vous avez changé ! Je vous ai connu gros et gras. Maintenant vous voilà maigre. Il me semble même que vous avez rapetissé !

— Mais, monsieur, vous vous trompez ! Je m'appelle pas Lopez ! Je suis Bogado.

— Par exemple ! fait l'autre. Vous avez aussi changé de nom !

***

Comment ! madame Safar, votre mari et vous, vous ne vous disputez jamais ?

— Jamais !

— Pas possible ? C'est peut-être que tout simplement, vous n'êtes pas fait l'un pour l'autre !

***

Monsieur Brimate va au commissariat de Bab-El-Oued, pour se plaindre qu'on lui a volé sa voiture. Les agents font des recherches et trouvent le véhicule devant la maison de Monsieur Brimate, rue Rosetti.

— Ça alors !... C'est incroyable, dit-il.

Et il se frappe le front en réalisant le « coup ».

— Ça y est ! J'ai compris ! L'averse qui vient de tomber a lavée la voiture, et je ne l'ai pas reconnue !

***

— Je voudrais avoir assez d'argent pour acheter un éléphant, déclare Kaouito.

— Aman ! Qu'est-ce que tu vas faire avec un éléphant ?

— Rien ! Mais une fois que j'aurai l'argent, qui c'est qui va m'empêcher de changer d'avis pour acheter autre chose !

***

— Oh ! madame, comme vous avez un beau petit garçon !

— C'est pas la peine de lui dire ça, fait calmement le bambin, elle le sait.

***

— Qui ne risque rien n'a rien, se dit Kaouito, en apercevant Bonazo. Et il risque :

— Dis, mon vieux, tu peux me prêter 1 000 F ? Ou plus exactement tu m'en donneras 500 et tu en garderas 500 pour toi.

— Je peux te prêter 1 000 F. Mais pourquoi cet arrangement ?

— Parce que comme ça, je te devrais 500 F, et toi tu m'en devras 500. Et comme ça, nous serons quittes.

***

Elle parlait tellement pour expliquer tous ses malaises, et ceci, et cela, et ceci, et cela, que le docteur Leyris fatigué de l'écouter finit par lui dire :

— Tirez la langue, madame Brimate ! Parfait. Maintenant restez comme ça jusqu'à ce que j'aie fini de vous examiner.

***

Kaouito vide un cendrier et dit à sa femme.

— C'est moi qui me tape tout le ménage ici !

***

— Va comprendre les femmes toi ! quel mystère !

Une femme met un argent fou pour acheter une combinaison et elle mourra de honte si cette même combinaison se voit !

***

Une jeune fille se présente au commissariat de police.

— Pardon messieurs, je cherche un jeune homme brun, grand, beau, élégant, généreux...

— Un de vos parents sans doute ?

— Pas du tout. Je ne l'ai même jamais vu. Mais si vous le trouvez dites-lui que je serai ravie de faire sa connaissance.

***

— Votre nom, monsieur, je vous prie, demande poliment le caissier de la banque à Kaouito.

— Vous ne voyez donc pas ma signature ? fait Kaouito.

— Si monsieur. C'est justement ce qui a éveillé ma curiosité.

***

— Comment me trouvez-vous, docteur ? demande Mme Messmouma.

— Très bien. Votre jambe est un peu enflée, mais ça ne m'inquiète pas du tout.

— Vous savez docteur, si votre jambe à vous, était enflée, ça m'inquiéterait pas du tout non plus.

***

Un soir, au Casino de la Corniche à Alger, là où les plus grandes vedettes venaient chanter, sauf Sinatra, à cause du décalage horaire, Medjrab, s'aperçoit qu'il a tout juste assez d'argent pour régler l'addition, mais rien pour laisser un pourboire. Que faire ? Il appelle le garçon et lui explique franchement la situation.

L'autre l'écoute sans sourciller, et à la fin lui dit :

— Ne vous en faites pas pour si peu ! Je vais simplement refaire votre note.

***

Kid Oualou vient de perdre son

sixième combat de boxe consécutif devant un adversaire plus petit que lui.

— Comment j'ai pu perdre ! râle le Kid. Il m'arrivait au menton ce merdeux ! Au menton y m'arrivait !...

— C'est vrai, fait son manager. C'est vrai... Mais il y arrivait très souvent !

***

— Mon Dieu ! Emma comme vous êtes belle aujourd'hui ! Qu'est-ce que vous avez donc fait à vos cheveux ? On dirait une perruque...

— Mais *c'est* une perruque !

— Ça par exemple ! Ça ne se voit pas du tout.

***

— C'est unique ça ! fait Ninous. Ma femme rêve toutes les nuits qu'elle est mariée avec un milliardaire.

— Tu en as de la veine toi ! Moi ma femme elle fait le même rêve... seulement c'est en plein jour.

***

Jean-Claude rencontre son copain d'école le petit Lucien :

— Je me suis réveillé avec des frissons, de la fièvre, mal à la tête, mal à la gorge, mal aux oreilles, mal à l'estomac. Et quand je pense que tout ça n'a servi à rien !

***

Au conseil de révision, le major dit à la nouvelle recrue. Brimate :

— Lisez-moi ce qu'il y a d'écrit sur ce tableau.

Brimate est super-vicelard. Il se voit déjà réformé. Alors il fait le lourdeau, sans difficulté d'ailleurs.

— Quel tableau ? Je ne vois pas de tableau.

— Parfait ! En effet, y'a pas de tableau ! fait le major. Bon pour le service !

***

Mme Messmouma avait demandé au dépanneur de venir réparer son poste de télévision. Lorsqu'il eut sorti ses outils, il lui demanda :

— Qu'est-ce qu'il a votre poste ?

— D'abord, il faut lui changer tous les programmes.

***

Le téléphone sonne. M. Abbaz décroche :

— Allô ! Ici le garage, crie une voix d'homme ! Votre femme vient d'arriver au volant de sa voiture pour une réparation, et je voudrais bien savoir qui...

— Ça va ! fait Abbaz, je paierai la réparation de la voiture.

— Qui c'est qui vous parle d'une voiture ? Je voudrais savoir qui va payer la réparation de mon garage !

***

Gabelouz entre chez Robert le bijoutier :

— Pardon monsieur. Quel article avez-vous pour le quatrième jour après l'anniversaire d'une épouse ?

***

— Maintenant que nos fiançailles sont officielles, dit la fiancée à Medjrab, il faut que nous soyons économes. Promettez-moi de ne jamais faire une chose au-dessus de vos moyens.

— D'accord, répond l'autre, alors rompons nos fiançailles, parce que je vous assure que ce mariage est au-dessus de mes moyens !

***

Entre deux dames :

— Et vous permettez à cet homme de faire la cour à votre fille ? C'est un homme qui a fait huit ans de prison !

— Oh ! le salaud, fait Mme Chlomo. Il m'en a avoué que quatre !

***

Chez Vidal et Manégat, ceux qui faisaient les bâches et les tentes, le sous-directeur réunit le personnel :

— Et demain, quand le fils de Vidal, viendra commencer son apprentissage, pas de régime de faveur pour lui hein ! Vous le traiterez tout bonnement comme n'importe quel jeune homme destiné à hériter de l'affaire dans un an ou deux.

***

— Ce qui est fatiguant, dit Kaouito, c'est pas le travail qu'on fait, c'est le travail qu'on fait pas !

— Alors tu dois être crevé, répond Ninous.

***

A quelques jours de son mariage, M. Brimate était désespéré de ne pas avoir trouvé de logement.

— Pourquoi tu vas pas habiter provisoirement chez tes beaux-parents ? lui dit Bombe-à-l'œil.

— Comment faire ? Ils habitent encore « provisoirement » chez leurs parents !

***

'Au bar Palace, au coin de la rue Franklin, Fartass y boit sa petite anisette Cristal, mais pas comme d'habitude. Il est soucieux. Ça se voit parce que, il touche pas aux anchois, aux olives, aux cacahuètes que d'habitude, il rafle comme si il venait de sortir de Buchenwald ! Alors Kaouito, qui a un œil partout, et un autre en réserve, en cas qu'il y a de l'imprévu qui arriverait par surprise, il lui demande :

— Qu'est-ce que tu as Fartass ? Ça va pas ?

— Je suis embêté, lui avoue Fartass. Je sais pas si je dois épouser une veuve qui a beaucoup d'argent et que je n'aime pas, ou bien une petite ouvrière qui n'a pas un sou, et que j'aime

— N'hésite pas, lui conseille Kaouito. Epouse celle que tu aimes

— Tu as raison. J'épouse l'ouvrière C'est ce que je pensais...

— Dans ces conditions, tu peux me donner l'adresse de la veuve, dit Kaouito, en finissant le verre de Fartass.

***

Mme et M. Chlomo visite Paris. Ils vont au cimetière du père Lachaise et admirent un tombeau à trois étages, caveau d'une noble et riche famille. Alors Chlomo dit à sa femme :

— Y'a des gens qui savent profiter de la vie !

***

Un type va voir le docteur Safar, le grand psychiatre et lui dit :

— J'habite la plus belle villa de Neuilly. J'ai une cadillac avec chauffeur, deux piscines dont une pour les enfants, un hélicoptère pour aller à mon travail, une villa sur la côte d'Azur, et une autre à Deauville. Je me fais faire quatre complets par mois, et je suis membre de trois clubs de golf, et en plus, je mange si bien que je dépense en moyenne 2 millions par mois au restaurant.

— Dans ces conditions, fait le docteur Safar, je ne vois pas où est le problème.

— Le problème ? Mais c'est que je ne gagne que 1 400 F par quinzaine !

***

Kaouito téléphone à Pastafagoul :

— Allô ! Pastafagoul ?

— Oui.

— Devine qui vient dîner ce soir ?

— Qui ?

— Moi !

***

— A l'avenir, dit Gaston à sa fille Jocya qui protestait, tu répondras « oui papa », chaque fois que tu seras de mon avis, et « bien papa », quand tu ne seras pas d'accord avec moi !

***

Il y a dix mille manières d'être délicat, et ça Kaouito il le sait bien, surtout quand il a écrit à son oncle Fernand, la lettre suivante :

« Mon cher oncle,

« La honte elle me vient à la figure en mettant la main à la plume et la plume sur la feuille, et la feuille dans l'enveloppe, mais je sais que votre cœur est grand, et qu'il est comme une gomme qu'elle effacera le rouge à mon visage. J'ai besoin de 1 500 F et j'arrive pas à trouver les mots pour l'écrire. Non, j'aime mieux pas vous le dire, que j'ai besoin de cet argent, assez rapidement d'ailleurs, même par retour du courrier si possible, ou mandat télégraphique urgent. Mais après tout, j'ai décidé de ne pas vous le dire. Alors, je vous envoie cette lettre qui n'en est pas une, par l'intermédiaire de Casse-ficelle qui a des instructions au cas où vous auriez l'argent en liquide, en espèce, ou en coupures de 100 F. Ça fera donc 15 coupures de 100 F.

Croyez bien, cher Oncle, que j'arrête pas de penser à vous avec toute mon affection.

Kaouito.

P.-S. — « Non, j'ai trop honte, je viens de courir après Casse-ficelle, mais j'ai pas pu le rattraper. Dieu fasse, qu'il perde la lettre, qu'il ne vous trouve pas chez vous, ou qu'elle se perde. »

L'oncle Fernand, encore plus délicat que Kaouito, et pour lui enlever sa gêne et son embarras répondit :

« Mon cher Kaouito,

« Rien de grave. Le ciel t'a entendu, Casse-ficelle a perdu la lettre. »

***

Au Bar Palace (il s'en est passé des choses au Bar Palace !), Simon et Kémis, qui sont assureurs tous les deux sont en train de discuter de leur travail, et un y dit :
— C'est ma compagnie la meilleure.
Et l'autre y répond :
— C'est la mienne la meilleure, et pattin et couffin...
Alors Simon il annonce :
— Chez nous, Calamar, quand un client, par exemple, meurt le lundi la famille reçoit son chèque le mardi matin !
— Bah ! y fait Kémis, c'est queudale ça ! Chez nous, notre compagnie elle est au 7e étage de l'immeuble Lafférière, à la Grande Poste. Eh ben, la semaine dernière, un client il a sauté par la fenêtre du 10e étage. Je lui ai remis son chèque au passage.

***

— Si on leur faisait croire, dit la jeune mariée, qu'on est de vieux mariés ?
— D'accord, fait le mari. Alors porte la valise.

***

Un type demande la charité, à Medjrab qui passe par là, rue Léon-Roches :
— Deux francs, pour ma vieille femme malade s'il vous plaît !
Et Medjrab répond :
— Une vieille femme malade, j'ai déjà ça !

***

— Mon fils a été libéré, révèle Mme Abbaz. Il devait rester encore deux ans. Mais on l'a relâché pour « bonne conduite ».
Alors Mme Chlomo lui dit :
— Comme vous devez être fière !

***

— Alors Kaouito, et ce dîner, comment ça c'est passé ?

— Mon dieu, fait Kaouito (moitié sceptique, moitié douteux), si la semoule elle avait été aussi fraîche que le pain, le pain aussi frais que le vin, le vin aussi pur que la viande de bœuf, la viande de bœuf moins grasse que les boulettes, les boulettes un peu plus cuites que les pois chiches, les pois chiches moins durs que les légumes, les légumes plus nombreux que le bouillon, et le bouillon aussi gras que la maîtresse de maison, ça aurait pu aller !

***

On joue aux cartes au Bar Palace. Une foule énorme regarde la partie. L'enjeu est sérieux. Il y a un bock panaché pour quatre à payer.

— Espèce de fumier ! crie Zarfana, tu as triché !

— Gueule tout ce que tu veux, lui dit Kémis, mais moi j'ai bien vu que je ne te donnais pas cet as de cœur !

***

Au tribunal, le Président, demande à l'agent de police :

— Vous n'avez remarqué personne de suspect dans les environs ?

— J'ai vu un homme, monsieur le Président, répond le policier. Je lui ai demandé ce qu'il faisait là, à cette heure de la nuit. Il m'a répondu qu'il n'avait rien à y faire pour le moment, mais qu'il avait l'intention d'ouvrir une boutique de bijoutier dans le quartier incessamment.

— En effet, dit le Président, il a ouvert une bijouterie dans le quartier et il y a pris dix-sept montres, et neuf bracelets.

— M'sieur le Président, c'était peut-être un voleur, mais c'était pas un menteur.

***

— Si je serais cafetier, déclare Boogie, j'appelerais mon café : Le Bureau.

— Y'a qu'un lourdingue comme toi pour avoir des idées pareilles, y fait Ninous.

— Et pourquoi tu l'appellerais : Le Bureau ? demande Abbaz dont l'indiscrétion n'a d'égale que la curiosité.

— Comme ça, chaque fois que les types y rentrent chez eux et que leurs femmes elles leur demandent d'où ils viennent, ils pourraient répondre : j'arrive du Bureau.

***

Un nommé Zetlaoui (on a su son nom beaucoup plus tard, mais on ne l'aurait pas su, ç'aurait été la même chose) donc ce Zetlaoui, il arrive au Commissariat et y dit :

— J'ai perdu mon portefeuille.

— Bon. Donnez-nous des détails, on va essayer de vous le retrouver.

— Mais c'est fait. Mon associé l'a retrouvé.

— Alors ?... fait le commissaire, qu'est-ce que vous voulez ?

— Qu'on retrouve mon associé !

***

Mme Aloro, qu'elle a deux fils, qu'on appelle les frères Aloro, elle achète un aspirateur. Elle l'essaie, et comme il marche mal, elle va le rapporter au magasin.

— Désolé, lui dit le vendeur, nous n'acceptons pas de rendu.

— Comment ! gémit la bonne femme, sur le bon de garantie, il y a écrit : « votre argent vous sera rendu en cas de non-satisfaction » !

— C'est vrai madame. Mais votre argent nous a donné entière satisfaction.

***

Spadaro, dans son entreprise, il a une standardiste qui a la manie d'écouter les conversations de son patron. Un jour, il reçoit un coup de fil par téléphone, de Zarfana :

— Allô Spadaro, je voudrais te demander un service : tu peux me prêter 500 F.

— Comment ? dit Spadaro, j'entends rien !

— Est-ce que tu peux me prêter 500 F.

— Allô ! Parle plus fort, je comprends pas ce que tu dis.

Alors Zarfana se met à gueuler :

— Peux-tu me prêter 500 F ! Deux fois deux cent cinquante !

— J'arrive pas à saisir tes paroles. Je te comprends pas.

A ce moment, la standardiste qui écoutait, elle peut pas s'empêcher de se mêler à la conversation :

— C'est bizarre, monsieur Spadaro, moi j'entends très bien votre correspondant.

— Dans ces conditions, qu'est-ce que vous attendez pour lui prêter cet argent ! y répond Spadaro.

Et il raccroche !

***

Lancry, le marchand de vêtements de la rue Caraman, à Constantine, il est catastrophé. Les affaires ne marchent pas.

— Ça va mal, se plaint-il. Ça va très mal !

— Dieu est grand, lui dit Mme Leyris qui passait par là.

— Dieu est grand c'est vrai, mais ma recette, elle est vraiment petite. Lundi j'ai vendu un pantalon, un seul. Mardi, rien du tout. Mercredi, ça été encore pire que mardi.

— Comment est-ce possible, puisque mardi vous n'avez rien vendu ?

— Et pourtant c'est vrai ! Mercredi, le client qui avait acheté le pantalon le lundi, il est venu se le faire rembourser !

***

Un propagandiste de la ligue anti-alcoolique va prêcher dans une petite ville. Mettons Tlemcen. En fait, c'était pas Tlemcen, c'était Boufarik. Mais comme Boufarik c'est très petit, je mets Tlemcen à la place ça fait mieux.

— Qui gagne de l'argent ici ? dit l'orateur. C'est le cafetier. Qui roule dans la plus grosse voiture ? La femme du cafetier. Mes amis, retenez bien ceci : la moitié de vos salaires va dans la caisse du cafetier.

A la fin de la séance, un jeune couple, éperdu de reconnaissance vient féliciter le prêcheur.

— Merci ! Mille fois merci ! Vous nous avez entièrement convaincus.

— Alors, dit-il ravi, vous allez abandonner la boisson.

— Non. Nous aussi nous allons ouvrir un café !

***

Boogie le représentant, il annonce à son copain Ninous :

— Ma maison va lancer une nouveauté sensationnelle : la chemise d'homme sans bouton.

— Tu parles d'une nouveauté ! fait Ninous. Des chemises comme ça, j'en porte depuis neuf ans que je suis marié !

***

Un représentant sonne à la porte de Mme Brimate et lui propose un nouveau modèle de moulin à café électrique :

— Non, merci, ça ne m'intéresse pas, répond la femme. Mais allez voir Mme Chlomo, c'est la porte à côté. Elle me prête toujours le sien et je trouve qu'il est bien poussif depuis quelque temps.

***

Avant d'engager un employé, le Directeur téléphone à l'ancien patron du candidat.

— Dites-moi, combien de temps M. Kaouito a-t-il travaillé chez vous ?

— Environ trois jours, répond l'autre.

— Trois jours ? Il me dit qu'il est resté longtemps dans votre entreprise.

— Ça c'est autre chose. Effectivement il a passé deux ans chez nous.

***

Gomez, le cordonnier de la rue Franklin, il avait mis cette affiche à la porte de sa boutique :

« Ici on répare vos chaussures pendant que vous attendez. »

Un homme se présente un mardi matin :

— Voilà, explique-t-il, j'ai mes deux talons à refaire.

— Bien, dit Gomez, ça sera prêt, samedi soir.

— Quoi ! s'étonne l'autre ! Et votre pancarte ? Il y a bien écrit : « Pendant que vous attendez. »

— Et alors, fait Gomez, pendant ces quatre jours, vous allez pas les attendre ces chaussures ?

***

Au restaurant, deux représentants échangent des confidences.

— La semaine dernière, dit le premier, j'ai eu un ordre de 50 000 F de la maison Flako et fils.

— Arrête tes conneries ! fait l'autre. Tu veux m'arnaquer ou quoi ?

— Tu me crois pas ? Tiens, regarde, voilà leur annulation.

***

Robert est triste, sombre, presque au bord des larmes. Arrive Enrico qui est surpris de le voir dans cet état.

Enrico. — Qu'est-ce que tu as Robert ? Qu'est-ce qu'il t'arrive ?

Robert. — Ah là là ! Si tu savais ce qu'il m'arrive !

Enrico. — Qu'est-ce que c'est ? Tu m'affoles. Tu as perdu ton travail :

Robert. — Mais non ! Qué perdu... je peux pas le perdre, puisque je l'avais même pas trouvé... Et puis d'ailleurs je cherche même pas.

Enrico. — Mais alors dis-moi qu'est-ce que c'est ? Dis-moi !

Robert. — Ah là là ! Si tu savais ce qui m'arrive !

Enrico. — Eh ben oui ! Si tu me le dis, peut-être que je vais le savoir.

Robert. — He ben... je... je crois que ma femme elle... elle me trompe.

Enrico. — Tu crois... ou tu en es sûr ?

Robert. — Je crois que j'en suis sûr.

Enrico. — Tu en as la preuve ?

Robert. — Ouais... Elle a avoué !

Enrico. — Oh tu sais... Elle te dit ça pour exacerber ta jalousie.

Robert. — Mais non ! C'est plutôt pour l'exaspérer ouais...

Enrico. — C'est ça : pour l'exacerber.

Robert. — Je te répète que c'est pour l'exaspérer.

Enrico. — D'accord tu as raison... Et puis tu sais il ne faut pas toujours croire ce que disent les femmes !

Robert. — Il faut pas les croire, quand elles te disent le prix d'une robe ou d'une bague. Mais là, c'est la vérité.

Enrico. — Bon, alors écoute-moi. Je vais te donner un conseil. N'en parle à Personne ! Tu m'entends bien, à Personne !

Robert. — ...

Enrico. — Tu l'as dit à personne au moins ?

Robert. — Non. Je l'ai dit seulement à Zarfana.

Enrico. — Zarfana ! Aïe, Aïe, Aïe ! Malheureux ! Le seul à qui il fallait pas en parler ! C'est un vrai transistor. Il va l'annoncer partout. Mais ne te fais pas de mauvais sang, je vais aller le voir et lui dire de se taire. C'est tout ?

Robert. — ...Non, je l'ai dit à Kaouito.

Enrico. — Kaouito ! Mais tu l'as fait exprès ou quoi ? Là où Zarfana y va pas, Kaouito il y va ! Tu l'as dit à toute la rue alors ? Tu l'as dit à Norbert le boucher ?

Robert. — Oui... je l'ai dit.

Enrico. — Tu l'as dit à Suissa, le pombier ?

Robert. — Eh ouais... je l'ai dit.

Enrico. — Tu l'as dit à Maklouf, l'épicier ?

Robert. — Eh ouais... je l'ai dit.

Enrico. — Tu l'as dit à Prosper, le cordonnier ?

Robert. — Eh non !... Il était fermé !

***

Kaouito. — Je te dis que je l'ai vu ! De mes yeux vu ! Comme je te vois !

Gaston. — Je te crois pas !

Kaouito. — Mais enfin, puisque je te dis que j'ai vu !

Gaston. — Et moi je te dis que je te crois pas !

Kaouito. — Mais pourquoi, pourquoi ?

Gaston. — Parce que tu mens ! Rien que tu racontes des histoires pour te rendre intéressant !

Kaouito. — Moi, des histoires ! Dis-moi que je mens tant que tu y es !

Gaston. — Mais je te l'ai dit.

Kaouito. — J'avais pas entendu. Pourquoi je te dirais que je l'ai vu ? Quel intérêt ?

Gaston. — Pour faire le fanfaron. Personne n'arrive à le voir ce type, et toi, cataplasme tu vas nous faire croire que tu l'as vu ?

Kaouito. — Mais si je te le dis, enfin ! Je suis pas fou !

Enrico. — Je vais te dire pourquoi c'est pas possible de le voir. Parce qu'il est à l'étranger.

Kaouito. — Mais, c'est ce qu'il veut faire croire ! J'ai tout de suite compris le coup, quand je l'ai vu.

Enrico. — Bon. Mettons. Et où tu l'as vu ?

Kaouito. — Chez Solivérés, à la Grande Brasserie. Il buvait une anisette Cristal avec Borras et Sampol les miroitiers.

Gaston. — Tu es sûr que tu l'as vu ?

Kaouito. — Je te le répète pour la 1 000e fois !

Enrico. — Est-ce qu'il est toujours le même. Est-ce qu'il a changé ?

Kaouito. — S'il a changé ! Mais totalement, entièrement ! C'est bien simple, je l'ai même pas reconnu !

***

Une jolie fille disait à sa copine, en parlant de Meuzllott.

— Je sais bien que l'intention compte plus que la dimension du cadeau, mais vraiment je lui croyais les idées plus larges.

***

Un type qui s'appelait Blaouette, vous l'avez peut-être connu, il allait toujours à son travail, été comme hiver, sans compter le printemps et l'automne, toujours avec une casquette qu'il mettait la visière complètement sur le côté. Un jour son patron l'appelle et lui demande :

— Voilà, monsieur Blaouette, je voudrais que vous me disiez pourquoi vous mettez toujours votre casquette de côté.

— C'est simple, M'sieur le directeur, y fait Blaouette, en le regardant dans les yeux. C'est parce que depuis quinze ans que je travaille chez vous, c'est tout ce que j'ai réussi à mettre de côté !

***

Une femme téléphone à la rédaction de « La Dépêche de Constantine » pour poser cette question :

— Il y a un oiseau qui vient de se poser devant ma fenêtre : je voudrais bien savoir ce que c'est.

— Un moineau, répond son interlocuteur aussi sec.

— Ah ! Merci, dit la dame. Et elle raccroche.

***

Le frère à Serrori, il vient de

prendre sa retraite. Et il arrête pas de se plaindre :

— Quand je me lève, je sais que j'aurai rien à faire de la journée, et quand je me couche, j'en ai pas fait la moitié !

***

Un client furieux téléphone à Mendoza, l'agent immobilier :

— Vous êtes un escroc ! Le terrain à bâtir pour lequel je vous ai versé 15 000 F d'avance, est complètement inondé, je n'en veux plus.

— Je regrette, dit le vendeur, un contrat est un contrat. Il faut l'exécuter. Toutefois...

— Oui, fait l'autre plein d'espoir.

— Toutefois, je peux vous faire une concession.

— Ah, merci, merci beaucoup.

— Oui. Le terrain, au lieu de vous le vendre au mètre, je vais vous le vendre au litre.

***

Sur la plage privée d'un hôtel super-luxe, un homme tient un gros coquillage contre son oreille et confie à sa femme :

— Tout ce que j'arrive à entendre, c'est une petite voix qui murmure « 500 F par jour... »

***

Ce matin-là, comme tous les autres, Zarfana s'est réveillé de mauvaise humeur. Alors, en lui servant son café, sa femme lui dit :

— Essaie donc de voir le bon côté des choses : plus que seize heures et tu te remets au lit.

***

Madame Chlomo raconte sa soirée à Mme Abbaz.

— Si vous aviez vu ce monde à ce concert, ma chère ! Un monde fou ! Même le chef d'orchestre il a été obligé de rester debout pendant tous les morceaux !

***

Le lendemain de son anniversaire Mme de la Fourquerolles disait à Mme de Touitou :

— J'aurais voulu que vous voyiez ce gâteau ! Trente-deux bougies !

— Trente-deux ! rétorque Mme de Touitou. Mais alors elles étaient allumées par les deux bouts, les bougies !

***

Aux C.F.R.A., la compagnie de Tramways qui desservaient les lignes d'Alger, par en bas, il y avait une grève. Le chef du syndicat c'était je crois, Gomez, qui était connu même au Mexique (Demandez Gomez au Mexique vous verrez !). Alors on lui demande :

— Mais qu'est-ce qu'ils veulent donc au juste, les travailleurs ?

— Plus ! y répond Gomez.

***

Une association contre l'abstentionnisme fit afficher sur tous les murs : « Votez pour ou contre, mais votez ! »

Au dépouillement du scrutin, on trouve des bulletins sur lesquels il était écrit : « Pour ou contre ». C'étaient les bulletins de Kaouito, Pastafagoul, Abbaz, et les autres...

***

La femme de Medjrab a l'habitude de dire :

— Mon mari me laisse dépenser l'argent, comme si c'était de l'eau : goutte à goutte, goutte à goutte...

***

Le vieux père Youcef, il expliquait au jeune Ciomeï, le journaliste.

— Un homme y court après une femme jusqu'au moment où c'est elle qui l'attrape !

***

Comme il venait de sortir de quelque part, Zembrec il était rentré ailleurs comme représentant dans une maison d'aspirateur. Un jour il va voir une cliente, elle le fait pénétrer dans la salle à manger et Zembrec y commence son baratin comme Me Floriot et Me Isorni, mais bien sûr, pour les aspirateurs. La femme elle l'écoutait sans dire un mot. A la fin, certain d'avoir réussi sa vente, il demande :

— Alors, vous en prenez combien ? Un pour chaque pièce ?

La femme s'excuse, quitte la pièce, et revient avec un magnétophone qu'elle branche et elle dit à Zembrec :

— Maintenant, voulez-vous avoir l'obligence de répéter tout ce que vous venez de me dire ? Parce que mon mari, lui aussi, il est représentant en aspirateurs, mais je trouve son boniment moins bon que le vôtre.

***

Un type rentre chez Pépète, au Bar Palace, et commande un demi. Il en boit la moitié, et jette le reste sur le garçon. Puis, il se met à s'excuser :

— Je vous en prie, je vous demande pardon. C'est un geste impulsif que je ne peux pas contrôler. Si vous saviez comme j'ai honte, comme je suis gêné !...

— Vous devriez voir un psychiatre, lui conseille le garçon, en écrasant le coup pour pas faire de scandale.

L'autre bredouille :

— Oui, oui... C'est ce que je vais faire...

Quelques mois plus tard, le même personnage revient au même bar, et avec le demi entier cette fois-ci recommence son cinéma. Le garçon fou de colère lui lance :

— Je croyais que vous deviez voir un psychiatre !

— J'en ai vu un !

— Eh bien, ça a pas l'air de vous avoir arrangé !

— Oh si, fait l'autre, j'ai toujours mon infirmité, mais maintenant ça ne me gêne plus du tout.

***

— Tu as remarqué que quand on lit un roman policier, arrivé à la dernière page, tu as l'impression que dans tout ce bordel qu'il y a partout dans le monde, tu fermes le livre et tu te dis : « voilà au moins une affaire de réglée ! ».

***

Le petit Prosper qui a 5 ans est allé passer la journée chez son grand-père. A la fin de l'après-midi, le grand-père téléphone pour demander à la mère quand elle veut qu'il ramène l'enfant. Et la mère a répondu sans hésitation :

— Quand il aura 18 ans !

***

Charly Driguès, quand il a été en Amérique (on va finir par le savoir qu'il a été en Amérique !), il a rapporté à des copains des chapeaux de cow-boys troués.

— Tu aurais pas pu porter des neufs, lui reproche Medjrab.

— Quel con celui-là ! y fait Charly. Les neufs ils étaient à 4 dollars 50 ; ceux-là ils sont à 5 dollars parce que c'est des vraies balles de revolver qui les ont troués !

***

— Comment ça se fait que, quand il y a une nouvelle mode, les femmes qui sont les premières à la suivre, sont toujours celles qui devraient s'en abstenir ?

***

Rue du Roussillon, chez Albert le boucher, Mme Zarfana, c'était vraiment un cauchemar de la servir. Albert, il n'en pouvait plus.

— Est-ce que ce morceau est tendre ? Ce serait pas mieux l'entre-côte ? Peut-être alors de la gîte de noix ? Ou bien alors, Albert, plutôt des basses-côtes ?

A la fin Albert y lui lance :

— Il vous faudrait aussi le nom du bœuf ?

***

A El-Biar, les employés des impôts ont reçu de Kaouito une feuille non remplie avec cette lettre : « Je vous ai fait savoir à plusieurs reprises que je suis décédé depuis quatre ans. Donc je vous prie de ne plus m'envoyer de feuilles d'impôts à remplir. »

***

Kaouito a fait paraître cette annonce dans l'« Echo d'Alger » :

« Je décline toute responsabilité pour les chèques signés par moi au cours de cette année. »

***

Visitant le Gouffre de Padirac, Gabelouz qui était avec son copain Casse-ficelle, aussi intelligent l'un que l'autre, il lui dit :

— Dis donc mais... on dirait que plus on descend, plus ça devient profond !

***

Charly Driguès, le restaurateur il a été aux Etats-Unis (je crois que je vous l'ai déjà dit). Il visitait le geyser géant qui fumait et bouillonnait, en plus vrai qu'au cinéma !

Il était bouche bée devant cette vapeur grandiose. Alors il demande au gardien :

— Vous le faites fonctionner aussi en hiver ?

***

Un magasin d'ameublement reçoit ce mot de M. Medjerab :

« Je n'exige pas le reçu de mon chèque ci-joint. Avec mon talon ça suffit. Mais je déduis 1,20 F de timbre pour le reçu que vous auriez dû m'envoyer. »

***

Un jour Enrico Macias reçoit une lettre méchante d'une mauvaise langue. Alors il la retourne à l'envoyeur avec ces mots :

« J'ai reçu cette lettre voici quelques jours. Je vous la transmets pensant rendre service à l'honorable citoyen que vous êtes. Sachez qu'un imbécile se permet d'utiliser votre signature pour écrire des insanités — Cordialement. »

***

Un monsieur reçoit Boogie le représentant venu lui faire des offres :

— Votre façon d'entrer en matière me plaît. Maintenant montrez-moi un peu votre façon d'en sortir.

***

Un jeudi, du temps où le jeudi c'était pas le mercredi, Mme Zarfana envoie son petit garçon à un goûter d'anniversaire et lui recommande :

— Et n'oublie surtout pas : au moment de partir, tu vas trouver la maman de Judith, et tu fais des excuses. excuses.

***

Devinette : Comment une fille qui a 90 cm de tour de hanches, peut-elle dormir dans un lit de 70 cm de large ?

***

L'association des Caneurs de chaises, organise un Gala de bienfaisance à l'Opéra d'Alger. Alors Attard un des organisateurs offre un billet à Spadaro.

— Je suis désolé, s'excuse Spadaro, je suis pas libre ce soir, mais soyez sûr que je serai de cœur avec vous.

— Parfait, dit l'autre. Où voulez-vous qu'on place votre cœur ? J'ai des fauteuils à 30 F, à 50 F, et à 80 F...

***

Là, il faut que j'explique bien les choses pour que vous compreniez bien comment les choses, elles, se sont passées.

C'était à Bab-El-Oued (et ça ne pouvait pas être ailleurs) au moment de ce qu'on appela les « événements d'Algérie ». Vous voyez ce que je veux dire ? Bon.

Un nouveau Délégué Général devait arriver de Paris pour s'installer à Alger, en remplacement d'un autre qui devait quitter Alger pour aller va savoir où ! Et les Algérois, ils savaient pas si ce nouveau fonctionnaire il était partisan de l'Algérie Française ou pas, de l'autonomie, de l'intégration, de l'indé-pendance, de l'inter-dépendance, de ceci, de cela, parce que grâce à Dieu, il s'en est passé des choses et c'était devenu un vrai sac d'embrouilles depuis : « je vous ai compris » en passant par « Dunkerque et Taman-rasset », jusqu'à la « Paix des braves » etc., etc.

Et à Bab-El-Oued, on savait pas s'il fallait accueillir ce nouveau Délégué Général avec les drapeaux et la fanfare, ou bien sans rien, sans aucune manifes-tation.

Finalement, dans le doute, on s'abstient. Et, Calamito, qu'il était une espèce de chef de quartier adjoint au sous-chef principal y décide :

— Y'aura rien aux balcons, ni drapeaux, ni bannières, ni casseroles ni rien. Il faut avertir tout le monde !

Et Zambello, qui était son troisième adjoint principal, il redécide derrière lui :

— Ouais, ouais ! Calamito il a raison. Il faut pas pavoiser. Il faut pas pavoiser !

Le Délégué Général arrive à Maison Blanche le matin. Y vient faire un tour à Bab-El-Oued, l'après-midi pour prendre la température. Et ô surprise !, les Algérois, ils avaient sorti quand même les drapeaux bleu, blanc, rouge, les bannières, les calicots, et tout le tam-tam !

Alors, devant ce spectacle contraire aux consignes, Calamito, y lève la tête au ciel, en signe de désespoir, et y fait :

— C'est un monde ça ! On peut rien faire avec ces gens-là ! On leur a dit et répété de *NE PAS VOISER* ! Ils ont *VOISE* quand même !

***

Rue Michelet, au cinéma de Versail-les, deux jeunes gens regardent le film, et à un moment donné, le jeune homme essaie timidement de prendre la main de la jeune fille.

— Ah non ! dit-elle. Ce soir, il est entendu qu'on paie chacun sa part !

***

C'est pas une histoire « pied-noir ». Elle est arrivée à Alain Delon. Et comme Alain Delon il est beau, il aurait donc pu être « pied-noir » comme moi. Donc ç'aurait pu être une histoire « pied-noir ». En plus c'est lui qui me l'a racontée. Et en plus, pied-noir, ou pas pied-noir, je la raconte quand même.

Un groupe de touristes envahit un soir une boîte de nuit, et tous s'amu-saient à dévisager les célébrités pré-sentes. Une jeune fille ne cessait de regarder Alain Delon (va savoir pour-quoi d'ailleurs !). Finalement Alain Delon lui fait un petit signe de tête.

— Comme c'est étrange, dit la fille ! Je l'ai vu dans tellement de films, que maintenant il me connaît !

***

Une jeune maman emmène son poupon au marché et demande à

Albert le boucher de bien vouloir lui peser, car son pèse-bébé est détraqué.

— Bien volontiers, dit le boucher.

Il prend le bébé, et le dépose sur la balance.

— Ça fait exactement 6 kg 350. Avec os.

***

Martial le dragueur baratine une fille :

— Dites-moi tout : vos rêves, vos inquiétudes, vos espoirs, votre tour de taille, de hanches, de poitrine...

***

Madame Mougeonot, la maîtresse d'école de la rue Franklin, était chargé de monter le spectacle de Noël. Mais elle avait les pires difficultés avec le petit Robert. L'enfant jouait le rôle de l'aubergiste qui refuse d'accueillir Joseph et Marie. Les parents de Robert étaient l'hospitalité même, et comme il ne les avait jamais vu refuser d'accueillir qui que ce soit, il fondait en larmes pendant sa tirade. Enfin, après lui avoir expliqué qu'il n'y avait vraiment pas de place à l'auberge, la maîtresse crut qu'il avait fini par comprendre.

Le grand jour arrive. La salle des fêtes était pleine de parents d'élèves. Il y avait Kaouito, Pastafagoul, Abbaz, et les autres... qui étaient venus voir leurs enfants, et aussi parce qu'il y avait un goûter après...

Le rideau se lève et on voit Marie et Joseph devant l'auberge. Ils frappent. Un tout petit aubergiste tremblottant leur ouvre la porte.

— Hélas, dit-il, il n'y a plus de place à l'auberge.

Puis faisant un dernier effort pour se montrer cordial il ajoute :

— Mais vous entrerez bien boire une petite anisette !

***

Le bateau quitte le port. En mer, une tempête se déchaîne. Une jeune femme, appuyée à la lisse perd l'équilibre et se retrouve par-dessus brod. Immédiatement on voit une autre forme humaine plonger dans les flots, et ramener la femme jusqu'au canot de sauvetage. A l'étonnement général, on s'aperçoit que le héros est le père de Gabelouz, le doyen de tous les passagers. Le soir venu, on donne une petite fête en son honneur :

— Un discours ! Un discours ! crient les passagers.

Le vieux Gabelouz se lève lentement, jette un regard autour de lui et demande :

— Il y a une chose que je voudrais bien savoir ? Qui c'est qui m'a poussé ?

***

Le fils de Gabelouz il a une femme superbe. Un peu comme Elisabeth Taylor, mais en plus belle. Donc c'est pas mal. Un soir, avant d'aller à un bal, elle s'est tellement bien habillée que même son mari il en reste baba d'admiration.

— Je suis contente de te plaire, dit-elle. Mais j'ai une peur bleue ! Je crains de n'avoir aucune conversation.

— Oh c'est rien ça ! fait Gabelouz. Tu n'as qu'à dire « non » aux hommes. Pour les femmes, n'aie pas peur, elles t'adresseront pas la parole !...

***

Casse-ficelle, il arrive un jour avec une moto superbe. Tout le monde admire : Kaouito, Pastafagoul, Abbaz, et les autres...

— Elle est à vendre, y dit Casse-ficelle. Et pas cher.

Bonazo, tenté, finit par l'acheter. Mais il demande à Casse-ficelle un certificat prouvant que celui-ci avait vraiment acheté la moto.

— Oui, je vais te donner le certificat. Ça te couvrira à condition que tu vas vers Bab-El-Oued, Saint-Eugène, la Madrague, tout l'Est. Mais si tu vas vers le Parc de Galland, Hydra, à l'Ouest, là-bas tu risques d'avoir des ennuis !

***

En pleine nuit, la femme de Kaouito, trouve son mari dans la cuisine devant le réfrigérateur.
— Je pouvais pas dormir, y dit. J'ai commencé à compter des moutons et ça m'a rappelé le gigot.

***

La réputation de Kaouito avait franchi les frontières ! Un jour une femme très vilaine, venant d'un pays très éloigné, exprès pour le voir lui dit avec un accent étranger :
— Il paraît monsieur Kaouito que vous êtes le plus grand menteur de la terre !
— Madame, dit Kaouito, en imitant Gérard Philippe dans « Fanfan la Tulipe » vous êtes la plus belle femme que j'ai jamais vue !

***

Tel père, tel fils ! L'autre jour, le fils à Medjerab soulève l'oreiller, et retrouve sa dent et non la pièce que soi-disant les fées doivent y glisser. Il fond en larmes. Alors son père lui dit :
— Enfin quoi ! Tu crois tout de même plus aux fées !
— Non, dit le petit en pleurant, mais je crois à l'argent !

***

A l'Armée, le dentiste J. P. Oury examine un malade avec des égards incroyables :
— Si je vous fais mal, n'hésitez pas à me le dire ! Là, ça va ? Vous ne sentez rien j'espère ?... là, voilà !... Je n'ai pas été trop méchant ?
Le soldat n'en revient pas. Il se lève et remercie vivement.
— Je m'en tape éperdument, fait le dentiste. Mais comme je termine mon service militaire la semaine prochaine, je m'entraîne à reprendre mon « toucher » de civil !

***

Dans un parc d'attraction d'un grand magasin, rempli de jouets, un petit garçon soudain effrayé se met à pleurer.
— Tout de même, s'indigne Mme Abbo, quelle idée d'amener des enfants dans des endroits pareils !

***

— Tu sais pourquoi on est plus « bon perdant » que « bon gagnant » ? demande Kaouito.
— Non, pourquoi ? répond Babjidj.
— Parce qu'on gagne rarement.

***

La femme de Gomez (ouais, celui qui est connu au Mexique) téléphone au docteur, affolée :
— Docteur, mon fils a avalé du sable et je lui ai fait boire beaucoup d'eau. Que dois-je faire d'autre ?
— Eviter de lui faire avaler du ciment, répondit le médecin.

***

Pastafagoul cherche Kaouito pour lui emprunter de l'argent. De toute façon, Pastafagoul, quand il cherche quelqu'un, c'est jamais ni pour faire un don ni pour du travail ! Il le trouve. Il s'approche de lui, fait semblant de lui enlever de la poussière sur son veston et lui dit :
— Tu peux me prêter 500 F ?
Kaouito répond :
— Remets la poussière. Je n'ai pas un sou sur moi.

***

A Alger, il faisait très chaud cet

été-là ! Le médecin accoucheur, le docteur Dougnac, suant à grosses gouttes examinait plusieurs patientes avant de se rendre à l'hôpital où on le réclamait.

— Je vous plains docteur, lui dit une de ces dames. Ces chaudes journées d'août sont pénibles !...

— Oh ! Madame, mon malheur ne vient pas de ces chaudes journées d'août... mais de ces fraîches soirées de novembre dernier.

***

Le juge reçoit une lettre de Kenchla ; un petit village du Constantinois.

« Monsieur le Juge, mon mari est receveur des postes, mais il y a des machinations qui se mijotent contre lui et il a peur de perdre sa place. Pouvez-vous nous dire ce qu'il faut faire ? »

Le Juge répond :

« Chère Madame, je vous accuse réception de votre lettre du 18 courant. Demandez à votre mari qu'il me fasse un exposé détaillé de l'affaire et j'étudierai la question. »

Le Juge reçoit cette réponse :

« Monsieur le Juge, si mon mari savait écrire, il n'aurait pas peur de perdre sa place. »

***

Maxime, le restaurateur de la rue Fourchault, il avait fait mettre une inscription au-dessus du comptoir : « N'insultez pas nos garçons en leur donnant un pourboire. » Mais sur les tables, il y avait une petite tirelire avec une étiquette marquée : « Insultes ».

***

Kaouito disait :

— Tu n'as pas remarqué comme on peut aller loin, avec 1 F. La preuve, c'est qu'on le garde des mois en poche avant de trouver ce qu'on pourrait bien acheter avec !...

***

Madame Silvéra, va chez un anti-quaire pour acheter une table.

— Combien celle-là ? demande-t-elle.

— 3 500 F, fait le marchand.

— 3 500 F ! Eh ben, pour un antiquaire, vous faites des prix très modernes hein !

***

Condamné à un an de prison pour avoir cambriolé un restaurant, Gas-pacho proteste :

— J'ai cogné la devanture sans le faire exprès, et j'ai cassé deux glaces. En voyant ça, je suis entré en me disant : « je vais leur laisser mon nom et mon adressse ». Si on m'a surpris la main dans le tiroir, c'est simplement parce que je cherchais un crayon et du papier pour écrire.

***

Le Juge demande au prévenu s'il a des circonstances atténuantes.

— Bien sûr, M'sieur le Juge ! On m'a condamné déjà douze fois, et ça n'a jamais eu aucun effet !

***

Le docteur Gomez (le généraliste, pas le chirurgien) est obligé de s'absenter quelques jours. Pour le remplacer il prend un étudiant en médecine qui s'étonne que l'appareil à tension dont se sert le docteur n'ait pas d'aiguille.

— Que disent vos malades quand ils s'aperçoivent que votre appareil n'a pas d'aiguille ? demande l'étudiant surpris.

— Rien ! répond le docteur. Je ne leur fais pas payer la visite.

***

Rue des Trois-Couleurs, Casse-ficelle aborde un type et joue son rôle préféré, celui de Jean Valgean dans « les Misérables ».

— Monsieur, aidez-moi, gémit Casse-ficelle, j'ai tout perdu, tout !... Même le sommeil.

— Une place de gardien de nuit ça vous irait ? demande le type.

***

Fortunato, est chez les parents de sa fiancée, en train de faire la cour à la jeune fille. Comme il va être minuit et que les parents ont sommeil, le père se rend dans le petit salon où se trouvent les deux amoureux et dit :

— Il faut que je vous prévienne mon garçon, qu'à minuit nous éteignons tout.

— C'est très gentil à vous, répond Fortunato, je n'osais pas vous le demander.

***

En bas de la Basseta, avant d'arriver au cinéma Rialto, à côté du lavoir deux types sont en train de discuter. C'est Pépète, et un autre type, un richard plein d'argent. En quittant Pépète, ce type plein d'oseille, lui met quelque chose dans la main. Kaouito qui n'est pas loin, il s'approche de Pépète pour être plus près, et il lui dit :

— Tu as gagné ta journée toi, aujourd'hui hein !

— Ah ! tu étais là toi, y lui fait Pépète, tu es un vrai vautour !

— Mais non, je t'ai vu discuter avec le type. Qu'est-ce qu'il t'a dit ?

— Il m'a dit d'aller boire un café.

— Et qu'est-ce qu'il t'a donné dans la main ?

— Il m'a mis un sucre !

***

Kaouito entre chez Sebbagh le cordonnier pour lui donner une paire de chaussures à ressemeler. Sebbag regarde les souliers, comme des vestiges de l'Empire Romain et remarque :

— Eh ben tu es venu à temps pour que je te répare les souliers hein !

— Tu as raison, y lui fait Kaouito. Les derniers temps, mes semelles elles étaient si minces, qu'en marchant sur une pièce, je pouvais te dire si c'était pile ou face !

***

Ça fait quatre jours que le jour de l'An il est passé, et la femme à Medjerab elle est pas sortie de chez elle. Alors elle envoie son fils faire des commissions. La concierge, Mme Micalef, elle guette. Elle voit le petit, elle l'arrête, et elle lui dit.

— Dis à ta mère que je lui souhaite une bonne année, et que j'attends la réponse.

***

— C'est vrai que je dépense plus que tu ne gagnes mon chéri, concédait Mme Zagate à son mari, mais j'ai tellement confiance en toi !

***

Un touriste traverse la ville, lorsqu'il constate que le poste de radio de sa voiture ne fonctionne pas. Et coïncidence, il aperçoit le magasin de Suissa l'électricien. Il range sa voiture le long du trottoir, puis traverse la rue et rentre dans le magasin. Suissa, l'écoute, et lui demande :

— Mais où il est votre poste de radio ?

— Dans la voiture.

— Et où elle est la voiture ?

— Là, en face, de l'autre côté de la rue.

Alors Suissa, réfléchit et lui dit :

— Ecoutez monsieur, revenez demain. Ici ça sera le bon côté du stationnement, et je pourrai réparer votre poste plus vite, sans vous compter les frais de déplacement.

***

Kaouito est allé se faire inscrire au chômage. L'employé lui demande sa profession :

- Chercheur de diamants, répond Kaouito.
- Dans quelle région ?
- Dans l'Oranie.

L'employé sursaute et demande :

- Mais il y a pas de diamants dans l'Oranie ?
- Eh ben, justement. C'est bien pour ça que je suis en chômage.

***

Pastafagoul cherche partout Kemis. Il fait tous les cafés de l'Avenue de la Bouzaréah, par en haut, et par en bas; il monte jusqu'à la rue de la Lyre, et finalement il le trouve chez Coco en train de boire une petite anisette Cristal. Il le prend à part et il lui murmure :

- Kemis, tu peux me prêter 500 F ?

L'autre, il aime pas du tout ce genre de demande. Alors il lui dit :

- Non. Et je vais t'expliquer pourquoi. J'ai peur que ça brise notre belle amitié.
- N'aie pas peur, y lui fait Pastafagoul, je t'ai jamais vraiment considéré comme un ami.

***

A la Grande Brasserie, au comptoir, un type est en train de boire un café et il déclare innocemment, le malheureux :

- Ce matin, j'ai trouvé 10 F.

Kaouito, qui était à côté, tape un coup d'arnaque terrible :

- 10 F ! Mais c'est à moi ! J'ai perdu cette pièce ce matin. J'allais justement aller au Commissariat pour déposer plainte en recherche de pièce perdue.
- Mais non, fait l'autre. C'était pas une pièce de 10 F, mais 2 pièces de 5 F.

- Justement, y fait Kaouito, justement ! Quand ma pièce est tombée elle a fait un bruit énorme, et j'ai tout de suite pensé qu'elle avait dû se casser en deux !

***

A Birmandreïs, un touriste s'arrête dans un petit hôtel-restaurant minable. Le dîner est dégueulasse, le service lamentable, le type il est presque obligé d'aller chercher son assiette à la cuisine, la chambre c'est une copie d'une cellule de la Prison Barberousse, en plus pourrie.

Le lendemain matin, le malheureux touriste demande au patron :

- Combien je vous dois ?

L'autre, il sait pas ce que c'est la honte, il dit :

- 65 F
- Je vous signale, remarque le client, que toute la nuit de l'eau a dégouliné du plafond.
- Ah ! C'était une chambre avec douche ! Alors c'est 95 F.

***

Carmelo le maçon, à l'heure du repas, déballe ses sandwichs de la musette. Il en ouvre un, et il fait, dégoûté :

- Du fromage ! Ah là là ! J'aime pas le fromage moi ! Quelle horreur. Et il balance les sandwichs.

Le lendemain, à l'heure du déjeuner, il rouvre sa musette, sort ses sandwichs, et sans prendre le temps de les déballer, il les jette avec le même dégoût que les autres jours.

- Pourquoi tu fais ça? demande son collègue. Aujourd'hui, c'est peut-être pas du fromage.

Alors l'autre lui balance :

- Oh, Hé, l'ami ! J'sais ce qu'il y a dedans. C'est moi qui les prépare, alors !

***

Martial, le tombeur, il avait fini par se marier. Et il était parti en voyage de noces. En rentrant, il se sentait surmené par la lune de miel. Lui et sa femme ils vont voir le docteur Leiris.

— Votre cas n'a rien d'anormal, explique le docteur à Martial. Vous êtes jeune, fougueux, plein de tempérament, mais évidemment, pas raisonnable. Voilà ce que je vous conseille. Faites l'amour, et pas la guerre bien sûr, mais faites l'amour uniquement les jours de la semaine avec un « R » dans le nom : mardi, mercredi, vendredi, les autres jours vous vous abstenez. Et comme ça, ça ira bien.

— Parfait, dit Martial, un peu soulagé.

Mais sa femme ça l'emballe pas terrible, et même ça lui déplaît carrément.

Bon. Comme on est jeudi, le soir ils se couchent sagement. Le lendemain vendredi, c'est le jour avec « R », alors c'est la fête. Le surlendemain alors que Martial se met au lit et est heureux de récupérer, sa femme commence à le cajoler, à l'embrasser, à le caresser.

— Enfin, proteste Martial, laisse-moi dormir, quel jour on est aujourd'hui ? Et sa femme murmure amoureusement :

— On est *samedri...*

***

Bonazo tape une petite anisette Cristal au Bar Palace, et discute avec Fartass, de la vie chère, et que non seulement les prix augmentent mais qu'en plus y faut se priver. Enfin, chanson connue, grand Prix de l'eurovision économique...

— Tu te rends compte, y dit Bonazo, que je suis obligé de faire durer mes chapeaux 3 ans !

— Et comment tu fais ?

— Hé, la première année je change que le cuir. La deuxième année, je change le ruban. Et, enfin la troisième année, je vais dans un restaurant ou au café, et je change de chapeau !

***

Malgré quelques années de mariage, Madame Zagate qu'elle habitait la rue Bab-Azoun, elle était restée très peureuse. Tous les soirs, avant de se coucher elle regardait sous le lit pour voir s'il y avait quelqu'un ou personne, ou un type qu'elle connaissait pas. Monsieur Zagate, son mari, il travaillait au tri postal par avion, et par bateau selon le mode d'acheminement du courrier, ce qui fait que des fois il faisait la nuit. Son mari y se moquait d'elle, chaque fois qu'elle regardait sous le lit, mais enfin, il l'aimait bien.

Un jour, il rentre à l'improviste, parce qu'il avait fini son travail plus tôt, et il trouve sa femme toute nue sur le lit. Va savoir pourquoi, il se baisse, et regarde sous le lit, et qu'est-ce qu'il voit ? Un type qui sort d'en dessous, son pantalon et sa veste à la main, les chaussettes aux pieds, le rouge au front, la honte à la figure, et la peur dans les yeux. Il n'avait plus de place pour autre chose.

Zagate, fou de colère, regarde sa femme, stupéfait, comme s'il voyait une tranche de jambon dans l'assiette d'un rabbin !

Alors sa femme, pour se défendre elle attaque et elle lui dit en ricanant :

— Tu te moquais de moi hein !... Tu vois qu'il faut toujours regarder sous le lit ! On peut pas savoir !...

***

Un gros industriel du département d'Oran, très connu, même qui s'appelait Bouchelarem, et en plus il avait des moustaches, était à son bureau en train d'étudier le nombre de litres d'huile d'olive qu'il devait mettre dans chaque barrique de 50 litres, pour qu'il y en ait que 45. On frappe à sa porte :

— Entrez.

C'est son fils aîné Louis qui entre et qui commence :

— Voilà papa... j'ai un pépin.

— Vite, il fait le père, j'ai pas le temps de t'écouter.

— Voilà, j'ai une petite amie que j'ai mise enceinte et...

— Bon, bon, fait le père... voilà un chèque de 10 000 F et file, allez...

Dix minutes plus tard, on frappe de nouveau. C'est son fils cadet Mathias.

— Quoi encore ? râle le père qui ne parvenait pas à baigner dans l'huile.

— Voilà papa, j'ai une petite amie, tu sais, Micheline... elle est enceinte.

— Encore !... Bon, tiens voilà un chèque de 10 000 F. Arrange-toi mais je ne veux plus entendre parler de ça...

Une heure après, on frappe de nouveau. Cette fois c'est sa fille Colette, qui lui dit :

— Tu sais, papa chéri, j'ai quelque chose à te dire.

— Je t'écoute mon trésor.

— Voilà... j'ai un petit ami, Jean-Luc, et nous sommes allés un peu plus loin que... Nous avons plus que flirté... et... enfin je suis enceinte.

— Tant mieux, s'écrie le père. Voilà enfin de l'argent qui va rentrer !

***

Un vieil habitué du restaurant « Le petit Maxime » rue Fourchault à Alger appelle le garçon (je dis toujours le nom de la rue, pour éviter un procès avec le grand Maxim's... quoique ce serait une bonne publicité).

— Qu'est-ce qui se passe ? D'habitude j'ai 2 morceaux de viande, et aujourd'hui, je n'en ai qu'un seul. Me faire ça à moi ! Un vieux client fidèle et habitué !

— Je ne comprends pas, fait le garçon. Monsieur Maxime aura sans doute oublié de couper son morceau en deux.

***

Charly Driguès, le patron du restaurant « Charly de Bab-El-Oued », il part à New York, comme qui dirait en voyage... Il va dans une maison accueillante, pour passer une bonne soirée. Pas une pension de famille mais une maison avec salon et chambres où il y a de jolies dames pas très habillées, peut-être à cause de la chaleur; et qu'on n'a pas besoin d'être licencié en anglais pour se faire comprendre ! Quand on parle avec les mains c'est encore mieux ! Il est accueilli par l'hôtesse qui lui présent un catalogue, et il choisit une très belle rousse à 20 dollars. Il se dirige vers la chambre, trouve la dame, passe une demi-heure avec elle, sans doute pour lui parler du prix de la viande de bœuf désossée, et redescend.

Il va pour sortir, et l'hôtesse l'appelle, lui tend ses 20 dollars et lui dit :

— Tenez, c'est pour vous.

Il se demande si c'est vrai. Mais il prend l'argent quand même et il sort.

Deux jours plus tard, il revient, il voit la même hôtesse qui lui présente le catalogue pour choisir. Et, Charly montre une très belle blonde à 40 dollars. Il va dans sa chambre et quarante minutes plus tard (va savoir ce qu'il a fait pendant ce temps-là ?) redescend. Et quand il s'apprête à sortir, la patronne lui rend ses 40 dollars. Aman ! C'est unique ! Il les prend quand même pour vexer personne.

Deux jours plus tard, il revient encore, parce que vraiment c'est une bonne maison ! Il choisit une superbe brune à 100 dollars. Il passe une heure avec elle. Il s'apprête à sortir et l'hôtesse lui tend une enveloppe avec ses 100 dollars. Alors là, il croit rêver ! Il se pince, il se repince, et finit par demander : (je l'écris en français pour aller plus vite).

— Ecoutez madame. Voilà !... En France, il faut payer, mais on vous rembourse jamais ! Jamais ! Ici on me donne de l'argent. C'est inouï. Pourquoi ?

Alors l'hôtesse en souriant lui dévoile la méthode américaine :

— C'est simple ! La première fois, vous aviez trois voyeurs, la deuxième cinq. Et aujourd'hui, vous êtes passé à la Télé !

J'ai demandé l'adresse à Charly, il n'a jamais voulu me la donner !

***

Le petit Vincent Spaza, il a cinq ans. Il est très précoce pour son âge. Mais il est trop jeune, d'un an, pour être admis à l'école. Sa mère, risque quand même une demande auprès du directeur de l'établissement, Monsieur Polito.

— Je regrette madame Spaza, mais l'âge d'admission est 6 ans.

— Pourtant, dit Madame Spaza, mon fils est intelligent. Vous allez voir. Vincent, dis quelques mots à Monsieur le directeur.

Vincent il fait :

— Quels mots ? Des mots cochons ?

***

Ninous est à une table en train de lire le journal pour voir si par hasard, dans les offres d'emploi, on demande pas un type ne sachant rien faire avec un salaire de deux millions par mois, quand Fartass arrive et lui demande :

— Ninous, tu n'aurais pas une cigarette ?

— Non, j'en achète plus.

— Pourquoi ?

— Pour te faire perdre l'habitude de fumer.

***

Smata, dînait tous les soirs (avant qu'il se marie) au restaurant « Chez Maxime », rue Fourchault. Il consulte le menu, et lit « merlan frit ». Il commande un merlan, on lui apporte. Il regarde son assiette et crie :

— C'est pas possible ! Il louche ! Changez-moi ce merlan !

On lui change le plat. Il mange, et il sort.

Le lendemain soir, Smata commande encore un « merlan frit » (peut-être parce que il aimait le poisson). Le garçon le lui porte.

Cette fois, il n'en peut plus :

— Mais vous le faites exprès ! Il louche ce merlan ! C'est terminé, je ne viendrai plus manger ici.

Et il sort. Le lendemain, il va dîner ailleurs, chez Darmon, au Vironvay. Il consulte le menu, et lit « merlan frit ». Il passe la commande. Le garçon lui porte un merlan. Et Smata fou de rage, s'aperçoit que le merlan louche encore. Il se lève, et va pour partir quand le merlan lui dit :

— Et alors, vous ne mangez plus « Chez Maxime » ?

***

Dans l'autobus, qui va du boulevard de Provence, au Parc de Galland une dame se lève pour descendre.

— Madame, dit Bombe-à-l'œil, vous oubliez votre parapluie.

— Ah ! Merci ! Ça m'aurait fait de la peine de le perdre... vous pensez un parapluie que j'ai trouvé ce matin dans le tramway !

***

Boogie, le représentant, va chez Mme Brimate. Il sonne. Elle ouvre :

— Bonjour madame. L'aspirateur que je vous propose, commence-t-il, est unique au monde, et...

Mme Brimate lui claque la porte au nez. Une minute plus tard, on sonne de nouveau. Elle ouvre, et trouve Boogie devant elle :

— Madame, l'aspirateur que je viens vous...

Elle lui ferme la porte, sans même le regarder.

Le lendemain, vers 9 heures, on sonne chez Mme Brimate. C'est l'heure du courrier. Elle ouvre. Elle voit Boogie qui lui remet le disque à la même face :

— Bonjour madame. Je voudrais vous montrer un aspirateur révolutionnaire et vous dire que...

73

Une fois encore elle claque la porte. Inutile de vous dire que tous les jours de la semaine, de la quinzaine et du mois, Boogie essaie de présenter son aspirateur, et Mme Brimate claque la porte. Jusqu'au jour où elle explose :

— Je ne veux plus vous voir, vous entendez ! Je ne veux plus vous voir !

Le lendemain, on sonne. Mme Brimate va ouvrir. Elle voit deux hommes Boogie et Pastafagoul. Alors elle s'énerve :

— Je vous ai dit que je ne voulais plus vous voir ! J'en ai assez, vous entendez ! Je ne veux plus vous voir !

— Justement, fait Boogie, vous allez être contente, j'ai trouvé une autre place. Mais avant de partir j'ai tenu à vous présenter M. Pastafagoul, qui va me remplacer !

***

Abbaz, va voir le docteur et se plaint :

— Je sais pas ce que j'ai docteur, tous les matins quand je me lève j'ai des étourdissements, je sens comme une lourdeur dans la tête mais un quart d'heure après ça passe, et je me sens mieux.

— Tiens ! fait le docteur. Tous les matins ?

— Oui. Je me lève, je me sens lourd, mal en point, mais un quart d'heure après, grâce à Dieu, ça me passe. Que dois-je faire ?

Alors le docteur lui dit :

— C'est simple. Levez-vous un quart d'heure plus tard.

***

Bonazo et Souissou discutent devant leur petite anisette. C'est pas obligé qu'il y ait une anisette pour discuter. Mais s'il y en a pas on peut pas. Bref, Bonazo demande à Souissou :

— Et les amours, ça va ?

— Ça peut aller. Mais tu sais entre nous, ça me fatigue de sortir toujours avec la même fille. Tous les jeudis, ça devient une habitude.

— Eh ben, épouse-la, depuis le temps que tu la connais !

— Tu rigoles, y fait Souissou. Et après, qu'est-ce que je ferais tous les jeudis soir ?

***

— Moi, affirmait Clémendo, je suis pas difficile. Un rien me suffit.

— Parce que tu as pas besoin de grand-chose, y répond Kaouito.

— Moi, c'est le contraire, dit Pastafagoul. Il faut peu de choses pour me satisfaire.

— Parce que un rien te suffit, y répond Kaouito.

***

Coup de tonnerre à Alger ! Kouito a gagné à la loterie. Comment ça c'est su, Dieu seul le sait. Mais depuis qu'il a gagné, on ne voit plus Kaouito, ni à la Grande Brasserie, ni chez Coco, ni au Bar Palace, ni au stade, ni à la pêcherie, nulle part. Pourtant, beaucoup de monde veut le voir. Beaucoup. Tous ceux à qui il doit de l'argent. Ça pourrait remplir le Parc des Princes ! Finalement, Pastafagoul réussit à mettre la main dessus.

— Comment ça se fait qu'on te voit plus ? L'argent, y t'a complètement tourné la tête ou quoi ?

— Justement non, répond Kaouito.

— Alors, pourquoi tu payes pas tes dettes. Quand tu étais fauché, tu payais pas, d'accord, ça se comprend, mais maintenant que tu es renfloué, tu payes pas non plus ?

— Justement, y dit Kaouito. Pour tout l'or du monde, je voudrais pas qu'on dise de moi : « l'argent l'a complètement changé celui-là ! »

***

— Si Kaouito me rembourse, annonce Medjrab, à sa femme, nous partirons en vacances.

— Et s'il ne te rembourse pas ?

— Alors, c'est lui qui partira !...

***

Le fils à Chlomo, le petit Mauricot, est invité à un goûter chez Mme Bogado. Elle essaie de détendre l'atmosphère et elle demande au garçon :

— Vous êtes nombreux chez toi ?

— Hé... autant qu'il y a d'assiettes sur la table, répond Mauricot.

— Ah !... et combien il y a d'assiettes ?

— Chacun la nôtre...

***

Chez le vieux Serrano, Rue du Lézard, on parlait de la réussite, et y avait Gandolfo, qu'il est adjoint au chef de Gare, à la Gare de l'Agha.

— Moi, j'ai réfléchi à la question, lance Gandolfo. Je vais te dire ce que c'est un raté. Un raté c'est un type qui est parti de rien, avec un billet aller-retour !

***

Pour ne pas payer le garage, Medjrab laisse coucher sa voiture dehors. Et un matin, il trouve une des vitres brisée par un cambrioleur. Ecœuré il met un mot sur le pare-brise où il écrit : « Il n'y a rien à voler à l'intérieur. »

Le lendemain, il arrive au Bar Palace, fou de rage et il raconte son histoire.

— Et alors, y fait Ninous. Tu es content du résultat ?

— Penses-tu. Hier on m'a cassé une autre vitre, et j'ai trouvé un mot du voleur : « Excusez-moi, mais j'ai tenu à vérifier si c'était vrai. »

***

Martial qui s'est marié, ça fait pas longtemps, rentre chez lui, et se met à dîner :

— Ce ragoût de mouton est délicieux chérie, dit-il à sa femme.

— Tu aimes vraiment ?

— Oh oui, fait Martial, on dirait du rôti de veau.

Alors, elle lui explique :

— Eh ben tu vois, c'est mon premier coq au vin, fabriqué avec une poule, et des restants de canard d'hier.

***

— Docteur, dit Mme Kemis, mon mari est venu vous consulter, il y a un mois. Or, depuis il n'est plus le même.

— Expliquez-moi ça, demande le docteur.

— Voilà : avant il était tendre et amoureux, il me prenait le menton, m'embrassait, me cajolait, me disait des choses agréables, que j'étais sa reine, sa beauté, sa merveille, et maintenant...

— Maintenant ?

— Il rentre de plus en plus tard à la maison, il ne me regarde même plus, me parle brutalement. C'est plus le même homme ! Alors je suis persuadée que c'est votre traitement qui l'a changé à ce point, à cent pour cent.

— Eh bien, madame, le traitement n'y est pour rien. Je ne lui ai d'ailleurs donné aucun traitement. Je lui ai juste prescrit de porter des verres de contact.

***

Un gendre (qui ? qui ? quelle curiosité !) va voir sa belle-mère, et lui explique la situation :

— J'étais en voyage d'affaires. Un gros client décommande son rendez-vous, alors j'envoie un télégramme, jeudi soir, à votre fille, pour lui dire que je rentre vendredi. Et le soir de mon arrivée, en ouvrant la porte, je trouve votre fille dans les bras de mon meilleur ami. Alors, hein ?... Alors ?...

La belle-mère, se frappe le front et contre-attaque :

— Mais vous oubliez mon cher, que vendredi les P.T.T. étaient en grève !

***

Deux soulards, complètement ronds se sont arrêtés pour pisser. C'est humain.

Le premier, y dit :

— Pourquoi que quand moi je pisse le long du mur ça fait du bruit, et toi non ?

— C'est parce que moi, je pisse sur **ton** pardessus !

***

Le vieux Serrano, il voulait jamais avouer son âge. Par coquetterie, ou va savoir pourquoi. Mais Kaouito il l'embêtait sans arrêt sur cette question. Un jour pour la millième fois, il lui demande :

— Mais quel âge vous avez, M'sieur Serrano ?

Alors, l'autre, y prend son temps, et y lui dit :

— Petit, j'en suis arrivé à l'époque, où pour mon anniversaire, les bougies, elles coûtent plus chères que le gâteau !

***

— Chéri, murmure Mireille à Zarfana, tu m'aimeras toujours autant quand nous serons mariés ?

— Mais bien sûr chérie !... Même plus. J'ai toujours préféré les femmes mariées.

***

Medjrab et sa femme reçoivent des amis, Kaouito, Pastafagoul, Abbaz et les autres...

— Je suis désolé, fait Medjrab, mais je n'ai pas d'apéritif.

— Ça fait rien, répond Kaouito, grand prince, vous n'avez qu'à nous donner 2,20 F chacun.

***

A l'arrêt de l'autobus, place du Gouvernement, monte une femme, les bras chargés de paquets, et un enfant en bas âge. En passant devant le receveur, elle lui dit qu'elle va revenir payer sa place, et elle jette un regard autour d'elle, et pose son bébé sur les genoux d'un voyageur éberlué.

— Pourquoi moi madame ?

— Parce que, dit-elle en souriant, vous êtes le seul à porter un imperméable.

***

Le rédacteur en chef du « Journal d'Alger », avait reçu cette lettre :

« Vous avez publié, il y a quelque temps, un article faux à 100 %. Je l'avais découpé pour vous l'envoyer, mais je l'ai perdu. Je suis si occupé que j'ai oublié ce que c'était, mais vous le retrouverez facilement en cherchant dans les numéros d'il y a quelques semaines. Comme c'est faux à 100 %, vous ne pouvez pas vous tromper. »

***

Mme Zarfana, demande à un vendeur :

— Qu'est-ce que vous avez comme cadeaux de mariage, dans le genre « invité-à-l'église-mais-pas-au-lunch » ?

***

En traversant Palikao, un petit village tranquille de l'Oranie, Kaouito s'arrête dans un salon de coiffure.

A l'intérieur, cinq hommes étaient assis, les mains jointes, les yeux fixés droit devant eux. Ne voyant pas de coiffeur, Kaouito s'adresse à son voisin le plus proche :

— Pardon monsieur. Vous attendez le coiffeur ?

— Moi, oui.

Et, en désignant les autres, d'un geste de la tête, il ajouta :

— Les autres, j'en sais rien.

***

Une voiture de grand luxe descend la rue principale de Dellys. Elle est bientôt rattrapée par une moto de la police. Comme l'agent commence à verbaliser, la jeune femme qui conduisait dit avec hauteur :

— Arrêter monsieur ! Sachez d'abord que le maire de cette ville est un de mes meilleurs amis, M. Lopinto.

Sans dire un mot, l'agent continue à rédiger son procès-verbal.

— Je suis également une amie de M. Gonzalès, le commissaire de Police, continue la femme.

L'autre, il continue aussi à écrire.

— Je connais très bien M. Bernabeu le Président du Tribunal, et M. Di Meglio le député de la région, ainsi que M. Giomeï.

Le policier, en tendant un petit papier, demande gentiment.

— Dites-moi madame, vous connaissez M. J. P. Castaldi ?

— Non, j'avoue que...

— Dommage, madame, c'est lui que vous auriez dû connaître. Parce que M. J.P. Castaldi, c'est moi !

***

Kaouito va au salon de l'Auto. Il s'arrête devant une Rolls-Royce. Il demande au vendeur :

— Elle est bien cette voiture ?

— Monsieur, fait le vendeur, dans cette voiture pendant que vous roulez, vous n'entendez que le tic-tac de la pendulette du tableau de bord. Montez, et jugez par vous-même.

Kaouito s'exécute. Une fois qu'il est ressorti, il dit dédaigneusement au vendeur :

— Vous voyez, il va falloir que vous trouviez un moyen pour diminuer le tapage infernal de cette pendulette. C'est insupportable !

***

Le père du petit Mauricot lit le bulletin scolaire de son fils :

« Il est remarquable d'initiative, de vivacité, et d'esprit de camaraderie, surtout dans les jeux. Mais il serait encore mieux s'il apprenait à lire et à écrire. »

***

Chez « Roma Glaces » le glacier de l'avenue de la Bouzaréah, une femme s'arrête avec ses enfants, et le marchand demande :

— Vanille ou chocolat ?

— Vous n'avez rien d'autre ?

— Madame, répond le marchand, si vous étiez à ma place, et si vous saviez le temps que les gosses mettent pour se décider entre ces deux parfums, vous vous en contenteriez !

***

Aux galeries de France, rayon des jouets, la vendeuse vante à un client un modèle de fusée interplanétaire :

— L'imitation est absolument parfaite. Ça rate une fois sur deux.

***

Le docteur Leyris essayait de remonter le moral de Kaouito.

— Voyons ! votre état n'a rien d'alarmant. Moi qui vous parle j'ai souffert des mêmes troubles.

— Oui, d'accord gémit Kaouito. Mais vous n'aviez pas le même docteur !

***

Souissou va demander une fille en mariage, alors il s'ouvre au futur beau-père, Douïeb, le financier :

— Vraiment je voudrais épouser votre fille. C'est mon plus cher désir. Vous comprenez, j'en ai assez de vivre avec ce que je gagne !

***

Un enquêteur pose sans arrêt des questions à Kaouito, pour un sondage sur va savoir quoi; le reste, plus des autres choses.

Il lui demande :

— Quel est à votre avis, le devoir le plus impérieux qui soit ?

Kaouito répond :

— Laisser les gens tranquilles !

***

La mère du petit Chlomo va trouver l'instituteur pour se plaindre de diverses choses.

— Vous savez, mon fils, quand il rentre à la maison, il me dit tout ce qui se passe en classe, et si vous voulez mon opinion sur...

Alors l'instituteur l'arrête net :

— Ecoutez madame Chlomo, si vous me promettez de ne pas croire tout ce que votre enfant raconte sur ce qui se passe en classe, je vous promets de ne pas croire tout ce qu'il raconte sur ce qui se passe chez vous.

***

Kaouito va dans une cabine téléphonique. Il fait son numéro, bavarde avec son correspondant, puis tout à coup dit :

— Oui, ne quittez pas.

On le voit prendre un annuaire, le poser par · terre, monter dessus, et reprendre la conversation.

Il continue à parler, puis il répète :

— Oui, oui, ne quittez pas.

Il prend un deuxième annuaire, le pose sur le premier, monte dessus et reprend la conversation. Il parle quelques secondes, et recommence son manège avec un troisième annuaire. Monté sur les 3 bottins il reprend le combiné et crie :

— Non, je regrette, je ne peux pas parler plus haut !

***

On s'arrachait les cheveux dans cette usine d'aviation. Successivement cinq prototypes d'un nouvel appareil s'étaient écrasés, victimes du même accident : une aile détachée au ras de la carlingue.

Une conférence d'ingénieurs s'étant prolongée tard dans la soirée. Bombe-à-l'œil , qui avait été engagé comme garçon d'entretien, pour faire le ménage dans les bureaux, tombe en plein milieu de la réunion dans la salle, et il veut se mêler :

— Pourquoi, suggère-t-il, vous ne percez pas une ligne pointillée à l'endroit où les ailes se détachent ?

Les ingénieurs se regardent les uns les autres, avec l'air de dire : « Qu'est-ce qu'on risque ? Au point où on en est !... »

Et ils risquent l'expérience. Et le miracle se produit. Pas le moindre accident n'arriva par la suite. Alors les ingénieurs appellent Bombe-à-l'œil, et lui demandent comment il avait eu cette idée de génie !

— C'est simple, dit-il, voilà deux ans que je viens tous les soirs remettre de l'ordre, et à chaque fois que je nettoie les W.C., à chaque fois je vois le rouleau de papier, et tous les soirs, je me dis que, *jamais* une feuille de papier hygiénique se détache en suivant le pointillé !

***

Quand on est au café devant une petite anisette Cristal, c'est obligé qu'on arrive à parler du coût de la vie, et des augmentations. On voudrait parler des baisses, mais jamais encore une occasion s'est présentée. C'est pourquoi Kaouito, confie à Pasta-fagoul :

— Tu sais, ma femme elle a trouvé un bon truc pour faire des économies. Chaque fois qu'elle change l'eau de l'aquarium, on mange de la soupe de poisson pendant 2 jours !

***

Casse-Ficelle repasse au Tribunal pour récidive :

— Alors, lui demande le Juge, au moment de rendre son arrêt, qu'est-ce que vous avez à ajouter ?

— Rien, m'sieur le Juge, rien. Vous

me connaissez bien. Faites pour moi comme pour vous.

***

Un jeune avocat, Maître Bogado, venait de s'installer rue du Languedoc, une rue parallèle à la rue Michelet. Mais bien sûr, les clients ne se bousculaient pas à son cabinet, puisqu'il n'était pas encore connu. Et il ne voulait pas donner l'impression d'être sans travail le jour où un client se présenterait à son cabinet à l'improviste. Et comme il faut un commencement à tout, un jour, on sonne à sa porte, et il veut faire un coup d'arnaque numéro 10 (le plus fort). Il introduit le visiteur et il lui dit :

— Asseyez-vous je vous en prie. Je suis en communication avec un client. J'en ai pour une minute et je suis à vous.

Il prend son appareil de téléphone tout neuf et il fait :

— Allô !... Oui... Oui... Non chère madame le 15 je suis à Oran pour une affaire de testament... le 21, je plaide à Constantine pour Mme Ghrenassia... oui... oui la femme du musicien, le 23 je suis à Alger pour un grand procès... oui... oui je ne vois guère que le 27 pour vous recevoir... oui... oui... Je vais m'arranger avec le Président... Un acompte ? heu... oui, si vous y tenez... mettons 3 000 F de provision... entendu... Mes hommages madame.

Il raccroche, se retourne vers son visiteur :

— Voilà... Alors monsieur qu'est-ce qui vous amène ?

Et le type répond :

— Je suis employé des P.T.T. Je viens pour raccorder votre téléphone !

***

Spadaro quitte son entreprise en coup de vent, et se précipite à l'agence de placement, avenue de la Marne :

— Je cherche un caissier.

— Mais je vous en ai envoyé un hier, monsieur Spadaro.

— Justement, c'est lui que je cherche !...

***

Après avoir fait un bon repas au restaurant l'El-Bacour, à Alger chez M. et Mme Oudina, deux hommes d'affaires, pleins aux as tous les deux bavardaient en sirotant un bon petit thé à la menthe. Un, c'était M. Turner que ces ancêtres, ils étaient venus d'Alsace pour s'installer en Algérie et faire une belle situation dans les vignobles, et l'autre c'était M. Joseph Sasportès, un grand banquier israélite qui grâce à Dieu, il avait comme on dit une poire pour la soif, et même je crois, des champs de poiriers. Et à un moment donné, Turner demande à son ami :

— Dites-moi Joseph, je voudrais vous demander comment vous arrivez, vous autres juifs, à nous prendre tout cet argent que nous gagnons ?

Sasportès prit une gorgée de thé, et lui répondit :

— Ça c'est rien ça ! Le plus difficile, c'est que vous m'expliquiez comment vous faites, vous autres catholiques pour gagner tout cet argent que nous vous prenons ?

***

Kaouito et Pastafagoul vont ensemble au cinéma « Le Palace » rue Suffren. Arrivé devant le contrôleur, Kaouito fouille dans sa poche et s'étonne :

— Ah, ça alors ! Celle-là c'est le meilleure ! J'avais pris deux billets, et voilà que je retrouve pas le tien !

***

« Au petit Bénéfice », le magasin de vêtements de la rue Bab-Azoum, Mme Abbaz entre pour acheter une chemise.

— Dame, homme, ou enfant ? demande le vendeur.

— C'est pour mon mari, dit Mme Abbaz.

— Quel genre voulez-vous ?

Elle est embarrassée. Alors le vendeur vient à son secours.

— Peut-être une chemise comme celle que je porte ?

— Oh non, corrige-t-elle, moi c'est une chemise propre, s'il vous plaît.

***

Chez un marchand de chiens, un client arrive, pas content du tout, et même en colère :

— C'est intolérable ! Vous m'avez vendu un chien de garde, qui n'est pas du tout un chien de garde. Des cambrioleurs sont venus, et le chien a continué à dormir tellement, qu'il ne s'est pas encore réveillé !

— C'est ennuyeux, fait le vendeur.

— Un peu oui ! et surtout pour moi... Alors qu'est-ce qu'il faut faire ?

— Il faut absolument acheter un autre chien.

— Pour remplacer le dormeur ?

— Non, non, ajoute le marchand. Maintenant qu'il est habitué à vous, il faut lui acheter un petit chien au sommeil léger.

— Mais pour quoi faire ?

— Pour réveiller le grand en cas de nouveau cambriolage.

***

Kaouito se présente à la poste restante pour toucher un mandat :

— Je ne peux pas vous le payer, regrette l'employé, vous n'avez pas de papiers.

— Ah ! y dit Kaouito, mais regardez cette photo, elle est bien de moi non ?

L'employé prend la photo, la regarde soigneusement, regarde Kaouito, et s'incline :

— Vous avez raison, c'est bien vous.

Et il paye le mandat.

***

A bord d'un paquebot, au cours d'une traversée, Badjidj, consent à jouer au poker. Le poker c'est facile. Il suffit d'avoir les cartes. Mais il y a des finesses qui échappent toutefois, quand on joue moins de quarante ans. Vous allez voir pourquoi :

Badjidj touche 3 rois. Il relance. Il paie. Il croit avoir gagné, et il annonce fièrement un brelan. Et au moment où il va ramasser le tapis, un petit homme noir au bout de la table, montre ses cartes. Il n'a rien, pas même une paire, rien. Et il annonce :

— Bidonirididoni.

Et il ramasse l'argent. Badjidj demande des explications. Alors on lui dit que c'est une convention qu'il faut savoir.

— D'acord, se dit Badjidj. Il faut payer pour apprendre. J'aurai ma revanche.

Le surlendemain, Badjidj, se remet à la table de poker. Il y a un tapis colossal. Badjidj n'a rien, pas même une paire de sept, rien. Il voit tout. Il relance tout.

Et un joueur annonce :

— Carré d'as !

Alors Badjidj, abat ses cartes et clame en triomphant :

— Bidonirididoni !

— Non, Monsieur, lui dit un joueur, non ! Une fois par traversée seulement. C'est ennuyeux de ne pas connaître la ligne, n'est-ce pas ?

***

Mme Chlomo, dit à Mme Abbaz.

— J'ai rencontré votre mari dans la rue Ben Acher, mais il ne m'a pas reconnue.

— Oui, répond l'autre, c'est ce qu'il m'a dit en rentrant.

***

Le matin, après la nuit de noces, Martial, se réveille le premier. Il fait gentiment le ménage, fait la vaisselle, essuie verres et assiettes, prépare le petit déjeuner, et il l'apporte à sa petite femme en la couvrant de baisers.

— Oh, que tu es gentil mon chéri, murmure sa femme, je t'entendais dans la cuisine. Tu as tout fait !

— Oui, mon trésor. Eh bien voilà ce qu'il faudra que tu fasses désormais tous les matins.

***

Un clochard dormait sur les marches de l'hôtel Aletti. Un homme sort de l'hôtel, l'attrape par la peau du dos et le jette sur le trottoir en lui criant d'aller dormir plus loin. Le clochard se relève dignement et, en brossant son vieux pardessus il lui demande :

— Et puis d'abord, qui êtes-vous ?

— Je suis propriétaire de l'hôtel.

— Eh ben, je vais vous dire : c'est pas en vous y prenant de cette façon que vous attirez de nouveaux clients !...

***

Zarfana porte sa montre chez Robert le bijoutier.

— Je voudrais que tu la répares.

— Qu'est-ce qu'elle a ta montre ? dit le bijoutier.

— J'ai eu le tort de la laisser tomber.

Robert prend la montre, l'examine et rectifie :

— Tu as surtout eu le tort de la ramasser...

***

Pour aller de l'avant, affirmait Kaouito, il faut toujours prendre du recul.

***

Sur le champ de course du Carroubier, un gros propriétaire de chevaux sent qu'une main se glisse dans sa poche. Il se retourne et saisit le pickpocket par le poignet. Un agent qui a vu la scène arrive pour embarquer le filou, mais le propriétaire murmure à l'oreille du policier :

— Bah !... Laissez-le aller. Moi aussi, j'ai commencé comme ça...

***

Clémendo, quand il était jeune homme il était timide. Très timide. Et il avait du mal à s'exprimer devant une jeune fille. Un soir qu'il essayait de tenter sa chance avec Jeanine, c'est elle qui lui chuchote :

— Dites-moi Clémendo, vous ne trouvez pas que mes yeux brillent comme des perles naturelles, de Palma de Majorque ?

— Oh oui ! Oh oui ! fait Clémendo.

— Et mes cheveux ? Vous trouvez pas qu'ils ont des reflets d'argent quand la lune vient se refléter dessus ?

— Ou oui, Jeanine, c'est vrai !

Deux minutes passent. Et la fille reprend :

— Et mon corps, il ne vous fait pas penser à ces statues qu'il y a au musée Franchet-d'Esperey, qu'on a envie de caresser ?...

— C'est exactement ça !

La jeune Jeanine est à bout de patience :

— Et mes cuisses, Clémendo, est-ce qu'elles ne sont pas plus belles que tous les tableaux des peintres qu'on voit au Musée du Bardo ?

— Encore plus ! soupire Clémendo.

— Ah ! Comme j'aime quand vous me dites d'aussi jolies choses.

Et puis n'y tenant plus, elle pose sa main sur la braguette du pantalon de son compagnon, et elle murmure :

— Ah ! Clémendo !... vous vous décidez enfin à prendre des initiatives !...

***

Le petit Mauricot, qui passe le mois de juillet en colonie de vacances a été puni de corvée de cuisine.

Quelques minutes plus tard, le

moniteur arrive à l'improviste à la cuisine et il trouve Mauricot, assis, les bras croisés, en train de regarder son copain qui se tape le boulot.

— Alors, Mauricot, tu fais rien ?

— Pardon, dit-il on s'est partagé le travail. Lui il épluche les oignons.

— Et toi ?

— Moi, je pleure...

***

Pastafagoul a invité Kaouito à déjeuner chez lui.

— Alors qu'est-ce que tu penses de ce petit pinard hein ?

— J'en ai déjà goûté.

— Où ça ? demande Pastafagoul.

— Tout à l'heure, dans la salade.

***

Au bord de l'eau, un promeneur demande à Kaouito, qui pêche :

— Ça mord ?

— A moitié, fait Kaouito. Depuis trois heures que je suis là, je n'ai encore rien pris.

— Et vous appelez ça à moitié ? s'étonne le passant.

— Bien sûr, parce que vous voyez celui qui est à côté de moi ?... Eh ben lui ça fait six heures qu'il est là, et il n'a rien pris non plus !

***

Voilà quinze ans que ces deux amis ne se sont pas vus.

— C'est pas vrai ! fait Paulo, c'est toi Antoine !

— Eh ouais, c'est moi !

— Et qu'est-ce que tu deviens ? Tu es mariés ? Tu as des enfants ?

— Tu parles, lui dit Antoine, si j'ai des enfants ! Tiens, j'arrive justement de la gare, j'ai été mettre mes deux jumelles de quatre ans au train avec leur mère... Quant aux deux jumeaux de 6 ans, je les ai laissés avec leurs sœurs, mes deux jumelles de 14 ans. Ils partiront dans quinze jours pour les grandes vacances. Et puis, il y a aussi mes deux jumeaux de 13 ans qui sont partis aux scouts. Et ma belle-mère va venir à la maison pour s'occuper des jumeaux de 6 mois, que nous gardons avec nous.

Paulo est écrasé par cette avalanche de jumeaux. Stupéfait. Ebahi !

— Toi alors ! Tu es drôlement extraordinaire !... Et tu as des jumeaux à tous les coups ?

— Oh non, fait Antoine modestement, des fois j'ai rien !

***

Zarfana téléphone à Medjrab, en P.C.V. bien sûr, et y lui explique :

— Ecoute Medjrab, toi seul tu peux me sauver. Il me faut 10 000 F pour demain.

— Ecoute Zarfana, ne me parle pas de ça, et j' t'en causerai jamais !

— Non, non, écoute-moi, je sais vraiment pas à qui m'adresser !

Alors Medjrab pousse un soupir de soulagement.

— Ah bon ! Je croyais que tu allais me les demander. Mais si c'est une adresse, je peux te la donner !

***

Aux Trois Horloges, à Bab-El-Oued, il y avait 6 jeunes filles qui bavardaient, une plus jolie que l'autre. Et ce prétentieux de Tortosa qui se prenait pour Robert Redford, mais qui ressemblait plus à Boris Karloff dans « Frankestein contre Dracula » surtout de face, quoique de profil c'était la même chose, avec la connerie dans l'œil gauche, donc ce Tortosa y voulait faire le jeune premier. Il appelle Kaouito, qui ce jour-là ne travaillait pas, y lui dit en montrant le groupe de jeunes filles :

— Tu vois, les 4 filles, qui sont avec ma sœur et ma cousine. Eh ben je les ai eues les 4 !

Kaouito le regarde de haut en bas et en sens inverse et il ajoute :

— Alors, je peux te dire, qu'à tous les deux, on se les ait faites les 6 !

***

Mais Tortosa, c'était pas le seul prétentieux. Il y en avait un autre qui s'appelait Domingo. Alors lui il se prenait pour Fred Astaire, mais il était plus lourd qu'un camion de 12 tonnes, chargé de ciment armé. Un jour au bal des Etudiants, boulevard Baudin, il invite à danser une fille, et après le « jerk » où la fille elle avait failli rentrer chez elle en chaise roulante, Domingo y dit en remuant les mécaniques :

— Moi, j'ai la danse dans le sang.

— C'est possible, lui répond la fille. Mais alors vous avez une très mauvaise circulation !

***

Marguerite est en train de vérifier une facture. Soudain elle lève la tête et demande à son mari :

— Sauveur, combien tu as pris de rougets hier à la pêche ?

— Hé combien ? Tu le sais ! Il y avait juste 1,5 kg !

— Alors le marchand de poisson est un voleur ! Il nous compte 2 kilos sur la facture !

***

— Dieu merci ! s'exclame Kaouito, dans la vie, il n'y a pas que l'argent !

— Ah ! fait Pastafagoul qui croit rêver, et qu'est-ce qu'il y a d'autre ?

— Je sais pas moi. L'or, les diamants, le C.C.P., les Bons du Trésor, les actions, les obligations !... Y'en a des choses !

***

Kaouito et Pastafagoul, qui par un hasard extraordinaire, sont en congé tous les deux ce jour-là, discutent de tout et de rien. Plus de rien d'ailleurs

que de tout, parce que ça fait trop. Et ils parlent de la langue française qu'ils connaissent admirablement puisqu'ils ont failli tous les deux entrer à l'Académie, mais ça c'est pas fait à cause de la jalousie de quelques-uns, mais un jour ou l'autre ça se fera. Et Kaouito expose dans la nuance :

— Les synonymes, c'est pas pareil. Ça se rapproche mais ça se rejoint pas. D'ailleurs je vais te donner un exemple. Tiens; on va téléphoner à n'importe quel numéro au hasard, et je vais te faire voir la différence entre irritation et exaspération.

Les deux hommes vont dans une cabine, et Kaouito compose un numéro. C'est une voix de femme qui répond :

— Allô ?

— Allô ? Est-ce que je pourrais parler à Jacqueline.

— Jacqueline ? Il n'y a pas de Jacqueline ici, vous faites erreur, Monsieur !

— Tiens, dit Kaouito, c'est curieux ça ! C'est ce soir que nous devons aller danser à cette soirée chez les Gabelouz...

— Puisque je vous dis, Monsieur, qu'il n'y a pas de Jacqueline ici.

— Comment je vais faire alors ? Bon, ben merci Madame. Au revoir.

Il raccroche, et refait le même numéro :

— Allô ? Jacqueline. Dis donc, pour la partouze chez les Ramirez, tu sais, avec les Ganelouz, je voudrais te dire : viens avec des porte-jarretelles !

— Mais, s'écrie la dame, je vous ai déjà eu au téléphone. Il n'y a pas de Jacqueline ici, et si vous continuez à me dire des cochonneries, je vous...

— Oh ! Excusez-moi, fait Kaouito. Et il raccroche.

Un momment après, il refait le même numéro.

— Allô ?

— Allô ? C'est Jacqueline ? Dis donc, pour la partouze chez les Gabelouz j'ai réfléchi, viens sans slip, je préfère, et sans soutien-gorge aussi.

— Salaud ! rugit la dame au téléphone ! Ordure ! Est-ce que vous allez me laisser en paix avec votre salope de Jacqueline ! Espèce d'obsédé sexuel ! Détraqué !...

Et la dame raccroche.

Alors, Kaouito dit à Pastafagoul :

— Tu vois ça, c'est de l'irritation. Maintenant je vais te montrer ce que c'est de l'exaspération.

Il fait le numéro de la dame et dit :

— Allô ? Bonsoir Jacqueline... Est-ce qu'on a laissé un message pour moi ?

***

Le petit Lucien interroge le réparateur du téléphone :

— Tu es venu pour réparer la télévision ?

— Non, mon petit, tu vois bien, je répare le téléphone.

— Ah bon... Alors tu n'es pas venu pour la télévision ?

— Non !!

— Tu es bien sûr que tu n'es pas venu pour réparer la télévision ?

— Mais non !... Je suis venu pour le téléphone.

— La télévision, tu la répares pas ?

L'employé en a ras le bol. Pour avoir la paix, il lui dit :

— Mais oui, je suis venu pour réparer la télévision.

Alors le petit Lucien lui lance du tac au tac :

— Alors, pourquoi que tu t'occupes du téléphone ?

***

Un touriste est attaqué vers deux heures du matin, dans la rue Marengo par un bandit armé :

— Allez vide tes poches !

— J'ai rien dans les poches.

— Ton portefeuille alors ?

— Il est vide.

— Alors, donne-moi ta montre.

— Mais monsieur, vous me l'avez déjà prise avant-hier soir.

— Et alors ? fait le bandit. Tu as eu le temps d'en acheter une autre !

***

Brimate et sa femme sont restés jusqu'à 11 heures du soir chez les Medjrab, sans parvenir à se faire inviter à dîner. Alors, ils vont au restaurant, mais à cette heure tardive, il n'y a plus rien ou presque. Brimate commande 2 choux à la crème.

— Je regrette beaucoup, fait le garçon, mais il n'en reste plus qu'un.

— Servez-le tout de même, dit Brimate.

Et se tournant vers sa femme, il ajoute :

— Ma chérie, avec tout ça, te voilà encore privée de dessert.

***

Meuzlott est encore plus tapeur que Kaouito, Pastafagoul, Abbaz et les autres. Il apprend que Boogie vient de réaliser une bonne affaire. Il va le trouver, et il l'aborde en douceur :

— En souvenir de notre ancienne amitié, peux-tu me prêter 500 F ?

L'autre ne peut pas refuser. Meuzlott le remercie :

— J'espère que ma parole te suffira, hein Boogie ?

— Bien sûr, répond l'autre. Tu n'as simplement qu'à me la donner par écrit.

***

Deux messieurs sont dans un compartiment de première, et ils sont chasseurs tous les deux. Ils vont à Ben-Chicao pour tuer le gibier. Celui qui est en face de l'autre a un chien allongé sous la banquette. L'autre engage la conversation :

— Vous avez là un setter extraordinaire.

— N'est-ce pas ?

— Est-ce qu'il rapporte beaucoup ?

— Ça commence. Tenez il y a deux semaines je l'avais perdu. Eh bien il a rapporté cent francs au type qui me l'a ramené.

***

Le portier de l'hôtel avertit son collègue :
— Méfie-toi du client de la chambre 17.
— Monsieur Medjrab ?
— Ouais.
— Et pourquoi ?
— Il est gaucher et il met sa monnaie dans sa poche droite.

***

Zafana, à qui l'on demandait si son oncle avant de mourir était en possession de toutes ses facultés répondit :
— Nous n'avons pas encore pris connaissance du testament.

***

Au marché Meissonnier, à côté de l'hôpital de Mustapha, on voit Pastafagoul qui se balade, entre les étals. Il s'arrête devant un marchand de melons. Et sans faire semblant de rien, il pique un melon, et s'en va comme s'il avait un mandat à toucher de toute urgence. Ils se planque derrière une porte, il ouvre son canif, et délicatement il l'enfonce dans le melon. Soudain il s'arrête... Le remords, ça existe. Peut-être que Pastafagoul, regrette d'avoir fauché ce melon ? Délicatement il referme son couteau, et retourne chez le marchand. C'était sa conscience qui le torturait ? Il remet le melon, discrètement, là où l'a pris, et... Il en choisit avec soin, un autre, un peu plus mûr.

***

— Est-ce que c'est bien ici ? se demanda Kaouito, à lui-même, parce qu'il était seul. Il sortit de sa poche un petit papier pour vérifier l'adresse. Il était devant une petite maison de Ben-Aknoun, dans les environs d'Alger. Il frappe à la porte. Un monsieur d'une cinquantaine d'années vient lui ouvrir.

— Pardon, monsieur, commença Kaouito, c'est bien ici, qu'il y a à peu près vingt ans de ça, un très jeune homme, pauvre et misérable, qui n'avait pas un sou en poche, et qui n'avait même pas de poche du tout d'ailleurs, vous demanda de le recevoir pour une nuit ?...
L'homme se gratta la tête, réfléchit, et sortit de son rêve.
— Ouais ! ouais !... fit-il, je m'en rappelle, il avait pas mangé depuis 3 jours.
— Même 6 ! corrigea Kaouito. Vous vous rappelez ? Vous lui avez donné une assiette de soupe, un morceau de pain, un verre de limonade « Hammoud Boualem ». Même que vous l'avez fait dormir dans votre vestibule, et que le lendemain, vous lui avez donné un bon café au lait, avec des tartines.
— Ouais !... Ouais !... je m'en rappelle. Il avait l'air brave et courageux.
— Il vous avait dit qu'il allait chercher fortune à Alger, et que si la chance tournait bien, il viendrait vous rendre cent fois, mille fois ce que vous aviez fait pour lui.
— Oui, je m'en rappelle bien, dit en souriant le monsieur ému. Même que je lui ai donné 5 F pour prendre le car, et pour voir venir.
— C'est tout à fait exact, fit Kaouito.
— Grâce à Dieu ! On a raison de dire qu'un bienfait n'est jamais perdu !
— Oui... ajouta Kaouito, vous avez deviné... C'est lui qui m'envoie.
— Inchah Ellah ! remercia l'homme. Surtout que j'ai plus un sou d'économie. Ma femme est paralysée, ma pension c'est une misère. Les allocations de chômage, ils veulent pas me les donner. Y me reste juste les yeux pour pleurer. Et encore ! Des fois j'arrive pas, les larmes elles veulent pas couler ! Le brave garçon ! Il n'a pas oublié ! Le brave garçon !...
— Bien sûr que non ! Et il m'envoie vous dire...
— Quel brave garçon ! Quel brave garçon !

— Il m'envoie vous dire de prendre patience..., parce qu'il est plus encore misérable qu'avant...

***

Rue des Consuls, Pastafagoul faisait le guet. Ça coûte pas cher, et ça passe le temps...

— Tu tombes bien ! dit Pastafagoul à Kaouito, en le voyant. Je t'ai cherché hier toute la journée et je t'ai pas trouvé.

— Moi, répond Kaouito en rigolant, c'est quand on me cherche pas qu'on me trouve !

— Ouais ! C'est ça ! Arrête tes conneries et dis-moi : la montre que tu m'as vendue avant-hier, elle marche plus ! Pourquoi tu me l'as pas dit, qu'elle était naze.

— Oh l'ami ! Abbaz qui me l'a vendue à moi, il m'avait rien dit non plus... je croyais que c'était un secret... et tu me connais, je suis pas cafardeur.

***

Stéfano, qu'il a une grosse affaire d'olives cassées et d'anchois, demi-sel et gros sel, et même sans sel, offre à Boogie, le représentant, avec qui il vient de traiter un gros marché de boîtes vides, une bouteilles d'anisette Cristal.

— Merci, dit Boogie, en refusant, mais ma maison m'interdit formellement d'accepter un cadeau de qui que ce soit.

— Bon admet Stéfano en riant. Faisons une affaire. Je vous la vends pour 1 F.

— 1 F, fait Boogie. C'est différent. Dans ces conditions j'en prends 50 bouteilles.

***

La femme de Gabelouz attend un bébé, et elle n'en voulait pas si tôt. Elle fait une scène à son mari. Elle lui rend la vie impossible. Et tous les jours, c'est la bataille de la Marne, rue Randon. Fortunato s'aperçoit que Gabelouz n'est plus le même homme.

— Qu'est-ce qu'il y a Gabelouz ? Tu as changé !

— Hé... j'ai des emmerdes, voilà !

— C'est quoi ? Je peux t'aider ?

— Mais non. C'est avec ma femme. Elle est enceinte. Et n'arrête pas de me traiter d'égoïste, de ceci, de cela ! Elle me pourrit la vie à cause de ce gosse...

— Oh, dit Fortunato, tu as un moyen de t'en tirer.

— Ah oui ? Lequel ?

— Dis-lui qu'il est de moi .

***

Le père de Bombe-à-l'œil envoie un mandat à son fils, et dans la partie réservée à la correspondance, il écrit :

« Je t'envoie les 50 F que tu m'as demandés. Fais attention quand tu m'écris : je te signale que 50 ne prend qu'un zéro. »

***

Kaouito est en voiture avec Ninous, et ils traversent un joli village avec une fontaine, une jolie place. Alors, Ninous dit :

— Et si on demandait où on est ici ?

— A quoi ça sert ? fait Kaouito, dans 10 secondes on n'y sera plus.

***

Boogie finit de déjeuner dans un restaurant, « Le p'tit Véfour » au Cap-Matifon. Il appelle le garçon :

— L'addition s'il vous plaît.

— Oui Monsieur : alors, un couvert... un filet... un petit pois, pas de fromage... une demi-bouteille de Bordeaux, un fruit... plus le service... 80 F. Pas de cigare ?

— Non, pas de cigare.

— 80 F et pas de cigare. Voilà M'sieur !

***

Au bout d'une semaine de séjour dans une pension, Abbaz et sa femme, se font apporter la note, et Abbaz, avec les notes il ne plaisante pas. Il les épluche tellement qu'il les connaît par cœur. Il voit : « vins : 150 F ». Et le couple n'a bu que de l'eau. Abbaz appelle le gérant, qui s'excuse de l'erreur, remporte, le papier, et revient cinq minutes après et Abbaz voit sur l'addition : « EAU : 150 F. »

***

Sur la ligne Alger-Constantine, le train s'engage sur une voie, recule, bifurque, recule encore, avance, passe sur tous les rails, siffle, s'arrête, part, revient... Ça dure vingt minutes.
— Qu'est-ce qu'ils peuvent bien faire ? demande une dame irritée.
Kaouito répond froidement :
— Ils essaient un accident !

***

A Alger, il y avait un type qui s'appelait Guide-à-gauche. Pas parce qu'il était conducteur en Angleterre, non. Simplement, parce que, quand il marchait, il penchait vers la gauche, comme la Tour de Pise, mais elle ça dépend de quel côté on la regarde. C'était un type très malin, un vrai renard, à tel point que, quand Kaouito était embêté, il allait demander conseil à Guide-à-gauche, moyennant une petite anisette Cristal, ou un thé à la menthe.
Donc, un jour, l'importateur-exportateur de denrées coloniales. « Dray et Fils » va le voir, seul, sans son fils. Et y lui expose la situation :
— Guide-à-gauche, il faut que tu m'aides à récupérer mon argent. Voilà le problème. Cet enfoiré de Manganatche, il me doit 7 500 F. Ça fait sept fois que je lui présente sa facture depuis 7 mois, y'a rien à faire. Il veut pas payer. Si tu arrives à le faire allonger, je ne t'oublierai pas.

Guide-à-gauche, réfléchit un moment, et il demande :
— Ce Manganatche-là, y'a qu'à vous qu'il doit de l'argent ?
— Penses-tu ! Il en doit à tout le monde, même à sa mère. Mais tous sont tellement dégoûtés, qu'ils ont renoncé à se faire payer.
— Ne vous en faites pas monsieur Dray, demain vous aurez votre argent. C'est Guide-à-gauche qui vous le dit ! Laissez-moi la facture.
Le père Dray laisse la facture qui lui pourrissait la vie depuis 7 mois et s'en va, en n'ayant pas grand espoir de retrouver son oseille.
Le lendemain, à 4 heures de l'après-midi, Dray voit arriver Guide-à-gauche, qui sort de sa poche 7 500 F et qui les aligne, sur le bureau.
Dray manque de s'évanouir, mais il se retient quand même pour compter et recompter les billets.
— C'est pas possible ! y fait. C'est un miracle ! Tu as été à Lourdes ou quoi ?
— Pas du tout, répond Guide-à-gauche. C'est bien votre pognon ?
— Bien sûr, bien sûr, dit Dray, mais pour l'amour de Dieu, comment tu as fait ?
— Hé... Comment j'ai fait ?... J'ai été le voir à ce pourri, et je lui ai dit que si il me réglait pas la facture presto-illico-rapido-sur-le-champ j'irais trouver tous les fournisseurs qui sont pas payés, et je leur dirais...
— Qu'il ne t'avait pas payé toi ! Mais ils le savent tous qu'il ne paye pas !
— Non, non ! Je leur dirais, qu'à moi, il m'a payé !!

***

Un soir, Kaouito regardait la télévision. Il y avait un ministre qui parlait. C'est rare, mais ça arrive ! Et il disait, ce ministre :
— Le franc se sauvera lui-même.
— Il s'est même déjà sauvé, lança tomber Kaouito. Et à l'étranger !...

***

— Tu y crois, toi, aux lignes de la main ? demande Ninous à Blaouette.

— Bien sûr j'y crois. Tiens hier soir, au Bar Palace, j'ai vu la main d'un type qui jouait au poker, et je lui ai prédit qu'il allait gagner les 1 000 F du tapis.

— Ah ouais ?... Et qu'est-ce que tu as vu dans sa main ?

— Un carré d'As.

***

Rue de la Lyre, il y a un attroupement autour de Kaouito. Qu'est-ce qui se passe ? On dirait que chacun des types qui l'entourent veut le prendre à part. Finalement, Pastafagoul, réussit à entourer Kaouito par les épaules, et l'éloigne du cercle. Il lui demande :

— C'est pas possible ?... C'est vrai ce bruit qui court... tu rembourses toutes tes dettes ?

— Mais non, mais non ! fait Kaouito, c'est pas vrai.

Et il ajoute avec fierté :

— Mais c'est vrai que le bruit court...

***

Rue d'Isly, un nouveau photographe s'installe dans son magasin, et pour orner sa vitrine, il met au milieu, une photo de Beethoven, chevelu, avec un visage romantique, tourmenté et inspiré.

Souissou passe devant le portrait et fait :

— Tss !... Encore un qui veut faire l'artiste !

***

A la salle des ventes, rue Colonna d'Ornano, un monsieur, l'air très agité, et les paroles aussi, s'approche du commissaire-priseur, qu'il interrompt, et lui souffle quelques mots à l'oreille.

L'autre met son marteau de côté et s'adresse à la foule :

— On vient de me dire qu'un portefeuille contenant une somme d'argent et des papiers importants, notamment des reconnaissances de dettes des sieurs Kaouito, Pastafagoul, Abbaz et d'autres, vient d'être perdu dans cette salle.

Le propriétaire de ce portefeuille est disposé à donner à la personne qui me le remettra une somme de 500 F Aucune question ne lui sera posée.

Un instant de silence. Tout le monde se regarde. Et du fond de la salle une voix timide lance :

— Cinq cent cinquante...

***

— Quelle est la moyenne dans les jugements ? demande Kémis qui veut se faire une idée.

— C'est simple, fait Kaouito, dans tous les procès, la moyenne est la même. Y'a la moitié qui gagne, et la moitié qui perd.

***

— Le soleil, le soleil ! me disait un parisien. A vous entendre, vous autres pieds-noirs on dirait qu'il est à vous le soleil...

J'ai répondu :

— Jamais de la vie ! Nous n'avons pas cette prétention. Le soleil est à tout le monde ! Il vient même quelquefois à Paris. Seulement, à peine arrivé, il s'aperçoit qu'il pleut, alors il s'en va...

***

Tout se passa vite, dans ce problème vite résolu.

Spaza rencontra Guide-à-gauche au Square Guillemin, à l'arrêt du bus.

— Tu tombes juste, Guide-à-gauche ! Figure-toi que j'ai oublié mon portefeuille à la maison et j'ai des achats à faire. Prête-moi vite 250 F.

Alors Guide-à-gauche tire vite 2 F de sa poche et lui dit aussi vite que l'autre :

— Tiens. C'est encore mieux. Voilà 2 F. Prends-toi vite le bus et va vite chez toi prendre ton portefeuille.

***

A Alger, on ne gagne rien sur la marchandise. On donne tout au prix coûtant : mais on se rattrape sur le papier et la ficelle.

***

Dans le tramway, Tortosa pose la main sur le genou de sa voisine.
— Vous vous trompez, monsieur, dit la dame.
— Comment, répond Tortosa, c'est pas votre genou ?

***

— Je ne comprends plus rien ! reconnut le docteur Leyris, en finissant d'ausculter Kaouito. Je ne trouve aucune amélioration, aucune. Plutôt une légère aggravation ! Mais enfin, Kaouito, dites-moi franchement est-ce que vous avez suivi le régime que je vous avais ordonné, il y a six mois ? Je vous avais dit trois anisettes par jour, pas plus, trois !
— Trois ? fait Kaouito. Non, six, six anisettes.
— Comment six ? Sur mon ordonnance j'ai marqué 3.
— Vous oui docteur. Mais quelques jours avant, j'ai vu le docteur Safar, et il m'avait lui aussi permis 3. Trois et trois, six.

***

En plein désert, plus loin que Biskra même, 2 spahis sont en patrouille. Y'en a un qui parle à l'autre, mais l'autre n'écoute pas. Donc il y en a un qui parle dans le désert. Soudain, le premier cogne quelque chose avec son pied. C'est un casque colonial ! Et sous le casque, il y a une tête d'homme ! Incroyable !

— Ah ! gémit le type enseveli, je désespérais !... Enfin, vous êtes venu.
— Mais comment êtes-vous là ? demande un des soldats.
— J'allais à Timimoun. Une tempête de sable. J'ai été enseveli, à moitié asphyxié.
Les 2 spahis entreprennent de le dégager. Ils enlèvent le sable, jusqu'à la hauteur de la poitrine.
— Allez, disent les spahïs. Tendez-nous les mains. On va vous sortir de là.
Et l'autre :
— Vous ne pourrez pas...
— Mais si... mais si... un petit effort... nous ne pouvons plus continuer à creuser la nuit arrive.
— Vous ne pourrez pas, répète le voyageur.
— Et pourquoi ? Vous pesez tant que ça ?
— Moi non, mais je suis sur mon dromadaire...

***

Medjrab est avare. C'est rien de le dire. Il faut le voir pour le croire. Et même si on le voit on le croit pas.
Il vient de louer un petit appartement rue Mizon, à Bab-El-Oued, et Kaouito va lui rendre visite pour l'aider à ranger ses meubles.
— Il est bien ton appartement ! constate Kaouito.
Il regarde partout, mais il y a un détail qui le choque.
— Mais dis-moi Medjrab, pourquoi tu as épinglé ton papier tapisserie sur les murs, au lieu de le coller ?
— Hé... fait Medjrab, c'est que je suis pas sûr de rester dans cet appartement. En cas que j'en trouve un moins cher !...

***

— Tous les matins, dit Badjidj, je rajeunis de vingt ans en me rasant.
— Pourquoi que tu te rases pas le soir ? lui demande sa femme.

***

Le vieux Barnabeu, il était sourd comme un pot. Non. Comme une poterie. Et en plus il prétendait :

— Ah ! Si je m'écoutais, je ne ferais jamais rien !

C'est lui qu'on a baptisé : le mur du con

***

A un parisien qui lui disait avec envie :

— Vous en avez de la chance de vivre à Alger, il fait toujours beau.

Kaouito a répondu :

— Qu'est-ce que vous voulez ? A Paris vous ne pouvez pas tout avoir : le soleil et le gouvernement.

***

En tournée à Tokyo, Enrico Macias est parti en ville pour acheter un stylo, avec un interprète. Il en voit un qui lui plaît dans une vitrine.

— C'est celui-là qu'il me faut... Mais, ajoute-t-il, en plaisantant, il pleut averse maintenant, est-ce que vous n'en auriez pas avec un parapluie au bout ?

Le patron demande un instant. Il téléphone. Enrico s'impatiente.

— On peut partir ?

— Il faut attendre la réponse dit l'employé.

— Quelle réponse ? fait Enrico.

— Vous avez demandé un stylo avec parapluie. Le directeur a téléphoné à l'usine... vous aurez le devis dans un quart d'heure.

***

Maître Bogado devait défendre Casse-ficelle pour un léger délit. Et comme Casse-ficelle avait un casier judiciaire vierge à ce moment-là l'avocat pouvait espérer l'acquittement.

Mais pour avoir toutes les chances, il avait conseillé à Casse-ficelle :

— Il faut tout d'abord vous constituer un passé honorable. Voici 10 F, allez au commissariat, et dites que vous venez de trouver ce billet dans la rue, rue Suffren par exemple. Et surtout, demandez un reçu.

Casse-ficelle fit la démarche, et le jour de l'audience, l'avocat loua la parfaite probité de son client.

— J'ai là, avança-t-il, un document attestant qu'il y a quelque temps mon client n'a pas hésité à déposer au commissariat un billet de 10 F qu'il venait de trouver sur la voie publique, rue Suffren, à côté de la synagogue.

— Cher Maître, dit le Président, après avoir consulté le papier, il s'agit de 5 F et non de 10.

— 10 F, insista l'avocat, qui n'avait pas vérifié.

— Non, 5 F maître. C'est écrit sur le reçu !

Oui, le reçu portait bien 5 F. Et maître Bogado constata qu'il avait lui-même été volé. Casse-ficelle fut quand même acquitté. Et le plus beau, c'est qu'il ne remboursa même pas l'avocat !

***

Toujours à Tokyo, Enrico Macias, devait donner une représentation le lendemain. Il défait ses bagages, et s'aperçoit que le pantalon de son costume de scène a une tache énorme. Impossible de la faire disparaître. Il va chez un tailleur, auquel il demande de lui faire un pantalon exactement semblable à celui qu'il lui laisse comme modèle.

— Entendu, dit le tailleur, mes ouvriers travailleront cette nuit et vous aurez votre pantalon demain matin à 9 heures, identique à celui-là.

Et le lendemain matin à 9 heures, le tailleur apporte à Enrico, le pantalon. Exactement comme le modèle. Exactement, tache comprise.

***

Abbo qui habite dans un H.L.M., à loyer modéré en plus, monte voir son voisin du dessus, Smata, très connu d'ailleurs pour sa vivacité, et qui a le même appartement.

— Dis-moi, combien de rouleaux de papier as-tu acheté lorsque tu as retapissé ta chambre ?

— Douze rouleaux, répond Smata.

Abbo achète donc douze rouleaux, et le travail terminé constate qu'il lui en reste trois en trop.

Il remonte voir Smata et l'interroge :

— Je ne comprends pas, tu m'as dit 12 rouleaux, et il m'en reste 3 !

— Ah ? Toi aussi ! fait Smata.

***

Mme Blasco, en fouinant chez un antiquaire, finit par découvrir un petit meuble qui lui plaît. Mais le prix lui paraît trop élevé, elle essaye de marchander.

— Mais regardez, dit-elle, ce coin est abîmé !

— Tiens, fit le bonhomme, je n'avais pas vu ça. Ça sera 100 F de plus.

***

— Ce que nous cherchons pour ce poste, c'est quelqu'un de responsable, déclare le chef du personnel, à Boogie.

— Alors, Monsieur, répond Boogie, je crois que je suis votre homme. Partout où j'ai travaillé jusqu'ici, chaque fois qu'il se passait quelque chose, on disait que c'était moi le responsable.

***

Spadaro appelle un de ses employés :

— Vous connaissez Josette, notre belle secrétaire ?

— Bien sûr, M'sieur.

— Est-ce que vous êtes déjà sorti avec elle ? Répondez-moi franchement.

— Non, M'sieur.

— Lui avez-vous écrit une lettre d'amour ?

— Non, M'sieur !

— Téléphoné ?

— Non, M'sieur !

— Fait un petit cadeau quelconque ?

— Non, M'sieur, ça je vous le jure. Aucun cadeau.

— Parfait, répond Spadaro soulagé. Alors c'est vous qui allez lui annoncer qu'elle est renvoyée !

***

Dans une banque où il y a eu trois hold-up en un mois, commis par le même individu, la police demande au caissier s'il a remarqué chez l'agresseur quelque chose de particulier.

— Oui, fait le caissier, il était chaque fois, mieux habillé que la précédente.

***

Le vieux Belasco est passionné de football. Le football, c'était sa religion. Il va consulter une voyante, et il lui demande s'il y a des terrains de football au paradis. La voyante répond qu'elle doit le vérifier, et lui demande de repasser le lendemain.

Le lendemain elle lui annonce.

— J'ai de bonnes nouvelles pour vous, et aussi des mauvaises.

— Donnez-moi d'abord les bonnes.

— Il y a beaucoup de terrains de football au ciel. Ils sont magnifiques. Les pelouses sont parfaites, les douches très luxueuses, et les arbitres absolument impartiaux.

— Bon, et les mauvaises nouvelles ?

— Vous commencez votre premier match dimanche prochain, en nocturne à 20 h 30.

***

Maître Bogado, avocat au barreau de Tizi-Ouzou en Kabylie, a été nommé d'office pour assurer la défense d'un assassin.

— Mais, je ne me trompe pas ! s'écrit le type en voyant Maître Bogado.

Vous êtes mon avocat d'il y a dix ans, en simple police.

— Tiens ! fait l'avocat, mon premier client ! Quel hasard étrange !... je débutais à l'époque...

— Moi aussi !... Ah ! nous en avons fait du chemin depuis !

***

Un promeneur tombe d'une falaise dans les gorges de Palestro, mais il trouve le moyen de se cramponner à une branche d'arbuste et il hurle :

— Au secours ! Y'a-t-il quelqu'un là-haut ?

Une grosse voix majestueuse, une voix qui vient du ciel, retentit :

— Je puis t'aider mon fils, mais à condition que tu mettes en moi toute ta confiance.

— Oui, oui ! J'ai foi en vous ! se hâte de répondre le bonhomme.

— Lâche cette branche ! ordonne la voix.

Un silence, puis le malheureux hurle de plus belle.

— Y'a-t-il quelqu'un d'*autre* là-haut ?

***

Dans l'autobus, une dame âgée demande au receveur s'il passe rue d'Isly.

— Bien sûr, Madame.

Deux minutes plus tard, elle lui redemande :

— Est-ce qu'il y a un arrêt au milieu de cette rue ?

— Oui, dit le receveur. A peu près au milieu.

Quelques instants s'écoulèrent, puis la dame questionna en souriant.

— Est-ce que par hasard, vous vous arrêtez devant le 139 ?

— Et à quel étage vous voulez aller ? fit le receveur sans rire.

***

C'était pas comme ça qu'il fallait

s'y prendre avec Guide-à-gauche. Un type, pour lui faire peur et lui extorquer (ça se dit extorquer) de l'argent vint le trouver et le menaça :

— Voilà, si vous me versez pas d'ici vingt-quatre heures 10 000 F je vais aller partout raconter sur vous tout ce que vous avez fait, les pires histoires, et patin et couffin...

Guide-à-gauche regarda le type, comme une bouteille non consignée, et il lui dit :

— Si vous me donnez 5 000 F, je vous raconterai d'autres histoires que vous ne connaissez pas, et je vous donnerai en plus cinq ou six adresses pour aller les raconter là-bas !

***

Mme Abbaz, à un moment donné, elle a eu la manie des plantes. Elle en avait partout dans l'appartement, et elle avait entendu dire qu'il faut parler aux plantes pour qu'elles poussent bien. Un jour, sa voisine Mme Gabelouz va la voir, et elle trouve des journaux étendus près de chaque plante.

— Pourquoi ces journaux, Mme Abbaz ?

— Il faut parler aux plantes ma fille, et comme j'ai pas le temps de leur faire la conversation j'ai pensé que dans ces journaux elles pourraient lire tout ce qu'elles voudraient.

***

Le père Belido, c'était un bon luthier, et en plus, il savait parler. J'aimais beaucoup aller le voir pour bavarder avec lui.

— Dans la vie, deux choses sont vraiment importantes, disait-il : une bonne paire de souliers, et un bon lit. Quand tu n'es pas dans l'un, tu es dans l'autre.

***

A l'hippodrome du Caroubier, il y avait un cheval de course qui prenait le départ comme un bolide, ralentissait ensuite, et finissait toujours une place après le dernier. En trois ans il avait ruiné son propriétaire. Et en plus, il s'appelait « La Fusée ».

Un jour, avant le départ d'une grande course, le propriétaire écœuré se met à parler au cheval :

— Ecoute « La Fusée », je te préviens que c'est ta dernière chance. Si tu perds encore celle-là, demain, à cinq heures, tu tireras la voiture de légumes.

Le cheval prit la tête comme d'habitude, ralentit et se laissa rattraper par le peloton. Son jockey le cravachait furieusement. Le cheval tourna la tête vers lui et dit :

— Eh, vas-y doucement ! Moi demain je dois me lever à cinq heures du matin.

***

— Comment, s'indigne le président, vous vous êtes jeté sur cette malheureuse qui vous avait secouru, vous vous êtes livré sur elle aux derniers outrages, et ça ne vous a pas suffi, vous avez pris un oreiller et vous l'avez appuyé sur son visage jusqu'à la mort. Mais c'est ignoble !

— M'sieur le président, j'étais affolé, j'avais abusé de cette femme alors je voulais *étouffer* l'affaire !

***

Portelli, le directeur de l'Opéra d'Alger, est en grande discussion avec un nouveau ténor qu'il doit engager, Sauveur Gonzalvès. Et ça discute ferme sur le montant du cachet :

— Je suis désolé, dit Portelli, mais je ne peux pas vous engager à de meilleures conditions. Pour commencer ça sera comme je vous ai dit, mais au fur et à mesure que le public sera content, votre cachet augmentera.

— D'accord, fait Gonzalvès, mais alors vous allez être obligé de m'augmenter tous les jours !

***

De penser que son fils était sourd-muet, ça désolait ce pauvre Simon. Il avait toujours désiré un garçon pour en faire un monsieur instruit et tout, avec au moins le B.E.P.C. Pour élever son fils il aurait fait tous les sacrifices. Aussi il fut fou de joie quand il apprit qu'il existait des écoles de sourds-muets. Et, son ami Chlomo lui donna l'adresse d'un établissement à Alger.

— Quoi ! Tu veux que je mette mon unique garçon dans une école de sourds-muets à Alger ! Non, mais tu rigoles ou quoi ! Pourquoi je ferais tous ces sacrifices alors ? Non, je vais le mettre à Paris.

— A Paris ? Et pourquoi

— Parce que je veux pas qu'il ait l'accent pied-noir !

***

Mᵐᵉ Abbo confie à son amie :

— Figure-toi ma chère, ce Sylvain il a épousé ma fille il y a quinze jours, et jusqu'ici ils ne se sont pas encore disputés.

L'amie sursaute et s'inquiète :

— Pas possible ! Et à qui la faute ?

***

C'était l'époque où on envoyait des fusées vers la lune. Entre l'Amérique et la Russie c'était la guerre de prestige. Ce jour-là, Blaouette était au comptoir de « La petite Bourse » le café qu'il y a juste avant de monter la bassetta, et, entre une olive, un anchois, et une gorgée d'anisette il assure :

— La lune, c'est rien ! Nous z'ôtres on va envoyer une fusée vers le soleil !

— Vers le soleil ! Oh connard ! Y t'a pas tapé un peu trop fort sur la tête, le soleil !

— Pourquoi ? y dit Blaouette. C'est pas possible d'après toi ?

— Arrête de débloquer, y fait Ninous, comment tu veux t'approcher du soleil avec la chaleur qu'il y a !

N'importe quelle fusée elle fondrait.

— Mais, mon con, y répond Blaouette, qui avait étudié la question avec Oppeinheimer et Von Braun, on enverrait la fusée de nuit !

***

Au moment où les Impôts ils avaient inventé la T.V.A. pour pouvoir piquer un peu de pognon, sans que personne ne comprenne comment cet argent il était reversé, en divisant par 17,6, en multipliant par 4, en n'oubliant pas de soustraire et en retenant tout, Robert le bijoutier que c'est un ami à moi, il avait rien compris à ce sac de nœuds. Et en plus, y voulait rien comprendre. Chaque année il recevait des réclamations des impôts. Et son comptable n'arrêtait pas de le mettre en garde :

— Mais, Monsieur Robert vous allez avoir des ennuis si vous ne déclarez pas la T.V.A.

— Quelle T.V.A. ? y fait Robert. Moi j'ai rien à voir avec ça ! Je sais rien du tout. Je veux rien savoir.

Finalement, à force d'être poursuivi par le fisc (parce que eux, pour la patience, ils ont battu les chinois) Robert est obligé de se présenter pour comparaître, parce que le fisc écœuré, n'a plus d'autres moyens. Robert va à l'audience.

Et le président commence à lui exposer le dossier, et tout le retard qu'il a à payer, avec les taxes, les surtaxes et les retaxes.

Robert, y fait le mort, pleurant misère :

— Mais M'sieur le président, moi je comprends rien, moi ! Je suis un pauvre malheureux, un pauvre bougre !

— Mais enfin, soupire le président, il faut payer les impôts. Vous savez ce que c'est les impôts.

— Je sais à peine... je suis pas instruit moi, m'sieur le président.

— Mais enfin, la T.V.A., vous en avez entendu parler ? Vous savez ce que c'est la T.V.A. ?

Alors Robert, en prenant son air le plus innocent :

— Ouais, je sais !...

Il écarte les bras, comme s'il allait s'envoler et il dit :

— C'est une Compagnie d'Aviation, M'sieur le président ! Mais moi je voyage toujours en train !

***

Mme Badjidj, entre dans la pâtisserie « La Princière » et achète un gâteau superbe.

— Quel beau gâteau ! dit Mme Chlomo à son amie. C'est la fête alors ?

— Oui, avoue l'autre, aujourd'hui j'ai trente-neuf ans !

— Mais alors, c'est votre anniversaire ?

— Non, répond Mme Badjidj, mon anniversaire c'est demain, et j'aurai quaranten ans. Aujourd'hui j'en ai trente-neuf !

***

C'est très bien de s'instruire, mais ça n'a pas que des avantages. Quand j'étais à l'école, on me disait que si je voulais avoir une bonne situation plus tard, je devrais faire des études secondaires. Je suis entré au lycée. Alors on m'a dit que pour avoir une bonne situation il fallait entreprendre des études supérieures. Je suis allé à l'université, j'ai passé ma licence. Alors on m'a dit que tout le monde était licencié, et que pour avoir vraiment une bonne situation il fallait passer l'agrégation.

Quand j'ai été agrégé, on m'a dit qu'au point où j'en étais, ce serait dommage de ne pas aller jusqu'au doctorat. J'ai passé mon doctorat, et je me suis mis à chercher une situation.

— Alors, on m'a dit qu'on donnait la préférence à des hommes plus jeunes !

— Tu entends ce qu'il dit ! fait Kaouito en triomphant. Tu as compris maintenant pourquoi j'ai pas voulu pousser les études ?

— Mais toi, tu es chômeur, réplique Ninous.

— Et lui alors, qu'est-ce qu'il est ?...

***

Le vieux Serrano disait un jour à l'apéritif :

— Je peux faire à soixante-dix ans, tout ce que je faisais à dix-huit ans... Ce qui montre à quel point j'étais minable à dix-huit ans !

— Et toi Kaouito ? Tu peux en faire autant que lui ? demande Pasta-fagoul avec ironie.

— Moi, dit Kaouito, à dix-huit ans je faisais rien alors !...

— Et maintenant ?

— La même chose... Serrano et moi on est pareil !

***

— C'est demain dimanche, murmure Spadaro à sa nouvelle secrétaire. Est-ce que vous faites quelque chose de spécial ?

— Non, absolument rien Monsieur, dit-elle, ravie, en pensant, que le patron...

— Alors, j'espère que vous serez à l'heure lundi matin.

***

A la porte d'un théâtre on a affiché *sixième mois*.

La femme à Souissou qui est enceinte, passe, regarde, et constate :

— Tiens, comme moi !

***

Deux Bônois qui ne se sont pas vus depuis longtemps se rencontrent et vont boire un verre à la terrasse d'un café. Passe une très jolie femme, et le premier Bônois s'écrie :

— Putain ! Quelle est belle ! Je me la taperais bien !

Et pour illustrer son admiration, il redit sa phrase avec les mains en écrasant sa main droite ouverte, sur son poing gauche.

— Hé l'ami ! C'est ma femme ! dit le deuxième Bônois.

— Oh ! pardon, s'excuse l'autre en essuyant discrètement son poing.

***

Mme Fartass déclare avec fierté :

— Plus mon fils grandit, plus il me ressemble.

— C'est un garçon, répond Mme Abbaz, ça n'a pas d'importance !

***

Et lorsque Mme Abbaz en minaudant susurre :

— Je voudrais bien savoir quel est ce monsieur, qui depuis tout à l'heure me regarde sans arrêt !

Mme Fartass lui lance :

— C'est un antiquaire !

***

Kaouito et Zarfana se font des confidences.

— Tu ne vas pas me faire croire, dit Zarfana, que tu as passé la soirée avec une fille et que vous n'avez dépensé que 50 F à vous deux !

— Obligé ! fait Kaouito. C'est tout ce qu'elle avait sur elle !

***

Le perroquet était resté à l'office avec les domestiques pendant tout l'été. A la nouvelle saison, on remet le perroquet dans la salle à manger, et pendant le repas la maîtresse de maison sonne pour appeler la suite. Alors le perroquet perroqua :

— Laisse-les sonner, laisse-les sonner ces connards ! Ça leur fait du bien !

***

Guide-à-gauche fait le touriste en Israël. Et il demande à un passeur de lui faire traverser le lac de Tibériade :

— C'est 200 dollars, dit l'homme.

— Ça va pas ! fait Guide-à-gauche. Vous êtes tombé sur la tête !

— Enfin, Monsieur, n'oubliez pas que c'est là que Jésus a marché sur les eaux.

— C'est pas étonnant, répond Guide-à-gauche. Quand il a vu vos prix il a préféré se débrouiller tout seul !

***

Suissa le plombier a fait quelques travaux chez une dame. Huit jours plus tard il envoie la facture. La dame l'ouvre, calcule un instant et s'écrie :

— Quatre heures ! Oh le salaud, il m'a tout compté !

***

Fourtunato est tout heureux et c'est avec le sourire qu'il demande à Ninous :

— Alors, tu veux pas faire partie de notre chorale ? C'est formidable tu sais. Pendant les réunions, on boit, on mange, on danse, on flirte.

— Et vous chantez quand alors ?

— La nuit, en rentrant chez nous.

***

Chez Roubi, là où il y a un asile de fous, le directeur fait visiter l'établissement à un journaliste :

— Ici, dit-il, c'est la salle des obsédés de l'automobile.

— Je ne vois personne, remarque le journaliste.

— Ils sont tous sous leurs lits... ils réparent.

***

Suissa engage un jeune apprenti plombier.

— Ecoute petit, lui dit-il, je veux d'abord que tu apprennes à te servir d'un marteau. Pour ça, y faut que tu m'écoutes bien.

— Oui, patron.

— Tu vois, je prends une pince, je dévisse le boulon. Je prends ce tuyau pour le courber. Tu prends le marteau. Tu lèves le marteau. Quand je fais un signe avec la tête, tu tapes dessus...

Et voilà comment Suissa s'est tapé lui aussi quinze mois dans un lit à l'hôpital de Mustapha.

***

Avant le match de boxe, la femme de Kid Oualou téléphone au Manager de son mari :

— Allô ? Comment est Kid ?

— O.K.

Après le match elle téléphone de nouveau :

— Comment est Kid ?

— K.-O.

***

Avant... bien avant... un gastronome concédait :

— Nous ne pouvons pas nous permettre de perdre l'Algérie. Sinon d'où nous viendrait le Bourgogne ?

Va savoir d'où il vient maintenant...

***

Arrivé à l'hôtel à deux heures du matin, Boogie avait demandé de ne pas être dérangé avant midi.

A 10 h 30, on frappe à sa porte.

— Mais je voulais dormir jusqu'à midi, hurle-t-il.

— Impossible monsieur, on a besoin des draps pour mettre la table.

***

En passant tous les jours devant la rue Barnave, Mme Balester elle avait l'habitude de donner une obole à un mendiant aveugle. Un jour le mendiant fut absent. Mais dès le lendemain, il avait repris sa place.

— Comment ça se fait que vous n'étiez pas là hier ? demanda Mme Balester.

— Hé !... c'était mon jour de congé !

—Ah oui !... Et qu'est-ce que vous avez fait ?

— J'ai été au cinéma.

— Au cinéma ? Mais vous êtes aveugle !

— Oui, Madame. Mais je suis pas manchot.

***

Soupçonnant sa femme d'être infidèle, et devant s'absenter pour vingt-quatre heures, Gaspacho a une idée géniale. Il place sous le lit un bol de lait, et il fixe à un ressort du sommier, une cuillère en bois.

D'après ses calculs, le poids de sa femme seule n'est pas suffisant pour amener la cuillère en contact avec le lait. En revanche, s'il y a deux personnes, la cuillère trempe dans le lait et conserve la marque blanchâtre du liquide.

Bon, le lendemain, dès son retour, Gaspacho va constater le résultat de son stratagème.

Le bol était plein de beurre.

***

Kémis était descendu dans un hôtel, à Mostaganem, et avait demandé au garçon de la réveiller à 6 h 30. Le lendemain, réveillé vers 5 heures, Kémis ne peut pas retrouver le sommeil. Il entend sonner 6 heures, 6 h 15, 6 h 30, 6 h 45. Et personne ne frappe à sa porte.

— Le salaud, murmure Kémis, il ne viendra pas hein... Il va me faire manquer mon train ce pourri !

***

Kaouito, après avoir fait le tour de toutes ses relations, va trouver Medjrab :

— Tu sais, je suis jamais venu te voir, mais j'ai besoin de 500 F.

— 500 F ! fait Medjrab affolé, mais tu veux ma mort ! Où je vais les trouver ? Où ? Sois gentil, ne m'en parle pas et je t'en causerai jamais.

— Arrête de pleurer va ! Je sais que tu les planques ! Je te demande pas un million, mais 500 F.

— Mais tu es fou ! J'ai des frais, des charges, des dépenses... sois gentil Kaouito, ne m'en parle plus et je t'en causerai jamais.

Ecoute Medjrab, insiste Kaouito, tu perdras rien. Je te rendrai 700 F ! Je peux pas mieux te parler que ça. Sur ma parole d'honneur !

L'autre, il en a l'eau à la bouche du bénéfice à faire. Et il accepte en pleurant de prêter les 500 F.

Mais à peine Kaouito il est dans l'escalier, que Medjrab court derrière lui et le rattrape avec un nouvel arrangement :

— Ecoute Kaouito, rends-moi les 500 F. Comme ça tu m'en devras plus que 200.

***

Au « Tantonville », à côté de l'Opéra d'Alger, Conzalvés, chef Ténor des chœurs, discutait avec Guy Coll, régisseur en chef principal.

— J'avais un beau projet d'Opéra, murmurait Gonzalvés, les yeux perdus vers la scala de Milan.

— Sans blague ? fait Guy Coll.

— Ouais. Au premier acte le héros chantait : « Me le diras-tu ce « oui » que j'attends ? » et ça occupait tout l'acte. A la fin l'héroïne, elle répondait : « Non... ». Tu te rends compte, si elle avait dit « oui ». Ça aurait pu durer encore quatre actes !

***

Kaouito avait eu à faire à Médéa, en tant que conciliateur-médiateur, pour régler un litige entre deux vendeurs de cerises, soi-disant qu'elles

97

avaient des gros noyaux, ce qui fait que dans un kilo on trouvait qu'une livre, sans compter les queues. Et Kaouito, avant de prendre son train passe la nuit à l'hôtel et demande à être réveillé à 6 heures.

— En effet, à 6 heures, il est réveillé par plusieurs coups de poings dans sa porte et une voix lugubre lui crie :

— Il est 6 heures Monsieur !

Deux secondes plus tard, il entend plusieurs autres coups de poings dans la porte voisine et la même voix lugubre crie :

— Il est 6 h 15 Monsieur !

Puis aux portes suivantes :

— Il est 6 h 30 Monsieur.

— Il est 6 h 45 !

— Il est 7 heures !

— Il est 7 h 15 !...

***

Abbo, qui a toujours pensé que l'envers vaut l'endroit, a porté à son tailleur un costume à retourner.

— Je vous préviens, l'avertit le tailleur, tout ce qui était à gauche, la pochette par exemple, sera à droite.

— Ça n'a pas d'importance, répond Abbo, du moment que la braguette reste au milieu.

***

En visite chez Mme Messmouma, le gros Fernand — 130 kilos — attend patiemment assis dans un fauteuil. La femme arrive à sa rencontre. Poli, Fernand se lève, avec difficulté, et veut s'avancer. Mais son imposant arrière-train accroche un vase de Sèvres, placé sur un guéridon. Le vase tombe et se brise. Affolé, Fernand se baisse pour ramasser le guéridon qui a basculé lui aussi. Il heurte une potiche qui s'écroule et s'étale en morceaux.

Pâle, Fernand se baisse à nouveau, et cette fois son pantalon craque avec un bruit sinistre.

Alors, tournant dignement les talons, Fernand se hâte vers la sortie en murmurant :

— Décidément, je préfère m'en aller !

***

Casse-ficelle entre à la Grande Brasserie, avec un œil au beurre noir plus noir que sa chemise, et l'autre œil gris assorti.

— Putain ! crie Kaouito en le voyant, tu as morflé un direct avec accusé de réception ! Et encore, tu as du pot, parce que tu l'aurais pas reçu sur l'œil, tu le prenais en pleine gueule !

***

— Vous avez tué cet homme pour le voler, dit le président des Assises de Birkadem, à l'accusé, et le vol ne vous a rien rapporté, ou plutôt : il vous a rapporté 10 F ! Avouez malheureux, que ce n'était vraiment pas la peine.

— Oh vous savez, M'sieur le président, répond l'assassin, 10 F par-ci, 10 F par-là, on finit par se faire sa petite journée !

***

Sur le bateau, entre le Havre et New York, Charly Driguès et un Américain ont lié connaissance. Ils ne se quittent plus, on les voit partout ensemble. Ayant abordé tous les sujets, l'Américain prétend :

— Notre peuple est particulièrement apte à résoudre tous les problèmes d'ingéniosité.

Charly, piqué au vif soutient à son tour :

— Pas plus que nous z'ôtre les pieds-noirs ! En tout cas, je vous parie que vous ne trouverez pas la solution de la devinette que je vais vous poser.

— Pari tenu !

— Si vous répondez vous gagnez 300 F.

— Et si je réponds pas, dit l'Américain, je vous donne 500 dollars. Vous voyez que je suis beau joueur. Dites votre devinette.

— Voilà : qui est-ce qui a une patte, deux pattes, trois pattes, quatre pattes, cinq pattes, un tout petit bras, pas de croupion, quelques plumes, et qui arrive à s'envoler ?

L'autre reste K.-O. debout, comme si il avait vu Kaouito à sa fenêtre en train de jeter de l'argent !

— C'est bien compliqué, avoue-t-il. Mais quel temps m'accordez-vous pour répondre !

— Oh, réplique Driguès, jusqu'à New York si vous voulez.

Ils arrivent à New York. Au moment de débarquer, l'Américain s'approche de Charly, lui tend 500 dollars.

— J'ai perdu, admet-il, je n'ai pas trouvé.

Alors, Charly, empochant les dollars lui dit :

— Tenez voilà vos 300 F. La solution je la connais pas non plus !

***

Au Frais-Vallon, 2 terrassiers s'apprêtent à enfoncer un pieu. Celui qui le tient regarde son camarade qui a le marteau, et s'aperçoit qu'il louche terriblement.

— Hé l'ami, dit-il, surtout ne tape pas où tu regardes !

***

Un client entre chez M. Mulet le droguiste de la rue Franklin.

— Donnez-moi, un produit pour détruire les punaises, s'il vous plaît.

— Vous avez un grand appartement ? demande M. Mulet.

— Une petite chambre seulement.

— Alors un quart suffira . Vous n'avez qu'à vaporiser. Et le lendemain plus de punaises.

Mais non : le lendemain le client revient.

— Donnez-m'en un demi-litre.

Le lendemain encore il en prend un litre. Le surlendemain il en achète un bidon de cinq litres.

Finalement il demande au droguiste :

— Par 100 litres, vous pouvez me faire une réduction ?

— Mais Monsieur, s'étonne le droguiste, vous avez acheté un hôtel ou quoi, depuis l'autre jour ?

— Mais non, je vous assure. C'est toujours pour ma chambre.

— Oh! Alors Monsieur. C'est inutile : mon produit est un produit de première qualité. Ce sont vos punaises qui ne valent rien !

***

Une femme fait tourner une table.

— Qu'est-ce que je faisais le 28 janvier dernier ? demande-t-elle.

Aussitôt la table se retourne complètement : les pieds s'écartent et tous les tiroirs s'ouvrent.

Impossible de savoir le nom de cette femme.

***

Un nouveau pensionnaire vient d'arriver à la prison de Barberousse sur les hauteurs d'Alger. C'est comme la prison de la Santé, mais un peu plus fermée quand même comme prison.

— Pourquoi tu es ici ? lui demande un vétéran.

— Parce que je ne vois pas clair.

— Comment ?

— Hé... ouais... je piquais un portefeuille, dans une poche, et j'avais pas vu le flic à côté de moi !

***

Au lieu de passer par Chéraga, Kaouito et Pastafagoul, en voiture prennent la traverse, et ils voient le long du talus un vieillard qui sanglote. Ils arrêtent, descendent et s'inquiètent :

— Eh bien, qu'est-ce qu'il y a mon brave ? demande Pastafagoul.

Le vieillard sans cesser de pleurer répond :

— C'est papa qui m'a giflé !

— Votre père ? Mais quel âge vous avez ?

— Cent six ans.

— Cent six ans ! réalise Kaouito. Mais alors... et votre père ?

— Cent trente ans il a mon père.

— Mais pourquoi il vous a giflé ?

— Hé... j'étais en colère : j'avais tiré la langue à mon grand-père !

***

Pourquoi dans la vie, il y a des types qui veulent toujours être plus forts que les autres, avoir plus de richesses que les autres, avoir plus de dettes que les autres, être ceux qui ont vu le plus de ceci, le plus de cela ?... Va savoir. Toujours est-il que ce cagnélo de Gabelouz, quand on lui dit quelque chose, y faut qu'il se rende intéressant en ajoutant : « Oh... ça aurait pu être pire ! »

Kaouito lui dit qu'un tremblement de terre a englouti 1 000 000 de Japonais, y fait : « Ça aurait pu être pire ! »

On lui dit que les Russes y vont faire la guerre aux Américains et que en plus les Chinois y vont se mêler aussi, et qu'en outre l'Australie, le Canada, l'Inde et le Japon, et toute l'Afrique, l'Asie, et l'Amérique du Sud vont eux aussi se castagner entre eux il remarque : « ça aurait pu être pire ! ». C'est une maladie !

Un soir, il rentre à la Grande Brasserie à l'heure de l'apéritif et il voit Kaouito, Pastafagoul, Abbaz et les autres en train de discuter autour d'une anisette. Il s'approche, et Kaouito l'harponne :

— Tu connais la nouvelle, Gabelouz ?

— Quoi ? Vous vous êtes cotisés pour m'ouvrir un livret de Caisse d'Epargne ?

— Arrête tes conneries. C'est sérieux. Vincent le grand blond avec des yeux clairs et des chaussures noires, en rentrant chez lui il a trouvé sa femme couchée, dans son lit avec Mario le brun, avec des cheveux noirs et des yeux noirs, et des souliers clairs.

— Et alors ?

— Et alors ! Il est devenu fou. Il a sorti son revolver, il a tiré sur Mario !

— Ça aurait pu être pire, fait Gabelouz.

— Ouais, mais il a tiré aussi sur sa femme. Il était fou furieux !

— Ouais, fait Gabelouz en frissonnant, mais ça aurait pu être pire.

— Et après il s'est tué lui-même, en se suicidant !

— Ça aurait pu être pire ! ajoute Gabelouz en s'épongeant le front.

— Oh tu nous emmerdes à la fin ! Tu trouves que trois morts sur trois c'est pas assez ! Comment ça aurait pu être pire ?

Gabelouz réfléchit un instant et assure en remuant la tête :

— Ouais... ouais... j'te crois que ça aurait pu être pire.

— Mais comment ? Comment ? s'énerve Abbaz.

— Ça aurait pu être pire, si ça c'était passé avant-hier.

— Pourquoi ?

— Parce que avant-hier, c'était pas Mario qui était avec la femme de Vincent, c'était moi. Alors crois-moi, ça aurait pu être pire !

***

Kaouito et Pastafagoul se baladent sur l'Avenue de la Bouzaréah. Ils draguent. Soudain Pastafagoul remarque :

— Regarde Kaouito, les deux petites là-bas, on attaque ?

— Oh non, dit Kaouito. C'est pas intéressant. Quand elles sont deux c'est toujours la plus moche qui marche.

***

Souissou entre dans le Commissariat de police, hors de lui :

— Je veux voir le commissaire !
Tout de suite ! Faites-moi voir le
commissaire !

Le commissaire le reçoit :

— Que voulez-vous Monsieur ?

— Voilà M'sieur le commissaire,
c'est plus possible ! Hier, avant d'entrer
au café, je laisse ma bicyclette attachée
à un réverbère rue Durando, à côté du
cinéma Marignan. Je reviens vingt
minutes plus tard et...

— Et vous ne retrouvez pas votre
bicyclette ! Bon ça va ! On va faire des
recherches, c'est pas la peine de faire
un scandale !

— Mais non, M'sieur le Commissaire ! Je l'ai retrouvée ma bicyclette !

— Et alors ? Vous en voulez deux ?

— Mais non ! On m'a volé la chaîne
de sûreté qui l'attachait au réverbère !
C'est unique ça !

***

Boogie, en voyage d'affaires cherche
une chambre dans tous les hôtels
propres de Relizane. C'est complet. Il
trouve une gargote, et en désespoir de
cause il accepte de coucher dans cette
taule. La bonne sale, et même dégueulasse conduit Boogie à sa chambre.
Mais sur le palier elle se trouble :

— Excusez-moi Monsieur, mais je
n'entrerai pas avec vous.

— Et pourquoi ? demande Boogie
étonné.

Elle finit par avouer que la pièce est
hantée et qu'on y entend toute la nuit
un bruit de coups répétés.

— Putain ! pense Boogie, où je suis
tombé ! C'est la maison des Baskerville !

Enfin il vérifie partout, sur le
balcon, derrière les portes, dans
l'armoire, planque son portefeuille
sous l'oreiller, éteint l'électricité et
s'endort.

Brusquement un bruit l'éveille.

« Tac... tac... tac... tac... »

Il allume l'électricité. Regarde partout. Rien.

Il éteint. Le bruit recommence
aussitôt et plus proche.

« Tac... tac... tac... tac... »

Il allume de nouveau et aperçoit sur
la table de nuit, une punaise avec une
jambe de bois.

***

Au bar Palace, un miséreux aborde
Gabelouz qui boit sa petite anisette
Cristal.

— J'ai faim, Monsieur.

L'autre se dégage. Mais le miséreux
se raccroche.

— J'ai faim, Monsieur.

— Et qu'est-ce que tu veux que j'y
fasse ? répond Gabelouz irrité.

— Tenez Monsieur, payez-moi un
verre de vin et vous verrez, je mangerai
le verre tellement j'ai faim !

Amusé, Gabelouz fait servir un
verre de vin rouge, et attend.

— Payez d'abord, demande le pauvre.

L'autre paie. Le miséreux prend
alors le verre, le vide, et le repose sur le
comptoir.

— Tu le manges pas ? demande
Gabelouz déçu.

— Non, j'ai plus faim !

***

Après avoir fait la tournée des
bistrots, depuis la Grande Brasserie
jusqu'au Bar Palace en passant chez
Coco, au Glacier, chez Manu, Gaspacho
arrive au Bar Lolo, complètement
beurré, des 2 côtés, et il demande :

— Une anisette Cristal !

Alors, Lolo lui conseille gentiment :

— Tu as tort de boire comme ça
Gaspacho !

— Laisse-moi tomber. Donne-moi
une anisette et c'est tout !

— Ecoute, lui dit Lolo, je t'en sers
une, et pas plus. J'ai pas envie de te
ramener chez toi à la petite cuillère
pour me faire jeter par ta femme.

— Mais je suis pas saoul ! Je sais
très bien ce que je fais.

— Ah oui ! Tu arrives même pas à
trouver le verre d'anisette sur le
comptoir. Tu en vois deux.

— Arrête tes conneries, dit Gaspacho. Je suis plus normal que toi. Tu vois ce chat qui rentre dans le café. Je lui vois deux yeux pas un de plus.

— Non bien sûr. Seulement le chat, il rentre pas, il sort !

***

Guide-à-gauche, de retour de Londres après six mois d'absence, demande des nouvelles de tout le monde :

— Et le père Bouchlarem qu'est-ce qu'il devient ?

— Ah celui-là ! dit Kaouito, s'il a pas son beau costume, il doit être dans un drôle d'état.

— Pourquoi ?

— Il est mort il y a trois mois.

***

— Ah mes amis ! annonce Kaouito, quelle soirée hier ! Quelle soirée ! Jamais j'avais vu ça ! Jamais ! J'étais invité dans une soirée, chez des nudistes !

— C'est pas vrai ! font tous. Tu veux dire que tu a *rêvé* que tu étais chez les nudistes !

— Non, insiste Kaouito, sur ma parole d'honneur, j'étais chez les nudistes !

— Les nudistes à poil ? y demande Ninous.

— Oui, à poil, oui ! Bien sûr, je suis pas arrivé là-bas tout nu. Mais à peine j'étais dans l'appartement, y fallait se déshabiller complètement.

— Et tout le monde était nu ? redemande Ninous.

— Bien sûr, tout le monde, fait Kaouito, sans exception ! Quand j'ai sonné à la porte, le valet de chambre qui est venu m'ouvrir, il était complètement nu aussi.

Ninous réfléchit un moment et il veut piéger Kaouito, genre Elliot Ness dans « Les Incorruptibles » 3e épisode.

— Ah oui ?... Et alors comment tu as fait pour deviner que c'était le valet de chambre ?

— Et mon con, y répond Kaouito, parce que j'ai bien vu que c'était pas la femme de chambre !

***

Monsieur Smata, qu'on avait pas vu depuis un moment, rentre chez lui tout excité :

— J'ai une grande nouvelle chérie, dit-il à sa femme. J'ai invité M. Hameyl à dîner mardi.

— Monsieur Hameyl, le sous-directeur ?

— Hé oui... Il va devenir directeur, alors tu comprends, il faut que je me mette bien avec lui.

— Tu as peut-être raison, mais on peut pas recevoir M. Hameyl en lui offrant un verre d'eau, et après un autre verre d'eau, et comme dessert, un autre verre d'eau. Surtout s'il n'a pas soif !

— Bien sûr... Mais on peut lui faire un bon rôti.

— Un bon rôti ! Un bon rôti ! Il faut d'abord qu'on ait le rôti, et après on verra s'il est bon ! Avec quoi je vais acheter le rôti ? Avec l'argent que je dois au crémier ? Ou bien avec celui que je dois au charcutier ?

— C'est tout ce que tu sais faire toi, que des dettes ?

Mais une dispute nouvelle ne fait pas un menu, et les deux Smata essaient de combiner un repas convenable pour le mardi.

Madame Smata débrouillarde sauve la situation.

— Bon. On commencera par un potage aux légumes. S'il en redemande, on lui en donnera 4 fois. Ensuite des lentilles, ça fait de mal à personne et y'a du fer; de la salade, et des fruits que je demanderais à Mme Chlomo. Mais sans charcuterie, ni boucherie, quel plat de résistance ?

— J'ai une idée, dit le mari. Pendant que nous prendrons l'anisette je lui dirai le menu, avec le rôti et les lentilles et tout. Et toi tu iras à la cuisine, tu feras tomber un plat, et tu reviendras en disant que tu es désolée, mais que le rôti est fichu, et on sauvera la mise avec les lentilles.

— Ah non ! rétorque Mme Smata. Pas moi. Je veux pas passer pour une imbécile. Tu n'as qu'à le faire tomber toi !

— Bon, on verra, on verra...

Finalement, ce putain de mardi il arrive avant la paye de Smata, et avec le mardi, arrive aussi M. Hameyl avec des fleurs et tout le bastringue.

Madame Smata sert l'anisette et son mari interroge sa femme, style Marcello Mastroiani dans « La Grande Bouffe ».

— Qu'est-ce que tu nous a préparé de bon ma chérie, ce soir ?

Elle, pour pas rester en reste, elle répond genre Andréa Ferréol dans le même film, la candeur en plus, et l'hypocrisie en supplément :

— Oh ! Un menu simple. M. Hameyl voudra bien nous excuser. Du potage, un rôti aux lentilles, de la salde, du fromage, des fruits et de l'eau, fraîche bien sûr !

— Mais c'est somptueux ! s'exclame M. Hameyl, qui commençait à mourir de faim, vu qu'il avait pas mangé depuis deux jours pour s'empifrer chez les Smata.

Bon. On passe à table. Potage, repotage.

— Eh bien, fait Smata à sa femme, si tu allais chercher le rôti.

L'autre, elle actionne la D.C.A. du regard, et elle riposte en tir silencieux :

— Non, mon chéri, je préfère que ce soit toi, tu sais si bien le découper.

Piégé, Smata s'exécute. Il va à la cuisine. Soudain, on entend un bruit de vaisselle, comme si c'était un bœuf entier qui tombait.

— Qu'est-ce qu'il t'est arrivé, mon chéri ? fait Mme Smata. Je suis sûre que balourd comme tu es, tu as laissé tomber le plat du rôti ?

Alors Smata, complètement écœuré répond :

— Eh non !... C'était le plat où il y avait les lentilles !

***

Kaouito va manger au restaurant chez Maxime, rue Fourchault. Il y a une table de libre. Il s'installe seul. Un autre client arrive et demande à Kaouito la permission de s'asseoir en face de lui. Kaouito accepte naturellement.

Le garçon arrive, met les couverts, prend les commandes.

Soudain le nouveau venu, est pris d'une quinte de toux violente, et malgré ses efforts quelques postillons viennent salir l'assiette de Kaouito.

— Je suis désolé, gémit l'autre, dans une accalmie, et il prend sa serviette pour essuyer l'assiette.

A ce moment-là une autre quinte de toux l'envahit, et un peu de bave tombe dans le verre de Kaouito. L'autre s'excuse. Le garçon arrive change verre et assiette.

Mais le client se remet à tousser, et salit de nouveau le verre, l'assiette, le couteau, la fourchette, et même la table derrière eux !

— Je suis confus, dit-il, en reprenant sa serviette à la main.

Mais le malheureux en voulant réparer les dégâts fait tomber ses lunettes qui se brisent dans le verre de Kaouito. L'autre veut les rattraper, il fait tomber l'assiette, qui se casse, renverse la carafe d'eau sur la veste de Kaouito, et fait tomber le moutardier sur le pantalon gris avec des taches vertes dégoulinantes.

Alors Kaouito, imperturbable, poli, lui lance :

— Pardon monsieur. Et avec les oreilles, vous ne savez rien faire ?

***

A Alger, pendant la guerre, il y avait des bombardements. Bien sûr la ville ne subissait pas un déferlement de bombes comparable à celui de Berlin, de Stuttgart, ou de Londres. Mais enfin c'était sérieux tout de même. Et dès que la sirène retentissait, tout le monde se précipitait dans les abris, qui étaient souvent des caves d'immeubles.

Un soir la sirène rugit pour donner l'alerte. Les gens quittent précipitamment leurs maisons et s'engouffrent dans les abris. Le père Chlomo comme les autres. Mais il est parti tellement affolé, que dans l'abri, il ne se sent pas comme d'habitude claquer des dents. Alors il dit à sa femme :

— Suzanne, j'ai oublié mon ratelier.

— Et alors ? Tu t'imagines qu'ils vont t'envoyer des sandwiches ?

***

Guide-à-gauche va voir le contrôleur des contributions. C'est pas croyable, mais c'est vrai !

— Je veux régler l'arriéré de mes impôts, dit Guide-à-gauche. Je crois que ça fait dix-huit ans que je vous ai rien payé. Alors je veux régler cette affaire pour être tranquille.

Le contrôleur, se débouche bien les oreilles, boit un verre d'eau, et demande à Guide-à-gauche :

— Ça vous ennuierait pas de répéter ? J'ai peur d'avoir mal compris.

— Non, non, fait Guide-à-gauche je viens régler mes impôts, seulement j'ai égaré mes feuilles, alors voulez-vous me dire combien je vous dois ?

Le contrôleur prend le dossier de Guide-à-gauche sans chercher. Il le trouve immédiatement parce que c'est le plus gros. Il fait un calcul et il lui annonce :

— C'est bien simple : vous nous devez : 10 000 F exactement, nouveaux bien sûr !

Guide-à-gauche sort 20 coupures de 500 F toutes neuves et craquantes, demande un reçu, salue et disparaît.

Il a pas fermé la porte qu'un des employés vérifie le dossier et s'aperçoit d'une erreur, d'un zéro.

— Ce n'est pas 10 000 F M'sieur le Contrôleur, mais 100 000 F qu'il doit.

On court derrière lui, on le rattrape. On lui explique l'erreur.

— Bon, admet Guide-à-gauche. Je suis venu pour régler, je règle.

Et il sort un paquet de billets neufs,

demande une quittance, et s'en va.

Le Contrôleur est frappé de stupeur. Son adjoint lui dit :

— Ecoutez, ce monsieur a perdu ses feuilles d'impôts. On serait vraiment bien stupide de ne pas en profiter, surtout qu'il paie cash sans vérifier. On peut lui trouver un arriéré supplémentaire.

Le Contrôleur approuve et Guide-à-gauche reçoit un redressement supplémentaire en complément d'amende sur T.V.A., avec pénalités de retard, et surtaxe additionnelle.

Le lendemain, il revient, règle la nouvelle imposition avec des billets de 500 F tout neufs, prend sa quittance et s'en va.

— Extraordinaire ! déclare le percepteur. Puisque c'est comme ça réclamez-lui d'urgence un million, pour arriéré de retard en taxe mobilière foncière sur patente non payée avec complément de B.N.C. sur B.I.N.C.E. avec taxe sur la plus-value, et surtaxe sur l'avoir fiscal sans compter les frais d'envoi, avec double pénalité de retard.

Guide-à-gauche reçoit son avis. Et le lendemain, il arrive à la perception avec un énorme colis sous le bras qu'il dépose à côté du guichet.

— Qu'est-ce que c'est ça ? demande le Contrôleur intrigué.

— Ecoutez, dit Guide-à-gauche. Moi, je n'y arrive plus. Ça me prend trop de temps. Alors je vous apporte la machine. Faites-les vous-même !

***

Tuduri, le grand Tuduri, vient de faire faillite. Il a tout vendu pour payer ses créanciers. Ça lui a porté un coup au portefeuille, et au moral.

Dans la rue, Kaouito le voit qui traverse le Square Bresson, en gesticulant : il tend le bras gauche, frappe le sol d'un coup de talon, avance la main à droite, la recule, tend le bras droit, pousse un grognement...

— Le pauvre, se dit Kaouito, il est complètement givré.

Il va vers lui et lui demande :

— Alors Tuduri, il y a quelque chose qui va pas ?

— Tiens Kaouito ! C'est toi ! Tu vas bien ?

— Mais c'est à toi que je le demande.

— Moi, je vais très bien, grâce à Dieu.

— Tu en es sûr ? Tu es pas fatigué, surmené ?...

— Pas du tout. Pourquoi tu veux que je sois surmené ?...

— Excuse-moi, dit Kaouito, mais tout à l'heure je te voyais faire. Tu n'avais pas l'air dans ton assiette. Tu n'avais même pas d'assiette du tout !

— Ah ? Et qu'est-ce que je faisais ?

— Tu remuais les bras, à droite, à gauche, en l'air, tu tapais du pied !...

— Montre-moi pour voir ? demande Tuduri.

Kaouito refait exactement ce qu'il a vu.

— Et alors ? lui dit Tuduri, qu'est-ce qu'il y a de drôle ? C'est tout ce qu'il me reste de ma voiture !

***

Kaouito rentre à la Grande Brasserie, demande à Solivérés le patron de lui faire un sandwich à la soubressade grillée. Le patron lui prépare le sandwich, et en l'attendant, Kaouito s'approche d'une table où Abbaz et Pastafagoul jouent un « coup » très chaud : quitte ou double, celui qui paiera le cinéma pour tout le monde. Solivérés donne le sandwich à Kaouito, et l'autre le mange, petit à petit, tout en dévorant la partie des yeux.

Soudain Kaouito commence à râler tout seul :

— Putain de merdre ! Quel con je suis ! Quel con !

— Qu'est-ce que tu as ? y crie Zarfana.

— Hé... comme un con, j'ai mangé mon sandwich sans m'en apercevoir !

***

Ninous raconte qu'à sa naissance il était fluet et chétif :

— Jusqu'à l'âge de dix-sept ans, dix-huit ans, dit-il, j'ai été élevé dans du coton.

Kaouito, Pastafagoul, Abbaz et les autres se mettent à rigoler :

— Tenez !... y fait Ninous, regardez j'en ai encore dans les oreilles.

***

Muñoz, le coiffeur qu'il avait un salon rue Livingtone, avant le cinéma « La Perle », cherchait un apprenti.

Il se présente un jeune qui lui dit :

— Moi, je veux bien apprendre le métier, M'sieur.

— D'accord. Mais je t'avertis petit, je paie moins cher en été qu'en hiver. Le travail est moins pénible.

— Comment moins pénible ? C'est toujours la même chose : y faut raser, couper les cheveux, les balayer...

— Ouais... mais en été tu as pas besoin d'aider les clients à mettre leurs pardessus.

***

Comme il avait un cœur d'or et qu'il était dévoué, M. Attard est chargé d'organiser une souscription pour les nécessiteux. Il fait passer un avis dans « Alger-Républicain » et dans l'« Echo d'Alger » pour faire affluer les donateurs et publier leurs noms. Et il court à droite et à gauche pour essayer de récolter le maximum de fonds. Comme c'était sur son chemin, il va voir Medjrab, que pour lui sortir 1 F il fallait d'abord qu'on lui en donne deux ! « L'Avare » de Molière c'était Saint-Vincent de Paul à côté de Medjrab.

Alors Medjrab prenant le journal le montre à Attard :

— Mais j'ai donné, j'ai donné !... Tenez, regardez là : un anonyme : 10 000 F... C'est moi !

***

Mme Mesmouma, une enquiquineuse de première hors classe, va trouver le docteur Safar pour se plaindre de ceci et de cela, et d'autres choses...

— Le moindre bruit suffit à me réveiller ! Tenez par exemple un chat qui rôde sur le mur. Hier le chat qui rôdait m'a réveillée ! Vous vous rendez-comte, le chat m'a réveillée !

Le docteur réfléchit longuement puis se met à rédiger une ordonnance qu'il tend à l'insomniaque.

— Tenez, cette poudre sera efficace.
— Quand dois-je la prendre ?
— Vous ne devez pas la prendre. C'est pour le chat, avec un peu de lait.

***

Deux types attaquent Medjrab au coin de la rue Sidi Rached, pour lui faire les poches. Il est radin mais pas lâche. Il se défend comme un régiment de sénégalais à lui tout seul. Il cogne, frappe, castagne châtaigne. Mais les 2 autres finissent par avoir le dessus, et le ligotent. Ils fouillent ses poches de fond en comble, et trouvent en tout et pour tout, une pièce de 1 F.

Alors l'un des deux agresseurs, les yeux tuméfiés, les joues en sang et les oreilles décollées souffle à son complice :

— Je vais te dire mon vieux, ce type, s'il avait eu 5 F, il nous tuait tous les deux !

***

José Malio, le chanteur, il était toujours mis à 4 épingles, des fois même à 5 tellement il était élégant. Il se faisait habiller par Charly Ayache.

— Mon tailleur, disait Malio, il me fait 20 % de remise pour que je dise que mes costumes sortent de chez lui !

— C'est queudale ça ! y lui répond Kaouito ! Le mien, il me fait 50 % pour pas que je dise que c'est lui qui m'habille.

***

— J'ai connu un type tellement maigre, disait Kaouito tellement tellement tellement maigre, que quand il prenait un bain, c'était un coup d'épée dans l'eau.

— Moi, réplique Zarfana, j'ai connu un plus maigre que toi. Il était tellement tellement maigre, que quand il conduisait, on l'appelait le fil conducteur !

***

Kaouito trouve près du Ravin de la Femme sauvage, dans les environs d'Alger un coiffeur très bon marché. Il entre pour se faire raser. Il s'installe sur le fauteuil :

— Mais dites donc, fait-il au coiffeur, vous crachez sur le blaireau ma parole !

— Bien sûr M'sieur. Si monsieur était au village, je lui cracherais directement sur la figure !

***

Deux clochards se rencontrent à la Pêcherie, en bas de la rampe Chasseloup-Laubat. L'un d'eux fait admirer sa montre à l'autre :

— Elle est belle hein ?
— Putain ! Où tu as eu ça ?... Volée ?
— Non, mais oh... pour qui tu me prends ? Je l'ai achetée, 40 billets.
— Et où tu as trouvé les 40 billets ?
— Hé... volés !

***

Le directeur du Casino d'Alger cherchait un numéro tout à fait inédit. On aurait pu envoyer Kaouito, Pastafagoul, Abbaz ou les autres, parce que pour des numéros, c'étaient des numéros. Mais le directeur voulait un nouveau visage, une nouvelle attraction. Et, un jour, en se promenant rue d'Isly, il remarque un nègre qui a l'index blanc. Absolument blanc. «C'est unique ça ! » se dit-il « ça peut avoir un succès fou ».

106

Il aborde le nègre :

— Je vous engage dans mon Casino à cinq mille francs par soir. Ça vous va ?

— Eh oui, ça me va, fait l'autre surpris, comblé, et amusé (les trois vont ensemble, mais il faut rien rajouter).

On signe le contrat et la future nouvelle vedette demande :

— Ce que j'arrive pas à comprendre, c'est pourquoi vous m'engager et à un prix pareil...

— Je vous engage, lui explique le directeur, parce que j'ai jamais vu un nègre avec un seul doigt blanc. C'est unique ça ! C'est sensationnel !

— Mais je suis pas nègre, y fait l'autre. Je suis charbonnier ! Seulement je sors du cinéma où j'étais avec ma petite amie.

***

Aux trois Horloges à Bab-El-Oued, il y a un attroupement. Evidemment il y a Kouito, Pastafagoul, Abbaz et les autres. Un monsieur s'approche et demande à Kaouito :

— Qu'est-ce qui est arrivé ?

— Va savoir ! dit Kaouito en haussant les épaules, je sais pas. Le dernier qui le savait est parti, il y a au moins dix minutes...

***

Mme Chlomo, va chez un marchand de loterie, et demande un billet se terminant par 64. Le marchand n'en a pas, mais il se souvient, tout à fait par hasard, puisque c'est un marchand de loterie, qu'il en a vendus à Albert le boucher de la rue du Roussillon. Mme Chlomo y va. Elle supplie Albert de lui céder ce billet dont elle a tellement envie. L'autre, qui en avait acheté plusieurs carnets avec tous les bénéfices qu'il avait faits en comptant 900 g pour 1 kg, os compris, veut bien lui céder, mais il demande double prix.

C'est cher, pour Mme Chlomo, mais elle l'achète quand même. Le jour du tirage, on apprend qu'elle a gagné le gros lot. Des voisins vont la féliciter pour cette extraordinaire intuition.

— C'est à cause du rêve que j'ai fait, explique-t-elle. J'ai rêvé que je voyais huit anges qui avaient chacun sept cierges à la main. Alors j'ai pensé qu'il fallait que j'achète un billet se terminant par 64.

— Mais... mais enfin, s'étonne Mme Abbaz qui était là, 8 fois 7, ça fait pas 64 !

— Quelle importance ? Puisque moi je le croyais !

***

L'éducation sexuelle de maintenant, ça vaut pas celle d'avant ! La preuve : quand Mme Zarfana baignait son fils Davido, âgé de 4 ans, sa sœur la petite Simone qui avait 6 ans, demandait :

— Pourquoi Davido, il a « ça » maman ?

— Parce que c'est un petit garçon.

— Et pourquoi j'en ai pas moi ?

— Parce que tu es une fille.

— J'en veux une, dis, moi aussi ! Mme Zarfana est excédée.

— Oui, oui, tu en auras une !

— Quand ? demande la petite Simone.

— Quand tu seras grande, dit sa mère. Et si tu es sage... Et si tu n'es pas sage, tu en auras plusieurs !

***

Mme Gaspacho croit qu'elle est belle. Qu'est-ce qu'on peut faire ? Rien. Patience !... Un jour elle déclare à Mme Smata :

— C'est incroyable ! Quand je me promène dans la rue, ou que je fais des courses, les hommes me suivent, je sais pas comment m'en débarrasser.

— C'est pourtant bien simple, dit Mme Smata.

— Ah oui vraiment ? Comment faire ?

— Eh bien, vous n'avez qu'à vous retourner...

***

A l'approche de la coupe du Monde de football en Argentine, Pastafagoul essaie d'expliquer à Mᵐᵉ Badjidj les règles d'un match pour qu'elle puisse en suivre le déroulement. Mais au bout d'un moment d'explication, il s'inquiète galamment :

— Je dois vous ennuyer peut-être hein. Excusez-moi...

— Mais non, mais non, vous ne m'ennuyez pas. Je voudrais seulement vous demander une chose : Qu'est-ce que c'est le football ?

***

Enrico Macias entre chez un brocanteur, et marchande un bibelot qui lui plaît particulièrement.

— Ecoutez, fait le marchand, pour n'importe qui ce serait cinquante mille francs. Seulement moi, j'aime les artistes, et surtout vous. Parce que moi j'adore toutes vos chansons, « Les flamandes », « Jolie Môme », et surtout celle qu'on entend à la radio là... heu... « Les bals populaires »... alors pour vous, je vous le laisse à quatre mille francs. Ça va ?

— Ça va, fait Enrico.

— D'accord. Je vous le fais livrer chez vous, hein Monsieur... Monsieur... heu... Monsieur... C'est comment votre nom déjà ?...

Alors Enrico plus tard m'a dit : « on est vraiment peu de chose... »

Et je lui ai répondu : « ...et des fois encore moins ! »

***

Tout le monde savait que M. Botafogo, le locataire du 18 rue du Dauphiné, était taciturne, c'est-à-dire qu'il n'aimait pas parler. Tout le monde le savait, sauf cette femme qui un jour arrive chez lui, et demande :

— Votre femme est là ?

— Non.

— Me permettez-vous de l'attendre ?

— Oui.

La dame attend. Au bout d'une heure, elle commence à trouver que ça fait plus de soixante minutes. Elle demande :

— Pourriez-vous me dire où est votre femme ?

— Au cimetière.

— Et quand pensez-vous qu'elle reviendra ?

— Aucune idée. Ça fait déjà onze ans qu'elle y est !

***

Kaouito apprend que la fille du riche exportateur Manganèse doit se marier. Il parvient à entrer en relation avec elle, et il lui fait la cour, comme lui seul sait le faire, même que Paul Newman, soi-disant, l'a imité dans la « Chatte sur un toit brûlant ».

— Vous êtes la femme de mes rêves, lui dit-il, en lui apportant un cornet de cacahuètes grillées. Vous êtes jolie, soignée, élégante. Et vous avez même l'air intelligent. Voulez-vous m'épouser ?

— Non, répond-elle.

— Pourquoi ?

— Parce que je suis aussi intelligente que j'en ai l'air !

***

— Je ne demande qu'une chose à la vie, disait Kaouito : Une femme qui m'aime, et qui me comprenne. Est-ce trop demander à la fille de Rothschild ?

***

— C'est bizarre ! signale le patron à Kémis. Vous partez toujours le premier alors que vous arrivez toujours le dernier.

— M. le directeur, dit Kémis, je peux pas me permettre d'être en retard partout !

***

— Mme Badjidj, qu'est-ce qu'il fait votre mari ?

— Il fait ce que je lui dis de faire !

***

Le temps passe... les années passent... et Mme Chlomo, qui a été élevée à la manière d'autrefois ne sait pas comment faire avec sa fille :

— Ma fille a 18 ans, confie-t-elle à une amie. Et je pense que c'est le moment d'avoir avec elle certaine conversation... enfin vous me comprenez... Mais je sais pas comment m'y prendre.

— Ayez du courage, répond son amie. Bluffez carrément. Faites comme si vous en saviez autant qu'elle !

***

— Jolie comme vous êtes ! murmure Kaouito, à la ravissante Ginette, vous devez avoir une foule d'amants ?

— Dites donc, espèce de mal élevé, ce sont mes affaires !

— Vous avez raison, excusez-moi... Et les affaires ça marche ?

***

Le temps passe... Les années passent. Les choses changent. Et les petites filles parlent entre elles :

— J'ai trouvé un préservatif sur la véranda.

— Où ?

— Sur la véranda.

— Qu'est-ce que c'est une véranda ?

***

— Je comprends pas ce qui se passe s'inquiétait Zarfana. Je traîne un peu la jambe gauche depuis quelques jours.

— Eh... lui dit Kaouito, c'est l'âge mon vieux !

— Qué l'âge ! Qué l'âge ! Ma jambe droite elle a le même âge que l'autre, et pourtant elle me fait pas souffrir !

***

Charly Driguès en voyage aux États-Unis (ça c'est la deuxième fois, vous pouvez lui demander) se trouve dans une gare. Il voit une machine automatique avec l'inscription :

« Je vous révèle qui vous êtes. »

— Putain ! Ils sont forts ces Américains ! se dit Charly. Moi-même, tout juste si j'arrive à savoir qui je suis !

Il met une pièce d'1 dollar dans la fente, et soudain il entend une voix qui sort de l'appareil et qui dit en français :

— Vous vous appelez Charly Driguès. Vous êtes « pied-noir » né à Alger, à Bab-El-Oued. Vous êtes rapatrié, et vous avez un restaurant à Montparnasse qui s'appelle « Charly de Bab-El-Oued ». Vous êtes marié, votre fille habite New York, et votre femme s'appelle Fanny. Elle est blonde, et c'est elle qui fait la cuisine au restaurant. Et vous prenez dans 12 minutes votre train pour Chicago. Terminé.

— Putain ! il fait Charly. Mais c'est unique au monde ! J'ai jamais vu ça de ma vie ! Mais c'est incroyable ! Y a un truc, c'est pas possible. Et l'idée lui vient de piéger la machine. Il va fouiller dans la valise de sa femme, il s'enferme dans les toilettes, il se met une robe, un foulard par-dessus la tête, des lunettes noires, un manteau, il se remet sur la machine, et il introduit une nouvelle pièce. Et la voix de l'appareil dit :

— Vous vous appelez toujours Charly Driguès. Vous êtes toujours pied-noir. Votre restaurant il est toujours Boulevard Montparnasse. Votre femme s'appelle toujours Fanny, mais avec vos conneries, vous venez de rater le train pour Chicago, et je vous avertis qu'il n'y en a pas d'autres avant demain — TERMINÉ —

***

A l'issue d'une représentation, Enrico Macias reçoit dans sa loge une fille splendide qui se jette dans ses bras (chacun sa chance !) et qui demande :

— C'est vrai que vous connaissez Gilbert Bécaud ? Quelle chance vous avez ! Vous ne pourriez pas me présenter à lui ?

***

Un richissime Emir du Moyen-Orient, noir de pétrole et couvert d'or fait visiter son harem à un journaliste. Au passage il jette son mouchoir à une jeune beauté genre Gina Lollobrigida, mélangée avec Sophia Loren, la désignant ainsi comme sa favorite la nuit prochaine.

— Et les autres ? demande le journaliste vachement excité. Comment font-elles pendant ce temps ?

— Eh bien, répond l'Emir, elles se mouchent avec leurs doigts !

***

Au marché de Belcourt, là où il y avait Mersault, l'ami de Camus, Mme Meuzlott, qui s'était faite rare, dit à Mme Abbaz :

— C'est fou, comme tout augmente actuellement.

Mme Abbaz, hoche la tête et soupire :

— Ça se voit que vous ne connaissez pas mon mari !

***

Le grand homme d'affaires, Sylvain Deflouss disait à son fils :

— Fais comme moi ! J'ai bâti ma vie sur deux principes : méfiance... méfiance !

***

Le fils à Isaac Moryoussef, rentre de classe avec un carnet de notes affreux. Son père l'engueule. Le gosse se défend :

— Les professeurs sont tous des curés dans cette école, tu le sais bien. Comment veux-tu qu'ils donnent de

bonnes notes à un juif ? Si tu veux que je travaille bien, il faut me faire baptiser !

Le père Moryoussef réfléchit. L'avenir de son fils c'est important. Paris vaut bien une messe, etc., etc. Il finit, la mort dans l'âme, par faire baptiser discrètement son fils.

Le mois suivant, le gosse revient avec des notes encore plus mauvaises qu'avant. Cette fois, le père, le grand-père, les oncles et les tantes se mettent en colère :

— Mais tu n'es bon à rien ! Tu n'es pas digne de nous ! Tu es la honte de la famille ! Jamais aucun de nous n'a eu des notes aussi mauvaises. Nous tu entends, nous, nous étions toujours les premiers.

— Oh, répond l'enfant, c'est pas étonnant. Vous les juifs, vous avez toujours su vous débrouiller !

***

Lionel Messina, s'était marié, tout bien comme il faut, et quatre mois après son mariage, il va voir le curé de Saint-Joseph à la place Lelièvre et lui dit :

Ecoutez M'sieur le Curé, je suis marié depuis 4 mois, et j'ai déjà un enfant !

Le Curé lui répond !

— Ah... Ah... Ah... ça, c'est un mystère !

— Mystère ou pas mystère, fait Messina, je connais ma femme depuis 6 mois, et elle a déjà accouché... Qu'est-ce que ça veut dire ?

— Le Curé lui dit :

— Ah... Ah... Ça c'est un grand mystère !

Messina commence à s'énerver !...

— Ecoutez M'sieur le Curé. Qu'est-ce que vous me parlez de mystère ? J'vais vous prendre un exemple : si vous allez à la chasse et que vous tirez une grive et qu'elle tombe avant que le coup de fusil soit parti, vous appelez ça un mystère ?

— Ah non, fait le Curé. Ça c'est

quelqu'un qui a tiré un coup avant vous !

***

Un milliardaire sort de l'hôtel Martinez à Oran, et au moment où il va monter en voiture, il est abordé par un clochard qui se met à siffler d'admiration :

— Aman ! Aman ! On peut dire que vous avez un beau cigare ! Ça coûte cher, M'sieur, des cigares comme ça ?

— Oh oui, dit le milliardaire, je les fais venir de la Havane, par avion spécial. Ça revient 100 F pièce.

— 100 F pièce ! Aman ! Aman ! J'arrive pas à la croire ! Et vous en fumez combien par jour ?

— Bah ! une vingtaine !

— Une vingtaine ! Aman ! vingt fois 100 F, vous vous rendez compte. Ça fait 2 000 F par jour ! Ça fait 60 000 F par mois ! Ça fait 720 000 F par an ! Aman ! J'arrive pas à le croire. Plus de 7 millions qui partent en fumée. Mais monsieur, si vous ne fumiez pas, avec cet argent, au bout de cinq ou six ans, vous pourriez acheter l'hôtel Martinez, au lieu de dépenser le prix de la chambre, les petits déjeuners, les apéros, sans compter le pourboire, le service, les gratifications et tout le reste. Vous vous rendez compte cette fortune que vous économiseriez ?

— Vous croyez ? fait le milliardaire.

— Et comment ! Et comment ! Aman ! j'en suis sûr !

— Dites-moi mon brave, est-ce que vous fumez vous ?

— Jamais de la vie ! J'ai jamais touché un cigare de ma vie ! Jamais ! répond le clochard.

— Ben alors, lui dit l'autre, qu'est-ce que vous attendez pour acheter l'hôtel ? Vous pouvez faire affaire tout de suite si vous voulez... Parce que l'hôtel, il est à moi !...

***

Rue Franklin, à côté de chez Zermati dit Banana, il y avait l'Armée du Salut. Ils avaient une salle, et des fois ils faisaient des réunions, des goûters, des discours, tout ça. Et quand ils avaient rien à faire, c'est-à-dire souvent, Kaouito, Pastafagoul, Abbaz et les autres, ils allaient là-bas passer un moment. Et un jour, il y avait un officier de l'Armée du Salut qui monte sur une estrade et qui commence à taper un discours sur le bien et le mal et tout ce qui faut faire, et le contraire qu'y faut pas faire :

— Mesdames et Messieurs, dit-il, on commence par voler un œuf, et on finit au bagne. On se laisse aller à une toute petite tentation et on devient un débauché. Tenez par exemple, il vous suffira de fumer pour la première fois un tout petit cigare, et je vois s'accumuler sur vous toutes les catastrophes. D'abord la paresse, le laisser-aller, la gourmandise, puis les fausses joies, l'alcool, l'ivresse et la première fille nue, et certainement pour finir dans toute son horreur les perversions subtiles et démoniaques du libertinage avec ces femmes dévergondées qu'on change aussi souvent qu'on change de chemise, et qui se présentent à vous toutes nues, dans un érotisme de subversion.

Alors, la voix de Kaouito s'élève du fond de la salle :

— Et s'il vous plaît. Où c'est qu'on peut trouver ce petit cigare ?

***

Et maintenant, dit l'institutrice, vous allez citer des noms de choses qui ont des poils.

Aussitôt les réponses fusent de partout dans la classe :

— Un chat !

— Un balai !

— Un manteau de fourrure !

— Très bien, fait l'institutrice. Et toi Mauricot tu ne trouves rien à répondre ? Tu ne connais rien qui ait des poils ?

— Oui, M'dame ! dit Mauricot, les boules de billard.

— Les boules de billard ! Mais enfin Mauricot tu te moques de moi ou quoi ? Les boules de Billard n'ont pas de poils !

— Oui, M'dame, fait Mauricot. D'ailleurs vous allez voir.

— Il se tourne vers le fond de la classe et lance :

— Eh ! Billard ! Fais voir tes boules !...

***

Le fils à Taltavul, Mario, voudrait bien épouser la fille à Moryoussef la belle Régine. Mais elle est juive. Et lui, ne l'est pas. Et chez les Moryoussef, on rigole pas avec la religion. D'ailleurs on rigole avec rien. Mais Mario est fou d'amour. Alors, il va voir le Rabbin Zerbib et lui soumet son cas :

— Monsieur le Rabbin, je voudrais devenir juif !

Le Rabbin Zerbib lui répond :

— Hé mon cher ami, c'est pas impossible ! Mais c'est pas si facile ! Il faut d'abord que je sache si vous avez la sensibilité juive, l'intelligence juive, le psychisme juif ! Ecoutez je vais vous poser un petit problème et nous verrons. Voilà : deux juifs qui se promènent sur un toit tombent dans une cheminée. Le premier en sort tout blanc, et l'autre tout noir. Lequel des deux va se laver ?

— Ben, fait Mario, celui qui est noir !

— Pas du tout, répond le Rabbin. Celui qui est sale voit celui qui est propre, et celui qui est propre voit celui qui est sale. Alors celui qui est propre se dit qu'il doit être aussi sale que l'autre. Et c'est lui qui va se laver. Vous n'avez pas compris du tout l'intelligence juive. Mais je vais vous poser un autre problème.

Deux juifs qui se promènent sur un toit tombent dans une cheminée, le premier en sort tout blanc, l'autre tout noir. Lequel des deux va se laver ?

— Mais, monsieur le Rabbin, vous venez de me le dire ! C'est celui qui est tout blanc !

— Pas du tout ! Vous n'avez pas encore compris. Pourquoi voulez-vous que celui qui est propre aille se laver, puisqu'il n'est pas sale ? Ça ne tient pas debout. C'est obligatoirement celui qui est sale qui va se laver. Je crois que vous avez encore beaucoup à apprendre pour devenir juif. Je vais quand même vous poser un dernier problème de rattrapage. Deux juifs qui se promènent sur un toit tombent dans une cheminée. Le premier en sort tout blanc, l'autre tout noir. Lequel des deux va se laver ?

Mario, qui commence à pédaler dans la semoule répond :

— Eh ben... Ils vont se laver tous les deux !

— Pas du tout, réplique le Rabbin ! Il n'y a aucune raison pour qu'ils se lavent tous les deux, si leur travail n'est pas encore fini. Ils savent très bien qu'ils risquent à nouveau de se salir avant la fin de la journée. Alors ils n'iront se laver ni l'un, ni l'autre. Vraiment je crois que vous ne comprenez rien à l'intelligence juive !

— Mais enfin, répond Mario, énervé, vous m'avez posé trois fois le même problème et vous m'avez donné trois fois une solution différente !

— Eh ben justement, mon ami ! C'est ça l'intelligence juive. En plus avant de partir j'ai quelque chose d'autre à vous dire sur l'intelligence juive : jamais les juifs ne se promènent sur les toits... Vous auriez dû vous apercevoir tout de suite que cette histoire ne tenait pas debout !

***

Un client entre dans un grand magasin. Kaouito qui vient d'être engagé comme vendeur, se précipite vers lui, échange quelques mots, et le conduit au rayon des accessoires de pêches :

— Regardez-moi ce modèle de canne

à pêche ! Une merveille ! Avec ça votre poissonnier ne vous verra plus, parce que rougets, merlans, truites, soles, bonites, vous allez en manger du poisson. Je vous mets cinquante mètres de fil avec une dizaine de mouches, six boîtes d'hameçons. Mais vous pouvez pas pêcher debout toute la journée. Venez par là. Regardez-moi ce tabouret, entièrement sculpté main, et quel confort ! Il est juste à votre taille.

Bien sûr, il vous faut un panier. Où mettre ces kilos de poissons que vous allez prendre ? On a reçu un modèle extra ! De l'osier tressé ! Une affaire en or !

Et vous allez pêcher où ? Moi, je vous conseille carrément la mer. Parce que à Saint-Eugène, à la Pointe Pescade, ou au môle, zéro ! Alors je vous conseille un petit bateau unique. Venez avec moi ! Voilà regardez cette merveille. Insubmersible. On peut y ajouter un moteur en cas de mauvaise mer. Donc, nous disons le modèle avec un moteur de quinze chevaux, c'est plus sûr, en cas où il aurait cinq chevaux qui tombent en panne, vous en avez toujours dix en réserve ! Et vous allez pêcher où ? Moi, je vous conseille de sortir d'Alger. On est plus tranquille. Il y a des coins comme Tipaza, Cherchell, qui sont formidables. Avec une voiture vous allez et revenez quand vous voulez. Accompagnez-moi au rayon des voitures... Voilà une petite bagnole, confortable, rapide, et sûre, et derrière vous mettez une caravane pour être tranquille et ne pas chercher une chambre d'hôtel à droite et à gauche. Je vous la fais livrer avec réfrigérateur, télévision avec antenne dirigeable. Le Roi d'Espagne ne sera pas votre cousin. Même s'il vous parle, vous lui répondez pas ! En ben c'est parfait. Tout vous sera livré demain matin. Si vous voulez passer à la caisse, on va vous faire une note globale avec récapitulatif de détail, T.V.A. comprise, si vous voulez la récupérer. Au revoir monsieur, et merci.

Et le client hypnotisé laisse un chèque énorme.

Alors, le patron du magasin, qui a suivi la vente, s'approche de Kaouito en sifflant d'admiration !

— Et ben monsieur, j'en ai vu des vendeurs, mais comme vous jamais ! Il entre pour acheter une canne à pêche, et vous lui vendez le magasin !

— Oh, dit Kaouito, il n'est pas entré pour acheter une canne à pêche. Il voulait aller au rayon pharmacie pour acheter des médicaments pour sa femme qui est alitée. Alors je lui ai dit :

« Si votre femme est immobilisée, pourquoi n'iriez-vous pas à la pêche ? »

***

— Docteur, dit Badjidj, je n'y comprends rien. Chaque fois que je bois une tasse de café j'ai une douleur à l'œil droit.

— C'est rien, répond le docteur Leiris. Enlevez seulement la cuillère !...

***

— Bonjour, monsieur Gomez, s'écrie joyeusement la boulangère.

Alors le client commence à s'énerver :

— Ecoutez madame, vous n'avez vraiment pas de mémoire ! Je vous ai dit cinquante fois que je m'appelais Gabelouz, vous entendez ? Gabelouz ! C'est pourtant pas difficile à se rappeler Gabelouz. Je m'appelle pas Gomez, je m'appelle Gabelouz, c'est emmerdant à la fin !

— Oh ! excusez-moi, bredouille la boulangère, la tête dans la farine, rouge de confusion.

Le lendemain, Gabelouz entre pour prendre son pain, et la boulangère s'écrie en souriant :

— Bonjour, monsieur Gomez! ou Mabilouz, ou Migualouz, ou Gabegie, enfin je ne sais plus... Eh bien on aurait dit votre frère jumeau !

113

***

C'était un Fakir extraordinaire. Il n'y en avait pas deux comme lui. Il était de passage à Alger, et il donnait une série de représentations au cinéma Majestic. Ce soir, comme tous les autres soirs c'était bourré à bloc. Il arrive en scène acclamé par la foule, il regarde l'assistance et il dit : « Riez » et tout le monde se met à rire même Pastafagoul qui avait perdu son porte-feuille la veille. Il était vide d'accord, mais enfin ça fait de la peine... Une minute après le Fakir dit « Pleurez ! » et tout le monde se met à pleurer même s'ils avaient gagné à la loterie, au tiercé, et même celui qui avait trouvé le portefeuille de Pastafagoul.

Une minute plus tard, le Fakir trébuche sur une latte de plancher et s'étale par terre en criant : « Merde ! »

Eh bien, il a fallu une semaine pour nettoyer la salle !

***

Une vieille mémé passe toutes ses journées à broder la lettre « A » sur tout le linge de la famille.

— Mais enfin, lui demande un jour Mme Pastafagoul, pourquoi vous faites toujours la lettre « A » ?

— Eh !... parce que c'est la seule que je connais ! J'ai jamais appris le reste de l'alphabet. Et puis de toute façon ça tombe bien. Ma fille s'appele *Arsule*, mon gendre s'appelle *Arnest*, mon petit-fils s'appelle *Anri*. Il y a juste le dernier, qui n'aura pas de lettre parce qu'il s'appelle *Oguste*, ce calamar !

***

Le docteur Lopez, qui a d'ailleurs beaucoup de parents en Espagne (les Lopez sont très connus en Espagne, demandez vous verrez !) est appelé d'urgence chez une malade. Il note l'adresse, et il arrive dans une H.L.M. de quinze étages, derrière le Boulevard de Provence. Il demande à la concierge :

— Les Samteinn, c'est où ?

— C'est au quatorzième, dit la concierge, mais l'ascenseur est en panne.

« Merde ! pense le docteur ! Quelle poisse ! Crevé comme je suis, je vais pas me taper quatorze étages à pied !... »

Il avance dans la cage d'escalier et hurle :

— Madame Samteinn !...

Et du quatorzième une voix lui répond :

— C'est vous docteur ?

— Oui, crie-t-il ! Qui est malade ?

— C'est mon mari, docteur.

— Qu'est-ce qu'il a ?

— Il est tout chaud !...

— Ecoutez, je peux pas monter tout de suite. Mettez-lui de la glace dessus, je repasserai ce soir...

Et le soir, il se ramène. Double guigne ! L'ascenseur est toujours en panne. Alors, il recommence le scandale du matin dans l'escalier :

— Madame Samteinn !

— C'est vous docteur ?

— Oui, c'est moi ! Comment va votre mari ?

— Il est tout froid, docteur !

— Ah bon ! Ecoutez, je peux pas monter là, je suis pressé. Mettez-lui des bouillottes partout. Je repasserai demain matin.

Et le lendemain matin, cet ascenseur de malheur est toujours en panne. Alors le docteur recommence ses vocalises dans l'escalier :

— Madame Samteinn ? Comment va-t-il ?

— Il est mort docteur, hurle la femme en pleurant ! C'est de votre faute, vous êtes un salaud, vous êtes un assassin ! C'est de votre faute ! C'est de votre faute !

— Ma faute ! Quoi ma faute ! Quoi ma faute ! Vous savez la médecine a des limites !

***

— Tu connais M. Flako ? y dit Bombe-à-l'œil à Astor. Astor lui y s'appelait Stora, mais il avait mis son nom à l'envers pour dérouter les recherches en cas de plaintes, pour un paiement de dettes.

— Si je le connais ? Aman ! Qui c'est qui le connaît pas ? C'est le plus riche d'Alger.

— Plus que Marchina ? y fait Medjrab.

— J'ai pas compté leurs billets, mais ils sont pas malheureux tous les deux ! y répond Astor.

— Eh bien je vais vous apprendre une nouvelle, déclare Bombe-à-l'œil en posant son verre d'anisette. Il est mort hier !

— Sans blague !

— Sur ma parole d'honneur !

— Eh ben mon ami, j'en connais qui doivent attendre le testament avec impatience !

— Tu vois, y fait Gabelouz, des fois on parle des Américains, qui ont fait ceci, cela, eh ben la vie de ce Flako, c'est un roman, qu'on pourrait faire un film en huit épisodes et le passer au Marignan. Il fait complet à toutes les séances.

— C'est vrai, y dit Bogado, ce type c'est incroyable ce qu'il a fait ! Mais, il ajoute, il y a quand même un Dieu sur terre !

— Pourquoi tu dis ça ? demande Abbaz.

— Pourquoi ? Eh ben moi je vais te raconter le coup qu'il a fait ce Flako-là, commence Bogado. Un jour, il avait dix-sept ou dix-huit ans il trouve une épingle par terre, rue Lalaoum. Elle était toute rouillée mais il la nettoie avec du papier de verre, et il réussit à la vendre trois sous comme si elle était neuve. J'te parle d'avant-guerre. Avec ses trois sous il achète deux épingles au rabais chez Boudjemââ, rue de Tanger, et il les revend six sous.

En continuant ce petit manège des épingles d'occasion, trois sous, six sous, il finit par se trouver à la tête d'une énorme provision d'épingles qu'il commence à vendre par boîte de cent, en n'oubliant pas de piquer son bénéfice. Pour piquer avec les épingles, c'était facile. Au bout d'un an, tu peux me croire, il avait pas assez de marchandise pour livrer les commandes dans toute la ville et les environs. Alors il achète un petit local rue Randon, il prend deux ou trois ouvriers et il fait son petit atelier d'épingles. Ça tournait dans cet atelier, il n'y avait ni chômage technique, ni grève surprise, ni arrêt de travail, ni Azrine !

Au bout de deux ans, il livrait dans l'Oranie et le Constantinois, les épingles Flako. Bien sûr après il a acheté une usine à Belcourt, où d'ailleurs, tu as failli travailler, toi Kaouito.

— Ouais, y dit Kaouito, mais je suis pas resté parce que ça piquait trop !

— Ouais, continue Bogado, eh ben sans toi heureusement, il était le seul sur la place d'Alger à faire des épingles. Toutes les autres usines elles avaient fait faillite. C'était l'Empereur de l'Epingle ! Il est devenu millionnaire, milliardaire ! Il a acheté une écurie de courses, il a acheté le cinéma « La Perle », rue Livingstone. C'est lui qui avait acheté « L'Automatic » rue Michelet, plus des immeubles, des garages. Il savait même plus ce qu'il avait.

Il allait dans les plus grands restaurants. Il allait en France, et il mangeait dans les plus grandes auberges. Il se rattrapait de toutes les privations de sa jeunesse. Et il a fini par avoir un ulcère d'estomac.

Mais il arrivait pas à se guérir parce qu'il tapait champagne, whisky et le reste, en triple dose. Eh bien à quatre-vingt-dix-huit ans il est mort de son ulcère d'estomac. Ce qui prouve qu'il y a un Dieu sur terre, parce que s'il avait rapporté honnêtement sa première épingle au commissariat de police, il serait pas mort de son ulcère d'estomac ! Crois-moi, il ajoute Bogado, bien mal acquis ne profite jamais !

***

Bonazo il avait des soupçons sur sa femme. Mais des soupçons ça suffit pas. On peut pas accuser sans preuve. Un soir, il se met en face de chez lui, et il voit son meilleur ami, Bami, dans le lit de sa femme ! Le cœur plein de rage, il se dit :

— Ah là là là ! La femme de son ami ! La femme de son ami... Quel est le con qui a fait cette chanson sur les femmes des Amis !

Il avale son amertume, prend son appareil de photo, et sans qu'on le voie, il se met à mitrailler les deux mal élevés !

La semaine suivante, il rencontre Bami au café :

— Salut Bami ! J'ai des photos extra à te montrer. Regarde.

— Oh ! C'est pas possible ! y fait, Bami, mais c'est ta femme à poil !

— Tu la reconnais ? y demande Bonazo, comme s'il était étonné de l'étonnement de l'autre.

— Tu parles ! répond Bami... Enfin... je reconnais son visage...

— Et cette photo-là, ça te dit rien ?

— C'est encore ta femme avec un type qui est en train de...

— Et le type, tu trouves pas qu'il te ressemble ?

— Ouais... beaucoup !

— Tu as raison... Il y en a pas un autre qui peut te ressembler autant puisque c'est toi !

— Tu as raison, c'est moi ! Eh ben mon ami, ces photos sont extraordinaires. Remarque que tu dois avoir un bon appareil.

Bonazo y devient fou. Il le prend par la veste et le secoue comme un appareil à sous bloqué :

— Fumier, ordure, tu te moques de moi ou quoi ? Je te montre des photos où tu es avec ma femme en train de... Et tu me dis que j'ai un bon appareil ! espèce d'enfoiré !

— Qu'est-ce que tu veux que je te dise ? y fait Bami, en se dégageant. Si tu veux, tu peux m'en faire tirer trois de chaque !...

***

A l'Eglise Saint-Joseph, en haut de Bab-El-Oued, le Curé fait la quête pour les filles perdues. Il arrive devant Kaouito, qui refuse de donner en disant au curé :

— Ne vous en faites pas monsieur le Curé ! Moi je leur donne toujours de la main à la main.

***

A Chréa, la célèbre station de neige algéroise, que d'ailleurs Mégève, l'Alpe d'Huez, Chamonix et tous ils ont copié sans arrêt sur elle, mais que le directeur il n'a jamais voulur faire de procès parce que, comme il disait :

— La neige c'est comme le soleil, elle tombe pour tout le monde !...

Donc à Chréa, un skieur et une skieuse sont cachés derrière un bosquet. Ils sont allongés dans la neige, un peu emmêlés et la fille gémit :

— Oh là là ! C'est exquis ! C'est exquis !

Alors le gars furieux répond :

— Mais non, ce ne sont pas mes skis !

***

Un beau dimanche après-midi, Chlomo et sa femme et leurs six enfants vont s'attabler à la terrasse du « Tantonville » à Alger. Mais les enfants de Chlomo c'est un cyclone sur la Jamaïque plus une tornade dans le triangle des Bermudes. Ils vont de table en table, remuent les chaises, les verres, avec des cris d'égorgés, ils bousculent les clients, cassent des plantes vertes qu'on a mis pour la décoration. Devant ce carnage, le garçon se précipite vers Chlomo, et avant qu'il ait pu ouvrir la bouche Chlomo lui dit :

— Enfin, c'est pas trop tôt... Alors, moi ce sera un petit café, ma femme ne boit pas, et pour les enfants une seule menthe avec 7 ou 8 carafes d'eau fraîche. Vous me porterez aussi le journal et un magazine pour ma femme, et pour les enfants des dominos, un jeu de cartes, un jeu de dames, et si vous avez des bandes dessinées portez-les aussi avec un Monopoly et un scrable.

— Monsieur, fait le garçon, je suis désolé mais...

— Vous êtes désolé ! Vous êtes désolé !... rétorque Chlomo. Et moi encore plus que vous ! Et d'abord, comment ça se fait qu'il n'y a pas d'orchestre dans votre établissement !

***

Rue Marengo, à Alger, il y a un groupe de l'Armée du Salut qui chante des cantiques, et tout ça... Et après, une jeune femme de l'Armée du Salut, brune aux yeux bleus, arrête les passants :

— Mes frères, il faut vous convertir. On ne sait pas de quoi demain sera fait. Je peux vous citer mon cas en exemple. Aujourd'hui je suis dans les bras de mon époux. Demain je serai peut-être dans les bras du Seigneur.

Alors, Kaouito qui était là lui demande :

— Et après-demain, vous êtes libre ?

***

Badjidj, il a emmené son fils voir le match : Gallia-A.S.S.E. C'est bourré à bloc, surtout que la moitié sont rentrés à l'œil par la porte de derrière. Enfin, il reste juste deux places près de la touche, et Badjidj et son fils s'installent. A un moment donné Biton du Gallia, pour dégager son camp en catastrophe est obligé de shooter en touche. Et le gosse voit arriver sur lui la balle perdue. Comme il a des réflexes rapides, il s'écarte brusquement et c'est son père qui prend le ballon en pleine poire.

Alors Badjidj se retourne fou de rage et il envoie à son fils une paire de claques magistrales en aller-retour urgent :

— Tiens ! Ça t'apprendra à avoir peur !

***

Vincent va trouver Kaouito au café de la Régence, place du Gouvernement. Il le prend à part et lui dit :

— Voilà Kaouito, demain je vais faire ma demande en mariage au père à la fille Marchina, mais tu sais comment je suis. J'ose pas parler, je vais bredouiller. Si tu es un ami viens avec moi, tu pourras un peu embellir ce que je dis. Comme ça je serai moins gêné... et ça m'avantagera...

— D'accord, dit Kaouito.

Et le lendemain, les deux sont reçus par Marchina, multimillionnaire même que des fois il rend service à Rothschild quand il est gêné en fin de mois.

— Voilà, commence Vincent, je viens vous demander la main de votre fille.

— Ah bon ! dit Marchina. Et vous avez des biens ?

Vincent, il répond :

— A l'école, j'avais « bien » et « très bien » surtout en français !

— Non, y dit le père Marchina, je veux dire de la fortune ?

— Euh... oui... c'est-à-dire j'ai un petit cabanon à la Pointe-Pescade.

— Un petit cabanon, fait Kaouito en riant, si c'est pas malheureux d'être modeste comme ça ! Il a une propriété au bord de la mer extraordinaire, 20 pièces, 6 salles de bains, et en plus la plage elle est à lui, vous pouvez vous baigner et tout si vous voulez. C'est même pas la peine d'emporter vos serviettes.

— C'est très intéressant ça, note Marchina. Et vous avez un travail ?

— Bien sûr, dit Sauveur, je travaille aux docks, comme manœuvre intermittent, mais plus intermittent que manœuvre !

— Ah ! là ! là ! fait semblant de s'énerver Kaouito. Je peux pas entendre des choses pareilles ! C'est pas possible ! Mais enfin monsieur, c'est lui qui a les Messageries Maritimes, il expédie les boîtes de sardines dans le monde entier, et pour mettre la main à la

117

pâte, il débarque des fois des marchandises avec les dockers. Ça lui fait passer le temps...

— Parfait, dit Marchina. Vous m'avez l'air d'un bon parti. Et naturellement vous êtes en parfaite santé ?

— C'est-à-dire, fait Vincent, en toussant j'ai attrapé un gros rhume avant-hier...

— Gros rhume ! fait Kaouito ! Mais ne l'écoutez pas monsieur. Il a été à l'hôpital hier, et il est tellement tuberculeux que les médecins lui en donnent à peine pour un mois à vivre...

***

Rue Léon-Roches, à Bab-El-Oued, il y a un petit attroupement. Et au milieu, par terre, l'oreille contre la chaussée, Kaouito, est allongé sur le sol en train d'écouter.

Finalement Pastafagoul, qui vient d'arriver, se colle aussi l'oreille sur le sol. Au bout de cinq bonnes minutes, il se relève et il dit à Kaouito :

— Mais j'entends rien !

Et Kaouito lui répond :

— Et le plus curieux, c'est que c'est comme ça depuis ce matin !

***

Dans la rue Michelet, Kaouito et Blaouette sont en train de suivre deux filles. Tout en marchand ils font des projets pour la soirée. Et au moment d'aborder les filles, Kaouito dit à Blaouette :

— Tu as pas de chance hein, la tienne est drôlement moche !

***

Dans un urinoir du square Bresson, un type s'adresse à son voisin :

— Vous ne seriez pas juif par hasard ?

— Oui, fait l'autre étonné.

— Et c'est pas le Rabbin Mozino qui vous a circoncis ?

— Mais ouais, répond l'autre stupéfait ! Comment vous avez deviné ?

— Hé ben, c'est pas compliqué ! Il donnait toujours son coup de bistouri de biais, et ça fait cinq minutes que vous me pissez dessus !

***

Mme Chlomo dit à Mme Abbaz.

— Vous savez ce que j'ai appris ce matin ? Que les femmes vivent plus longtemps que les hommes.

— Bien sûr ! répond Mme Abbaz, surtout les veuves !

***

Un pauvre veuf lui, le père Hernandez, cousin éloigné de l'autre celui qui est en Espagne, est en train de suivre le convoi qui emporte sa femme au cimetière. Un vieil ami s'approche de lui, le serre dans ses bras et lui dit affectueusement :

— Ça fait une éternité qu'on s'est pas vu ? Qu'est-ce que tu deviens ?

— Hé... répond l'autre, je vais mon chemin.

— Et ta femme comment va-t-elle ?

Alors le père Hernandez montre le corbillard devant et murmure :

— Comme tu vois... Tout doucement !

***

En pleine campagne, à Bordj-Menaïel, Kaouito a perdu son chemin. Il arrive devant une petite cabane. Il frappe à la porte en criant :

— Y'a quelqu'un ?

Une voix d'enfant lui répond, de l'intérieur :

— Oui M'sieur !

Alors Kaouito demande :

— Ton papa n'est pas là ?

— Non, M'sieur il est sorti juste avant que ma mère elle rentre.

— Alors, ta mère n'est pas là ?

— Non, M'sieur elle est sortie au moment où je suis arrivé.

— Mais alors vous n'êtes jamais ensemble dans votre famille ? demande Kaouito.

— Non, pas ici m'sieur. Ici, c'est les cabinets...

***

La petite fille de Zarfana s'appelle Alice. Elle va à l'école, bien sûr. Et sa maîtresse lui demande un jour :

— Qu'est-ce que tu as mangé aujourd'hui Alice ?

— J'ai mangé des merguez madame, répond Alice.

Le lendemain, la maîtresse lui pose la même question. Et la petite répond :

— Des merguez madame !

Et le surlendemain, la petite Alice lui refait la même réponse.

— J'ai mangé des merguez madame.

Pendant un mois la maîtresse obtient la même réponse :

— J'ai mangé des merguez madame.

Et finalement la maîtresse en arrive à cette conclusion :

— Mais alors, c'est toi « Alice au pays des Merguez ! »

***

Kaouito est au volant de sa voiture avec sa femme. Il n'arrête pas de râler, de renâcler, de rouspéter :

— Tu sais combien ça m'a coûté le plein d'essence ! Tu sais ? 120 F ! Tu te rends compte !... Mais c'est du vol à main armée... Et tu sais combien il m'a pris pour réparer le rétroviseur ? 70 F ! Qu'est-ce qu'il a fait ce garagiste hein ? C'est pas étonnant qu'il s'en mette plein les poches !... Putain ! Mais où on va comme ça ? Où on va ?

Dix secondes plus tard, toujours en râlant :

— Je t'ai dit combien ils m'ont pris pour la réparation du carburateur ? Alors reste assise : 720 F ! J'allais les tuer ! sept cent vingt francs ! Il a passé dix minutes le garagiste !

Sa femme essaie de le calmer :

— C'est pas la peine de rouspéter chéri ! On part en vacances, tous les deux, oublie tous ces soucis ! Décontracte-toi !

— C'est facile à dire ! lance Kaouito. Tu sais combien ils m'ont pris pour la vignette, l'assurance : ...Tu sais combien ils m'ont pris pour refaire les peintures de la tôle : 2 700 F ! J'allais l'étrangler !

— Enfin, lui dit sa femme, calme-toi ! Regarde on est en pleine campagne. Arrêtons-nous un moment ! Tout est tranquille. Embrasse-moi, tu veux. embrasse-moi comme Alain Delon dans le film qu'on a vu l'autre jour...

— Comme Alain Delon ! Comme Alain Delon !... Tu sais combien il prend Alain Delon pour faire ça !!

***

A la communion de Mauricot, le fils à Serrori, il y avait un monde fou ! fou ! fou ! Et bien sûr aussi Kaouito, Pastafagoul, Abbaz et les autres. Et il arrive un type qu'on n'attendait pas, un tapeur connu dans tout Alger, qui s'appelait Boutifar. Ce Boutifar, c'était une calamité du ciel ! Celui qu'il voyait y lui demandait de l'argent, à tel point que même son père y l'évitait. Il aperçoit Kaouito, il se précipite sur lui :

— Alors Kaouito, comment tu vas ?

Kaouito, fait l'étonné :

— Je m'excuse, mais je ne crois pas vous connaître.

— Comment tu rigoles ou quoi ! Boutifar, tu me reconnais pas ?

— Ecoutez, fait Kaouito. Je n'oublie jamais un visage. Mais pour le vôtre j'ai décidé de faire une exception !

***

Ce matin-là, chez « Zembrec et fils », la grosse entreprise de jujubes, de figues de barbarie sans épines, d'olives cassées et non cassées, gros, demi-gros, détail, et cent grammes par personne, c'était la panique générale. La secrétaire était affolée. Elle rentre dans le bureau du directeur, le visage décomposé :

— Monsieur Zembrec, c'est incroyable ! Figurez-vous que je rentre dans mon bureau, et je trouve quelqu'un assis à ma place, affalé sur mon fauteuil, les pieds sur mon bureau, une cigarette aux lèvres ! Comme s'il était chez lui !

— Quoi ! dit Zembrec. Mais chassez-le immédiatement ! ça doit être un fou. Allez ouste, ouste, mettez-le dehors !

— Mais j'ai essayé monsieur le Directeur ! Il n'a rien voulu savoir ! Il m'a dit qu'il était très bien comme ça ! Qu'il n'en avait rien à glander. Et que si j'étais pas contente, c'était le même prix. T.V.A. comprise et qu'en plus « j'aille me faire empapaouer chez les Grecs ! » Je ne sais d'ailleurs même pas ce que ça veut dire !

— Je vous expliquerai plus tard, dit Zembrec ! Mais c'est pas croyable votre histoire ! Et vous ne lui avez rien répondu ?

— Mais si, monsieur le Directeur ! Je l'ai menacé en lui disant que j'allais immédiatement voir le patron ! Et vous savez ce qu'il m'a répondu ? Tenez-vous bien : il m'a dit que patron ou pas patron, il s'en tapait le coquillard, et que vous pouviez allez vous faire farcir la tronche ! J'en ai honte, monsieur le Directeur !

— Mais c'est pas possible ! fulmine Zembrec, outragé, hors de lui. Moi je vais me faire farcir la tronche ! Moi ! Je vais m'occuper de suite de ce vulgaire monsieur. Ah ! je vais me faire farcir la tronche !

— Exactement monsieur le Directeur ! Et à moi il m'a dit que j'aille me faire empapaouer chez les Grecs !

— Mais dites-moi, mademoiselle Germaine, ce gars-là, vous le connaissez ? Vous savez qui c'est ?

— Oui, vaguement ! C'est un nouveau représentant. Nous l'avons engagé il y a six mois. Il s'appelle M. Boogie, un ex-danseur sans doute !

— De mieux en mieux ! Et vous avez son dossier ?

— Oui, monsieur le Directeur, je vous l'ai apporté.

Elle tend le dossier à Zembrec, qui le consulte :

— Ah ! Ah !... fait Zembrec, en baissant le ton, il a fait 1 million de chiffre d'affaire en janvier... 2 millions huit cent mille en février... Ah ! Ah !... 6 millions en mars ! Oh là là !... 9 millions en avril !... 19 millions en mai !!... Ah là là !!...

Il réfléchit un moment. Sa colère est tombée subitement. Alors Zembrec redemande à sa secrétaire :

— Et il vous a dit quoi exactement ?

— Il m'a dit d'aller me faire empapaouter chez les Grecs, et vous, d'aller vous faire farcir la tronche !

— Ecoutez, dit Zembrec, en ce qui vous concerne vous et les Grecs, vous ferez ce que vous voulez. Mais, moi, je crois que je vais me faire farcir la tronche !

***

Mme Abbaz et son mari visitent un appartement, genre H.L.M. et le vendeur leur fait apprécier les lieux :

— Ici vous avez la cuisine, ici la salle à manger, ici le vestibule et...

— Il y a une chose que je voudrais vous demander surtout, dit Mme Abbaz. Est-ce que c'est insonorisé au moins ?

Et on entend le voisin du dessous, dire à travers le plafond :

— Oui... mais c'est pas une réussite !

***

Gaspacho, qui était très fin et qui pourtant ne connaissait ni Beaumarchais ni Talleyrand ni Sacha Guitry, disait de sa femme :

— Moi, ma femme, tous les jours je la mène à la baguette, tous les jours à la baguette.

— Ah oui ? Comment ça ? demande Fartass.

— Une demi-baguette à midi, une demi-baguette le soir. Ça lui fait la baguette dans la journée !

***

Kaouito va à la poste et demande :
— Est-ce que vous avez reçu une réponse à mon télégramme, poste restante ?

La postière vérifie, et lui dit :
— Non monsieur. Il n'y a rien.
— Alors, c'est pas la peine, répond Kaouito. Ne l'envoyez pas !

***

Kid Oualou, le boxeur mi-moyen (mais alors très moyen) et en plus lourd comme un train de marchandises, vient de perdre neuf combats sur huit, au premier round par K.-O. C'est dire qu'il aurait mieux fait d'être planton à la mairie ! Et malgré ça il veut encore remonter sur le ring, ce cataplasme ambulant ! Mais son manager, Santiago, le lui déconseille vivement :
— Ecoute, Kid ! Tu n'as plus aucune chance ! Je ne veux pas avoir un meurtre sur la conscience !
— Non, non, fait le Kid, je veux remettre les gants ! J'ai perdu sur des erreurs d'arbitrage ! J'ai pas perdu sur ma valeur !

Kaouito assiste à la discussion et prend le parti de Santiago :
— Il a raison ton manager ! Si tu boxes encore une fois, y vaut mieux qu'on te retienne tout de suite ta place à Pantin ou au Père-Lachaise !
— Mais vous êtes tous des ringards ! y dit le Kid Oualou. Je veux remettre les gants, je veux prouver qui je suis !
— Mais tu l'as prouvé, gémit son manager.
— C'est vrai, ajoute Kaouito. Tu as même fait la preuve par 9, puisque tu as perdu 9 combats ! On a tous vérifié, y'a pas d'erreur !
— C'était des accidents! L'arbitre il était contre moi! Croyez-moi je veux remettre les gants !

Santiago ne sait plus quoi lui dire. L'autre il insiste.
— Je veux remettre les gants ! Je veux remettre les gants !

Alors Kaouito tombe d'accord avec lui :
— Bon, c'est entendu. Mais alors, mets-les en hiver, les gants, comme ça ils te chaufferont les mains !

***

Ninous cherche un appartement. Il n'arrive pas à trouver. Il demande à tout le monde, mais tout ce qu'on lui propose, c'est trop cher, y'a trop de reprise, y'a trop de charges, bref, il veut pas les lâcher.

Kaouito lui apprend :
— On vient de me parler d'un appartement extraordinaire !
— Jure ? demande Ninous plein d'espoir.
— Sur ma parole d'honneur ! Un huit pièces, cuisine, salon, salle à manger, double living, avec terrasse en duplex, tout le confort équipé, moderne, trois W.C., en cas où il y en a deux occupés, avec jardin, parking, 800 F par mois, les charges sont à la charge du copropriétaire, ascenseur qui monte et qui descend !
— C'est pas vrai ! y dit Ninous comme un fou. Mais j'le prends tout de suite ! Sans le voir ! Je paie trois mois d'avance ! Dis-moi où c'est Kaouito, je vais tout de suite !
— C'est au Zaïre, à Kolwezi !

***

Bami traverse la rue, et en le regardant passer, Pastafagoul confie à Kaouito :
— Qu'est-ce qu'il a l'air con ce type alors !
— Eh ben, méfie-toi, lui dit Kaouito, il est encore plus con qu'il en a l'air !

***

— C'est vrai qu'il est mort Zingo ? demande Ninous à Kaouito.
— Mais non, il est pas mort ! Qui c'est qui t'a dit ça ? Il est pas mort du tout. Il est *même* vivant !

***

Comment naissent les manifestations ? C'est un mystère unique au monde ! Seul, Kaouito a réussi à le percer.

Un jour Kaouito aperçoit sur le trottoir d'en face, Badjidj. Il l'appelle de loin :

— Alors Badjidj ! Ça va ?

— Et toi, ça va ? On se voit ce soir ?

— Ouais, si tu veux, où ça ?

— Eh ben, rendez-vous à la Bastille ?

— Où ça ? hurle Badjidj, parce que avec le bruit des voitures il n'avait pas entendu.

— A la BASTILLE, crie de plus belle Kaouito.

— Où ça ? redemande Badjidj.

— A LA BASTILLE, hurle à nouveau Kaouito.

Et comme il y avait des gens autour d'eux, l'un après l'autre ils ont repris :

— A LA BASTILLE ! A LA BASTILLE ! A LA BASTILLE !

Ils sont tous partis en cortège en criant : A la Bastille ! A la Bastille !

Tous, sauf Kaouito et Badjidj, qui ont été à la Nation. C'était plus tranquille !

***

Abbaz était très ennuyé. Il va trouver Kaouito pour lui demander un avis, une aide. Il lui explique son problème.

Kaouito écoute, réfléchit, et lui dit :

— Tu veux un conseil ?

— Oui, répond Abbaz plein d'espoir.

— Alors je vais te dire : fais pour le mieux !

***

Ils étaient tous au café de la Grande Brasserie, et chacun parlait des choses extraordinaires qu'il avait vues dans sa vie, et Kaouito déclara :

— Vous allez pas me croire hein, hé

ben moi, j'ai connu une femme elle louchait tellement, tellement, tellement que quand elle pleurait, les larmes se croisaient !

Alors Bonazo enchaîna :

— Et moi, j'ai connu une rue tellement, tellement, tellement étroite qu'un chien heureux n'avait pas la place pour remuer la queue de gauche à droite, mais seulement de haut en bas !

Et Smata voulut conclure :

— Et moi, j'ai vu, dans un minuscule village, une église, tellement, tellement, tellement petite, que même le Bon Dieu y pouvait pas rentrer dedans.

Mais c'est Kaouito qui eut le dernier mot de la fin en disant :

— Et moi, j'ai connu un type tellement, tellement, tellement con, qu'il a tué un type plus con que lui, pour rester seul !

***

Le monde entier apprit la nouvelle avec stupéfaction ; il pleuvait sur Alger, ce jour-là ! Un nuage qui devait aller sur Brest avec Barbara, avait été mal dirigé sur Alger la Blanche ! Kaouito dut donc prendre son parapluie pour faire ses courses, à droite à gauche et au centre. Mais il était tellement peu habitué à avoir cet engin des pays du nord, qu'il oublia ce parapluie chez un des commerçants. Il fit alors le tour des boutiques où il était allé en demandant si on n'avait pas trouvé un parapluie lui appartenant. Et chaque fois le commerçant faisait la même réponse :

— Non, je n'ai pas votre parapluie ici...

— Non, vous ne l'avez pas laissé ici...

— Non, ici y'a pas de parapluie.

Enfin il continua à persister et il demanda à Serralta le boulanger s'il n'avait pas oublié son parapluie chez lui, quand il était venu manger un morceau de calentita.

— Oui, justement, dit Louis Serralta, votre parapluie est ici.

— Ah ! s'exclama Kaouito avec soulagement, enfin un commerçant honnête !

***

Pastafagoul était comme fou ! Désespéré !

— Qu'est-ce que tu as ? Qu'est-ce qui t'arrive ? lui demande Kaouito.

— Ah là là ! J'ai perdu 100 F ! Tu te rends compte, j'ai perdu 100 F ! Kaouito veut le consoler :

— Ah ! te fais pas du mauvais sang va ! 100 balles de perdues, dix de retrouvées.

— Non, hurle Pastafagoul, je veux pas en retrouver 10, je veux en retrouver 100 minimum !

***

Un jour que Kaouito avait beaucoup marché, il déclara à Bonazo :

— Rappelle-toi ce que je te dis : qui veut voyager loin, doit faire un long parcours !

Pastafagoul qui était là comme une sécotine indécollable ajouta :

— Et en plus, à vaincre sans péril, on peut mieux s'en sortir !

— Putain ! Bonazo en hochant la tête. J'ai pas perdu ma journée aujourd'hui !...

. . . .

Ils étaient tous là, ou presque. Et tout le monde chantait, tout le monde parlait, tout le monde riait.

On était en mars, c'est-à-dire en plein été. Parce que, à Alger, c'est pas les mêmes saisons qu'à Moscou ou qu'à Montréal. On n'a pas du tout le même calendrier.

Bonazo avait porté l'anisette. Medjrab, lui, il avait porté l'eau. Badjidj il avait emmené des cocas aux poivrons et aux tomates. Abbaz, il avait emmené des anchois. Casse-ficelle il avait porté des olives. Fartass il avait emmené le pain, et Kaouito il avait emmené Pastafagoul.

Et tout le monde était heureux, on croyait l'être, ce qui revient au même.

Et pourtant y'avait pas de champagne, mais y'avait la mer, bleue, bleue, bleue... Y'avait pas de caviar, mais y'avait le soleil, chaud, lumineux, doré, brillant, éclatant, étincelant enfin le soleil quoi ! Ceux qui connaissent reconnaîtront.

— Y paraît qu'y neige à Marseille, dit Gabelouz, en mettant un glaçon dans son verre. J'ai écouté ça à la radio ce matin.

— Tu te rends compte, les malheureux, ils sont obligés de mettre le pardessus, soupira Guide-à-gauche en enlevant sa chemisette.

— J'ai un cousin qu'il habite Lyon, ajouta Souissou, y m'a écrit qu'au mois de juin de l'année dernière, il a mis le chauffage.

— Au mois de juin ! Aman ! C'est la Sibérie ou quoi ! lança Blaouette.

C'est à ce moment-là que Casseficelle leur apprit une nouvelle de caractère climatologique que nul ne savait :

— Y paraît qu'à Paris, dit-il péremptoire, y'a que deux saisons : un hiver tiède et un hiver froid.

Alors Pastafagoul remarqua avec chaleur :

— Vous allez arrêter de discuter de ces choses ! Vous voulez nous faire attraper la crève ou quoi, avec vos conneries !

Et tout le monde se remit à parler, à chanter, à plaisanter, à charrier.

Alors entre deux hoquets de rire et une olive, Kaouito, le cœur content, les yeux plissés par la lumière aveuglante, son verre à la main, la mer à ses pieds, le soleil au-dessus de lui, et ses amis tout autour, Kaouito exprima ce souhait :

— Putain !... Si c'est ça la guerre, alors que la paix ne vienne jamais !...

*****
***

123

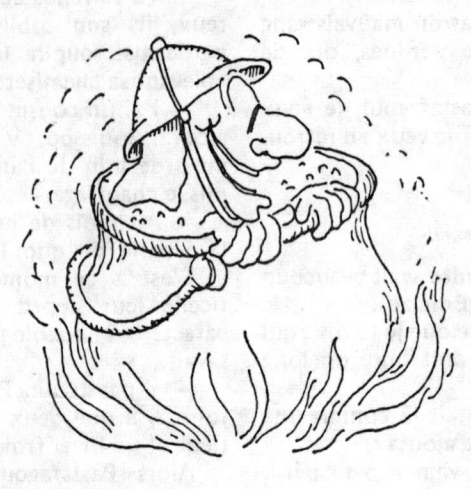

IBRAHIM SECK
RACONTE...

Les meilleures histoires
de l'humour cannibale

Dans la vie actuelle, le chocolat est presque présent partout; mis à part le goûter des enfants, on retrouve la tablette de chocolat dans la boîte à gants des voitures, dans les tiroirs des bureaux, dans les sacs des dames, etc.

Qui dit cérémonies pense généralement gâteaux et là aussi nous retrouvons le chocolat sous toutes ses formes et également sous toutes ses couleurs! Mais savez-vous pourquoi le Noir ne mange que du chocolat blanc? Parce qu'il a peur de se bouffer le doigt!

***

Mon fils bien-aimé revint un jour de l'école dans un état inhabituel : il était en larmes et sanglotait de tout son être. Quand j'ai voulu m'approcher de lui pour le questionner, il s'est enfui pour trouver refuge dans sa chambre. Je le rejoignis aussitôt, le calmai, et quelque peu anxieux je lui dis :

— Ecoute! Calme-toi et raconte-moi ce qui s'est passé à l'école!

C'est alors qu'il me répondit :

— Papa, je ne veux plus retourner à l'école!

Surpris, et cherchant à le ménager, je lui demandai simplement :

— Ah! Pourquoi?

Il me rétorqua avec beaucoup de détermination :

— Ou alors il faudra m'opérer du nez!

Abasourdi par cette révélation je ne pus que lui dire :

— Tu sais, à ton âge, s'occuper de soins esthétiques! Et tu sais, ton nez, il est bien comme ça!

— Non! me répondit-il. Parce qu'à l'école tous les copains me disent : nez-gros.

***

Il y a quelques années éclata un événement politique entre le Congo belge et la Belgique, après l'accession à l'indépendance du premier. Il s'en est ensuivi une rupture diplomatique, le rappel des ambassadeurs respectifs et le retrait de tous les étudiants congolais des universités belges. Pourquoi tout cela? Parce que simplement les Belges avaient l'habitude de traiter les Congolais de singes! Fâcheux, non?

Quelques années s'écoulèrent et les deux pays restaient chacun sur sa position. Mais nécessité aidant, Bruxelles écrivit au gouvernement congolais en le priant de bien vouloir oublier ces incidents, que les étudiants pouvaient réintégrer les universités avec la garantie qu'ils ne seraient plus traités de singes.

Après plusieurs refus, grincements de dents, réunions et promesses, le Congo se décida enfin à renvoyer ses étudiants en Belgique.

Ils débarquèrent alors à Bruxelles, chargés comme des mulets, se présentèrent au bureau d'inscription où ils furent accueillis avec beaucoup de courtoisie.

— Bonjour, Messieurs!

— Bonjour!

— C'est vous les étudiants congolais?

— Oui!

— Vous venez vous inscrire?

— Oui!

— Quelle branche?

— Vous voyez! Ça recommence!

***

Deux fous sénégalais, Samba et Demba, se promènent à bicyclette! Le temps est agréable et il fait bon pédaler sans se presser. Dans leur randonnée sans but fixe, nos deux fous empruntent chemins, sentiers, pistes, bref, toutes voies qui s'ouvrent devant eux.

Sans y prendre garde et tout en bavardant, ils s'engagent dans un chemin malaisé, un peu sablonneux, et montant par surcroît. Déployant beaucoup d'efforts, ils parviennent au milieu de la côte; tout d'un coup Samba s'arrête et commence à démonter sa bicyclette; il met le guidon à la place de la selle et la selle à la place du guidon. Surpris par cette manœuvre, son compère Demba lui demande :

— Mais enfin, Samba, qu'est-ce que tu es en train de faire ?

Et Samba de lui répondre :

— J'en ai marre, je redescends.

***

Dans un village de cannibales, après les sermons répétés et persuasifs du missionnaire, les sages se réunissent pour débattre d'une question. Après quarante-huit longues heures de discussions et de délibérations, une résolution fut signée : personne ne bouffe plus personne! Le tam-tam retransmet le message et chacun avait non seulement l'obligation de se soumettre à cette décision, mais aussi le devoir de surveiller son prochain.

Durant trois mois, tout se passa très bien; on pouvait même se promener la nuit sans crainte d'être un petit déjeuner. Mais voilà que la famine s'abattit sur le village, ce qui força le conseil des sages à modifier tant soit peu ses dispositions : on ne bouffe plus personne, sauf les morts... et les mourants. Et malgré les démarches hardies et réitérées du missionnaire, le conseil maintint sa décision. Dès lors tout le monde se portait comme un charme, nul ne souffrait plus de la plus petite migraine. La famine redoublait d'intensité et les préoccupations de chacun étaient l'état de santé de l'autre. La première question qu'on se posait était : comment te

sens-tu ? Mais aussi on recevait toujours la même réponse : je me sens très bien!

Devant cette situation désespérée, un des cannibales prend, lui, l'initiative d'aller battre la campagne pour lever quelques lièvres. Après tout, la viande des animaux fera bien l'affaire. Accompagné de son fils, et sa corde sur l'épaule, notre chasseur, après quatre heures de courses et de ruses, n'a pas le moindre petit moineau dans ses filets. Cependant, il ne se décourage pas pour autant et sa longue marche à travers la forêt le mène à une clairière; et au beau milieu de cette clairière, un étang, et dans cet étang se trouve une fille divinement belle — genre Raquel Welch.

Sans hésiter, notre cannibale déploie sa corde et avec une adresse remarquable il neutralise la baigneuse. Les voilà donc partis tous les trois en direction du village, et l'enfant cannibale tout heureux dansait autour de ce gibier à la beauté indescriptible.

— Alors papa ? demanda l'enfant, avec quoi on va la bouffer celle-là ? Avec du riz ou avec du manioc ? Le père réfléchit un instant et lui répond :

— Tu sais, mon enfant, il faudrait peut-être la laisser vivre un peu avec nous! Le temps qu'elle s'habitue... de l'engraisser... de la soigner...

Visiblement, le cannibale nourrissait d'autres ambitions à l'égard de cette perle rare. Au bout de ses réflexions et arguments, il se retourna vers son fils et lui demanda :

— Dis donc ? Ta maman, elle n'a pas la migraine en ce moment ?

***

Dans ma classe, en Afrique, je faisais répéter à mes élèves la célèbre phrase rituelle que beaucoup d'Africains ont apprise à l'école : Nos ancêtres les Gaulois habitaient la Gaule.

Arrive le tour de Toto. Oui, je dois vous préciser, cher lecteur, qu'en Afrique aussi nous avons des Toto; car Toto est un élève universel; on le retrouve dans tous les pays.

Donc Toto se lève, sous les regards de tous ses camarades; il croise poliment ses bras, ramone trois fois sa gorge, produisant ainsi un bruit qui soulève une légère hilarité dans la classe.

Puis doucement il commence :

— Nos... nos ancêtres... nos ancêtres les... nos ancêtres les Gaulois... nos...

Enfin, excédé, je lui dis :

— Ben voyons, Toto! Qu'y a-t-il de difficile dans cette phrase ? Nos ancêtres les Gaulois habitaient la Gaule!

Alors se grattant la tête Toto me rétorqua :

— Vous savez, Monsieur, ce qui me gêne là-dedans ce n'est pas tellement la couleur! Ça, ça passe encore! Ce qui me gêne réellement, ce sont les cornes!

***

La mobilisation des masses est un des problèmes clés pour les gouvernements africains. Pour avoir toute la population sous leur coupe, les leaders créent toute sorte de mouvements, jusqu'aux comités de quartiers. Lors d'une réunion d'un comité le président de séance prend la parole et, avec beaucoup de conviction, s'adresse ainsi au public :

— Mesdames, Mesdemoiselles, Messieurs! Depuis que nous avons acquiert l'indépendance...

Instantanément le secrétaire général le tire par le pan du boubou et lui dit tout bas :

— Acquis!

Le président le regarde un peu de travers, surpris, mais continue malgré tout son discours :

— Depuis que nous avons acquiert l'indépendance...

Le secrétaire général a la même réaction, mais cette fois-ci avec beaucoup d'insistance :

— Acquis, acquis, acquis!

Emporté, le président lui répond alors violemment :

— A qui ? A qui ? A qui ? Enfin! A lui, à toi, à moi!

Un cannibale pénètre dans une brasserie, s'installe confortablement et consulte la carte. Tout à coup ses yeux s'ouvrent, sa bouche aussi, et sa figure s'illumine de joie. Se frottant les mains, il appelle vite le garçon et commande un croque-monsieur.

A la surprise générale, il poussa des hurlements lorsque le serveur lui apporta sa commande. Furieux, il traita le patron de tous les noms :

— Monsieur, vous êtes un voleur, un assassin et vous abusez vos clients...

Voyant que rien ne pouvait le calmer, le directeur de l'établissement appela la police; et lorsque les agents se sont présentés c'est dans le même emportement que le cannibale dit au brigadier en parlant du directeur :

— Monsieur! Arrêtez cet homme! C'est un trompeur, un malhonnête!

— Qu'y a-t-il ? lui demanda le brigadier.

— Regardez! lui fait observer le cannibale. C'est pas du jambon ça ?

— Ah oui! lui fit le brigadier.

— Et regardez maintenant ce qu'il y a d'écrit sur la carte : c'est écrit croque-monsieur, croque-madame.

***

Et maintenant, cher lecteur, jouons à quelques petites devinettes. Et pour mesurer votre perspicacité ne lisez pas tout de suite la réponse, cachez-la et cherchez pendant deux ou trois minutes. Allez! On y va!

Connaissez-vous le prénom d'un Noir assis sur un sac de patates ?

Réponse : C'est Jean!

Pourquoi Jean ? Parce que j'en ai gros sur la patate.

***

Et une anecdote, une!

Vous savez que notre métier de comédiens est parsemé d'anecdotes aussi piquantes les unes que les autres. Celle que je vous rapporte ici m'est arrivée lors d'une tournée théâtrale à travers toute la France et à l'étranger. Nous jouions la fameuse pièce de François Billetdoux : « Va donc chez Torpe ». La troupe comptait dix comédiens dont mon cher et regretté ami Francis Blanche, à qui je rends hommage en passant, de tous les profits que j'ai eus auprès de lui, tant matériels que spirituels. Nous devions donc, après Strasbourg, jouer à Baden-Baden; comme la distance qui sépare les deux villes n'est pas grande, nous décidâmes de laisser nos voitures personnelles et d'utiliser un seul car. Arrivés à la frontière, l'unique formalité à remplir était de montrer nos cartes d'identité. Ah, j'allais oublier! Je dois vous préciser que j'étais le seul Noir de la troupe.

Arrivés donc à la frontière notre car fut stoppé, un gendarme y grimpa et après avoir poliment salué, nous demanda :

— Vous êtes tous des Français ?

Et en chœur nous répondîmes :

— Oui!

J'étais installé au fond du car. Me regardant fixement, le gendarme eut une minute d'hésitation et puis, d'un pas ferme, se dirigea tout droit vers moi; c'est alors à ce moment que Francis s'écria :

— Cherchez l'erreur!

***

En Algérie, il existait deux principales bases militaires : l'une à Oran et l'autre à Mers El-Kébir. Un beau jour l'administration française, alors gouvernante, décida de cantonner tous les militaire à Mers El-Kébir. Ce qui fut fait.

Le premier matin, au rapport, le petit sergent qui présentait les troupes s'écria :

— A Mers El-Kébir fixe!

Ce fut une stupéfaction générale, mais le commandant de base ne dit rien, pensant simplement que c'était une plaisanterie de petits soldats. Mais voilà! Au deuxième rapport la même chose se reproduisit. Cette fois, le commandant appela le sergent et le somma de s'expliquer :

— Pourquoi A Mers El-Kébir fixe ?

Et le sergent lui répondit le plus innocemment du monde :

— Mais chef! Là-bas, à Oran, l'adjudant il était toujours en train de crier : A Oran fixe, à Oran fixe!

***

Dans la savane africaine, un géomètre sénégalais faisait tranquillement son travail. Soudain surgit devant lui une bande affamée de cannibales. Voyant leur aspect pas très catholique, notre géomètre ne s'en laissa pas conter et prit ses jambes à son cou. Malheureusement, il fut bien vite rattrapé et malgré ses protestations et à son crops défendant il fut solidement ligoté et ramené devant le « big chief » cannibale.

— Mais enfin! Ce n'est pas possible! soutenait le géomètre. Nous n'allons quand même pas nous bouffer entre nous! Mais réfléchissez! Je suis un Africain comme vous!

Alors le chef cannibale le regarda droit dans les yeux et calmement lui rétorqua :

— Mon cher, ici on ne peut plus trouver de Blancs! Ils sont tous partis! Et à défaut de Blancs, je broie du Noir!

***

Mon cousin est une grande vedette cannibale connue de tous les Africains. L'année dernière il fut choisi pour animer le bal de la police. Il le fit admirablement sauf qu'à trois heures du matin, se sentant un petit creux, il appelle un des agents dans un coin, l'étouffe et le bouffe.

Le lendemain, interrogé par le commissaire, il déclare :

— Monsieur le Commissaire, à trois heures, j'avais un peu faim et j'avais une forte envie de poulet froid...

***

Un Noir meurt — rien d'étonnant. On l'enterre. Première surprise des cannibales. On l'accueille au Paradis. Merci saint Pierre. Bien sûr, le séjour dans ces merveilleux jardins est une chose indescriptible. Cependant, malgré la béatitude dont il jouit, ce Noir a quand même une chose qui le tracasse, si bien qu'il demande une audience auprès de Saint-Siège. Les serviteurs du trône l'accueillent royalement, le prient d'attendre car, avec les nombreuses demandes que reçoit saint Pierre, il faut quelquefois montrer patte blanche.

Après deux heures d'antichambre, saint Pierre le reçoit, très disposé à recueillir ses doléances.

— Dites, saint Pierre! fait le Noir. D'abord je dois vous remercier de m'avoir accueilli dans votre paradis! Vraiment ici rien ne manque, et tout est parfait! Mais je voudrais quand même savoir : pourquoi vous m'aviez fait noir ?

Et saint Pierre de répondre, avec beaucoup de tendresse :

— Mais mon enfant, réfléchissez! Du chaud soleil d'Afrique, votre couleur en devenait une protection! Point de brûlures apparentes, ni une peau qui pèle visiblement! Et souviens-toi! Toi tu n'avais guère besoin de lézarder au soleil pendant des heures pour brunir : je t'ai d'emblée créé garanti grand teint!

— Ah! acquiesce le Noir en réfléchissant. Et pourquoi j'avais des grands bras ?

— Mais mon enfant, reprend saint Pierre, ça aussi c'était pour ton grand bien! Tu sais qu'en Afrique les arbres étaient quelquefois très hauts; pour y grimper il te fallait de grands bras; et il n'y avait point de lianes que tu ne pouvais atteindre.

— Et mes jambes ? ajoute le questionneur. Oui, mes jambes ? Pourquoi elles étaient longues, longues, longues ?

— Mon enfant! Tes longues jambes ne t'ont procuré que des avantages! Souviens-toi des courses frénétiques auxquelles tu te livrais à travers la forêt africaine pour attraper le gibier. Aucun animal n'avait la chance de t'échapper, si rapide soit-il !

— Oui! dit le Noir d'un air convaincu. Tout ça c'est bien beau, saint Pierre! Mais dites-moi, pourquoi je suis né à Chicago ?

***

Chaque peuple a sa façon de s'exprimer. Si la langue allemande est gutturale, si les Anglais ont une pomme de terre chaude dans la bouche, les Martiniquais, eux, ne prononcent jamais les *r*. Si bien que « partie » pour un Martiniquais fait « pa'tie ».

Alors c'était un dimanche, il faisait beau, tout le monde se promenait et les grands boulevards étaient noirs de monde. Dans la foule un Martiniquais qui, comme tous les promeneurs, léchait les vitrines. Tout à coup qu'est-ce qu'il aperçoit : une pharmacie avec l'enseigne « Homéopathie ». Il rentre dans la pharmacie et dit à la dame :

— Pardon, Madame : Oméo pa'ti ?

— Ah oui, Monsieur, lui répondit-elle.

— Oh! Pauv'e Juliette !

***

Dans un petit village, au Gabon arrive un cannibale. En deux temps trois mouvements, il bouffe tout le monde. Plus une âme qui vive dans le village. Repu, il s'installe dans un hamac et digère. Le téléphone sonne, il décroche. Et qu'entend le correspondant à l'autre bout de la ligne : Y a plus de Gabonais au numéro que vous avez demandé... Y a plus de Gabonais au numéro que vous avez demandé...

***

Une dame d'un certain âge pénètre dans une pâtisserie et dit à la boulangère :

— Pardon, Madame, je voudrais un nègre en chemise.

La boulangère se retourne et lance un appel : Georges !

Apparaît Georges : un géant noir en bras de chemise.

— Vous désirez, Madame ?

Visiblement, la dame n'avait qu'une hâte : sortir de là.

— Moi ? balbutie-t-elle. Je prendrai plutôt le « Paris-Brest ».

* * *

Dans un café à Saint-Germain, un blond cherche à courtiser une fille. Elle était belle, séduisante et terriblement sensuelle. Ce galant chevalier disposé servant use de toutes les méthodes, mais la fille ne voulait rien savoir. Le jeune homme ne perd pas courage, revient à l'attaque et réitère ses propositions. A toutes ses offres la fille répond non. Là-dessus survient un séduisant Sénégalais, habillé comme un prince, avec les gestes et le langage d'un académicien. A peine s'adresse-t-il à la fille, celle-ci se lève et ils partent tous les deux bras dessus bras dessous.

Excédé, le blond se retourne vers le Sénégalais et lui lance :

— Colonialiste !

* * *

Encore une petite devinette ! Vous avez toujours le loisir de mesurer votre perspicacité en cachant la réponse avant de la lire et de chercher pendant quelques minutes.

Ça y est ! Allons-y !

Connaissez-vous la nationalité d'un Noir qui traverse un tunnel ?

Réponse : C'est un Ivoirien.

* * *

Souvent en calcul les valeurs sont fausses : ainsi un cannibale, plus un cannibale, cela ne fait pas trois cannibales comme on aurait tendance à le croire, mais ça fait une mort atroce.

* * *

Chez moi, au Sénégal, on est heureux !

Nous n'avons ni usines ni voitures polluantes : on est heureux !

Pays pauvre, pays en voie de développement : on est heureux !

On n'a pas de pétrole, on n'a pas d'idées : on est heureux !

Oui mais chacun a son cocotier ! Et, en plus, nous possédons des hommeries !

Qu'est-ce que c'est une hommerie, me demanderez-vous ? Et bien, une hommerie, c'est comme qui dirait une boucherie ! Seulement dans une hommerie on débite de l'homme, et le tenancier d'une hommerie s'appelle un hommier !

Alors il y avait une mère cannibale qui faisait ses courses. Le soleil était torride, la chaleur accablante et les denrées rarissimes à cause de la sécheresse. Madame cannibale se présenta à une première hommerie et demanda au hommier :

— Avez-vous quelque chose aujourd'hui ?

— Ah non, Madame ! lui répondit l'autre. Vous pensez bien ! Avec tous ces Blancs qui se font la valise... C'est vraiment la ruine.

Cependant, malgré cette réponse, mère cannibale ne perdit pas courage et après quelques longues heures de marche, elle se présenta à une deuxième hommerie toujours pour s'enquérir d'un réapprovisionnement éventuel.

— Pardon, Monsieur ! Vous reste-t-il quelque chose ? interrogea-t-elle.

— Ah oui, Madame ! lui répondit aimablement l'hommier. Nous avons réussi à attraper un Anglais, John, un Français, Hugues, et un Américain, William.

— Excellent ! fit la mère cannibale très enchantée. Ecoutez, je vais faire mes autres courses, et comme il fait très chaud vous me mettrez un kilo de Hugues au frais.

***

En Afrique du Sud se déroule tous les ans un concours de bouffe doté d'une somme très importante. Les principes du concours sont très simples : vous vous présentez vous-même ou alors vous choisissez un candidat qui peut bouffer sous vos couleurs. Etant donné l'importance de l'enjeu, les gens s'entraînent quelquefois à longueur d'année. C'est ainsi qu'un petit groupe de trois personnes, se croyant plus rusées que les autres, décident de capturer un cannibale, de l'entraîner et de le présenter au concours sous leur bannière. Ainsi dit, ainsi fait !

Voilà donc le cannibale en cage avec de beaux morceaux de bœuf. La surprise des entraîneurs fut grande lorsque le lendemain matin ils trouvèrent la viande intacte.

— Il n'aime pas le bœuf, se disentils ! Et ils allèrent se procurer du mouton !

Pas plus d'ailleurs le mouton que le bœuf car notre cher cannibale ne toucha pas un seul morceau du gigot qui lui fut présenté.

Alors, déroutés, nos trois compères tinrent conseil ; et vu l'importance de la somme à gagner, il fallait faire un sacrifice ; ils décidèrent donc d'offrir un bébé anglais à leur protégé (sic). Leur étonnement se décupla lorsqu'au lendemain de cette ultime offrande, ils trouvèrent le bébé dans les bras du cannibale qui joyeusement le berçait. N'en pouvant plus, ils piquèrent une crise de colère et le chef de la bande s'adressa, véhément, à ce phénomène :

— Ecoute-moi bien, mon bonhomme, nous en avons assez de ta comédie ! Nous t'avons offert du bœuf, tu ne l'as pas touché ! Du mouton, tu n'en voulais point ! Nous avons poussé nos efforts jusqu'à t'amener un bébé, et tu fais joujou avec ! Enfin que te faut-il d'autre ?

Et le cannibale timidement de répondre :
— Moi, Monsieur, je suis végétarien.

***

Deux jeunes mariés ont un code : pour faire la chose il suffit simplement que la femme dise « belote » et le mari répond « rebelote ». Cela dit, entre nous, vous pouvez l'essayer ! C'est un système probant. Trois mois donc que cela dure : tous les soirs la jeune femme dans sa tenue légère demande à son cher époux et d'une façon provocante :
— Belote, mon chéri ?
Et le mari tout heureux s'empresse de répondre :
— Rebelote, ma chérie !
Jusqu'au soir où la femme, dans ses extases, avec toujours ses envies guerrières nocturnes se précipite auprès de son mari déjà sous les draps, pour l'envelopper d'abord du subtil parfum dont elle s'est embaumée, pour minauder ensuite, avant de ronronner :
— Belote, mon chéri ?
— Non, je passe ! lui rétorqua le mari.
Ebahie, elle soulève doucement les draps, soupire et constate :
— Heuh ! Dommage ! Passer avec un jeu pareil !

***

Et voici maintenant un comble : je le dois à mon cher ami Maurice Cadaze, et si vous devinez la réponse avant de la lire ce sera aussi un comble.

Connaissez-vous le comble pour un Noir ?
Réponse : C'est de travailler dans une blanchisserie et de s'occuper de linge de couleur.

***

Dans un pays où les races n'ont pas de barrières entre elles, la haine est bannie ; l'amour, et seul l'amour, fait loi; l'amour est roi et l'amitié reine.

Deux amis, Simon un juif et Sam un nègre, vivent dans ce merveilleux pays, et Dieu qu'ils s'entendent bien! Leur seul but : jouir de la vie dans toute sa plénitude, et symboliser cette chose inestimable qu'est la fraternité.

Un jour Simon pénètre dans le bar où travaille Sam; suivant son habitude, il s'installe au comptoir, enlève son chapeau et dit à son copain :

— Allez, dépêche toi, sale nègre, je veux mon scotch!

Sam, tout en accusant le coup, regarde son ami droit dans les yeux et lui répond :

— Mais, Monsieur! C'est pas gentil ce que vous me dites là! Alors supposez que vous soyez à ma place, et que je vous traite de sale juif? Que diriez-vous?

— Ce que je dirais, tu veux qu'on essaye un peu pour voir?

Ainsi Sam cède à Simon sa place, vient s'installer au comptoir et d'autorité il commande :

— Allez, dépêche-toi, sale juif, je veux mon scotch!

Alors Simon le regarde et calmement lui répond :

— Je regrette, mais ici on ne sert pas les nègres.

***

Dix-neuf heures! On sonne à une porte et une dame vient ouvrir. Elle se trouve en présence d'un personnage hideux : des jambes toutes tordues avec les deux genoux qui jouent de la cymbale; une épaule qui dit adios à l'autre; des bras retournés vers le dos et qui cherchent à se rejoindre par devant; une bouche de travers qui laisse échapper de temps à autre une bave gluante; le tout couronné d'une tignasse qui sert de refuge à un million de poux. Tout en trépignant sur place cet affreux Jojo s'adresse à la dame avec des mots qui se bousculent entre ses joues :

— Pardon, Madame, c'est vous qui aviez jeté votre fils à la poubelle il y a vingt ans?

Surprise, la dame ouvre de grands yeux en disant :

— Mais, comment le savez-vous?

Alors l'affreux Jojo se jette sur elle en criant : Maman!

***

A l'anniversaire de mon cousin, je lui ai offert un cadeau qu'il estimait peut-être plus entre tous : c'était un stylo chromé avec ses initiales. Mais mon cousin n'est pas malin : au bout de deux jours il paume le capuchon de son stylo. Et moi qui connais mon cousin, j'avais pris la précaution de lui donner l'adresse du fabricant.

— Au moindre pépin, lui avais-je dis, tu peux t'adresser à eux!

Voilà donc mon cousin qui écrit à la maison fabricante pour obtenir un autre capuchon. Il fit dans sa lettre une description détaillé du stylo en insistant bien qu'il est chromé et que le capuchon portait ses initiales. Au moment de fermer sa lettre, il sent un objet sous ses pieds, il le ramasse : c'était le fameux capuchon. Heureux, il place le capuchon sur l'écritoire et ajoute au bas de sa lettre :

P.S. : ne vous dérangez pas, je l'ai retrouvé.

***

Dans un des plus somptueux restaurants de Paris pénètre un cannibale; il s'installe à son aise et commence à se lécher les babines; la serveuse se présente.

— Qu'est-ce que ce sera pour Monsieur?

Et le cannibale de répondre avec un large sourire :

— Madame, donnez-moi un garçon!

***

Rendant visite à mon cousin, l'invétéré cannibale, nous étions installés dans un salon, causant tranquillement. Tout à coup surgit son gosse qui s'adressa à son père avec un affreux bégaiement. Joignant à ses paroles inintelligibles des gestes d'impatience, cela donnait un spectacle insupportable. Toujours est-il qu'à la fin de ses :

— Pa - Pa - Pe - Pa - l'enfant disparut à mon grand étonnement. Nous reprîmes le cours de notre conversation mais pas pour longtemps, car l'enfant réapparut et nous offrit la même scène.

N'en pouvant plus j'interrogeai alors mon cousin :

— Dis donc! Excuse-moi, mais tu as fait voir ton enfant à un docteur ?

— Ah! me répondit-il, m'en parle pas! C'est ma désolation! J'ai vu tous les grands spécialistes, rien à y faire! Et dire que la faute m'incombe!

— Comment la faute t'incombe ? lui demandai-je.

— Et oui! Figure-toi que le premier Blanc que je lui ai donné à bouffer bégayait.

***

Un explorateur hollandais se perd dans la brousse africaine. Deux heures durant il tourne en rond, impossible de retrouver son chemin. Par aventure, il arrive à une clairière où se trouve un cannibale fort occupé à façonner un filet de chasse. Avec une lueur d'espoir, mais aussi avec défiance et circonspection l'explorateur cherche indication auprès du cannibale.

— Pardon, Monsieur, dit poliment le Hollandais. J'ai perdu mon chemin, et je voudrais retourner à notre campement qui se trouve derrière ces montagnes.

— Ah! répond le cannibale. Beh, vous n'avez pas beaucoup de choix, vous avez seulement deux chemins pour vous y rendre : soit vous prenez ce petit sentier, mais alors là, attention, je vous le déconseille, car la nuit commence à tomber et les lieux sont infestés de coupeurs de têtes. Ou alors, vous traversez la rivière, mais c'est guère mieux, car elle grouille de caïmans.

— Mais alors que faire ? demande l'explorateur.

— A mon avis, rétorque le cannibale qui commence à palper le Hollandais, la seule solution qui s'impose est de venir passer la nuit dans mon village.

— Et qu'est-ce que c'est comme village, s'inquiète notre explorateur.

Alors ce bienfaiteur, tout en tendant son filet, précise :

— C'est un village de cannibales.

***

Deux détenus, un Blanc et un Noir, se partagent une même cellule. Le Noir est désespéré, il est tout triste, vraiment il a le moral à zéro. Son copain cherche alors à la réconforter :

— Mais ne t'en fais donc pas! Deux ans de taule, ça ne peut pas te rester collé toute la vie. Tu verras, sorti d'ici, six mois après personne n'y pense plus! Et te voilà réhabilité dans la société.

Et calmement le Noir pose sa main sur l'épaule de son camarade en lui disant :

— Tu sais, dans cette affaire, je ne sera jamais blanchi.

***

Un prêtre de village rend visite à l'unique athée irréductible de son patelin. Il emploie force et manière pour ramener dans le droit chemin cette brebis égarée. Il use de tous les verbes de la bonne parole, prêche tous les sermons, mais l'athée reste insensible à toutes ses exhortations.

A bout d'arguments, le prêtre résume tous ses discours à leur expression la plus simple :

— Je vous en prie, croyez à l'au-delà !

Et l'athée lui rétorque :

— Merci, mon père, mais je préfère le vin d'ici.

***

133

Notre charmant fou Samba, dont vous avez lu l'histoire de sa démentielle randonnée à bicyclette, se trouve en asile psychiatrique. Cela bien sûr avant sa fameuse sortie à vélo.

Son compère Demba — que vous connaissez également —, s'inquiétant de l'état de santé de son copain, lui rend visite. Tous deux bavardent à bâtons rompus. Samba confie alors à Demba que tout allait très bien maintenant, et que, d'après le docteur, sa sortie était imminente.

Voulant avoir une nette opinion de l'état de santé de son copain, Demba regarde la pendule suspendue au-dessus du lit de Samba et lui dit :

— Dis-moi, Samba, elle est juste cette pendule ?

Et promptement Samba lui répond :

— Tu es fou ! Si elle était juste, elle ne serait pas ici !

***

Et vlan ! Une anecdote !

Vous savez qu'en langage technique cinématographique, le champ de la caméra exprime tout ce qu'embrasse l'objectif.

Quand on tourne un film, tout personnage ou objet n'étant pas du décor devient insolite et il faut très vite le dégager. Ce qui explique d'ailleurs la nécessité d'une police, quelquefois vigoureuse, quand ces messieurs travaillent.

Nous étions donc en extérieur en train de tourner, lorsqu'en pleine prise de vue un paysan surgit au beau milieu du champ de la caméra. Bien sûr ce personnage n'était pas du tout prévu dans l'histoire. Evidemment les assistants harcelèrent ce pauvre bougre en criant à qui mieux mieux :

— Mais dégagez ! Mais dégagez donc ! Vous êtes dans le champ.

Stupéfait le paysan s'arrêta, regarda tout autour de lui et répondit avec le ton et l'accent qu'on leur connaît :

— Ben ! Sacré bon Dieu ! Suis pas dans le champ, suis sur la route.

***

L'hiver ! Le vent, la pluie ! L'hiver ! La neige ! Là-bas aussi à Bruxelles il neige. Le tapis blanc avait recouvert tout le pays et un vent glacial parcourait les rues et cherchait à pénétrer dans toutes les maisons. Malgré ce climat insalubre, un balayeur belge, tout en amassant les détritus, fredonne joyeusement des airs, peut-être pour se donner du cœur à l'ouvrage ? Mais Dieu qu'il faisait froid !

Tout en travaillant le balayeur se heurte à un paquet, il observe : c'est une sorte de boule qui gonfle. Ahuri, le Belge ouvre de grand yeux. Le paquet gonfle ! Il gonfle, il gonfle pour laisser apparaître un Noir : un sénégalais, frigorifié.

— Ben ! lui fait le balayeur, vous n'êtes pas Belge, vous ? Qui êtes-vous ?

Et tout en tremblant de froid, le Sénégalais lui répond :

— Chocolat glacé.

***

Nos deux fous Samba et Demba sont aussi des fadas de la bicyclette. Les voilà tous deux sur un même vélo et ils traversent joyeusement la ville. A un moment donné, ils aperçoivent un de leurs amis qu'ils invitent à se joindre à eux. Les trois sont donc sur une même bicyclette et ils ne passent pas inaperçus.

A un carrefour, un agent de police essaie de les arrêter, jugeant leur attitude dangereuse. Il siffle alors après eux et Samba se retourne en lui criant :

— Ah non, monsieur l'agent, y'a plus de place pour vous ! Nous sommes complets.

***

Deux amis, Jean et Albert, ont l'habitude de se retrouver tous les jours au petit bistrot du coin et de prendre l'apéritif ensemble. Albert est sourd comme une cruche.

Un beau matin Jean disparaît, et personne n'a eu de ses nouvelles. Cette disparition inquiète profondément Albert qui tous les jours interroge les gens; il reçoit aussi tous les jours les mêmes réponses négatives et Albert se persuade que Jean est simplement parti en vacances.

Au bout de huit jours réapparaît Jean, et Albert se précipite sur lui avec des questions :

— Alors tu étais parti en vacances ?

— Non! fait Jean, j'avais un accident!

— Comment ? interroge Albert en se tenant l'oreille.

— J'avais un accident, reprend Jean, j'étais dans le coma.

Albert, qui n'a rien entendu, lui rétorque :

— Alors! Tu as eu du beau temps ?

***

Un sénégalais en chômage se présente tous les jours au bureau de placement pour trouver du travail; mais, avec la crise de l'emploi, les offres sont rares et il lui faut s'armer de patience. Un beau matin les portes de la chance s'ouvrent devant lui et on l'envoie pour essai dans une grande famille bourgeoise où il doit remplir les fonctions de valet de chambre.

Au bout de quarante-huit heures le Sénégalais revient au bureau de placement, à l'étonnement de l'agent qui l'avait envoyé.

— Alors ? Ça n'a pas marché ? lui demande-t-il.

— Tout devrait marcher très bien, répliqua le Sénégalais. Sauf que cette famille a de drôles de mœurs.

— Qu'est-ce qui ne va pas ? interroge l'agent.

Alors, explique le Sénégalais avec un air de fermeté :

— Qu'ils veuillent me nourrir, me loger : ça d'accord! Mais me blanchir ? Ah ça jamais!

***

Un joueur de rugby avait la fâcheuse habitude de rêver de ses matchs. Il se voyait toujours en train de plaquer ses ballons et c'était malheureusement la tête de sa pauvre femme qui subissait en réalité le contrecoup.

Chaque nuit, donc, cette pauvre femme endurait toutes les atrocités d'un rêveur qui implacablement lui plaquait la tête contre le sommier, l'oreille et parfois même contre le mur.

N'en pouvant plus, cette innocente martyre, purement et simplement, plaqua son mari.

***

Oublions les histoires un moment et jouons encore à la petite devinette. Vous en connaissez le principe : il suffit simplement de cacher la réponse avant de la lire et de vous prouver ainsi votre capacité. Vous êtes prêts ? Allons-y!

Quelle est la différence entre un bébé et un hippopotame ?

Réponse : L'hippopotame fait son lit dans la rivière. Quant au bébé, il fait sa rivière dans son lit!

***

Elle est nouvelle recrue dans cette grande famille bourgeoise où, avant de la prendre à son service, la maîtresse de maison conta à la bonne Antoinette tous les avantages dont elle pouvait bénéficier. La rémunération était appréciable, les à-côtés non négligeables, et les efforts à fournir pour les travaux domestiques n'étaient pas, ma foi, herculéens. Toutefois, une chose était capitale pour rester à demeure : l'obéissance totale aux membres de la famille.

La bonne Antoinette prit donc service. Le soir du premier jour, c'est l'aîné de la maison qui rentra le premier, et Antoinette l'accueillit respectueusement.

— C'est donc vous la nouvelle ? lui demanda-t-il.

Et Antoinette poliment de répondre :

— Oui, Monsieur!

— Comment vous vous appelez ?

— Antoinette, Monsieur!

— Antoinette ? fit l'aîné outragé. Ah non non non! Ça c'est pas possible !

— Ah si, Monsieur! reprit Antoinette qui commençait à rougir. Mon nom est Antoinette!

— Oui ben il faudra changer! objecta l'aîné. Comprenez bien : ma fiancé s'appelle Antoinette; invitée à la maison, elle ne souffrirait pas la confusion. Donc, pour vous ce sera Toinette tout court.

— Bien, Monsieur! accepta la bonne sans ajouter un mot.

Après l'aîné, le cadet à son tour regagna le bercail. La bonne, bien sûr, va lui ouvrir et comme son frère il posa les mêmes questions et Toinette une fois de plus se heurta au problème de nom.

— Vous comprenez, lui dit le cadet, ma fiancée s'appelle Toinette, et je ne voudrais pas qu'il y ait la moindre confusion; alors pour vous ce sera Nette. Voilà! Ça sonne clair, et c'est net.

— Bien, Monsieur! subissait la bonne sans mot dire.

Lorsqu'on sonna à la porte la troisième fois, la bonne vint ouvrir : c'était le père qui rentrait.

— Bonsoir, Mademoiselle! adressat-il à Nette.

— Bonsoir, Monsieur! reprit la bonne.

— Alors, comment vous appellet-on ? interrogea le chef de famille.

Un peu perdue, elle répondit tout bonnement :

— Je ne sais pas, Monsieur! Ça dépendra de votre fiancée.

***

Mon cousin, le cannibale invétéré, pour fêter ses fiançailles m'invita à me rendre à son village et me promit un festin de roi. Nourrissant les mêmes instincts que mon cousin, je rêvais durant le voyage de cuisses, de mollets gras et de cervelle de missionnaire à la tomate. Une fois sur les lieux, la fête battait son plein, on me présenta à tous les membres de la famille mais jamais on ne me mit en présence du missionnaire des repas de noce. Par contre, trois jours durant on ne me servit que du poulet. Du poulet le matin, du poulet à midi et du poulet le soir.

Ne pouvant plus supporter cet état de fait, j'allai caqueter auprès de mon cousin qui me dit tout bêtement :

— Des missionnaires, on n'en voit plus! Et puis, ne te plains pas : dans le poulet y a du blanc!

***

Un cannibale invite son copain suédois à passer des vacances en Afrique. Tous les soirs, après le repas, suivant leur habitude, ils s'installent dans des hamacs et discutent à bâton rompu. Voulant mieux connaître la famille suédoise, le cannibale demande alors à son copain :

— Dis-moi, John! Comment êtesvous avec vos belles-mères en Suède ?

Et John de répondre :

— Eh bien, là-bas en Suède, nos belles-mères, nous les aimons bien! Nous leur faisons des cadeaux, nous les invitons souvent à la maison! Mais remarque, moins tu les vois, meilleur c'est! Et plus elles habitent loin de chez toi, mieux ton ménage se porte! Mais après tout, nous les aimons bien.

Et à son tour, John interroge son copain :

— Et ici ? Comment êtes-vous avec vos belles-mères ?

Alors le cannibale bondit et répond précipitamment :

— Ah! Mais nous, nos belles-mères, nous les aimons! Nous leur faisons aussi des cadeaux, nous les pomponnons! On les aime, les belles-mères!

On les aime! On les aime! On les aime si fort qu'aux repas des noces on les bouffe.

***

Dans un village de cannibale, le missionnaire a tout tenté pour ramener ses bigots à la raison, mais il n'y a rien eu à faire : ces messieurs ne veulent rien entendre, ils veulent continuer à bouffer de l'homme à l'instar de leurs ancêtres. L'administration civile d'alors avait tout essayé pour leur apporter la civilisation : et avec la civilisation, la « syphilisation »...

Aussi, lors d'un sermon du missionnaire, un cannibale se lève et réplique :

— Mais mon père, nous ne faisons que suivre ce qui est dans la Bible! La Bible dit aimez-vous les uns les autres! Et bien, nous, on aime les autres.

***

Par une belle soirée d'été, nos deux fous, Samba et Demba, sont confortablement installés sur des nattes et palabrent. Ils rêvassent, s'interrogent sur l'avenir et font des projets. Suivant l'idée d'une éventuelle fortune qui pourrait lui tomber du ciel, Samba demande à son copain :

— Que ferais-tu, toi, si tu avais beaucoup, beaucoup, beaucoup d'argent ?

— Si j'avais beaucoup, beaucoup, beaucoup d'argent ? reprend Demba. Si j'avais beaucoup, beaucoup, beaucoup d'argent ? Qu'est-ce que je ferais... eh bien, eh bien...

Ne sachant quoi faire avec cette richesse providentielle, Demba avoue humblement à son ami :

— Ecoute, je ne sais pas! Réellement, je ne sais pas! J'ai tant besoin d'argent que je ne sais ce que je ferais avec cet argent!

Ils reprennent alors leur discussion, oubliant totalement le magot, mais soudain Demba remet l'oseille sur le tapis.

— Dis-moi, Samba! Que ferais-tu, toi, si tu avais un trésor aussi immense que la mer ?

— Moi ? répond Samba... Oh!...

Il se gratte un peu la tête en signe de réflexion et déclare :

— Je ne sais pas! On pourrait peut-être s'associer puisque toi aussi tu es riche.

— Ah oui! accuse Demba avec une joie démesurée. Et que ferons-nous avec tout cet argent ?

— On pourra peut-être acheter un cheval! conseille Samba.

— Ah oui! Et que ferons-nous avec le cheval ?

— Moi je m'en occuperai, je le soignerai, je lui donnerai à manger, je le caresserai, caresserai, caresserai...

— Stop! lui fait son copain. Tu lui fais perdre ses poils.

Ils restent tous les deux muets; mais au bout de cinq minutes, rongé par la curiosité, Samba interroge son ami :

— Et toi! Que feras-tu avec le cheval ?

— Moi ? répond précipitamment Demba, moi, je monterai dessus et je galoperai, je galoperai, je galoperai...

— Arrête! le coupe brusquement Samba. Doucement! Tu fatigues le cheval!

***

Tout le monde est d'accord sur le fait que le comédien jouant au théâtre est sous-payé si on considère les cachets qu'on obtient en tournant un film.

Les tournées théâtrales sont quelquefois sources d'économies — si on veut — avec les deux salaires par jour qu'elles imposent. Le premier cachet n'est obtenu qu'en faisant un feu, c'est-à-dire en jouant. Quant au second, il est obligatoirement perçu journalièrement car il assure le règlement des notes d'hôtels et de restaurants.

Bien souvent le comédien essaie d'aller au restaurant le moins possible, afin d'accumuler de petits pécules pour des lendemains incertains. Lors donc d'une tournée théâtrale, un des comédiens, qui tenait sa comptabilité journalière, voyait ses économies grandir de jour en jour, tant il s'était abstenu d'aller au restaurant comme ses copains. Malheureusement, son estomac, ignorant les lois de l'épargne, commençait à se révolter car la faim le tenaillait.

Ainsi ce pauvre comédien subissait l'atroce dilemme de la dépense et de l'épargne. Faudrait-il céder sous la pression de la faim et aller rejoindre ses camarades à table, qui semblaient s'en mettre plein la panse, ou faudrait-il se serrer fortement la ceinture, faire fi des sourds cris intérieurs et compter ainsi à nouveau pécule à demeure ? Le choix à faire était perplexe et laisserait certes des traces de regrets; aussi Harpagon faisait les cent pas : de l'intérieur du restaurant à la devanture, se demandant toujours quelle solution adopter. En fin de spéculation notre homme se décida; fermement, il se présenta au garçon du bar, et solennellement déclara :

— Au diable l'avarice! Garçon, un croissant!

***

Dans notre dure profession de comédien, il arrive souvent que des camarades restent parfois trois mois, cinq ou même six sans la moindre proposition. On attend alors fiévreusement. Dès que le téléphone sonne on s'y précipite, croyant à la délivrance; on interroge tous les jours sa boîte à lettres, guettant aussi le facteur porteur d'un message téléphonique; on est à l'affût des moindres films en préparation; on se déplace enfin pour se rendre aux différents studios de radio, de cinéma et de télévision.

Comme tout milieu, le nôtre compte son jargon propre, et quand un comédien travaille d'une façon suivie on dit : il n'arrête pas.

— Ça se passait lors du tournage du

film « Le Tatoué », avec Jean Gabin et Louis de Funès. Je croise sur le plateau un copain en quête d'emploi et qui me demande :

— Qu'est-ce que tu fais ici ?

— Moi, je tourne!

Deux semaines après je rencontre le même copain sur le plateau des studios de télévision des Buttes Chaumont. Il me pose la même question. Même réponse :

— Je tourne!

Quelque temps après le hasard nous réunit à nouveau aux plateaux des studios de Billancourt; il me réitéra sa question, et il reçut encore la même réponse :

— Je tourne!

Alors il me tira loin des autres et me fit à voix basse :

— Dis-moi, tu n'arrêtes pas! Je t'en prie, dis-moi ton secret!

Je lui glissai alors à l'oreille :

— Ma grand-mère était une négresse à plateau.

***

Monsieur et Madame sont en train de passer au crible le budget de la famille. Rien ne va plus car les dépenses sont trop élevées. Généralement en ces circonstances on cherche à éliminer des choses qui paraissent futiles et qui pourtant à leur acquisition étaient utiles. C'est ainsi que le mari fait remarquer à sa femme :

— Et cette cuisinière ? Elle coûte cher, cette cuisinière ? Avoue que si tu étais douée en cuisine, on s'en passerait bien de cette cuisinière.

Alors sans rougir, la femme rétorque à son mari :

— Et toi! Avoue que si tu faisais bien l'amour, on se passerait bien d'un chauffeur.

***

Un cannibale et son fils sont dans la forêt; le père enseigne à son enfant la nature végétale et organique, et surtout comment dépister un gibier et l'art de s'en emparer. Tout à coup un avion les survole et l'enfant cannibale dit à son père :

— Oh papa, regarde ce gros oiseau qui passe au-dessus de nos têtes.

Et le père répond, avec la sagesse des enseignants :

— Tu sais, mon fils, ce genre d'oiseau, ce qu'il y a de meilleur se trouve à l'intérieur.

***

Un avion russe en provenance de Moscou s'abat dans la jungle africaine; aussitôt les cannibales se précipitent pour voir s'il y a des rescapés à cette catastrophe. Catastrophe, bien sûr, pour les cannibales car tout risque de brûler, et les corps des voyageurs ne seront pour eux d'aucune utilité. Par bonheur le pilote sort de cet accident sain peut-être mais sauf, ça c'est une autre histoire.

A peine s'était-il remis sur ses deux jambes qu'il aperçoit un groupe de cannibales qui foncent droit sur lui. Croyant la politique de son pays souveraine, le pilote essaye d'user de la diplomatie :

— Bonjour, camarade! Moi venir de Moscou! Moi camarade, moi ami, ami!

Le chef des cannibales se met alors à lui rendre ses politesses avec un air narquois.

— Bonjour, camarade! Toi ami, ami!

Le bras droit du chef relève alors cette intrusion idéologique et énergiquement fait remarquer :

— Mais c'est un Russe! Vous n'allez quand même pas pactiser avec ces gens-là.

Et tout doucement le chef lui répond, plein de malice :

— Tais-toi donc! Depuis le temps que je rêve d'une salade russe.

***

Marius, le bon vieux Marseillais, confortablement installé à la terrasse d'un café et entouré de ses amis, raconte ses aventures galantes.

Son récit commence ainsi :

Nous étions donc en train de jouer aux boules et j'étais prêt à pointer, lorsque passa devant nous une superbe fille avec une robe qui lui moulait tout le corps. Ma parole elle cherchait à nous provoquer tous par sa démarche : elle se tortillait les fesses, elle se les tortillait... Et nous étions tous là, en train de la regarder, que dis-je, en train de la dévorer des yeux...

Et un cannibale assis non loin du groupe de Marius, et qui a tout entendu, s'écrie :

— La dévorer des yeux! Quel gâchis!

***

Dans une petite pharmacie de quartier pénètre une Martiniquaise qui s'adresse à la préparatrice en ces termes :

— Pa'don, Madame, je voud'ais de la poud'e de'iz!

— Pardon ? lui fait la préparatrice, très surprise.

— Je voud'ais de la poud'e de'iz, reprit la Martiniquaise, avec l'air de se dire : « elle ne comprend rien celle-là! »

Effectivement la préparatrice, qui n'avait pas compris un traître mot de ce que baragouinait cette dame, alla trouver le pharmacien à l'arrière-boutique.

— Pardon, Monsieur! lui dit-elle d'un air embarrassé. Il y a ici une dame de couleur qui me demande de la « poud'e de'iz »

— Ah, oui, oui, lui fait le pharmacien, non surpris mais plutôt souriant. Je la connais, c'est Mme Henriette, elle veut simplement de la poudre de riz!

La préparatrice revient alors emballe à Mme Henriette sa poudre de riz, et celle-ci s'en va.

Le lendemain matin, la même Mme Henriette revient dans la même pharmacie et s'adresse à la même préparatrice :

— Pa'don, Madame, je voud'ais une houpette !

Mais cette fois-ci la préparatrice, qui avait très bien compris, lui répond :

— Je vous prie de m'excuser, Madame, mais le pharmacien n'est pas là !

***

Revenons à nos combles ! Vous en avez l'habitude maintenant. Vous avez toujours le loisir de mesurer votre perspicacité en cachant la réponse avant de la lire. Vous êtes prêts ? Allons-y !

Savez-vous quel est le comble pour un vitrier ?

Réponse : C'est de mastiquer son costume à carreaux !

***

Si on tient compte de la durée légale d'un gouvernement, qui varie entre cinq et sept ans suivant les pays, on peut dire qu'en Afrique les gouvernements se succèdent à une vitesse vertigineuse. A peine des dirigeants sont-ils en place qu'on cherche à les déloger pour des raisons souvent mal connues.

Cette histoire se passe donc dans un pays d'Afrique. Ce pays n'a pas échappé à la dure loi de succession, et un des ministres qui viennent de renverser le pouvoir pour s'en emparer tient meeting devant la population.

Avec une ferme conviction le ministre déclare alors :

— Mes amis, chers frères, camarades ! Nos prédécesseurs ont laissé le pays dans un triste état ! Les caisses de l'Etat sont dilapidées ! Ils ont tout emporté avec eux ; bref, ils ont laissé le pays devant un gouffre géant ! Eh bien nous, nous ferons un grand pas en avant.

***

Dans mon petit village vivait un homme d'une radinerie exceptionnelle.

Tout le monde lui reconnaissait ce vilain défaut, et les gens s'accordaient à dire :

— Il se battrait avec une mouche pour essayer de lui arracher son beurre.

Le seul compagnon de cet Harpagon était Abdou, un sexagénaire, moins avare peut-être, mais lui aussi très près de ses sous.

Un soir, alors que notre Harpagon trouvait difficilement le sommeil, sa femme lui demanda :

— Mais que t'arrive-t-il ? Tu ne cesses de te tourner et te retourner ! Tu ne peux pas dormir ?

— Non ! lui répondit le mari.

— Qu'est-ce qui te hante si fort pour t'empêcher de dormir ? s'inquiète la femme.

— Je dois de l'argent à Abdou.

— Rien que ça ! répliqua la femme. Attends, tu vas voir !

Elle se leva, ouvrit la fenêtre et cria :

— Abdou, Abdou !

— Oui ! répondit Abdou dont les fenêtres étaient justement en face.

— Mon mari te doit de l'argent ?

— Oui !

— Eh bien, il te payera pas !

Elle referma sa fenêtre, vint se coucher et dit à son mari :

— Maintenant tu peux être tranquille, c'est lui qui ne va plus dormir !

***

Un jeu radiophonique est lancé et chacun y participe pour remporter des prix ma foi non négligeables. Le principe en est très simple : le meneur de jeu indique aux candidats trois fois trois chiffres et le participant doit donner en trois secondes l'image populaire que rappellent ces chiffres. Les concurrents défilent donc devant le micro jusqu'au tour d'un prêtre à qui l'animateur demande :

— Mon père à quoi pensez-vous si je vous dis : 31 ?

Et sans hésiter le prêtre répond :

— Etre bien habillé !

Toute la foule applaudit avec des : bravo, mon père!

— Et si je vous dis, mon père, reprend le meneur de jeu, si je vous dis : 22 ?

Et sans la moindre hésitation l'ecclésiastique répond :

— Les flics!

Il y a alors une tollé général pour soutenir et encourager le prêtre à qui il ne reste qu'un seul tour pour remporter un prix doté d'un million de francs.

— Et maintenant mon père, fait remarquer l'animateur, une seule réponse, et vous remportez le million de francs. Attention! Silence autour. Concentrez-vous, mon père. On ne souffle pas! Ça y est, mon père ? Voici la question : A quoi pensez-vous si je vous dis...

Tout le monde prête l'oreille : assistance et auditeurs; et l'animateur fait durer le suspense :

— Vous êtes bien attentif, mon père ? Ecoutez bien ce chiffre! A quoi pensez-vous si je vous dis : 69 ?

Un brouhaha alors s'élève, l'animateur réclame le silence, le prêtre se tord les doigts, connaissant la réponse mais visiblement gêné de la dire. Le meneur de jeu commence alors le compte à rebours :

— Plus que deux secondes... une seconde et demie...

La foule crie, hurle :

— Allez-y, mon père, dites-le... Y a un million à prendre.

Et tandis que le décompte fatal du temps se poursuit, à la demi-seconde l'ecclésiastique se lève et déclare :

— Je donne ma langue au chat!

***

Un enfant cannibale revient de l'école et sa mère le reçoit avec plus d'affection que d'habitude. Il faut dire qu'avant le retour de l'enfant la mère s'était posé une multitude de questions :

— Comment vais-je lui annoncer ça ? Comment réagira-t-il ? En sera-t-il

affecté jusqu'au point d'en être traumatisé ?

Toutes ces questions qu'elle se posait venaient du fait que le seul compagnon de jeux de l'enfant, un chiot de trois mois, qui répondait au nom de Baba, avait été écrasé alors que l'enfant était encore à l'école. La mère reçoit donc son enfant avec beaucoup d'affection, s'enquiert de sa journée l'école, lui prépare une tartine de pâté de missionnaire pour son goûter, et avec beaucoup de courage lui annonce :

— Tu sais! Baba est mort.

Sans une réaction démesurée, l'enfant continue à avaler ses tartines, à la fin, il fait une prière pour le pauvre missionnaire et dit à sa mère :

— Maintenant je vais jouer dans le jardin; où est Baba ?

Très surprise la mère lui répond :

— Tu vois comme tu es! Tu n'écoutes même pas quand je te parle! Je t'ai dit tout à l'heure que Baba était mort.

Comme foudroyé, l'enfant se laisse tomber par terre, se roule en hurlant de toutes ses forces.

Maternelle, la mère le soulève :

— Mais mon chéri, tu n'as rien dit tout à l'heure quand je t'ai annoncé que Baba était mort!

Et tout en pleurant l'enfant cannibale répond :

— J'avais compris « papa est mort ».

***

Dans un asile psychiatrique, la directrice procède à un examen d'un de ses pensionnaires qui présente des symptômes de guérison.

Cet examen consiste à montrer au malade des figures géométriques et celui-ci doit deviner ce qu'elles représentent. La directrice dessine donc un cercle, le place devant le fou supposé guéri et lui demande :

— Dis-moi, ça, qu'est-ce que ça représente ?

Le fou réfléchit pendant un certain temps et répond :

— Ça ? Ça représente un chat !

— Un chat ! lui fait la directrice. Et pourquoi donc ?

Et le fou lui rétorque :

— Parce que : ron, ron, ron.

— Bon ! dit la directrice qui dessine une autre figure géométrique, cette fois-ci un carré. Suivant le même procédé elle le place devant le fou et lui demande ce qu'il signifie :

— Ça ? dit le fou toujours en réfléchissant. Ça ? Ça représente un canard !

— Et pourquoi un canard ? interroge la directrice.

— Parce que : coin, coin, coin, répond le fou, heureux de sa trouvaille.

Voulant peut-être approfondir l'examen et changer radicalement les épreuves, la directrice se déshabille, ôte son soutien-gorge, tient ses deux seins des deux mains et demande à son pensionnaire :

— Et ça ? Qu'est-ce que ça représente ?

Imperturbable, le fou lui répond après une minute de réflexion :

— Ça, Madame, ce sont des essuie-glace.

— Puis-je savoir pourquoi ? fait la directrice.

Le fou se lève alors, et rythmant sa tête aux mouvements des essuie-glace il embrasse l'un après l'autre les seins de la directrice en émettant, d'une façon synchronisée à ses mouvements de tête, le bruit que l'on fait en embrassant quelqu'un sur la joue.

***

Une fille de dix-huit ans se confesse au curé du village :

— Mon père ! dit-elle, hier, je suis sortie avec Jean-Pierre ; nous sommes allés dans les bois pour cueillir des fraises. Alors qu'on était en train de bavarder, tout-à-coup Jean-Pierre s'est mis à me caresser. Moi je ne voyais pas de mal à ça et je n'ai rien dit. Alors il s'est rapproché de moi, me caressait de plus en plus fort et subitement il m'a embrassée. Je n'ai pas voulu le repousser, parce que susceptible comme il est il se froisserait. Il me serrait de plus en plus fort, me caressait tout le corps et ses baisers étaient de plus en plus chauds. Evidemment pour ne pas paraître gourde, je lui ai rendu la monnaie de sa pièce, et c'est alors qu'il m'enleva la culotte, baissa son pantalon et...

A ce moment précis de son récit, la voix de la fille tombe le curé ne peut saisir les détails précis, absolument nécessaires pour obtenir l'absolution. Il prie alors la confessée d'élever un peu la voix :

— Parle haut, ma fille !

— Ah non, mon Père ! s'écrie la fille. Par le bas.

***

Et une devinette ! Une !

Procédez toujours de la même façon : vous cachez la solution avant de la lire, et vous essayez de deviner la réponse exacte ! Vous y êtes ? Allons-y !

Quelle est la différence entre un accident et une catastrophe ?

Réponse : Si votre belle-mère tombe dans l'océan et va se noyer, c'est un accident. Mais si jamais on la repêche à temps, ça c'est une catastrophe.

***

Un garçon très peu doué, il faut bien le dire, est placé en stage dans un grand restaurant parisien. Le maître d'hôtel lui inculque l'art et la manière de recevoir, la façon élégante de servir, bref, toute l'éducation qu'il faut à un garçon de restaurant pour être stylé.

Un soir, un monsieur bien habillé se présente au seuil du restaurant ; le garçon l'accueille et ce client, certes précieux mais capricieux, demande à ce stagiaire jugé confirmé :

— Dites-moi, mon garçon ! Est-ce que vous servez les nouilles ici ?

Et le garçon avec un grand sourire lui répond :

— Monsieur, nous servons tout le monde.

***

Mon cousin cannibale, avec qui je travaillais dans une entreprise, lance un jour une grande invitation. Tous nos camarades de travail étaient là ; l'organisation était parfaite et rien ne manquait. Pour la viande, n'en parlons pas, il y en avait pour le double des invités et Dieu sait qu'ils étaient nombreux. Avec le prix de la « bidoche » qui monte en flèche, je m'inquiétai des folies qu'avait pu faire mon cousin, aussi lui demandai-je :

— Mais comment as-tu pu faire ton compte, toi ?

Se dérobant presque, mon cousin me répondit :

— Ne t'inquiète pas, tu le sauras tout à l'heure.

Douze heures trente. Tous les convives sont à table. J'étais placé près de mon cousin et nous mangions de bon appétit. Tout d'un coup mon cousin me glissa à l'oreille :

— Dis-moi, tu aimais bien notre patron de l'usine ?

— Ben oui! lui dis-je, ne sachant pas exactement où il voulait en venir.

— Eh bien! me fit-il, reprends-en un morceau.

***

Deux étudiants cannibales qui ont terminé leurs études en Europe rentrent au bercail. Les habitants de leur village natal conjuguent leurs efforts et les reçoivent avec tous les honneurs. Bien sûr dans ces circonstances il faut tuer le missionnaire gras : chose faite.

Malheureusement, et cela se comprend, leur long séjour en Europe a quelque peu déraciné nos deux cannibales et fait oublier les traditions ancestrales. Ainsi, lorsque le repas est servi et que tout le monde plonge dans la même grande cuvette pour y pêcher du missionnaire, nos deux héros se

regardent et l'un d'eux glisse à l'oreille de son ami :

— C'est bon, mais ça ne vaut pas le restaurant universitaire.

***

Par un bel après-midi d'été Samba le fou se promène en scooter. Il est tout heureux de posséder ce nouvel engin, et la vitesse ne lui fait pas peur. A l'angle d'une rue, il aperçoit son ami Demba qu'il invite fièrement à goûter les ivresses de la machine.

Les voilà donc tous deux partis après un démarrage fougueux et roulant à très vive allure. Samba, qui conduit, semble défier la mort. Demba, à qui rien ne fait peur, est collé contre le conducteur et à chaque changement de vitesse le passager émet des :

— Ouf, ouf, ouf...

Samba prend un virage à cent cinquante kilomètres à l'heure, et Demba fait :

— Ouf, ouf, ouf...

Samba redouble sa vitesse et fonce à tombeau ouvert, et Demba fait toujours :

— Ouf, ouf, ouf...

Arrivés à une fontaine, Samba s'arrête. Les deux fous se rafraîchissent et le conducteur demande à son compère :

— Il te plaît, mon scooter ?

— Ah oui, c'est extra! répond Demba dans un emportement de joie.

— Mais dis-moi! s'inquiète Samba, pourquoi tu faisais tout le temps ouf, ouf, ouf ?

— Tu sais! lui rétorque Demba, mon grand-père est mort en scooter, et il n'avait pas eu le temps de faire ouf!

***

Un vétérinaire tombe malade. Pendant trois jours il garde le lit et le quatrième jour sa femme se décide à appeler le médecin. Le toubib s'amène et demande à son patient :

— Alors de quoi souffrez-vous ? Où avez-vous mal ?

Et le vétérinaire de lui répondre :

— Ecoutez-moi, mon cher charlatan, je soigne des bêtes à longueur de journée, mais je ne leur demande jamais de quoi elles souffrent, et où elles ont mal ! Alors débrouillez-vous.

— Ah bon ! fait le médecin. Il sort son stéthoscope, ausculte le vétérinaire et fait une prescription :

— Madame ! dit-il à la femme du vétérinaire. Vous lui donnerez un comprimé matin, midi et soir ! Et si ça ne va pas, on l'emmène à l'abattoir.

***

Dans ma carrière de comédien, l'événement anecdotique qui m'a le plus marqué jusqu'ici est celui qui m'est arrivé au théâtre de la Renaissance, alors que nous jouions « Les Nègres », de Jean Genet.

Je dois vous préciser que cette pièce fut créée au Théâtre de Lutèce, mais je ne faisais pas partie de la création; je n'ai donc pu la jouer qu'à la reprise. Tous mes copains, bien sûr, connaissaient toutes les farces qu'on pouvait s'y faire, aussi prenaient-ils leurs dispositions pour se mettre à l'abri d'une éventuelle plaisanterie. Mon rôle dans cette pièce fut celui d'un missionnaire qui, pendant les trois quarts de la durée du spectacle, avait le visage masqué. Le seul moment où le public découvrait le vrai visage du missionnaire était celui des adieux : un discours pathétique que toute l'assistance écoutait avec recueillement. Ce fut le moment où je devais subjuguer mon public avec des mots percutants et un jeu adéquat.

Je dois aussi vous signaler que suivant mes habitudes, et ne prenant aucune précaution comme mes camarades, je laissais toujours mon masque sur scène pendant les quelque dix minutes d'entracte.

Le soir de la dernière représentation, je me place à l'avant-scène, commence mon discours, enlève mon masque, et

grande fut ma surprise lorsque la salle, dans un tollé général, éclate de rire. Je me retourne alors discrètement vers mes copains pour connaître la cause de cette hilarité et eux aussi furent gagnés par le rire. Ils ne riaient peut-être pas ouvertement comme la salle, mais chacun pouffait dans son coin et cherchait à le dissimuler, ce qui, malheureusement, augmenta les rires de la salle. Que n'avais-je pas fait là pour le metteur en scène qui s'y trouvait justement ce soir-là ! A la fin du spectacle, je n'avais même pas eu le temps de regagner ma loge qu'il me coinça dans les coulisses, me traita de tout pour me signifier en fin de sermon qu'il ne voudra plus jamais travailler avec moi.

Et je vous le donne en mille, je ne connaissais toujours pas la cause de tout cela. La seule chose que je savais c'est que je faisais rire, et je me faisais disputer.

Sachant qu'il n'y a que les glaces qui restent indifférentes aux images qu'elles reflètent, je me précipitai dans ma loge pour interroger la mienne. Quand j'ai vu la tête que j'avais, je n'ai pu moi-même me retenir : j'ai éclaté alors de rire, et d'un rire démentiel.

C'est seulement plus tard, beaucoup plus tard, que j'ai connu le responsable de mes rires et de mes sermons d'un soir : une des copines avait subtilement, pendant l'entracte, enduit l'intérieur de mon masque de poudre blanche, ce qui me valait, c'est le cas de le dire, une gueule enfarinée.

***

Dans le métro, aux heures de pointe, les compartiments sont bourrés de monde. On se presse, on se bouscule, les passagers s'agglutinent et le moindre mouvement devient gênant; en ces circonstances la galanterie fait place à la hargne, à la grogne, et, il faut bien le dire, les places assises dans le métro valent de l'or à ces moments-là. Il y avait alors deux Noirs qui occupaient deux places assises et qui, loin des tracas des autres, bavardaient calmement. Tout à coup, une dame à côté d'eux les interrompt dans leur discussion pour leur dire :

— Messieurs, ici vous êtes en France! Et ici on cède les places assises aux femmes.

Et un des Africains lui rétorque sans hésiter :

— Oui! Et les vieilles comme vous, chez nous on les bouffe!

***

Un cannibale complètement ivre rencontre son copain; celui-ci, voyant l'état dans lequel se trouve son ami, l'aide à regagner le foyer.

Une fois à la maison l'ivrogne tient coûte que coûte à ce que son ami visite les lieux et malgré les protestations de celui-ci, il est entraîné au salon par ce guide qui titube et qui hoquette :

— Tiens! lui dit-il, ici c'est mon salon...

— Oui je sais, je sais... mais...

— Non non, c'est pas fini, dit-il en l'entraînant ailleurs. Ici, c'est la cuisine avec ma grosse marmite pour les missionnaires.

— Parfait, parfait, mais je voudrais rentrer, fait l'autre.

— Non, non, attends, attends! T'as pas encore tout vu!

Il l'entraîne jusqu'à la salle de bains :

— Ici, c'est la salle de bains. Je me lave ici, matin, midi et soir.

— Oui, c'est très, très, très bien, mais je...

— Non! Non! Non! T'as pas encore tout vu!

Et il l'entraîne jusqu'à la chambre à coucher :

— Tu vois, ça, c'est ma chambre à coucher. Ce qu'il y a au milieu, c'est mon lit; et ce qu'il y a au milieu de mon lit, c'est ma femme; et tu vois, cet homme en train de bouffer ma femme, ben, c'est moi.

***

Jouons encore au jeu de la perspicacité avec les devinettes. Lisez la réponse après avoir essayé de la trouver. Allons-y!

Savez-vous pourquoi les éléphants à une certaine distance ne peuvent guère voir ?
Réponse : Parce qu'ils portent : défense d'ivoire!

Et quel est selon vous l'animal le plus sobre ?
Réponse : C'est le zébu! Parce que quand z'ai bu, z'ai plus soif!

***

Un agent de police, qui a terminé son travail, tranquillement rentre chez lui. Arrivé à la maison et par délicatesse il se déshabille dans le noir pour ne pas réveiller sa femme. Au moment de gagner son lit sa femme lui dit :

— Albert, tu ne veux pas descendre me chercher des médicaments à la pharmacie, j'ai une affreuse migraine qui m'empêche de dormir ? Mais je t'en prie, ajoute-t-elle, n'allume pas, la lumière me fait souffrir.

Alors Albert s'exécute, enfile un pantalon et une veste et descend rapidement chez le pharmacien qui, très surpris, lui demande :

— Ben Albert! Depuis quand tu es pompier ?

***

Deux villages en Afrique sont séparés par un lac; mais attention, il ne s'agit pas de n'importe quel lac! Celui-ci jouit d'une renommée nationale. L'histoire raconte que jadis un saint homme l'avait traversé à pied, malgré sa profondeur de dix-huit mètres; aussi ce lac attire-t-il de nombreux pèlerins tous les ans : c'est le Gange de l'Afrique.

Pour se rendre d'un village à l'autre, un système de passage assuré par un bac a été établi; bien sûr, pour chaque

145

MANITOUWADGE PUBLIC LIBRARY

passager ou véhicule le propriétaire du bac perçoit un droit de passage, ce qui est logique.

Vient un jour un voyageur à bord d'une petite camionnette pour traverser le lac; le transporteur, comme à tout le monde, lui réclame deux cents francs.

— Quoi ? fait le camionneur. Deux cents francs pour traverser ce lac! Eh bien, je comprends maintenant pourquoi le saint homme l'avait traversé à pied.

***

Un étranger dans une ville de province a toutes les peines du monde à trouver une chambre d'hôtel. Partout où il se présente, il reçoit la même réponse ou se heurte au même écriteau : complet!

Jouant sa dernière chance, sans conviction d'ailleurs, il se présente au dernier hôtel de la ville et supplie le réceptionniste :

— Ecoutez, Monsieur, vous n'avez même pas un divan, un canapé, tenez, je me contenterais même d'une baignoire.

Et le réceptionniste lui répond :

— Je viens de louer ma dernière chambre à un Sénégalais; la chambre comporte un grand lit et un cabinet de toilette; la seule chose que je peux faire c'est lui demander s'il veut bien accepter de partager la chambre avec vous!

— Ah, mon cher Monsieur! reprend le voyageur suppliant. Faites, faites, il fait très froid et il n'y a aucune chambre disponible dans la ville. Le veilleur de nuit réveille donc le Noir qui aimablement accepte ce compagnon de dernière minute. Avant de le quitter le voyageur demande au réceptionniste de le réveiller sans faute à six heures car il a une longue route à faire; sur ce, il gagne la chambre du Noir et s'installe confortablement dans le lit. Vers trois heures, le Noir se réveille et les rayons de lune qui passaient à travers la fenêtre éclairaient la masse inerte et blanche du voyageur

Ce spectacle de blancheur est insupportable pour le Sénégalais qui commence à avoir la chair de poule. Pour changer ce tableau, il s'empare de son cirage, en enduit le corps du Blanc et se recouche. Six heures sonnent, le veilleur de nuit réveille le Blanc qui, somnolent encore, gagne le cabinet de toilette pour se raser; visiblement il n'avait pas assez dormi et ouvrant un œil devant la glace, il est fou de rage :

— Ah le distrait! s'exclame-t-il. Il s'est trompé! Il a réveillé le Noir!

***

Un ouvrier, concasseur de pierres, travaille le macadam; par malchance, il glisse sur une pierre, tombe dans le goudron, et le rouleau compresseur l'aplatit complètement. Ses coéquipiers, peinés par cet accident, se demandent comment l'annoncer à sa femme, et qui voudra bien s'en charger. Le hasard désigne le contremaître — à tout seigneur tout honneur — qui se présente donc chez la femme. Il sonne, elle ouvre et hésitant, se tordant le béret, il finit par dire :

— Pardon, Madame, votre mari était-il blanc et trapu ?

— Oui, Monsieur! lui fait la dame.

— Eh bien, maintenant, il est noir et tout aplati.

***

Un Sénégalais arpente la promenade, le long du Lac, à Genève. Croisant un passant, il lui demande sa route avec un accent bien naturellement sénégalais. Le Genevois répond :

— Mais dites-donc, vous n'êtes pas d'ici, vous ?

— Non, rétorque notre Sénégalais, je suis de Lausanne!

***

Un titi parisien habitant le faubourg se promène un jour sur les Champs-

146

Elysées. Tout à coup, il aperçoit un gentleman anglais, habillé comme à la cour de la reine Elisabeth, et qui boit son thé à la terrasse d'un café. Fou de rage, le titi parisien s'approche de lui, le prend par le collet et le secoue comme un prunier. Surpris, cet Anglais se demande :

— Mais que m'arrive-t-il ? Que vous ai-je fait ?

— Salaud ! fait le titi parisien. C'est vous, les Anglais, qui avez tué Jeanne d'Arc !

Toujours avec le flegme britannique, l'Anglais répond :

— Mais, mon cher ami, tout ça n'est qu'histoire ancienne, elle date de plus de cent ans !

Et le titi parisien lui rétorque :

— Je ne veux pas le savoir, moi je viens de l'apprendre à l'école.

***

En un moment donné, il fut impossible en Afrique de trouver le moindre petit Blanc à bouffer. L'Eglise avait rappelé tous ses missionnaires, et l'administration civile rapatrié tous ses fonctionnaires, et bien sûr leur famille avec. Les cannibales avaient battu toutes les campagnes et villes, mais pas la moindre trace de « Rouges Oreilles » (c'est ainsi qu'en Afrique on appelle le Blanc).

Avec cette pénurie, les cannibales observaient la disette en attendant des jours meilleurs. Tout le monde était à l'affût de la moindre nouvelle jusqu'au jour où le tam-tam résonna pour signaler, on ne sait comment, la présence d'un Français nommé Guy, traqué de toute part, et qui réussissait à déjouer les pièges les plus subtils qui lui étaient tendus.

Comme vous vous en doutez, cette nouvelle mettait tous les villages en effervescence et ameutait des populations entières.

Durant quinze jours nul ne dormit. C'est par une nuit du mois d'août que mon cousin, le plus astucieux des cannibales, mit fin à la calvacade de Guy. Le tam-tam retentit une deuxième fois et transmit ce message :

— Nous avons Guy dans nos filets, nous avons Guy dans nos filets.

Et la réponse à cette diffusion fut :

— Alors ce soir, vous vous payez du luxe.

***

Partout dans le monde, les ménagères, quand elles se rencontrent, ne peuvent s'empêcher de parler denrées, plats, cuisine et art culinaire. Les ménagères cannibales n'échappent nullement à cette règle. Après s'être approvisionné donc en missionnaire, explorateur et autre chair de choix d'Oreilles Rouges, nos ménagères cannibales parlent d'accommodement et des plats adéquats à chaque type appartenant aux différentes races.

Pour l'une d'entre elles, l'Italien ne peut s'accommoder avec rien d'autre que des pâtes; et rien à tirer de leurs pattes car elles se présentent toujours en baguette : impossible d'en réussir une bonne soupe à l'italienne. Pour la deuxième, elle n'a jamais réussi le Français qu'au vin, à cause, précise-t-elle, du trop-plein du beaujolais qu'ils ingurgitent.

Quant à la troisième, enfin, elle ne veut plus entendre parler d'Américains car, avoue-t-elle, malgré la masse qu'ils procurent, la chair reste gluante et s'étire comme du chewing-gum.

***

A Bruxelles, un Français entre dans un café et surprend la conversation de deux personnes plus ou moins étranges. Il s'agit d'un monsieur qui affiche la cinquantaine et d'un jeune homme qui n'a guère que vingt-cinq ans.

Le vieux monsieur disait, avec l'accent bruxellois :

— Ben, faudrait'i, moi, que je songe à rentrer !

147

— Et où habitez-vous donc ? lui demande le jeune.

— Moi ? Je demeure rue du Vieux Marché !

— Ben! Moi aussi je demeure rue du Vieux Marché !

— Ben! C'est bizarre ça! Et on s' connaît pas !

— Ben! Ça s'arrose, qu'il fait le jeune. Garçon, deux cognacs !

— Et à quel numéro de la rue du Vieux Marché vous habitez ?

— Moi ? J'habite au 144.

— Ben! Moi aussi j'habite 144 rue du Vieux Marché !

— Ben! Et on s' connaît pas ! Ça s'arrose ! Garçon, deux cognacs !

— Et à quel étage du 144 de la rue du Vieux Marché vous habitez ?

— Ben! Moi j'habite au deuxième à gauche du 144 de la rue du Vieux Marché.

— Ben! Moi aussi j'habite au deuxième à gauche du 144 de la rue du Vieux Marché.

— Ben! Et on s' connaît pas ! Ça s'arrose ! Garçon, deux cognacs ! En fin de compte, ils quittent le café tous les deux, dans les bras l'un de l'autre et cherchant toujours à se connaître. Une fois qu'ils sont partis, le Français demande au barman :

— Mais dites-moi, qu'est-ce que c'est ces deux personnes qui habitent le même quartier, la même rue, le même appartement, et qui ne se connaissent pas ?

Alors le garçon lui répond :

— Ils sont tellement ivres qu'ils ne se reconnaissent pas, mais c'est le père et le fils.

***

Cher lecteur, je vous aurais bien raconté une autre histoire belge, mais voyez-vous, j'ai pas la frite !

***

Un Ecossais tombe dans un puits et crie hardiment : « Au secours, au secours, sauvez-moi, sauvez-moi, je me noie, je ne sais pas nager, au secours, au secours ! »

Un passant qui avait entendu ces lamentations se précipite, se penche et dit à l'Ecossais :

— Donnez-moi la main !

Malgré le danger qui le guette, l'Ecossais retient sa main en se disant :

— Donner ! Ah non, non, non !

Et le sauveur se reprend :

— Alors prenez ma main !

L'Ecossais soupire et en souriant dit au passant :

— Ah ça, oui !

***

Le maître d'hôtel se plante à la sortie de son restaurant et avec des courbettes remercie sa clientèle de son aimable visite :

— Merci beaucoup de votre visite, dit-il à un monsieur. Comment avez-vous trouvé notre steak ?

Et le client de répondre :

— Tout à fait par hasard, sous un petit pois.

***

Un clochard pénètre dans un café et s'adresse au patron :

— Mon bon monsieur ! Ça fait trois jours que je n'ai pas avalé une seule miette de pain. Par charité chrétienne pourriez-vous me donner un sandwich au jambon ?

Furieux, le patron veut le chasser en argumentant :

— Un sandwich au jambon ! Si j'en donne à tout le monde, y'a qu'à fermer ma baraque.

Le clochard reprend :

— Alors, donnez-moi un sandwich au pain !

— Un sandwich au pain ? fait le patron du café. Qu'est-ce que c'est ça ?

Et le clochard précise :

— C'est deux tranches de jambon et du pain au milieu.

***

Un cannibale rend visite à son beau-frère cannibale. L'hospitalité qu'il reçoit est particulière, et les bienfaits dont il est gratifié démesurés. Au bout de trois jours, le beau-frère s'inquiète quand même de l'absence de sa sœur, et le mari ne dit aucun mot d'elle. Ne pouvant plus se retenir, il interroge son beau-frère :

— Et ma sœur, qu'est-elle devenue ?

— Ah ta sœur ? Je savais qu'on en viendrait là, fait le mari en s'échauffant. Parlons-en de ta sœur! La maigreur en en personne, oui! Ben, ne me crois pas si tu veux, mais nous étions là, assis en train de dîner... Elle était tellement maigre, ta sœur, que je l'ai confondue avec les grains de riz.

***

Le Congo avait un problème grave à résoudre d'une façon imminente. A une époque de l'année les rivières devenaient trop poissonneuses, à tel point que les bestioles débordaient du lit des cours d'eau et venaient mourir sur les berges. Bien sûr, avec le soleil torride, la décomposition se fait très rapidement, et l'odeur du poisson en putréfaction se sent à des dizaines de kilomètres à la ronde, ce qui n'arrangeait guère le tourisme.

Pour enrayer ce fléau on s'adressa au gouvernement belge qui n'hésita pas à envoyer des experts, lesquels parcoururent le pays de long en large, firent des prélèvements et des analyses, et en conclusion tinrent conseil avec les membres responsables du gouvernement congolais.

— Messieurs! disent les Belges. Une seule solution s'impose. Après concertation des membres de notre délégation, nous sommes tous tombés d'accord : Pour tuer vos poissons de vos rivières, noyez-les dans vos fleuves.

***

Le comble d'un lecteur qui veut se détendre, c'est de lire des combles. Alors vous allez être comblés! Mais n'oubliez pas nos bonnes habitudes : nous cachons toujours la réponse avant de la lire pour mesurer ainsi notre perspicacité. Sommes-nous prêts? Allons-y!

Savez-vous quel est le comble pour un électricien ?
Réponse : C'est de faire volte-face devant une chute de tension.

Et qu'est-ce qui est ovale, toujours mouillé avec des poils autour ?
Réponse : C'est l'œil.

Et qu'est-ce que ça fait, un Chinois sur un arbre ?
Réponse : Un Chinois de moins sur terre!

***

Jean, à qui ses supérieurs répétaient très souvent « Vous avez un bel avenir devant vous », voulut en avoir le cœur net. Aussi alla-t-il consulter une voyante renommée.

A peine avait-il pris place devant la boule de cristal que la voyante lui dit :

— Je vous vois avec un bel avenir, je vous vois avec un bel uniforme; vous gravirez les échelons...

Et Jean se leva en disant à la voyante :

Ne vous fatiguez pas, Madame! Je suis pompier!

***

Dans une salle de classe où on comptait un enfant cannibale dans l'effectif, le maître demande un jour :

— Savez-vous la différence qui existe entre un cornichon et un corbillard ?

Alors que les autres enfants s'évertuaient à donner différentes réponses imaginées, l'enfant cannibale se leva et déclara fermement :

— Y'en a pas, Monsieur!

149

— Ah bon ! fait le maître. Et pourquoi ?

Et l'enfant cannibale de répliquer :

— Tous deux accompagnent de la viande froide !

***

Un banquier, un jour, revient du travail et son fils lui pose la question suivante :

— Papa, qu'est-ce que c'est le capital travail ?

Et le père de répondre :

— Mon fils, si tu prêtes de l'argent, c'est un capital. Mais quand tu veux le récupérer, ça c'est le travail !

***

Un prêtre cannibale, ayant des fidèles cannibales comme lui, prêche son sermon. Il parle de paradis, de l'enfer, de la création du monde, de nos premiers ancêtres. A propos de nos ancêtres, le prêtre pose la question suivante :

— Savez-vous pourquoi Dieu créa Eve ?

Un cannibale aux longues dents blanches se lève précipitamment et dit :

— Parce qu'il n'avait rien à se mettre sous la dent (l'Adam).

***

Dans une école de province il n'y avait qu'un seul et unique enfant noir. Il était alors la risée de tous ses copains. Autant vous dire que ce jeune Noir en a vu de toutes les couleurs. Sans désemparer, il rendait toujours la pareille avec beaucoup d'humour.

C'est ainsi qu'un jour un de ses copains s'approche et lui dit :

— Mais t'es pas blanc, toi !

Sans hésiter l'enfant noir lui rétorque :

— Ma parole, tu es daltonien, ou tu n'y vois que du noir ! Tu ne vois pas que je suis blanc avec un gros point de beauté.

***

Un pâtissier auvergnat s'adresse à un bureau de placement pour embaucher une vendeuse. Evidemment, avec le caractère économe qu'on leur connaît, cet Auvergnat voudrait un personnel qui défie toutes les lois de la tentation. Aussi, lorsque le préposé du bureau de placement demande au pâtissier le genre de fille qu'il aimerait avoir, celui-ci lui répond :

— Surtout, je veux une fille diabétique.

***

Deux flics cannibales interrogent un malfaiteur. L'interrogatoire est infernal, et ils font un bruit de tonnerre de Dieu. Tout d'un coup tout se tait, pas le moindre bruit : un silence complet.

Cette brusque chute de tension intrigue le commissaire qui va voir le déroulement des opérations. Il trouve alors ses deux agents en train de bouffer avec une grosse marmite à côté d'eux.

— Alors ! demande le commissaire. Comment ça se passe ?

Et l'un des agents lui répond :

— Chef, de la chaise, il s'est mis à table !

***

Un cannibale très souffrant va voir le sorcier du village. Après l'avoir ausculté, celui-ci lui donne des racines et lui recommande surtout de ne plus manger de l'homme, et pour une durée indéterminée. Terrible affaire !

A peine le patient avait-il quitté son patricien que celui-ci éclata de rire en se disant :

— En voilà un au moins qui ne me disputera plus les morceaux d'Oreilles Rouges.

Le temps passa. Suivant son habitude, le sorcier faisait sa tournée dans le village lorsqu'il se heurta à la chose la plus incroyable : le malade avait levé personnellement l'interdit, sans son avis. Et malgré la ferme recommandation du praticien, ce malade était là, avec une marmite pleine de bras, de genoux et de tibias.

Fou de rage, le sorcier tempête :

— Ne vous ai-je pas dit fermement de ne plus manger de l'homme ?

Et le malade calmement lui répond :

— Mais ce n'est pas de l'homme, ça!

— Si ce n'est pas de l'homme, veux-tu me dire ce que c'est ? reprend le sorcier avec furie.

— Ça! fait le malade, ça c'est des pattes alimentaires.

***

Un restaurant du dix-huitième arrondissement avait un mal fou à se faire une clientèle assidue. Il avait beau baisser ses prix, améliorer sa cuisine, rien à faire : tous les soirs il ne comptait que quatre ou cinq couverts, et encore c'était les jours fastes.

Un beau soir, on ne sait par quel miracle, ce fut l'envahissement : une longue file de Noirs attendait impatiemment l'ouverture du restaurant. Durant une semaine, ce fut le même spectacle. Un des commerçants voisins, étonné de ce changement, demanda au patron les vraies causes de cette amélioration, et pourquoi cette clientèle composée uniquement de Noirs. Et le restaurateur de préciser :

— Changement d'enseigne. J'ai simplement mis : ici « Home » blanc.

***

Jeanne d'Arc est sur le bûcher : la foule s'émeut, prie, pleure. On met le feu, des personnes sont consternées, d'autres atterrées; des faibles ou trop sensibles s'évanouissent. Le feu gagne tout le bûcher et en un laps de temps tout est carbonisé, la pucelle avec.

Dans l'assistance se trouvaient deux cannibales qui pleuraient plus que les autres : leur désolation était profonde,

et leur envie de sauver cette femme était immense. Les voyant dans cet état de détresse, un monsieur s'approcha doucement d'eux et leur parla tout bas :

— Je vous prie de m'excuser, mais je vous vois pleurer plus que les autres! Est-ce seulement pour des faits historiques ou y a-t-il un lien quelconque entre vous et la pauvre...

Un des cannibales le coupa net en lui disant :

— Les salauds! Vous ne voyez pas qu'ils ont carbonisé les meilleurs morceaux.

***

Un richard est sur son lit de mort : le prêtre a été appelé pour lui donner l'extrême-onction et ce vieillard faisait d'ultimes efforts pour dicter ses dernières volontés. Tout à coup, c'est le vide autour de lui, ses filles et fils tenaient conseil dans la pièce à côté. Bien que moribond, l'homme entendait la discussion de ses enfants qui se plaignaient :

— Qui va garder le magasin si je vais au cimetière ? fait l'un.

— Et moi ? Mon travail! Tu crois que le patron va me lâcher comme ça ? fait remarquer l'autre.

— Et le corbillard, ça coûte trop cher! précise un troisième.

Alors le mourant les appelle et leur dit :

— Ne vous en faites pas pour moi, j'irai au cimetière à pied.

***

Monsieur et Madame sont couchés; la bougie brûle, qu'est-ce qu'ils font ? Ben, c'est la bougie qui fond !

***

A l'instar des ménagères, les hommes quelquefois parlent de cuisine, avec la seule différence qu'eux, ne rentrent pas dans les détails, et généralement ils ne citent que les plats qu'il leur plaît de bouffer.

Il se trouve qu'au clair de lune les cannibales se réunissent très souvent, et parlent eux aussi de plats. Mais bien souvent cette discussion tourne autour du choix à faire entre différents types de races d'Oreilles Rouges! Chacun donne les raisons de son choix, en essayant de rendre sa théorie piquante pour faire rire ses copains.

Remarquez, il n'y a pas seulement les raisons du choix qui sont déballées; parfois aussi on invoque celles du dégoût; et c'est ainsi qu'un des cannibales condamne sévèrement de manger du Belge.

— Et pourquoi ? lui demandent ses copains.

— Moi je ne les aime pas! On dit souvent qu'ils n'ont pas de cervelle!

***

Dans ma ville natale tombe malade un gros bonnet. Cet homme est immensément riche et comme ses semblables il tourne le dos à l'Afrique et n'a d'yeux que sur l'Europe. Il va donc trouver un médecin européen qui l'ausculte et qui lui spécifie :

— Il va falloir une petite intervention chirurgicale.

Le docteur appelle alors son assistante et lui dit :

— Faites une anesthésie locale à Monsieur.

Alors le gros bonnet bondit et proteste :

— Ah non, docteur, pas anesthésie locale, européenne!

***

Un président d'un pays d'Afrique convoque un jour son ministre de l'Information et lui dit :

— Mon cher Ministre, je suis au regret de vous dire qu'il va falloir vous changer de poste!

— Puis-je savoir pourquoi, monsieur le Président ? demande poliment le ministre.

— Voyez-vous! fait le président avec beaucoup de ménagement, je crois que vous êtes trop chargé. L'affluence du travail vous fait commettre des fautes de français, et beaucoup de fautes.

— Monsieur le Président, ne faites pas ça! supplie le ministre. Ne le faites pas, s'il vous plaît, monsieur le Président. Ce serait la honte pour moi! Je vais essayer de m'améliorer, monsieur le Président!

— Mais vous ne pourrez jamais tenir, fait remarquer le président.

— Si, monsieur le Président! réplique le ministre au bord des larmes. Je tenirai, je tenirai, je tenirai.

***

Et voici maintenant deux petites devinettes (je vous rappelle qu'il faut toujours cacher la réponse avant de la lire).

Savez-vous ce qui est petit, jaune et dangereux ?

Réponse : Un poussin avec une mitraillette!

Et savez-vous pourquoi les Arabes ont le pétrole et les Belges les frites ?

Réponse : Parce que les Belges ont choisi les premiers!

***

Un soir d'été je me promenais avec mon cousin lorsque, empruntant la rue de la Harpe, nous tombâmes sur une dispute assez houleuse. Un boulanger s'en prenait à un client, et tous deux ne mâchaient pas leurs mots. Le boulanger criait de plus en plus fort et harcelait sans cesse son adversaire. Mon cousin se retourna alors vers moi et me glissa à l'oreille :

— La colère du boulanger va croissant!

***

Il fut un temps où c'étaient des hommes-sandwiches qui se promenaient partout avec les pancartes de publicité des spectacles du théâtre des Bouffes-Parisiens. Tout le monde parlait de ces hommes-sandwiches.

Un beau jour le théâtre connut l'affluence d'une clientèle spéciale et assez inattendue. En effet, tous les cannibales de Paris s'étaient donné rendez-vous au théâtre pour s'informer de ces hommes-sandwiches. Malheureusement, ils vinrent un jour de relâche, ce que leur confirma d'ailleurs la gardienne du théâtre :

— Mais, Messieurs, leur dit-elle, aujourd'hui le théâtre fait relâche, y'a pas de spectacle.

— Madame, nous ne venons pas pour le spectacle, répondit le chef de file des cannibales. Nous venons pour un sandwich de vos hommes.

***

La publicité crée parfois des confusions les plus inattendues et des surprises les plus désagréables. Ainsi, pour mieux vendre les chips, on leur donne le nom de « blondes à croquer ». Mon cousin cannibale, attiré par cette annonce, se précipite chez lui et se dépêche de commander quinze kilos de blondes à croquer. Une semaine après, il reçoit par la poste son colis et, tout heureux, défait promptement l'emballage. Voyant comment la blonde à croquer se présente, il s'écrie, dépité :

— Ah les escrocs ! Ils me l'ont livrée en tranches.

***

Si la maladie fait souffrir physiquement et moralement, elle crée aussi parfois des surprises désobligeantes : à preuve cet homme dans le métro qui avait un tic. Non seulement il clignait sans cesse de l'œil, mais sa tête accompagnait ce clignement d'un mouvement droite-gauche, l'air de vous dire « alors vous venez ! »

Donc, paisiblement installé sur une banquette et ayant en face de lui un couple, ce pauvre monsieur était peut-être plongé dans ses pensées avec toujours ses tics qui lui revenaient périodiquement. Ses premiers mouvements ne firent pas bouger le mari de la dame en face, mais répétés plusieurs fois c'était manifestement une provocation galante ; ce qui excéda le mari, lequel se leva et envoya une paire de gifles retentissantes à ce pauvre qui se demandait :

— Que m'arrive-t-il ?

Soulagé, le mari se rassit paisiblement à côté de sa femme, illustrant son exploit par ces termes :

— Vous me le direz quand vous aurez fini de faire de l'œil à ma femme !

***

Dans un des gouvernements africains, le président couvait des soupçons à l'égard d'un de ses ministres. Oui, le président avait la forte présomption que ce ministre était plus intelligent que lui ; ce qui était très embarrassant ! Il fallait donc réduire les facultés de ce subalterne ; et pour ramener la matière grise de ce ministre à son niveau le plus bas, on lui fit subir le test de l'intelligence. Test qui consistait simplement à répondre aux questions posées.

Le président fit donc venir le ministre dans son bureau et lui demanda :

— Si je vous invitais à dîner, qu'aimeriez-vous manger ?

Et le ministre de répondre :

— De la viande et du riz !

Alors le président se révolta et ordonna qu'on diminue immédiatement l'intelligence de ce ministre : ce qui fut fait.

Au second tour du test, le président posa la même question et le ministre répondit :

— Je mangerai de la banane et des cacahuètes.

Cette réponse étant aussi trop lumineuse on tailla encore un morceau du cerveau du ministre.

Au troisième tour, la réponse du ministre satisfaisait le président qui jugeait atteints ses objectifs, car à la question : « Qu'aimeriez-vous manger ? » le ministre avait répondu :

— Je mangerai des frites avec des moules.

***

Il y eut une année où les belles plaines de la Wallonie étaient infestées de taupes. Ce qui était plus grave, c'était que ces petites bêtes étaient quelquefois enclines à envahir les villes aussi. Bien sûr, elles ne pouvaient y trouver que mauvaises aventures, mais leurs cadavres posaient de sérieux problèmes au service de nettoiement belge. Outre la puanteur nauséabonde de la putréfaction de ces mammifères, leur pluralité commençait à affecter les canalisations urbaines.

Le gouvernement belge, sachant que le Congo avait connu une telle calamité et qu'il en était venu à bout, n'hésita pas à faire venir des spécialistes du jeune continent, lesquels se mirent hardiment au travail. Leurs études faites, les spécialistes congolais dressèrent un rapport et la conclusion en était :

— Pour tuer vos taupes, enterrez-les !

***

Vous savez que l'accession à l'indépendance du Congo belge n'a pas été une mince affaire, et il y eut même là-bas des bagarres et tueries. Par-dessus tout, ce que les Congolais supportaient le moins, c'était de voir leur femmes violées; aussi nourrissaient-ils une vengeance, et leur slogan de haine était :

— Nous marquerons toutes les femmes belges au fer rouge.

Facile à lancer, mais pour l'exécution c'était une autre paire de manches.

Poursuivant leurs ambitions avec ténacité, les Congolais réussirent par découvrir la solution. Pour marquer au fer rouge une femme belge, ils attendaient que celle-ci repasse pour l'appeler au téléphone.

***

Dans un accident de chemin de fer, un voyageur, sachant qu'il y avait une forte prime à toucher des compagnies d'assurances, joue le sinistré. Il se déclare paralysé le restant de sa vie; ses bras il les tord vers l'arrière, met sa bouche de travers, bref il se transforme volontairement et physiquement en véritable loque humaine.

Recevant un jour la visite de son ultime ami qui était dans le secret, celui-ci lui dit :

— Ecoute, c'est bien beau de toucher l'argent, mais tu ne pourras pas rester toute ta vie ainsi.

Et le soi-disant accidenté lui rétorque :

— Et Lourdes ! Qu'est-ce que tu en fais !

***

Un hidalgo vivant à New York décide un soir d'aller dîner chez la « Maria » pour se rappeler les plats du pays. Une fois dans le restaurant, il est accueilli par un garçon chinois qui parle espagnol comme les gens de Madrid et qui, par surcroît, connaît la cuisine de ce pays comme s'il était né en Andalousie. Emerveillé par ce Chinois si imprégné de la culture et de la tradition espagnole, l'hidalgo ne put s'empêcher de dire à la patronne :

— Mais ce Chinois est merveilleux ! Il parle la langue mieux que les Espagnols !

Et la patronne lui dit tout bas :

— Taisez-vous donc ! Ça fait cinq ans qu'il est là, et il croit apprendre l'anglais !

***

En Afrique du Sud, on arrête un jeune Noir. Il est jugé hâtivement et jeté en taule. Son copain de geôle lui demande alors :

— Tu en as pour combien ?

— Pour dix ans!

— Et pour quel motif ?

— Rien! J'ai rien fait!

— C'est faux! relève l'ancien. Ici, rien, c'est cinq ans!

***

Deux amis clochards se rencontrent et l'un dit à son compère :

— T'en as un beau manteau, dis donc!

— Oui! Il est vraiment beau! fait fièrement l'autre.

Ils continuent à parler d'autres choses. Soudain le premier revient sur la question vestimentaire :

— Ton manteau, il est beau, hein! Mais alors ton pantalon...

Et l'autre lui rétorque :

— Tu connais, toi , des restaurants où on peut changer son pantalon ?

***

Un Esquimau est sur la banquise attendant sa fiancée; l'heure passe et la fille ne se montre pas. A bout de patience, l'Esquimau fermement dit :

— Je fiche le camp si elle n'est pas là à moins trente-cinq.

***

Un cannibale va voir son docteur; celui-ci l'examine et apparemment l'anthropophage ne révèle aucun indice de maladie grave.

— Alors! lui fait le docteur. Mais vous vous portez comme un charme!

— Ce qui m'inquiète, fait remarquer le cannibale, c'est mon ventre! Depuis hier soir, il émet sans cesse des bruits!

— Et qu'aviez-vous eu au dîner ? demande le docteur.

— J'ai mangé un Français, docteur!

— Alors, ces bruits s'expliquent! Vous le savez comme moi, les Français sont toujours râleurs!

***

Un tueur notoire pénètre dans une église armée d'un yatagan.

— Alors! dit-il. Qui croit en Dieu ?

Un fidèle se lève et fait :

— Moi!

Le tueur s'en empare, l'oblige à sortir et revient au bout de cinq minutes avec la lame de son arme tachée de sang.

— Alors! dit-il à nouveau. Qui croit en Dieu ?

Un autre fidèle se lève et doucement fait :

— Moi!

Le tueur s'en empare aussi, le fait sortir comme le premier et revient au bout de cinq minutes avec le yatagan et les habits tachés de sang.

Alors! demande-t-il toujours. Qui croit en Dieu ?

Et un fidèle se lève et dit :

— Le prêtre!

Et le prêtre promptement de répondre :

— Eh! Parle pour toi, hein!

***

Toto revient de l'école et sa mère l'envoie chercher une douzaine d'œufs. Il se rend donc au marché, achète douze œufs et douze petits paniers. Il place chaque œuf dans chaque panier et revient gaiement à la maison.

Mais voyons, Toto, pourquoi as-tu acheté tous ces paniers, lui demande sa mère ?

— Mais, maman, la maîtresse nous l'a dit aujourd'hui à l'école!

— La maîtresse vous l'a dit! Mais que me racontes-tu là ?

— Oui, maman! reprend Toto. Elle nous a dit : il ne faut pas mettre tous ses œufs dans un même panier!

***

Tout le monde se souvient de l'époque où l'on poinçonnait les tickets de métro en y laissant un joli petit trou tout rond.

Un fou un jour se trouve à la fenêtre d'un troisième étage et son copain en bas, encore plus déséquilibré, lui dit :

— Allez saute! (L'autre hésite.) Mais saute donc! Tiens, tu ne peux pas te faire mal, je te mets un ticket de métro par terre.

Et l'autre tout là-haut perché lui lance :

— Tu es fou! Je vais passer à travers le trou!

***

Cette anecdote ne m'est pas arrivée alors que j'étais comédien, mais pendant que j'apprenais mon métier de comédien. Depuis ce jour, j'ai su qu'il fallait se méfier de quelques expressions, ou se méfier de quelques milieux pour sortir certaines expressions toutes faites.

Nous étions alors étudiants, venus des différents horizons d'Afrique, et suivions en France les études les plus diverses.

Pour faciliter le paiement des bourses — pour ceux qui en avaient —, résoudre les problèmes d'orientation et de logement, bref pour tout ce qui concernait ces bougres venus d'Afrique, un service a été créé : l'Office des étudiants d'Outre-Mer, au 69 quai d'Orsay. Bien sûr, tous les agents opérant dans ce service étaient des Français. Je précise bien des Français de la métropole.

Pour décrire la pagaille qui régnait dans cet office, nul ne saurait le faire; retenez toujours que de la part des agents comme des visiteurs, il y avait incontestablement une mauvaise foi,

car tous les jours ils se chamaillaient, chacun tirant la vérité de son côté. Cet office était divisé en plusieurs services : bourses, orientation, logement, etc.

Ce jour-là, nous étions une dizaine dans le service logement; c'était un service qui vous convoquait de quinze jours en quinze jours et qui ne résolvait jamais vos problèmes.

Nous étions donc là en face de cet agent qui compulsait ses fiches dans l'espoir d'y trouver l'adresse d'une logeuse qui voulait bien louer sa chambre à un Noir. Chose assez bizarre, ces fiches portaient souvent la mention « chambre à louer uniquement à un Français métropolitain »; ce qui voulait dire en clair : on ne veut pas de Noirs. Mais alors pourquoi adresser cette annonce à un office d'étudiants venus tous d'Afrique ? Celui qui trouve la réponse voudra bien me l'écrire par l'intermédiaire de mon éditeur qui transmettra.

Au moment où cet homme nous lisait la description d'une chambre, le téléphone sonna. Il décrocha, nous fûmes donc obligés d'attendre qu'il finisse une conversation qui n'en finissait pas. Le clou fut lorsqu'il avoua à son correspondant :

— Ah oui, je suis débordé! Je t'assure, je ne chôme pas! En ce moment je travaille comme...

L'employé leva la tête. Remarquant vingt yeux dardés sur lui, il reprit purement et simplement sa phrase en disant :

— En ce moment, je travaille comme un Gaulois.

***

Le calendrier musulman est lunaire : de ce fait, toutes les fêtes et événements islamiques sont mobiles. Les dates sont comptées à partir du jour de la parution du croissant lunaire. Les deux événements qui attirent le plus d'observateurs pour déceler dans le ciel un croissant de lune à peine visible au microscope sont le début et la fin du mois de carême, communément appelé Ramadan.

Nous étions donc à la veille du mois de jeûne, et au soleil couchant les gens commençaient à interroger l'horizon occidental. En ces moments-là règne toujours une certaine agitation que l'on cherche à calmer pour mieux se concentrer et distinguer sans erreur possible la lune. Il arrive bien souvent que des enfants, pour rompre un silence quelquefois lourd, ou simplement pour plaisanter, s'écrient soudainement :

— La voilà, la voilà !

Bien sûr, la moindre fausse alerte est réprimandée, mais uniquement par la parole, non par des actes de violence.

Les gens étaient donc par petits groupes, souvent par famille et connaissance, et à l'entrée de chaque maison les observateurs auscultaient religieusement l'horizon.

Soudain Samba, notre fou national, s'écria :

— La voilà, la voilà !

Les gens se précipitèrent autour de lui sans grande conviction, bien sûr, mais à la surprise générale, ce fou, à qui personne n'accordait aucun crédit à tout ce qu'il pouvait faire et dire, fut ce soir-là un héros vénérable.

Effectivement Samba avait décelé le premier le croissant lunaire.

Aussitôt la nouvelle fut bien vite retransmise à travers tout le quartier et toute la ville. L'effervescence qui gagne les gens en ces moments-là est indescriptible. Et c'est dans ce mélange de commentaires, de prières, de chants, de danses et d'applaudissements que Samba s'écria une deuxième fois :

— Il y en a une autre !

Stupéfaction pour tout le monde. Un croissant lunaire, oui! Mais deux ? Et notre fou s'expliqua :

— Y'a aussi celle qui se mire dans le lac!

***

Dans un village de cannibales, tous les prêtres qui y sont envoyés sont bouffés en deux temps trois mouvements. Le Vatican a beau prendre des dispositifs et user de toutes les méthodes dissuasives, rien ne pouvait changer la situation : une foi cueilli à l'aéroport, le missionnaire va directement dans la marmite.

Arrive un jour un prêtre : la dernière tentative du Vatican. Il était maigre, ce missionnaire, mais maigre! C'est très simple : on lui voyait tous ses os à travers la peau.

A sa descente d'avion, dès que les cannibales l'aperçurent, ils tournèrent tous la tête et dans un élan général firent : Bah!

Le prêtre resta donc dans ce village de cannibales, vaquant journalièrement à sa mission d'évangélisateur. Non seulement les cannibales étaient très assidus aux messes, mais ils procuraient aussi à leur prêtre toute sorte de nourriture. Bien sûr, leur seul but était d'engraisser ce prêtre. Et de surveiller semaine après semaine l'évolution de cet engraissement... Six mois durant, les cannibales, sans perdre espoir, accomplissaient les moindres désirs culinaires du missionnaire, mais le résultat restait toujours négatif; il semblait même que le prêtre dépérissait de jour en jour.

Un dimanche, alors que tous les cannibales étaient rassemblés à l'église, quand le prêtre eut fini son sermon tous se recueillirent avec ferveur et on entendit cette prière insistante :

— Notre père, vous qui êtes osseux, envoyez-nous votre remplaçant.

***

Des touristes occidentaux débarquent en Afrique du Sud. Par chance, ils tombent sur une fête populaire qui réunit hommes et femmes, enfants et vieux sans distinction de race aucune. Les festivités se déroulant aux bords d'une rivière, ces touristes furent ébahis par le spectacle qu'on leur offrait : en effet, sur une pirogue des Blancs pagayaient stimulés par un Noir, tandis que derrière la pirogue et attaché à celle-ci un autre Noir tentait tant bien que mal de se tenir en équilibre. Il était semblable à un élève qui reçoit ses premières leçons de ski nautique. Emerveillés, les touristes occidentaux s'exclamèrent :

— Mais c'est merveilleux! Contrairement à tout ce qu'on a pu nous raconter sur l'Afrique du Sud, Blancs et Noirs y cohabitent pacifiquement. La preuve, ce Noir qui fait du ski nautique, entraîné par des Blancs.

C'est alors qu'un Boër les releva de leur erreur :

— Messieurs! leur dit-il. Pour notre grande satisfaction, nous faisons la chasse aux caïmans! Et ce négro que vous voyez derrière cette pirogue sert d'appât vif.

***

Dans une école d'un petit village en Afrique, un élève s'amène en classe avec un bébé sur le dos. L'instituteur, qui a des élans paternels, dit à l'enfant :

— C'est bien, ça! Ta maman a peut-être beaucoup de travail et tu l'aides en t'occupant du bébé ?

Et l'enfant lui répond sans sourciller :

— Pas du tout, Monsieur! Ce bébé, c'est mon goûter!

***

Ceci me rappelle d'ailleurs les quelques années que j'ai passées dans l'enseignement en Afrique. Je m'occupais d'enfants de douze à quinze ans et l'effectif de ma classe comptait plus de quarante élèves : chose très fréquente en Afrique.

Tous les matins, je devais procéder à l'appel des élèves, et assigner dans un cahier les manquants. Voici ce que cela donnait :

— Moustapha!
— Présent!

— Abdoulaye!
— Présent!
— Pathé!
— Absent!
— Qu'est-ce qu'il a ?
— Son père l'a bouffé!
— Ça fait rien! Passons! Souleymane!
— Présent!
— Moussa!
— Absent!
— Qu'est-ce qu'il a ?
— Il a la migraine!
— Mais qu'est-ce qui lui arrive, à lui ? Il a souvent la migraine!
— Oui, Monsieur! Il bouffe trop d'intellectuels!

— A propos d'intellectuels, dis-je, nous allons parler de gros intellectuels! Nous allons parler de philosophie. Et pour commencer, qui peut me dire ce que c'est un philosophe ?

Alors un élève se leva et me dit :

— Un philosophe, c'est un gros monsieur, avec une grosse tête et une grosse tignasse bourrée de poux, qui se gratte tout le temps et fait croire qu'il pense.

— Non, Monsieur! releva un autre élève. Un philosophe, c'est un gros monsieur, avec une grosse tête et une grosse tignasse bourrée de poux, et qui a une grosse barbe avec toujours des restes d'aliments.

Au tour de Toto qui s'était arrangé pour se mettre près du ventilateur. Celui-ci me déclara avec une ferme conviction :

— Le philosophe, c'est la poule!

Surpris par cette réponse, je lui rétorquai :

— La poule ? Quel rapport y a-t-il entre la poule et le philosophe ?

Et Toto de reprendre :

— Parce que la poule fait les ofs!

***

Et comme cela nous arrivait souvent pendant la récréation, nous, les instituteurs, nous parlions fréquemment de nos difficultés professionnelles, de

158

l'état d'esprit des enfants, de leurs progrès et toujours nous éclations de rire quand un de nos collègues nous rapportait des bêtises de la part d'un de ses élèves. Vous pensez bien que je n'ai pas su taire la philosophie « basse-cour » de Toto. Elle fit, comme je m'y attendais, bien rire, mais l'histoire que nous rapporta un collègue était encore bien meilleure.

Alors qu'il faisait une leçon de science naturelle, il posa à ses élèves cette question :

— Quels sont les animaux qui donnent du lait ?

Un élève se leva et dit :

— La vache !

Un autre :

— La chèvre !

Quant au troisième, il déclara :

— Les tôles !

— Et pourquoi les tôles ? lui demanda notre collègue. Et l'enfant de lui répondre :

— Parce que les tôles ondulées.

***

Procédons maintenant comme à l'accoutumée : vous connaissez la règle du jeu des devinettes : cachez toujours la réponse avant de la lire : ainsi vous pouvez mesurer votre perspicacité ! Vous y êtes ? Allons-y !

Quelle est la différence entre un léopard, une laitue, et une belle-mère ?
Réponse :
Le léopard est tacheté sur le dos, la laitue est achetée au marché, et la belle-mère est à jeter par la fenêtre.

***

Un inculpé est traduit devant la justice. Charge d'accusation retenue contre lui : la bigamie. Son avocat le sort d'affaire en arguant des calomnies de son entourage et le juge lui notifie :

— Vous êtes libre ! Vous pouvez rentrer auprès de votre femme !

Et l'inculpé de demander :

— Laquelle ?

***

Quittant Dakar à bord du paquebot « Lyautey » nous voyagions, mon cousin et moi, en classe de luxe. La traversée devant durer cinq jours, l'équipage du bateau, du commandant aux stewards, avait tout organisé pour que ce voyage soit agréable. Il y avait à bord des soirées de gala, des jeux, le cinéma, et chaque fois que nous regagnions la salle à manger c'était une véritable cérémonie. Les dames étaient en robe de soirée, les messieurs en smoking, bref autour des tables régnait une véritable ambiance de fête. Les plats qu'on nous servait ne dégarnissaient le moins du monde le cadre car, du caviar au canard à l'orange, il y avait un menu digne des rois.

Les premiers jours passèrent sans incident majeur. Mon cousin, dont je me méfiais toujours, choisissait ses plats suivant le menu strictement consigné sur la carte. Mais, comme on dit, et à juste titre, chassez le naturel, il revient au galop. Mon cousin ne voulait plus se contenter de ces plats trop riches qui, somme toute, ne rentraient pas dans ses habitudes et envies culinaires.

Aussi le quatrième jour, lorsque le maître d'hôtel se présenta à notre table pour prendre notre commande, et à sa question rituelle :

— Que désirez-vous prendre, Monsieur ?

Mon cousin, avec un air détaché lui répondit :

— Donnez-moi la liste des passagers !

***

Un mariage est célébré en grande pompe : Dieu, que la mariée était belle et le jeune époux un galant homme, très distingué. De la mairie à l'église, de l'église à la maison de la jeune épousée, c'était une suite de filles et de garçons d'honneur richement habillés tenant chacun un bouquet de fleurs, fleurs des plus rarissimes.

159

La noce connut le succès escompté et les convives ne regrettaient qu'une chose : ne pas posséder trois estomacs !

Les mariés étaient ivres de joie, de bonheur, et pour eux, et quoi qu'on en dise, les plaisirs éternels du paradis ne pouvaient égaler les transports d'allégresse de ce jour d'ici-bas.

Trois heures du matin ! Les jeunes mariés se retirèrent dans leurs appartements, et là-haut au premier ils recevaient encore, mais en sourdine, les flonflons du bal.

Dans sa robe légère, entamant sa nuit nuptiale, la jeune mariée vida son cœur et fit un aveu à son mari : c'était peut-être la seule chose qu'elle n'osait dire jusqu'ici :

— Chéri ! balbutia-t-elle. Je dois honnêtement te faire un aveu...

— Parle, ma chérie ! lui répondit le mari, avec toute la douceur qu'ont les hommes en ces moments-là.

— Chéri ! reprit la femme, hésitante, comme si elle avait peur des mots. Chéri, je suis daltonienne ! Voilà !

Et le mari, sans broncher, lui répondit simplement :

— Aveu pour aveu : je suis un Sénégalais.

***

Dans un bar du Vieux Port à Marseille, Marius, entouré de ses amis, **raconte** ses aventures en Afrique. C'était l'époque où le retour d'outre-mer était un événement historique, et le séjour héroïque était toujours chargé de souvenirs dont l'évocation faisait de celui qui les avait vécus un personnage légendaire.

Faisant donc récit de ses multiples aventures dans la jungle africaine, Marius conta comment il avait vaincu les bêtes les plus féroces, comment venir à bout d'une bataille sans cesse contre les lianes, déjouer les pièges les plus subtils tendus à son passage, enfin ne pas se laisser abattre par les longues distances à parcourir.

Subjugué par la narration de Marius,

un de ses amis lui demanda presque en jubilant :

— Oh Marius, par la Sainte Vierge ! Comment tu te nourrissais ?

— Je mangeais du singe, pardi ! reprit notre héros.

— Et à quoi ça ressemble la viande du singe ? questionna un deuxième.

— Ben ! Le singe ! reprit Marius, ça ressemble à du poulet, du porc, du mouton, du veau... Vous savez, le singe, ça imite tout !

***

Deux enfants jouent au bord d'un lac. Subitement l'un d'eux a une forte envie de se baigner. Il se déshabille et invite son copain :

— Tu viens faire un plongeon ? lui demande-t-il.

— Tu es fou ! lui rétorque son copain. Si je me noie, ma mère me tue.

***

Elles étaient toutes deux rats d'Opéra, elles ont connu les mêmes professeurs de danse et bénéficié des mêmes cours. Devenues grandes, Jeanne et Marie se séparèrent, chacune évoluant de son côté, signant des contrats par-ci par-là et se produisant où le spectacle voulait bien les mener. Par le plus pur des hasards, et après cinq années de séparation, Jeanne et Marie se rencontrèrent à Rome. Bien sûr les souvenirs à invoquer, le travail présent et les projets d'avenir étaient à l'ordre du jour.

Jeanne parla de la troupe à laquelle elle appartenait, de son éminent chorégraphe, des progrès qu'elle enregistrait sans cesse et de la souplesse de son corps qui atteignait un niveau inespéré. Souplesse qui lui permettait d'ailleurs, sans difficulté aucune, de croiser ses deux jambes autour de sa nuque.

Cette révélation fut stupéfiante pour Marie qui, une fois dans sa chambre d'hôtel, repassait dans sa tête la conversation qu'elle venait d'avoir avec

Jeanne. Un seul point la troublait : comment Jeanne réussissait-elle à croiser ses deux jambes autour de sa nuque ? Se regardant dans sa glace, Marie, non sans frayeur et avec une certaine honte dissimulée se posait la question : y parviendrai-je ? Son orgueil compétitif qui l'a toujours animée et qui mit en elle la hargne d'arracher les premiers prix des concours, cet orgueil faisait résonner ses trompettes comme devant Jéricho.

Comme piquée par la guêpe de la rivalité, Marie enleva alors prompte-ment ses habits et toute nue se livra à des exercices corporels identiques à ceux du yoga. Au prix de mille efforts, son complexe et sa perplexité furent vaincus : elle réussit effectivement à croiser ses deux jambes autour de sa nuque. Malheureusement, ce que Marie ne soupçonnait pas un seul instant, c'était qu'une fois cette attitude atteinte, elle n'en serait qu'à la moitié du chemin à parcourir, car la grande opération consistait maintenant à retrouver son équilibre normal de bipède. Elle pensa d'abord que ça ne serait qu'un jeu d'enfant; mais ses illusions firent vite place à l'inquiétude car toutes les possibilités qu'elle envisageait se réduisaient à un résultat nul. Mettant alors beaucoup plus de volonté à l'ouvrage, elle essaya de tous les côtés, aborda tous les sens, s'enroula par terre, mais elle restait toujours une boule nue posée au milieu de sa chambre. Ne voyant d'autre issue que l'aide d'un tiers, Marie décida d'appeler la direction de l'hôtel pour garder toute discrétion à l'égard de sa propre personne et de son aventure.

Par malchance, voulant appeler la direction, Marie appuya sur le bouton dont la sonnerie était destinée aux garçons de l'établissement. L'un d'entre eux se dépêcha donc de monter, ouvrit la porte de la chambre de Marie et la referma bien vite, dévala les escaliers quatre à quatre et tout essouf-flé se présenta à son patron en lui disant ahuri :

— Patron, au quatrième, un barbu s'est ouvert la gorge !

***

Sur les Champs-Elysées, des voyous venus de province aperçoivent un borgne et veulent le taquiner. L'un d'eux intervient en disant au reste de la bande :

— Ecoutez, foutez-lui la paix ! Vous voyez bien que vous avez affaire à un pauvre infirme.

Sur ce, les voyous le quittent et regagnent leur hôtel où à la réception ils croisent le même borgne qui habitait lui aussi l'hôtel. Sortant un couteau, l'un des voyous s'approche du borgne, lui crève l'autre œil et lui dit :

— Bonne nuit, Monsieur !

***

En politique, parfois, quand deux partis adverses sont mis en présence, il faut se méfier de la moindre petite allusion, de la moindre petite phrase car tout le monde se met à l'affût et veut saisir le moindre petit bruit.

Ce bruit, quand il court, déchaîne parfois les commentaires les plus inat-tendus, et peut créer des situations qui défraient la chronique. Ce bruit, enfin, quand c'est un pet qui rompt la paix, c'est que le vent n'a pas accompli sa mission de déblayage.

Ainsi en Angleterre, la reine reçoit un éminent hôte venu d'Afrique pour essayer de recoller les fissures d'une situation diplomatique bien précaire, entre son pays et le Royaume-Uni. Bien sûr, les meilleurs chevaux du car-rosse de Sa Majesté sont attelés, et de l'aéroport au palais de Buckingham et de Buckingham aux appartements du prestigieux émissaire, ce n'est qu'ova-tions d'une foule qui applaudit et sa reine et son hôte. Malheureusement, les animaux n'étant pas dans le secret des Dieux et n'observant aucune règle diplomatique, faisant naturellement ce qui leur vient et le faisant quand ça leur vient, un des chevaux de l'attelage lâche, au moment ou tout le monde s'y attend le moins, un pet royal. La reine était juste en train de descendre du carrosse. Ce bruit soulève alors à Londres les commentaires les plus divers. Exacerbée, la reine veut présenter des excuses à son hôte car la conduite de son cheval était inqualifiable. Une fois en tête à tête, la reine ne sait par où commencer.

— Monsieur le Président! Je ne sais comment vous dire, ni ce que je ressens pour tout à l'heure. Ce bruit qui a échappé... Croyez le bien, j'en suis navrée.

Et le président de lui répondre :

— Je croyais que c'était le cheval!

***

Devinette.
Savez-vous pourquoi les Bretons sont tous frères ?
Réponse : Parce qu'ils ont Quimper!

***

Il arrive quelquefois que nous soyons attachés à des personnes, ou à des animaux. Nous leur réservons alors une affection particulière et un amour démesuré. Mais s'ils viennent à disparaître, nous couvons en secret pour eux une tendresse que nul ne saurait déceler. Cet amour, cette affection, cette tendresse nous les gardons au fond de nous-même : ils suscitent en nous des souvenirs qui nourrissent notre esprit. L'esprit baigne dans l'âme et tous deux demeurent indissociables du corps. Bien sûr, tous ces sentiments, l'être humain les garde jalousement pour lui, et se montre même égoïste en égard aux bien-aimés qui les leur procurent. Quand enfin ces sentiments émanent d'un être dont les bienfaits profitent à tout un peuple, c'est alors par famille, par quartier, par village et par ville qu'on se bat pour détenir une certaine priorité quant à l'amour de cet être.

Ainsi il y eut un chef cannibale aimé, respecté et vénéré de tous. Ses causeries étaient toujours des sermons ou plus exactement considérées comme tels; tout ce que prononçait ce sage vieil homme était parole d'évangile. Malgré son âge très avancé, ce pasteur ne ménageait guère ses efforts; il lui arrivait parfois de rester assis sur une même place, du matin au soir, pour accueillir toutes sortes de doléances, consoler des miséreux, satisfaire des nécessiteux, guider des égarés, conseiller ceux qui en manifestaient le besoin.

Malheureusement, au cours d'une de ses longues causeries, le vieil homme eut une attaque subite : son cœur flancha brusquement et le saint homme rendit l'âme. Bien sûr, cette perte créa une commotion populaire, et toutes les couches sociales furent ébranlées à l'annonce de la funeste nouvelle.

Pour témoigner de leur gratitude et de l'amour profond qu'ils éprouvaient pour leur patriarche, les cannibales se réunirent, prirent une décision et déléguèrent un des leurs qui parla en ces termes :

— Mesdames, Messieurs! Vous savez tous ce que nous éprouvions pour ce cher disparu! Et pour prouver aujourd'hui le profond amour que nous ressentions pour lui, nous ne donnerons pas un seul morceau de sa chair aux villages voisins.

***

Un chef de famille cannibale avait pour habitude de lancer son cri de Sioux en entrant chez lui :

— Alors, qu'est-ce qu'on bouffe ? disait-il toujours en franchissant le seuil du portail de sa maison. Cette habitude lui était restée fortement attachée si bien que tout son quartier lui avait donné le surnom de Qu'est-ce qu'on bouffe ?

Mais ce nom étant trop long à prononcer, beaucoup de personnes l'abrégeaient en l'appelant simplement

Q.Q.B. D'autres trouvèrent que Q.Q.B. était encore trop long et ne prononçaient que les deux dernières lettres. Q.B.

Voilà donc notre cher cannibale flanqué d'un nom de deux lettres; mais ceux qui n'en connaissaient pas l'origine et n'entendaient ce nom que phonétiquement l'orthographiaient Cubé. Si bien que, de qu'est-ce qu'on bouffe, les transformations aboutirent à un véritable nom que le cannibale portait pour le restant de ses jours.

Cubé reçut un jour un ami venu d'Europe, du nom de Badin. Cet hôte séjourna en Afrique et savourait les plaisirs climatiques de ce pays. L'habitude étant une seconde nature, on ne s'en défait pas facilement, qu'elle soit bonne ou mauvaise, surtout quand elle demeure bien ancrée en nous. Malgré la présence de Badin, Cubé continuait toujours à lancer son cri en entrant chez lui :

— Alors, qu'est-ce qu'on bouffe ?

Un jour, quittant son travail, Cubé regagna bien vite sa maison, plus affamé que d'habitude, et comme à l'accoutumée lança un cri de Sioux :

— Alors, qu'est-ce qu'on bouffe ?

Et son fils, qui était en train de manger, souleva un tibia et dit à son père :

— Tiens, voilà du Badin !

***

Au cocktail des cannibales, mon cousin fut invité et, croyez-moi, il n'est pas du genre à se laisser abattre. Il ne laissait donc rien traîner sans le goûter, et quand je dis goûter le mot est faible car il lui fallait trois plats de chaque spécialité pour en émettre une opinion.

Pour le liquide, n'en parlons pas! Je crois que si je ne lui avais arraché les verres des mains, il aurait bu le contenu et gobé le contenant. J'ai donc essayé de sauver la face en surveillant la conduite de mon cousin, épargnant ainsi à la famille des commentaires bien désagréables. J'allais venir à bout de mes peines, car le cocktail touchait à sa fin, lorsqu'un monsieur parla de petits fours. Mon cousin sursauta alors en criant :

— Qu'y a-t-il a cuire ?

***

D'un pays à un autre, les plats varient tant sur la préparation culinaire proprement dite que sur l'appellation. Ainsi en Belgique, le vulgaire steak frites porte, on ne sait pourquoi, le nom de cannibale. Si bien que dans un restaurant bruxellois, si vous écoutez attentivement les commandes, vous vous demanderez si vous êtes réellement en Europe.

Nous sommes alors dans un établissement de la vieille ville renommée pour sa gastronomie traditionnelle. La serveuse se présente à un client, qui lui fait cette commande :

— Mademoiselle, comme plat je prendrai un cannibale, pour la boisson ce sera un blanc sec, et comme dessert un nègre en chemise !

***

A Johannesburg, en Afrique du Sud, un Noir sort un jour de chez lui très endimanché : il portait un pantalon beige, une veste à carreaux, une chemise noire avec une cravate blanche, et sur sa tête un chapeau melon. Ce gentleman britannique d'outre-mer tirait un canard par une laisse. Il offrait bien sûr un spectacle des plus clownesques, mais que voulez-vous, nous sommes en république et chacun a le droit de s'exprimer à sa façon. C'est peut-être ce droit d'expression qui permit à un Blanc de s'approcher de ce Noir et de proférer :

— Mais qu'est-ce que tu fais avec ce singe, toi ?

Surpris, le Noir le releva de son erreur en lui notifiant :

— Mais ce n'est pas un singe, Monsieur! C'est un canard !

Et le Blanc poliment de lui répondre :

— Ta gueule, c'est pas à toi que je m'adresse !

***

Voici maintenant trois petites devinettes ! Et n'oubliez pas notre façon de jouer : vous cachez toujours la réponse avant de la lire pour mesurer votre perspicacité. Etes-vous prêts ? Allons-y !

Qu'est-ce que c'est un cornichon ?
Réponse : C'est un futur concombre !

Savez-vous comment on écarte les émeutes en Ecosse ?
Réponse : On fait la quête !

Et savez-vous pourquoi en Ecosse les églises sont toutes rondes ?
Réponse : Pour empêcher les fidèles de se cacher pendant la quête !

***

164

Il n'est un secret pour personne que Francis Blanche était le roi du calembour. Les liens amicaux qui existaient entre nous faisaient que nous travaillions souvent ensemble. Je dois avouer que la partie de ma vie professionnelle passée avec lui était tissée d'anecdotes aussi piquantes les unes que les autres.

Nous étions dans le Sud marocain, très exactement à Taroudan, une ville située à quelque quatre cents kilomètres de Casablanca. Dans cette région du Maroc les gens sont habitués à la sécheresse; avant que nous débarquions, les habitants étaient restés cinq ans sans voir une seule goutte de pluie : ce qui d'ailleurs expliquait le choix de la production pour y tourner le film « Tartarin de Tarascon » dont le rôle que j'y tenais était créé de toute pièce par Francis, qui avait en outre signé l'adaptation du roman d'Alphonse Daudet.

Nous arrivâmes alors dans ce pays désertique, et dès que nous débarquâmes notre matériel pour commencer le travail, vlim, il se mit à pleuvoir. Vous devez imaginer notre surprise, qui allait d'ailleurs en grandissant car les paysans venaient nous baiser les pieds en disant :

— Vous nous avez apporté la pluie !

Alors que nous interrogions le ciel avec un optimisme mesuré, et commentions les caprices météorologiques, Francis se retourna vers moi en disant :

— Que voulez-vous ! Nous promenons avec nous nuage noir !

Cette première journée fut complètement assombrie et nous ne pûmes reprendre le travail que le lendemain, avec un soleil radieux dès les aurores, et qui devenait brûlant au fur et à mesure que nous avançions en besogne.

Midi sonna l'heure de la coupure et du déjeuner. Comme chacun sait, quand on tourne en extérieur, le repas est généralement un repas froid, de préférence du poulet empaqueté avec ce qu'on peut trouver sur une table normale, mais, et on ne sait pourquoi, dans ces paquets tout est miniature.

Nous défaisions alors les paquets surprises, en choisissant chacun un coin tranquille pour se restaurer. Bien sûr, et vous vous en doutez, tout en se régalant, nous commentions la journée, le travail fourni, de ce qu'il reste à faire et surtout de surveiller le plan de travail pour ne pas subir un retard. C'est dans cette ambiance de bouffe et de palabre que, suivant son habitude, Francis surprit tout le monde. Il se leva vivement, et comme un tragédien qui déclame un texte de Shakespeare, me tendit une cuisse de poulet en me disant :

— Tiens, Ibrahim ! Oh, cher ! Voilà du blanc !

***

Un cannibale qui faisait partie d'un voyage organisé débarque avec tous ses compagnons dans un restaurant. Le car qui les transportait avait roulé huit heures et la faim tenaillait les passagers. Aussi, une fois autour des tables chacun se dépêcha de sélectionner son menu. Quelques-uns demandaient des éclaircissements au maître d'hôtel quant à la nature de certains mets.

Au tour du cannibale. Celui-ci dit au maître d'hôtel :

— Moi, je prendrai une assiette anglaise.

Le maître d'hôtel nota sa commande et s'apprêtait à partir lorsque le cannibale lui demanda une précision :

— Dites-moi, mon cher Monsieur! Elle avait quel âge votre Anglaise ?

***

Le bateau quittait l'Angleterre en direction des Iles : une croisière de plusieurs jours qui réunissait tout le gratin anglais. A bord du paquebot tout était estival et festival lorsque, en pleine mer, la sirène d'alarme retentit : le bateau coule! On s'affola, on courait de tous les côtés, on pleurait, on criait mais surtout on priait. Le prêtre à bord exhortait les passagers à la patience par la dévotion.

— Priez! leur disait-il. Surtout priez!

Dans un coin un homme était seul, détaché de tout le monde. Il n'affichait nulle crainte, et n'invoquait nul dieu. Le prêtre s'approcha de lui et lui dit :

— Priez, mon fils! Nous allons peut-être nous présenter devant Notre Seigneur.

— Je ne suis pas croyant, mon père, reprit ce taciturne Ecossais.

— Vous n'avez aucune force supérieure à laquelle vous accordez foi et que vous pourriez invoquer ?

— Non, mon père, vous dis-je! Je ne crois en rien!

A bout d'arguments, le prêtre lui dit simplement :

— Alors, faites ce que vous dicte votre conscience!

Et rapidement l'Ecossais enleva sa casquette et commença à faire la quête.

***

Les hommes d'affaires sont généralement des gens très méfiants; leur devise : tout observer minutieusement à la loupe; leur méthode : personne ne la sait car c'est leur trésor; leur habitude enfin : épier le voisin.

Ainsi deux hommes d'affaires se rencontrent. Tout en spéculant sur les valeurs de la Bourse, l'un d'eux sort de sa poche un paquet de tabac et du papier à cigarettes. Et l'autre, l'observant, lui dit :

— Tiens, tiens, vous roulez même vos cigarettes ?

***

La chose la plus atroce dans la vie, c'est la faiblesse d'un mari envers sa femme. Quand un homme doit subir tous les jours les caprices d'une femme, sa vie devient un enfer, qui de jour en jour se charge de braises qu'attise l'humeur exécrable de sa conjointe. Il y a cependant, de par le monde, des hommes patients qui acceptent cette situation, intenable pour d'autres, et qui peut-être espèrent, jour après jour, une amélioration de caractère.

Ainsi, un homme de mon quartier avait une femme épouvantable! Pour un oui ou pour un non, elle grondait son mari qui, sans mot dire, acceptait tout de sa femme.

Un jour, n'en pouvant plus, cet homme prit son courage à deux mains et répliqua à sa compagne qui auparavant l'avait mitraillé d'injures et de blâmes.

L'homme lui dit alors avec beaucoup de fermeté :

— Je t'assure, on viendrait à changer de gouvernement et que la dictature passerait, que je ne m'en apercevrais même pas!

***

Le fils de Dracula revient un jour de l'école tout en larmes.

— Que t'arrive-t-il ? lui demanda sa mère.

— Ce sont les copains! répondit l'enfant inconsolable. Ils se moquent de moi! Ils disent tous que j'ai de très longues dents! N'est-ce pas que c'est pas vrai, maman ?

— Mais non, ce n'est pas vrai! fit la maman. Puis elle ajouta : Mais relève la tête, tu vas rayer le parquet.

***

Au petit matin, à l'heure où la ville s'éveille, règne dans tous les quartiers une animation identique : c'est le bruit du rideau de fer qui se lève, les cliquetis des bouteilles de lait qu'on livre et surtout le grincement des poubelles que l'on tire pour les livrer au service de nettoiement. Dans tous les quartiers aussi, on retrouve les mêmes habitudes à travers toute une ville, et si quelques-uns se plaisent à tout fourrer à la poubelle, d'autres par contre y trouvent une voie de récupération. Ainsi, si le clochard ne fréquente pas les magasins, il est cependant bénéficiaire de tous les articles qui peuvent se vendre dans la ville, et toujours, bien sûr, par voie de récupération dans les poubelles. Il est très fréquent que ces boîtes à ordures abondent de choses jugées inutiles ou encombrantes, condamnées à la destruction, et que l'on retrouve quelquefois étalées dans un des marchés de la ville, faisant bien souvent l'objet d'une publicité d'une vente promotionnelle. On comprend donc aisément pourquoi certaines gens se lèvent aux aurores pour fouiner dans ces boîtes à ordures.

Mais la police, à qui rien ne doit échapper, qui fouine partout, va fourrer son nez jusque dans les affaires des fouineurs à ordures, cette police donc s'intéresse à tout, et tout lui semble suspect. Ainsi, au petit matin, un clochard des quartiers chics, fouillant les poubelles sans dégoût aucun, se fait surprendre par la police qui aussitôt le harcelle de questions :

— Qu'est-ce que ceci ? Que faites-vous là ? Que cherchez-vous ?

Et ironiquement le clochard rétorque :

— J'ai fait les boîtes de nuit, maintenant je fais les boîtes de jour.

***

Le mythe des diplômes est une aberration terrifiante en Afrique. Tous ceux qui, d'une façon ou d'une autre, peuvent détenir un papier à caractère officiel, attestant des études — la plupart du temps fictives — poursuivies en Europe, accèdent facilement aux plus hautes fonctions de l'administration, voir du gouvernement. Par contre, les autochtones qui n'ont jamais quitté le pays pour acquérir en Occident des connaissances, ou y effectuer le moindre petit stage, ou simplement prouver un long séjour en Europe, ces gens-là, même s'ils révèlent une haute compétence professionnelle, resteront toute leur vie le simple petit cadre. On comprend facilement pourquoi les pays occidentaux sont pris d'assaut par des stagiaires venus de tous les coins d'Afrique. Les spécialisations se font dans tous les azimuts; chaque pays rivalisant avec son voisin du nombre de citoyens présents en Europe, et quelquefois pour y suivre des formations qui relèvent purement et simplement de la fantaisie, pour ne pas dire de l'absurde.

Dans chaque pays africain, chaque ministère dispose d'un nombre de bourses, et comme on n'est jamais si bien servi que par soi-même, il va de soi que les fonctionnaires des ministères sont prioritaires quant à l'octroi de ces bourses. Bien sûr, nul ne doit devancer le patron, et monsieur le Ministre sera le premier à avoir effectué son stage en Europe, et cela sous l'égide de son gouvernement.

La rivalité étant souveraine en Afrique — ce qui en aucun cas ne stimule la prépondérance de la production — le gouvernement des cannibales, pour ne pas rester en rade, envoie en Europe son ministre de la famine. Celui-ci est cordialement accueilli; on lui fait visiter toute sorte d'usines alimentaires, même l'usine de boîtes de conserves pour chiens et chats.

Dans ses nombreux déplacements, le ministre de la famine eut la chance de visiter des cimetières, d'assister à des enterrements et même à des mises en bière. Ce corps, que dis-je ? cette chair bien préparée, minutieusement drapée, mise dans un cercueil et secrètement confiée à la terre, frappa profondément le ministre.

Retourné chez lui, et devant l'Assemblée nationale, le ministre fit part de ses impressions recueillies, ou de ses convictions accueillies, ou de ses connaissances reçues en Europe.

— Monsieur le Président, mes chers collègues! J'ai maintenant la forte conviction que nous détenons la solution face aux problèmes que nous pose la disette. Ce que j'ai vu en Europe est probant, et il prouve la prévoyance dont les Européens ont toujours été animés. Là-bas, on ne bouffe pas tout de suite les morts, en faisant festin : ils prévoient les jours difficiles et mettent leurs morts en conserve.

***

Un grand music-hall parisien connut un jour une clientèle assez bizarre, non d'aspect physique, mais d'attirail dont elle s'était équipée.

En effet, la caissière avait remarqué que chacun de ses clients était muni de couverts : celui-ci avait un couteau, celui-là une fourchette, un autre un plat, un troisième une assiette, etc.

Inquiète, la vendeuse de billets alerta alors son patron qui vint trouver ces cannibales; ils étaient à la queue leu leu sur une distance d'un kilomètre.

— Alors, Messieurs! leur dit le patron avec une certaine bonhomie. Vous venez voir le spectacle ?

— Oui, répondirent gaiement les cannibales tous en chœur.

— Oui, mais pourquoi tous ces couverts ? s'inquiéta le patron.

Et les cannibales de répondre joyeusement :

— On nous a dit qu'il y avait un « One man shaw » !

***

S'il faut toujours se méfier des apparences, il faut aussi prendre garde à ce qui a pu causer ces apparences. Il y a des signes extérieurs qui ne trompent pas. Ainsi une infirmité ou une mauvaise formation corporelle provient d'un accident, quelles qu'en soient les origines. Et si ces origines restent encore confuses en nous, mieux vaut essayer de ne pas tomber dans le piège de ceux qui en portent des signes extérieurs. Les animaux, eux, ont bien compris cela; à preuve ce caniche perché sur un balcon, observant un bouledogue qui faisait joujou sur la pelouse en bas.

Ce gros chien a beau courir à droite, à gauche, s'enrouler sur l'herbe, toutes ses fantaisies demeuraient insipides car il lui manquait un compagnon de jeu. S'adressant au caniche, il l'invita à venir partager avec lui ses divertissements.

— Je ne peux pas! lui répondit le caniche. Ma maîtresse n'est pas là et elle a fermé la porte à clé.

— Saute par la fenêtre! lui conseilla le bouledogue.

— Oui, tiens! Pour avoir une gueule comme toi!

***

Un ivrogne invétéré va voir un médecin. Après examen, le praticien essaie de convaincre cet individu de s'abstenir de prendre de l'alcool.

— Votre foie est très atteint! lui notifie le docteur. Vous me faites en ce moment une crise cirrhotique! Et si vous n'abandonnez pas l'alcool, ces crises deviendront de plus en plus fréquentes, de plus en plus aiguës, et viendra un moment où on ne pourra rien faire pour vous!

Pour appuyer ses arguments, le médecin projette au malade quelques clichés de foies très atteints et présentés sous leurs aspects les plus horribles, insupportables à regarder très longtemps.

Ecœuré, le patient quitte son docteur, mais revient quelques jours après, dans un état plus lamentable encore que la fois précédente. Découragé et

en colère, le docteur alors gronde :
— Rien à y faire, hein ? Vous ne pouvez réellement pas vous passer de l'alcool ?

Et l'ivrogne de rétorquer au médecin :
— Je ne sais pas, mais en tout cas, je ne mange plus de foie !

***

Las Vegas est une ville qui attire les touristes du monde entier. Même si on n'est pas un joueur inconditionnel, on aimerait connaître l'ambiance de ses casinos avec leurs multitudes de machines à sous; ses cabarets qu'animent de véritables « sexy girls » ; ses dancings qui vont des classiques au disco, en passant par le rythme and blues, sans pour autant écarter les charrangas, thiarrangas et autres danses importées de Cuba ou d'Afrique.

Des touristes venus d'Europe goûtaient donc les plaisirs nocturnes de Las Vegas et tentaient leur chance aux différentes boîtes à sous. Comme à travers toute l'Amérique, Las Vegas est dotée aussi de ces distributeurs automatiques qui vous vomissent tout ce dont vous avez besoin : des cigarettes au journal, du sandwich à la boisson préférée. Ces distributeurs automatiques sont identiques aux boîtes à sous; tout au moins de par leur système de fonctionnement : introduisez la pièce et rabattez la manette, ou poussez le bouton !

Un Belge, qui durant toute la soirée avait essayé les différentes boîtes à sous, voyait sa fortune personnelle baisser petit à petit et la fortune rêvée s'éloigner au fur et à mesure qu'il tentait de décrocher le gros magot. De machine en machine, ce Belge se trouva face à un distributeur automatique de boissons; il mit un franc, appuya sur le bouton et une bouteille tomba; il mit alors deux francs, appuya sur le bouton, et deux bouteilles tombèrent; il mit trois francs, appuya sur le bouton et ce sont trois bouteilles qui lui vinrent d'un seul coup.

Derrière lui, bien sûr, les gens s'impatientaient, voulant se rafraîchir eux aussi. Un Français qui venait immédiatement après le Belge lui dit alors :
— S'il vous plaît, ça ne vous ferait rien qu'on se serve aussi ?

Et le Belge promptement de répondre :
— Vous ne pensez pas que je vous cède la place, maintenant que je commence à gagner !

***

Deux jeunes médecins qui viennent de terminer leurs études reçoivent leur affectation. Le premier doit rejoindre un hôpital de province; quant au deuxième, il reste à Paris pour s'occuper d'un hospice de vieillards.

Vient le jour des adieux et le second dit à son copain :
— Allez, va t'enterrer en province ! Moi je vais m'occuper de mes groupes sans gains.

***

Mon cousin cannibale, que la faim rendait fou, me reçut un soir après dîner. Nous nous installâmes confortablement sur une natte et bavardâmes de tout et de rien.

Nous contemplions les nuages et la lune et vînmes à parler du ciel; c'est alors que mon cousin me tint ces propos :
— Tu sais, s'il n'y a vraiment pas de chair humaine au paradis, je préférerais donner un coup de main à Lucifer.

Le laissant libre de ses opinions et de ses goûts, nous parlions d'autres choses ! Mais l'ennui, avec mon cousin, c'est que la conversation tourne toujours autour de la bouffe !
— Alors ! lui demandai-je, qu'as-tu eu pour dîner ce soir ?
— Ce soir ? me répondit-il. Ce soir, eh bien, j'ai mangé ma moitié !
— Comment ça, ta moitié ? fis-je surpris.

— Ben oui! Ma femme me disait toujours : je suis ta moitié!

***

Dis-moi qui tu hantes, je te dirai qui tu es! Ce vieux dicton s'est avéré exact à plus d'un titre, et devient le fondement de base d'une sélection tendant à établir des rapports entre les hommes. Ainsi les sages recherchent les saints, et les voyous leurs semblables. Mon vieux, si tu ne veux pas bouffer de l'homme éloigne-toi des cannibales. Un missionnaire endurci s'était établi dans un village d'anthropophages et s'était donné pour lourde tâche de ramener ces brebis égarées sur le droit chemin. Sans relâche, il harcelait les habitants par ses sermons et commençait même à obtenir des résultats satisfaisants. Bien sûr, ces efforts ne se bornaient pas simplement à convertir un seul village, mais toute la contrée étant atteinte par la même maladie, le prêtre organisait des voyages accompagnés de quelques-uns de ses néophytes, pour aller conquérir d'autres âmes jusqu'au-delà des rivières, fleuves et marécages. Malheureusement, au cours d'une de ces longues traversées sur fleuve, la pluie tropicale surprit la barque du missionnaire. Les averses diluviennes gonflèrent très rapidement les eaux du fleuve qui entraîna l'embarcation vers les torrents, et la pirogue ne résista pas. Heureusement, dans leur naufrage les six passagers purent s'accrocher, qui à une branche, qui à un tronc d'arbre, et gagnèrent ainsi les berges. Coupés, isolés du reste du monde, ces pasteurs vivaient désormais les aventures de Robinson Crusoé. Ajoutez à leurs mésaventures l'absence totale de nourriture et tout ce qui pourrait leur en procurer. Au bout d'une semaine, sans avaler la moindre petite substance, la mort allait faire d'eux des martyrs, éteints par la faim, parce qu'ils allaient interdire de manger. Jugeant la situation grave et irréversible, un des compagnons du prêtre se dévoua :

— Mon père, dit-il dans un ultime souffle, vous n'allez pas mourir de faim! Je vais me sacrifier, et ma chair vous sauvera.

— Pas question! riposta violemment le père. Ce serait une chose inqualifiable, que dis-je, un...

— Non mon père! coupa le compagnon. Vous avez besoin de survivre.

Et saisissant le fusil du prêtre, ce brave homme l'appuya contre sa tempe. Et alors le missionnaire sursauta en s'écriant :

— Pas la cervelle, c'est ce que je préfère!

***

Dans un petit village en Afrique, qui ne comptait guère plus de cent personnes, vivait un négociant blanc. Il était le seul et unique homme de race blanche dans toute la région. Son commerce marchait à merveille et il était l'ami de tous les villageois. L'éminent notable de cette localité qui remplissait les fonctions temporelles et spirituelles était le confident du négociant. Ils se rendaient mutuellement visite et la famille du notable avait adopté ce Blanc jusqu'à lui donner le nom de Jean. Pourquoi Jean ? — Ça pour vous le dire, il faudrait que j'aille en Afrique et fasse des recherches! — Revenons à nos moutons (la suite de cette histoire vous dira pourquoi je m'exprime ainsi). Donc Jean vécut dans ce village, et un beau jour la femme du notable se trouva enceinte. Lorsqu'elle mit au monde son enfant, le bébé était un métis. Je vous le donne en mille : un café au lait! Bien sûr, les commentaires dans le village allaient bon train! Y'avait qu'à dire suivez mon regard, pour qu'on sache à quoi vous faites allusion. Exacerbé par tout ce qu'il entendait, le notable alla trouver son ami pour lui faire part de sa déception. Jean le prit alors par la main et sans mot dire le conduisit hors du village où paissait un troupeau de moutons. Ah! nous y voilà à nos moutons!

Tous les moutons étaient blancs, blancs, blancs, d'une blancheur immaculée, sauf cependant une petite brebis qui tétait encore sa mère et qui était toute noire. Jean montra alors la brebis à son ami qui se calma et lui dit :

— Pour ma femme, je ne dis rien, hein, mais pour le mouton tu fermes ta gueule.

***

Un couple dont la femme est une blonde suédoise et le mari un blond britannique ont un enfant qui a vu le jour avec des cheveux roux. Dégénération, pensent l'homme et la femme car dans la lignée de l'un comme de l'autre ce phénomène bizarre ne s'est jamais produit.

On se soupçonne, on interroge les parents et on va jusqu'à consulter le docteur de la famille qui sans hésiter demande au couple :

— Faites-vous l'amour régulièrement ?

— Ben oui! répond le mari.

— Combien de fois par jour ?

— Ah non, pas par jour, s'indigne la femme.

— Alors combien de fois par semaine ?

— Ah non, pas par semaine, docteur, riposte le mari.

— Dites-moi votre rythme ?

— Une fois tous les six moix, précise la femme.

— Alors ça se comprend! dit le docteur. Ça rouille!

***

Si tout ce qui brille n'est pas de l'or, tout ce qui est noir n'est pas du charbon non plus. C'est parce qu'on est noir qu'on est obtus! Alors je me demande pourquoi y a toujours des imbéciles qui veulent constamment minimiser le Noir ? (sic)

L'un de nos brillants orateurs africains fut un jour invité à assister aux cérémonies de jumelage entre une ville de province française et une ville du Sénégal. Bien entendu, un déjeuner qui réunissait de très illustres invités était servi à l'hôtel de ville. Alors que tous les convives étaient en train de se restaurer, un dame placée à côté de ce Sénégalais croyait bien faire en lui tenant tout le long du repas un langage qu'on qualifie de « petit nègre ».

— Alors! lui disait-elle, toi, visiter la France ? Manger, y a bon! Hein, manger, y a bon!

Croyant peut-être que tout le vocabulaire compréhensible pour ce négro se résume en une seule et unique phrase, la brave dame en fit un leitmotiv et le servit à notre orateur comme entrée, plat de résistance et dessert. Même au café, qui Dieu sait venait de la Côte-d'Ivoire, notre Sénégalais eut droit à son « y a bon! »

A l'issue du repas, et présenté par le maire de la ville, notre orateur prit la parole, fit un discours dans un style très châtié, avec des nuances et des subtilités que seuls les fins d'esprit pouvaient saisir. Cette intervention captivante terminée, et acclamé debout par un auditoire charmé, l'orateur sénégalais regagna sa place et demanda simplement à sa voisine :

— Alors, y a bon discours ?

***

Faisant toujours référence à Francis Blanche et à la tournée théâtrale qui nous fit visiter toutes les villes de la province de l'hexagone, je me remémore nos aventures gastronomiques, pour ne pas dire nos cavalcades pour trouver une cuisine à notre goût, dans un cadre qui nous sied. Le gros problème pour un comédien en tournée c'est de trouver un restaurant ouvert tard le soir et qui ne congédie pas son personnel dès vingt et une heures, pour ne servir le reste de la nuit que de la bidoche froide. Et encore parfois faut-il se contenter uniquement de sandwiches. Le fait de ne manger qu'après le spectacle n'est pas du snobisme,

171

croyez-le bien, mais une digestion qui se fait pendant que le comédien est sur scène est une chose aussi désagréable que gênante. Aussi, quand il le peut, le comédien ne prend ses repas qu'une fois le spectacle terminé. A Paris, bien sûr, ceci ne pose aucun problème! La capitale prolifère d'établissements ouverts toute la nuit. Mais en province! Ho, ho, en province! Quelquefois, c'est une véritable course contre la montre : premièrement, parce que le spectacle se termine à minuit, et le dernier restaurant resté ouvert ferme à deux heures, et il est situé à l'autre bout de la ville. Deuxièmement, une fois sur place, il ne vous reste que quarante-cinq minutes pour vous installer, commander, bouffer et partir! C'est gai! Quand on sait que toute la troupe, la technique comprise, nous comptions une douzaine. Le premier renseignement que nous demandions en débarquant à nos hôtels c'était de savoir où nous pourrions souper après le spectacle. Si je devais vous transcrire ici le récit de nos multiples aventures que nous avons connues dans chaque ville, il me faudrait une année entière. Aussi je me borne simplement à vous relater des faits survenus à Strasbourg, ville où nous n'avons connu aucune difficulté pour nous restaurer. Bien au contraire : nous nous payions même le luxe du choix des restaurants et de la sélection des spécialités.

Suivant nos habitudes d'inquisiteurs, nous reçûmes quelques belles adresses dont celle de la Bourse aux vins, établissement renommé pour sa fameuse tarte à l'oignon. Nous nous rendîmes à ce restaurant plusieurs soirées de suite. A la veille de quitter Strasbourg, nous y fîmes un dernier assaut, mais à la déception de tout le monde ce soir-là la tarte à l'oignon n'était pas au menu. Bien sûr, rien ne nous convenait plus au menu, sachant parfaitement que nous dînerions là mais regrettant amèrement notre tarte à l'oignon. C'est alors que la patronne, une dame d'un certain âge, assez bien faite de sa

personne, et gentille comme on n'en voit plus, nous consola par ces mots

— Ne vous en faites pas, Messieurs Dames, laissez-moi vos adresses et j'enverrai à chacun une tarte : par la poste.

Et Francis Blanche aussitôt s'écria

— Ça fera une tarte postale.

***

Elle est jeune, elle est belle, il est élégant et très avenant ; ils s'aiment, se bécotent sur les bancs publics et sont seuls au monde. Les uns les condamnent, les autres les envient, quant à eux ils ont l'air de dire : honni soit qui mal y pense!

Bien qu'enivrés par leurs baisers, ils parlent de leur avenir et en viennent à discuter de la fidélité. Amoureuse et jalouse, la fille dit alors à son fiancé

— Chéri, tu sais, la première fois que tu me trompes, moi je te tue!

Le garçon la regarde et lui dit

— Et la deuxième fois ?

***

Deux Ecossais habitent le même immeuble et occupent deux appartements identiques. Celui du dessus, ayant rendu visite un jour à son voisin du dessous, s'émerveille de ses papiers muraux et voudrait aussi tapisser son appartement de la même façon.

— Achète douze rouleaux de papier peint, lui conseille le voisin. Ça fera exactement l'affaire.

Voilà donc le deuxième Ecossais qui achète ses douze rouleaux de papier peint, en garnit tout son appartement sans laisser de pièce, aucune . mais il lui reste, malgré toutes ses surfaces recouvertes, trois rouleaux inutilisables. Tracassé par ce surplus, il retourne donc voir son voisin :

— Vous savez ? lui dit-il, j'ai décoré mon appartement! J'ai acheté douze rouleaux comme vous me l'aviez conseillé, mais c'est curieux, il m'en reste trois, et je n'en sais que faire !

Et le voisin de répondre :
— Ah, vous aussi !

***

Le métier de comédien a toujours été, et demeure d'ailleurs, pour des âmes bien pensantes, une profession détestable, immorale et sans lendemain. Des familles jadis bannissaient ceux de leurs membres qui voulaient en faire carrière. Si parfois la volonté l'emportait sur l'opposition, l'interdit de traîner dans la boue le nom de la famille persistait toujours, ce qui dans la plupart des cas explique le pseudonyme. Mais dans toute règle, il y a une exception, et ce jeune Sénégalais, désireux de faire du théâtre et devant quitter sa famille pour la métropole, nous en donne la confirmation.

Il avait acquis l'autorisation de poursuivre ses ambitions avec la bénédiction paternelle ; il était déjà l'admiration de sa génération qui voyait en lui la vedette qui reviendra plus tard avec un nom et beaucoup d'argent. Mais malgré cette compréhension — incompréhensible — et les prévisions optimistes, notre héros sénégalais réunit toute sa famille pour lui demander une dernière faveur : changer de nom. Ce fut une surprise générale, et un refus catégorique s'opposa à son désir —surprenant, non ! Le père ne voyait à cette requête que de l'égoïsme personnifié ; quant à la mère, elle ne comprenait pas pourquoi son fils n'était pas fier de porter le nom de son père ; les frères et les sœurs, eux, se disaient lésés — ils ne pourraient, si leur frère maintenait sa décision, bénéficier d'une répercussion certaine de sa renommée.

La discussion fut houleuse et tous étaient opposés à ce projet de se débaptiser de la future vedette. Seul contre tous, vaincu, notre jeune héros adbiqua en faisant simplement remarquer à sa famille :
— J'y vais ! Tel que vous le désirez, mais je serai la risée de tout le monde.
Au bout d'une minute de réflexion,

et toujours sceptique, il ajouta :
— Etre sénégalais et s'appeler M. Blanche !

***

Tout le monde se souvient des autobus à plate-forme arrière et des surcharges qui s'y opéraient souvent aux heures de pointe. Ces transports en commun desservaient toutes les lignes qui traversent la capitale, et Dieu sait qu'au quartier Latin les contrôleurs de cette ligne n'étaient pas les plus gâtés. C'est ainsi qu'un jour les étudiants envahirent un autobus et s'installèrent comme des abeilles sans même se soucier de la place réservée au contrôleur. Celui-ci jugeant la surcharge trop importante dit alors :
— Messieurs, vous descendez, ou l'autobus ne partira pas.
Alors un des étudiants s'écria :
— Nous sommes ici par la volonté du peuple, et nous n'en sortirons que par la force des baïonnettes !
Et le contrôleur de demander :
— Qui c'est qui a dit ça ?
Une voix s'éleva par-dessus ce chahut en lançant :
— C'est Mirabeau !
Et le contrôleur d'ordonner :
— Mirabeau, vous descendez tout de suite !

***

Ceci m'amène d'ailleurs à vous parler de mon historique leçon d'histoire que j'ai eue en Afrique avec mes élèves. C'était un après-midi, vers quinze heures, heure à laquelle l'estomac est en plein travail et nous oblige à négliger le nôtre. La sieste étant dans la nature des choses dans les pays chauds, vous voyez l'allure d'une classe quand la chaleur est accablante, la digestion battant son plein et les climatiseurs vous apportant tout le bien-être. Dans cette ambiance j'essayais tant bien que mal de tenir éveillés mes élèves.

Je faisais alors une leçon sur Robespierre et cherchais à intéresser toute la classe en demandant :

— Qui est Robespierre ?

Je reçus bien sûr les réponses les plus invraisemblables, mais celle qui me surprit le plus vint de Toto qui, à ma question :

— Toto, dis-nous qui était Robespierre ? me répondit sans hésiter :

— Robespierre est le compagnon de Jean-Marc Thibault !

***

Le Rhin a joué un rôle majeur durant la dernière guerre mondiale. Les forces — allemandes ou françaises — qui réussirent à se rendre maîtresses de la navigation fluviale bénéficiaient d'un atout d'une importance capitale. Les deux armées en présence occupaient donc des positions au bord du Rhin, y veillaient hardiment et cherchaient à se déloger mutuellement. Des usines d'armement allemandes ayant été bâties au bord du fleuve pour en faciliter le transport, l'armée du Reich fut stupéfaite lorsqu'elle s'aperçut que le niveau de la voie d'eau ne cessait de baisser, gênant ainsi terriblement l'acheminement des ravitaillements. Que fit alors le colonel allemand ? Il désigna bien sûr un espion qui alla, sur un petit canot pneumatique, voir ce que pouvaient bien fabriquer les Français. A sa grande surprise, il trouva des soldats français au bord du fleuve et...

— Un, deux, trois : glou, glou, glou. Les Français aspiraient ainsi l'eau du fleuve par la bouche.

L'espion allemand retourna rendre compte. Et au tour des Français d'être frappés de stupéfaction car malgré leurs efforts inspirés par l'aspiration, les eaux du fleuve ne cessaient de monter.

A son tour le colonel français envoya un espion pour voir comment ces bougres d'Allemands pouvaient bien opérer. L'envoyé français trouva alors les soldats allemands plantés au bord du fleuve, à un mètre d'intervalle les uns des autres, et...

— Ein, zwei, drei — pipi, pipi, pipi.

***

Un richard qui ne pouvait plus évaluer sa fortune tellement il avait d'argent dit un jour à son bras droit :

— Marcel, je voudrais réellement connaître le bonheur !

— Rien de plus facile ! répondit l'autre. Comment le voudriez-vous, ce bonheur ?

— Je voudrais, poursuivit le richard, une plage à moi tout seul, avec du sable blanc, blanc, blanc.

Ainsi dit, ainsi fait. On lui prépara sa plage, fit venir des camions de sable blanc. Coût de l'opération : dix millions.

— Maintenant, je veux que cette mer cesse de s'agiter, ordonna le richard.

On fit venir des spécialistes imminents qui travaillèrent d'arrache-pied et réussirent à maîtriser les vagues. Coût de ce labeur : cinquante millions (anciens francs, bien sûr).

Suivant toujours les désirs du richard, on mit du parfum dans l'air, avec une légère brise qui soufflait sur commande, et une musique qui venait du fond de l'océan pour se répercuter agréablement sur la plage. Coût de ces différentes opérations : trois cents millions de francs.

Le richard fit alors installer une chaise longue, s'allongea et au bout de quelques minutes il soupira en disant :

— Ah que c'est facile d'être heureux !

***

En Irlande, il arrive très souvent que des gens touchent leur paye et s'enferment dans une taverne pour tout dépenser en boisson. Bien sûr, avant que la nuit se termine, ils sont ivres-morts et quelquefois incapables de regagner leur domicile.

Un soir de fin du mois, donc, un Irlandais s'enferme dans une taverne et boit comme une outre; voulant regagner sa maison, il s'affale sur le trottoir et s'endort. Le lendemain dimanche il est réveillé par le bruit des pas. Il ouvre un œil et s'aperçoit que les passants se dirigent tous vers la même direction. Il se relève tant bien que mal et se met derrière ces braves gens qui ne vont nulle part ailleurs qu'à l'église. Excellent refuge pour notre ivrogne qui aussitôt installé dans la maison de Dieu commence à piquer son roupillon.

Le prêtre, qui dans son sermon ce jour-là parle des souffrances de Jésus-Christ, rappelle comment le seigneur fut cloué sur la croix :

— Et on lui cloua la main droite, et on lui cloua la main gauche. Et on lui cloua les deux jambes...

A cet instant l'ivrogne se réveille, et dans un sursaut entonne :

— Et le bec... A... A.... Alouette...

***

Mon cousin, ce cannibale infatigable que vous connaissez bien, entreprend une aventure périlleuse : il s'agit d'un hold-up qu'il qualifie de hold-up du siècle : Ayant choisi un partenaire et une banque, mon cousin établit ses plans, bénéficiant d'une complicité d'un des employés de l'établissement. Le jour « J », et suivant toutes les indications qu'ils ont reçues, mon cousin et son coéquipier se rendent donc à la banque et sans difficulté parviennent aux coffres. Sans perdre de temps et usant d'un matériel perfectionné, ils ouvrent les coffres : à leur grande surprise, ils n'y trouvent que de nombreuses boîtes contenant chacune des sortes de graines noires entourées d'une matière blanche. Ces choses étranges apparaissent identiques à des haricots, si bien que mon cousin et son complice, pour ne pas rentrer bredouilles, s'en sont tapés à leur aise. Rassasiés, ils sortent et vérifient quand même si c'était bien là la banque qu'on

leur avait indiquée. L'établissement était bel et bien une banque, mais spéciale, selon l'enseigne : banque des yeux.

***

Deux voyageurs en chemin de fer occupent un compartiment dans les wagons couchettes. Le train quittant Paris pour Marseille et effectuant ce long parcours ne s'arrête généralement qu'aux gares des grandes villes. Dès le départ à Paris le voyageur occupant la couchette du dessus se plaint de la soif et répète sans cesse :

— Ah ce que j'ai soif! Ah ce que j'ai soif!

Ne pouvant pas dormir, gêné par les plaintes de son voisin, le voyageur de la couchette du dessous n'avait qu'une hâte : que le train s'arrête pour abreuver ce « zèbre ».

Au premier arrêt, le deuxième voyageur descend, se précipite à la buvette de la gare et rapporte toutes sortes de boissons à son compagnon qui se désaltère comme un chameau. Le train repart, tout le monde regagne sa couchette, et le voyageur du dessous croit pouvoir maintenant dormir tranquille, mais son voisin le tient en éveil par ses remarques sans fin :

— Ah ce que j'avais soif! Ah ce que j'avais soif!

***

Une petite interruption, cher lecteur, pour vous donner non pas une devinette, ni vous raconter une anecdote, mais vous transmettre une information de source sûre :

A Edimbourg un taxi dérape et tombe dans l'eau : quatorze morts.

***

Monsieur est malade, il souffre réellement le martyre. Cependant, malgré ses douleurs aiguës et l'insistance de sa femme, Monsieur refuse

175

d'aller voir un docteur ; à tous les arguments de sa femme il oppose un refus catégorique :

— Non, non et non ! Je n'irai pas baisser mon froc devant ces messieurs.

Vous devinez donc où se trouvait le mal de ce damné !

Pour plus de précisions, j'ajouterai que ce pauvre souffrait des hémorroïdes, ce qui l'obligeait à n'observer que deux attitudes : debout et couché ; et encore quand je dis couché, fallait-il que ce fût sur le ventre, ou de côté. Gênant non ? Ce supplicié portait ainsi sa croix jusqu'au jour où il reçut la visite d'un de ses amis qui lui indiqua un remède souverain : il suffisait simplement que le malade s'assît sur un tas de crottin de cheval fraîchement « débarqué ». Monsieur et Madame prirent donc la voiture et les voilà dans la nature en quête d'un tas de fumier. A l'approche d'une ferme, leurs peines furent récompensées et Monsieur n'avait qu'à trôner tranquillement, attendant que la chaleur animale fasse son effet. Madame attendait près de la voiture en faisant le guet. Mais à peine le mari s'était-il installé sur ce tas de fumier fumant qu'il se releva précipitamment en hurlant et en sautillant par-ci par-là. Très surprise, la femme se demandait ce qui pouvait bien arriver à son mari lorsqu'elle aperçut un enfant tout en larmes et qui lui dit :

— Madame, il m'emporte mes pièges à moineaux !

***

Toto, bien que condamné par tout le monde pour son manque de lumière d'esprit, a parfois cependant quelques sursauts d'inspiration ; c'est ainsi qu'un jour, faisant une leçon de calcul, je lui demande :

— Toto ! Deux et deux font combien ?

Il réfléchit pendant une minute et me dit :

— Vous savez, Monsieur, ça dépend où on se place ! Car si on est prêteur,

ça fera quatre cinquante à cause des intérêts. Et si vous devez rembourser vous balancez trois cinquante, et le prêteur ne verra jamais le reste !

***

Si cette réflexion de Toto est pertinente, celle qu'il fit à sa mère un jour bat tous les records de la bêtise. La maman de Toto, agacée par la turbulence de son fils, lui faisait sans cesse des remontrances :

— Toto tais-toi, Toto assez ! Toto arrête ou je t'enferme dans le poulailler !

— M'en fous, je ne pondrai pas !

***

Une dame très élégante est en train de faire les magasins : elle veut s'acheter un sac d'un certain genre : comprenez chic, et tape à l'œil. Elle visite donc tous les magasins de Pigalle spécialistes dans ce genre d'articles, mais après plusieurs démonstrations et arguments, la dame ne trouve rien à son goût. Elle pénètre cependant dans une boutique, sans grande conviction. Le tenancier lui dit :

— Madame, j'ai ce qu'il vous faut ! Vous voyez cette pochette, elle est en peau de zizi : vous la caressez doucement, elle gonfle en sac normal, et si vous caressez plus fort, elle se transforme en valise !

***

Deux Belges chasseurs sont dans la brousse africaine. Pour lever le gibier, ils ont un système très simple : l'un crie devant le trou de l'animal, et dès qu'il apparaît l'autre l'abat. Ils essaient ce système, et ça marche très bien ! L'un crie à l'entrée du terrier, et l'autre étale le gibier.

Seulement le lendemain de leur partie de chasse, les journaux locaux titraient :

— Deux chasseurs écrasés à l'entrée d'un tunnel.

***

Un autre Belge est trouvé pendu dans son garage. D'après l'autopsie, il avait trente-six fractures du crâne : il s'était pendu avec un élastique.

***

Un conducteur au volant de sa voiture emprunte l'autoroute. Tout à coup il se voit doubler par un coureur à pied, il accélère alors et le dépasse. Quelque temps après le coureur le dépasse à nouveau. Le conducteur passe à une autre vitesse, accélère et double le coureur qui, deux minutes plus tard, dépasse encore la voiture. L'automobiliste, furieux, met la gomme et passe devant. Il roule alors pendant quelques minutes sans se faire doubler par le coureur. Curieux, le conducteur fait un demi-tour et trouve le coureur en train de trotter à petits pas.

— Alors que se passe-t-il ? interroge le conducteur. Tout à l'heure vous me dépassiez et maintenant vous allez à petit trot...

Et le coureur de répondre :

— Ce sont mes baskets qui ont crevé !

***

Un clochard s'introduit dans un poulailler, saisit une poule, l'étouffe et s'enfuit vers la rivière. Alertés, deux gendarmes à bicyclette sont à ses trousses. Une fois au bord de l'eau, le clochard tord le cou à la poule et se met à la déplumer. Mais une minute ne se passe que les gendarmes montrent le bout de leur nez. Le clochard jette alors la poule dans l'eau, rassemble les quelques plumes déjà enlevées et s'assoit dessus. La poule, pas totalement morte, continue à s'ébattre dans l'eau.

— Ah, ah! disent les gendarmes. On te prend la main dans le sac !

— Mais moi je n'ai rien fait, proteste le clochard.

— Et cette poule dans l'eau ? Et ces plumes ?

Et le clochard de rétorquer :

— Ben la poule, elle est partie se baigner, et elle m'a confié ses habits.

***

Dans un pavillon ultra-moderne avec un personnel strictement choisi, le téléphone sonne, le maître d'hôtel courtois et stylé va répondre :

— Allô, dit-il poliment.

— C'est toi, imbécile, abruti, idiot!

— Une minute, je vais chercher Monsieur !

***

Un paysan est sur le bord d'une nationale faisant de l'auto-stop avec sa vache. Bien sûr, personne ne voulait s'arrêter. Vint un automobiliste avec une camionnette qui accepta de prendre le paysan, mais pas question de fourrer cette bête dans son véhicule. On l'attacha alors derrière et malgré l'allure rapide la vache suivait allègrement. Tout d'un coup, le conducteur regarde son rétroviseur et voit la vache qui tire la langue vers la gauche.

— Qu'est-ce qu'elle a votre vache ? interrogea le conducteur au paysan.

— Pourquoi ?

— Elle tire la langue à gauche.

— C'est parce qu'elle veut doubler !

***

Un monsieur très bien habillé entre dans un établissement de pompes funèbres.

— Je voudrais voir M. Funèbres! dit-il.

— Mais y a pas de M. Funèbres ici! lui répond un employé. Que désirez-vous ?

— Je veux une pompe!

— Désolé, ici nous ne faisons que des bières!

— Alors vous m'en mettrez un demi.

***

Si votre belle-mère vous dérange trop au téléphone, retenez simplement ceci : quand elle dira :
— Allô!
Répondez :
— Plouf!

***

Et deux devinettes, deux !

Qu'est-ce que c'est un oiseau migrateur ?
Réponse : C'est un oiseau qui se gratte que d'un côté.

Et savez-vous ce qui est rond, vert, qui monte et qui descend ?
Réponse : Un petit pois dans un ascenseur !

***

Les miracles qui s'opèrent à Lourdes ont toujours fait courir les infirmes du monde entier. On s'y rend par tous les moyens; et qu'importe d'ailleurs ceux-ci, si la fin en donne de louables justifications.

Un cul-de-jatte qui voudrait retrouver l'usage de ses membres inférieurs entreprit donc le voyage à bord de sa petite voiture à deux roues. N'ayant aucun parent qui pourrait l'aider à supporter les fatigues du voyage, il était seul à peiner pour couvrir les quelque cent cinquante kilomètres qui séparaient sa localité de ce qui était pour lui la terre promise. Si pour guide n'y avait point Moïse, la foi l'avait remplacé; si ce n'était pas tout un peuple, mais un seul homme qui se déplaçait, sa volonté équivalait à celle de ceux qui firent la traversée historique du désert.

Il ne lui fallut certes pas quarante années, mais quarante jours pour rentrer dans Jérusalem, sa Jérusalem : Lourdes aux eaux bénies. Une fois sur les lieux saints et sans perdre de

temps, notre pèlerin solitaire alla directement vers les eaux qui ont effacé tant de souffrances pour s'y plonger entièrement avec sa voiture. Le miracle se produisit : il y était rentré avec une vieille voiture, et il en sortit avec une voiture toute neuve avec des garnitures ultra-modernes.

***

Les noms quelquefois tirent leurs origines de sources étranges. Parfois étranges et parfois simples : c'est ainsi que le nom du monsieur qui habite près du bois sera : Dubois. Et celui du monsieur qui demeure près du pont sera : Dupont.

Quant à Clemenceau, beaucoup ignorent que c'est un nom composé à la suite d'une farce. En réalité, le garçon qui portait ce nom, à l'origine s'appelait simplement Clément; mais il était tellement peu dégourdi que tout le monde se plaisait à l'appeler : le sot. Si quelques-uns n'usaient que de ce surnom, d'autres par contre se complaisaient à l'accentuation et le nommaient : Clément le sot. Ainsi à travers les âges et les générations, la transformation se fit d'elle-même : Clément, puis Clément le Sot pour aboutir à Clémensot.

A travers les temps bien sûr, l'orthographe de ce nom changea pour donner aujourd'hui Clemenceau !

***

Dans un pays cannibale où la sécheresse sévit, la situation économique est catastrophique; la famine commence à faire rage et les dirigeants n'hésitent pas à faire main basse sur les dernières ressources nationales. La population s'indigne, se révolte, traîne quelques personnalités devant les tribunaux, mais la justice aussi est corrompue, donc très mal rendue. La masse alors, ne voyant qu'une issue à la situation, s'adresse directement au président. Des cortèges se forment, des banderoles sont exhibées, quelques manifestants sont même armés. Devant cette commotion populaire décisive, que dit le président ?

Prenant donc la parole, il s'adresse aux émeutiers en ces termes :

— Mesdames, Messieurs, je sais que la famine gagne vos foyers; je sais aussi que la justice est actuellement très mal rendue; devant cette situation, il ne reste plus qu'une chose à faire : bouffez des avocats!

***

Un Noir, petit, mais très bien habillé et respectueux de sa personne, se promène tranquillement sur la Canebière. Tout d'un coup un monsieur lui tape sur l'épaule; le Noir se retourne et l'autre de lui dire :

— Salut, collègue!

Offusqué par cette manière cavalière de se présenter, le Noir dit alors à l'inconnu :

— Sachez, Monsieur, que chez moi on m'appelle le Négus!

Et l'inconnu de rétorquer :

— Laissez-les dire, allez! C'est tous des imbéciles!

***

Dans un sous-marin, celui qui porte un parachute c'est un Belge; et celui qui court après le Belge pour avoir le parachute, c'est un Suisse! (Pourquoi n'aurions-nous pas nos histoires belges, en Afrique, nous aussi ?)

***

Un jour mon cousin vient me trouver et me dit l'air catastrophé :

— Tu te rends compte, aujourd'hui, pour un mot j'ai manqué d'avoir un milliard!

— Comment ça ? lui dis-je.

— Figure-toi que j'ai été à la Banque de France et j'ai dit au caissier : donne-moi un milliard!

— Alors ?

— Alors! Il a dit non! S'il avait dit oui, j'avais mon milliard!

***

Un Algérien vient travailler à Paris; au bout de deux semaines, il a la nostalgie de son pays et voudrait tout au moins trouver un coin qui le lui rappelle. Il rentre alors dans un bureau et demande :

— Madame, qu'est-ce que c'est ici ?

Et une secrétaire lui répond machinalement :

— Dactylographe!

L'Algérien sort, va plus loin et pose la même question; on lui dit alors :

— Mécanographe!

S'adressant à une caissière de salle de cinéma, celle-ci lui répond :

— Cinématographe!

Découragé, l'Algérien s'écrie alors :

— Mais dans ce pays, où y a-t-il des couscousgraphes ?

***

Et voici, toujours pour votre plaisir, un comble; que vous pourrez trouver d'ailleurs les yeux fermés!

Quel est le comble pour un aveugle ?
Réponse : C'est de faire couver des cygnes pour avoir une cane blanche.

***

Un coiffeur est en train de raser un de ses clients; à peine avait-il commencé que sa lame coupe le monsieur.

— Excusez-moi, Monsieur, dit le coiffeur, je vous ai coupé!

Il plante alors du coton sur la plaie. Continuant son travail, la lame glisse à nouveau, et coupe la joue du client.

— Je vous prie de m'excuser, Monsieur, dit le coiffeur, je vous ai coupé! Et il plante à nouveau du coton.

Ainsi durant tout le rasage, si bien que le client avait toute la joue gauche plantée de coton. Au moment d'attaquer la joue droite, le monsieur dit alors au coiffeur :

— Laissez, ce côté-là, je mettrai du blé!

***

Un explorateur est en train de se frayer un chemin dans la jungle. Cet aventurier est armé jusqu'aux dents et ne ménage pas ses efforts pour abattre avec son grand coupe-coupe tout ce qui lui barre le passage. Derrière lui suit une jeune femme qui loin de se soucier de la lutte de son guide s'occupe de sa beauté. Elle se coiffe, se mire, se poudre, en ne prenant nullement garde ou elle met les pieds. Dérouté par cette conduite, l'explorateur lui dit alors :

— Tu es vraiment inconsciente, hein! Tu te crois réellement dans un salon! Et s'il venait un lion ?

Et la femme, tout en s'occupant de sa personne, lui rétorque :

— Et s'il venait Tarzan ?

***

Il y a eu en Afrique une époque où la mode était à la « décannibalisation » ! Partout la consigne fut donnée : on ne voulait plus de cannibales dans le continent. Tout le monde avait pour mission de pourchasser ces ignobles carnassiers. Bien sûr, la lutte fut rude et il y avait toujours quelques bastions irréductibles. Une fois cette guerre terminée, on envoya en Europe les plus durs des cannibales pour un stage d'abstinence, sachant très bien que là-bas aucune possibilité de récidiver ne leur sera offerte. C'est au cours d'un de ces stages qu'un cannibale écrivit à ses parents :

— Chers parents! Maintenant que je suis complètement guéri, je n'éprouve plus le besoin de manger de l'homme. Figurez-vous qu'ici en Europe, tous les jours je me tape des petits Suisses!

***

Il vous arrivera certainement d'assister à un mariage, une communion, un baptême, bref à une quelconque réunion de famille. En ces occasions, on recherche souvent les farces les plus drôles et les histoires les plus marrantes. Surtout n'essayez pas d'imposer des choses savantes, vous fatiguerez très vite les gens! Généralement, et vous pouvez le vérifier, l'histoire la plus bête fait toujours plus rire, et le « truc » le plus simple est toujours apprécié car facile à retenir.

Donc au cours d'une réunion, vous pourrez sortir cette recette : d'abord vous annoncez à votre auditoire que c'est de la magie, ainsi vous commencerez par capter leur attention; ensuite vous sortez une boîte d'allumettes; vous en faites craquer une; vous jouez un peu mystérieusement avec cette flamme que vous éteindrez ensuite; puis vous replacez cette allumette brûlée dans la boîte; vous confiez cette boîte à un membre de l'assemblée qui devra l'appuyer fortement contre son oreille. Vous lui posez alors la question :

— Est-ce que tu n'entends pas des applaudissements, comme dans une salle avec des milliers de spectateurs ?

Bien sûr ce partenaire vous répondra non, puisqu'il n'entend rien.

Et à votre tour, magicien, de dire :

— Alors, c'est l'entracte!

***

Voici maintenant trois devinettes. N'oubliez pas de cacher les réponses avant de les lire, ainsi vous connaîtrez votre perspicacité.

Quelle différence y a-t-il entre un morpion et un politicien ?
Réponse : Y'en a pas, car tous deux adhèrent aux parties!

Quelle différence existe-t-il entre un pot-au-feu à l'ancienne et un plombier ?
Réponse : Pour cuire un pot-au-feu à l'ancienne, il faut quatre heures, et un plombier zingueur!

Qu'est-ce qui est noir avec des chaussures blanches et perché sur un arbre ?

Réponse : Un corbeau avec des baskets !

***

Un monsieur bien habillé rentre dans un salon de coiffure accompagné d'un enfant. Le coiffeur les reçoit poliment, installe le monsieur dans le fauteuil et lui fait une belle coupe. Ayant fini, le client dit alors au coiffeur :

— S'il vous plaît, vous vous occuperez du gosse, je vais faire une petite course et je reviens !

— Bien, Monsieur ! répond le coiffeur, qui sans perdre de temps attaque les cheveux du gosse. Une fois la coiffure terminée, le gamin s'installe sagement dans un coin en lisant des illustrés. Mais l'heure de la fermeture arrive et le monsieur ne revient pas. Inquiet, le coiffeur demande à l'enfant :

— Dis donc, tu sais où est-ce qu'il est parti ton papa ?

Et l'enfant riposte :

— Mais c'est pas mon papa ! C'est un monsieur que j'ai rencontré dans la rue et qui m'a demandé si je voulais me faire couper les cheveux. J'ai dit oui !

***

Deux cannibales se promènent en bavardant à bâtons rompus. Subitement l'un d'eux demande à son compagnon :

— Tu fumes des blondes, toi ?

Et l'autre de répondre :

— Tu sais, moi, blonde ou brune, elles finissent toutes dans la marmite.

***

Un président européen va en visite officielle en Afrique : il est bien sûr accueilli comme il se doit, et un dîner a été donné en son honneur. Au moment de gagner la table, ce président courtois veut aider une vieille dame à se lever :

— Prenez ma main, Madame ! dit le président.

— Non, merci ! répond la dame. Y aura assez à manger à la table.

***

Toussaint, le Corse, va dans une pharmacie et veut acheter un cachet d'aspirine. Le pharmacien lui fait savoir qu'on ne les vend pas par cachet, mais en boîte. Après plusieurs heures de discussion et pour s'en débarrasser, le pharmacien cède :

— Alors votre cachet, lui dit-il rageusement, faudrait-il que je vous l'empaquette ?

— Non, répond Toussaint, je vais le rouler jusqu'à la maison !

***

Un client va chez son tailleur, très très très mécontent. Plus de deux mois que son habilleur lui avait promis un complet, et ce costume ne finissait jamais à la date fixée.

Furieux, le client dit alors à son tailleur :

— Vous mettez plus de deux mois pour faire un costume, alors que Dieu a créé le monde en six jours.

Et le tailleur lui rétorque :

— Et vous trouvez qu'il a réussi ?

***

Une grande vedette du spectacle vient donner un récital en Afrique. La salle est bourrée et tout se passe très bien pour cet artiste. Seulement voilà, parmi les spectateurs, il y avait des cannibales qui attendaient ce virtuose à la sortie. Vous vous en doutez, ce n'était certes pas pour obtenir des autographes.

Se voyant menacé par ces affamés, la vedette se mit à prier, à genoux et les bras levés vers le ciel, se demandant à haute voix :

— Mais qu'est-ce que je vais devenir aujourd'hui ?

Et les cannibales de répondre en chœur :

— Notre plat du jour.

181

***

Un savant célèbre visite l'Afrique pour des études sociologiques.

Partout il est accueilli à bras ouverts, suivant l'hospitalité de ce pays. Chaque famille voudrait l'avoir à dîner; quelques-uns le lorgnaient d'ailleurs pour leur repas. Enfin le professeur sort de ce voyage sain et sauf; à la veille de son départ, on fit un banquet en son honneur. A la fin du repas, affalé sur un sofa, le professeur entama sa digestion et les hôtes de cet éminent homme lui demandèrent :

— Que désirez-vous boire, professeur ?

— Je prendrais bien un petit noir! répond le professeur.

Et une vieille maman de lui balancer :

— Que pensez-vous avoir bouffé au repas ?

***

Un coiffeur est en train de raser un monsieur; par mégarde ce barbier taillade la joue de son client et le sang coule à flots.

— Monsieur! demande le coiffeur. Avez-vous mangé de la sauce aujourd'hui avec beaucoup de tomate ?

— Non! répondit le client.

— Alors, dit le coiffeur, je vous ai coupé!

***

Devinette. Devinez ce qui suit, mais ne devinez pas ce qui pourrait en advenir si vous posez cette devinette en Rhénanie.

Que dit un Allemand quand il met les doigts dans une prise ?
Réponse : Il dit : Y a volt !

***

Une réflexion suivie d'un conseil :

Tout le monde est d'accord pour admettre cette théorie : « L'homme est un animal! »

Oui, mais ne dites jamais à quelqu'un qu'il est bête!

***

Un représentant d'un pays africain se présente à l'O.N.U. à l'occasion de l'admission de son pays dans cette organisation mondiale. Le malheur est que ce représentant, répondant au nom de Ibrahimus Seckus, ne sait ni lire ni écrire. Donc pour signer le livre d'or qui accueille la griffe de tous les membres, on lui fait mettre deux croix qui représentent son nom et son prénom. Seulement, au lieu de deux croix, cet éminent ambassadeur en marque trois.

— Pourquoi trois croix ? lui demande le secrétaire général de l'O.N.U.

Et le représentant de répondre :

— Parce que : Docteur Ibrahimus Seckus!

***

Un jeune Sénégalais, dont l'oncle est ministre, bénéficie des faveurs de la notoriété de ce proche parent. Et si l'habit ne fait pas le moine, la parenté non plus ne fait pas forcément la valeur! Mais, comme cela s'opère souvent chez nous, cette parenté crée inéluctablement un rang social très élevé. Et quelles que soient les aptitudes d'un membre de la famille d'un haut fonctionnaire administratif ou politique, il est toujours considéré comme faisant partie de la classe dirigeante, donc apte à remplir, ou tout au moins à occuper une place dans l'administration ou le gouvernement; si cela n'est pas, on lui colle simplement et le titre et le salaire : pour le rendement, vous repasserez demain!

Donc ce jeune Sénégalais dont l'oncle est ministre se voit nommer journaliste du jour au lendemain! L'ennui, c'est qu'il ne savait ni lire ni écrire : pour un journaliste, c'est plutôt gênant! Et quelle a été la

réaction de son oncle lorsqu'il a reçu une note à ce sujet! Je vous le donne en mille! Il a simplement répondu :
— Collez-le au journal parlé! (sic)

***

Un cannibale étendu sur son hamac attend le repas du soir; sa femme vaque à la préparation et s'affaire autour d'une grande marmite. La faim tenaille l'homme qui, ne pouvant plus retenir sa patience, demande à sa femme :
— Alors! C'est cuit ?
La femme s'empare d'un grand couteau qu'elle plonge dans la marmite; on entend alors un grand cri, et elle répond :
— Non, ça reste UN cœur!

***

Il est rare de trouver dans un village cannibale des bébés et des hommes robustes : les premiers sont recherchés pour leur chair tendre et les seconds parce qu'ils donnent des morceaux fermes.
Il y eut donc dans un village une réelle crise de jeunesse et de gens valides, « because » ils ont tous été aux fours. Des vieillards assis à l'ombre de l'arbre à palabre se plaignaient du manque de meunier dans le village; une vieille femme alors s'écria :
— Que voulez-vous, on ne peut pas être au four et au moulin!

***

Une touriste européenne débarque à Dakar avec sa voiture; elle traverse la ville et tout d'un coup s'entend siffler par un agent qui lui adresse de sévères réprimandes :
— Alors, vous ne pouvez pas vous arrêter quand je vous en donne l'ordre ?
— Excusez-moi, monsieur l'agent! dit-elle. J'ai tellement l'habitude des feux de signalisation, et ici y en a pas!
— Et moi ? reprend l'agent sénégalais. Quand je fais ça (il tend horizontalement un bras) je suis vert! Et

quand je fais ça (il tend verticalement un bras) je suis rouge!

***

Un élève très peu doué et qui par surcroît ne bénéficie pas d'un entourage familial exemplaire, répond toujours impoliment en classe. Un jour, irrité par la conduite de cet enfant, le professeur lui dit :
— Dommage que je ne sois pas ton père!
Et l'enfant de répondre :
— Ça peut s'arranger, vous savez! Ma mère n'est pas mariée!

***

Une dame est dans le train et en face d'elle un monsieur qui ne cesse de la regarder. Au bout d'une heure de trajet et n'en pouvant plus, le monsieur cherche à engager une conversation :
— Madame! dit-il. Acceptez tous mes compliments car vous êtes réellement belle!
— Merci! fait la dame. Mais je ne peux pas en dire autant pour vous!
Et le monsieur de lui rétorquer :
— Faites comme moi, sachez mentir!

***

Si vous devez faire passer un examen à un Belge, un procédé très simple : les cinq doigts de la main.
— Choisis un! Je mélange, je mélange, je mélange! Lequel est-ce ?

Prenez une feuille de papier, coupez-la en deux et placez-les côte à côte! Qu'est-ce que ça représente pour un Belge ?
— C'est un puzzle!

Un Belge vous lance une grenade, vous la dégoupillez, et vous la lui renvoyez!

***

Deux amis se rencontrent, discutent et traversent un jardin public :

— Tiens, fait l'un, tu vois ces deux femmes assises sur un banc, l'une c'est ma femme et l'autre ma maîtresse!

— Ah bon! fait l'autre. Moi, c'est juste le contraire!

***

Si la rivalité fait sortir les griffes, elle peut aussi parfois aiguiser la haine et la pousser à son paroxysme; dans ce cas, ce sont les crocs qui se montrent et on est prêt à bouffer son adversaire.

Un jeune cannibale, qui fournissait un excellent travail scolaire, n'arrivait pas cependant à damer sa classe et en être le major. Bien qu'il était un brillant élève, il se classait toujours second derrière le fils du sorcier du village. Un jour, montrant ses notes à son père, cet illustre et perpétuel second reçut les félicitations de son père qui, après ses compliments, ajouta :

— C'est bien, c'est très bien! Mais dis-moi : tu ne peux pas t'arranger pour être un jour premier ?

— Comment le pourrais-je, papa ? répondit l'enfant. Il y a toujours ce fils de sorcier devant moi!

— Qui ? Abdoul ?

— Oui, père!

— Alors t'en fais pas, demain tu seras en tête!

— Et comment ça ?

— Ben, Abdoul, fait remarquer le père cannibale, on va le bouffer ce soir!

***

Marius rencontre Olive sur la Canebière.

— Tu payes le coup ? demande Marius.

— Suis fauché! répond Olive.

— Alors viens! reprend Marius. Je connais un bar où nous pourrons boire gratuitement.

Ils se rendent alors à ce fameux bar. Sur le comptoir, il y avait un perroquet qui ne cessait, d'ailleurs, de sortir des insanités. Marius entraîne son copain près du perroquet et commande deux apéritifs. Ils furent servis, vidèrent leur verre, et tout d'un coup Marius appela le patron :

— J'en ai assez, lui dit-il. Ça fait deux billets de dix francs que je pose sur le comptoir, et que votre bestiole avale.

Le patron, à qui cette scène était déjà arrivée, ne put que maudire son perroquet et rendre la monnaie à Marius.

Sortis du bar, Marius et Olive riaient aux éclats, et ce dernier proposa à son compère de refaire le même coup dans un autre établissement que lui Olive connaissait. Arrivés donc ils procédèrent de la même façon :

— J'en ai assez, dit Olive lorsqu'il appela le patron. Ça fait deux billets de dix francs que je pose sur le comptoir, et que votre bestiole avale.

— A d'autres! lui répondit le patron. Mon perroquet est mort il y a deux ans! Celui-ci aux poils luisants c'est un empaillé.

***

Un cannibale très souffrant va voir son docteur :

— Qu'avez-vous ? lui demande le toubib.

— Des brûlures d'estomac!

— Tapez-vous un pompier!

***

Si certains hommes aiment les femmes blondes et bien chaudes dans leur lit, le cannibale, lui, les aime froides et dans son assiette.

***

Une famille de Noirs américains trouve dans une revue une fameuse réclame : « Un savon noir qui rend la peau blanche ». Après consultation des membres de la famille, ils se décident à acheter le savon. Une fois la marchandise à la maison, le père essaie; après un bain, il sort tout blanc. Formidable, s'écrie tout le monde, et chacun passe dans la salle de bains et change de couleur; sauf le plus jeune de la famille qui était absent et qu'on attendait avec impatience. Revenu de l'école, il est accueilli par sa nouvelle famille, ou plus exactement par sa famille à la nouvelle couleur : vous devinez le choc du jeune homme qui, d'ailleurs, malgré les explications et l'insistance des membres de sa famille, ne veut rien savoir; pour lui, pas question de changer de couleur, il veut rester négro. Alors c'est la cavalcade à travers la maison, car on veut lui faire prendre un bain de force. Dans sa fuite, ce garçon récalcitrant réussit à s'enfermer dans les toilettes, et malgré les menaces et prières de son père, il reste toujours terré dans sa cachette; alors le père se retourne vers la mère et lui dit :

— Tu vois, ça fait cinq minutes qu'on est blanc, et on est emmerdé par un Noir!

***

Les distractions dans les trains sont quasiment nulles! S'agissant d'un train de banlieue, maintenant, le trajet est plus que monotone : toujours le même paysage, toujours les mêmes têtes et pratiquement toujours les mêmes conversations. Les voyageurs qui veulent s'évader un peu se plongent dans la lecture. Tenez, si vous êtes en train de lire en ce moment mon bouquin, n'en faites pas profiter le voisin, il n'a qu'à l'acheter comme vous! D'autres feuillettent des quotidiens ou des revues, bref, chacun s'occupe comme il peut, et épie la moindre manifestation insolite. Donc rien ne passe inaperçu. Ainsi un voyageur offrait chaque matin et chaque soir, dans un train de banlieue, un spectacle des plus inattendus. Tous les jours, ce monsieur répandait par la fenêtre une poudre blanche qui se perdait au gré du vent. Son manège

dura une semaine, jusqu'au jour où un des voyageurs prit son courage, et pour satisfaire sa curiosité lui demanda :

— Je vous prie de m'excuser, mais pourquoi répandez-vous cette poudre ?

— La poudre ? C'est pour chasser les éléphants!

— Mais y a pas d'éléphants ici!

Et ce « poudreur » de répondre :

— Efficace, non ?

***

Les cosmonautes qui furent les premiers sur la lune ont été glorifiés, couverts de prestige et accueillis dans le monde entier comme les symboles de la pointe du progrès scientifique. Mais les acclamations, la gloire, le prestige quelquefois ne suffisent pas; il faut savoir tirer son épingle du jeu ; aussi ces cosmonautes avaient établi un calendrier de chantage :

Lorsqu'ils furent reçus en Russie, ils tinrent un conseil secret avec les dirigeants du Kremlin.

— Un chèque d'un million de dollars ou nous disons que nous avons vu Dieu assis sur une chaise au beau milieu de la lune.

Evidemment le Kremlin s'inclina.

A Rome, lorsqu'ils furent reçus par le Saint Père, ils obtinrent du Vatican la même somme qu'en Russie, mais avec des arguments bien sûr différents :

— Un million de dollars ou nous dirons que Dieu n'existe pas!

A la Maison-Blanche enfin ils perçurent le double c'est-à-dire deux millions de dollars car leur révélation serait lourde de conséquences :

— Dieu existe, oui! voulaient-ils dire. Nous l'avons rencontré, et il est noir!

***

Deux soldats, sous François Ier, montent la garde, ils sont tous deux en armure et la pluie tombe très dru. L'un d'eux dit alors à son compagnon de faction :

— Une armure toute neuve avec cette pluie, je vais encore me faire dérouiller par ma femme.

***

Le savant mort, celui qui tenait le discours funèbre termina par ces mots :
— Il est mort empalé, parce qu'il était à la pointe du progrès.

***

Un illustre écrivain prononce un discours à la suite de la perte d'un ami. Il brosse brillamment la biographie exemplaire de ce cher disparu et regrette son absence en ces phrases :
— Le vide douloureux occasionné par la perte d'un être cher...
Le lendemain, dans son courrier, il reçoit la lettre d'un inconnu qui lui demande :
— Comment un vide peut-il être douloureux ?
Réponse de l'écrivain :
— Vous n'avez jamais eu mal à la tête ?

***

Un valet téléphone à son patron :
— Allô, Monsieur, votre femme vient de se pendre dans la garage !
— Surtout ne coupez pas ! répond l'autre.

***

Un homme est atteint d'une maladie curieuse : il voit double. Alors il va consulter son docteur; à la fin de la visite, le médecin lui réclame cent francs. Alors le malade sort un billet de cinquante francs.

***

Deux amis bavardent; l'un d'eux, mélomane, parle de la musique et des instruments qu'il aime.
— Ah, je préfère de loin le piano ! déclare-t-il.

— Moi, je préfère la flûte ! Parce que je suis déménageur !

***

Deux fous jouent aux quilles avec un pavé. Le directeur de l'asile leur demande :
— Pourquoi jouer aux quilles avec un pavé ?
Et les deux fous de répondre :
— Ben, parce que nous avons perdu la boule !

***

Un client se présente chez un coiffeur et demande qu'on lui rase la barbe : chose faite. Au moment de payer, le coiffeur lui réclame le prix de deux rasages.
— Pourquoi deux rasages ? s'étonne le client.
Et le coiffeur lui rétorque :
— Parce que vous avez un double menton !

***

Ah la bonne devinette ! Qui trouve (sans tricher, bien sûr) aura droit à un livre dédicacé.

Pourquoi un Ecossais serre les fesses quand il reçoit un coup de pied ?
Réponse : Ben, dame ! Pour garder la chaussure !

***

N'oublions pas nos deux héros sénégalais Samba et Demba qui sont, comme vous le savez, des fous à lier. Leurs aventures nous amènent dans un hôpital où a été interné le premier, c'est-à-dire Samba. Il a été admis dans cet établissement non pas à cause de sa maladie mentale, mais par suite d'une blessure au pied.
Allant donc rendre visite à son inséparable compère, Demba s'aperçoit que Samba portait un gros pansement

à la tête; ce qui l'intriguait beaucoup.

— T'as été blessé à la tête? demande alors Demba, inquiet.

— Non! fait Samba. C'est au pied, mais le pansement a glissé.

***

Dans une salle de cinéma, un spectateur est en train de manger ce fameux gâteau qu'on appelle communément millefeuille. Ma main à couper s'il y en a vingt. Ayant donc fini de se restaurer, ce vorace, qui ne voulait rien perdre de son repas, se mit à ramasser une à une les miettes tombées sur lui. Devinez le nombre de fois qu'il a dû porter la main à la bouche pour faire ce genre de nettoyage. Le plus curieux c'est que plus il en ramassait, plus il en restait, et même il semblait que les miettes se multipliaient. Si c'était du pain dans le desert on aurait compris, mais des miettes dans une salle de cinéma! Il y avait certes là un autre mystère! Cette multiplication des miettes paraissait tellement illogique à notre affamé qu'il leva la tête au ciel pour recevoir un éclaircissement de cet arcane. C'est alors qu'il aperçut au balcon, juste au-dessus de lui, un barbu avec une peau pleine de croûtes et qui ne cessait de se gratter.

***

Samba, rétabli de sa maladie, sort de l'hôpital, toujours en compagnie de son fidèle ami Demba. Pour regagner le rez-de-chaussée, ils empruntent l'ascenseur, mais par malchance ils utilisent celui réservé exclusivement au personnel de l'hôpital. Le surveillant de l'établissement, les voyant sortir de cet élévateur, leur demande:

— Pourquoi avez-vous pris cet ascenseur?

Et nos deux fous de répondre:

— Nous étions bien obligés! L'escalier est en dérangement.

***

A la suite d'une chasse frénétique, les cannibales réussirent à s'emparer d'un missionnaire du nom de père Gérard. L'événement était historique car plusieurs fois on avait tendu des pièges à cet ecclésiastique qui parvenait toujours à s'échapper. C'était aussi en même temps un événement car plusieurs décennies s'étaient écoulées sans qu'on parlât d'une possibilité éventuelle de goûter encore de la chair d'«Oreilles Rouges». Vous devez donc imaginer la joie qui régnait dans ce village. Les cannibales étaient en fête! Gérard était capturé! On chantait, on dansait, on remerciait les dieux en buvant le vin de palme : ceci ressemblait étrangement au Dionysiaque et l'euphorie gagnait petit à petit les fêtards. Les tam-tams résonnaient, les invitations étaient lancées télégraphiquement et partout on annonçait : Gérard au riz! Gérard au riz! Ce n'était plus du cinéma!

***

Un Belge menuisier travaille dans une scierie. Par malheur, il a un accident : une oreille coupée. Ses coéquipiers se précipitent, l'aident, et on cherche l'oreille pour une éventuelle couture. Tout le monde se met donc à l'ouvrage : l'atelier est sens dessus dessous, rien que pour retrouver ce bout d'oreille qu'un des ouvriers parvient à dénicher sous un tas de copeaux.

— Ce n'est pas mon oreille, dit le Belge. La mienne avait un crayon.

***

J'ai vécu la retraite de la Russie : le froid glacial sibérien! L'armée napoléonienne en déroute n'avait plus qu'un seul ennemi : le froid. Ah nous avions fière allure, nous les soldats de l'Empereur! Nous faisions des kilomètres et des kilomètres à pied, traînant nos montures par la bride. Nos chevaux ne nous servaient plus à rien : mais qu'importe! C'étaient nos compagnons de guerre! Comme d'ailleurs tous ces attirails que nous avions sur le dos : plus de munitions, plus de pain, plus d'eau! Mais nous ne cherchions pas à nous débarrasser. Nous gardions nos bardas comme des reliques sacrées. L'intensité du froid se faisait sentir de jour en jour, et point de possibilité de faire du feu : le vent, la pluie, la neige, toutes les intempéries ne présageaient que la disparition funeste et totale de l'armée de Sa Majesté. Du feu, un peu de feu, de la chaleur et nous étions sauvés. C'est alors qu'il me vint l'idée géniale que seul peut posséder un Sénégalais, surtout en ces moments-là ! Je fis stopper notre interminable marche, mis tous les soldats en cercle et me plaçai au milieu.

— Seckus! me fit alors l'Empereur. Que signifie ceci ?

Et je lui répondis avec toute ma bonhomie :

— Sire, maintenant vous avez un sauvage central!

***

Ouvrez le tam-tam!

Ici la voix du Congo! Je m'adresse aux insurgés, à ceux qui se révoltent à cause de la famine. Patience, patience, on travaille pour vous! Patience, patience! Bientôt de la viande, beaucoup, beaucoup de viande! Dans deux jours, un mois, un an, je ne sais pas! Mais patience, patience, vous aurez beaucoup, beaucoup de viande, patience, patience! Il « veau » mieux un steak tard, tard, que rien du tout!

Fermez le tam-tam!

***

Le langage du code de la route rappelle quelquefois les bandes dessinées : des figures avec une légende qu'illustrent des textes abrégés. Il se trouve parfois qu'il y a absence de texte; la signification de ces figures muettes est alors livrée à l'intelligence du conducteur. Quand maintenant ceux qui

établissent ces panneaux prennent les automobilistes pour des ignares, ils ajoutent au bas de chaque dessin des suppléments d'information. Ainsi, sur les autoroutes belges on peut trouver ce panneau avec deux petites voitures rouge et bleue côte à côte : tout conducteur sait bien sûr que cela signifie interdiction de doubler. On ne sait pas pourquoi, mais ces panneaux portent quelquefois cette indication :

— Même si votre voiture n'est pas identique à ces deux voitures (sic).

***

Une faute est commise dans une salle de classe, l'instituteur cherche qui en est l'auteur; à toutes ses questions, les élèves demeurent muets. Guidé par un instinct, il s'adresse à Toto :

— Toto, dis-moi qui a lancé ce bout de craie ?

Et Toto de répondre :

— Monsieur, si je vous le dis mon voisin ne sera pas content!

***

Un automobiliste distrait emprunte le chemin inverse dans un sens giratoire. Bien sûr, allant à l'encontre de la circulation, il bloque absolument celle-ci. Un agent de police intervient et le réprimande :

— Alors, vous n'avez pas vu les flèches ?

Et l'automobiliste de lui rétorquer :

— Monsieur l'agent, je n'ai vu ni flèches ni indiens!

***

A force de redoubler sa classe d'année en année, Toto se retrouve sur le même banc que sa petite sœur âgée seulement de sept ans — Toto en a treize, c'est vous dire! Malgré son jeune âge, la petite fille, à toutes les compositions, dame le pion à son frère : ce qui réellement irrite son père.

— Alors, dit-il un jour à son fils, tu

ne veux vraiment pas fournir d'efforts ? Tu te laisses même devancer par ta petite sœur!

Et sans baisser la tête Toto répond à son père :

— Papa, moi, je suis galant! Les dames d'abord!

***

Un enfant de la ville visite pour la première fois la campagne. Il découvre les merveilles de la ferme et les animaux qui s'y trouvent. Guidé par la curiosité, cet enfant voudrait tout savoir et pose de multiples questions. Apercevant une vache, l'enfant dit alors au fermier :

— Elle est grosse, hein, cette vache ?

— Ah oui! fait le fermier. Elle porte un veau.

— Où ça ?

— Ben, dans son ventre, pardi!

— Ah bon! fait l'enfant. Mais par où il est entré ?

***

L'enfant est triste, l'enfant pleure; son chagrin le tient isolé de tous; il est inconsolable et ne veut rien manger. D'où lui vient cette peine ? Sa maman ne cesse de le questionner et cherche à soulager ses maux; à la fin l'enfant se confie :

— Maman, dit-il tristement. Dieu est malade!

— Comment ? sursaute la mère.

— Oui maman! Je l'ai lu dans le journal : le docteur Dubois a été rappelé à Dieu!

***

Deux Ecossais se rencontrent : de quoi parlent-ils ? D'argent, bien sûr! La vie est chère et tout le temps il faut acheter, acheter, acheter!

— Comment peut-on manger sans débourser ? rêvait l'un.

— Moi, fait l'autre, ma femme a trouvé le truc : chaque fois qu'elle change l'eau de l'aquarium, nous mangeons de la soupe de poisson pendant deux jours.

***

Les fêtes de famille font toujours la joie de tous. Quand maintenant c'est une fête doublée d'une cérémonie et concernant l'enfant, celui-ci est aux anges! Ainsi pour la première communion de Pierre, la famille n'a pas ménagé les dépenses et beaucoup d'invitations ont été lancées. Malheureusement, la veille, l'enfant revient en larmes :

— Maman, maman, monsieur le curé ne veut pas que je fasse ma communion.

Affolée, la mère court au presbytère et demande à voir le curé.

— Monsieur le Curé, vous ne voulez pas que Pierre fasse sa première communion ? Et pourquoi ?

— Pierre ne sait pas son catéchisme, répond le curé, il ne sait même pas pourquoi le Christ est mort.

— Ben, monsieur le Curé, reprend la mère, que voulez-vous, dans notre petit pays on n'a pas la télé, on n'a pas la radio, on ne savait même pas qu'il était malade!

***

Olive rencontre Marius et lui dit :

— Tiens, comment vas-tu ? Et ta femme ?

— Moi, répond Marius, ça va très bien, et j'ai une femme en or! Et toi ? Comment est-elle, ta femme ?

— La mienne, elle est en taule!

***

Il arrive très souvent qu'on se dispute dans les ménages; quelquefois cela apporte un certain piquant quant au raccordement : le mari cède et fait un cadeau à son épouse chérie, ou la femme se ravise et use de ses charmes. Cependant, si les disputes se renouvellent très souvent, cela peut créer une atmosphère de haine, et les armes dont on se sert pour parfaire les situations s'émoussent très vite. Si dans la vie quotidienne du couple le silence est d'argent, la séparation devient alors une valeur inestimable. Et quand on vient à ne parler qu'à coups de bouts de papier, l'amour se retrouve alors au fond des corbeilles.

Un couple, donc, s'étant disputé, s'entredéchire, et chacun décide de ne plus adresser la parole à l'autre. Le mari, qui doit voyager, écrit sur un papier à l'attention de sa femme :

— Réveille-moi à six heures, mon avion part à huit heures!

Le lendemain matin à neuf heures le mari se réveille et trouve un papier sur la table de nuit :

— Réveille-toi, il est six heures!

***

Samba le fou surprend un jour son compère Demba en train de mettre une lettre dans une enveloppe.

— Que fais-tu là ? interroge Samba.

— J'ai écrit une lettre, répond Demba.

— A qui ?

— A moi-même!

— Et qu'est-ce que tu as écrit ?

— Je ne sais pas, fait Demba, je n'ai pas encore reçu ma lettre.

***

Et voici maintenant quatre combles pour vous combler!

Je vous rappelle que vous devez toujours cacher la réponse avant de la lire. Vous détenez ainsi votre « livre-jeux ».

Et « livre-je » les combles ?... les voici!

Quel est le comble pour une bonne sœur ?

Réponse : Vierge toute sa vie et mourir en sainte!

Quel est le comble pour une hôtesse de l'air ?

Réponse : Se mettre à poil devant son avion pour lui faire lever la queue!

Et quel est le comble du jardinier ?

Réponse : Quand il est obligé de se mettre à poil pour faire rougir ses tomates.

Et le comble du joueur de rugby ?

Réponse : Plaquer sa femme quand elle a le ballon!

***

Marius, dans sa verve méridionale, narre à ses amis la farouche bataille qu'il avait livrée contre des envahisseurs de sa province :

— Et je te manie l'épée, raconte-t-il, et on me frappe le bras droit, et je prends le gauche; et on me coupe le gauche, et je prends l'autre; on me le coupe, je prends l'autre...

Un de ses amis l'interrompt et lui dit :

— Dis donc, Marius, tu as combien de bras ?

Et notre narrateur de répondre :

— Tu crois qu'on a le temps de compter ses bras en ces moments ?

***

Un président-directeur général rentre chez lui après une dure journée de travail. A peine a-t-il franchi le seuil de sa porte que sa femme le harcèle avec une chemise à la main :

— Maintenant tu me diras d'où sortent ces taches de rouge à lèvres sur ta chemise ?

Et le mari de dire :

— Je ne sais pas, je les avais pourtant enlevées!

***

Un automobiliste est sur l'autoroute conduisant une 2 CV. Tout à coup il aperçoit une Cadillac accidentée, dont le chauffeur était allongé au bas de la chaussée. Stoppant son véhicule près du sinistré, le conducteur de la 2 CV demande alors à celui de la Cadillac :

— Pardon, Monsieur, êtes-vous assuré tous risques ?

— Oui!

— Je peux me coucher à côté de vous ?

***

Marius, toujours Marius, et encore Marius. Il n'est pas un seul Marseillais qui ne le connaisse. Sa légende parcourt la Canebière depuis le Vieux Port jusqu'à la gare Saint-Charles. Il aime les récits et revient souvent d'Afrique. Les scènes de chasse qu'il vous décrit sont hallucinantes; la bravoure avec laquelle il aborde les fauves dans ses récits devient témérité. Ainsi donc, et une fois de plus, Marius entouré de ses amis relate une partie de chasse au lion en Afrique :

— Je voyais le lion venir vers moi, dit-il, ses yeux étaient d'un rouge flamboyant, sa crinière se dressait, et sa queue battait ses flancs. Et moi j'étais là, debout, à l'attendre. Ce n'est qu'à deux mètres seulement que j'ai épaulé. Vous comprenez, Messieurs, précise Marius, moi, je ne chasse pas à la longue vue! Moi, le gibier et moi, nous sommes face à face!

— Suppose, Marius, dit l'un de ses amis, lorsque tu as épaulé, prêt pour tirer, ton fusil s'enraye, et la balle ne part pas!

— Alors! reprend gravement Marius, je saisirai mon fusil par le canon pour livrer un combat loyal!

— Suppose que ton fusil se casse! poursuit l'ami de Marius.

— Dans ce cas, avoue Marius, tout est perdu, on sauve sa vie! Je grimperai sur un arbre.

— Et si le lion grimpe et te rejoint, insiste l'ami de Marius.

Ne pouvant plus supporter l'esprit dénigrant de son ami, Marius se révolte :

— Dis donc, toi, avec qui tu es ami ? Avec moi ou avec le lion ?

***

Dans un compartiment de train, un sergent y trouve un colonel. Le premier, bien sûr, salue son supérieur comme il se doit et prend place. Au bout de cinq minutes de conversation le sergent sort un paquet de cigarettes et en offre au colonel.

— Non merci, sergent! dit le colonel. Dans ma vie je n'ai fumé qu'une fois.

Leur conversation se poursuit et tarit d'ailleurs très vite. Saisissant des journaux, le sergent en présente au colonel qui répond :

— Non merci, sergent! Je n'ai lu qu'une fois le journal dans ma vie!

Le voyage s'éternise et un remontant serait le bienvenu. Ouvrant sa valise le sergent en sort une bouteille de Whisky et à tout seigneur tout honneur, il veut bien sûr servir son colonel le premier, qui décline d'ailleurs l'invitation :

— Non merci, sergent, je n'ai bu qu'une fois dans ma vie!

Arrivé à destination, le colonel est accueilli à la gare par sa famille à qui il présente le sergent :

— Voici le sergent Thomas. Sergent, voici Diane, ma fille!

Et le sergent d'ajouter :

— Certainement fille unique, mon colonel ?

***

Si vous avez un pépin, changez d'imperméable!

Une marchande de parapluies voit son magasin brûler pour la troisième fois. Les agents d'assurance se présentent, font le constat, mènent une enquête et remboursent pour la troisième fois. Jugeant un peu trop fréquents les sinistres de cette cliente, le directeur de la compagnie convoque la dame et en guise de conseil, il lui dit :

— Madame, pour le bonheur de tout le monde, évitez maintenant les pépins!

***

Deux amis se rencontrent et le premier offre des billets de spectacle au second.

— Merci, dit-il, je ne peux pas y aller, ma femme a invité je ne sais quel imbécile...

— Merci, répond l'autre. Je dîne ce soir chez toi!

***

Un président-directeur général, dont la femme est partie en voyage, veut profiter de ses jours de célibat pour mener la grande vie. Il congédie très tôt la bonne, se sape comme un prince et va dans un boîte de nuit très chic! Il appelle le garçon, lui fait une description du genre de femme qu'il aimerait avoir comme compagne. Le garçon s'en va et revient cinq minutes plus tard avec une demoiselle qui, ma foi, ne présentait pas mal. Mais voyant les gestes désapprobatifs de son client, le garçon écarte la fille momentanément pour un supplément d'information :

— Renvoyez-la, lui dit alors le P.D.G., c'est ma bonne!

***

Le patron d'une grande usine a du mal à dormir. Il téléphone à un ami et lui fait part de son calvaire; celui-ci lui conseille alors de compter des moutons.

Le lendemain l'ami du patron téléphone pour savoir si son remède a produit de l'effet :

— C'est excellent, lui affirme le patron, mais à un certain nombre ils avaient tous des pancartes et réclamaient des heures supplémentaires.

***

La vie est une jungle où chacun cherche à dévorer son prochain. Quelles que soient les règles, les lois établies entre les hommes, il n'en reste pas moins que l'être humain voudra toujours posséder davantage, et le plus souvent au détriment de ses semblables. Quand maintenant nécessité fait loi, rien n'arrête plus l'individu qui, par tous les moyens, louables ou non, cherchera à assouvir ses désirs. Il n'est guère de possédant qui ne crée des envieux, et il n'existe nul envieux qui ne veuille dépouiller le possédant. L'homme étant de nature insatiable, il arrive souvent qu'un possédant lorgne les biens d'autrui, même si ce dernier est un faiblement nanti.

Ainsi deux cannibales voyageaient ensemble; l'un était unijambiste. Trois jours durant, ils ont traversé forêts, montagnes et plaines sans pouvoir manger à leur faim. Au cinquième jour, n'ayant rien à se mettre sous la dent, le bipède dit à son compagnon :

— Comme la nature est parfaite! Tout y est en équilibre! La végétation, la faune; tout va par paire, et tout est parfait. A ta place, je me couperais l'autre jambe pour faire l'équilibre.

L'unijambiste, qui avait aussi faim que son compère et qui lorgnait discrètement les membres de celui-ci, lui rétorque :

— Puisqu'il faut garder l'équilibre, coupe-toi une jambe et nous serons deux unijambistes!

***

Il y eut une époque où les Portugais voulaient envahir l'Afrique tout entière. La flotte portugaise d'alors était la maîtresse des mers, et la cavalerie en armure avait aussi fait parler d'elle. Bien souvent, d'ailleurs, la marine transportait la cavalerie qui, une fois débarquée sur les côtes africaines, devait ratiboiser toutes les régions et capturer le plus d'esclaves possible! (sic)

C'est ainsi qu'un détachement de cavaliers en armure livrait bataille contre un village cannibale. Les vaillants guerriers aux dents longues se défendirent sans désemparer et finirent par mettre la cavalerie portugaise en déroute.

« Le champ de bataille était couvert de morts sur qui tombait la nuit ! » Un père cannibale, suivi du seul fils qu'il aimait, parcourait à cheval le terrain de combat.

Son fils bien-aimé voulant faire provision s'acharnait sur un soldat portugais mort, étendu sur le sable. L'enfant cherchait à sortir ce corps de son enveloppe d'acier. Voyant les efforts que fournissait son fils, le père cannibale dit à son enfant :

— Laisse-le donc, celui-là ! Tu vois bien qu'il est en conserve, et nous n'avons pas d'ouvre-boîte !

***

Toto, cette année-là, avait fourni des efforts intellectuels surprenants, et le voilà qui fait sa maîtrise.

Le professeur lui demande alors de parler de l'eau :

— Toto, quelles sont les caractéristiques de l'eau ?

Le voyant hésiter, le professeur essaya de l'aider :

— L'eau est in... inco... incolo...

— Incolore ! s'écria Toto.

— Et ensuite ? poursuit le professeur. Ino... ino... inodo...

— Inodore, trouva Toto.

— Et après ? fit le professeur. Insi... insi...

Et Toto de proclamer :

— Ainsi soit-il !

***

Un inspecteur primaire va dans une classe et pose la question suivante aux élèves :

— Douze bouteilles de vin, à zéro franc cinquante pièce, combien ça fait ?

Un élève se lève et dit :

— Je ne sais pas combien ça fait, mais à la maison douze bouteilles de vin ça fait trois jours !

***

Deux tomates se promènent; le temps de traverser la rue l'une d'elles se fait écraser, l'autre se retourne et dit :

— Tu viens, jusjus ?

***

Un microbe rencontre un autre microbe qui grelotte ! Il a des habits de laine, une écharpe autour du cou et malgré tout ça il claque des dents :

— Que t'arrive-t-il ? lui demande son ami.

— J'ai attrapé un aspirine !

***

Deux heures du matin, on sonne à la porte d'un hôtel. Le taulier, qui habite le premier, ouvre sa fenêtre et se penche dehors : il aperçoit une longue bagnole américaine d'au moins six mètres, et un monsieur habillé en prince debout devant la porte de l'hôtel.

— Qu'est-ce que c'est ? lance l'hôtelier du haut de son premier.

— C'est moi, je voudrais une chambre ! C'est le prince Louis Hérédia José da Capoulco.

— Entrez ! fait l'hôtelier. Et que le dernier ferme la porte.

***

Des ouvriers qui travaillent ensemble décident de faire un banquet. Chacun doit apporter une petite contribution : qui le jambon, qui le fromage, qui le vin, qui la viande, etc.

Parmi eux un ouvrier sénégalais qui n'a rien proposé. Ses copains lui demandent alors :

— Et toi, qu'apporteras-tu ?

— Moi, répond le Sénégalais, j'amènerai ma famille.

***

IBRAHIM SECK RACONTE...

Un bébé est né! Chose assez curieuse, cet enfant tenait le poing fermé et riait, mais, il riait. Les infirmières, bien sûr, ne s'en sont pas laissé conter, et au prix de mille efforts elles arrivèrent à ouvrir la main de l'enfant. Et que tenait cette innocente main? Je vous le donne en mille : une pilule anticonceptionnelle.

***

Une petite fille accompagne sa mère chez le docteur. Après la visite de sa maman, l'enfant demande à parler au docteur, mais en tête à tête. Sa mère a beau insister, rien à faire, elle veut son entretien privé. Seule avec le docteur, la fille lui dit alors :
— Je voudrais prendre la pilule.
— Mais! fait le docteur ahuri. Qui t'a mis une chose pareille dans la tête?
— Moi toute seule! J'en ai marre d'avoir une poupée tous les ans!

***

Un village très très éloigné de Paris décide d'avoir un orchestre. Après réunion, on délègue le plus intelligent pour venir dans la capitale choisir les instruments. Il va donc dans un magasin et dit au vendeur :
— Je voudrais cet accordéon blanc, et cette trompette bouchée.
Le vendeur lui fait alors remarquer :
— Mon cher Monsieur, ce que vous prenez pour accordéon blanc, c'est mon radiateur; quant à votre trompette bouchée, ce n'est autre chose qu'un extincteur!

***

J'avais pour invité le célèbre Roger Pierre qui venait passer quelques semaines de vacances au Sénégal. Au bout de quinze jours, n'en pouvant plus, il refait ses bagages. A mon grand étonnement. Je lui demande :
— Mais enfin, Roger? Qu'est-ce qu'il y a? T'es pas bien ici? Le soleil, la mer, les plages bordées de cocotiers.

— Tout ça c'est bien beau, me répondit-il, mais je viens de surprendre une conversation sur les cannibales! Rien de rassurant!
— Alors là! lui rétorquai-je, tu peux être tranquille : le dernier cannibale, je l'ai bouffé!

***

Dans la forêt un cannibale capture un Blanc qui se met à supplier ce géant aux dents très longues :
— Je suis père de famille, dit-il, et puis je ne suis pas très gros pour vous, je ne suis qu'un pauvre petit Belge!
Et le cannibale de lui répondre :
— Ça ne fait rien, je ne suis pas raciste.

***

Savez-vous pourquoi les cannibales préfèrent les bébés qui dorment sous les moustiquaires?
Tout simplement, parce que ça donne de beaux morceaux dans le filet.

***

Chaque pays a son plat national : les Français c'est le steak frites, les Allemands la choucroute, les Italiens les spaghetti, etc.
Mais connaissez-vous le plat national des cannibales : c'est le croque-monsieur.

***

Dans une classe, l'instituteur demande aux enfants leur vocation.
Un enfant : moi, Monsieur, je voudrais être docteur! Un autre : moi, Monsieur, je voudrais être avocat! Un troisième : moi, Monsieur, artiste! Au tour de l'enfant cannibale. Celui-ci se lève, et gravement déclare :
— Je veux être croque-mort!

***

Un cannibale débarque à Paris et s'adresse à un agent :

— Pardon, monsieur l'agent! Où se trouvent les Bouffes-Parisiens ?

***

Deux explorateurs cuisent dans la marmite du village. Le chef cannibale, qui surveille attentivement l'opération, s'approche d'eux et leur donne un ordre que les malheureux ne comprennent pas. Le chef s'énerve, tempête, hurle, jusqu'au moment où un garçon qui a fait un voyage en Europe s'approche et propose de traduire ce que le chef a à dire. Alors se penchant sur les deux hommes déjà à moitié rôtis, il leur fait la recommandation suivante :

— Bougez bien les doigts de pieds parce que le patron a peur que les patates attachent au fond de la marmite !

***

Un avion vient de s'écraser dans la brousse. Un cannibale et son fils décident d'aller se rendre compte sur place s'il ne reste pas quelques bons morceaux pour le déjeuner. Lorsqu'ils arrivent près de l'épave, ils sont surpris d'entendre une voix mélodieuse chantant une musique inconnue.

Après quelques minutes de recherches, ils découvrent une charmante jeune femme nue, sous une cascade, et qui prend sa douche après le tragique accident dont elle est l'unique survivante. Le petit garçon trépigne :

— Dis, papa, on la mange quand ?

— Jamais, répond son père, on la ramène à la maison et on bouffera ta mère !

***

Des cannibales capturent un missionnaire et le mettent à cuire tout en dansant autour de la grosse marmite. Tout à coup, un des fêtards se détache du cercle, soulève le couvercle de la marmite, et administre quatre paires de gifles au missionnaire. Il referme la marmite et regagne le cercle des danseurs. Un instant après, le même cannibale revient et recommence la même opération, et ceci trois fois de suite. A la fin, le chef l'appelle et lui dit :

— Soyons quand même charitables! Le cuire, d'accord, mais pourquoi le gifler ?

Et l'autre lui rétorque :

— Mais chef, il bouffe tout le riz!

***

Deux cannibales poursuivent un missionnaire dans la forêt. Evidemment le missionnaire ne s'en laisse pas conter et prend ses jambes à son cou. Au bout de deux heures de poursuite, un des cannibales s'arrête et déclare :

— Mais à quelle heure il va nous faire bouffer celui-là ?

***

Un Noir traverse une pluie diluvienne. Il est mouillé jusqu'aux os. Il pénètre dans un café, le garçon se présente :

— Vous désirez, Monsieur ?

Et le Noir de répondre :

— Donnez-moi un blanc sec !

***

Un cannibale qui souffrait très souvent de maux de tête va voir son docteur. Celui-ci l'ausculte et lui dit :

— Mon cher, vous bouffez trop d'intellectuels !

Popeck raconte

les meilleures histoires
de l'humour juif

Mosché se rend chez Lévy, son tailleur.

— J'ai besoin d'un pantalon, mais c'est urgent! Il me le faut absolument pour demain soir. C'est possible ?

— Évidemment! Quel piètre tailleur je serais si je n'étais pas capable de fabriquer un pantalon en 24 heures... Sur ma vie, demain soir ce sera prêt!

Mais Lévy n'est pas très courageux et, de plus, il est distrait. Il oublie complètement de faire le pantalon... Et ne s'en souvient que 6 mois plus tard... Alors il se met au travail et va porter le vêtement à Mosché.

— Mon cher Lévy! Vous êtes fabuleux... Vous me promettez un pantalon pour le lendemain et vous me le livrer six mois plus tard... Cela ne vous semble-t-il pas un peu longuet ? Et dites-moi comment se fait-il que vous mettiez 6 mois pour faire un pantalon quand Dieu a mis six jours pour créer le Monde ?

— Mosché! Ne me comparez pas à Dieu... Voyez le Monde! Et voyez mon pantalon...

***

— J'ai promis 100 000 francs de dot à ma fille pour son mariage. Mais il y a un « hic », je n'ai que cinquante mille francs... Toi, Popeck, qui es quasiment mon frère, prête-moi cette somme...

— Ah! Quelle malchance tu as, Mosché... Je viens juste de régler diverses échéances et je suis à sec... Parole! Sans ça, je t'aurais aidé... Tu penses bien... Mais à défaut d'argent, je peux te donner un conseil : quand tu seras chez le notaire, tu sortiras tes cinquante mille francs, tu les poseras au-dessus de la cheminée, près de la glace et, cinquante mille devant la glace plus cinquante mille derrière, cela te fera cent mille francs...

— Je suis aussi malin que toi, Popeck... J'y avais pensé à ça... Malheureusement, mes cinquante mille francs, c'est ceux de la glace...

***

Voici la plus courte des histoires juives :

— Dieu soit loué!

***

Voici à présent, une des plus anciennes histoires juives.

Ephraïm va mourir. Sa famille toute entière l'entoure. Sur un signe qu'il fait, Sarah, sa chère femme, s'approche :

— Tout le monde est là ? demande le mourant, dans un souffle. Même Samuel ?

— Oui, mon bon mari!

— Et Aaron, aussi ?

— Oui, mon cher Ephraïm!

— Et Jacob ? Il est là ?

— Oui, mon doux époux!

— Et ma petite Rachel ?

— Elle est là! Elle est là! Tout le monde est là, te dis-je...

Alors, se soulevant dans un effort surhumain, Ephraïme articule :

— Et le magasin ? Hein ? Qui est-ce qui garde le magasin ?

***

Dans un lieu de culte, où des fidèles sont rassemblés, un groupe d'antisémites fait irruption :

— Allez ouste! Que ceux qui sont de père juif et de mère chrétienne sortent!

Une vingtaine de personnes obtempèrent.

— Bien! Maintenant, que ceux qui sont de père chrétien et de mère juive sortent.

Une cinquantaine de gens se sentent concernés.

— A présent, que ceux qui sont de père et de mère juifs sortent!

Au premier rang, un vieux monsieur d'origine parfaitement juive se demande s'il doit sortir ou non... Au milieu de ses réflexions le Christ lui tape sur l'épaule et lui dit :

— Mon brave ami, je crois que nous devons quitter cette enceinte!

***

Le Tzar vient de marier sa fille. Allégresse générale... A l'issue du repas, il se lève et porte un toast :

— En ce jour de joie, il serait inconvenant de ne pas songer à ceux qui connaissent la misère!

Alors, tous avec moi : « Pour les pauvres! Hip! Hip! Hip!...

***

Yankel et Popeck sont invités « dans le monde », chez la Baronne Vibesco.

— Le mieux placé de nous subtilisera les couverts en argent. Et à la sortie, part à deux... D'accord? fait Yankel.

— D'accord! répond Popeck.

Les deux confrères dînent plantureusement. Le monde vient de passer au salon pour le café.

— Alors? demande Popeck.

— J'ai six couverts! murmure Yankel. Ils sont dans ma poche!

— Part à deux en sortant...

— Non!

— Mais nous avions convenu...

— Je m'en fiche. Tout pour moi.

Popeck n'insiste pas, mais au moment des liqueurs, il dit, à la cantonnade :

— Je connais quelques numéros de prestidigitation... Si vous voulez, je peux vous en montrer un!

— Oui! Oui! s'exclament hôtes et convives, dont la joie anticipée fait plaisir à voir.

— Parfait! Alors, chère Baronne Vibesco, ayez l'obligeance de me faire apporter six couverts en argent!

La maîtresse de maison donne des ordres. Les six couverts, rutilants, sont là. Popeck opère :

— Regardez bien tous... Je les place dans la poche de ma veste et je mets mon mouchoir par-dessus. Maintenant attention : je compte un... deux... trois... Et voilà : les couverts sont à présent dans la poche de M. Yankel!

On vérifie... Et, enthousiastes, tous les gens présents — sauf Yankel! applaudissent à la réussite de Popeck!

***

Popeck est en prison. Pour une peccadille... Mais il y est... Comme il se conduit bien, le directeur le nomme secrétaire de la maison d'arrêt. Popeck se montre admirable. Du coup, le directeur le nomme chef d'atelier de fabrication des paniers tressés. Popeck fait doubler la production... Emballé, le directeur le fait chef comptable de son établissement. Popeck déploie tant de qualités que jamais comptabilité ne fut mieux tenu. Le directeur s'extasie :

— M. Popeck, vous êtes inouï! Un être exceptionnel! Vraiment, je dis ce que je pense... Vous vous débrouillez fantastiquement dans tous les métiers! Pour votre conduite parfaite, je peux vous affecter au métier de votre choix... Lequel choisissez-vous ?

— Voyageur de commerce...

***

— Tiens! La mer monte...

Levy :

— Parfait! Vendez!

***

Madame Bidermann tient un charmant petit restaurant. Blum y déjeune, en ce beau jour d'été. Comme il fait chaud, il ôte sa veste et poursuit son repas en manches de chemise. Mme Bidermann s'en offusque :

— Dites-moi M. Blum : que vous dirait-on, chez Lipp, si vous ôtiez votre veste ainsi que vous venez de le faire ?

— C'est très simple, Mme Bidermann. Il me semble déjà les entendre... On me dirait : « Cher M. Blum, si vous voulez enlever votre veste, allez donc manger chez Mme Bidermann... »

***

Un beau jour, le père de Trotzky interroge son fils :

— Leib (Léon) je constate ceci : bien que ce soit toi et Lénine qui ayez enclenché toute l'affaire, je veux dire provoquer l'éveil du prolétariat, eh bien, dans tous les coins, je n'entends prononcer que le nom de Lénine, partout je n'aperçois que des portraits de lui... C'est Lénine par-ci, Lénine par-là... Il n'y en a que pour Lénine... Qu'est-ce que cela signifie ? On te tient à l'écart ? Que deviens-tu dans cette affaire ?

— Papa ! répond Trotzky. Il n'y a aucun problème !... Mais tu sais mieux que personne que je suis Juif... Comment pourrais-je diriger cette affaire sous mon nom ? Hein ? Alors, ne t'inquiète pas... La vérité vraie, c'est que l'affaire est bien à moi ! Mais je l'ai mise au nom de Lénine... C'est mon homme de paille...

***

Un riche banquier (pléonasme) allemand s'est converti au protestantisme.

— Quelle idée ! lui dit un ami. Protestant ! Pourquoi ne pas vous être converti au catholicisme ?

— Je vais vous dire, mon cher. Je trouve que chez les catholiques, il y a beaucoup trop de Juifs !

***

Cette histoire se passait au début de notre siècle, à l'époque ou François-Joseph régnait sur l'Autriche et la Hongrie. Bolberg ayant prêté une grosse somme d'argent à l'empereur, celui-ci, par décret et en guise de remerciements, lui octroya le titre de baron et, par conséquent, le droit à la particule « de ». Pensez si M. Bolberg et Madame furent heureux... Pour fêter l'événement, ils décidèrent de donner une grande réception à laquelle fut convié, entre autres, le ministre signataire du fameux décret. A l'arrivée du membre du gouvernement, Madame alla à sa rencontre pour lui présenter ses quatre garçons. Solennellement, elle commença :

— Monsieur le ministre, voici Jacob de Bolberg, Jules de Bolberg, Moïse de Bolberg, Joseph de Bolberg...

L'interrompant alors, brutalement, son mari dit :

— Ah non ! Tu sais parfaitement que Joseph n'est pas de moi !

***

— Qu'apprends-je Lévy ! Tu veux faire rentrer ton fils à l'école rabbinique ?

— C'est exact Moscheé !

— Quelle idée ! Rabbin ! Il mourra de faim...

— Je conviens avec toi que n'est pas un moyen de s'enrichir...

— C'est le moins qu'on puisse dire... Crois-moi, rabbin, ce n'est pas un métier pour un Juif !

***

Un vieux schnorrer (mendiant) est invité, à l'occasion du Sabbat, chez un riche marchand, uni à une femme fort pingre. Notre mendiant mange beaucoup de khalé (pain natté, fait avec une pâte très fine et saupoudré de cumin) et dédaigne le pain ordinaire.

— Écoutez ! finit par lui dire la femme. Pourquoi mangez-vous toujours du khalé et pas de pain ?

— Mais, Madame, le khalé, c'est

aussi du pain... Et ce n'est pas mauvais du tout...

— Oui! Mais le khalé coûte plus cher...

— Ah! fait le mendiant. Vous voyez que j'ai bon goût!

***

Il y a quelque chose qui ne va pas! dit Madame Schumacher à sa blanchisseuse. Je vous ai donné douze draps à laver et vous ne m'en rendez que onze...

— C'est normal, Madame. Vous savez bien que le linge rétrécit au lavage!

***

Dans le compartiment, un vieux Juif somnole quand survient le contrôleur qui, inspectant les bagages, trouve qu'une valise est bien grosse...

— Dites donc, lance-t-il au vieil homme. Vous allez me faire le plaisir de descendre à la prochaine station et de porter votre valise dans le fourgon aux bagages.

Le Juif se tient coi!

— Vous m'entendez? hurle le contrôleur. Répondez ou je vous jure que je jette cette valise par la fenêtre...

Le Juif continue de se taire...

— Ah! C'est comme ça! fait le contrôleur en fureur.

Il saisit la valise et la propulse à l'extérieur...

— Et maintenant? Vous êtes content? demande-t-il.

— Moi oui! Car elle prenait beaucoup de place... Mais quand le colonel à qui elle appartient, va revenir... C'est lui qui sera pas content!...

***

Le curé :

— Tout de même... Ce Judas... Vendre Jésus pour trente deniers seulement, ce n'est pas fort...

Le rabbin :

— Tout à fait d'accord avec vous!

C'était un imbécile! Je me demande même s'il était vraiment Juif!... Il a vendu trente deniers une affaire qui rapporte une fortune au Vatican depuis 2 000 ans...

***

— Bonjour Yankel! Quel plaisir de te revoir... Depuis le temps!

— Que ta descendance soit bénie, Iossel... Je suis bien content aussi! Après tant d'années, quel bonheur de te retrouver.

— Allez, viens! Allons prendre quelque chose!

— A qui ?

***

Un schadchen (marieur) conduit un jeune homme chez sa fiancée en puissance. Sachant que le brave garçon n'a pas inventé la poudre, il lui fait ces recommandations :

— A ta fiancée, tu dois lui parler de trois choses : d'abord d'amour, bien entendu, ensuite de sa famille, enfin de philosophie. D'accord ?

— D'accord!

Le diner se passe convenablement, puis on laisse le jeune homme seul avec la jeune fille... Moment émouvant... Le fiancé se remémore ce que lui a dit le schadchen : amour, famille, philo! Et il attaque :

— Rivkelé! Aimez-vous les lokschen ? (petites pâtes qu'on met en général dans le potage).

— Euh... oui! répond la jeune fille un peu interloquée. Pourquoi ne les aimerais-je pas ? Le garçon passe au second point :

— Dites-moi, Rivkelé, avez-vous un frère ?

— Non! répond la douce enfant d'un ton un peu sec...

Mais le fiancé ne se rend compte de rien... Il touche au dernier point... La philosophie!

— Chère Rivkelé, supposons que vous ayez un frère... Vous voulez bien ?

200

Bon ! Alors, ce frère, pensez-vous qu'il apprécierait les lokschen :

(Note : le mariage ne se fit pas !)

***

Nous sommes en Russie.

— Pourquoi pleures-tu, Iossel ?

— On m'a battu ! A coups de pieds, de poings...

— Qui a fait ça ? un goï !

— Non ! C'était un Juif !

— Et pourquoi t'a-t-il battu ?

— Parce que je l'avais traité de goï !...

***

— Yankel vous êtes accusé d'avoir fui à l'approche de l'ennemi ! Qu'avez-vous à dire pour votre défense ?

— C'est simple, mon général. Je hais tellement nos adversaires que je ne supporte pas de voir leurs visages !

***

Bloch, nouveau riche, est invité dans le monde en compagnie de son ami Lévy plus au courant que lui des us et coutumes.

— Dis-moi Lévy, est-il correct de demander à la maîtresse de maison où sont les W.C. ?

— Sûrement pas ! Tu lui demandes seulement de t'indiquer l'endroit où tu peux te laver les mains...

Bloch formule donc sa demande ainsi et tout se passe bien...

A quelque temps de là, il est à nouveau invité au même endroit. Et la maîtresse de maison, prévenante, lui dit :

— Cher M. Bloch, désirez-vous vous laver les mains ?

— Non, merci Madame ! Je viens de me les laver devant la porte de votre jardin !

***

Popeck se promène au zoo. Il flâne,

heureux, détendu. Soudain, passant devant une volière, il tombe en arrêt devant une perruche qui lui dit :

— Yitzick, Scholem Aleïchem ! (La Paix soit avec vous !)

« Formidable ! pense Popeck. Un oiseau juif qui parle Yddisch, c'est unique... Il faut que je l'achète ».

Malheureusement, la perruche n'est pas à vendre et malgré ses supplications il ne parvient pas à l'acquérir. Cependant, pour l'obliger, le directeur du zoo lui remet trois œufs que l'oiseau a récemment pondus. Popeck les place dans une couveuse électrique et bientôt c'est l'éclosion... Mais du premier œuf sort un canard, du second un poulet, du troisième un merle... Furieux et déçu, Popeck ramène les trois volatiles au zoo où il demande à revoir la perruche. Arrivé devant la volière, inévitablement, il entend la perruche lui dire :

— Yitzick, Scholem Aleïchem !

— Ferme ton bec ! l'injurie Popeck. Tu n'es qu'une vieille saleté !

***

— Rébecca peux-tu me prêter une livre de farine que je te rendrai demain ?

— Excuse-moi, Sarah, mais je ne peux pas !

— Tu n'as pas de farine ?

— Si !

— Eh bien alors ? Pourquoi ne peux-tu m'en prêter une livre ?

— Parce que je n'ai pas de balance...

***

Iossel vient d'être grièvement blessé sur le champ de bataille. Un aumônier accourt vers lui :

— Mon fils, croyez-vous à la Sainte Trinité ?

— Vous êtes unique vous ! J'ai la jambe broyée et vous me posez des devinettes...

***

Yankel est représentant en tissus. Il

se rend chez son ami, le marchand Berg.
- As-tu besoin de drap ?
- Non !
- De soieries ?
- Non. Rien, merci !
- De rubans ?
- Non, te dis-je. N'insiste pas. Je ne veux rien !
- Alors prête-moi cent francs ! Pense que je pourrais être ton frère !
- Tu n'as pas de chance ! conclut Berg. Mon frère et moi, on est fâché !

***

- Blum, j'aperçois un magnifique diamant sur ta cravate ! Tu as gagné à la loterie ?
- Non !
- Avoue : tu l'as volé !
- Aaron, je ne te permets pas
- Alors, d'où vient ce bijou ?
- Tu connaissais Schuman ? Il vient de mourir. Il ne m'a rien laissé personnellement, mais en décédant, il m'a recommandé d'employer toute sa fortune à l'achat d'une pierre commémorative... Eh bien, ce diamant... c'est la pierre commémorative...

***

Le petit Lévy fait une grosse tête à tous ses copains de classe en leur racontant que sa maman vient d'accoucher d'une fille. Le professeur le tance :
- Ne parle pas ainsi. Dis plutôt : « Papa m'a acheté une petite sœur »...
- Oh la la ! fait le jeune Lévy. On voit bien que vous ne connaissez pas mon père... Il n'achète jamais ce qu'il peut faire lui-même...

***

Mosché se trouve dans un compartiment en compagnie d'un jeune homme en soutane.
- Monsieur, dit-il, pardonnez-moi si je vous pose une question : êtes-vous curé ? Vous me paraissez bien jeune...
- Pas encore curé : séminariste !

- Très bien, très bien ! Et après séminariste ?
- Dans quelques années, je serai abbé !
- Oui, oui, oui ! Et ensuite ?
- Tout naturellement, je deviendrai curé !
- C'est ça, c'est ça... Et après curé ?
- Si Dieu le veut, je deviendrai évêque !
- Ouille, ouille, ouille ! Eh ben mon vieux... Ça c'est bien ! Et après évêque ?
- Toujours avec l'aide de Dieu je peux devenir archevêque !
- Quelle destinée ! Quelle destinée ! Cela peut-il continuer ?
- Oui. Il n'est pas impossible qu'ensuite je devienne cardinal !
- Oh la la ! Et ensuite ?
- Eh bien mon Dieu, vous savez sans doute qu'à peu près tous les vingt ou trente ans, il y a un cardinal qui devient pape... Alors qui sait...
- Pape, ce serait bien ! Quelle réussite... Mais après ?
- Après ? C'est tout ! Car au-dessus de pape il n'y a plus que Dieu... Personne, à moins d'être fou, ne peut s'imaginer occupant la place de Dieu...
- Hé ! Hé ! Pourtant, jeune homme, un des nôtres a eu cette carrière !

***

Sur son lit de mort, le vieux Bloch, marchand de vins à Budapest, parle à ses enfants :
- Je vous conseille de poursuivre mon négoce, car je n'en connais pas de plus prospère. Voilà cinquante ans que j'en vis plantureusement et j'ai constaté que l'on pouvait faire du vin avec tout, même avec du raisin ! C'est vous dire...

***

- Bonjour Blum !
- Bonjour Bloch !
- Il y a longtemps que je ne t'avais vu !
- J'étais à Berditschev !

202

— Ah bon ! Quoi de neuf, là-bas ?

— Rien !

— Rien du tout ?

— Enfin, pas grand'chose... L'autre jour un chien a aboyé...

— Tiens ! Comme c'est curieux... Et pourquoi a-t-il aboyé ?

— Tu as de ces questions... Qu'est-ce que j'en sais, moi... On dit que c'est parce qu'il a vu un rassemblement...

— Un rassemblement ? A Berditschev ? Et pourquoi ?

— Tu m'ennuies... Je ne sais pas tout... Il semble que ce soit parce que l'on conduisait quelqu'un en prison...

— Pas possible ! Tu sais qui était le prisonnier ?

— Oui !

— Eh ben, dis-moi qui...

— Ton frère !

— Mon frère ? Qu'est-ce que c'est que cette histoire ?

— Ce n'est pas une histoire... On l'a arrêté pour émission d'une fausse traite !

— Mon frère a émis une fausse traite ? Mais enfin, ce n'est pas nouveau...

— Je sais, je sais ! Aussi, est-ce pour ça que je t'ai dit qu'il n'y avait rien de nouveau à Berditschev...

***

— C'est vrai Iossel que tu as marié ta fille avec ton caissier ?

— Il n'y a rien de plus vrai...

— Je suis surpris... Ne disais-tu pas que ta confiance en cet homme était fort limitée ?

— Je le disais... Je le disais...

— Et tu lui as donné ta fille ?

— Évidemment ! Réfléchis Iossel ! S'il part avec ma caisse, eh bien, au moins, ma fille en profitera...

***

Au tribunal. Le président interroge un témoin.

— Votre nom ?

— Moïse Tornberg.

— Lieu de naissance ?

— Odessa.

— Métier ?

— Marchand de chiffons.

— Religion ?

— Ma religion ? La même que vous, M. le Président Salomon Katz !

***

Déambulant sur les boulevards avec sa femme Sarah, Blum passe devant une vespasienne d'où sort un homme tenant son sexe à la main. Offusqué, Sarah lève son sac à main pour frapper l'exhibitionniste, mais Blum l'arrête :

— Ne fais pas ça, voyons ! Il va croire que tu n'en as jamais vu ! De quoi aurais-je l'air !

***

Adam, notre ancêtre à tous, (paraît-il) a disparu du Paradis. Il y était, bien entendu, avec d'autres Sages, puis, un matin, pfttt ! plus d'Adam... Impossible de le retrouver. Au bout de longues semaines de vaines recherches, un détective juif sollicite de Dieu la permission d'effectuer des investigations. Accordé. Notre fin limier s'installe alors dans un fauteuil, cigare au bec, whisky à portée de main... Et il fait défiler totalement nus devant lui tous ceux qui se trouvent au Paradis... Le troisième jour il s'écrie soudain :

— Le voici !

Effectivement, c'est bien Adam qu'il vient de découvrir...

— Tu es très fort ! lui dit Dieu. Comment as-tu fait pour le repérer sans risque d'erreur ?

— Pas compliqué ! Il suffisait d'y penser : Adam, c'est le seul qui n'a pas de nombril.

***

Un Catholique, un Protestant et un Juif parlent du mariage d'un ami commun.

— Je n'ai pas pu m'y rendre ! fait le

Catholique. Mais j'ai adressé au couple un service à café pour douze personnes.

— J'étais en voyage au moment où il convolait intervient le Protestant. J'ai également adressé un cadeau : service à thé pour trente personnes...

— Il ne devait pas y avoir grand'monde à son mariage ! dit le Juif. Moi non plus je n'ai pu m'y rendre... Bien entendu, j'ai agi comme vous en lui faisant livrer un cadeau... Une pince à sucre pour trois cents personnes...

***

Jacob est demandé par le seigneur de son village.

— A votre disposition !

— Mon cher Jacob, je voudrais que tu me trouves deux teckels.

— Deux teckels ? Rien de plus facile... Combien envisagez-vous de les payer ?

— Deux cents roubles.

— Seigneur, pardonnez-moi de vous dire cela : mais c'est une plaisanterie... Deux cents roubles... Vous vous rendez compte ?

— Et bien combien faudrait-il mettre selon toi ?

— Pour deux teckels... Vous avez bien dit deux teckels ? Oui... Bon ! Eh bien, il faut compter trois cents roubles...

— Fichtre ! Mais pour ce prix, tu me promets qu'ils seront superbes ?

— Garanti, Seigneur ! Les plus beaux teckels du pays...

— Alors, soit !

Et Jacob s'en va. Sitôt dans la rue, il rencontre Iossel à qui il demande :

— Toi qui sais tant de choses... Tu peux me dire ce que c'est que des teckels ?

***

Iossel cherche en vain le sommeil. Sa femme Rébecca le questionne :

— Qu'est-ce que tu as ? Toi qui dors comme un enfant ? Tu penses à quoi ?

— J'ai un gros problème...

— Raconte-moi... Tu ne te confies jamais... Je suis ta femme... Je peux certainement t'aider...

— Cela m'étonnerait...

— Dis toujours...

— Eh bien, tu sais quel jour nous sommes ?

— Le 31. Depuis minuit...

— Oui... Et c'est le jour où je dois rendre à Isaac, notre voisin d'en-face, 20 000 francs qu'il m'a prêtés...

— Et je parie que tu n'as pas un sou ?

— Exact... Même pas la moitié d'un sou...

— Laisse-moi faire...

Et sur ces mots définitifs, Rébecca se lève, ouvre la fenêtre et crie le nom d'Isaac qui se réveille et écarte ses volets.

— Excusez-moi de vous réveiller M. Isaac...

— Vous avez un ennui ? Iossel est malade ?

— Non non... Je voulais vous demander une chose : c'est bien dans la journée que mon mari doit vous rendre 20 000 francs :

— Oui...

— Il ne le pourra pas... Nous n'avons pas un sou... Voilà ! Je tenais à vous prévenir... Par gentillesse... Bonne nuit M. Isaac...

Elle referme sa fenêtre et retourne se pelotonner contre le torse viril de son mari à qui elle dit :

— Tout à l'heure c'est toi qui ne dormais pas... Maintenant c'est lui qui ne dormira plus...

***

Lévy est un brave homme riche qui n'a qu'un léger travers : il manque totalement de prodigalité... Il interdit l'accès de son bureau à toute personne venant réclamer de l'argent, fût-ce pour une bonne cause !... Pourtant, un jour, son secrétaire se laisse fléchir par deux jeunes filles venant quêter pour la Croix-Rouge. Il les laisse entrer dans le bureau de son patron. Lévy, sensible au charme féminin, succombe à celui des deux jolies personnes et leur remet un chèque de 1000 francs...

Les filles sortent, mais dix secondes après l'une d'elle revient :

— Excusez-moi, Mr Lévy, mais figurez-vous que vous avez oublié de signer le chèque que vous nous avez si généreusement remis...

— Oh ! Mes petites Mesdemoiselles ! Je ne suis pas de ceux qui signent leurs bienfaits...

***

Salomon invite Pocket au théâtre. En échange, Popeck paiera le restaurant. Accord conclu. Et voici nos amis devant une bonne table. Ils se régalent ! Après le café Popeck réclame l'addition au garçon, puis lui dit :

— Jeune homme, si je n'avais aucun respect pour vous, je vous accorderais un pourboire... Mais comme je vous respecte, et que le pourboire est dégradant, je ne vous en donne pas. Ou plutôt, si : voici vingt centimes afin que vous méditiez sur l'humiliation du pourboire...

Sur cette tirade, Popeck et Salomon, qui ne sait où se mettre — mais que sa honte ne conduit cependant pas à donner un gros pourboire au garçon ! — sortent du restaurant et vont au théâtre. Quand la pièce est terminée, les deux amis se rendent au vestiaire. Là, Popeck donne à la préposée 50 francs. Salomon s'étonne :

— Je n'y comprends rien. Au garçon tu donnes vingt centimes... Et à la dame du vestiaire 50 francs...

— Tu ne vois pas clair ? Regarde un peu le manteau qu'elle m'a donné !

***

— Salut Iossel !

— Salut Popeck ! Qu'est-ce que tu deviens ?...

— Bof, je gagne ma vie...

— Nous en sommes tous là... Et que fais-tu ?

— Je vends diverses choses... Tiens,

par exemple, cette montre... Je te la fais pour rien : 100 francs...

— J'en ai déjà une...

— Alors achète-moi cette longue-vue... 150 francs...

— Qu'en ferais-je ? Non, merci...

— Regarde ça : un presse-purée à pédales ! Ingénieux... C'est un manchot qui l'a fabriqué, mais ça peut servir à tout le monde... 500 francs !

— Tu es brave, mais, décidément, je te remercie... Je n'ai absolument besoin de rien... Au revoir Popeck...

Et il s'éloigne... Mais à peine a-t-il fait cinq mètres que Popeck le hèle !

— Iossel ! Attends ! Toi, tu n'as besoin de rien ! Mais moi, j'ai besoin que tu me prêtes 100 francs !

— Cent francs, je ne peux pas... Cinquante seulement...

— D'accord pour les cinquante ! Tu me devras le reste !

***

Lazare Abramovitz se sent patraque et va consulter un médecin. Celui-ci ne lui trouve rien d'anormal, cependant, par mesure de précaution il dit :

— Revenez demain matin avec des urines. Je les analyserai.

Le lendemain Lazare revient avec une bouteille pour chianti, d'une contenance de deux litres, pleine d'urine... Le médecin trouve que cela fait beaucoup, mais il garde sa remarque pour lui et procède à l'analyse dont le résultat est vite connu : négatif dans tous les domaines. Tout va bien.

Heureux, Lazare court jusque chez lui et depuis l'entrée il laisse exploser son contentement :

— Sarah ? Ma chère épouse, je n'ai rien dans les urines, toi non plus, notre fille Rébecca non plus, son mari Mosché non plus, grand-père Israël non plus, ton frère non plus, mon neveu non plus... Et le chat non plus !...

***

Mosché vient de se distinguer à la

guerre. Il a mérité une récompense... le général le lui dit :

— Brave soldat, tu as le choix : la Croix de guerre ou 1000 francs.

— Ai-je le droit de poser une question, mon général ?

— Un héros a tous les droits !

— Combien coûte une Croix de Guerre ?

— Brave soldat, je vais te dire ça... L'étiquette est encore dessus. Cinquante francs...

— Merci mon général... Alors voilà ce que j'ai décidé : je prends la Croix de Guerre et 950 francs...

***

Dans un restaurant, Popeck intrigue le maître d'hôtel.

— Excusez-moi, Monsieur... Mais il me semble que vous parlez au poisson que nous venons de vous servir...

— C'est tout à fait exact !

— Voilà qui me semble surprenant... Est-il indiscret de vous demander ce que vous lui dites ?

— Nullement... Nullement... Je désirais avoir des nouvelles de mon neveu qui s'est récemment embarqué sur un destroyer, à Brest...

— Ah ? Et naturellement, le poisson vous a répondu ?

— Oui. Il m'a dit : « Excusez-moi M. Popeck... Je ne puis, à mon grand regret, vous communiquer des nouvelles de votre neveu... Songez, il y a six mois que je n'ai pas vu la mer.

***

Mosché ne se décide pas au mariage. Toutes les jeunes filles qu'on lui présente sont trop blonde, ou trop brune, ou trop grande, ou trop petite, ou trop grosse, ou trop maigre, etc... Un jour pourtant, le schadchen (marieur) parvient presque à le convaincre.

— Judith est parfaite... Nul homme sensé ne saurait la refuser...

— Écoute schadchen, je veux bien l'épouser, mais à une condition :

auparavant je veux la voir nue afin de constater qu'elle n'a aucun défaut caché...

— Tu n'y penses pas, Mosché ! C'est une jeune fille de la très bonne société !

— Je pose cette question. Et c'est à prendre ou à laisser...

Le schadchen s'arrache les cheveux, mais comme c'est un schadchen de valeur, à force de discussion, il parvient à convaincre les parents de la jeune Judith de laisser leur fille se présenter en tenue d'Eve devant son présumé futur... On amène la belle enfant chez Mosché, elle se dénude et entre dans une chambre où notre célibataire endurci peut l'examiner à loisirs. Au bout de dix minutes, il sort de la pièce et entre dans le salon où les parents et le schadchen attendent.

— Alors ?

— Bof !

— Qu'est-ce qui ne va pas... C'est une enfant superbe...

— Bof...

— Parle, voyons !

— Ses yeux ne me plaisent pas...

***

Lévy doit se rendre chez le célèbre docteur en médecine Hermann. Il téléphone pour un rendez-vous et s'enquiert du montant des honoraires.

— Deux cents francs à la première visite. Cent francs seulement les suivantes...

Lévy, deux jours après, se présente chez le praticien et entre dans le cabinet de consultation d'un air très dégagé...

— Professeur bonjour ! Eh bien vous voyez, c'est encore moi !

Hermann l'ausculte soigneusement, le laisse se rhabiller, puis prononce, avec un sourire très aimable :

— Rien de nouveau, cher Monsieur. Poursuivez le traitement que je vous ai indiqué la dernière fois...

***

Au cours d'une partie de poker, Blum décède brusquement...

— Qu'est-ce qu'on fait ? demande Iossel.

— Supprimons les six ! dit Mosché.

***

Les tournées X... arrivent dans une grande ville de province. La vedette de la pièce, magnifique femme dont la célébrité est grande, a la réputation de ne pas savoir résister à quiconque lui parle d'amour avec des billets de 500 francs... Le soir de la première, on frappe à sa loge. Yankel pantalon en tire-bouchon et veste fripée, entre...

— J'ai pour vous une profonde admiration... Passer une nuit dans vos bras serait pour moi comme une récompense suprême...

Dédaigneuse, la vedette le toise...

— J'ai de l'argent ! fait Yankel.

Et de sa poche, il extrait une enveloppe pleine de graisse dans laquelle sont serrés quatre billets de cinq cents francs... Quittant son air dédaigneux, la vedette prend des billets et invite Yankel à la rejoindre dans une heure, hôtel du Commerce, chambre 10...

— Oh merci ! merci ! rougit Yankel. Mais puis-je encore vous demander deux choses : je voudrais, pendant nos étreintes fougueuses, que l'obscurité la plus absolue règne et que vous me permettiez, de temps en temps, de sortir pour fumer une cigarette... Cela me permettra de recouvrer ma vigueur...

La vedette, amusée, accepte...

Au moment convenu, Yankel rejoint l'actrice... Obscurité complète... Douze fois dans la nuit, la vedette entend l'homme sortir pour fumer sa cigarette; à chacun de ses retours, c'est le nirvana, l'apothéose, le grand soleil, l'extase garantie...

Après la treizième gerbe d'étincelles, comblée, épuisée, éberluée, elle s'exclame :

— Ah Yankel ! Quel homme tu es !

— Yankel ? lui répond une voix. Je m'appelle Mosché...

La vedette allume...

— Mais c'est vrai... Tu n'es pas Yankel... Mon Dieu... Quelle horreur... Où est-il ?

— Yankel ? En bas de l'hôtel... Il vend 500 francs le droit de monter chez vous...

***

Sur la magnifique place Royale de Bruxelles, une violente altercation vient d'avoir lieu entre Wallons et Flamands. La police arrive pour rétablir l'ordre. Le policier qui a le plus de galons prend la situation en mains :

— Écoutez-moi bien une fois, je vous prie ! Que tous les Flamands se placent à ma droite et tous les Wallons à ma gauche !

A un ordre aussi péremptoirement donné personne ne peut désobéir... Quand Wallons et Flamands sont allés de leur côté, il reste au milieu de la place une dizaine de Juifs, tout étonnés de se trouver là ! Et prenant la parole, un brin courroucé, l'un d'eux, Abraham, demande :

— Alors nous les Belges, où on se met ?

***

Popeck se réveille en sursauts et secoue sa femme :

— Oh ! C'est horrible ! Je viens de faire un cauchemar !

— Calme-toi ! dit Sarah. C'est fini... Remets-toi !

— Figure-toi, continue Popeck qui sue à grosses gouttes, que j'ai rêvé qu'un lion me mangeait...

— Raconte-moi... Cela te fera du bien...

— J'étais explorateur en Afrique, je marchais tranquillement, heureux, détendu, quant tout à coup un lion furieux apparut devant moi... Le meurtre se lisait dans ses yeux... Je ne me paniquais pas et me remémorais une recommandation de mon père, lui-même grand explorateur : « Chaque fois que tu te trouveras dans une situation désespérée, implore l'Eternel ! ». C'était le moment où jamais de suivre son conseil et je me mis à prier : « Oh ! Eternel, secours-moi ! ». A ces mots, le lion, se figea, tomba à l'instant même à genoux et ramassant une feuille de bananier qui traînait, il s'en couvrit la tête comme on ferait avec une calotte ! Miracle, j'étais sauvé ! « Shalom ! » fis-je à l'animal qui m'adressa un clin d'œil... Pour continuer à l'occuper, je commençai à lui raconter des histoires et, miracle, il se mit à rire, comme seul un lion en est capable, c'est-à-dire en se laissant aller à des rugissements de joie... Il fit tant de bruit ainsi que bientôt d'autres lions accoururent... Je continuai à raconter mes histoires et tous les lions se fendaient la pipe... Toute la contrée résonnait de leurs cris de bonheur... Cela durait depuis une demi-heure ; les animaux formaient sagement un cercle autour de moi ; l'hilarité secouait leurs crinières... Tout à coup, un lion plus grand que les autres, mais apparemment très vieux, arriva. Il vint droit sur moi ; je sortis mon histoire la plus drôle ; rien n'y fit, il ouvrit la gueule et me croqua... Et tandis que je m'engouffrai dans son estomac, j'entendis l'ensemble des autres lions mécontents, dire à mon assassin : « Pourquoi tu l'as mangé ? Depuis dix ans, c'est le seul type qui réussissait à nous faire rire ? ». Et l'abruti qui me croquait sortit un cornet acoustique de sa crinière et fit : « Quoi ? Qu'est-ce que vous dites ? »

**

Arrivant en Israël avec une petite cargaison de soutiens-gorge, Popeck apprend, au moment de débarquer, que tous les produits ou objets non-religieux, sont durement taxés... Et que par conséquent, ses soutiens-gorge risquent de lui coûter cher ! Il faut trouver une combine... Popeck triture son cerveau fécond et bientôt un sourire illumine son beau visage...

Gaillardement, il arrive à la douane où on lui fait ouvrir ses caisses de soutiens-gorge ;

— Qu'est-ce que c'est ? lui demande un douanier suspicieux.

— Objets religieux ! fait notre héros.

— Vous êtes sûr ? insiste grossièrement le douanier.

— Bien entendu que je suis sûr ! C'est des calottes pour aller à la synagogue que je n'ai pas encore eu le temps de séparer en deux...

**

Au cabaret « Raspoutine » Madame Blum et son époux fêtent leurs noces d'argent... Rien n'est trop beau : caviar, saumon, vodka, champagne ! Les musiciens et leurs violons mettent une ambiance délicieusement romantique... Tous les airs tziganes emplissent le cœur de M. et Mme Blum d'une émotion à travers laquelle les premières années de leur amour défilent...

Vers minuit, alors que Mme Blum est au Septième Ciel, éperdue de bonheur, le chef d'orchestre s'approche d'elle, violon à la main, et lui demande :

— Madame, désirez-vous entendre un air particulier ?

— Oh oui ! resplendit-elle. Il y a une musique que j'adore... Une chanson qui berça ma jeunesse...

— Comment s'appelle-t-elle ?

— Heu ! (Mme Blum cherche dans sa mémoire un peu embrumée par le Champagne). Ah oui ! Elle s'intitule : « Samovar » !

— Samovar ?

— Oui ! C'est bien ça ! « Samovar ». N'est-ce pas chéri ? demande-t-elle à son mari.

— Bof ! fait celui-ci. Tu sais, moi et les titres...

Le chef d'orchestre est fort perplexe...

— Vous êtes certaine, Madame ?

— Absolument !

Les musiciens entament alors plusieurs mélodies. Mais, invariablement, Mme Blum les interrompt :

— Ce n'est pas ça... « Samovar » que je vous dis... C'est pourtant connu ! Je suis surprise que vous ne connaissiez pas cet air...

Après cinq ou six autres essais infructueux, le chef d'orchestre s'adresse à nouveau à Mme Blum :

— S'il vous plaît ! Vous pourriez peut-être nous aider en nous fredonnant le début de votre chanson ? Car vraiment, nous ne voyons pas...

— Que je vous chante le début ?

— Je vous en prie !

— D'accord... C'est un air délicieux... Je l'ai toujours en tête... Bon, j'y vais !

Et les yeux plein de nostalgie nimbée de Champagne, Mme Blum, doucement, fredonne :

— « Vous qui passez... samovar... »

***

— Comment Popeck ? Tu fumes le jour du Sabbat ?

— Eh oui !

— Comment un Juif peut-il oublier qu'on ne fume pas ce jour-là ?

— Mais je ne l'oublie pas...

— Et cependant tu fumes ?

— Et alors ? J'ai pas le droit, pendant cinq minutes, d'oublier que je suis Juif ?

***

Le Tzar passe les troupes en revue. Il s'arrête devant un soldat.

— Ton nom !

— Iossel Bromberg, Majesté.

— Comment te semble la vie ?

— Pas gaie, Majesté ! Juif, je ne peux quitter le territoire, je ne puis me rendre à Moscou, ni faire d'études... Je n'ai pas le droit de devenir officier, je ne peux exprimer librement mon opinion, je ne parviens pas à nourrir ma famille, je ne peux posséder de terre, je...

— Voyons, l'interrompt le Tzar, crois-tu que je sois plus heureux ? Mes ministres sont des brigands, mes conseillers me volent et me trompent, on complote sans cesse contre moi, je vis dans la solitude et, finalement, plus misérable que toi...

Visiblement ému, Iossel Bromberg se penche alors vers l'oreille du Tzar et chuchote :

— Majesté, faisons une chose : filons ensemble à New-York !

***

Salomon fait voir à Mosché sa nouvelle carte de visite.

« Salomon M. Reutmann
beau-frère de Dieu ».

— Tu n'y vas pas de main morte..., lui dit Mosché. Comment peux-tu t'intuler le beau-frère de Dieu ?

— Tout naturellement. Mon beau-père avait deux filles : Sarah, que j'ai épousée et Esther que le Bon Dieu a prise...

***

Yankel vient de vendre à Iossel un costume pour son fils.

— Garanti irrétrécissable ? avait demandé Iossel.

— Pure toile, pure solidité, irrétrécissable ! avait assuré Yankel.

Trois semaines après, assis devant son magasin, Yankel voit venir vers lui Iossel et son fils vêtu du fameux costume... Horreur, il a rétréci : le pantalon arrive au-dessus de la cheville (un vrai « feu de plancher »), la veste descend à peine au-dessous de la ceinture... Notre tailleur ne perd pas la tête :

— Hello ! hèle-t-il Iossel. Comme ton fils a grandi en si peu de temps. Un vrai géant !

***

— Aïe, aïe, aïe ! Ma femme, quelle barbe !

— Pourquoi parles-tu ainsi Mosché ?

— Un vrai crampon ! Elle n'arrête pas de me demander de l'argent...

— De l'argent ? Tout le temps ?

— Oui, mon vieux... Il n'y a qu'à moi que des choses comme ça arrivent...

— Et pourquoi veut-elle des sous ?

— Impossible de le savoir... Je ne lui en ai jamais donné...

***

1914. Dans une tranchée.

— Ah cette guerre ! rugit Durand. C'est la faute aux Juifs !

— Et aux pigeons-voyageurs ! ajoute, tout aussi furieux, Popeck.

— Pourquoi les pigeons-voyageurs ? s'étonne Durand.

— Pourquoi les Juifs ? fait Popeck.

***

A l'école.

— Mon petit David, dit l'instituteur, écoute-moi. Imagine un instant que tu es ton père... Je t'emprunte 100 francs moyennant un intérêt de 10 %. Combien dois-je te rendre ?

— Deux cents francs !

— Ne dis pas de bêtises... Réfléchis... Cent francs à 10 % ? Tu ne connais donc rien à l'arithmétique ?

— Si Monsieur... Mais vous, vous ne connaissez rien à papa...

***

Racovitch, affligé d'une famille nombreuse, est très pauvre. Un soir il rentre chez lui avec dix paires de bretelles qu'il tend à son aîné, Moïsché.

— Il est temps que tu nous prouves que tu peux te débrouiller tout seul et subvenir à tes besoins. Demain, tu iras dans la rue et tu vendras ces bretelles. Compris ?

— Oui papa !

Mais le lendemain, malgré tous ses efforts, le jeune Moïsché ne parvient même pas à vendre la moitié d'une paire de bretelles. Son père le prend très mal et lui allonge une gifle retentissante ; Moïsché sort en pleurnichant, la tête inclinée sur l'épaule gauche, le cou endolori. En chemin il passe devant un calvaire et il se fait cette réflexion :

— Pauvre Christ ! Toi non plus, t'avais pas pu vendre tes bretelles ?

***

Au Paradis. Le vieux rabbin Mordeleï parle avec Dieu. En toute simplicité...

— Seigneur, pour vous, qu'est-ce que 10 000 ans ?

— Deux minutes...

— Et dix millions de dollars ?

— Oh ! Un franc...

— Alors Seigneur, aurez-vous la gentillesse de me donner un franc ?

— Bien sûr, Mordeleï. Attends deux minutes...

***

— Dis Popeck, c'est vrai que la chaleur dilate les objets et que le froid les contracte ?

— C'est exact ! On t'a bien renseigné, Iossel. Et la meilleure preuve, c'est qu'en été, alors qu'il fait chaud, les jours sont plus longs qu'en hiver...

***

Le richissime banquier Rosenthal reçoit la visite d'un pauvre Juif qui lui conte ses malheurs :

— Faites quelque chose pour moi, M. Rosenthal — que Dieu vous protège. Mes deux enfants sont malades : l'un a la variole, l'autre un début de méningite. Ma femme, enceinte, souffre de malnutrition... Ma mère vient d'être opérée d'une hernie... Ma sœur s'est brisée la jambe avant-hier... Ma grand-mère est impotente...

— Mon pauvre ami ! l'arrête le banquier. Comment avez-vous fait pour entrer dans une affaire aussi mauvaise !...

***

— Dis-moi Popeck, tu te souviens que je t'ai prêté de l'argent ?

— Bien sûr que je m'en souviens... On n'est pas des sauvages...

210

— Quand me les rendras-tu ?

— Quelle drôle de question ? Est-ce que je suis prophète, moi ?

***

Cette histoire se passe avant la guerre 14-18. Salomon, émigré d'Allemagne en France, s'est fait naturalisé Français. Il a ouvert un commerce de tissus qui marche fort bien. Il est riche. Dans le courant de l'année 1912, son cousin Ephraïm, demeuré en Allemagne, vient lui rendre une petite visite à Paris. Les deux parents parlent de choses et d'autres, puis Ephraïm dit :

— Tu te souviens cousin Salomon qu'à ton arrivée en France je t'ai adressé la somme de 25 000 francs pour t'aider à t'établir ?

— Je m'en souviens parfaitement...

— J'en étais sûr... Alors, dis-moi, puisque tes affaires sont prospères, tu pourrais peut-être me les rendre...

Salomon quitte alors le siège sur lequel il était assis et d'une voix ferme il prononce :

— Ephraïm, il n'est absolument pas question que je te rembourse avant que tu ne *nous* aies rendu l'Alsace et la Lorraine...

***

Mosché aborde Popeck.

— Tu n'as pas 100 francs à me donner ?

— Tu n'as pas de chance Mosché... Je n'ai pas cette somme sur moi... Excuse-moi...

— Et chez toi ?

— Chez moi ? Tout le monde va bien, merci...

***

Popeck, toujours en quête d'idées nouvelles, vient d'inventer une poudre contre les puces. Il s'installe au marché pour la vendre. Judith s'approche de lui :

— C'est vraiment efficace contre les puces ?

— Je pense bien... Garanti... Sur ma vie...

— Comment s'en sert-on ?

— Pas compliqué... Tu prends la puce entre le pouce et l'index, tu lui ouvres la bouche et tu introduis un peu de ma poudre dedans. C'est radical...

— Mais dis donc Popeck, fait Judith qui n'est pas si bête qu'elle en a l'air. Si je tiens la puce entre le pouce et l'index j'ai aussi vite fait de l'écraser...

— Bien sûr ! répond Popeck. Contre les puces, tous les moyens sont bons !

***

Le jaloux Lovenbaum vient de tuer sa femme au milieu d'une crise plus forte que les autres... Sa pauvre épouse, fidèle empressons-nous de le dire, pour sa mémoire, gît sur le tapis du salon, frappée de trois coups de couteau.

Son forfait accompli, Lovenbaum est pris — mais trop tard — de remords ! Il ressent le besoin impérieux de confesser son horrible forfait... Il court chez le rabbin... Aux premiers mots, le saint homme tenant haut-levé un exemplaire de l'Ancien Testament, somme le criminel de s'en aller et le menace presque de le dénoncer à la police...

Lovenbaum ne renonce pas... Il a besoin de se confesser ! Il va chez un pasteur... Dans le but d'être absous... Mais à l'énoncé de son crime, le pasteur, comme le rabbin, le chasse avec force reproches...

Pauvre Lovenbaum...

A son corps défendant, il se résout à aller se confesser à un curé...

Entrant dans une église, il pénètre dans le confessionnal. Évitant, cette fois, de prononcer le mot « tuer », il dit simplement !

— J'ai péché.

Derrière la petite grille de bois, la voix du prêtre demande :

— Combien de fois mon fils ?

Et Lovenbaum répond :

— Trois fois : un coup par devant; deux coups par derrière !

***

— Bonjour Iossel !

— Bonjour Avrom !

— Il paraît que tu as un nouveau métier ?

— C'est tout à fait vrai !

— Qu'est-ce que c'est ?

— Je suis devenu occuliste-ébéniste !

— Pardon ?

— Occuliste-ébéniste !

— Quelle est cette invention ? Tu te moques de moi !

— Pas du tout ! Je fais des lunettes pour les cabinets...

***

A la caserne.

— Votre nom ?

— Lévy, mon adjudant !

— De quelle compagnie ?

— Lévy et Cie., mon adjudant...

***

· La marquise de Vaucouleurs donne un dîner de quatorze couverts. Malheureusement, une heure avant le début du repas, elle est avisée de la défection d'un de ses invités. C'est très grave car on risque de se retrouver treize à table... Pas question... La marquise, jamais en panne d'idées, téléphone au colonel de la garnison locale :

— Cher colonel, savez-vous que vous pouvez m'être d'un grand secours !

— Dites-moi comment, Madame la Marquise ?

— Envoyez-moi, dans la demi-heure qui vient, votre plus bel officier en uniforme de gala...

— C'est facile, Madame la Marquise...

— Une petite précision, colonel... Ne m'envoyez pas un homme de race juive... Nous ne les aimons pas beaucoup chez nous...

— Comptez sur moi ! conclut le colonel.

Et trente-cinq minutes plus tard, on sonne chez Mme de Vaucouleurs. Le valet va ouvrir. Entre un superbe officier Sénégalais, du plus beau noir... La marquise se retient au mur pour ne pas tomber dans les pommes...

— Mais... fait-elle; c'est une erreur... Votre colonel a dû se tromper...

— Je ne crois pas Madame, répond le Sénégalais. Le colonel Isaac ne se trompe jamais...

***

— Sarah, dit Avrom à sa femme, les affaires ne marchent pas trop mal, alors on va quitter notre petite boutique de la rue Lacépède pour un grand magasin, sis boulevard Bonne-Nouvelle ! Tu es heureuse ?

Bien sûr, Sarah est heureuse... Six mois plus tard, comme décidément, les affaires sont bonnes, Avrom remplace sa vieille 403 par une 604 Super-Luxe ! Sarah est extrêmement heureuse. Un an après, Avrom lui confie :

— Les gens que nous fréquentons habitent tous dans le 16e arrondissement... Il faut que nous en fassions autant... Je viens d'acheter un appartement de 8 pièces avenue Foch... Nous emménageons la semaine prochaine.

Vous pensez bien que Sarah est de plus en plus heureuse... Et ce n'est pas fini !

— Sarah ! dit Avrom huit mois plus tard. Toutes nos connaissances ont un nombreux personnel domestique. Pour tenir notre rang, il faut que nous fassions comme eux. Mes affaires sont très prospères, puisque je viens d'ouvrir mon quatrième magasin, aussi je vais engager une femme de chambre, une cuisinière et un chauffeur.

Sarah est aux anges !

Quatre mois se passent encore. Au cours d'une des nombreuses réceptions que donne désormais notre couple, Avrom s'asseoit un moment près de Sarah :

— Ma chérie, dans le monde dont nous faisons partie à présent, il est de bon ton, je dirais même « indispensable », que les hommes aient une maîtresse... Regarde bien : la blonde assise sur le canapé, là-bas, c'est la maîtresse du banquier Legrand; la rousse debout près du piano, c'est celle du ministre Dupont et la grande brune qui s'approche, c'est la mienne...

— C'est pas pour dire, fait Sarah fièrement, mais c'est la nôtre qui est la plus jolie...

***

Un Juif parle à un Chinois.
— Vous êtes combien en tout ?
— Presque un milliard ! fait le Chinois.
— Nous, on n'est que dix millions ! médite le Juif. Pourtant, on ne vous voit nulle part et on nous voit partout...

***

— Patron, dit le jeune Blum, je ne peux plus travailler chez vous : tout le monde y est antisémite !
— Tout le monde antisémite dans mon usine ? Vous m'étonnez, Blum...
— C'est pourtant la triste vérité, patron ! J'en ai eu la révélation en posant une simple question à chacun de vos employés...
— Laquelle ?
— « Accepteriez-vous que l'on multiplie par quatre le montant de l'impôt sur le revenu des Juifs et des cordonniers ? »
— Pourquoi des cordonniers ?
— Vous voyez patron ! Vous aussi...

***

Yankel, qui vient d'avoir 50 ans, décide de se convertir au catholicisme et, par voie de conséquence, de se faire baptiser. Il va trouver le curé de sa paroisse qui, bien entendu, accepte de procéder au baptême de la brebis égarée regagnant le giron de l'Eglise...
— Dites-moi, Monsieur le curé, demande Yankel, comment dois-je m'habiller pour la cérémonie ?

Et sans doute distrait, ou ému, le curé répond :
— Mettez une brassière et vos petits chaussons de laine...

***

1944. La fin de la Deuxième Guerre Mondiale est proche. Hitler sent le vent tourner... Il manque d'argent pour entretenir ses troupes et entreprendre la construction de nouveau matériel... Faisant fi de toute fierté, il fait venir près de lui un banquier juif qui était incarcéré dans un camp de concentration.
— Écoute-moi ! Je hais les Juifs ! Et toi comme les autres ! Seulement, il se trouve que tu peux m'être utile... Voilà : je sais parfaitement qu'avant ta déportation, tu as pu dissimuler une montagne d'argent... Prête-moi dix millions de marks et je te mets dans un avion qui te parachutera au-dessus de l'Angleterre... D'accord ?
— D'accord !
Et trois jours plus tard, la tractation a lieu.
— Je vais te faire un reçu pour les dix millions de marks ! dit Hitler.
— Inutile ! fait le banquier juif.
— Comment inutile ? Tu as confiance en moi ?
— Oui... Vous rendez toujours tout ! Tout le monde peut le constater... Vous avez rendu l'Ukraine... Puis la Pologne, la France, la Belgique... Alors pourquoi craindrais-je que vous ne me rendiez pas mon argent ?

***

Un cinéma des Champs-Elysées. C'est l'entracte. Soudain, se dressant comme un beau diable, un homme d'une quarantaine d'années, crie :
— J'ai perdu mon portefeuille ! Il y avait ma paye du mois dedans... Six mille francs... J'offre cent francs à qui me le rapportera...
A ce moment-là, Iossel, depuis le fond de la salle, dit :

— Mesdames-Messieurs, je réclame votre attention : moi, j'offre deux cents francs à la personne qui m'apportera le portefeuille.

***

Le temps est orageux, des éclairs zèbrent le ciel. Popeck est en arrêt devant la vitrine d'un magasin de victuailles à l'étalage duquel sont proposés des jambons de toutes sortes, cochonnailles et saucissons. Bien entendu, la religion lui interdit de goûter à toutes ces charcuteries. Mais l'envie est la plus forte, la salive lui vient à la bouche !! Après une ultime hésitation, Popeck s'apprête à entrer à l'intérieur, mais soudain un éclair suivi d'un coup de tonnerre, éclate dans le ciel. Popeck lève la tête et cris à l'attention de l'Éternel :

— Et alors ? On n'a plus le droit de se renseigner ?

***

Relevée cette annonce, parue dans un journal yiddish à Paris :

« Perdu portefeuille en crocodile contenant papiers d'identité, nombreuses photos de famille et mille cinq cent livres. Celui qui le trouvera peut conserver le portefeuille avec documents et photos, mais aura la gentillesse de me restituer l'argent auquel je suis très attaché, pour des raisons purement sentimentales...

***

Un Français, qui passe quelques jours dans un kibboutz, est réveillé tôt le matin par un bruit ressemblant au ron-ron régulier d'un moteur diésel tournant au ralenti. Curieux, il se lève et regarde dehors. Il aperçoit alors une dizaine de types fraîchement débarqués d'Allemagne occupés à la construction d'une maison; ils se passent des briques l'un à l'autre en disant :

— Bitte Schön !

— Danke Schön !
— Bitte Schön !
— Danke Schön !

***

L'intérieur d'une classe primaire dans une école de Jérusalem. L'instituteur interroge à la cantonnade :

— Qui était Moïse ?

— Une andouille ! dit d'une voix ferme, un élève des premiers rangs.

L'instituteur aurait avalé son dentier s'il en avait eu un...

— Comment ? Qu'est-ce que tu dis ? Te rends-tu compte que c'est de notre grand ancêtre que tu parles ainsi ?

— Je me rends bien compte Monsieur... Mais je ne retire pas ce que j'ai dit... C'était une andouille... Et en voici la preuve : après avoir traversé la mer Rouge, il a tourné à gauche... Eh bien, s'il avait eu l'idée de tourner à droite, c'est nous qui, aujourd'hui, aurions du pétrole...

***

Iossel travaille dans une usine, près de Tel-Aviv, où l'on fabrique des landaus. Son copain Mosché, dont la femme attend un heureux événement, lui dit :

— Écoute-moi, Iossel. Si tous les soirs, en quittant ton travail, tu m'apportes une des pièces qui composent un landau, dans peu de temps je pourrai faire une belle surprise à Rebecca... Et je ne serai pas ingrat avec toi... Tu me connais...

Iossel, bon bougre, accepte la proposition et commence à passer « en douce » les pièces. Au bout de trois semaines, le dernier petit boulon échoit à Mosché. Celui-ci, huit jours plus tard, va trouver son copain à la sortie de l'usine et lui dit :

— T'as été sympa, Iossel... Tu m'as fourni toutes les pièces... Seulement, y'a un « hic », je n'arrive pas à reconstituer un landau... Je peux m'y prendre de n'importe quelle façon, je finis toujours par avoir une mitrailleuse...

***

Mosché vient d'offrir à son épouse Rébecca un magnifique perroquet. C'est la joie au foyer... Le perroquet trône dans le salon où justement, ce soir, des amis sont attendus. En arrivant, tout le monde s'extasie devant l'animal.

— Qu'il est beau ! Qu'il est mignon ! Quelles belles couleurs !

Rébecca est heureuse.

Soudain, tel un coup de tonnerre, le perroquet, d'une voix de stentor, sort cette phrase :

— Bande de sales Juifs !

Cela jette un froid...

Rébecca s'en prend à son mari :

— Qu'est-ce qui t'a pris ? Tu aurais pu faire attention avant d'acheter cette bestiole...

— Sois juste, mon amour ! Comment aurais-je pu le croire capable de dire une chose pareille avec le bec qu'il a...

***

Un chrétien à un Juif :

— Pourquoi un Juif répond-il toujours à une question par une autre question ?

— Qu'est-ce qui vous fait dire ça ?

(Cette histoire pourrait s'arrêter là ! Mais soucieux de n'éluder aucun problème, nous poursuivons...)

— C'est parce que pendant qu'il pose une autre question, il cherche une réponse à celle qu'on lui a posée avant...

***

Blum est content de son fils, brillant élève.

— Tu mérites une récompense !

— Merci papa !

— Est-ce qu'une bicyclette te ferait plaisir ?

— Oh oui papa !

— Bon. Comment veux-tu que je la prenne ?

— Sans qu'on te voit, papa !

***

Aaron vient de rendre le dernier soupir. Ses enfants vont hériter d'une fortune colossale. Réunis dans la chambre mortuaire, ils discutent sur les obsèques de leur cher papa.

— A mon sens, dit Jacob l'aîné, nous devrions lui offrir ce qu'il y a de mieux. First class !

— Tu connais les prix ? demande Moïse le cadet.

— 25 000 francs !

On toussote autour du mort...

— Permets-moi de te dire, Jacob, dit doucement Moïse, que papa s'il était encore capable de donner son avis, nous déconseillerait formellement de dépenser tant d'argent... Nous pouvons, me semble-t-il, prendre la classe au-dessous... Cela nous coûtera 15 000 francs...

On s'éclaircit à nouveau la gorge...

— Cher Moïse, risque Rébecca, je ne suis pas certaine que notre cher père se soit complu dans tant de fastes... Je le connaissais bien, peut-être mieux que vous puisqu'il eût toujours une petite préférence pour moi, et manifestement, un enterrement modeste, sans musique, conviendrait mieux à ses aspirations... Pour 10 000 francs nous pouvons avoir quelque chose de correct !

— Soyons nets ! dit alors Salomon le benjamin. Un jour, papa me fit la confidence suivante : « Quand je mourrai, je veux l'enterrement des pauvres ! »

— Tu es sûr ? questionne, en chœur, toute la famille.

Et à cet instant, le père ressuscite et prononce :

— C'est bon ! J'irai au cimetière à pied...

***

— Mosché ?

— Oui ! Qu'y a-t-il, Popeck ?

— J'ai deux chèques de 250 francs; les banques sont fermées. Peux-tu les prendre et me donner du liquide en échange ?

— Bien entendu.

L'échange se fait...

— Mais... fait remarquer Popeck, tu ne me donnes que 400 francs ? Y'a erreur ! Au total, tu me dois 500 francs...

— Pas du tout ! Tu ne sais pas compter !

— Sur ma vie... Ça fait 500...

— Non. Regarde... Je pose mon addition :

$$250$$
$$+\ 250...$$

Compte en même temps que moi : zéro + zéro = zéro. T'es d'accord ?

— Oui... Mais continue...

— Bon. Cinq + cinq = dix; je pose zéro et normalement je retiens un... Mais comme t'es un ami, je ne te retiens rien... Et je continue : deux et deux, quatre. Par conséquent : quatre cents francs... De quoi te plains-tu ?

***

— M. Blum vos six enfants, au-dessus de ma tête, tous les soirs, font un raffût épouvantable dans votre appartement... Ce n'est pas tenable... Faites poser de la moquette... Que je ne les entende plus...

— Ah ! mon pauvre M. Goldstein... Si cela ne tenait qu'à moi... Mais je n'ai pas les moyens. Cela coûterait 8000 francs...

— Qu'à cela ne tienne... Le bruit de vos gosses me gâche la vie... Voilà l'argent... Faites le nécessaire...

Et dès le lendemain, M. Goldstein vit dans le silence. Au-dessus de chez lui, plus aucun bruit ne se fait entendre... Heureux, au bout d'une huitaine il monte chez son voisin, afin de voir « sa » moquette. Mais à sa grande surprise, il n'y en a pas...

— Et comment se fait-il que je n'entends plus vos enfants ?

— C'est bien simple, M. Goldstein... Je leur ai acheté des pantoufles !

***

Dans une école primaire juive, un élève interroge le rebbé (maître) :

— Dites-moi comment notre rabbin a fait pour avoir des enfants ? N'est-il pas totalement occupé à l'étude de la Sainte Loi ?

— Je vais t'expliquer. Le soir, quand notre rabbin est bien fatigué, quarante-mille anges viennent vers lui. Deux mille le prennent par les bras, autant par la tête et autant par les pieds, puis ils le transportent, délicatement dans son lit, auprès de sa femme...

— Et les trente-quatre-mille autres anges ?

— Ils sont là pour l'arracher des bras de sa femme...

***

Jacob, sentant sa dernière heure venir, mande ses enfants et leur tient ce discours :

— Voici mes dernières recommandations. Conduisez-vous toujours en honnêtes Juifs. N'oubliez pas que notre exil cessera définitivement au jour du Messie. Vous vous rappelez que le jour du Messie arrivé, les chrétiens passeront sur un pont de fer qui croulera tandis que les Juifs passeront sur un pont de papier qui résistera... C'est très certainement vrai... Pourtant, quand arrivera le Messie, montez sur le pont de fer !

***

Un Juif pauvre est invité, au repas du vendredi soir, chez un riche négociant. Il mange merveilleusement et se régale surtout d'un fastueux gâteau dont il demande la recette à la maîtresse de maison.

— Elle est simple ! Vous prenez trois livres de farine, deux livres de sucre, dix œufs, un verre de vieille eau-de-vie et une livre de raisins secs...

Le pauvre homme note soigneusement et rentre chez lui où, le lendemain, il conte à sa femme son repas plantureux.

- Et surtout, conclut-il, il y avait un gâteau mirifique !

- As-tu la recette ? demande sa femme. Je pourrais peut-être le faire...

Oh ! Ce serait merveilleux... Tu prends trois livres de farine...

- Je n'en ai que deux... Mais ce sera suffisant..

- Tu ajoutes deux livres de sucre...

- Il m'er reste une demi-livre... Ça ira bien...

· Tu mets dix œufs...

- J'en ai plus que deux... Faudra faire avec..

- Un verre de vieille eau-de-vie...

- Où veux-tu que j'aille chercher ça ?

- Et des raisins secs...

- J'en ai même jamais vus...

- Marchons sans eau-de-vie, ni raisin...

La femme prépare le gâteau, le sert à table sur son plus beau plat, le coupe en deux, sert une part à son mari, prend l'autre et goûte...

- C'est bizarre ! dit-elle. Je ne comprends pas le plaisir que peuvent avoir les riches à manger ce gâteau...

***

- Que fais-tu Rebecca ?

- J'écris une lettre à notre fils David, Isaac.

- Pourquoi une lettre ? C'est absurde... Envoie-lui plutôt une carte postale non-affranchie... Il reconnaîtra ton écriture, la lira, puis la refusera...

***

- Dites-moi Rabbi Lévy, vous vous êtes rasé ?

- C'est exact !

- Un Juif pieux n'a-t-il pas interdiction de le faire ?

- Si !

- Alors pourquoi l'avez-vous fait ?

Le rabbin hausse les épaules et continue son chemin. Deux minutes après il croise Iossel.

- Bonjour rabbi ! J'ai une petite chose à vous demander...

- Excuse-moi Iossel, mais je n'ai pas le temps... Je suis très pressé... depuis que je suis sorti de chez moi je n'ai rencontré que des raseurs...

***

A la descente du train, Iossel se tord de rire.

- Qu'est-ce que tu as ? lui demande son ami Mosché venu à sa rencontre.

- Imagine-toi que tout à l'heure. dans le train, le contrôleur entre dans mon compartiment et me regarde d'un air, comme si je n'avais pas de billet...

- Et alors ?

- Ben, moi je l'ai regardé avec l'air d'en avoir un... Et il n'a rien osé me demander...

***

Un rabbin a invité un curé à dîner.

- Cela vous a plu ? demande le Juif.

- Excellent ! dit le curé. La carpe farcie, le cou d'oie, le pudding, tout était bon...

- Et mon petit vin d'Israël ?

- Là, si vous permettez, je me demande s'il n'était pas baptisé !...

- Et alors ? Ne me dites pas que parce qu'il est baptisé, il est moins bon !

***

Ephraïm vient de se convertir au catholicisme. Le Carême arrive et le curé qui l'a baptisé le surprend en train de déguster une côte de bœuf bien saignante...

- C'est ainsi que vous faites maigre ? En vous gavant de viande rouge ?

- Mais, M. le curé, faites excuse : ce n'est pas de la viande, c'est une truite !

- Je n'aime guère que l'on se moque de moi...

- Je ne me moque pas, M. le curé.. Mais souvenez-vous le jour où j'ai abjuré ma maudite religion, vous m'avez dit : « Ephraïm, jusqu'à présent tu étais Juif, désormais tu es catholique ! ». Eh bien moi je me suis adressé à ce quartier de viande et je lui ai dit : « Jusqu'ici tu étais bœuf, désormais tu es poisson ! »

***

La banque en prévision d'une attaque à main armée, est gardée par un soldat. Mosché après avoir convaincu le bidasse, étonné de le voir pauvrement vêtu pénètre dans l'établissement et en ressort avec deux valises. Ce faisant, il s'adresse au fonctionnaire :

— Soldat, je vous autorise à regagner votre cantonnement...

***

Neuman et Goldberg, depuis longtemps associés, décident de liquider leur affaire et de se séparer. Quand les comptes sont faits, il reste 500 000 francs de bénéfice.

— Quand pourrais-je disposer de mes 250 000 francs ? demande Neumann.

— Jamais ! répond Goldberg.

— Comment ça ? L'affaire était à nous deux ! Nous l'avons créée ensemble !

— C'est vrai. Mais quel argent avais-tu apporté au départ ?

— Aucun, tu le sais bien... Mais j'ai mis toute mon expérience !

— Eh bien, tout est correct : tu reprends toute ton expérience, et je reprends tout mon argent.

***

Mosché vient encore de manquer son train... Il se lamente tant et plus...

— Mon Dieu ! Et moi qui avais tellement besoin d'aller à la ville ! C'est terrible ! Oh la la la la...

L'entendant se désoler, son ami Popeck le questionne :

— De combien as-tu raté ton train ?

— De deux minutes !

— Seulement ? D'après tes cris, je croyais que tu l'avais manqué d'au-moins une heure !

***

Aaron et Iossel, fâchés depuis longtemps, sont invités par un ami à se réconcilier à l'occasion de Yom Tov (Fête).

— Allez ! Oubliez vos disputes et serrez-vous la main !

Les deux adversaires condescendent et vont même jusqu'à s'embrasser...

— Je te souhaite tout ce que tu me souhaites ! dit Aaron.

— Oh ! fait Iossel. Tu recommences déjà !

***

— Tu en fais une tête, Hirsch ?

— Il y a de quoi ! Je dois me présenter au conseil de révision !

— C'est cela qui te met dans un tel état ?

— Je voudrais t'y voir !

— Écoute ! sois raisonnable ! Qu'est-ce que tu risques ? Réfléchis ! Tu es convoqué ! Et alors ? Deux possibilités : tu es pris ou tu ne l'es pas. Si tu l'es, tu te trouveras devant l'alternative suivante : tu es envoyé à l'arrière ou au front ! Si c'est à l'arrière tout va bien ! Si c'est au front, deux cas peuvent se présenter : tu te retrouves dans les tranchées ou dans une planque. Si t'es planqué, tout va bien; si tu es dans les tranchées, deux possibilités : tu es fait prisonnier ou tu reçois une blessure. Si tu es prisonnier, tout va bien ! Si tu es blessé, deux probabilités : ta blessure n'est pas grave ou elle est mortelle. Si elle n'est pas grave, tout va bien ! Si elle est mortelle, il y a deux éventualités : tu es enterré tout seul et dans ce cas, tout va bien ! Ou tu es enterré avec des chrétiens, sous le signe de la croix... Et simplement parce que tu risques d'être enterré avec des chrétiens tu te fais déjà un mauvais sang d'encre ?

***

Raganovitch et sa femme sortent d'une réception donnée par les Rothschild.

— Ces Rothschild doivent avoir des difficultés ! dit Mme. Raganovitch à son tendre époux. Tu as remarqué ? Ils jouent à deux sur le même piano...

***

Isaac est sur son lit de mort. Il s'adresse à ses deux fils :

— Mes chers petits, écoutez-moi bien : quand vous vous marierez, faites moi plaisir, n'épousez que de bonnes Juives. Si vous agissiez autrement, je me retournerais dans ma tombe.

— Promis, papa ! Promis papa !

Isaac peut mourir tranquille... Ce qu'il fait !

Les aléas de la vie séparent les deux frères un certain temps, puis, au bout de deux ans, ils se rencontrent... L'aîné est accompagné de sa femme, une splendide créature, qui n'a rien d'une fille d'Israël !

— Bravo ! fait le cadet. Tu sais ce qu'avait dit notre père ?

Et sans attendre une réponse de son frère, il tourne les talons. Deux années passent encore. Ils se retrouvent à nouveau. Cette fois, c'est le plus jeune qui est accompagné par sa récente épouse, chrétienne des pieds à la tête...

— Félicitations ! dit l'aîné. C'était bien la peine de me faire des reproches !

— Je peux m'expliquer facilement... Si j'ai conçu ce mariage c'est afin que papa se retourne à nouveau et retrouve ainsi la bonne position...

***

Iossel a attrapé un rhum terrible; il tousse à fendre l'âme ! Son médecin, bizarement, lui conseille de se purger et lui indique, à cet effet, un purgatif puissant. Iossel le prend et le lendemain le docteur revient le voir :

— Alors ? Vous toussez toujours ?

— Non ! J'ai trop peur..., répond Iossel en se tenant le ventre.

***

— Mes ancêtres, dit un Italien à Popeck, étaient des gens remarquables !

— Ah bon !

— Tu peux sourire... Sais-tu ce qu'on a trouvé récemment, en faisant des fouilles du côté de Pompéi ?

— Non !

— Du fil de fer !

— Et alors ?

— Ça veut dire que les Romains avaient déjà inventé le télégraphe !

Popeck observe un léger silence, puis il dit :

— Cela n'est rien... En tout cas pas grand-chose... Sais-tu ce que l'on a découvert, la semaine dernière, en creusant la terre dans le néguev ?

— Non...

— Rien ! On n'a rien trouvé du tout... Et tu sais ce que cela prouve, incontestablement ? C'est que mes ancêtres avaient découvert la T.S.F....

***

Deux hommes se disputent véhémentement. A bout d'arguments, l'un finit par lancer à l'autre :

— Sale Juif !

— Oh! Oh! Cher Monsieur, vous direz à votre femme que je déteste les bavardes...

***

Abraham va trouver un curé.

— Je voudrais que vous célébriez une messe à l'occasion du cinquième anniversaire de la mort de ma sœur Sarah.

— Vous devez vous tromper d'adresse ! fait le curé. C'est le rabbin qu'il vous faut voir...

— Non ! insiste Abraham. Car je vais vous confier un secret : ma sœur s'était convertie. Elle était même devenue religieuse.

— Ah bon! En effet, cela change tout... Si elle était l'épouse de Notre Seigneur Jésus-Christ, je vais faire les choses bien... Mais il vous en coûtera mille francs!

— Qu'importe! Je ne regarde pas à la dépense répond Abraham en tendant 500 francs au curé.

— J'ai dit mille francs..., se permet, timidement, l'ecclésiastique.

— Je sais, je sais... Mais pour le reste, vous n'avez qu'à vous adresser à mon beau frère...

***

Rébecca, la belle Rébecca, a un amant. C'est David. Un jour elle lui dit :

— Mon mari Aphraïm doit partir ce soir à 9 heures. Sois devant chez moi à neuf heures et demi ; s'il est vraiment parti, je jetterai par la fenêtre une pièce de vingt centimes et tu pourras monter...

Émoustillé, David arrive le soir à l'heure dite et, joie suprême, la fenêtre de Rébecca s'ouvre et une pièce tombe dans la rue...

Émoustillé également, la jeune femme, après avoir jeté la pièce, s'allonge mollement sur son lit, prête à l'holocauste... cinq minutes se passent. Personne. Dix minutes... Un quart d'heure... Elle s'impatiente. A juste titre... Elle n'habite qu'au second étage... Au bout de vingt minutes, enfin, David, plus mâle que jamais, pénètre dans l'appartement de son amante...

— Eh bien! lui dit-elle. Tu n'avais pas entendu la pièce de vingt centimes :

— Si, si... Mais, dans le noir, je n'arrivais pas à la retrouver...

***

— Épousez-là, M. Rosenfeld. C'est un parti remarquable... La fille du marchand de meuble Edelbaum. Trois millions de dot au bas mot...

— Je ne dis pas... Mais vous la connaissez bien ? Je l'ai croisée l'autre jour et elle boitait... Etait-ce accidentel ou boite-t-elle toujours ?

— Non, M. Rosenfeld, non... Pas toujours... Seulement quand elle marche...

***

— Heureux jour Moïse !

— Heureux jour Iossel !

— Tu as l'air content ?

— C'est vrai !

— Tu as une raison ?

— Oui... Désormais je vis tranquille... Je me suis déchargé de tous mes soucis en engageant un fondé de pouvoir...

— Un fondé de pouvoirs ? Tu le payes combien ?

— Dix mille francs par mois !

— Tu es fou! Comment pourras-tu lui donner une telle somme ?

— Ah! Ça, c'est le premier de *ses* soucis...

***

— M. Rothschild je me propose de vous faire faire une économie de cinq millions...

— Rappelez-moi votre nom ?

— Samuel Bronstein !

— Eh bien, cher M. Bronstein, votre proposition ne manque pas d'intérêt... Comment comptez-vous vous y prendre ?

— Vous avez bien une fille, M. Rothschild ?

— Oui !

— Et pour son mariage, vous avez bien décidé de lui donner dix millions de dot si le fils du Baron Rockfeller devient votre gendre ?

— Vous êtes bien renseigné...

— Alors voilà : votre fille, je la prends avec cinq millions seulement !

***

Lors d'un dîner où sont assis côte à côte un évêque et un rabbin, la maîtresse de maison fait servir du porc aux lentilles.

— Vous n'en prenez pas ? fait remarquer l'évêque au rabbin.

— Hé non ! Ma religion me l'interdit...

— Dommage !... Vous ne savez pas ce que vous manquez...

Le rabbin ne rétorque pas. Le repas se termine. Tout le monde se sépare. Prenant congé de l'évêque, le rabbin lui dit :

— Rentrez bien. Et transmettez mes compliments à votre femme...

— Voyons ! Cher ami ! Je n'ai pas de femme... Vous savez bien que ma religion me l'interdit...

— Oh ! Quel dommage ! sourit le rabbin. Monseigneur, vous ne savez pas ce que vous manquez...

***

— Lévy tu m'as gravement offensé; je t'attends avec mes témoins à 9 heures demain matin dans mon magasin.

— Entendu Cohen; moi aussi je t'attends à la même heure avec mes témoins, dans le mien.

***

— Hello Mosché !

— Hello Yankel !

— Où vas-tu ?

— Je vais à Strasbourg.

— Menteur ! Tu me dis que tu vas à Strasbourg afin que je pense que tu vas à Colmar... Alors qu'en fait tu vas bien à Strasbourg... On ne me le fait pas.

***

Jacob et Isaac jouent aux cartes. Brusquement, Jacob explose.

— J'en ai assez... Isaac : tu triches !

— Que racontes-tu ? Remets-toi Jacob... Je ne triche point...

— Menteur ! Tricheur ! Fils de rien ! Escroc... Tout le portrait de ta famille !

Ton père a fait vingt ans de tôle... Ta mère, tout le monde le sait, fut une nafké (catin)... Ton frère est poursuivi par toutes les polices... Ta sœur est une « Marie couche-toi là »... Et toi, digne d'eux, tu es un sale tricheur.

— Je t'en prie Jacob fait Isaac sans s'énerver outre mesure. Au nom de notre vieille amitié, pas de sous-entendus !...

***

Au paradis, Dieu s'adresse à Iossel :

— Tu as été un brave homme et un bon Juif sur Terre... J'ai envie de te faire plaisir : demande-moi ce que tu veux, c'est accordé d'avance... Sache cependant que ton pire ennemi recevra illico le double de ce que tu voudras...

— Merci Dieu, répond Iossel. Crève-moi un œil...

***

— Mon petit David, écoute-moi bien...

— Oui papa !

— Et réponds-moi : qui était la mère de Moïse... Tu dois savoir ça ?

— Oui papa... C'était la fille du pharaon...

— Ne sois pas bête, mon enfant... Elle n'a fait que le sauver des eaux...

— C'est elle qui l'a dit...

***

— T'es Juif, toi ?

— Oui. Et alors ?

— Rien. C'était pour savoir... Moi je suis catholique... Et je connais une bonne histoire...

— Pas possible !

— Si ! Écoute... Un jour, mon Dieu et le tien se rencontrent dans un café et commencent à discuter... Comme le tien ne comprenait rien, le mien lui a balancé un splendide direct à la mâchoire...

— Bravo ! fait le Juif. Cela apprendra au mien à parler avec n'importe qui !...

***

Chez Blum, tailleur. Entre un client.
— Je voudrais un beau pantalon !
— Essayez celui-ci !
— Combien ?
— Cent-vingt francs.
— Heu... Vous n'avez rien d'autre ?
— Si... Bien sûr... Celui-ci par exemple... Une affaire... Un démarqué de chez Truc-Muche... Il fait deux cents francs...

Le client essaye et achète, puis sort. La femme de Blum, qui tient la caisse, lui dit alors :
— Je ne comprends pas pourquoi il a pris le second il nage dedans... Le premier était nettement mieux...
— Je vais te dire : ce pantalon, ça fait deux ans qu'il traine ! Je pouvais plus le voir ! Alors dans la poche, j'avais glissé un vieux porte-monnaie... Vide... bien entendu ! Mais le client ne verra ça que chez lui !

***

Popeck est à la. guerre, dans les tranchées. Ça tiraille et ça bombarde à qui mieux-mieux... Excédé, il s'adresse à « ceux » d'en-face :
— Hé ! Doucement ! Y'a des hommes ici ! On n'est pas des sauvages quand même...

***

La guerre est terminée. Popeck rentre dans la vie civile. Son ami Iossel le questionne :
— Ce devait être dur à la guerre ?...
— Plutôt, oui...
— Les balles, les obus... ?
— Heu... les balles et les obus, ça pouvait aller... Mais le bruit que tout cela faisait était insupportable...

***

Moisché et Myriam vont se marier dans trois jours. Le fiancé n'en peut plus et il pose carrément la question :

— Allez Myriam, sois ma femme tout de suite...
— Pas question, Moisché. Je suis une jeune fille sérieuse. Et de plus, après j'ai toujours les yeux cernés...

***

— Je veux me marier... Je veux me marier... Je veux me marier...
— Qu'est-ce qui te prends Samuel ?
— Je m'ennuie trop... Je veux me marier... Je veux me marier...
— Tu ne t'es pas regardé ? Tu es tout petit, tu es vieux, tu es borgne, tu es pauvre et tu es bête... Il faudrait qu'une femme soit folle pour vouloir de toi...
— Même folle, je la prends...

***

Salomon entre dans un restaurant; il laisse la porte ouverte derrière lui.
— Holà ! crie quelqu'un. Fermez donc cette porte... Il fait froid dehors !
— Si je ferme la porte, vous croyez qu'il fera moins froid dehors ?

***

Popeck et Iossel sont à la banque lorsque trois bandits font irruption.
— Haut les mains ! C'est un hold-up !

Tout le monde s'exécute, y compris nos deux compères qui tremblent comme des feuilles... Les bandits s'affairent. Au bout de cinq minutes, alors que les malfaiteurs commencent à faire les poches des clients, Popeck demande poliment :
— S'il vous plaît... Puis-je baisser les bras ? J'ai de l'arthrite dans l'épaule...

Le chef des gangsters, qui n'est pas inhumain et qui voit bien que Popeck ne représente aucun danger, donne la permission. Immédiatement, plongeant la main dans sa poche, Popeck en retire mille francs qu'il tend à Iossel en disant :
— Tiens, je te les devais... Les voici ! On n'est pas des sauvages !

***

Le tzar passe les troupes en revue. Il interroge un soldat armé jusqu'aux dents :

— Ton nom ?

— Vorodine.

— Tu m'aimes ?

— Oh oui, Majesté !

— Tu pourrais me tuer ?

— Jamais, Majesté...

Le tzar passe à un autre guerrier puissamment armé...

— Ton nom ?

— Mamoulian.

— M'aimes-tu ?

— Naturellement, Majesté.

— Me tuerais-tu ?

— Oh non ! Majesté.

Visiblement satisfait, le tzar s'adresse à présent au tambour du régiment :

— Ton nom ?

— Blumenthal.

— Tu m'aimes ?

— Je pense bien, votre Majesté !

— Pourrais-tu me tuer ?

— Avec mon tambour ?

***

Le même tzar, avec d'autres « guerriers ».

— Soldats ! Je ne vous donnerai qu'une seule consigne : à chacun son homme ! Et votre mission sera bien remplie ! Quel est ton nom toi ?

— Kostov !

— Te sens-tu capable de tuer un soldat ennemi ?

— Oh oui ! Majesté !

— Et toi, comment t'appelles-tu ?

— Peskov.

— Tu tueras un ennemi ?

— Non seulement j'en tuerai un, Majesté, mais j'en tuerai deux ! Pour votre gloire...

Au moment où il prononce cette phrase, le soldat qui se trouve à ses côtés pose son fusil et s'éloigne.

— Holà ! fait le tzar. Qui es-tu ?

— Popeck !

— Tu t'en vas, me semble-t-il ?

— Bien sûr, votre Majesté... Peskov va tuer le mien ! Alors, ma mission est accomplie... Je peux rentrer à la maison...

***

Un étranger arrive en ville. Il hèle un passant :

— Jacob ! Où se trouve la sous-préfecture ?

— Comment savez-vous mon prénom ?

— Je l'ai deviné...

— Bien. Alors, devinez aussi où se trouve la sous-préfecture...

***

— Monsieur le peintre, j'aimerais que vous fassiez mon portrait !

— Avec joie, Mme Blum.

— Cela me coûtera combien ?

— Neuf mille francs, Madame.

— Je voudrais aussi que vous portraituriez ma petite fille de cinq ans. Combien me demanderez-vous pour elle ?

— La même somme.

— Mais elle est toute petite !

— Qu'importe, Madame. C'est neuf mille francs également...

— Bien... Alors j'ai réfléchi... Vous ne ferez qu'un seul tableau; je prendrai ma petite fille sur les genoux...

***

— Dis-moi Bloch. Tu te reposes dans la journée ?

— Après le déjeuner, elle fait la sieste pendant une heure !

— Tu n'y es pas... De qui me parles-tu ? Je te demande quand tu te reposes !

— J'avais compris... Moi, je te parle de ma femme... Quand elle fait la sieste, je me repose...

***

— M. Seinberg, je veux vous marier !

— Tu es un grand chadchen, Lévy...

223

Mais je n'ai nulle envie de convoler...

— Soyez raisonnable ! Chaque jour, vous devez aller au restaurant. Quand vous rentrez chez vous, il y fait froid... Vous aimeriez parler avec quelqu'un et il n'y a personne...

— Tu es bon, toi ! Et qui m'assure que ma femme saura faire la cuisine ? Qu'elle aimera qu'il fasse chaud à la maison ? Et qu'elle n'aura pas envie de me sortir des balivernes quand je voudrais tenir une conversation profonde !

— M. Seinberg ! M. Seinberg ! Vous êtes irrésistible ! Qui vous dit que vous serez obligé de rester toujours chez vous ?

***

Yankel est invité chez le banquier Worms. On lui sert un whisky de trente âge. Il se régale. Il en voudrait bien encore... Mais ce n'est pas poli de réclamer ouvertement... Comment faire...

— Ah ! fait-il. Ce whisky ! Ce whisky ! Le tout premier verre était vraiment excellent !

***

— Mon vieux Popeck, permets-moi de te dire que ton costume est complètement rapé ! Minable ! Tu as l'air d'un mendiant...

— Je sais bien, Iossel.

— Ben alors ? Il faut t'en acheter un autre !

— Tu as trouvé ça tout seul ? Et avec quel argent je me l'achète ? Avec le tien ? Je n'ai pas un sou, mon vieux...

— T'énerve pas... Ce que j'en disais... Tu sais, l'habit fait le moine... Fagotté comme tu es personne ne te fera confiance...

— Oh ! Tu sais, l'habit ne fait pas le rabbin.

Mais, préoccupé quand même, Popeck se tait un instant, puis prend une décision :

— Très bien. Il me faut un costume ? Alors viens avec moi, je vais en acheter un...

— Mais tu n'as pas d'argent ?

— Viens te dis-je !

Et les deux amis pénètrent dans le magasin de nouveautés tenu par Blum.

— Bonjour Popeck !

— Je veux un costume !

— En voici un beau : 1000 francs !

— Tu me prends pour Rockfeller ?

— Alors prends celui-ci. 650 francs !

— C'est trop cher. Je ne peux pas mettre plus de 500 francs...

— Impossible... A 650, je gagne déjà rien...

— Tant pis... Viens Iossel... Nous allons ailleurs !

— Je t'assure, insiste Blum. A 500, j'y perds !

— Je comprends ! dit Popeck. Mais moi je ne peux pas aller au-dessus de 500. Tu viens Iossel ?

— Bon... Ne pars pas ! Tu as de la chance d'être un ami ! Va pour 500 francs. Mais n'en parle pas à ma femme... J'aurais la soupe à la grimace pendant quinze jours...

Popeck essaye le costume; il lui va admirablement.

— Tu es splendide ! A rendre jaloux le prince des élégances...

— C'est vrai. Il est parfait ! Dis-moi Blum, cela t'ennuie que je ne te paye que le mois prochain ?

— Oui... Mais je t'ai dit que tu étais un ami...

— Il y a une chose que je ne comprends pas... Pourquoi lui as-tu fait baisser le prix de son costume puisque de toute façon, 650 ou 500 francs, tu ne lui donneras jamais un centime ?

— C'est par délicatesse... Je préfère qu'il perde moins ! On n'est pas des sauvages quand même !

***

— Calme-toi Iossel ! Pourquoi es-tu dans cet état ?

— Je voudrais t'y voir... Suppose qu'il te soit arrivé la même chose qu'à moi...

— Explique-toi !

— Tout à l'heure, en rentrant chez moi, j'ai surpris ma femme en train de faire l'amour avec notre voisin, gendarme en retraite... Bon sang ! J'ai cru que j'allais exploser... J'étais dans une telle fureur que si j'avais eu un révolver, j'aurais flanqué une paire de gifles à ce don Juan de banlieue...

***

Deux soldats juifs conversent :
— Pourquoi es-tu militaire ?
— Bof ? Je suis célibataire... Et j'aime la guerre... Alors je me suis engagé...
— Tiens ! Moi c'est le contraire : je suis marié et j'aime la paix... Alors je me suis engagé !

***

Au moment de signer le registre d'un hôtel, Popeck aperçoit une magnifique punaise en train de se promener à l'endroit des signatures... Illico, il reprend sa valise et se la fait (la valise...). Sur le seuil, il est interpellé par le portier :
— Pourquoi partez-vous Monsieur ?
— Je ne reste jamais dans un hôtel où les punaises se renseignent sur le numéro de ma chambre...

***

— Dis-moi, Mosché...
— Je t'écoute Iossel...
— C'est délicat à te dire...
— Tant que ça ?
— Oui...
— Tu m'inquiètes... Vas-y ! Je t'en prie !
— Hum... Tu connais Aaron ?
— Très bien, oui !
— Tu n'ignores pas qu'il fait la cour à ta femme ?
— Je le sais, oui !
— Eh bien... Cela me fait de la peine pour toi, mais sais-tu aussi qu'il couche avec elle chaque fois que tu sors ?
— Je le sais parfaitement, Iossel... Il lui donne même cent francs...

— Et tu ne dis rien !
— Si ! J'ai dit à ma femme qu'à partir de la semaine prochaine, ce serait deux cents francs...

***

Ephraïm et Mosché sont allés à la ville. Là-bas ils ont baffré dans des restaurants non-kashers et ont joyeusement fait la noce avec des filles... A leur retour au village, un aigri les dénonce au rabbin qui leur inflige la pénitence suivante : marcher pendant huit jours avec des petits pois dans leurs souliers.
Le quatrième jour, Iossel croise Ephraïm. Le premier boite bas, en faisant mille grimaces. Le second marche comme vous et moi...
— Eh bien ? s'étonne Iossel. Tu n'as pas fait ce qu'a ordonné le rabbin ?
— Bien sûr que si ! Sur ma vie ! Mais je me suis dit qu'il ne nous avait pas interdit de faire cuire nos petits pois...

***

— Monsieur Boulberg, je veux vous marier !
— Hou la la ! Otez-vous cette idée de la tête, chadchen... (marieur)
— J'ai pour vous quelqu'un de remarquable... Une veuve jolie, sérieuse, riche et innocente !
— La bonne blague... Vous me dites qu'elle est veuve et vous prétendez en même temps « innocente » ?
— Oh ! Vous savez M. Boulberg, elle est veuve depuis si longtemps qu'elle a dû tout oublier !

***

— M. Iossel, vous arrivez au bureau avec une heure de retard ! J'attends vos explications !
— Pardonnez-moi M. le Directeur, c'est à cause de ma femme : elle a eu un accouchement très difficile !
— Ah bon ! Si c'est cela, vous êtes excusé !
Trois jours plus tard, Iossel arrive à

nouveau au bureau avec un grand retard.

— Qu'avez-vous aujourd'hui comme explication !

— C'est toujours ma femme, M. le Directeur... Elle a eu un accouchement plus que pénible...

— Vous vous payez ma tête ! Vous m'avez déjà dit ça il y a trois jours !

— Bien sûr, M. le Directeur... Vous ne savez pas que mon épouse est sage-femme ?

***

— Bloch ?

— Oui Monsieur le Directeur !

— Je dois vous parler sérieusement.

— A votre disposition M. le Directeur.

— Bloch, vous êtes mon fondé de pouvoir depuis vingt ans et voilà déjà une bonne quinzaine d'années que vous me volez...

— Oh...

— Inutile de nier... D'autre part, depuis trois années vous entretenez avec mon épouse des rapports que la vérité m'oblige à qualifier d'intimes...

— Mais...

— Je sais tout... Enfin, suprême exploit, ma fille m'a appris ce matin qu'elle était enceinte de vos œuvres... Alors, Bloch, je vous le dis nettement et très sérieusement : prenez garde, n'exagérez pas !

***

Samuel est en procès avec Selbaum. Il a l'idée d'envoyer un cadeau au président du tribunal, mais son avocat l'en dissuade :

— Ce serait la dernière maladresse ! Vous perdriez votre procès à coup sûr et risqueriez d'être poursuivi pour tentative de corruption...

Le procès se déroule et Samuel le gagne... Son avocat, resplendissant, est certain que c'est son éloquence qui a donné la victoire.

— Alors mon cher ? Vous êtes content ? J'avais bien raison, n'est-ce pas, de vous déconseiller formellement l'envoi d'un cadeau au président...

— Mais je l'ai envoyé...

— Comment ? Vous avez fait ça ?

— Hé oui ! Seulement j'y ai joint la carte de visite de Selbaum...

***

— Papa !

— Oui David !

— J'aime une jeune fille. Je veux l'épouser !

— Elle est si bien que cela ?

— Parfaite papa, parfaite... Douce, jolie, sérieuse...

— Bon, bon... De qui s'agit-il ?

— Elle s'appelle Déborah Cohen.

A l'énoncé de ce nom, le père a un léger haut-le-corps. Il toussote, semble mal à l'aise, puis dit enfin :

— Écoute-moi David... Nous sommes entre hommes... Ces choses-là peuvent être dites et comprises... Déborah Cohen... dans le temps... j'ai un peu connu sa mère... et... et... parlons franchement... c'est, en quelque sorte, ta sœur... Tu ne peux l'épouser...

Le jeune David reçoit un grand choc... Bien que ce soit un grand garçon de vingt ans il court pleurer dans sa chambre. Attirée par ses sanglots convulsifs, sa mère s'approche de son lit.

— Dis tout à ta maman ! Explique ton gros chagrin !

Et David, qui atteint les confins de la douleur, raconte tout à sa maman...

— C'est donc ça ? fait-elle.

Et un sourire irradie son beau visage de femme mûre.

— Ne t'en fais pas... Secret pour secret, en voici un autre : tu n'es pas le fils de ton père... Alors, va et épouse ta Déborah !

***

Lévy et Rosenboum sont des canailles d'envergure... Leur réputation est faite à cent lieues à la ronde... Malgré la masse de pêchés qu'ils traînent derrière eux, les voilà qui discutent de la possibilité de leur admission en Paradis...

— J'irai ! affirme Lévy.

— Penses-tu ! Avec tout ce que tu as sur la conscience ? Comment veux-tu qu'on t'y laisse entrer ?

— De la façon suivante : arrivé devant la porte du Paradis, je la pousserai, je regarderai, puis je la refermerai... Quelques secondes plus tard, même manège... Et j'agirai ainsi jusqu'à ce que l'ange-portier, excédé, me dise : « Faudrait savoir ce que vous voulez ! Entrez ou sortez ! » ... Alors j'entrerai...

***

M. le curé pose une question à M. le rabbin.

— Dites-moi cher ami...

(En général quand une question emploie l'expression « cher ami » c'est qu'elle est sinueuse...)

— Dites-moi cher ami, croyez-vous vraiment à la toute-puissance de votre Dieu ?

— Naturellement !

— Bien... Alors expliquez-moi pourquoi, dans le but de vous éviter la douleur de la circoncision, il ne vous a pas fait naître circoncis ?

Le rabbin rit, mais ne peut répondre... Cependant, après quelques moments de réflexion il s'adresse à son tour au curé :

— Dites-moi cher ami, croyez-vous à la toute-puissance de votre Dieu ?

— Vous me posez la même question ? Bien entendu, j'y crois !

— Ah ah ! Mais alors comment se fait-il que sachant que vous ne vous marierez jamais, il ne vous a pas fait naître sans... sans... ?

***

Un voyageur, en mal d'hôtel, finit par en trouver un d'aspect peu catholique... euh... peu judaïque... fatigué, il s'endort comme un bébé... Le lendemain, l'hôtelier le réveille en sursaut (et non « en cerceaux »...) en le secouant brutalement.

— Levez-vous Monsieur !

— Laissez-moi... J'ai sommeil...

— Il faut vous lever... C'est midi... Ma femme a besoin de votre drap... Elle va mettre la table...

***

— Je vous vois tout triste Monsieur Cohen !

— Eh oui ! Je viens de perdre ma femme Monsieur Berg !

— Sarah n'est plus ? Que m'apprenez-vous là ! Une si brave femme ! On est peu de chose ! Vous l'avez donc enterrée ?

— Il a bien fallu !... Puisqu'elle était morte...

***

Nous sommes au Temple où un mariage vient d'être célébré. Contrairement à l'habitude, les invités, après cette célébration, au lieu de partir rapidement, restent à bavarder. Voici déjà une demi-heure qu'ils sont là à échanger diverses banalités... Cela ne fait pas l'affaire du schamès (bedeau) qui voudrait bien rentrer chez lui... Mais rien à faire... Au bout d'une heure tout le monde est encore sur place... A bout de patience, le schamès téléphone au rabbin et lui explique la situation.

— Criez « au feu » !

— Je l'ai fait M. le rabbin... Ils n'ont pas bronché...

— Criez « au voleur »...

— Je l'ai fait aussi. Sans résultat !

— Il ne vous reste qu'une seule solution : faites la quête !

***

Au mois d'août un riche banquier américain. Il pénètre dans le grand hôtel du « Roi David » à Tel-Aviv, il porte aux pieds des chaussures de skis, les gants le bonnet le blouson et le pantalon adéquates. Sa femme et sa fille le suivent dans la même tenue portant leurs skis sur l'épaule. Les employés de l'hôtel les regardent, l'air médusé. Le directeur s'avance, obséquieux : Bienvenue à l'hôtel du Roi David, cher monsieur Rokfeller mais permettez-moi de vous prévenir qu'il n'y a pas de neige ici.

— Je sais, répond laconiquement Mr Rokfeller. Et désignant les employés portant de lourdes malles... Elle suit.

***

Bloch, en procès avec Moreau, doit partir en voyage le jour où la sentence doit être rendue. Pressé de la connaître il demande à son avocat de lui télégraphier à l'hôtel où il doit descendre. A peine est-il arrivé que le chasseur lui remet un pli. Bloch lit ceci : « La cause du juste a triomphé ! ». Immédiatement, à l'adresse de son avocat, il télégraphie : « Faites appel ! »

***

Lévy rencontre Blum.

— Je reviens du mariage de la fille Rosen !

— Raconte-moi Lévy ! C'était bien ?

— Formidable... Le « Tout-Paris » était là ! Et la famille Rosen avait mis les petits plats dans les grands... Tu peux me croire... On avait sorti toute l'argenterie, ainsi qu'une magnifique théière en or...

— Fais voir !...

***

A l'issue d'un repas bien arrosé, Moisché confie à son vieil ami Legrand, affublé d'une superbe bosse dans le dos :

— Mon bon Legrand, nous nous connaissons depuis 25 années et j'ai une confidence à te faire, en gage d'amitié : je suis Juif !

— C'est vrai ? répond Legrand. Alors, confidence pour confidence, moi

aussi j'ai quelque chose à te révéler : je suis bossu !

***

Popeck parle à son fils :

— Tu viens d'avoir vingt ans et j'ai décidé, en accord avec mon associé Lévy, de te faire entrer dans notre affaire de caleçons molletonnés... Mais avant tout, je dois te dire ceci : la condition sine qua non de la réussite, c'est l'honnêteté... Ne l'oublie jamais... Et si tu veux un exemple, en voici un : l'autre jour, Bloch, de la maison Bloch, Blum et Worms, m'a rapporté 25 billets de mille francs qu'il me devait. Après son départ, j'ai recompté les billets et j'ai constaté qu'il y en avait un de trop ! Devines-tu ce que j'ai fait ? J'ai appelé mon associé Lévy et je lui ai donné 500 francs...

***

Après les fêtes, deux jeunes femmes, Sarah et Rebecca bavardent.

— T'as eu des cadeaux ? demande Sarah.

— Oui... Des tas... Mais celui qui m'a fait le plus plaisir est un gobelet en argent massif marqué à mon nom...

— C'est drôle ! Moi aussi j'ai eu un gobelet... Mais il est en inox et dessus, y'a écrit « buffet de la gare »...

***

A l'enterrement du riche Worms, un schnorrer (mendiant) pleure à chaudes larmes et à sanglots bruyants... Tout le monde est frappé par l'ampleur de son chagrin. Le rabbin s'approche de lui :

— C'est gentil à vous de participer à la douleur de ses proches... Mais pourquoi pleurez-vous tant ? Après tout, vous ne faites pas partie de sa famille !

— C'est bien pour ça que je pleure, M. le rabbin !

***

— Papa !

— Oui David !

— C'est vrai que l'eau bout à cent degrés ?

— Oui !

— Et comment fait-elle pour savoir que les cent degrés sont atteints ?

***

Le schnorrer (mendiant) Mendelé demande l'aumône à Samuel, le banquier.

— Pas question... Entretenir mon frère me suffit !

— Pourtant, insiste le mendiant, votre frère dit toujours que vous le laissez sans un sou ?...

***

— M. Iossel, vos certificats sont excellents... Je vous engage comme directeur.

— Merci M. Rosenberg !

— Qu'aimeriez-vous toucher comme appointements ?

— Cela dépend. Aurais-je accès à la caisse ou non ?

***

Un mendiant juif vient frapper à la porte de Blum. Celui-ci le reçoit, mais lui explique ceci :

— Je ne peux rien te donner, schnorrer ! Je viens de marier ma fille et je lui ai donné tant d'argent qu'il ne m'en reste plus pour qui que ce soit d'autre...

— Très bien ! fait philosophiquement le mendiant. Toutefois, M. Blum, permettez-moi de vous dire que vous pouviez donner à votre fille son argent, mais pas le mien...

***

Yankel et Iossel causent.

— Marions nos enfants ! fait Iossel. Ma fille Sarah est adorable...

— Je n'en disconviens pas...

— Si elle épouse ton fils David, je lui donnerai 10 000 francs par année d'âge ! Qu'en dis-tu ?

— Quel âge a Sarah ?

— Quinze ans !

— Je trouve qu'elle est encore un peu jeune pour David...

***

Moïse et Aaron viennent de fonder une fabrique de persiennes.

— Cela marche bien ? demande Iossel à Moïse.

— Oui, plutôt...

— Tu es vraiment associé à Aaron ?

— Oui. Pourquoi cette question ?

— Eh bien, je sais que tu n'as pas d'argent...

— Qu'importe... Aaron avait des capitaux, moi l'expérience...

— Je vois...

— Et dans un an, Aaron aura de l'expérience et moi des capitaux...

***

— Mosché, écoute-moi...

— Vas-y... Tu as l'air tout retourné !

— Il y a de quoi... Mais c'est une chose qui te concerne...

— C'est gentil de te retourner pour moi, Samuel...

— Je ne plaisante pas... C'est grave...

— Eh ben, parle...

— Tout à l'heure, j'ai aperçu ton caissier... Il entrait dans un hôtel avec ta femme à son bras...

— Ouf ! Tu as failli me faire peur... J'ai cru que tu allais me dire qu'il avait filé avec la caisse...

***

Le vieux Jacob vient de mourir. La veille de son inhumation trois de ses amis, Martin, Moreau et Rosenfeld se rencontraient.

— Quel brave homme c'était, fait Martin. Je pars en voyage ce soir et de ce fait je ne pourrais, malheureusement, assister à ses obsèques... Aussi Rosenfeld, je vais te demander un service :

voilà 100 francs; prends-les et demain tu les jetteras dans sa tombe juste avant qu'on le recouvre... Je suis persuadé que cela facilitera son voyage vers l'au-delà...

— Tu serais gentil de me rendre le même service Rosenfeld, dit Moreau. Tiens voici mes cents francs...

— Comptez sur moi, mes amis ! promet Rosenfeld. Je trouve d'ailleurs votre idée excellente. Et comme j'étais encore plus proche de lui que vous, je considère comme normal de donner le double de la somme que chacun de vous m'a remise... Et le lendemain, pieusement, Rosenfeld jeta dans la tombe un chèque de quatre cents francs...

***

— Bonjour Madame Reutmann !
— Bonjour Madame Wolff !
— Je parie que vous avez plein de bonnes choses dans votre panier à provisions...
— Ça, vous pouvez le dire...
— Qu'est-ce que c'est ?
— Devinez un peu pour voir...
— Qu'elle est taquine... Ça se mange ?
— Hé oui !
— Vous voulez pas me dire par quelle lettre ça commence ?
— C'est triché... Enfin, je suis bonne : par un « K »
— Un « K » ?
— Oui...
— Alors je sais : c'est des « krévettes »...
— Perdu... C'est des « krévisses »...

***

Un homme très riche fait passer la petite annonce suivante : « Cherche homme, jeune, connaissant parfaitement l'anglais et l'allemand et possédant de solides notions de comptabilité ».

Le lendemain, parmi le courrier envoyé par les postulants, il trouve cette lettre :

« Monsieur, je m'appelle Jacob Lewinsky. Je suis âgé de 65 ans, n'y connais rien en comptabilité. Aussi, j'ai le regret de vous faire savoir que je ne peux accepter la situation que vous me proposez »...

***

Sarah demanda audience au bon Dieu et lui tint ce langage :

— Seigneur vous n'avez pas été juste avec nous, les femmes. Par exemple, vous semble-t-il normal qu'au moment de l'accouchement nous souffrions mille morts ?

Dieu réfléchit et prend la décision suivante :

— Femme, tu as bien fait de venir me voir. Ta remarque est pertinente. Désormais, au moment de l'enfantement, le père souffrira autant que la mère.

L'année suivante, Sarah entre dans les douleurs... Un enfant va naître... La pauvre femme souffre le martyr tandis qu'elle voit son mari, épargné par toute souffrance faire simplement les cent pas.

— Ah ! Dieu ! Vous avez oublié votre promesse ! geint Sarah.

Et à ce moment-là, Moisché, l'ami de la famille entre chez le couple, courbé en deux et disant :

— C'est horrible... Depuis une demi-heure j'ai dans le ventre des douleurs épouvantables... Je me demande ce que j'ai...

***

Rebecca va mourir. Perpétuel jaloux, son mari Jacob la supplie :

— Rebecca, jure-moi... Jure-moi que tu ne m'as jamais trompé ?

— Oh ! Jacob... Mon seul amour... Je te jure que je ne t'ai jamais trahi... Que je me tourne et me retourne dans ma tombe si je mens...

— Et elle rend l'âme...

Cinq ans plus tard, c'est au tour de Jacob de quitter notre vallée de larmes...

Il est heureux à la pensée de retrouver sa femme et sitôt au Paradis il demande après elle.

— Où est Rébecca ?

— Quelle Rébecca ? Nous en avons des milliers ici ?

— Ma femme... Rébecca Ruelmann !

— Fallait le dire plus tôt... Regardez : c'est celle qui fait la girouette, là-bas...

***

Nous sommes à la Salle des Ventes. Popeck et sa femme laissent passer différents objets, puis le commissaire-priseur propose un magnifique piano à queue...

— Il est beau ! fait remarquer Popeck à son épouse.

— Il est trop grand ! répond celle-ci. Les pièces de notre appartement sont trop exiguës !

— T'as raison !

Et se levant, Popeck dit à l'adresse de l'assistance :

— Je suis intéressé par le piano. Quelqu'un est-il preneur de la queue ?

***

Toujours à la Salle des Ventes, un autre jour. Popeck est attiré par un meuble dont la mise à prix commence :

— Cent francs ! fait le commissaire.

— Deux cents ! fait quelqu'un.

— Trois cents ! monte Popeck.

L'objet est âprement disputé... Les enchères grimpent... Mais Popeck est tenace... Et à mille francs, l'adjudication lui revient...

— Félicitations Monsieur ! lui dit le commissaire. Vous me payez en liquide ou par chèque ?

— En liquide !

Et Popeck tend 500 francs.

— Ce n'est pas assez ! J'ai adjugé à 1000 francs, Monsieur...

— Allons, M. Le Commissaire... C'est moi qui ai fait monté les enchères... Vous n'en disconvenez pas ?

— Non. Mais...

— Alors, soyez raisonnable... Part à deux !

***

Madame Rosenfeld se promène, au parc Monceau, avec ses trois enfants... Elle vient à croiser Madame Silvenberg qu'elle n'avait pas vue depuis quelques années...

— Mon Dieu ! Ma chérie ! Quel bonheur ! Comment vas-tu ?

— Tu n'as pas changé ! Toujours aussi mince... Adorable... Ce sont tes enfants ?

— Oui !

— Ils sont magnifiques ! Quel âge ont-ils ?

— Eh bien, l'avocat a deux ans... Le docteur a quatre ans... Et la femme du directeur de la banque a huit mois...

***

On tourne « La traversée du désert ». Une super-production. Des milliards sont en jeu... Ce matin, on doit tourner la scène où Moïse traverse la Mer Rouge.... Grand moment cinématographique... Le metteur en scène explique à l'acteur qui joue Moïse, ce qu'il doit faire :

— Voilà la Mer Rouge... C'est elle que tu dois franchir...

— O.K. ! Mais où est mon bateau ?

— Tu es fou... Moïse n'avait pas de bateau... Les eaux se sont écartées devant lui... Tu dois rentrer à pied dans la mer...

— C'est une plaisanterie... Pas question que je fasse ça... Je traverse en bateau ou je rentre chez moi...

Les caprices des vedettes sont fréquents... Le metteur en scène ne sait à quel saint se vouer... alors il va voir le producteur à qui il explique la situation.

— Qu'est-ce que c'est que cette histoire ? hurle le magnat du cinéma. Il sait combien d'argent j'ai misé là-dedans, votre Moïse ? Amenez-le tout de suite devant les caméras. Et débrouillez-vous pour qu'il se mette à l'eau... Impératif ! Sinon, lui, il nous METTRA dans la merde !

***

Lévy est outré... Jacob vient de lui livrer deux cents pantalons qui n'ont qu'une seule jambe...
— Tu te payes ma tête ? Me faire ça à moi... Un ami... Tu sais que c'est de l'escroquerie ? Hein ? Jacob ! Tu te rends compte de ce que tu m'as fais... Des pantalons à une jambe... On ne peut pas les mettre !
— Et alors ? répond Jacob. C'est pas pour les mettre... C'est pour les vendre !

***

Nous sommes à la sortie de la synagogue. Mosché aborde Yankel :
— Comment vas-tu ?
— Tout doux, Mosché !
— C'est vrai que tu n'as pas très bonne mine... Que se passe-t-il ?
— J'ai de gros ennuis de santé : mon estomac digère mal, mes chevilles gonflent, mes intestins se bloquent, mes reins se mettent en vacances, mon foie rétrécit et moi-même je ne me sens pas très bien...

***

Propos d'un schnorrer :
— Ce que je reproche à Dieu, c'est qu'il donne la nourriture aux riches et l'appétit aux pauvres...

***

Yankel et Iossel sont au café.
— Garçon !
— Messieurs !
— Deux bières dans un verre propre !
— C'est parti !
Et trente secondes après, fièrement, le garçon apporte les consommations en disant :
— C'est pour qui le verre propre ?

***

Salomon et son épouse, nouveaux riches, vont à la mer pour la première fois de leur vie. Ils en profitent au maximum, mais malheureusement, Salomon commet l'imprudence de se baigner un jour de forte mer et une vague l'emporte... les services de secours se précipitent et parviennent à le ramener, inanimé sur la plage auprès de sa femme. Un docteur arrive, il commande :
— Vite ! Faites-lui la respiration artificielle !
Alors, superbe, l'épouse s'interpose .
— Non ! Nous avons les moyens ! Je veux que vous lui fassiez la respiration naturelle et rien d'autre...

***

Au début du siècle, M. de Vallombreuse et Bolberg ont décidé, à la suite d'une altercation violente, d'en découdre sur le pré... Le duel aura lieu aux pistolets...
Au petit matin du jour-dit, dans une clairière du bois de Boulogne, M. de Vallombreuse, en compagnie de ses témoins et en la présence d'un médecin, attend Bolberg. . Celui-ci a déjà vingt minutes de retard... Un quart d'heure passe encore, puis un coursier arrive qui remet un pli de la part de Bolberg. M. de Vallombreuse le lit à haute voix :
« Je suis avec un client. Commencez à tirer sans moi... »

***

Un riche juif texan visite Israël. Au hasard de ses pérégrinations, il rencontre un modeste paysan, à la tête de quelques lopins de terre. Tous deux s'assoient sur un mur de pierres en buvant du lait de chèvres.
— Chez moi c'est très vaste ! dit le Texan. Si je veux faire le tour de ma propriété, sur mon cheval, j'en ai pour la journée entière...
— Ah ! fait le paysan israélien, l'œil

rêveur. Ah ! J'aimerais bien avoir un cheval comme ça !

***

Yankel, nouvellement arrivé à Paris, cherche un bon restaurant. Il s'apprête à rentrer dans un établissement qui lui paraît convenable, mais un client qui en sort le prévient :

— N'allez pas manger là-dedans ! C'est le coup de fusil !

Yankel va donc manger ailleurs et le lendemain, parlant à Mosché du restaurant où il n'est pas allé, il dit :

— N'y vas jamais, surtout ! On tue les clients !

***

Madame Levy prend le thé chez Madame Salomon.

— Prenez encore un gâteau, Mme Lévy !

— J'en ai déjà pris trois...

— Non ! Vous en avez pris cinq... Mais prenez-en encore un quand même... Est-ce que vous croyez que je compte ?

***

Loin d'Israël, tout Juif, que ce soit en priant ou en portant un toast, a coutume de dire : « L'année prochaine à Jérusalem ».

L'histoire se passe dans une synagogue de notre hexagone; deux Juifs prient :

— L'année prochaine à Jérusalem ! L'année prochaine à Jérusalem ! fait le premier.

— L'année prochaine à Deauville ! L'année prochaine à Deauville ! fait le second.

Outré, le premier intervient :

— Monsieur je vous ai entendu malgré moi... Vous n'avez pas honte ?

— Non ! Tout le monde n'a pas les moyens d'aller jusqu'à Jérusalem !

***

Jacob, schnorrer (mendiant) professionnel, se présente régulièrement, depuis vingt ans, chez le baron Rothschild. Souhaitant une augmentation de l'obole qu'il reçoit, il fait porter à son bienfaiteur la lettre suivante :

« Monsieur le Baron,

J'ai l'honneur de vous annoncer ma dernière visite. Un donateur plus généreux m'a, en effet, sollicité pour l'année prochaine. Toutefois, étant donné les liens d'ancienneté qui nous unissent, j'ai pris la décision de vous accorder un délai de réflexion à l'expiration duquel, si vos propositions sont identiques à celles de mon nouveau donateur, je vous accorderai, bien entendu, la préférence.

J'attends dans votre salon une réponse de votre part.

Croyez, M. le baron, en mes sentiments les meilleurs.

Jacob. »

Une demi-heure plus tard, un valet vint lui apporter le message suivant, ainsi libellé :

« Nous, baron Rothschild, certifions que Jacob, schnorrer, nous quitte aujourd'hui, libre de tout engagement.

Signé : Rothschild »

***

A la synagogue, un riche commerçant juif prie à côté de Iossel, mendiant. Le riche adresse au Seigneur la prière suivante :

« Dieu, s'il te plaît, aide-moi : il me faut cinquante millions d'anciens francs pour procéder à la rénovation de mon magasin et acheter la boutique qui est contiguë à la mienne... Cinquante millions, Dieu ! Ce n'est rien pour toi... »

Pendant ce temps, Iossel demande plus modestement :

— Seigneur, je t'en supplie, donne-moi cinq francs que je puisse aller m'acheter un casse-croûte ! J'ai faim... Seigneur, ne m'abandonne pas... Cinq francs... »

Ayant entendu la prière de Iossel, le riche commerçant sort cinq francs de

233

sa poche et les lui donne en disant :

— Va t'acheter ton casse-croûte et laisse Dieu se concentrer sur mon affaire...

***

Mosché, débarquant à Paris, rencontre son ancien ami de Bucarest, Iossel, arrivé dans la capitale française depuis trois ans. Ils parlent ensemble du pays, puis de la vie en France et, enfin, d'argent.

— Tu as des économies ? demande Iossel.

— Pas beaucoup... Quelques billets... Six cents francs...

Et il les sort de sa poche.

— Hou la la ! fait Iossel. Faut pas garder ton argent sur toi... C'est trop dangereux... On va les porter à la banque...

— A la banque ?

— Oui. Ils y seront en sûreté et en échange on te donnera des chèques qui te permettront de régler tous tes achats...

Bien qu'un peu perplexe, Mosché suit le conseil de son ami. Pourvu d'un carnet de chèques, la vie lui semble facile... Un costume neuf ? Un chèque... Des souliers ? Un chèque... Une petite voiture ? Un chèque... La location d'un appartement ? Un chèque... Etc. Vous voyez le résultat ! Le directeur de la banque le demande en quatrième vitesse. Mosché vêtu de son beau costume, arrive. Le directeur est rouge de colère :

— Monsieur, dit-il, quelle est cette plaisanterie ? Vous avez fait chèque sur chèque ! Total : un découvert de 8000 francs... Est-ce que vous vous rendez compte ?

— Attendez, attendez : « découvert », ça veut dire quoi ? Que je vous dois de l'argent ?

— Ne faites pas l'ignorant... Bien sûr que vous devez de l'argent à la banque...

— Eh bien, il ne faut pas vous énerver ainsi, Monsieur... Tout va s'arranger.

Prêtez-moi votre stylo : je vais vous faire un chèque !

***

La belle-mère de Iossel menace depuis belle lurette de se jeter dans la rivière. Un matin, elle disparaît ! Iossel, se souvenant de ses avertissements, va vers le cours d'eau dont il remonte le courant en marchant le long de la rive. Mosché le rencontre; Iossel lui explique sa présence.

— Tu es fou ! fait Mosché. Pour avoir une chance de retrouver le corps de ta belle-mère, tu dois redescendre le courant, pas le remonter...

— Logiquement, tu as raison ! répond Iossel. Mais ignores-tu que le saumon remonte le cours des rivières ?

— Quel rapport entre ta belle-mère et le saumon ?

A ce moment, la femme de Iossel l'appelle de loin :

— Reviens ! Tout va bien... Maman est revenue à la maison...

Alors Iossel se tourne vers Mosché :

— Le voilà le rapport ! Comme le saumon, ma belle-mère remonte toujours à la même source...

***

— Lévy ! demande le professeur de classe de français. Qui a écrit ces jolis vers : « Les sanglots longs des violons de l'automne

Bercent mon cœur d'une langueur monotone » ?

— C'est pas moi, M'sieur !

— Bravo ! Pour une réponse aussi impertinente, tu demanderas à ton père de venir me voir !

— Le lendemain le père se présente : Tel que je connais mon fils cela m'étonnerait que ce soit lui qui ait écrit ça !

***

— Bonjour Ephraïm !
— Bonjour Samuel !

— Quelle chaleur, hein ? Tu viens boire un verre ?

— Non merci, Ephraïm... J'ai pas soif !

— Allez, viens... C'est moi qui paie...

— C'est vrai qu'il fait chaud, hein ? Allons-y !

***

A six heures du matin, un schnorrer se présente devant le domicile d'un riche commerçant juif.

— M. Blumenthal ! hurle-t-il. M. Blumenthal ! Donnez-moi un peu d'argent ! Vous êtes là M. Blumenthal ? Ouvrez-moi !

Il crie tant et si bien qu'il réveille Blumenthal !

Furieux, il apparaît à sa fenêtre...

— Qu'est-ce qui te prend ? On ne vient pas demander l'aumône à six heures du matin...

— Ah je vous en prie ! répond vertement le mendiant. Je ne vous dis pas à quelle heure vous devez commencer votre travail ! Alors ne me dites pas à quelle heure je dois commencer le mien...

***

A la sortie d'une église, Moïse rencontre Yankel.

— Comment Yankel ! Tu es Juif et je te vois sortir d'une église ?

— Ne t'inquiète pas, Moïse ! Je ne me suis pas converti... Je venais voir le curé qui m'a vendu, la semaine dernière, un lot de chaises paillées. Figure-toi qu'il n'y a pas moyen de s'asseoir dessus : elles sont trop basses !

— Il te les a remboursées ?

— Non... Il m'a expliqué que je me trompais... Que les chaises que j'avais achetées étaient faites pour s'asseoir à genoux...

— Et alors ?

— Ben ! J'ai acheté une table basse...

***

Bernstein, imprésario, a inscrit sur sa porte :

« Dieu pour tous
Et 10 % pour moi »...

***

— Patron !

— Oui, M. Salomon !

— Voilà dix ans que je travaille chez vous... Je pensais mériter une petite récompense... Et au contraire, ce mois-ci, j'ai touché moins que le mois précédent...

— M. Salomon ! Vous ne vous rendez pas compte ! Ignorez-vous que ces derniers temps, la vie a augmenté ?

***

— Rabbi, puis-je faire l'amour avec ma femme le jour du Sabbat ?

— Oui, Mosché, tu peux...

— Et avec ma maîtresse ?

— Non !

— Pourquoi donc puis-je avec ma femme et pas avec ma maîtresse, rabbi ?

— Parce que tu ne dois prendre aucun plaisir...

***

David est un tout jeune homme et comme tous les garçons de son âge, l'envie le prend d'aller passer un moment avec une de ces femmes qui monnayent leurs charmes... Il en trouve une à son goût; elle l'emmène dans une chambre d'hôtel. Là, devant la fille nue, le jeune David est submergé par un violent accès de timidité et il cherche tous les prétextes pour s'en aller... Comme la femme l'entraîne vers le lit, il dit, désignant ses aisselles :

— Tiens ! Tu n'as pas de laine, là ?

— Non mon chou ! Ça te déplaît ?

— Heu... non, Madame !

— M'appelle pas « Madame », grand nigaud ! Dis « Mado », comme tout le monde !

Elle entreprend de le déshabiller.

Mais David, posant les yeux sur son bas-ventre, constate :

— Là non plus tu n'as pas de laine ?

— Non, mon baigneur ! Faut pas que ça te gêne... Allez, enlève ta chemise...

Mais le jeune garçon poursuit son examen détaillé :

— Alors, comme ça, tu n'as de laine nulle part ?

Alors exaspérée, se redressant, superbe dans sa nudité triomphante, la fille de joie lance :

— Dis-donc, gamin ! T'es venu pour faire l'amour ou pour tricoter !

***

Jadis, dans le désert, une coutume voulait que le seigneur local offre à tous les pauvres des alentours, une fois par an, un superbe repas. Les nécessiteux pouvaient y consommer absolument autant de produits qu'ils le pouvaient, mais interdiction absolue leur était faite d'emporter quoi que ce soit, fut-ce le moindre grain de raisin. Tout contrevenant était sévèrement puni.

Or, cette année-là, à la fin du repas et à la suite de la fouille réglementaire, plusieurs pauvres furent pris en infraction. Parmi eux, Yankel, vieux schnorrer.

Comme punition, le seigneur décida qu'on introduirait dans l'anus de chaque voleur les marchandises qu'il avait tenté d'emporter. Yankel, qui avait subtilisé quelques dattes, subit le supplice... Mais pendant toute sa durée, au lieu de gémir, il rit à gorge déployée... Cette hilarité intrigua le seigneur qui finit par lui demander les raisons de sa joie.

— C'est que je pense au mendiant qu'on a arrêté tout de suite après moi...

— Et alors ?

— Il a volé une noix de coco...

***

Iossel est attiré par un attroupement.

Il s'approche, écarte les badauds et aperçoit son ami Avrom, allongé en slip, sur une planche à clous...

— Eh ben ! lui dit-il. Je ne savais pas que tu étais fakir ? Que fais-tu là ?

— Je suis en train de battre le record du monde de jeûn !

— Ah ? Et c'est bien payé ça ?

— C'est pas payé... Seulement je suis logé et nourri !

***

Ben Gourion, naguère, passa tard, un soir, dans une rue sombre de Tel-Aviv. Lui qui a dit un « Le Jour où il y aura en Israël des putains et des voleurs, nous serons une Nation comme les autres », croisa une péripatéticienne vêtue seulement d'une jupe et d'un soutien-gorge noir. Quand il arriva à sa hauteur, la fille, dévoilant un de ses seins, dit :

— Tu viens chéri ?

Alors Ben Gourion, regardant la poitrine à demi-nue de l'hétaïre, prononça doucement :

— Tiens ! Ça me rappelle qu'il faut que je téléphone à Moshe Dayan !

***

Rue Saint-Denis, une « pute » lance une invitation à Lazare.

— Tu viens coucher avec moi, chéri ?

— A trois heures de l'après-midi ? C'est trop tôt... J'ai pas sommeil...

***

Nous sommes en 1978. Salomon parle avec Moisché :

— Je vais te donner un bon tuyau : rue du Pas-de-la-Mule, du côté de la Bastille, il y a une putain que je te recommande. Elle s'appelle Marinette. Tu peux pas la manquer parce que pour passer tu es obligé de la contourner. C'est une affaire : elle n'a pas augmenté ses prix depuis 1947 et elle accepte les bons de la Semeuse !

***

Lévy se confie à Bloch.

— C'est terrible : j'ai des insomnies épouvantables qui me tiennent éveillées toute la nuit ! Atroce !

— T'as qu'à compter des moutons !

— Comment ça « compter des moutons » ?

— Ben oui ! C'est un remède universel ! Tu imagines des moutons sautant une haie et tu les comptes l'un après l'autre...

— Je vais essayer.

Un mois plus tard, les deux mêmes amis se revoient.

— Alors ? demande Bloch. Tes insomnies ?

— Toujours pareil !

— Tu n'as pas suivi mon conseil ?

— Si... Mais arrivé à huit mille, je me suis dit que je tenais une affaire formidable... Alors j'ai tondu tous les moutons et avec leur laine, j'ai l'intention de fabriquer des costumes... Seulement, maintenant, toutes les nuits, je me creuse la tête pour trouver le moyen de me procurer de la doublure pas chère...

***

Moisché rentre chez lui à l'improviste et trouve sa femme couchée avec un homme... Celui-ci réussit à s'esbigner... La fureur de Moisché retombe sur l'infidèle qu'il n'hésite pas à battre comme plâtre...

— Arrête ! fait la malheureuse... Je ne l'aime pas ! J'ai fait ça pour de l'argent !

Moisché interrompt immédiatement ses coups.

— Pour de l'argent ? Là c'est différent ! Combien cet homme te payait-il ?

— Cinquante francs par visite !

— Cinquante francs seulement ? Avec le corps splendide que tu as ? Et les talents que je te connais ? Halte à ce gâchis ! Désormais, je prends l'affaire en mains...

***

C'est le premier jour de classe après les vacances. Nous sommes à Tel-Aviv. L'institutrice fait connaissance avec ses nouveaux élèves :

— Comment t'appelles-tu ?

— Bloch !

— Et toi ?

— Goldberg !

— Et toi ?

— Heldmann !

— Et toi ?

— Dupont !

A ce moment-là, du fond de la classe, une petite voix lance :

— Ah ! Ces « Dupont »... On en trouve partout...

***

Un banquier chrétien rencontre un banquier juif.

— Comment faites-vous, dit le chrétien, pour nous prendre tout cet argent que nous gagnons ?

— Et vous ? répond le Juif. Comment faites-vous pour gagner tout cet argent que nous vous prenons ?

***

Au début de la guerre, tandis que les troupes allemandes déferlent, deux Juifs se retrouvent sur le quai d'une gare.

— Où allez-vous ? demande l'un.

— A Varsovie... C'est loin...

— Ah oui ? Loin d'où ?

***

— Ma pauvre Rachel ! Quel malheur atroce... Votre brave Avrom qui vient de se noyer... Un si gentil garçon.

— Oui, Isaac ! C'est absolument abominable. Nous nous aimions tant...

La malheureuse veuve pleure abondamment...

— Excusez-moi d'aborder ce sujet, mais... vous a-t-il laissé un petit quelque chose ?

— Oui... Il était prévoyant... Il avait contracté une assurance-vie... Je vais toucher 50 millions... Oh ! mon pauvre mari !

Ses larmes redoublent...

— Une assurance-vie de 50 millions ? Chapeau ! C'est formidable de sa part... Lui qui savait à peine lire et écrire...

— Oui ! Et pas du tout nager...

***

Le beau magasin de Blum vient de brûler. Entièrement... Vraiment un bel incendie... Le lendemain du sinistre, Blum reçoit de sa compagnie d'assurances la lettre suivante :

« Cher Monsieur,

Hier matin, à neuf heures, vous contractâtes auprès de notre compagnie, une police d'assurance-incendie. Hors, nous apprenons que le feu s'est déclaré dans votre magasin vers midi. Pourriez-vous nous indiquer les causes de ce retard ? »...

***

« Ici Radio Tel-Aviv. Longueur d'ondes : 816 mètres... Mais si vous insistez, vous pourrez nous avoir à 800... »

***

Tel-Aviv. Deux jeunes enfants font pipi contre le mur.

— Tiens ! dit l'un. T'es pas encore circoncis ?

— Non...

— Comment ça se fait ?

— C'est papa... Il ne sait pas encore si on reste...

***

Ce vieux Juif, qui fut persécuté une bonne partie de sa vie, parvient enfin à se rendre en Israël. Vous imaginez sa joie. En débarquant à Haïfa, il doit remplir une fiche d'identité que lui tend, en souriant, un fonctionnaire.

« Nom et prénom » : il écrit, consciencieusement, « Isaac Silbermann ». Et à la question : « Né », il répond, tout naturellement : « dans un Etat lamentable »...

***

Devant le Mur des Lamentations, deux Juifs se lamentent (c'est le cas de le dire).

— Vous êtes aussi dans la confection ? demande l'un.

— Oui ! répond l'autre. Et je suis en plein dans la morte-saison...

***

Dans une ville israélienne, une touriste entre dans une boutique ornée, en guise d'enseigne, d'une montre géante.

— Ma montre est en panne ! dit-elle au boutiquier. Je vais vous la laisser... Pensez-vous pouvoir la réparer pour après-demain ?

— Mais, répond l'homme, vous faites erreur ! Je ne suis pas horloger... J'exerce la noble profession de circonciseur...

Rougissante, la touriste questionne :

— Tout de même Monsieur, pourquoi avez-vous mis cette énorme montre au-dessus de votre porte d'entrée ?

— Qu'est-ce que vous auriez voulu que je mette ?

***

Du côté de Chypre, en pleine mer, deux navires se croisent. L'un transporte des Juifs qui émigrent en Israël; l'autre des Juifs qui quittent Israël... Et sur le pont des deux navires, tous les passagers crient à l'intention de ceux d'en-face :

— Vous êtes complètement fous !

***

Iossel passe ses vacances au Japon. Il trouve le pays très intéressant. Un

238

jour, déambulant dans Kyoto, il arrive devant l'entrée d'une synagogue... Cela ne laisse pas de le surprendre... Il entre et, à sa grande stupeur, il aperçoit une floppée de japonais qui prient, avec ferveur, en hébreu, face à un rabbin nippon... Iossel s'approche de ce dernier.

— Une petite question, M. le rabbin : tous ces gens-là sont Juifs ?
— Je pense bien !
— Et vous êtes réellement rabbin ?
— On ne peut l'être plus que moi...
— Pincez-moi ! Je rêve... Vous ne pouvez être Japonais et Juif à la fois...
— Mais si... Je vous assure... Nous sommes sincèrement Juifs...
— Ben ça alors... Je suis étonné... Et depuis quand y a-t-il des Juifs au Japon ?
— Depuis toujours !
— Eh bien, vous n'en avez vraiment pas le type !

***

Blumenthal entre aux grands magasins du « Printemps » et demande à être reçu par le directeur. Comme il est vêtu assez pauvrement, on cherche à l'évincer... Mais il insiste et finit par se retrouver dans le bureau d'un vague sous-fifre.
— Voilà, attaque Blumenthal, votre magasin m'intéresse. Je veux l'acheter.
Derrière son bureau, le gars se mord les lèvres pour ne pas rire...
— Vous voulez acheter le « Printemps » ?
— Oui ! Dites-moi le prix !
— Je crains que ce ne soit trop cher pour vous... D'autre part, notre magasin n'est pas à vendre...
— Tout s'achète ! Je veux votre magasin...
Blumenthal fait un tel raffût que son premier interlocuteur l'envoie à un sous-directeur, histoire de s'en débarrasser... Notre héros refait sa proposition et recueille le même refus... Mais Blumenthal est tenace... C'est un de ses principaux traits de caractère...
— Où est votre directeur-général ?

C'est lui que je veux voir... Ce n'est pas le bon Dieu quand même ! Il peut me recevoir...
Et finalement, après avoir fait une dizaine de bureaux, il se retrouve dans le saint des saints : une immense pièce où trône un homme d'une cinquantaine d'années à l'aspect sévère.
— Quelle est cette histoire que l'on m'a colportée ? dit-il. Vous voulez acquérir le « Printemps » ? Inutile de vous dire qu'il n'en est pas question. Je ne vous reçois que par simple courtoisie...
— Écoutez-moi M. le Directeur : ne me dites pas que vous n'êtes pas vendeur... Tout est une question de prix : moi je peux mettre très cher...
— Ah oui ? fait le directeur qui pour se moquer de Blumenthal lui annonce un chiffre de ventes énorme : cinq milliards...
— Cinq milliards ? c'est d'accord... Vous permettez que je passe un coup de fil ?
— Je vous en prie !
Blumenthal compose son numéro et obtient sa femme :
— Sarah ? Bon ! Écoute-moi bien · le magasin que tu avais remarqué en te promenant avec moi la semaine dernière, je te l'achète... C'est dans nos prix ! Et justement, tu vas aller dans notre chambre et regarder sous le lit : tu y verras deux valises, une grande et une petite... Tu laisseras la grande et tu m'apporteras la plus petite, ça suffira...

***

Avrom lit son journal. Tranquillement, dans le fauteuil de son salon. En face de lui, dans une bergère, sa femme Myriam tricote.
— Les nouvelles sont bonnes ? demande-t-elle distraitement.
— Oui ! Bastia a battu Zurich !
— Ah ! Ah ! fait Sarah. Et c'est bon pour nous ?

***

Yankel se promène au Marché aux

Puces. Son regard est attiré par un magnifique crucifix.

— Vous le vendez combien ? demande-t-il au marchand.

— Trois mille balles !

— Ouille ! C'est bien cher...

— Peut-être... Mais ça vaut ça... La croix est en bois de rose et le corps en ivoire du Kénya...

— Je vous en donne 1500 francs !

— Impossible. Trois mille ou rien. Ici, on ne marchande pas...

— Bon, bon, bon... réfléchit Yankel qui a soudain une idée. Dites-moi : combien vous vendriez la croix toute seule ?

***

— Ça va bien Iossel ?

— Tu n'es pas au courant ? Ma femme vient de mourir...

— Oh ! C'est abominable... Alors, je me doute que ça va mal...

— Pas du tout ! Ça va mieux...

***

Un curé, un pasteur et un rabbin discutent de la destination du produit de la quête.

— Moi j'ai une excellente méthode, fait le curé. Je dessine, à terre, un carré; je prends l'argent; je lance en l'air : ce qui retombe dans le carré, c'est pour le Bon Dieu; le reste c'est pour moi...

— Je procède à peu près de la même manière ! intervient le pasteur. Je trace une ligne droite par terre; je lance l'argent en l'air : ce qui retombe à droite de la ligne est pour Dieu, ce qui retombe à gauche est pour moi !

— Je ne suis pas loin de vous ! dit le rabbin. Sauf que je trace rien à terre... Mais moi aussi je lance l'argent en l'air... Tout ce qui retombe m'est acquis... Ce qui reste dans le ciel est à Dieu...

***

Deux Juifs ont demandé audience au pape. Bien que surpris, celui-ci accepte de les recevoir. Sitôt en sa présence, les deux hommes sortent d'une sacoche une gravure représentant un groupe d'hommes en train de se restaurer autour d'une table.

— Cela vous dit quelque chose ? demande l'un des Juifs.

— Évidemment ! répond le pape. C'est la Cène, avec le Christ et ses apôtres, dont mon prédécesseur, Saint Pierre...

— Ah bon ? Votre prédécesseur était de la partie ? Vous êtes absolument affirmatif à ce sujet ?

— Cela ne fait aucun doute...

— Alors ça tombe très bien... Figurez-vous que nous venons vous apporter la note, car à la fin du repas ils sont partis sans payer...

***

Ce chanteur noir américain est l'idole des foules... Chacune de ses prestations scéniques déclenchent l'hystérie chez ses admiratrices. Désireux de les rendre de plus en plus dingues de lui, notre chanteur décide de se faire faire un costume ultra sexy... Il se rend donc chez son tailleur :

— Fabriquez-moi un truc de couleur clair avec un pantalon extrêmement collant. Vous voyez ce que je veux dire ? Les nanas doivent en perdre la tête... Il faut qu'il soit subjectif, enfin vous voyez le genre...

— Ne vous inquiétez pas ! fait le tailleur. Je vais vous fabriquer un pantalon tellement « près du corps » qu'on devinera même votre religion...

***

— Tu sais ce que l'on dit sur toi Yankel ?

— Non...

— Que tu as épousé Myriam pour son argent...

— C'est une infamie de dire ça... Je ne l'ai pas épousé pour son argent... Je l'ai épousée parce que je n'en avais pas...

***

Avrom et Iossel se rencontrent dans un des restaurants les plus chics de Paris.

— Je m'étonne que tu viennes ici, Iossel... Tu ne crains pas d'y rencontrer tes créanciers ?

— Aucun risque ! Cet établissement est beaucoup trop cher pour eux...

***

— Je suis ennuyé ! dit Mosché à Blum. Je dois une grosse somme d'argent à Bloch... Je ne sais comment le rembourser...

— Envoie ton jeune fils régler l'affaire !

— Que me chantes-tu là ?

— Mais oui... Les enfants ne paient-ils point demi-tarif ?

***

Salomon veut que son fils prenne des leçons particulières d'anglais. On lui recommande un professeur qu'il convoque.

— Combien demandez-vous par leçon ?

— Cent cinquante francs, Monsieur.

— Vous n'y allez pas avec le dos de la cuiller...

— Monsieur, votre fils bénéficiera des meilleures leçons possibles : je suis Anglais !

— Justement : pour apprendre, ça ne vous a rien coûté...

***

Au tribunal. Le président interroge Moische.

— Reconnaissez-vous les faits qui vous sont reprochés ?

— Attendez, Monsieur le Juge. Je voudrais d'abord entendre le témoin !

***

Yankel arrive chez lui, porteur d'un coupon de tissu. Il appelle son jeune fils David.

— Regarde ce tissu ! Tu le trouves beau !

L'enfant regarde et tâte l'étoffe.

— Oui, papa !

— Idiot ! tu as regardé l'envers...

— Bien sûr, papa ! Il n'y a que ce côté qui m'intéresse, puisque je mets les vêtements quand ils ont été retournés...

***

Le schadchen va trouver Samuel.

— Il faut te marier ! A trente ans, il n'est que temps...

— J'attends la perle rare ! Je veux une femme bonne, intelligente, belle et riche...

— Alors ! fait le schadchen un brin découragé, il faudrait que tu te maries quatre fois...

***

Iossel a invité son ami Moische à dîner.

— Blum sera là aussi !

— Alors je ne peux pas venir ! fait Moische. La semaine dernière je lui ai demandé de me prêter 1000 francs... Il a accepté... Et s'il me voit, il va s'en rappeler...

***

Myriam, 18 ans, la fille de Moïschelé entre en larmes au domicile paternel. Elle court se réfugier dans sa chambre où son père, ému par son chagrin, la rejoint.

— Oh ! Papa ! Si tu savais...

— Quoi ma petite fille... ?

— Je ne peux rien te dire...

— Allons, allons... Tu m'as toujours tout confié depuis ta plus tendre enfance... Parle à ton papa...

Alors, mot après mot, Myriam avoue à son père qu'elle est enceinte des œuvres de Blumenfeld, le richissime banquier...

— Blumenfeld ? Je vais aller lui dire

deux mots... Faire ça à ma petite fille... Il va m'entendre...

Et Moïschelé se rend à l'immeuble de vingt étages tout entier occupé par la banque de Blumenfeld. Après s'être furieusement « accroché » avec plusieurs chefs de service, fondés de pouvoir et sous-directeurs, il est enfin reçu par M. Blumenfeld en personne. Le bureau du patron est à peine plus petit que la salle des « Pas perdus » de la gare Saint-Lazare, des tableaux de maître sont accrochés aux murs, un luxe inouï envahit toute la pièce.

— M. Moïschelé ! attaque immédiatement le banquier, je sais pour quelle raison vous êtes ici. Et je vous dis tout net : soyez sans crainte, je ferai mon devoir d'honnête homme...

— Comment cela ?

— Bien entendu, je ne puis épouser votre fille, puisque je suis déjà marié, mais rien ne lui manquera : dès aujourd'hui et ad vitam aeternam...

— C'est trop...

— Mais non, mais non... votre fille recevra une pension mensuelle de quinze mille francs. De plus, elle va devenir propriétaire d'un appartement de douze pièces entièrement meublées dans lequel j'entretiendrai, en permanence, un personnel de maison de cinq personnes...

Moïschelé fond de gratitude...

— M. Blumenfeld, vous êtes un grand Seigneur... En ma qualité de père, je ne peux que vous remercier !

— De rien, M. Moïschelé ! Votre fille est adorable... Sachez-bien qu'elle peut compter sur moi...

Sur ces mots, M. Moïschelé s'apprête à se retirer, mais arrivé au seuil de la porte, il se retourne :

— M. Blumenfeld !

— Oui ?

— Pardonnez-moi de vous demander ceci... mais... en supposant que Myriam... heu...

— Eh bien, dites...

— En supposant qu'elle fasse une fausse couche, est-ce que vous seriez disposé à lui donner une seconde chance ?

***

— Shalom Iossel !

— Shalom Blum !

— Tu vas bien ?

— A peu près !

— Et ta femme !

— Ma femme ? Mais voyons, tu étais à mes côtés quand on l'a enterrée il y a six mois...

— Et depuis six mois, elle ne va pas mieux ?

***

Samuel est myope comme une taupe et chauve comme un œuf. Un matin, Iossel le surprend au moment où il fait sa toilette.

— Tiens ! fait Iossel. C'est curieux Samuel ! Pourquoi gardes-tu ton chapeau sur la tête quand tu te laves ?

— Parce que lorsque je me passe le gant sur la figure, si j'enlève mon chapeau, je ne sais plus où mon front s'arrête...

***

Moïsché a d'énormes problèmes d'argent. Avec l'encouragement de sa femme Sarah, il décide d'écrire au Bon Dieu pour lui raconter tous ses malheurs. Quand la missive est terminée, il la dépose dans une boîte aux lettres.

Les postiers, intrigués, décachettent l'enveloppe; émus par le contenu de la lettre ils décident de faire une collecte et récoltent, ainsi, la moitié de la somme que Moïsché demandait au Bon Dieu... Ils expédient l'argent, persuadés qu'ils viennent de faire un heureux...

Le lendemain, ils découvrent une autre lettre adressée au Bon Dieu, ainsi libellée :

« Seigneur

Merci pour ton envoi. Cependant, la prochaine fois adresse-moi l'argent sans passer par des intermédiaires, car ceux-ci en ont raflé la moitié au passage.

Signé : ton dévoué Moïsché.

242

***

Nous sommes en 1978. Rebecca et Yankel sont invités à un brillante réception. Au milieu de celle-ci, la conversation tombe sur le célèbre compositeur Jacques Offenbach. C'est alors que Rébecca consterne l'assemblée en disant :

— Offenbach ? Comme c'est curieux... Je l'ai justement rencontré hier...

— Vous en êtes certaine, ma chère ? questionne ironiquement un homologue de Bernard Gavoty.

— Absolument ! renchérit Rébecca. C'était dans l'autobus 22 ! Celui qui va à la République...

Un silence terrible s'instaure, puis on parle d'autre chose...

Deux heures plus tard, à l'issue de la soirée, Yankel et Rébecca se retrouvent dehors. L'homme laisse alors sa colère exploser :

— Tu m'as fait honte ! Je ne savais plus où me mettre... Tu ne t'es pas aperçu que tout le monde se moquait de toi ?

— A quel propos ? demande ingénument Rébecca.

— A propos d'Offenbach, voyons ! Que tu es gourde... Comment as-tu osé prétendre que tu l'avais rencontré dans le 22 qui va à la République ?

— Et pour quelle raison n'aurais-je pu le prétendre, je te prie ?

— Parce que le 22, idiote, ne va pas à la République...

***

Isaac s'adresse à quelqu'un :

— Pardon, Monsieur, pouvez-vous me prêter mille francs ?

— Mais... je ne vous connais pas...

— C'est justement pour ça que je vous le demande...

***

Madame Cornfeld se trouve dans un compartiment de chemin de fer. Face à elle, un Monsieur, bien de sa personne, déballe un panier de victuailles et se prépare à déjeuner.

— Excusez-moi, dit Mme Cornfeld, c'est de l'eau minérale que vous avez là là ?

— Oui, Madame !

— Cela vous ennuierait-il de m'en donner un peu ? J'ai oublié d'en apporter.

— Je vous en prie Madame ! Servez-vous !

Deux minutes plus tard :

— C'est du gigot froid que vous mangez ?

— Oui, Madame !

— C'est excellent, le gigot... Savez-vous que vous me donnez faim...

— Qu'à cela ne tienne Madame... En voici une tranche...

Mme Cornfeld se confond en remerciements...

Cinq minutes après, le brave homme épluche une orange.

— Elle sent rudement bon ! On en mangerait ! fait Mme Cornfeld.

— Partageons, Madame ! Je n'en ai qu'une, mais en voici quelques quartiers !

Goulument, notre héroïne ingurgite « sa part »... Puis :

— Pardonnez-moi de vous demander encore une chose, Monsieur, mais lorsque je viens de manger, je supporte mal le fait de ne pas être dans le sens de la marche... Cela vous ennuierait-il de changer de place avec moi ?

— Pas du tout, Madame... Pas du tout...

Et l'échange s'effectue... Le train roule encore dix minutes et Mme Cornfeld s'adresse à nouveau au voyageur si aimable :

— Je crois bien que je me suis légèrement enrhumée... Et malheureusement j'ai omis de prendre mon mouchoir... Seriez-vous assez gentil pour me prêter le vôtre ?

Cette fois, l'homme refuse :

— Désolé... Mais ça non... Un mouchoir, voyez-vous, ça ne se prête pas !

— J'aurais dû m'en douter ! vocifère

243

Mme Cornfeld. Vous êtes antisémite...

***

Nous sommes sur l'arche de Noë. C'est le printemps... Les mâles sont énervés... La vie devient difficile à bord... Noë demande conseil à Dieu qui lui dit :
— Ote aux mâles leurs attributs... Tu les leur rendras quand ils quitteront l'Arche.

Excellente idée. Noë procède ainsi et le calme règne à nouveau sur son bateau. Chaque mâle a reçu un numéro correspondant à sa « virilité » soigneusement mise de côté...

Puis le moment de se séparer arrive. Chaque animal se présente alors avec son numéro et récupère son « bien ». Mais, surprise, quand vient le tour du lapin, celui-ci donne le numéro de l'âne; inversement, ce dernier donne le numéro attribué au lapin... Noë s'étonne :
— Vous vous trompez ? dit-il.
— Pas du tout ! s'indigne le lapin fièrement. Nous avons fait un échange à l'amiable !

***

Un rabbin et un curé, tous deux épris d'écologie, se promènent dans la campagne. Le rabbin vante les arbres, les fleurs, les oiseaux, tandis que le curé s'émerveille du soleil, des saisons, des ruisseaux... Tout à coup, le rabbin reçoit sur le rebord de son chapeau une crotte de moineau.
— Oh ! fait le curé. Votre beau chapeau est sali...
— Ce n'est rien ! dit le rabbin. Et remercions Dieu de n'avoir pas donné d'ailes aux vaches !

***

Lévy :
— Si la Vierge Marie avait connu la pilule, on en aurait évité des problèmes !
Dupont :
— C'est dur à avaler ce que tu dis !

Lévy :
— Pas du tout ! Ça s'avale avec un peu d'eau !

***

— Jour heureux pour toi, Iossel.
— Jour heureux pour toi, Yankel !
— T'as vu ce qu'il dit Einstein ?
— A propos de quoi ?
— Comment « à propos de quoi »... On ne lit que ça dans les journaux...
— Tu veux parler de ses théories ? Je ne les connais pas...
— Je vais t'expliquer. Einstein, il dit, par exemple, que la durée d'un voyage, d'un point à un autre, varie entre l'aller et le retour !
— Forcément ! Au retour, on est fatigué !...
— Imbécile... Ce n'est pas ça...
— T'énerves pas... Et si t'es si malin, explique-moi, Yankel !
— Bon. Ecoute bien : imagine que j'apprenne encore une fois que tu fais des avances à ma femme pendant que je suis parti livrer des caleçons molletonnés... Eh bien, la durée du voyage, d'un point à un autre, serait celle que mon pied mettrait pour aller du sol à ton derrière !

***

La situation est grave... Le gouvernement israélien tout entier délibère en secret... Grâce à notre micro invisible, nous pouvons vous relater une partie de ce qui s'est dit...
Le Ministre des Affaires étrangères :
— La guerre, larvée ou déclarée, contre les Arabes nous coûte cher et nous met sur le dos un grand nombre de nations...
Le Ministre des Finances :
— J'entrevois une solution... Déclarons la guerre aux Américains...
Le Ministre de la Défense :
— C'est idiot ! Primo, nous n'avons aucune raison et deuxio, en supposant que nous en ayons, nous serions battu à plate couture...

Le Ministre des Finances :

— Evidemment que nous serons battus. J'y compte bien... Comme ça, après notre défaite, les Américains feront de nous ce qu'ils ont fait de l'Allemagne et du Japon !

Le Premier Ministre :

— Quoi donc ?

Le Ministre des Finances :

— Une nation prospère !

***

La Mata-Hari égyptienne rentre au Caire. Elle fait son rapport à son supérieur hiérarchique :

— Général, j'ai une bonne nouvelle pour vous : je vous rapporte le plan de la prochaine attaque que Moshe Dayan prévoit contre nous... J'ai réussi à le photocopier après l'avoir subtilisé à Moshe, qui le cachait sous son oreiller, à l'issue d'une longue soirée d'amour !

— Félicitations ! Vous serez décorée... J'en fais mon affaire !

— Encore autre chose, général... J'ai également ramené avec moi un prisonnier...

— Un prisonnier ? Vous êtes extraordinaire... Où est-il ? Vite... Je veux le voir tout de suite... pour l'interroger.

— Ça, c'est impossible, général... Il faut que vous patientiez neuf mois !

***

— Dites-moi Monsieur Iossel ! Pourquoi vous, les Juifs, attendez-vous toujours le Messie ? Et surtout, pourquoi croyez-vous à la résurrection sur Terre et non au Ciel ?

— Voyez-vous, répond Iossel, je ne suis jamais allé au Ciel... Je ne peux donc pas vous en parler... Mais sur la Terre, je peux vous citer quelqu'un qui était mort et qui ne l'est plus !

— Ah ?

— Oui : l'hébreu ! C'était une langue morte...

***

Savez-vous pourquoi il y a peu de jumelages avec des villes Israéliennes ?

Par crainte que toute la ville jumelée ne se mette à parler l'hébreu !...

***

Simon, en 1942, avait pris le maquis. En sa qualité de tailleur, il était particulièrement chargé de réparer ou de fabriquer des costumes pour les autres maquisards. Il advint que le tissu lui manqua.

— Je vais aller en ville pour m'en procurer !

— T'es fou Simon ! le prévient le chef du maquis. Avec ton terrible accent, tu seras repéré tout de suite... Envoie quelqu'un d'autre.

— Impossible. Il n'y a que moi qui peut choisir un bon tissu... J'y vais !

— Au moins, insista le chef, ôte l'étoile jaune qui est sur ta veste !

— Surtout pas ! Je la garde... S'il y a un contrôle d'identité je tiens pas à avoir des ennuis... Je veux être en règle !

***

Mais 1968. Révolte estudiantine... Popeck se sent solidaire... Il décide de participer à une grande manifestation qui se regroupe à la République. Des centaines de milliers de personnes sont là. Presque partout dans Paris les magasins sont fermés. Au milieu de la foule, Popeck, citoyen anonyme, est transporté par une sorte d'allégresse, de celles que l'on ressent lorsque l'on est en train de vivre un grand événement... Soudain, en tête du cortège qui se forme, une voix, amplifiée par un haut-parleur, donne des consignes :

— Tous à Denfert-Rochereau en passant par le boulevard de Sébastopol !

Entendant cela, Popeck se penche à l'oreille de Salomon qui l'accompagne et lui dit :

— Fonce à ma boutique du boulevard Sébastopol ! Dis à Sarah d'ouvrir le magasin et de sortir l'étalage...

***

Toujours Mai 68. Comme tout le monde, Popeck, à cette époque, eut connaissance du célèbre slogan : « Nous sommes tous des Juifs allemands ». Vers le 20 mai, alors qu'il se trouvait boulevard Saint-Michel, il fut dépassé par une centaine de jeunes le scandant.

Un des garçons l'interpella :

— Allez ! Criez « Nous sommes tous des Juifs allemands »...

Et Popeck répondit, avec son savoureux accent judéo-polonais :

— Non, je dirais pas ça... Je ne suis pas Juif allemand... Je suis Juif français !

***

Maître X, avocat célèbre, se rend chez Schmill, un tailleur doté d'une grande réputation.

— On m'a vanté vos qualités ! Je désire un superbe costume sur mesures !

— Vous ne pourriez mieux tomber... J'habille toutes les sommités !... Avez-vous assisté à la dernière conférence de presse du Président de la République ? Oui ? Eh bien, le splendide costume qu'il portait venait de chez moi...

— C'est une référence... Il paraît indéniable que l'on peut vous faire entièrement confiance... Avant toute chose, cependant, je voudrais que nous abordions des questions bassement matérielles...

— Les questions matérielles ne sont jamais basses, Maître ! Vous désirez connaître mes prix ?

— Oui...

— Je ne peux vous faire une belle chose pour 9500 F !

— Neuf cent cinquante mille anciens francs ? C'est une somme. Excusez-moi de vous le dire, mais vous n'êtes pas Christian Dior... Qu'est-ce qui justifie un prix aussi élevé ?

— Plusieurs choses : d'abord, comme c'est la première fois que vous venez et que je n'ai, par conséquent, aucune de vos mensurations, je vais vous les prendre ! Bien entendu ! Mais d'une manière extra-scientifique, grâce à un photographe-radiologue qui a mis au point un appareil permettant de fabriquer un « patron » au millimètre près... Si une de vos épaules est plus basse que l'autre ne serait-ce que d'un dixième de centimètres, je le saurai.

— Bien. C'est une première raison... En avez-vous d'autres ?

— Je vous crois ! La laine dont mes tissus sont constitués est récoltée au Népal, sur le dos des moutons rarissimes au pouvoir calorifique intense. Ensuite, cette laine est filée, comme au Moyen Age, c'est-à-dire avec toutes les garanties de solidité, au Pérou, par les derniers survivants d'une tribu inca... Après, cette laine est tissée dans le Honduras avant de subir un test d'imperméabilisation et de résistance aux intempéries sous les chutes du Niagara... Quant à la doublure, elle est faite en pur fil d'Écosse dans les ateliers Mac Doug, à Édimbourg. Enfin, ici, à Paris, le tout est taillé par le meilleur tailleur du Monde, c'est-à-dire Moi, votre serviteur...

— Vous êtes convaincant M. Schmill... Je suis d'accord... Dans combien de temps pourrez-vous me livrer ce costume ?

— Pour l'avoir comptant et content — c'est ma devise — il faut un délai de six mois...

— Six mois ! C'est beaucoup trop long... Je vais devoir renoncer à me faire faire un costume chez vous... Je le voulais en urgence...

— Vous êtes si pressé que ça ?

— Je pense bien... Il me le faut pour demain...

— Pour demain ? Schmill fait semblant de réfléchir. Bon... Puisque c'est pour vous, je vais faire un effort.., Vous l'aurez...

***

Sarah et Isaac sont confortablement (?) assis dans une rame de métro parisien. A une station monte une dame

246

âgée, apparemment très fatiguée. Plus aucune place assise n'est vacante. Sarah, bonne âme, pousse son mari du coude :

— Isaac ! Cède ta place... Il y a une vieille dame debout...

Isaac ne moufte pas...

— Isaac ? Tu m'entends ? Regarde la vieille dame...

Toujours pas de réponse...

— Allons Isaac... Donne ta place... Ne dors pas...

— Mais je ne dors pas ! Si j'ai les yeux fermés c'est pour ne pas voir la grand'mère...

***

Durant la guerre 14-18, le père de Popeck se trouvait sur le front russe, dans une tranchée, avec les troupes qui combattaient contre l'Allemagne. Fumeur de pipe, il confectionnait lui-même son « tabac » avec un mélange d'herbe et de boue séchée qui empestait à dix mètres à la ronde... Au bout d'un certain temps, son plus proche compagnon d'armes, un nommé Pétrov, lui dit :

— Écoute Yankel ! Ou tu sors de cette tranchée ou tu cesses de fumer ton abominable tabac... Son odeur me rend malade...

— Tu dis ça parce que tu ne le fumes pas... Tires-en seulement une bouffée et tu le trouveras excellent... Je t'assure... Essaye...

— Pas question !

— Ne sois pas buté, Petrov... Tire une seule bouffée et tu seras convaincu !

— Soit !

Et Petrov, courageusement, s'empare de la pipe et aspire profondément... Juste à cet instant, un obus allemand le décapite !... Sa tête roule au milieu de la tranchée... Yankel, horrifié, s'approche quand même de cette tête libérée du reste du corps...

Il approche son oreille et il entend :

— Yankel, je te l'avais bien dit que ton tabac emportait la gueule...

***

Hiver en Roumanie. Le jeune fils de Moïsché rentre de l'école... C'est le jour du carnet de notes.

— Ah ! fait Moïsché. J'espère que ce mois-ci tu auras une meilleure place que la dernière fois.

— Oui papa ! Cette fois, on m'a mis près du poêle, au fond de la classe...

***

Madame Blum, alerte quinquagénaire se présente à la banque.

— Monsieur le Directeur, bonjour !

— Chère Madame...

— Je croyais que mon jeune neveu, Lazare Rosenfeld travaillait ici ! Comment se fait-il que je ne l'aperçoive pas ?

— Excusez-moi, Madame, mais me permettez-vous une question ?

— Bien sûr !

— Vous êtes bien sa tante Sarah Blum, n'est-ce pas ?

— C'est tout à fait exact !

— Alors je puis vous dire où se trouve votre neveu : ce matin, il suit votre enterrement.

***

Popeck :

— As-tu remarqué, Cohen, que lorsque les hommes parlent des femmes, ils emploient l'expression « sexe faible » ?

— Oui, j'ai remarqué...

— Par contre, as-tu également remarqué que les femmes en parlant de nous n'utilisent jamais l'expression « sexe fort » !...

***

Salomon vient d'ouvrir une poissonnerie. Sur l'étalage, il affiche cette belle pancarte : « Ici poissons frais vendus tous les jours ».

Et il attend les clients... Mais c'est d'abord Popeck qui arrive.

— Salut Salomon !

— Salut Popeck !

— Il est beau ton magasin.

— Il m'a coûté assez cher !

— Mais ta pancarte, là, je la trouve mal rédigée...

— Ah bon ?

— Ben oui... Où vends-tu du poisson ? Dans la rue à côté ?

— Non...

— Alors pourquoi mettre « ici »... Les gens le voient bien...

— T'as raison... J'efface « ici ».

— « Vendus »... Pourquoi t'as mis ça ? T'as peur que les gens croient que tu les donnes ?

— Non...

— Alors efface « vendus »...

Et d'effacement en effacement, la fameuse pancarte ne conserve bientôt plus que le mot « poissons »...

— Tu peux l'effacer aussi ! continue Popeck.

— Mais comment les gens vont-ils savoir ce que je vends ?

— T'inquiète pas ! Le poisson, ça se sent...

***

A New York, au bureau de l'émigration. Arrivant d'Europe Centrale, Mosché et Sarah doivent répondre à tout un questionnaire. C'est normal, les États-Unis veulent s'assurer du degré de culture des émigrants et de leur amour sincère pour l'Amérique.

— Vous connaissez bien l'histoire de notre pays ?

— Oui ! répondent en chœur Mosché et sa femme.

— C'est très bien... Vous pouvez donc me dire le nom du premier président des États-Unis...

Mutisme de Mosché... Visiblement, cette question paraît être la plus difficile qu'on lui ait jamais posée... Mais Sarah va lui sauver la mise...

— C'est facile ! dit-elle.

— Je vous écoute, Madame...

— Tout le monde sait que le premier président de votre beau pays, c'était Christophe Colomb !

***

Un autre couple juif, petit commerçants d'Ukraine, arrive à New York et doit subir le même questionnaire... Après avoir répondu à peu près correctement à tout, arrive la question fatidique :

— Est-ce qu'il y a des communistes chez vous ?

Alors la femme, commerçante avisée, répond, du tac au tac :

— On a tout ce que vous voulez, Monsieur !

***

Isodore veut rentrer avec son singe à la synagogue. Le rabbin s'interpose.

— Impossible. Interdit. Pas d'animaux ici.

— Oh ! Monsieur le rabbin, mon singe n'est pas un animal ordinaire... D'abord, c'est un singe juif... Constatez !

En effet, l'animal est circoncis...

— Je ne veux pas le savoir ! s'entête le rabbin. Les animaux n'entrent pas.

— Je vous en prie ! Regardez-le...

Et le singe sort d'une boîte qu'il avait sous le bras une petite calotte qu'il se pose sur la tête...

— Vous voyez ?

Cette fois, le rabbin est ébranlé...

— Bon ! Je veux bien qu'il entre... Mais mettez-vous dans un coin et silence...

Le singe et son maître entrent et prient pendant que le rabbin récite les versets... Mais justement, un trou de mémoire le frappe soudain et il reste muet... Fébrilement, il compulse le Livre Sacré mais semble perdu... Alors, le singe quitte sa place, vient auprès du rabbin, tourne les pages du Livre et pointe le doigt sur le texte adéquat... Stupeur du rabbin qui dit :

— On pourrait en faire un rabbin de votre singe !

— Mais il l'est déjà au zoo de Vincennes !

***

— Bonjour Monsieur !

— Bonjour Monsieur !

— Me permettez-vous une question ?

— Je vous en prie...

— Êtes-vous Juif ?

— Ça dépend ! C'est pour quoi faire ?

***

Elle est bien vieille Sarah... Cent ans ! Elle a vu au moins trois guerres... Et des tas d'autres choses... Aujourd'hui, son arrière-petit-fils est venu la voir. Il lui dit :

— Rends-toi compte, mémé ! Il y a un astronaute qui a fait cinquante fois le tour de la terre...

Et elle a répondu :

— Quand on a de l'argent, on peut voyager...

***

Au début de notre siècle, un général russe visite une prison. Sur son passage, les prisonniers implorent leur grâce... Il leur pose à tous cette question :

— Pourquoi êtes-vous là ?

Invariablement, la réponse est la même :

— Pour rien... Je suis innocent !

Imperturbablement, le général termine sa visite et arrive devant le dernier prisonnier.

— Vous aussi, bien entendu, vous êtes innocent ?

— Pas du tout... Moi je suis coupable !

— Qu'avez-vous fait ?

— J'ai tué ma femme et son amant que j'avais surpris ensemble; et avant ces deux meurtres, j'en ai commis quelques autres : un caissier, un gendarme et une grand'mère qui refusait de me donner ses économies...

— Joli palmarès ! commente le général.

Et à la stupéfaction de tous, il le fait libérer... Tollé dans toute la prison... où l'ensemble des autres prisonniers hurlent à l'injustice. Mais le général prend la parole :

— Si j'ai fait libérer ce prisonnier, c'est dans votre intérêt ! Je ne veux pas qu'un tel criminel puisse corrompre les purs innocents que vous êtes !

***

Un grand bruit dans le ciel, précédé d'un éclair d'une grande luminosité... Une soucoupe volante, surgissant des nuages, se pose doucement sur la place publique... Les témoins retiennent leur souffle... Une porte glisse, un escalier se déplie et un martien tout vert, tout maigre, avec une grosse tête ronde descend... Il marche vers la foule angoissée... Arrivé à dix mètres d'elle, d'une voix métallique il demande :

— Savez-vous où il y a un restaurant kasher ?

***

Deux cosmonautes viennent de débarquer sur la Lune. L'un d'eux, avec une chaîne d'arpenteur, mesure soigneusement un terrain et y fait des marques précises.

— Qu'est-ce que tu fabriques, Salomon ? lui demande son camarade.

— Tu n'as pas remarqué à quel point cet endroit est bien situé ? Je le délimite afin d'y installer un magasin !

***

Un homme politique en rencontre un autre.

— Vous avez passé une bonne nuit ?

— Non. Impossible de fermer l'œil !

— Comment cela se fait-il ? Vous avez des soucis ?

— Pas du tout, mais je n'avais plus du tout sommeil. L'après-midi, j'avais dormi pendant toute la durée de votre discours !

***

Le Ministre israëlien du Travail

convoque Popeck, éleveur de poulets.

— On m'a affirmé que tu avais donné cinq tonnes de croûtons de pain à tes poulets ! C'est la vérité ?

— Oui, M. le Ministre ! Faut bien qu'ils mangent...

— Popeck, tu oublies une petite chose : nous sommes en guerre... Avec tes croûtons, on aurait pu faire de la bonne soupe, bien consistante, pour nos soldats... Je suis obligé de te taxer de l'impôt de guerre : dix mille livres israéliennes !

Popeck paie et s'en va. Six mois plus tard, le Ministre le convoque à nouveau :

— J'apprends que dix tonnes de riz sont arrivées pour toi ?

— C'est pour mes poulets...

— Tu exagères, Popeck ! Je te rappelle que nous sommes en guerre et qu'avec ce riz, nous aurions pu nourrir bon nombre de soldats... Il faut que tu payes un nouvel impôt de guerre : trente mille livres israéliennes !

En maugréant, Popeck paie et s'en va. Six mois plus tard, il est convoqué pour une importation de huit tonnes de maïs... Bilan : cinquante mille livres israéliennes à verser au titre du fameux impôt de guerre...

Une année se passe... Le Ministre le convoque :

— Dis-moi Popeck, je suis surpris... Depuis un an, tu n'as importé aucun produit pour tes poulets ? Tu as toujours ton élevage ?

— Oui ! Mais j'en avais assez de payer votre impôt... Alors, maintenant, je donne directement de l'argent à mes poulets et ils achètent ce qui leur plaît !

***

A l'ecole l'institutrice questionne Dupont :

— A quoi sert ton nez ?

— A poser mes lunettes, Mamzelle !

— Bravo ! Pour t'apprendre à sortir des plaisanteries douteuses, va au coin !

Elle cherche des yeux un élève plus sérieux...

— Lazare !

— Oui, Mademoiselle !

— Peux-tu me dire, toi, à quoi sert ton nez ?

— A flairer la bonne affaire, Mademoiselle...

***

Moïse et Aaron ont été, chacun, victime d'une fracture de la jambe. Après le « déplatrage », ils se retrouvent dans la même chambre d'hôpital où tous les matins un masseur vient leur triturer le membre nouvellement resoudé... A chaque séance, Moïse hurle comme un damné, tant la douleur qu'il ressent est insupportable... Par contre, Aaron chantonne joyeusement pendant que le « kinési » accomplit son travail... Au bout du troisième jour, Moïse n'y tient plus. Dès le départ du masseur, il demande :

— Je n'y comprends rien... Quand il me masse, cela me fait un mal de chien et toi, on dirait que ça te fait du bien...

— Évidemment ! fait Aaron. Tu n'as qu'à faire comme moi... Ne lui donne pas ta jambe malade...

***

Yankel vend des marrons chauds devant la banque Rothschild. Ses affaires sont extrêmement prospères, grâce au grand nombre de gens, employés ou clients, qui fréquentent l'établissement bancaire. Un jour, il voit venir vers lui Salomon, un ami d'enfance...

— Comment vas-tu ? Il y a bien dix ans qu'on ne s'était vus !

— Je ne vais pas très bien ! répond Salomon. Je végète... Tout ce que j'entreprends s'effondre... Je suis vraiment dans une passe épouvantable...

(On le voit venir avec ses gros sabots...)

— Aussi je me suis résolu à venir te voir pour te demander de me prêter une centaine de mille francs... Je sais que tes affaires vont bien et que cette somme est insignifiante pour toi... S'il te plait, Yankel... Au nom de notre longue amitié...

— Quand tu dis que tu es dans une mauvaise passe, je te crois volontiers ! fait Yankel. Et encore maintenant, tu n'as pas de chance : figure-toi que j'ai passé un accord impératif avec la banque Rothschild : elle n'a pas le droit de vendre des marrons et moi je n'ai pas le droit de prêter de l'argent...

***

Samuel confie à Lazare :

— Je pars pour New York ! Je veux tenter ma chance là-bas...

— A New York ? Ne fais pas ça, Samuel... Je viens de lire une série d'articles sur cette ville... La vie y est absolument intenable... Je dirais même invivable... Sais-tu que toutes les dix minutes un homme s'y fait agresser ?

— C'est bien fait pour lui... Quand on se fait agresser une fois, on ne revient pas dix minutes après...

***

Le train. Dans un compartiment, deux hommes se font face. L'un d'eux déguste un superbe hareng saur sec, sec, sec... (comme disait Charles Gros...).

L'autre s'adresse à lui :

— Je parie que vous êtes Juif ?

— Tout juste... Comment l'avez-vous deviné ?

— Comme ça... Une intuition... Ah ! Vous êtes des cas, vous... Quoi que vous fassiez, vous réussissez... C'est un monde... Dans les Arts, dans les Sciences, crac ! vous êtes là...

— Sans vouloir vous paraître présomptueux, je dirais que cela est simplement dû au fait que nous sommes sans doute plus intelligents que la plupart des gens ! répond le Juif en continuant à déguster son hareng saur...

— Intelligent ! Intelligent ! C'est vite dit... et pourquoi seriez-vous plus intelligents ?

— Je ne sais pas exactement... Peut-être parce que nous avons l'habitude de manger beaucoup de poissons... Y'a du phosphore dedans...

— Ce serait ça le secret ? Manger du poisson ?

— Puisque vous l'avez découvert, il serait inutile que je le nie...

— Très bien ! Alors je vais faire comme vous... Vous avez encore des harengs ?

— Non ! Il ne me reste que les deux têtes de ceux que je viens de manger...

— Il y a sûrement du phosphore dans la tête aussi !

— Certainement...

— Je vous les achète... C'est combien ?

— Euh... Voyons... J'ai payé mes harengs cinq francs pièce... Vous voulez les deux têtes... Ça vous fera vingt francs...

— Très bien !

Le gars paie, prend les deux têtes de poissons et commence à les manger... Au bout de cinq minutes il a terminé... Sous son béret, son visage se fige soudain :

— Dites donc ! fait-il au Juif. Vous m'avez bien dit que vous avez acheté vos harengs cinq francs pièce ?

— Oui !

— Et vous m'avez compté chaque tête deux fois plus chère que le poisson tout entier ? Vous vous êtes fichus de moi ?

— Ah ! Ah ! fait le Juif. Vous voyez ? Le phosphore commence à faire son effet...

***

Pensée « popeckienne » :

— Mieux vaut 50 % de gens qui ne vous aiment pas, plutôt que 100 % qui ne vous connaissent même pas...

***

Aaron se rend chez le Grand Rabbin et lui demande :

— Pouvez-vous me faire une lettre

de recommandation pour Rothschild ?

— Bien sûr, Aaron. C'est facile. Je le connais fort bien. Et tu es un brave garçon...

Le rabbin écrit. Pendant ce temps, Borsalino sur la tête et pipe au bec, Aaron se prélasse dans un fauteuil. Quand la lettre est terminée, le rabbin la tend et dit :

— Voici. Mais, mon brave ami, permets-moi un conseil : quand tu seras chez Rothschild, tiens ton chapeau à la main et mets ta pipe dans ta poche...

— Vous me vexez, Grand Rabbin... Croyez-moi, je sais quand même me conduire dans la vie...

***

Blum est sur son lit de mort. Sa femme Sarah se lamente.

— Laisse-moi t'avouer une chose, Blum... Je ne veux pas que tu partes sans m'avoir pardonné...

— Quoi donc ? demande le mourant, d'une voix traînante.

— Notre fils, David... Ce n'est pas ton fils...

— Que me chantes-tu là ?

— Tu te souviens de l'année où je suis allée aux sports d'hiver sans toi ? Eh bien j'avais un moniteur si beau que je lui ai donné de l'argent pour qu'il me fasse un enfant...

— Et alors ? fait l'agonisant à qui la vie donne un léger sursis. Et alors ? Tu crois donc que David n'est pas mon fils ? C'est mon argent que tu as donné, n'est-ce pas ? Par conséquent, c'est mon fils à moi...

***

Le schadchen (marieur) Blitz a l'air heureux.

— Vous resplendissez ! lui dit Madame Berg.

— Il y a de quoi. Aujourd'hui, j'ai fait sept heureux !

— Oh ! C'est bien ! Comment ça ?

— Ne suis-je pas Chadchen ? J'ai conclu trois mariages...

— Trois mariages ? Mais, M. Blitz, cela ne fait que six personnes !

— Madame Berg... Croyez-vous donc que je compte pour rien !

***

Martin et Legrand jouent aux cartes. Voyant Popeck s'approcher, ils lui disent :

— Fais une partie avec nous !

— Non, non, non... Vous jouez de l'argent... Je ne veux pas...

— Oh ! Nous misons pour le principe... Trois fois rien... Dix francs !

— Dix francs ?

— Dix francs !

— Bon... Mais juste une partie hein ?

Et Popeck s'asseoit à la table de jeu. Martin et Legrand mettent chacun leur dix francs; Popeck ne met rien... Ne voulant pas le vexer, les deux amis, pour l'inciter à sortir son argent, feignent de se reprocher leur oubli :

— Il manque dix francs ! fait Martin. T'as oublié de miser Legrand...

— Pas du tout ! C'est toi Martin...

Mais Popeck ne bronche pas... Les autres continuent à faire mine de se disputer...

— Écoutez ! fait alors Popeck. Je ne veux pas jouer avec des gens qui se chamaillent comme ça... Allez ! Je reprends mes dix francs. Et au revoir... On n'est pas des sauvages quand même...

***

— Iossel ! Tu veux faire une bonne affaire ? Achète-moi ma voiture !

— Tu es gentil, Isaac. Mais je n'en ai pas besoin...

— Elle est dans un état impeccable... Elle tourne du tonnerre... Par l'autoroute, tu pars de Paris à minuit, t'es à Lyon à trois heures du matin !

— Mais enfin ! Isaac ! Que veux-tu que je fasse à Lyon à trois heures du matin ?

***

252

Blum et Popeck entrent dans un bureau de tabac. Blum s'achète un énorme cigare...

— Tu en veux un ? propose-t-il gentiment.

— Non ! Je te remercie... J'aimerais mieux un carnet de timbres !

***

Un jour, André Malraux visitait une exposition Marc Chagall, en compagnie du grand peintre. Tous deux allaient d'un tableau à l'autre et devant chacun, Malraux s'étonnait de la signature : « Rachel ». Chagall lui donna une explication :

— Rachel est le prénom de ma femme. J'ai des ennuis avec le fisc. Alors j'ai tout mis à son nom !

***

Chez un commerçant :
— Combien vous dois-je ?
— Autant que vous pouvez...

***

Avrom, Juif d'Europe centrale, est parti tenter sa chance au Royaume-Uni. Tailleur talentueux, il parvient, au bout de sept ans, à faire fortune. Il écrit alors à son jeune frère, demeuré au pays, afin qu'il le rejoigne en Angleterre. Le benjamin arrive, démuni de tout et vêtu tels les Juifs pieux d'Europe centrale : robe noire, chapeau de fourrure, etc...

— Je suis content de te voir ! lui dit son frère aîné. Mais il va falloir te « moderniser » un peu... Alors écoute-moi bien : voici de l'argent et l'adresse de mon club; ce soir je veux t'y voir vêtu comme un gentleman; passe chez le tailleur, le bottier, le chemisier, le coiffeur et fais ce qu'il faut...

— Très bien !

Le soir, à huit heures, le benjamin pénétra dans le club habillé avec un chic incomparable, canne à la main, melon, œillet à la boutonnière... Brummel lui-même !

— C'est fantastique ! dit l'aîné. Tu fais plus Anglais qu'un lord lui-même ! Ta transformation est stupéfiante... Tu es content ?

— Oui ! fait le jeune homme... Je suis assez content... Cependant, vraiment, quel grand dommage que nous ayons perdu les Indes...

***

— Garçon ! fait Popeck dans le restaurant où il déjeune. Faites attention ! Votre pouce trempe dans le potage...

— Ne vous inquiétez pas Monsieur, il n'est pas chaud !

***

Le petit David est en classe. Le professeur l'interroge :

— Que tire-t-on des brebis ?

— Des brebis, Monsieur ?

— Oui. Ne fais pas semblant de n'avoir pas compris...

— Euh... De la laine, M'sieur !

— Oui. Et quoi d'autre, par extension ?

— Par extension ? Ben... Si on tire sur la laine, elle se casse, M'sieur !

— Imbécile... Tête de goï ! Que fait-on avec la laine ?

— Heu...

— Qu'il est bête... Enfin, voyons ! Ton veston, de quoi est-il fait ?

— D'un vieux pantalon de papa, M'sieur !

***

Iossel rencontre Yankel dans un bureau de poste.

— Tu viens toucher un mandat ?

— Non ! Je viens faire mon courrier ! Ici les stylos sont gratuits !

***

Deux clochards, un peu avinés, discutent ferme à propos de l'énorme disque rouge visible au ponant. Iossel arrive et prête l'oreille.

253

— Je te dis que c'est le soleil couchant ! dit l'un.

— Absolument pas ! C'est la lune qui est pleine !

Leur discussion s'éternise ! Puis apercevant Popeck, tous deux s'avancent vers lui, le ton menaçant...

— Alors pépère ! Là-bas, c'est la lune ou le soleil que tu vois ?

— Oh ? vous savez, répond prudemment Iossel, je ne peux pas vous renseigner; je ne suis pas du pays !...

***

— Qu'est-ce que j'apprends, Blum ? Tu t'es converti au catholicisme ?

— C'est vrai !

— Mais ne t'étais-tu pas déjà converti au protestantisme ?

— Si !

— Je ne comprends pas...

— J'explique : quand je suis devenu protestant et qu'on me demandait ce que j'étais avant ma conversion, je disais « Juif » et ça me gênait... Maintenant, sans que cela me gêne, je réponds qu'avant d'être catholique, j'étais protestant...

***

Iossel arrive à l'hôtel.

— Combien vos chambres ?

— Au premier 250 francs !

— Au second ?

— 230 !

— Au troisième ?

— 200 !

— Au quatrième ?

— 180 !

— Au cinquième ?

— Dernier étage, dernier prix : 160 francs.

— Bon ! Alors je vais ailleurs !

— Pourquoi ! Nos prix ne vous conviennent pas ?

— Si ! Si ! Mais le cinquième, c'est trop haut pour moi !...

***

Popeck toujours. Dans un train... Il fait chaud... Il s'endort. Il est réveillé brusquement par la voix d'un contrôleur qui crie :

— Tout le monde change ! Tout le monde change !

Alors Popeck :

— Contre quoi ?

***

— Comment Mosché ? Toi aussi tu t'es converti ?

— Eh oui !

— Comme ton frère ?

— Comme lui !

— Par conviction ?

— Pas du tout. Par bonté d'âme !

— Ah ?

— Oui ! Depuis sa conversion, mon frère cherchait en vain des relations chrétiennes...

***

Iossel et Samuel rentrent, tard le soir, du cinéma. Les rues sont désertes, sombres. Soudain, venant vers eux, deux hommes à la mine peu rassurante...

— Faisons demi-tour ! dit Iossel. Ils sont deux et nous sommes seuls...

***

Mosché arrive à la gare au moment où le train s'en va.

— Bof ! fait-il philosophiquement. Mieux vaut arriver tard que jamais !

***

Moïse se lamente devant une tombe :

— Ah ! Pauvre de moi ! Malheur ! Malheur ! Tu n'aurais pas dû mourir ! C'est affreux ! Tu n'aurais pas dû mourir !

Ému par ses gémissements, quelqu'un s'approche et lui demande :

— Qui pleurez-vous ainsi, Monsieur ? Votre père ? Votre mère ?

— Non ! répond Moïse en étouffant

un sanglot. C'est le premier mari de ma femme !

***

Aaron arrive à la réception d'un hôtel vétuste.

— Vous avez des chambres ?

— Vingt-cinq, Monsieur !

— Je veux dire « chambres de libre » !

— Vingt-quatre !

— Combien coûtent-elles ?

— Cinquante et cent francs !

— A quoi est dû la différence de prix ?

— Dans celles à cent francs, il y a aussi un matelas sur le lit...

***

Avenue de l'Opéra, Paris. Deux schnorrers prennent une décision :

— Séparons-nous ! Et retrouvons-nous ici même dans cinq ans... D'ici là, tâchons de nous en sortir ! D'accord ?

— Tope-la !

Et ils se séparent.

Cinq ans plus tard :

— Bonjour, Aaron !

— Bonjour, Samuel !

— Eh bien, raconte !

— Je ne suis parvenu à rien... J'ai parcouru toute la France ! J'ai fait du commerce, de la représentation... J'ai été comptable, artisan, docker, tout... Cela n'a jamais marché... Je reviens aussi pauvre qu'il y a cinq ans... La poisse... Et toi ?

— Moi ça va très bien... Tu vois la D.S. Maserati là-bas ? C'est à moi... Ainsi que le chauffeur qui est au volant... J'habite un duplex avenue Foch... En un mot, je suis milliardaire...

— Formidable... Je suis bien content pour toi... Au moins, l'un de nous s'en est sorti... Qu'est-ce que tu fais ?

— Des faux billets.

— Des faux billets ? Mais c'est très dangereux... La loi punit cela très sévèrement...

— J'ai pris mes précautions... Je ne fais pas des faux billets de cinquante, cent, cinq cents, ni même dix francs... Je fabrique des billets de cent quatre-vingts francs...

Et il en sort toute une liasse de sa poche...

— Prends ça ! Tu demandes de la monnaie, ça marche à tout les coups... Essaie tout de suite... Va au grand magasin en face... Après tu reviens et je t'indiquerai comment fabriquer une planche à billets... Tu deviendras aussi riche que moi...

L'autre, un peu incrédule, va au magasin et s'approche d'une vendeuse ·

— Vous désirez ?

— Rien... Je venais simplement vous demander de bien vouloir me faire de la monnaie...

Et il exhibe un beau billet de cent quatre-vingts francs...

— Avec plaisir ! fait la vendeuse. Vous voulez deux billets de quatre-vingt-dix francs ou trois de soixante ?

***

Un palace du littoral méditerranéen. Le directeur vient d'accueillir un de ses plus riches habitués : M. Bolberg qui fait monter ses bagages dans la superbe « suite royale »... Trois jours se passent, puis le quatrième M. Bolberg, apparemment furieux, demande sa note ! Le directeur accourt :

— Que se passe-t-il M. Bolberg ?

— Je vous prie de me laisser tranquille... Je pars parce que j'ai envie de partir, un point c'est tout !

— Ce n'est pas possible... Quelque chose a dû vous déplaire... Vous aviez retenu pour deux mois... M. Bolberg, expliquez-moi... Voulez-vous un autre appartement ?

— Non ! Laissez-moi !

— Un membre du personnel vous a manqué de respect ? Je le renvoie !

— Ce n'est pas ça !

— M. Bolberg, je vous en conjure... Vous fûtes toujours satisfait de vos séjours ici... Vous me devez une explication !

— Vous tenez vraiment à savoir pourquoi je pars ?

— Oui !

— Eh bien voilà : on m'a informé que vous étiez antisémite !

— Comment ? C'est une galéjade ! Moi, antisémite ? En pleine saison ?

***

Le jeune Avrom veut convoler. Pour ce faire il a recours aux services du schadchen de son village.

— Qui as-tu à me proposer ? Tu connais la position de ma famille et tu sais que je suis l'héritier unique d'une immense fortune...

— Je sais, je sais... Et je connais une douce enfant qui vous conviendra parfaitement : elle danse telle une nymphe, peint comme un « impressionniste », monte à cheval comme une Amazone, joue de la harpe comme Madame Laskine, chante comme Victoria de Los Angeles, joue au tennis comme Miss Harrison !

— Assez ! Parle-moi plutôt de ses qualités...

***

Iossel est devenu fou. On ne sait pourquoi, ni comment, mais c'est un fait : il est complètement dingue ! Dieu merci, sa folie n'est pas dangereuse : il se prend pour Louis XVI ! On se résout cependant à l'enfermer, car ses extravagances peuvent devenir dangereuses... Voici donc le pauvre Iossel à l'asile... Sa famille, très pieuse, va informer le rabbin de son état...

— Pourquoi ne pas m'avoir prévenu plus tôt ? Je suis certain que ce n'est pas grave... Je vais lui rendre visite...

Le rabbin se rend à l'asile et entre dans la chambre de Iossel; il y reste une bonne heure, puis, souriant il demande au médecin de venir voir le malade.

— Je vais lui poser une question; notez bien sa réponse...

— Allez-y ! fait le praticien.

— Iossel, réponds-moi : qui es-tu ?

— Louis XV !

— Vous avez entendu docteur ? fait le rabbin. J'en rabattrai un chaque jour... Dans deux semaines il sera complètement guéri !

***

Si vous racontez une histoire juive à un Allemand, il rit trois fois... La première, lorsqu'il l'entend; la deuxième quand on la lui explique; la troisième quand il la comprend...

Si vous racontez une histoire à un Juif, il vous répond qu'il la connaît déjà et il se dépêche d'aller la raconter dans une version différente...

***

— Bonjour Isaac.

— Quelle élégance, Jacob...

— Je reviens de la cérémonie de fiançailles du fils Lang avec la fille Blum.

— Voilà qui fera un beau mariage ! Mais, à propos, ta fille, quand la maries-tu ?

— Si un fiancé se présente, je la laisse partir...

— Les prétendants ne devraient pas manquer : ta fille est splendide ! Il me vient même une idée : tu connais les Hirsch ?

— Bien sûr !

— Alors tu sais qu'ils ont un fils formidable, qui sort de Polytechnique. Et que c'est une famille très honorable !

— Je sais tout ça... Mais question mariage, ça ne marchera pas...

— Et pourquoi ?

— Parce qu'eux aussi cherche une famille très honorable...

***

Deux Juifs entrent dans un cimetière.

— Regarde ! dit tout à coup l'un d'eux. Voici le caveau des Rothschild... C'est un monument magnifique.

— Ah ! fait le second Juif. On voit bien que ce sont des gens qui savent vivre...

***

— Puis-je fumer ? demande poliment Moïshe aux trois voyageurs assis dans son compartiment.

Permission lui est donnée.

— Quelqu'un aurait-il une cigarette ? continue notre « héros ».

Le premier voyageur lui en offre une.

— Merci ! Quelqu'un aurait-il du feu ?

— Voici ma boîte d'allumettes ! dit le second voyageur.

Malheureusement la boîte est vide.

— J'ai laissé les miennes chez moi ! s'excuse le dernier voyageur.

— Bon, bon ! fait Moïshe. Ce n'est pas grave... J'utiliserai donc les miennes...

Et il sort de sa poche une boîte d'allumettes...

***

— Hello David !

— Hello Iossel !

— Encore à Paris en Juillet ?

— Plus pour longtemps... Je pars demain pour Tel-Aviv...

— Tel-Aviv ? Tu vas périr de chaleur... 40° à l'ombre... Avec ta peau blanche, tu vas rougir comme une « crévisse » !

— Qui m'obligera à rester à l'ombre ?

***

— J'ai appris la nouvelle, David. Votre caissier est parti avec votre argent et votre fille, saleté de lui !

— Ne dites pas ça ! C'est un brave garçon... Il a été pris de remords... Il ne m'a pas encore rendu l'argent, mais il a déjà renvoyé ma fille...

***

— Bonjour Jacob !

— Bonjour Aaron !

— Ça va ?

— Bof !

— Et votre femme ?

— Bof !

— Vos enfants ?

— Bof !

— Eh bien au revoir Jacob !

— Au revoir ! Aaron, c'est vrai que ça fait du bien d'ouvrir son cœur à quelqu'un...

***

— Le maître d'école au petit David :

— Pourquoi, dans le Désert, les Hébreux firent-ils un veau d'or ?

David :

— Parce qu'ils n'avaient pas assez d'or pour faire un bœuf...

***

Brejnev n'est pas content :

— Le monde entier prétend que nous sommes antisémites... C'est une contre-vérité ! Cela était peut-être vrai sous Staline, mais aujourd'hui, c'est terminé... Que pourrait-on faire pour que l'opinion mondiale change d'avis ?

Un conseiller prend la parole :

— Pourquoi ne célébrerions-nous pas un service religieux israélite ?

— Excellent ! se réjouit Brejnev. Faisons ça en plein Kremlin ! Convoquez tous les correspondants des journaux occidentaux... Et tout de suite allez me chercher un rabbin !

Le Soviet suprême tout entier a retrouvé le sourire...

Mais deux jours après, l'homme chargé de trouver un rabbin se présente devant Brejnev :

— Excellence, pas de rabbin !

— Comment ? Dans toute l'Union soviétique, il n'y a pas de rabbin ?

— Si, Votre Excellence ! il y en a; seulement : ils sont tous Juifs !

***

Aaron, depuis dix jours, est employé par une grande banque. Il fait de son mieux pour donner satisfaction... Le voici qui téléphone à l'intérieur de l'établissement, au service des fournitures :

— Allo ? Dites-donc, c'est le bordel dans cette boîte ! Il y a huit jours que j'ai demandé un stylo-bille ! Je l'attends toujours ! Alors, écoutez-moi : si aujourd'hui à midi je n'ai pas mon crayon, je monte vous balancer mon pied au derrière...

Au bout du fil, une voix aigre-douce répond :

— Devinez à qui vous parlez ?

— A un sous-fifre des fournitures !

— Perdu ! Je suis le Directeur !

Aaron avale de travers, puis parvient à articuler :

— Et vous ? Est-ce que vous savez à qui vous parlez ?

— Non !

— Alors tout va bien ! Au revoir... Et il raccroche !

***

C'est l'hiver. Avrom revient du marché où il a fait l'acquisition d'un superbe cheval. Soudain une tempête de neige se lève qui précipite la tombée de la nuit... Seul, en pleine campagne, Avrom s'angoisse... Marcher devient impossible; le cheval glisse dangereusement sur la neige...

— Je vais mourir de froid ! se désole Avrom. Dieu, si tu me tires de là, je jure que je vendrai mon cheval et que j'en donnerai le prix aux pauvres de ma synagogue...

Ce vœu à peine prononcé, la neige cesse de tomber, les nuages disparaissent et une certaine clarté revient. Avrom, sans plus d'embûches, parvient facilement à son domicile.

La semaine suivante, fidèle à sa promesse, il se rend au marché afin d'y vendre son cheval. En même temps, il emporte une superbe oie.

— Combien ce cheval ? lui demande-t-on.

— Je vends l'oie avec.

— Combien ?

— Le cheval, c'est pour rien : cent francs. Par contre, l'oie, c'est deux mille francs...

***

Échange de correspondance.

« Chers parents,

Tout va bien. Grâce à la protection de Dieu, je viens d'être nommé sergent et quittant les fantassins, j'ai été versé dans la cavalerie. A ce propos, pourriez-vous m'adresser l'argent nécessaire à l'achat de mon nouvel uniforme et de mon cheval. Merci d'avance. Je vous embrasse.

David. »

Réponse du papa.

« Mon cher fils,

Que la bénédiction de Dieu soit sur toi et tes descendants. Ta mère et moi te félicitons. Je t'adresse de quoi t'acheter un uniforme et un cheval. Mais demande expressément à ton général de ne jamais te verser dans la marine, car je n'aurais pas assez d'argent pour t'acheter un bateau... »

***

Deux hôtels voisins se font une concurrence effrénée. Un jour le propriétaire de l'un d'eux appose cette pancarte énorme :

« Grand Hôtel des Deux-Hémisphères ».

Du coup, pour ne pas être en reste, le propriétaire de l'autre se fait fabriquer cette pancarte, encore plus impressionnante :

« Grand Hôtel des Trois-Hémisphères ».

Un troisième hôtel s'installe alors qui affiche :

« Hôtel des Hémisphères Réunis — Entrée principale ».

***

Berstein s'est piqué à l'index. Il se

soigne mal. Bientôt le doigt enfle démesurément. Mandé, le médecin ne peut que dire :

— Tu m'as fait venir trop tard... Il va falloir te couper la main...

— Me couper la main ? Mais alors, comment vais-je faire pour parler ?

***

Cela se passait aux temps lointains de l'Inquisition dans la Très Sainte Espagne ! Deux Juifs, célèbres dans leur ville, avaient décidé de se convertir au catholicisme. L'évêque des lieux devait lui-même les baptiser. Et voici le moment de la cérémonie. Mais l'évêque tarda à venir... Vers la fin de l'après-midi, un des Juifs, courroucé, dit à l'autre :

— Sais-tu ? Si ce « goï » n'arrive pas bientôt, il va nous faire manquer l'heure de « Minchah » (prière de la fin d'après-midi dans la religion juive).

***

Autrefois...
Un officier russe est installé dans un wagon de 1ere classe. Monte un Juif qui s'asseoit en face de lui. S'adressant à un voyageur situé à sa droite, l'officier dit :

— Quel malheur ! On ne peut pas faire deux pas sans rencontrer un Juif !

Son vis-à-vis ne « moufte » pas.

— Je donnerai bien mille roubles si on pouvait m'indiquer un seul endroit où il n'y a pas de Juifs !

— Vraiment ? fait alors le voyageur juif. Eh bien, que votre Excellence donne les mille roubles et je lui dirai où elle ne rencontrera jamais de Juifs !

L'officier tend la somme.

— Alors ? J'écoute ! Où donc n'y a-a-t-il pas de Juifs ?

Le fils de Sem se lève, prend son baluchon et lance :

— Laissez-moi le temps de sortir de ce compartiment, il n'y en aura plus !...

***

Mosché rencontre Yankel :

— Eh bien, Yankel, ça va ?

— Non, ça ne va pas bien... Ma maison a brûlé... Il n'y a qu'à moi...

— Oh ! alors ça va mal...

— Ne vous pressez pas de conclure . ça ne va pas si mal... L'assurance m'a versé plus d'argent que je n'en avais perdu...

— Alors, ça va !

— Ne vous bousculez pas... Ça ne va pas aussi bien que vous le croyez...

— Qu'est-ce qu'il y a ?

— Ma femme est morte !

— Oh ! Alors ça va mal !

— Non. Vous vous pressez trop, je vous dis... Ça ne va pas si mal que ça !

— Comment ?

— Je me suis remarié... Avec une femme très jeune, jolie et riche !

— Alors ça va bien !

— Il se précipite ! Attendez... Ça ne va pas si bien que ça...

— Qu'y a-t-il ?

— Figurez-vous, et vraiment cela ne peut arriver qu'à moi, que ma femme va souvent chez un ingénieur qui habite en face de chez nous...

— Hou la la ! Ça va mal...

— Qu'il est énervant ! Non, ça ne va pas si mal !

— Comment donc ?

— L'ingénieur est marié. Sa femme est délicieuse. Quand la mienne part, elle vient me rejoindre...

— Eh bien alors, mon Dieu, ça va bien !

— NON ! Ce n'est ni bien ni mal ! C'est : pas mal.

***

Abel est furieux de n'avoir pas encore reçu des marchandises que lui a promises son ami Iossel. Las d'attendre, il écrit :

« Mon cher Iossel. Qui a promis de m'envoyer ma commande le premier du mois ? Toi. Qui n'a pas tenu sa parole ? Toi. Qui est une fripouille ? Ton dévoué Abel Bromberg. »

259

***

Blum s'est converti au catholicisme. Un jour son fils lui demande :

— Papa, quel âge faut-il avoir pour devenir Juif ?

— Question idiote, mon petit Philippe. Etre ou n'être pas juif, n'a aucun rapport avec l'âge !

— Ah bon ? Pourtant, papa, regarde : j'ai dix ans, je suis catholique; tu as cinquante-et-un ans, tu es catholique; mais grand-père, quatre-vingt-cinq ans, est Juif...

***

C'était en Pologne au début de l'introduction, dans les gares, des distributeurs automatiques. Apercevant un de ces appareils, un Juif s'en approche et lit : « Mettez deux sous, tirez la poignée, vous recevrez une tablette de chocolat ».

Il s'apprête à introduire la somme d'argent demandée quand il se ravise :

— Voyons ! Pourquoi ne mettrais-je pas un seul sou ?

Il introduit son sou, tire la poignée : à sa grande surprise, au lieu du chocolat, il trouve son sou...

— J'aurais été étonné que ça marche du premier coup... Recommençons !

Même manœuvre. Même résultat. Énervé, il capitule :

— Tiens, les voilà tes deux sous !

Et il glisse dans l'appareil, deux pièces de un sou, au lieu d'une seule de deux sous ! Bien entendu, quand il tire la poignée, pas de chocolat; ses deux pièces reviennent...

— Incroyable ! Dieu, vous avez vu ? Ça ne marche pas...

A ce moment un chrétien arrive devant l'appareil, y introduit une pièce de deux sous, tire la poignée, récupère une plaque de chocolat et s'éloigne en la dégustant...

— Saleté d'appareil ! fait le Juif.

C'est nouveau et c'est déjà antisémite !

***

C'est la guerre russo japonaise. Mobilisation : on frappe à la porte d'un vieux couple à 2 heures du matin.

— Ne t'inquiètes pas ! dit Rebecca à Yankel. Avec tes soixante-quinze ans, ils n'ont plus besoin de toi !

— Oh va savoir !! Ils sont capables de me prendre pour faire un général !

***

Sarah et Myriam prennent le thé.

— Comment va votre fille ? demande Sarah.

— Excellemment ! Elle a fait un splendide mariage... Imaginez-vous que tous les matins son mari, adorable, lui apporte le petit déjeuner au lit, que chaque jour il lui fait un joli cadeau et qu'il lui paye, deux mois par an, des vacances de milliardaire...

— Je suis contente pour elle... Et votre fils ?

— Ah lui ! C'est bien différent... Il a fait un très mauvais mariage ! Le pauvre ! Songez que chaque matin il apporte le petit déjeuner à sa femme, qu'il lui offre un cadeau chaque jour et qu'il lui paye, chaque année, deux mois de vacances paradisiaques...

***

Dans ce village polonais, on avait coutume, à la mort de quelqu'un, d'engager une pleureuse. Rachel était la plus remarquable, la plus sollicitée... Elle pleurait avec tant de conviction que sa notoriété couvrait toute la région...

Un édile du village vint à « passer »; comme de bien entendu on sollicita Rachel; mais la personne chargée d'aller la quérir revint sans elle :

— Elle s'excuse... Il lui est impossible de venir pleurer ce matin, car elle pleure son mari... parti hier soir, avec une autre.

***

Iossel a pris le train sans billets..

Comme ce n'est pas son jour de chance, le contrôleur le repère... Et notre pauvre Iossel, à la première station, reçoit un joli coup de pied au bas des reins qui l'expédie sur le quai...

Comme il est têtu, dès que le train s'est à nouveau ébranlé, il grimpe en marche... Mais, décidément, il y a des jours, où « ça ne sourit pas »... Le contrôleur le coince une deuxième fois et à la gare suivante, d'un magnifique « shoot » dans les fesses il l'envoie en bas du train, puis lui demande :

— Alors ? Vous comptez aller loin sans billet ?

— Est-ce que je sais, moi ! Cela dépendra de la manière dont mon derrière tiendra le coup !

***

Tel-Aviv. L'horloge parlante :

— Au premier « top », il sera 9 heures 49 minutes... Au deuxième « top », il sera 9 heures 48 minutes 50 secondes... Au troisième « top », il sera 9 heures 48 minutes 35 secondes... Au quatrième « top », il sera 9 heures 47 minutes... Dernier prix !

***

Le rabbin Silverberg rentre chez lui, pensif. Il s'épanche sur l'épaule de sa femme :

— J'ai été frappé aujourd'hui par deux choses, disons plutôt par deux constatations que j'ai faites.

— De quoi donc ? mon cher érudit.

— J'ai parlé à des pauvres et à des riches. Je me suis aperçu que les pauvres sont prêts à recevoir sans formuler aucune exigence, tandis que les riches ne sont d'accord pour donner qu'à la condition que ça leur rapporte le double !

***

Une cliente entre dans le magasin d'antiquités que tient Sarah, aux Puces.

— Combien ce vase ?

— Dix mille francs !

— Vous ne vous mouchez pas le nez avec une brique...

— Madame, ce vase date de trois mille ans !

— Trois mille ans ! La bonne blague ! Nous ne sommes qu'en 1978 !

— Oui, mais moi Madame ! J'étais là avant vous ! Je suis Juive !

***

Blumenthal, célèbre producteur de cinéma, caresse, l'œil rêveur, la splendide chute de reins d'une jeune comédienne :

— Ah ! fait-il. Si tu avais tout ça dans la tête !

***

Popeck assiste à une représentation de l'Opéra de Moscou. La cantatrice qui tient le premier rôle possède une voix merveilleuse, mais a le désavantage de peser, à vue d'œil, une bonne centaine de kilos... A la fin du 1er acte, le ténor qui joue le rôle de son amant, chante amoureusement : « Seigneur ! Comment faire avec elle »...

Popeck ne peut alors s'empêcher de lancer à la cantonnade :

— T'as qu'à faire deux voyages !

***

Un jeune berger d'Israël, David, garde gentiment ses moutons. Arrive Avrom, peintre du dimanche...

— Ils sont beaux tes moutons ! dit-il. Est-ce que je peux les peindre ?

— Non ! s'interpose David. Après, je pourrais plus les vendre...

***

La petite Myriam, six ans, est interrogée par sa maman, la belle Rebecca.

— Qu'est-ce qui te ferai plaisir pour ta fête, mon ange ?

— Une boîte de pilules anti-conceptionnelles, maman...

— Des pilules ? (Rebecca se retient à une chaise...)

— Oui, maman... J'ai déjà douze poupées, ça suffit...

***

Deux Juifs très pauvres (ça existe aussi ! comme dirait Popeck...) déambulent le long du Danube... Ils évoquent, entre eux, les différentes possibilités qui leur permettraient de devenir riches... Faut bien rêver...

Tout à coup, l'un d'eux avise une pancarte et dit à l'autre :

— Nous sommes sauvés ! Lis cette pancarte !

— Tu sais bien que je ne sais pas lire...

— C'est vrai... Alors écoute : « Cent roubles de récompense à qui sauvera un noyé »... T'as compris ? Tu te jettes à l'eau... Je te sauve... Nous touchons les cent roubles...

Le copain, enthousiaste, se jette à l'eau... L'autre, calmement, depuis la rive, le regarde se débattre au milieu des flots tumultueux...

— Ho ! Je coule ! Je ne sais pas lire... Mais je ne sais pas nager non plus... Dépêche-toi de me sauver... Qu'est-ce que tu attends ?

— T'as pas de chance... Je viens de relire la pancarte... Ce qu'il y a d'écrit, exactement, c'est : « Cent roubles de récompense à qui ramènera un noyé »... alors, j'attends encore un peu !

***

Un schnorrer (pauvre) obtient de Rothschild une aumône de cent francs... Le soir même il se rend dans un grand restaurant pour y déguster du saumon... Manque de chance, Rothschild s'y rend lui-même et reconnaît son obligé.

— Vous ici ? fait-il, offusqué... Et vous vous payez du saumon, ce me semble !

— Voyons, M. Rothschild, répond le pauvre juif, comprenez-moi... J'adore le saumon. Quand je n'ai pas d'argent, je ne peux pas en manger... Et quand j'en ai, vous voudriez que je n'en mange pas ! Alors, dites, quand voulez-vous que j'en mange ?

***

Bloch fait quérir son ami Blum.

— Que me veux-tu ? demande celui-ci.

— Je vais mourir. J'ai à te parler.

— Mourir ? Toi ? Qu'est-ce que tu chantes ? Tu es fait pour vivre cent ans !

— Allons Blum ! Réfléchis ! Pourquoi la mort me prendrait-elle à cent, quand elle peut m'avoir à 85 ?

***

A la guerre, Salomon a les deux jambes emportées par un obus. Son ami Iossel le secourt; le chargeant sur ses épaules, l'emmène vers une ambulance. Malheureusement pour le pauvre Salomon — qui connaissait une journée très néfaste — un autre obus le décapite, à l'insu de Iossel qui arrive près des infirmiers :

— Vite les gars ! je vous amène un grand blessé...

— Tu parles d'un blessé... Il n'a plus de tête...

— Ah ! Ce sacré Salomon... Me faire ça à moi... Mentir à son ami... Il m'avait affirmé que c'était ses deux jambes qui avaient été emportées...

***

— Tu viens mon chou ! dit l'habituée de la rue Saint-Denis. Combien tu me donnes ?

— La soixantaine ! répond Samuel.

***

Iossel est monté avec une péripatéticienne... Dans la chambre d'hôtel, la fille annonce la couleur :

— Sur la chaise, c'est dix francs. Sur le lit cent balles...

— C'est bien ! dit Iossel. Voilà cent francs et allons-y pour dix fois sur la chaise...

***

Deux Juifs après avoir passé d'excellentes vacances en Israël s'apprêtent à regagner la France.

— Qu'as-tu rapporté ? demande l'un.

— Quelque chose d'inestimable : une authentique trompette de Jéricho !

— Tu es fou ! Comment passeras-tu cela à la douane ? Tu sais bien que ce ne sera pas possible...

— Ne t'inquiète pas... J'ai pensé à tout...

Voici la frontière. On fait ouvrir les bagages et un douanier français tombe sur « l'objet »...

— De quoi s'agit-il ?

— Comment ? fait l'acquéreur de la trompette.

— Je vous demande ce que c'est que ça ?

— Parlez plus fort !

— Ça ! D'où ça vient !

Et le douanier exhibe l'instrument.

— Je ne vous entends pas bien... Rendez-moi mon cornet acoustique, s'il vous plaît !

Et ce saisissant de la trompette de Jéricho, il place l'embouchure dans son oreille en disant :

— Parlez là-dedans ! Cette fois je vous entendrai...

***

Le petit Mosché rentre de classe.

— Alors ? lui dit son père. Tout s'est bien passé aujourd'hui ? Qu'as-tu appris ?

— La façon dont Moïse a traversé la Mer Rouge...

— C'est très intéressant, ça... Raconte-moi !

— Ben... C'est facile... Il a fait construire un pont, il a donné une mitraillette à tous les Juifs et tandis que notre aviation surveillait les alentours tout le monde est passé...

— Qu'est-ce que c'est que cette histoire... Tu te fous de moi... T'es sûr que c'est ça qu'on t'a dit ?

— Écoute papa... Si je te disais exactement comment ils sont passés, tu ne me croirais pas...

***

Myriam, 18 ans, va se marier. Mais elle a un petit problème, qu'elle voudrait dissimuler à son futur mari : sa virginité n'est déjà plus qu'un lointain souvenir... Elle va trouver son oncle, homme de bon conseil, boucher de son état.

— Oncle Jacob que puis-je faire pour que mon mari se croit le premier ?

— C'est facile : je vais te donner un mince morceau de la peau d'un mouton et dans la nuit, tu la déposeras dans le lit nuptial..

Myriam suivit le conseil et la nuit de noces se déroula dans des conditions que nous pouvons qualifier d'excellentes... Au petit matin, l'heureux époux, comblé, découvrit la peau du mouton :

— Qu'est-ce que c'est que ça ? questionna-t-il.

— Mais... mon chéri..., fit Myriam faussement rougissante, c'est mon hymen...

— Ah ? C'est bizarre... Pourquoi y a-t-il écrit dessus « Viande kasher garantie ».

***

— Chalom Simon, quoi de neuf, tu as l'air contrarié ?

— Je suis désespéré Rabbi Jacob.

— Que se passe-t-il, tu as perdu un être cher ?

— Oh oui, Rabbi Jacob, j'ai perdu mon briquet en or, un souvenir de famille, je n'en dors plus. Je donnerai n'importe quoi pour le retrouver.

— Mon cher Simon, je ne peux résoudre ton problème, cependant sache que l'on trouve parfois la solution dans la prière en l'Éternel.

— Mais Rabbi je ne suis pas pratiquant.

— Essaye quand même. Chalom Simon suis mon conseil et récite les dix commandements.

Une semaine plus tard, Simon rencontre à nouveau Rabbi Jacob il lui prend respectueusement les mains.

— Rabbi Jacob vous êtes un vrai prophète, j'ai suivi vos conseils. J'ai récité les dix commandements en commençant par le premier « tu ne tueras point » je n'ai jamais tué personne; deuxième commandement « tu ne voleras point »; là aussi, ma conscience est tranquille, et arrivé au troisième « tu ne commettras pas l'adultère » j'ai crié hourra c'est chez Judith de Belleville que j'ai oublié mon briquet.

***

Le jeune David est au jardin public avec son grand-père Yankel. Intrigué par une statue, l'enfant demande :

— Qui c'est le Monsieur en pierre, papy ?

— Je ne sais pas mon petit... Va voir sur le socle... Son nom y est peut-être ?

Le petit David va regarder; il revient rapidement :

— Alors ? fait le pépé. Comment il s'appelle ?

— C'est pas marqué... Y'a juste deux numéros de téléphone : Balzac 17-99 et 18-50 !...

***

Un client se présente chez le célèbre professeur Strasberger.

— Docteur ! dit-il, je ne me sens pas bien... Je traîne une fatigue épouvantable... Je me sens las... Vous ne pouvez savoir à quel point !

— Vous avez quel âge ?

— Quarante ans ! Je travaille dans un bureau... Sédentaire ! Je ne me foule pas... Pourtant je n'ai plus aucune force... Oh la la ! Qu'est-ce que je me sens fatigué...

— Une question : sur le plan sexuel, comment vous comportez-vous ? Vous êtes marié ?

— Oui. Depuis dix ans. Chaque matin au réveil et le soir au coucher, j'honore ma femme... Pas de problèmes...

— C'est bien...

— De plus, je peux bien vous l'avouer puisque nous sommes entre hommes, j'ai une maîtresse à laquelle je rends visite à l'heure du déjeuner et à 18 heures... Chaque fois... vous me comprenez ! D'autre part, ma secrétaire, l'après-midi, accepte mes hommages et le soir, avant de monter chez moi, je m'arrête rue Saint-Denis pour passer quelques instants avec une professionnelle...

— Eh bien cher Monsieur ! dit le professeur, inutile de chercher plus loin : la cause de votre fatigue est là ! vous vous consacrez beaucoup trop aux femmes !

— Ah bon ? fait le gars. Alors vous me rassurez... Figurez-vous que j'avais peur que ce soit à cause de la masturbation...

***

Moïse et Iossel se promènent à la campagne. Pas très loin d'eux un chien se met à aboyer furieusement.

— Faisons un détour ! conseille Moïse.

— Allons, allons ! A cause de ce chien ? Tu sais pourtant qu'un chien qui aboie ne mord pas !

— C'est ce que l'on dit... Mais es-tu certain que ce chien en a entendu parler !

***

Au village, va avoir lieu la procession annuelle. Petit ennui : le bedeau qui, habituellement, portait la statue de plâtre de la Vierge est malade; l'œuvre d'art est lourde et trouver un homme assez costaud pour la tenir à bout de bras pendant deux heures n'est pas facile.

264

— Demandez à Abraham ! conseille-t-on au curé.

Bonne idée. Abraham n'est pas catholique, mais qu'importe, il est très fort... Contre la promesse d'une rétribution honnête, Abraham accepte. La procession a lieu. Marchant devant la statue et son porteur, deux enfants de chœur tendent un plateau d'argent dans lequel, tout au long de la procession, tombent des pièces de cinq et dix francs... Mais à un certain moment, une pièce, mal lancée, choit à terre... Abraham, c'est naturel, se baisse immédiatement pour la ramasser... Mais en accomplissant ce mouvement il laisse glisser la statue qui tombe et se brise à hauteur de la pièce...

— La rosse ! dit Abraham. La rosse ! Elle l'a vue avant moi...

***

Yankel aperçoit Iossel marchant avec difficultés.

— Qu'est-ce qu'il y a ? Raconte ! Allez dis-moi ! Qu'est-ce qui t'arrive ?

— Abominable ! La chienne de vie ! Qu'ils crèvent tous ceux qui m'ont fait souffrir... Pauvre, pauvre que je suis...

— Dis-moi tout !

— Tout à l'heure, je passais tranquillement dans la rue, quand y'a deux agents qui m'arrêtent. « Ton nom ? » qu'ils me demandent. En leur montrant mes papiers, je dis « Iossel Lourié ». « C'est pas vrai » qu'ils crient... « Vous vous appelez Avrom Schneidermann... ». Tu te rends compte, Yankel ? Vouloir m'apprendre mon nom... Il n'y a qu'à moi que ça arrive... Je dis « Non, je suis pas Avrom Schneidermann, mon nom c'est Lourié. Iossel Lourié. Depuis ma naissance, on m'appelle ainsi... Tous mes papiers le certifient.. ». Ils se sont moqués de mes dires et ont commencé à me donner des coups de pieds, des coups de poings... Puis, ils m'ont conduit au commissariat...

— C'est honteux cette histoire... Tu t'es plaint au commissaire, je pense ?

— Et comment... Mais il a fait comme s'il ne m'entendait pas... Et n'a écouté que les agents... Finalement, il a prononcé un seul mot : « Cinquante ». Et c'est pour ça que j'ai si mal partout : cinquante, c'était le nombre de coups de gourdins que j'ai reçu avant qu'on me relâche... Oh ! misère...

— Ce qu'ont fait ces hommes, dit fermement Yankel, est parfaitement illégal. Il faut protester... Viens avec moi au commissariat; il faut demander raison...

— Pas question... Moi, j'en viens... Ça me suffit... Laisse tomber Yankel...

— Si tu as peur j'irai seul ! La justice doit passer !

Sur ces paroles pleines de dignité, Yankel se dirige d'un pas ferme vers le commissariat où il demande à être reçu par le commissaire.

Vingt minutes plus tard, Iossel, qui guette à quelque distance du poste de police, voit Yankel en sortir, plié en deux, boîtant bas... Il va à sa rencontre.

— Alors ?

— Eh bien tu vois, ça y est... J'ai vu ton commissaire... Et il a tout de suite compris à qui il avait à faire... Moi, j'ai eu droit à cent coups de gourdin...

***

Un jour, Mosché se rend chez le seigneur de son village pour lui parler.

— A quelles fins ? l'interroge le portier.

— Dites à M. le comte que je lui apporte la traite qu'il doit me payer aujourd'hui !

Le portier transmet la requête au groom qui en parle au valet de chambre qui en réfère au secrétaire qui informe son patron...

Mosché, passé ainsi de mains en mains, pénètre enfin dans le saint des Saints...

— C'est à quel sujet ? questionne le comte.

— Eh bien, c'est pour ma traite qui arrive à échéance ce jour... Je viens vous la remettre contre les cent mille francs que je vous ai prêtés...

— Fais voir cette traite ?

Mosché, ingénument la tend; le comte s'en saisit, la parcourt des yeux, puis sans vergogne, la déchire...

— Mon cher Mosché, conclut-il, il n'est pas question que je te rembourse un centime... C'est contraire à mes principes.

Et avant que notre pauvre créancier ait le temps de dire « ouf », le secrétaire l'éjecte du bureau, puis le valet de chambre, manu militari le conduit au groom qui le propulse chez le portier qui l'évacue brutalement sur le trottoir...

Là, un ami attendait Mosché.

— Alors ? Le comte t'a remboursé ?

— Non. Mais je vais te dire une chose : dans cette maison, il y a un sens de l'organisation comme il n'en existe nulle part ailleurs !...

***

Trois Juifs sont condamnés à mort. Deux viennent d'être pendus. Le bourreau s'apprête à exécuter le troisième quand on hurle :

— Arrêtez ! Sa grâce vient d'arriver.

— Tu as de la chance ! fait le bourreau. Allez, va-t-en !

Mais le Juif ne bouge pas.

— Qu'est-ce que tu attends ? Je te dis que tu es libre !

Le rescapé ne bronche pas...

— T'es sourd ? Qu'est-ce que tu veux ?

— Moi rien..., prononce le gracié d'une petite voix. Mais c'est ma femme... Jamais elle voudra rendre la prime de mon assurance-vie...

***

Tout homme, digne de ce nom, a besoin de savoir « qui il est »... Iossel, ayant lu dans les « Psaumes » : « Dieu protège les simples », se dit :

— Suis-je un malin ou un simple ? Moi, je dois savoir... Alors, voyons voir :

si Dieu me protège, je suis un simple; s'il ne me protège pas, je suis un malin... C'est pas difficile... Je vais savoir tout de suite...

Il grimpe au sommet d'un immeuble, se jette dans le vide et se rompt les os en atterrissant sur le macadam... On accourt :

— Que se passe-t-il mon pauvre Iossel ?

— Je suis un malin ! répond-il d'une voix agonisante... Je ne suis pas mort, donc je suis un malin. Dieu vient de me le prouver...

***

A la sortie de la synagogue, Samuel se précipite sur Mosché.

— Jour heureux pour toi.

— Jour heureux pour toi aussi, Samuel. Qu'y a-t-il ?

— J'ai une chose grave à t'apprendre...

— Quoi donc ? Le franc va encore baisser ?

— Non. C'est autre chose... Qui te concerne... Figure-toi que Aaron Bloch est actuellement à Monte-Carlo...

— C'est son droit...

— Oui... Mais comme il te ressemble il s'y fait passer pour toi et « tape » tout le monde... Hier matin, puisque tu sais que je rentre de la Côte, je l'ai même vu chez des amis...

— Me faire ça à moi... Qu'est-ce que c'est que ce voyou !... crie d'abord Mosché.

Puis il se radoucit et se penchant à l'oreille de Samuel il demande :

— Dis-moi, confidentiellement : il « tape » tout le monde en se faisant passer pour moi..., mais... euh... lui donne-t-on beaucoup ?

***

Mosché et Rebecca ont décidé de divorcer. Mais devant le juge, on achoppe sur un point important.

— Je veux avoir la garde de notre enfant ! demande Rebecca.

— Pas du tout ! dit Mosché. Je veux m'en occuper moi-même.

— Voyons M. le Juge ! explique Rebecca. Comment pourriez-vous lui laisser notre unique enfant ? Songez que je l'ai porté de longs mois...

— Neuf. Comme tout le monde ! intervient Mosché.

— ... que je l'ai nourri de mon lait, que je lui ai donné tous les instants de deux années de ma vie ! C'est donc forcément à moi que vous le confierez, M. le Juge !

Ému par cette supplique, celui-ci donne cependant la parole à Mosché :

— Écoutez-moi ! Suivez-moi bien M. le Juge ! Vous arrivez dans une station de métro. Vous introduisez une pièce dedans et il sort une tablette. Alors, je vous le demande M. le Juge... Sur ma tête, vous répondez : le chocolat, à qui il appartient ? Au distributeur ou à vous qui avez mis la pièce ?

***

Individuellement, les affaires de Popeck et Adam sont bonnes. Mais ils se disent qu'en s'associant, cela irait encore mieux. Sitôt dit, sitôt fait. Et les voilà devant le notaire pour apposer les signatures au bas des actes les liant. Le tabellion lit les contrats. A la fin de la lecture, il remarque une légère contrariété sur le visage de Popeck.

— Il y a quelque chose qui ne va pas ? Dites-le ! Vous apportez autant d'argent que M. Adam, vous avez par conséquent droit aux mêmes avantages. Avez-vous la sensation d'être frustré ?

— Non... Mais je voudrais que vous ajoutiez une clause...

— Laquelle ?

— Qu'en cas de faillite, Adam et moi on partagera également les bénéfices !

***

Le banquier est malade. Très.

— Madame Worms, dit le docteur, votre mari doit se soigner efficacement !

Rendez-vous compte que depuis deux jours, sa fièvre oscille entre 38,5 et 39,7 !

— A 40 vendez !

***

Le schamès (bedeau) de la Schul (synagogue) de cette petite ville de Galicie vient de mourir. Cela attriste tout le monde, c'était un fort brave homme. Il faut le ressusciter. On lui doit bien ça... Dans ce but on va trouver le rabbin.

— Parfait ! dit celui-ci, sûr de son fait... Allons chez lui.

Arrivé devant la dépouille du pauvre schamès, il demande un bon verre de vin rouge, le vide et d'une voix sépulcrale ordonne au mort de se lever. Mais le mort n'obtempère pas ! Sans se démonter, le rabbin demande un verre de super-vin blanc, le boit et intime l'ordre au mort de se redresser... Aucun résultat !

Sans marquer de surprise, le rabbin demande une bouteille de Champagne millésimé, la liquide gaillardement et, impérativement, commande au bedeau de revenir à la vie. Peine perdue ! Le rabbin quitte alors la maison en titubant et dit :

— On ne peut plus rien faire pour lui ! Pour être mort, il est bien mort !

***

Au sein d'une communauté juive de l'est de l'Europe, voici bien longtemps, un crime a été commis. On arrête l'assassin qui est condamné à mort. On s'enquiert d'un bourreau. Il n'y en a pas dans la région, il faut en faire venir un de loin. On écrit au plus célèbre en lui demandant ses prix : la réponse arrive, mille roubles ! Une paille... Tout le monde convient que c'est bien cher... Mais que faire ?

— Facile ! dit un vieillard dont la barbe blanche atteste de la sagesse. Nous n'avons qu'à donner dix roubles

MANITOUWADGE PUBLIC LIBRARY

au condamné en lui disant d'aller se faire prendre ailleurs...

***

Aaron conduis-moi à l'Opéra pour voir « La Juive » ! S'il te plaît...
— Vas-y sans moi Sarah ! Pourquoi dépenserais-je de l'argent pour voir ça, alors que je t'ai tous les jours à la maison !...

***

— Mon cher Cohen, j'ai une affaire à te proposer; huit cents chaussures à trois francs pièce !
— Tu veux dire quatre cents paires à soixante francs ?
— C'est ça : huit cents à trente !
— J'achète ! Lévy tu es un ami ! Voici l'argent. Tu me livres quand ?
— Demain.
Effectivement, le lendemain, Lévy livre... Et Cohen se retrouve devant huit cents chaussures, toutes pour le pied droit et d'une incroyable variété de formes...
— Voleurs ! hurle-t-il. Me faire ça à moi ! reprends tes chaussures... Escroc !
— Ne te fâche pas !
— Que je ne me fâche pas ! Tu me voles, tu m'assassines même ! Pire encore : tu me prends pour un imbécile, et je dois pas me fâcher ! Garder mon calme ?
— Mais oui ! Ne crie pas ainsi ! Tu veux que tout le monde t'entende ! Et après ? A qui tu pourras les revendre, les chaussures ?

***

— Faust est une pièce mal faite ! C'est moi Iossel, qui vous le dit ! Pourquoi que c'est une pièce mal faite ? Je prends un seul exemple : les bijoux ! Y'a des bijoux dans « Faust » ! Bon ! Eh bien, qu'est-ce qu'ils deviennent ces bijoux ? Vous le savez ? Non ! Bien sûr ! Personne n'en sait rien ! Alors moi je n'ai pas peur de proclamer mes opinions : je ne puis admettre qu'on ne dise rien sur une chose aussi capitale !

***

Pour le Sabbat, la famille Neumann invite le nouveau rabbin à déjeuner C'est un homme délicieux qui conte, avec beaucoup de verve, de fort belles histoires. Ce qui ravit les enfants.
Le samedi suivant, sans qu'on l'ai invité, le rabbin se présente à l'heure du repas... Et il conte à nouveau de belles histoires.
Le samedi suivant, puis l'autre encore, toujours sans être invité, le rabbin revient... Ses histoires sont toujours formidables... comme son appétit...
Un cinquième samedi, l'habitude étant une seconde nature, le rabbin se pointe à l'heure du déjeuner sans y avoir été convié... A la fin d'une de ses histoires, M. Neumann glisse :
— Moi aussi j'en connais une belle !
— C'est vrai ? fait le rabbin. Mais dites-la nous... Je vous en prie...
— Eh bien voilà : « Il était une fois un rabbin... mais pas tous les samedis... »

***

Un schnorrer demande la charité a un bel officier du Tzar.
— D'accord ! fait celui-ci, avec un sourire sardonique... Tu auras vingt kopeks à condition que tu me montres comment tu nages !
— Mais... Il n'y a pas d'eau ?
— Cela n'a pas d'importance... Il y a le trottoir !
Cédant à la lubie de l'officier, le mendiant s'allonge sur le sol et exécute les mouvements de la brasse, après quoi il se relève.
— Voilà tes vingt kopeks... Tu ne nages pas mal !
— Vous êtes bien bon, Monsieur l'officier... Et si vous me donnez encore vingt kopeks, je vais sous l'eau et je vous rapporte des coquillages...

***

Le mendiant Salomon exagère... Il vient constamment, depuis des mois, chez Hirsch à l'heure du déjeuner.

— Ça suffit ! dit Madame Hirsch à son mari. Fais-lui comprendre qu'il abuse... Que nous ne sommes pas là pour le nourrir, jour après jour...

Hirsch promet d'agir... Effectivement, à midi, alors que comme d'habitude Salomon se pointe, il lui dit :

— Cher ami, c'est agréable de vous voir... De vous inviter à manger... Mais il ne faut pas trop abuser des bonnes choses... Vous comprenez ? Vous seriez parfait si vous espaciez vos visites... Je ne sais pas, moi... ne venez que lorsque vous aurez appris que nous fêtons un événement... D'accord ?

— Si vous désirez qu'il en soit ainsi, je vous obéis M. Hirsch ! Et je m'en vais tout de suite...

Jubilation chez les Hirsch ! Enfin seuls ! La joie se lit sur leurs visages, dans leurs yeux...

L'après-midi se passe et voici l'heure du dîner. On sonne à la porte. C'est Salomon qui arrive...

— Mais enfin ! dit Hirsch. Qu'avions-nous convenu ce matin ? Vous avez déjà oublié ?

— Non, non, non ! Mais n'est-ce pas, j'ai bien pensé que mon départ, ce midi, n'avait pas manqué de vous réjouir et d'après nos conventions, cela m'autorisait à venir !...

***

— Mon petit Iossel !
— Oui, M' sieur l'instituteur...
— Sais-tu pourquoi les poissons ne parlent pas ?
— Pardi ! Vous avez déjà essayé de parler quand vous avez la tête sous l'eau ?

***

Saint-Pétersbourg venait d'être rebaptisée Petrograd (devenue Leningrad en 1924). Guinbourg, juif converti au catholicisme, rencontre Salomon.

— Bonjour ! lui dit celui-ci. Comment vas-tu mon cher Guinbourg ?

— D'une part, apprends que je ne m'appelle plus Guinbourg, mais Guingrad car il faut vivre avec son temps... Et d'autre part, comment avez-vous pu, vous autres, crucifier notre Christ ?

***

Un schnorrer trouve dans la rue un paquet contenant des titres appartenant à Rothschild. Il va trouver le banquier à qui il remet sa trouvaille.

— Vous êtes un honnête homme ! Quelle récompense désirez-vous ? Dix mille francs vous conviendraient-ils ?

— M. Rothschild, c'est exactement ce que j'espérais...

Et nanti de ses dix mille francs, notre mendiant s'en va. Mais à quelque temps de là, il apprend qu'un des titres vient d'être remboursé à un million... Il décide de retourner voir Rothschild.

— Vous m'avez déjà donner dix mille francs et c'était bien généreux de votre part... Mais je viens d'apprendre que grâce à moi qui vous ai rapporté vos titres, vous venez de gagner un million... Alors je me dis que, peut-être, je mérite une autre récompense...

— Mon ami, vous avez tout à fait raison... Voyons... Laissez-moi réfléchir un instant... Que diriez-vous d'une rente viagère de dix mille francs ?

— M. Rothschild, sans vous froisser, j'aimerais mieux vingt mille en une seule fois...

— Ah ? Et pourquoi ?

— C'est que, M. Rothschild, vous avez trop de veine... Suivez-moi : une première fois, vous perdez vos titres et je vous les rapporte... Une seconde fois, un de ces titres gagne un million... Alors mettez-vous à ma place... En acceptant votre offre de rente viagère, j'ai peur que vous ne m'enterriez dans quinze jours...

***

Le schadchen (marieur) veut marier le jeune David à la jolie Myriam. Il le conduit chez les parents de celle-ci et leur tient d'abord ce langage :

— Le jeune David est un garçon exceptionnel qui a cependant une particularité : celle de minimiser tout ce qui le touche... C'est un modeste « exacerbé », pourrait-on dire...

Ainsi prévenu, le papa de Myriam reçoit le prétendant...

— Ainsi jeune homme, à ce que l'on m'a dit, vous possédez une maison ?

— Maison, c'est un bien grand mot ! répond David. Tout au plus une cabane à lapins améliorée...

— Ne l'écoutez pas ! fait le schadchen. Il habite un véritable palais...

— Vous dirigez une entreprise ? reprend le père.

— Le mot « entreprise » est trop fort, Monsieur. Il s'agit plutôt d'une très petite affaire qui vivote tant bien que mal !

— Ne l'écoutez pas ! fait encore le marieur. Il emploie huit cents ouvriers et cette année, ses bénéfices ont augmenté de 25 % par rapport à ceux de l'année dernière...

— Très bien ! Très bien ! dit le papa en souriant de contentement. Vous me semblez un jeune homme parfait, David... Mais, attendez, laissez-moi m'approcher... Ho ! Vous avez un bien joli petit bijou...

Cette fois, se méprenant sans doute et blessé dans son mâle orgueil, le jeune homme affirme, véhémentement :

— Petit, petit je vous en prie, Monsieur, Monsieur ! pas si petit que ça, veuillez me croire !

***

Deux Juifs aisés, Blumenthal et Spelberg, ont pour maîtresse la même femme... Cela arrive... Cela se fait... Selon le principe qu'il vaut mieux être à deux sur une bonne affaire que tout seul sur une mauvaise... Blumenthal et Spelberg sont les meilleurs amis du monde; au milieu d'eux, la jeune femme

de leurs rêves est doublement choyée... Mais ne voilà-t-il pas qu'un jour, elle s'aperçoit qu'elle attend un enfant. Elle aurait préféré attendre un héritage, mais le destin ne se conforme pas toujours à nos désirs les plus secrets. Apprenant le prochain heureux événement, nos deux amis, après s'être un court instant disputé la paternité du futur rejeton, décident d'attendre sagement l'accouchement, puis de subvenir en commun, à l'éducation de leur (!) bambin...

Le jour de la délivrance arrive... Plus sensible que Spelberg, Blumenthal refuse d'assister à la venue au monde, préférant faire les cent pas dans la salle d'attente de la maternité. A 15 heures 10 précises — mais détail sans intérêt — Spelberg accourt vers lui :

— Devine un peu ? Notre maîtresse a eu des jumeaux...

— Merveilleux ! exulte Blumenthal. Comme ça nous aurons chacun le nôtre...

— Ah ! Laisse-moi terminer ! continue Spelberg d'une voix devenue grave. Elle a bien eu deux jumeaux... Mais le mien vient de mourir...

***

A l'entrée du Paradis, Blum, bien que muni d'une carte portant la mention « séjour au Paradis accordé », refuse de franchir la porte...

— C'est absurde ! lui dit l'ange-tourier. Puisque je vous dis que vous êtes admis...

— Rien à faire... Je veux parler à Dieu !

Las de discuter, l'ange va chercher son P.D.G.

— Que se passe-t-il ?

— Eh bien voilà mon Dieu, fait Blum, je considère que je ne mérite pas d'entrer chez vous...

— Mais si, voyons...

— Non, non... Il y a dans ma famille une tare abominable...

— Ah ? Racontez-moi ça...

— Eh bien voilà : mon fils s'est converti...

— C'est tout ? sourit Dieu. Ton fils s'est converti... En voilà une affaire... Le mien aussi, sais-tu... Allez, entre vite...

***

— Jour heureux pour toi Yankel !

— Pour toi aussi Iossel.

— Il paraît que tu as fait fortune ?

— C'est exact...

— Et de quelle manière ?

— Je vends des calendriers !

— Qu'est-ce que tu me racontes ? On ne fait pas fortune en vendant des calendriers...

— Moi si !

— Et combien tu les vends ?

— Cinquante centimes ! Tu en veux un ?

— Oui, si tu veux... Mais à cinquante centimes, je suis de plus en plus étonné que tu puisses faire fortune... Enfin, si tu me le dis... Allez ! A bientôt Yankel ! Monte à la maison un de ces jours... Sarah demande souvent de tes nouvelles...

— Tu habites toujours rue de la Banque ?

— Oui, oui... comme ça je suis plus près...

— Je viendrai... Au revoir.

Sitôt « l'au-revoir » prononcé, Yankel fonce rue de la Banque et sonne chez Iossel. Sarah lui ouvre.

— Yankel ! Quelle surprise !

— Eh oui, Sarah ! Figure-toi que je viens de rencontrer Iossel... Il m'a dit « Va voir Sarah ! Je n'ai pas de monnaie... Elle t'achètera un calendrier ». En voici un...

— C'est combien ?

— Un franc !

— Ce n'est vraiment pas cher...

— C'est le moins qu'on puisse dire... Merci Sarah... Bonne fin de journée...

Le soir Iossel rentre chez lui. Sarah lui parle de la venue de Yankel et lui fait voir le calendrier qu'elle a acheté...

— Ah le voyou ! Le gangster !

Il appelle sa bonne :

— Christine, courez à cette adresse, chez M. Yankel. Dites-lui de venir ici immédiatement... Que c'est pour les calendriers...

La bonne arrive chez Yankel.

— M. Iossel voudrait que vous veniez tout de suite... C'est au sujet des calendriers...

— Ah oui ! Effectivement il voulait m'en acheter un ! je ne peux y aller aujourd'hui... Mais ça n'a ps d'importance... Prenez ce calendrier... C'est deux francs... Votre patron vous remboursera...

***

— Tu as l'air heureux de vivre ce matin, Mosché ?

— C'est vrai... Je suis très content de moi... Je viens de m'assurer contre l'incendie et la grêle !

— C'est cela qui te rend si gai ?

— Oui !

— Je m'étonne ! Pour l'incendie, je comprends... Par contre, je vois mal comment tu feras tomber la grêle !

***

Blum se présente à l'entrée du Paradis.

— Refusé ! lui dit Dieu. L'ordinateur m'indique que tu es un joueur !

— Et alors ?

— Aucun joueur ne peut entrer ici... Formellement interdit...

— Écoutez, mon Dieu, vous n'allez pas faire le méchant...

— Je ne fais pas le méchant, Blum... Mais je dois appliquer le réglement...

— Je vous fais une proposition : jouons aux cartes ma place au Paradis... Si je gagne, j'entre... Si je perds, je descends en Enfer... D'accord ?

Dieu réfléchit un instant, puis accepte. Un ange apporte un jeu de cartes tout neuf... Blum et Dieu — peut-être eût-il mieux valu écrire : Dieu et Blum... — coupent et la partie va commencer.

271

— Allons-y ! fait Blum. Mais attention, hein ? Je compte sur vous, Mon Dieu ? Pas de miracles...

***

La petite Rachel, 8 ans, joue avec son chien, un magnifique bull-dogue. En regardant l'animal, elle commence à faire des grimaces affreuses :

— Veux-tu ne pas faire ça ! lui intime Aaron, son père.

— Mais papa..., dit la gamine, c'est lui qu'a commencé...

***

C'est la guerre. Période de disette... Salomon rencontre son ami Sauveur Mathalon qui lui fait la proposition suivante :

— J'ai une bonne affaire ! Trois cents poulets ! Tu viens avec un camion et tu les vends à la ville... ça t'intéresse ?

— Tu parles !

— Il n'y a qu'une condition : avec les poules, il faut que tu emportes un perroquet dont je veux me débarrasser !

— S'il n'y a que ça pour te faire plaisir... Marché conclu !

Et le lendemain, Salomon vient prendre livraison des poules que l'on charge, dans des caisses, sur son camion ; au milieu d'elle, le perroquet, à moitié déplumé, très vieux... Sauveur Mathalon semble content ; Salomon aussi... Après un dernier petit verre, il grimpe dans son véhicule et prend la route. Au bout de deux kilomètres, il aperçoit une jeune fille qui fait de l'auto-stop. Son sang de mâle ne fait qu'un tour, il stoppe et laisse monter la belle. Très vite, car c'est un homme direct, il pose la question de confiance :

— Si je prends le petit sentier, là et que je m'arrête, vous serez gentille avec moi ?

— Ça va pas, non ? Pour qui vous me prenez ? Satyre !

Blessé dans son amour-propre, il freine sec et n'y va pas par quatre chemins :

— Tu fais pas l'amour ? Eh ben descends !

Et il éjecte la « pure » jeune fille.

Dix kilomètres plus loin, autre auto-stoppeuse. Il lui fait la même proposition et essuie le même refus... Scénario identique : coup de frein, et éjection après avoir dit :

— Tu fais pas l'amour ? Eh ben descends !

Morose, il poursuit sa route solitairement et arrive au terme de son voyage. Contournant le camion, il soulève la bache pour admirer les trois cents poules qu'il ira vendre demain matin... A sa stupéfaction, il n'y a plus que trois gallinacées dans les cages. Les autres ont disparu... Catastrophe... Il s'arrache les cheveux de désespoir. C'est alors qu'il entend le perroquet dire à une des dernières poules :

— Tu fais pas l'amour ? Eh ben descends !

***

Europe Centrale. Iossel, désireux d'émigrer, se rend dans un bureau de voyages. L'employée, une charmante jeune fille, le questionne :

— Où désirez-vous aller ?

— Je ne sais pas exactement...

— Il y a beaucoup d'endroits agréables sur notre planète...

— Oui, je sais...

Iossel hésite tellement que l'employée lui dit :

— Prenez cette mappemonde et cherchez un endroit qui vous plaise... Il y a du monde derrière vous, je ne peux pas attendre définitivement que vous ayez pris une décision...

Iossel prend la mappemonde et se retire dans un coin de la pièce. Au bout de dix minutes, il revient près de l'employée :

— Mademoiselle, s'il vous plaît... Vous n'auriez pas une autre mappemonde ?

***

Dans un compartiment de chemin de fer, quatre voyageurs : deux Juifs, deux Arméniens.

— Vous circulez souvent sur cette ligne ? demandent les Juifs.

— Presque tous les jours ! répondent les Arméniens.

— Vous devriez faire comme nous... Nous voyageons à deux avec un seul billet.

— Comment faites-vous ?

— Attendez le passage du contrôleur, vous verrez...

Dix minutes plus tard, le contrôleur se pointe au bout du wagon; immédiatement les deux Juifs rentrent dans les « toilettes » et quand l'employé des chemins de fer frappe à la porte ils glissent leur unique billet sous la porte; le contrôleur croit, bien entendu, qu'il n'y a qu'une seule personne à l'intérieur.

— Vous avez vu ? demandent les Juifs aux Arméniens en regagnant leur compartiment.

— Chapeau ! Et c'est simple... Demain, nous en ferons autant.

Le lendemain, les quatre voyageurs se retrouvent ensemble. Avant l'arrivée du contrôleur, les Arméniens foncent aux « toilettes ». Immédiatement, un des Juifs se lève, va frapper à la porte des « toilettes » en disant :

— Contrôle ! Votre billet, s'il vous plaît !

Il récupère le billet qu'on lui passe sous la porte, puis rejoint son compagnon à qui il dit :

— Tiens, voilà un billet ! Comme ça on a chacun le nôtre... On voyagera quand même plus tranquillement.

**

Madame Weill se rend dans son verger, en Alsace. Le soleil de l'été a muri les mirabelles dont elle s'apprête à faire la cueillette.

Mais stupeur, dans un arbre, elle aperçoit Isaac, muni d'un panier où les fruits s'entassent...

— Canaille ! rugit-elle.

Isaac descend promptement...

— Inutile de te demander ce que tu faisais là-haut ?

— Madame Weill ! Ne vous fâchez pas ! Je cueillais de l'herbe pour mes lapins...

— Il se moque de moi... Tu sais très bien qu'il n'y a pas d'herbe dans mes mirabelliers...

— Hé oui, Madame Weill ! Et c'est pour ça que je descends...

**

La vieille Mardoché est la servante du grand Rabbi Avrom Eleazar qui, dit-on a plus de 150 ans...

— C'est vrai ? demande-t-on à Mardoché. Ton maître est vraiment si vieux ?

— Je ne sais pas ! répond-elle. Je ne suis à son service que depuis 102 ans...

**

Sur un chemin de campagne, Bérelé croise le bon docteur Poth qui porte son fusil de chasse sur l'épaule.

— Shalom Docteur ! Où allez-vous si vite en pleine campagne à sept heures du soir ?

— Chez un malade, Bérelé...

— Ah bon ? Avec votre fusil, vous risquez pas de le manquer...

**

— Ça va Iossel ?

— Mal ! Je suis pas bien...

— Ah ? Pourtant, avec tes 110 kilos tu ressembles à une montagne de santé !

— Oh ! La santé, ça va... Mais c'est l'appétit ! Plus je mange et moins j'ai faim...

****
**

273

Mina et André Guillois

les histoires belges et méchantes

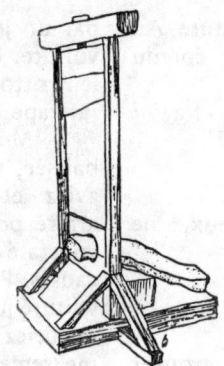

CES HISTOIRES AMUSENT
LES BELGES :
ILS LES RACONTENT

L'équipe de football d'Anderlecht a pris l'avion pour aller disputer un grand match à l'étranger. Un quart d'heure après le départ, le commandant de bord appelle l'hôtesse :

— L'appareil tangue de gauche à droite comme si un éléphant y dansait la bourrée. Allez voir ce qui se passe.

Elle y va et constate que les footballeurs n'ont pas voulu perdre une seconde pour s'entraîner : ils disputent, entre les fauteuils, une partie de football acharnée.

Quelques minutes plus tard, l'hôtesse revient dans la cabine de pilotage.

— Tout est redevenu tranquille, constate le commandant. Qu'est-ce qui agitait ainsi l'avion ?

— Oh ! c'étaient les footballeurs qui jouaient au ballon.

— Et comment les avez-vous calmés ?

— Je leur ai dit d'aller jouer dehors.

***

Mis en colère par l'impolitesse manifestée par son fils, un monsieur lui dit :

— Jamais, je ne me serai permis de répondre ainsi à mon père.

— Oh ! dit le gamin, en levant les épaules, ton père !

— Quoi, mon père ! Je te jure qu'il valait cent fois mieux que le tien !

***

Visitant la Grèce, un Belge, peu familiarisé avec le maniement de sa langue mais impressionné par le vocabulaire de la télévision, s'écrie, devant un admirable coucher de soleil :

— C'est vraiment pythagore !

Un autre vacancier, qui l'avait entendu, sourit, en lui faisant remarquer :

— Vous voulez sans doute dire : « pittoresque » ?

— Oh ! là ! là ! fait le Belge vous savez, pour moi, « pythagore » ou « pittoresque », tout ça c'est synagogue.

***

En quittant la clinique, un patient questionne :

— Combien vous dois-je, docteur, pour avoir si bien guéri ma surdité ?

— 30 000 F.

— 40 000 ?

— Non. 50 000.[1]

***

Un jeune homme pas très dégourdi a

---

1. On aura une bonne approximation en divisant francs belges par dix pour obtenir des francs français.

275

épousé une incandescente créature. Au soir de leur nuit de noces, éperdu d'amour il l'interroge :

— Je suis le premier à t'avoir demandé de coucher avec moi ?

— Ça, je peux te le jurer !

Un temps puis elle ajoute :

— Les quinze autres, eux, ne m'avaient rien demandé.

***

Une mère indignée vient trouver une de ses voisines :

— Ecoutez, Mme Koorbeek, lui dit-elle, que votre ignorant de fils copie sur le mien pour la composition de calcul, passe encore. Mais je n'accepterai pas plus longtemps qu'il batte mon enfant sous le prétexte que sa solution était fausse.

***

Un Belge très distrait vient de se marier. Le soir, en voyant sa jeune épouse commencer de se dévêtir devant lui, il s'indigne :

— Je ne crois pas, Albertine, que la place d'une jeune fille soit dans la chambre d'un célibataire.

— Mais, répond-elle, en riant, tu ne te rappelles donc pas que je suis passée devant le bourgmestre, ce matin ?

Confus, l'homme s'excuse :

— Oh ! pardon, madame !

Et il s'en va.

***

Un chauve demande à un parfumeur :

— Avez-vous un produit pour faire repousser les cheveux ?

— Certainement. Vous voulez un grand flacon ou un petit ?

— Oh! un petit. C'est juste pour avoir les cheveux en brosse.

***

Un Bruxellois avait été éclaboussé par un jet de boue, au passage d'une voiture. Furieux, il se met à courir sur le trottoir et, au premier feu rouge, rattrape l'automobiliste responsable.

— Monsieur, lui dit-il, par la vitre baissée, vous êtes un malotru. Si vous aviez été correct, vous vous seriez arrêté pour vous excuser. Vous auriez constaté les dégâts que vous m'aviez causés. Puis vous m'auriez emmené en voiture jusqu'à votre domicile où vous m'auriez offert un petit porto pour me remettre. Enfin, vous ne m'auriez pas laissé repartir sans me donner au moins 2 000 F à titre de dédommagement...

— Vous êtes fou, ricane l'autre. Vous avez déjà vu un automobiliste se conduire comme ça ?

— Certainement, fait le Belge. Et pas plus tard qu'hier ! Avec ma sœur !

***

Un speaker de la RTB (Radio Télévision belge) butait toujours sur le nom de Rimsky-Korsakov, lorsqu'il devait l'annoncer au micro. Il bafouillait alors, lamentablement.

— Voici un morceau de Rismy... de Rikmy... de Rimsky-Vorsa... de Riskov Korsky...

Découragé, il suivit, pendant trois mois, des cours de rééducation et, enfin, complètement guéri, il put annoncer fièrement :

— Voici maintenant un morceau de Rimsky-Korsakov : le *Bol du Vourdon* !

***

Un petit homme très timide rentre chez lui, les épaules encore plus basses que d'habitude.

— Alors ? interroge sa femme, as-tu demandé de l'augmentation à ton patron, comme je te l'avais ordonné ?

— Heu... non... balbutie-t-il... J'ai oublié...

— Tu as oublié ? rugit sa femme. Comment as-tu pu oublier une chose pareille ?

— Eh bien... voilà... ma chérie... quand je suis arrivé au bureau, le patron m'a annoncé, qu'il me flanquait à la porte... Et ça m'a donné un tel coup... que je suis parti en oubliant complètement de lui demander une augmentation.

***

— Oh ! là ! là ! soupire un vacancier, écœuré, jamais je ne retournerai dans un hôtel aussi snob que celui où ma femme et moi avons passé le mois d'août. C'est que, là-bas, ils exigeaient le port de la cravate.
— Dans la salle à manger ?
— Si ce n'était que ça ! Mais aussi à la piscine !

***

Une dame de la haute bourgeoisie bruxelloise houspille sa cuisinière :
— Comment avez-vous pu laisser le boucher vous vendre un tel morceau de viande ! C'est un vrai paquet de nerfs et en plus il est d'un gras !
— Ça, c'est bien vrai, madame, approuve la cuisinière. Même que j'ai dit au boucher que si c'était pour moi, je n'aurais jamais pris ça !

***

Un commerçant vient de voir enfin se clore le procès qu'il avait engagé contre un débiteur malhonnête. Il commence à lire le jugement qui lui donne réparation.
— « Attendu que le sieur Van de Plouc... Attendu que le défendeur... Attendu que le plaignant... Attendu que... »
— Eh bien, s'écrie-t-il, je comprends mieux, maintenant, pourquoi j'ai dû attendre si longtemps !

***

Un monsieur, très scrupuleux, venu accompagner sa femme à l'aéroport de Bruxelles, questionne un commissaire :
— Si, au moment où elle monte dans l'avion pour la Suisse, je lui dis : « Adieu, mon trésor », est-ce que je risque d'être poursuivi pour tentative d'évasion de capitaux ?

***

La maîtresse interroge un petit Belge très gourmand :
— Pourquoi dit-on : « Rapide, comme l'éclair ? »
— C'est parce que rien ne s'avale plus vite qu'un éclair.

***

— Pourquoi, demande-t-on à un paysan de la Campine, avez-vous coupé la queue de votre vache ?
— C'est, dit-il, que je suis membre de la Société royale pour la protection des animaux. Et j'ai eu peur qu'avec sa queue, elle ne fasse du mal aux mouches.

***

— Alors, mon mignon, demande un invité, il paraît que tu sais compter ?
— Oui, dit fièrement le fils de ses hôtes, je sais compter jusqu'à 10.
— Montre-moi cela.
L'enfant commence :
— 1, 2, 3, 4, 5, 7, 8...
— Oh ! proteste l'invité. Et le 6 ?
— Ne vous affolez pas, répond le gamin. J'allais y arriver, justement.

***

D'abord contrarié en s'apercevant qu'on lui a refilé une fausse pièce, un Belge s'écrie, rasséréné :
— Bah ! ça me fournira l'occasion d'une bonne action. Je vais la donner à un pauvre.

***

Une cuisinière de grande maison a été convoquée comme témoin dans un procès d'assises où est inculpé son patron. Le président du tribunal lui ordonne :

— Dites-nous tout ce que vous savez.

— D'abord, répond la cuisinière, quand on veut faire une bonne mayonnaise, les œufs et l'huile doivent être à la même température. Maintenant, en ce qui concerne le vol au vent...

***

Un Belge très prudent avait acheté un costume avec *trois* pantalons de rechange.

Et le premier jour où il le porte, il brûle la veste.

***

— Oh ! là ! là ! se met à gémir un Belge, mon portefeuille, avec 5 000 F dedans ! Je l'ai perdu.

— C'est épouvantable, s'écrie sa femme. Mais... N'est-ce pas lui que je vois gonfler la poche de ton veston ?

— Oui. En effet.

— Mais, alors, tu ne l'avais pas perdu.

— Non. Vois-tu, j'avais un hoquet persistant et j'ai tenté de me le faire passer en me causant une grosse peur.

***

— Voyons, voyons, dit le curé, ému de tant de marques d'attachement, bien sûr, je vais dans une autre paroisse mais le prêtre qui va me remplacer sera certainement bien meilleur que moi.

— Hélas, s'écrie une fidèle, c'est déjà ce que nous avait dit votre prédécesseur.

***

— Comment, demande-t-on à un richissime commerçant gantois, avez-vous constitué une telle fortune ?

— Oh ! mon secret est bien simple, répond-il. Je n'ai jamais dépensé cinq francs sans en avoir gagné dix au préalable.

***

Petit dialogue surpris dans un estaminet du Tournaisis :

— Moi, ça ne me gêne pas que ma femme me trompe du moment que je n'en sais rien.

— Mais c'est bien pour cela que, depuis deux ans, ta femme et moi ne t'en avons rien dit.

***

Un jeune homme montre son album de photos à sa fiancée :

— Regardez celle-ci. Je suis en tête-à-tête avec un orang-outang.

Et la jeune fille de questionner, ingénument :

— C'est vous, à droite, avec une casquette ?

***

Horriblement secouée par la tempête, sur un bateau qui assure la liaison Ostende-Douvres, une passagère demande au capitaine :

— Connaissez-vous... un remède... efficace... contre le mal de mer ?

— Oui, dit-il. En voici un infaillible : allongez-vous un quart d'heure dans un champ de boutons d'or, à l'ombre d'un pommier.

***

Une dame manque de s'étrangler d'indignation en ouvrant le journal qui annonce son mariage.

— Ce stupide journaliste, s'écrie-t-elle, n'a rien imaginé de mieux que d'ajouter, après m'avoir présentée, au début de son article : « M. Walburge, le fiancé, en est à sa troisième union. Il a une passion dans la vie : collectionner les antiquités. »

***

Dans un grand souci de simplification, l'Administration belge a décidé que, désormais, le même examen serait passé pour l'obtention du permis de conduire et du permis de chasse.

Après tout, si un individu a l'œil assez prompt pour tirer sur un lapin, il doit bien être capable d'écraser un piéton.

***

Cette annonce a été publiée par un grand quotidien belge :

« Réunion générale des veuves. Nous serons très heureuses, après les vacances, de retrouver les habituées et nous souhaitons que d'autres, très nombreuses, viennent se joindre à elles. »

***

— Ah ! non ! s'écrie une jeune femme, jamais je n'élèverai Christine selon les principes de ma mère. Je n'ai pas envie d'avoir une fille idiote !

***

— Jamais, soupire le pilote d'un avion de la Sabena, je ne me ferai à ce stupide aéroport de Roissy ! Quelle idée de faire une piste de trois kilomètres de large et d'à peine cinquante mètres de long !

***

Vu ce bizarre écriteau, à la porte de la bibliothèque municipale d'un village du Hainaut :

« Cet établissement sera fermé du 5 au 26 juillet, pour le nettoyage et les vacances de la bibliothécaire. »

***

— C'est terrible, la vie, raconte ce monsieur. J'ai un ami qui, à chaque fois qu'il casse la tirelire d'un de ses enfants pour « lancer un petit emprunt », comme il dit, est tellement maladroit qu'il se coupe régulièrement les doigts. Ce qui fait que toutes les économies de ses gosses passent en sparadrap et en mercurochrome.

***

— N'est-il pas paradoxal, remarque un philosophe, que l'intelligence n'intervienne pas dans les trois plus grands événements de la vie d'un Belge : sa naissance, sa mort...

— Et le troisième ?

— Son mariage, bien sûr.

***

Un petit Wallon rentre de l'école maternelle.

— Maman, dit-il, ça y est. Je sais compter sur mes doigts.

— Fais-moi voir cela, dit la maman, folle de fierté.

— Regarde, fait le gamin : un doigt, un doigt, un doigt, un doigt et encore un doigt.

***

Une maman questionne son grand fils qui se désole parce que la jeune fille de ses rêves a repoussé sa demande en mariage.

— Tu ne lui as pas dit que tu ne te jugeais pas digne d'elle ? Les femmes aiment toujours ce genre de chose.

— Je n'en ai pas eu le temps. Elle me l'a dit la première.

***

— J'espère, dit un patient au médecin qu'il est venu consulter, que vous allez me trouver une bonne maladie. Parce que, franchement, je détesterais apprendre que je suis en bonne santé en me sentant si mal en point.

***

Quand un Belge se plaint d'insomnies épouvantables à son médecin, celui-ci le rassure :

— Bah ! Ce n'est pas bien grave, comme maladie ! Après une bonne nuit de repos, vous n'y penserez plus.

***

Lu cet avis, d'un grand bon sens, dans un quotidien de Belgique :

« Automobilistes : votre voiture est un capital. Ne le risquez pas sur la route. »

***

Dans un estaminet, un consommateur menace de toute sa hauteur un petit bonhomme avec lequel il s'est pris de querelle.

— Vous n'êtes qu'un minus, lui lance-t-il, méprisant.

— Oh ! fait l'autre, vous n'oseriez pas dire cela si ma femme était là !

***

— L'autre jour, raconte un Bruxellois à un ami, je rentre chez moi plus tôt que d'habitude et qu'est-ce que je trouve ? Ma femme au lit avec un officier des troupes américaines de l'OTAN.

— Que lui as-tu dit ?

— Rien du tout ! Que voulais-tu que je lui dise ? Je ne parle pas anglais, moi !

***

Une habitante de Louvain-la-Neuve raconte à une amie la nuit mouvementée qu'elle a vécue.

— Je dormais paisiblement quand j'entends un bruit bizarre dans la maison. Je me lève. Je saisis une lampe de poche et j'aperçois les pieds d'un homme sous le lit.

— C'était un cambrioleur ?

— Non. C'était mon mari. Lui aussi avait entendu le bruit.

***

— Oh ! s'extasie un Wallon, en recevant un colis posté en France, c'est notre ami Veremans qui m'envoie une andouille. En passant par Vire, il a tout de suite pensé à moi !

***

Un paysan de la Hesbaye se désole :

— Il y a, dans le village, un vaurien qui a mis ma fille enceinte.

— Et ce qui vous tracasse, c'est que vous ne connaissez pas le coupable.

— Hélas ! J'en connais au moins six !

***

Deux petits Belges qui ont abandonné pour la première fois leur « plat pays » découvrent la Suisse.

— Je me demande, dit l'un, pourquoi, dans cette région, toutes les maisons sont en bois.

— Mais, répond l'autre, c'est parce qu'ils ont eu besoin des pierres pour construire la montagne.

***

La patronne d'un hôtel de Blankenberg, sur le littoral, réprimande une nouvelle bonne :

— Comment pouvez-vous mettre sur les tables des assiettes aussi sales !

— Pardon, madame, réplique la bonne. Pour les empreintes de doigts noirâtres, je veux bien admettre que c'est moi. Mais les traces d'œuf et de moutarde datent de la bonne qui était là avant moi.

***

Un étudiant demande à son compagnon de chambre à l'Université :

— C'est pour qui, cette lettre ?

— Pour ma mère.

— Mais pourquoi ne l'écris-tu pas plus vite ?

— Si tu connaissais ma mère, tu saurais qu'elle lit très lentement.

***

— Mon patron est vraiment stupide, s'exclame une dactylo en ouvrant le dossier des lettres envoyées à la signature. Il veut que je supprime un P à *sympathie* et il ne me dit même pas lequel.

***

— Vite, crie un estivant à un pêcheur de Niewpoort, ma femme vient de tomber dans le port. Sauvez-la. Je vous offre 20 000 F.

Aussitôt, le pêcheur plonge et ramène l'imprudente sur le quai.

— Mais, s'écrie le monsieur, ce n'est pas ma femme, c'est ma belle-mère !

— Ah ! fait le pêcheur, déçu. Alors, combien je vous dois ?

***

Un individu, particulièrement facétieux, avait loué, au mois de décembre, une panoplie complète de Saint-Nicolas. Il la revêtit et, ravi de la bonne blague qu'il allait faire à sa femme, sonna à la porte de leur pavillon.

Son épouse lui ouvrit. Avant qu'il ait eu le temps de placer un mot, elle lui sauta au cou, lui plaqua un baiser sur les lèvres et l'entraîna vers la chambre à coucher. Là, lui ayant tout juste laissé le loisir de poser sa hotte sur une chaise, elle le convia à une folle sarabande amoureuse qui dura deux bonnes heures, en comptant les arrêts de jeux et les prolongations.

A un moment, le mari, flageolant, ôta sa barbe et sa moustache postiches.

C'est alors qu'il connut la plus cuisante surprise de sa vie quand sa femme s'écria :

— Ça, alors, c'est toi Emile ! Je ne t'avais pas reconnu !

***

Un agent de police avait été **chargé** d'avertir, avec ménagement, la femme d'un docker d'Ostende que son époux venait d'être victime d'un accident de travail. Il sonne chez elle et demande :

— Mme Blankaart ?

— C'est bien moi.

— J'ai le plaisir de vous informer que le costume que portait votre mari n'aura pas besoin d'un coup de fer avant longtemps.

— Pourquoi cela ?

— Ce costume a passé deux heures sous une grue de cinq tonnes. Malheureusement, votre mari était dedans.

***

Une vieille demoiselle, qui a consacré toute sa vie au beau métier d'infirmière, retourne dans son village natal du Hageland où elle n'avait pas mis les pieds, depuis près d'un quart de siècle.

— Tiens, Gaston ! s'écrie-t-elle, en rencontrant un agriculteur qui rentre des champs, comment vas-tu ?

— Très bien, mademoiselle. Alors, on revient au pays ?

— Eh oui. Ah ! ça m'en rappelle des souvenirs de te retrouver. Je revois tes fesses quand tu avais une quinzaine d'années et que je venais tous les matins te faire une piqûre.

— Vous savez, dit le paysan, poursuivant la conversation, depuis vingt-cinq ans, l'endroit a beaucoup changé.

***

Ce sage conseil a paru dans une page d'un magazine, destiné aux futures mamans :

« On rince les bébés dans deux eaux de rinçage tièdes, puis on les sèche dans un linge-éponge. Ne jamais les frotter ni les tordre. »

***

Un jeune homme explique à une naïve demoiselle de son quartier :

— Il m'est arrivé un accident terrible, aux sports d'hiver. J'ai fait une chute dans la neige et j'ai dû rester allongé trois semaines.

— Mon Dieu, s'écrie la jeune fille, bouleversée, il n'y avait donc personne pour vous relever ?

***

Ayant récupéré un vieux wagon, un Belge l'a installé dans son jardin et transformé en une sorte de bungalow.

Un jour, un de ses voisins s'étonne :

— Pourquoi sortez-vous, par cette pluie battante, pour fumer votre cigare sous un parapluie ? Vous seriez beaucoup mieux au chaud, dans votre wagon.

— Hélas, soupire le Belge, c'est impossible. Regardez vous-même : c'est un wagon « non-fumeurs. »

***

Qu'est-ce qu'un cannibale belge ?
Un individu qui mange les frites toutes crues.

***

Un dramaturge débutant fait ses gammes en écrivant sa première pièce. Au moment où son héros surprend sa femme dans les bras de son meilleur ami, l'auteur écrit, ravi de sa trouvaille :

« A cette vue, il s'écrie, de sa voix terrible, en roulant les « r », comme à l'habitude :

— Ah! les cochons! Ah! les cochons!. »

***

Deux jeunes gens, qui viennent d'être unis par les liens sacrés du mariage, ont pris place, pour leur première nuit conjugale, dans le grand lit de leur nouvelle demeure.

— Tu ne crois pas, fait le garçon, extasié, que le premier amour a quelque chose d'irremplaçable ?

— Si, répond sa femme, mais, enceinte de quatre mois comme je l'étais, j'ai quand même été bien contente de te trouver.

***

Dès qu'il arrive dans la villa qu'il a louée pour les vacances, sur la Costa Brava, un Belge prend ses précautions en équipant de moustiquaires toutes les fenêtres de la maison : celles à petits trous sont destinées à empêcher d'entrer les petits moustiques.

Les moustiquaires à grandes mailles sont pour les gros.

***

Dans une course de haies, en Belgique, celui qui court le plus vite, ce n'est pas le champion.

C'est l'employé du stade, chargé de retirer la haie dès qu'elle a été franchie et de la poser un peu plus loin, juste avant que le coureur n'arrive.

***

— Ce soir, annonce une ménagère belge, en servant, à sa petite famille, un plat de macaronis, je vous ai fait des frites à l'italienne.

***

Adamo vient de donner son tour de chant en plein cœur du pays flamand. A la sortie du music-hall, comme dans tous les pays du monde, une foule d'admiratrices l'assaille pour lui demander des autographes.

La seule différence, c'est que les Flamandes s'interrogent ensuite, mutuellement, en contemplant les petits morceaux de papier sur lesquels le chanteur a inscrit sa signature :

— A quoi ça peut bien servir ?

***

Les statisticiens belges ont enfin compris pourquoi les précédents recensements faisaient apparaître que la Belgique était peuplé de femmes à 99,999 %.

Les Belges devaient répondre s'ils appartenaient au sexe masculin ou au sexe féminin en cochant, selon les cas, la case M ou la case F, quand ils en arrivaient à la ligne « sexe ».

Or tous les hommes cochaient la case F, persuadés que M signifiait *Mou* et F, *Fort.*

***

Après avoir acheté une fermette tout de plain-pied, un Belge n'a plus eu qu'une idée : l'équiper d'un ascenseur.

***

Un Français, en visite chez des amis belges, entend leur perroquet qui répète à longueur de journée :

— Vous avez raison... vous avez raison... vous avez raison...

— Attention, leur dit-il, ne le laissez surtout jamais sortir.

— Pourquoi cela ?

— Si votre Roi l'entendait, il en ferait aussitôt son Premier ministre.

***

En Belgique, la censure cinématographique est la plus libérale du monde. Jamais elle n'interdirait un film pornographique.

La seule chose qu'elle exige, c'est que, lorsqu'un metteur en scène tourne un film de ce genre, il ne mette pas de pellicule dans la caméra.

***

On se rend compte du sale temps qui règne, en permanence, en Belgique quand on visite un musée.

Tous les nus, peints par des artistes belges, ont une paire de bottes et un pull-over.

***

Un petit Belge, en visite à Paris, est émerveillé par le défilé de la garde républicaine en grand uniforme.

— Ça y est, dit-il à sa mère, je sais ce que je veux faire, comme métier, quand je serai grand.

— Tu veux être garde républicain ?

— Non. Je veux être cheval.

***

L'entraîneur d'une équipe d'athlétisme explique à son nouveau poulain :

— Le saut à la perche, c'est très simple. Tu prends une vingtaine de mètres d'élan. Tu cours très vite. Tu appuies un bout de ta perche sur le sol. Tu t'envoles en l'air et tu franchis la barre. Tu as bien compris ?

— Bien sûr.

Le jeune athlète suit à la lettre les instructions qui lui ont été données. Il passe largement au-dessus de la barre.

Et là-haut, il demeure en suspens, en criant affolé :

— Vite, qu'est-ce que je dois faire pour redescendre ?

***

Le bourgmestre d'une petite ville de Belgique était tellement fier d'avoir vu, à la télévision, un de ses administrés cité en exemple, pour sa sobriété, par la Ligue antialcoolique, qu'il l'a aussitôt convié à un vin d'honneur.

***

Le vétérinaire belge vient d'ausculter le perroquet qui toussait, depuis quelques jours.

— Bon, dit-il à la maîtresse du volatile, en désignant un tas de plumes à terre, vous pouvez le rhabiller.

***

Dans une grande administration bruxelloise un garçon d'étage a disparu depuis un bon moment. Quand il revient, son chef de bureau l'admoneste :

— Hier, pour aller poster une lettre, vous avez mis une demi-heure. Pourquoi, aujourd'hui, vous a-t-il fallu une heure ?

— Mais, monsieur le directeur, aujourd'hui, il y avait *deux* lettres à poster.

***

Dans un chenil, un Belge est tenté par un chien superbe.

— Je vous préviens, lui dit le marchand, qu'il a un pedigree.

— Bah ! fait le Belge, il a une bonne tête. Nous l'aimerons bien quand même !

***

— Ne mangez pas trop de frites, dit un médecin à un patient, cela risque de vous faire du mal...

— A l'estomac ?

— Non. Au bout des doigts, quand vous les trempez dans la bassine pour vérifier si l'huile est bien en ébullition.

***

Un pâtissier belge se désole :

— Pour offrir une prime à mes clients, j'avais pris l'habitude de mettre 1001 feuilles à tous mes mille-feuilles. Eh bien, pas un seul de ces ingrats ne m'a remercié de ce cadeau.

***

Un sadique belge passe en justice.

— Au cours des cinq dernières années, lui dit le président, vous avez violé 327 de vos compatriotes. Que vous ont-elles dit, lorsqu'ayant achevé votre forfait, vous leur avez, de plus, volé le contenu de leur sac à main ?

— « Est-ce que le service est compris ? »

***

C'est quand ses chaussure neuves sont vraiment trop usées qu'un Belge se décide à mettre les vieilles.

***

— Je possède un perroquet extraordinaire, raconte un musicien d'orchestre à un autre. Il imite tout à la perfection. Figurez-vous qu'il m'imite même quand je joue du trombone à coulisse.

— Ce doit être difficile pour lui.

— Oui. Surtout pour tenir l'instrument avec ses deux petites papattes.

***

Un gros livre comme *Les Trois mousquetaires* coûtant beaucoup trop cher, la plupart des Belges n'en ont acheté qu'un.

***

Un fabricant belge a voulu en donner à une municipalité pour son argent : il a équipé toute une ville d'avertisseurs d'incendie avec des vitres en verre incassable.

***

Une Belge qui se livrait aux joies du ski fait une chute épouvantable et se casse les os en une vingtaine d'endroits. On l'emmène à la clinique de la station.

Au moment où le spécialiste s'apprête à la passer à la radio, la Belge ouvre un œil et murmure :

— Vous excuserez le désordre.

***

Voyant sa voiture qui s'éloigne, volée par un inconnu, un Belge a le réflexe d'en noter soigneusement le numéro.

***

Six ans durant, un petit garçon avait étudié le violon, à raison de trois leçons par semaine.

Quand ils ont constaté qu'il était vraiment doué, ses parents ont décidé de lui réserver une belle surprise.

Pour sa fête, ils ont fait mettre des cordes à son violon.

***

— Docteur, dit un Belge au chirurgien qui veut l'amputer des deux jambes, je vous jure bien que si vous faites cela, je ne remettrai plus jamais les pieds chez vous !

***

Un lanceur de poignards belge a dû renoncer à son numéro de music-hall.

Tous les cachets passaient en achat d'alcool à 90° et de sparadrap pour sa partenaire.

***

— Oh ! mon chéri, avait dit une jeune Parisienne au vieil industriel belge qui l'entretenait, j'ai une envie folle de faire de l'équitation. Je t'en supplie, offre-moi l'équipement.

— Bon, répond-il, gentiment, c'est promis.

Quand il revient à Paris, la semaine suivante, le Belge a tout le matériel nécessaire. Vite, il descend de voiture et se précipite vers l'appartement de sa petite amie.

Soudain, une idée lui vient.

— Ce serait charmant si je lui offrais son cadeau d'une façon originale.

Sitôt dit, sitôt fait : il se déshabille complètement sur le paillasson, se coiffe de la bombe, se fixe la selle sur le dos, prend la cravache entre ses dents, sonne, se met à quatre pattes et, quand la porte s'ouvre, entre en galopant dans l'appartement.

Quand le Belge lève les yeux, il voit une première communiante et les quinze invités qui le regardent avec stupeur.

C'est alors qu'il comprend que, dans sa précipitation, il s'est trompé d'étage.

***

Un ornithologue belge a réussi à obtenir une nouvelle race de perroquets.

Ils sont d'une discrétion extraordinaire. Jamais, en aucun cas, ils ne répéteraient un mot qu'ils ont entendu.

***

Un Belge au crâne entouré de bandelettes explique :

— En fait, j'ai été blessé au pied mais mon pansement a glissé.

***

Pourquoi les passoires belges ne comportent-elles aucun trou ?

C'est pour que, lorsqu'une ménagère y passe une boîte de petits pois en conserves, elle ne risque pas d'en faire bêtement couler tout le jus dans l'évier.

***

A Bruxelles, où le bilinguisme est obligatoire, un Wallon va se faire arracher une dent. Il s'installe dans le fauteuil, le dentiste saisit son davier, extirpe la dent malade.

— Aïe ! hurle le patient.

— Et maintenant, dit le dentiste, veuillez crier une fois en flamand.

***

Une Belge entre dans une pharmacie et demande :

— Je voudrais des pilules anti-conceptionnelles.

— Certainement, madame.

— Mademoiselle ! A propos, vous n'en auriez pas avec effet rétroactif ?

***

Que dit un Belge qui visite le Louvre, en voyant la Vénus de Milo ?
— Il va falloir que j'arrête de me ronger les ongles.

***

Un représentant de commerce entre, alléché, dans un petit restaurant de Belgique annonçant :
« Ici, on cuisine comme chez vous. »
— Donnez-moi le menu, dit-il, à la serveuse.
Elle le lui apporte et il lit :
« Potage trop salé : 40 F.
Hachis parmentier avec les restes de la semaine : 80 F.
Ragoût de mouton brûlé : 100 F. »

***

Un soldat belge a fait le mur. Il est convoqué par son capitaine qui lui passe un sérieux savon.
— Bon, conclut le capitaine, j'espère que vous vous le tiendrez pour dit. Et maintenant, appelez-moi Beulemans.
Et le soldat s'écrie :
— Merci, Beulemans.

***

Récemment engagé dans un journal sportif, un jeune Belge téléphone le résultat du match de football auquel il vient d'assister :
« Bruxelles — Liège : 0 — 0 »
Le secrétaire de rédaction qui prend la communication lui dit avec humeur :
« Et à la mi-temps, il était de combien, le score ? »

***

Dans un bal masqué, à Bruxelles, un invité, déguisé en ours, est tombé évanoui.
— Vite, crie la maîtresse de maison, appelez un vétérinaire !

***

Un jour de grève générale, en Belgique, un automobiliste pressé voit s'abaisser devant lui les barrières d'un passage à niveau. Il interroge le chef de gare :
— Qu'est-ce que cela signifie ?
— Il est 10 h 24. C'est l'heure du passage du rapide.
— Mais il n'y a pas un seul train qui roule, aujourd'hui, en Belgique.
— Peut-être, fait le chef de gare. Mais moi, je n'ai pas suivi le mouvement.

***

Un pédicure belge astucieux offre à ses clients cette gamme de tarifs :
Un pied : 250 F.
Tous : 450 F.

***

En Belgique les gendarmes de la route sont intraitables. Ne roulez jamais, la nuit, en ayant, à votre voiture, un feu rouge éteint.
Ils vous colleront une sévère contravention en vous expliquant qu'il vaudrait beaucoup mieux, pour vous, ne pas avoir de feu rouge du tout — mais qu'il soit allumé.

***

— Je suis très, très content du réveil à cadran phosphorescent que ma femme m'a offert, pour mon anniversaire, dit un Belge. Maintenant, quand je veux savoir l'heure, la nuit, je n'ai plus à allumer l'électricité — sauf, évidemment, pour prendre mes lunettes sur la table de nuit, afin d'être capable de lire les chiffres.

***

Dans l'étable, un fermier aperçoit sa nouvelle servante en train de verser du lait dans la gueule d'une des vaches.

— Mais, que faites-vous, petite malheureuse ? hurle-t-il, très en colère.

— Le lait était un peu clairet, explique la jeune bonne, pour se justifier. Alors, je le fais repasser une deuxième fois.

***

Un Belge avait emmené une superbe noire flirter en voiture.

Au moment où elle allait lui céder, elle s'est ressaisie et enfuie à toutes jambes.

Le Belge avait garé sa voiture sous un panneau «Attention au croisement. »

***

Un Belge avait acheté un poste de radio à transistors mais comme il habitait un tout petit appartement, il n'a pas pris le modèle avec les grandes ondes.

***

Dans son bulletin paroissial, un curé belge annonce ainsi sa grande vente de charité annuelle :

« Nous demandons à nos paroissiens d'apporter chacun une chose dont ils ne se servent plus. Les dames sont invitées à venir avec leur mari. »

***

Accusé de bigamie, un Belge n'a fourni au juge que cette explication :

— Mon oculiste m'avait conseillé le double-foyer.

***

Au marché aux poissons d'un petit port de la mer du Nord, un Belge, que sa femme a exceptionnellement chargé de faire les courses, demande :

— Avez-vous des homards ?

— En voici un superbe, fait la marchande.

— Heu... dit le Belge, surpris par la couleur verte du crustacé, vous n'en auriez pas un peu plus mûr ?

***

Quand un Belge constate que le pain de régime, qu'il a adopté, ne le fait pas maigrir, il en conclut que ce doit être parce qu'il n'en mange pas assez.

***

Dans un supermarché de Bruxelles, une Flamande, tenant à la main une boîte de conserve pour animaux se précipite vers une caisse et, bousculant une jeune fille qui attendait son tour, lui dit :

— Ça ne vous dérange pas que je passe avant vous ?

— Non, fait la jeune fille, en regardant ostensiblement la boîte. Vous avez l'air d'avoir tellement faim !

***

Un touriste belge, qui franchit la frontière, est interpellé par un douanier français.

— Vous n'avez rien à déclarer ?

— Non.

— Pas d'alcool ? Pas de tabac ? Pas de pièces d'or ?

— Non, non, non.

— Pas de devises ?

— Ah ! si, une : « L'union fait la force. »

***

Quand un chirurgien belge se demande où il a bien pu perdre son briquet, il commence par réopérer tous ses patients qui se plaignent de brûlures d'estomac.

***

— Bon, dit le médecin à la jeune femme, venue le consulter, c'est entendu, je vais vous vacciner. Où préférez-vous : au bras ou à la fesse ?

— Au bras, répond-elle. Ça se verra moins.

***

Un terroriste a détourné le train Bruxelles-Namur.

— Allez, ordonne-t-il, en menaçant le chauffeur de sa mitraillette, conduisez-moi à Cuba.

***

Vu à la vitrine d'une teinturerie de Namur cette alléchante pancarte :

« Madame. Laissez-nous tous vos vêtements et passez un agréable après-midi. »

***

Un chirurgien wallon annonce à un Flamand :

— Vous avez une tumeur. Il va falloir vous enlever le cerveau en totalité. Mais, rassurez-vous, cela ne produira pas, en vous, le moindre changement.

***

Un chef de gare belge a coutume d'annoncer le nom de la station en marchant le long du quai, du début à la fin du train.

Devant le premier wagon, il crie :

— Ici, Beauvillage-sur-Sambre.

Et, devant les wagons suivants :

— Ici, aussi.

***

Un opticien a mis cette affiche, dans sa vitrine :

« Si vous ne pouvez pas lire ce texte, alors, n'hésitez plus. Entrez nous consulter. »

***

Deux Belges sont au zoo, en contemplation devant la fosse aux fauves.

Tout à coup, un lion se met à rugir.

— Allez, viens, dit l'un d'eux, on s'en va.

— Non, bredouille son compagnon, je veux rester pour voir le film.

***

Quand elle veut ménager la sensibilité de ses clients, une extra-lucide belge a trouvé le truc : elle lit leur avenir dans du marc de café décaféïné.

***

Un Belge commence à se demander s'il n'a pas une légère tendance à la calvitie le jour où il veut peigner son dernier cheveu et qu'il ne le retrouve plus.

***

Le soir de la première d'une nouvelle pièce, au Théâtre de la Monnaie, à Bruxelles, les huit comédiens vont trouver le souffleur et lui disent :

— Surtout, n'ayez pas le trac. Si vous avez un trou de mémoire, faites-nous signe : nous vous soufflerons.

***

Le propriétaire d'un petit zoo de Belgique écrit à son fournisseur habituel :

« Envoyez-moi deux chacals. »

Se ravisant, il jette sa première lettre au panier et en commence une autre :

« Envoyez-moi deux chacaux. »

L'orthographe de ce mot lui semblant toujours aussi bizarre, il se met à rédiger une nouvelle lettre :

« Envoyez-moi un chacal.

PS - Réflexion faite, rajoutez-en donc un deuxième. »

***

288

Pris d'un besoin pressant, un Belge se rend aux toilettes et voit, sur la porte, le signal « Occupé. »

A ce moment, l'individu à l'intérieur des waters se soulage bruyamment.

— Tiens, fait le Belge, le service du téléphone a changé, une fois de plus, le signal « Pas libre. »

***

Un Belge voulait distraire un ami aveugle.

Il l'a emmené dans un cabaret de strip-tease, pour qu'il écoute la musique.

***

Un jeune Belge a obtenu qu'une demoiselle vienne lui rendre visite dans son petit studio. Elle arrive, ôte son manteau. Le garçon sert l'apéritif. Puis il demande :

— Voyez-vous un inconvénient à ce que j'éteigne cette lumière, là-bas ?

— Non, aucun.

— Et celle-ci ?

— Eteignez-la.

— Et celle-là ?

— Je vous en prie.

Finalement, ils se retrouvent dans l'obscurité complète.

Le garçon passé son bras autour de l'épaule de la jeune fille et lui murmure à l'oreille :

— Maintenant, franchement, dites-moi si, à votre avis, ma nouvelle montre à quartz à affichage lumineux vaut bien les 1 800 F que j'ai payés ?

***

Dans un train, une voyageuse dit à son voisin de banquette.

— Je vais à Tournai ! Comment pourrais-je savoir quand je serai arrivée ?

— C'est très simple, répond le monsieur. Surveillez-moi attentivement et descendez une station avant moi.

***

— Docteur, dit la bonne du psychiatre, il y a là une patiente qui se plaint d'avoir une double personnalité.

— J'ai un dîner à huit heures. Je ne pourrai examiner que l'une des deux, aujourd'hui, répond le médecin.

***

Quand un Belge va à la clinique où sa femme vient d'accoucher et qu'il voit son premier né, il s'écrie :

— C'est tout le portrait de son père !

Puis il ajoute :

— Mais j'aurais quand même préféré qu'il me ressemble.

***

— Voyons, mademoiselle, dit à une Belge le commissaire de police, vous accusez cet individu de vous avoir violée tout debout.

— Oui.

— Comment serait-ce possible alors qu'il mesure bien 1,90 m et vous tout juste 1,50 m ?

— C'est que, avoue la plaignante, j'étais montée sur un tabouret.

***

Un grand magasin belge lance un concours réservé à sa clientèle :

Premier prix : Un couvert à salade en plastique.

Deuxième prix : Quinze jours de pension pour deux personnes dans le meilleur hôtel de Bruxelles.

***

A quoi un Belge se rend-il compte qu'il a atteint l'âge de raison ?

Lorsque sa femme lui dit qu'il est assez grand, maintenant, pour changer lui-même ses couches.

***

La tête couverte de bandelettes, un Belge explique :

— C'est la suite d'une opération de l'appendicite. Oui. J'ai glissé sur une peau de banane, en sortant de la clinique.

***

Marchant la tête basse, les épaules voûtées, la mine défaite, un monsieur heurte un passant qui le reconnaît et le hèle joyeusement :

— Gaston ! Comment vas-tu depuis qu'on était à l'école ensemble ?

— Mal. Figure-toi que, malgré tous mes efforts, il ne se passe pas une nuit sans que je fasse pipi au lit et cela me ronge le moral.

— Ce n'est que cela ? Mais va donc consulter un psychanalyste. Tiens, voici l'adresse du mien. Tu verras, il fait des miracles.

Un mois plus tard, les deux hommes se retrouvent. Gaston superbe, très droit, le front haut, l'allure dégagée. Il rayonne de satisfaction.

— Toi, lui dit son ami, tu es allé voir mon psychanalyste.

— En effet.

— Et grâce à lui, tu ne fais plus pipi au lit ?

— Si. Mais, maintenant, j'en suis fier.

***

Un maître-nageur déclare sa flamme à une jolie baigneuse :

— Je vous aime, je vous aime à un point... C'est bien simple, je me jetterais à l'eau pour vous !

***

Ce beau titre a paru à la « une » d'un grand quotidien belge :

« Mme D. a tenté de mettre fin à ses jours en s'empoisonnant à coups de marteau. »

***

Dans un train, en Belgique, quand un voyageur s'aperçoit qu'il a fait poinçonner son billet de retour au lieu de l'aller, il change de place pour voyager à reculons, en estimant qu'ainsi il rétablit la situation.

***

— Comment fais-tu l'amour, toi ? demande un Belge à un compatriote.

— Oh ! répond celui-ci, ma femme se déshabille complètement. Elle chausse des patins à roulettes et prend place sur le tapis en faisant les reins cassés. Moi, tout nu également, je m'agrippe à la suspension et je me laisse tomber sur elle en poussant le cri de Tarzan.

— Eh bien, dis donc, fait l'ami, ça doit donner de drôles de sensations, votre truc !

— En tout cas, ça fait bien rire les gosses !

***

Chargé d'annoncer, avec beaucoup de ménagement, à une dame, que son mari est complètement ruiné, un Belge commence par lui dire qu'il est mort.

Puis il l'amène ensuite doucement à affronter la triste vérité.

***

A l'âge de la retraite, une Belge est allée s'installer dans les Alpes françaises, tout en haut d'un chemin escarpé, impraticable aux voitures.

Un après-midi, le boulanger ambulant arrête sa camionnette au bas du chemin et escalade celui-ci pour porter à la Belge sa baguette quotidienne. Quand il arrive en haut, suant et soufflant, après une demi-heure de marche, il frise l'apoplexie en entendant sa cliente lui dire :

— Non, merci. Je n'en veux pas aujourd'hui.

Furieux, il redescend le chemin. Presque arrivé à sa camionnette, il aperçoit la vieille qui lui fait de grands signes.

— Tiens, pense le boulanger, elle a dû se raviser.

Cette fois, il met près d'une heure, à escalader la colline.

Et quand il est enfin arrivé, la Belge lui dit :

— Je n'en veux pas non plus demain, du pain.

***

Un Belge s'est bien juré de ne plus commettre d'impair. Arrivant chez des amis, il dit galamment à la maîtresse de maison :

— Chère amie, comme vous avez changé !

La dame minaude :

— En bien ou en mal ?

Et le gaffeur de s'enferrer, une fois de plus :

— Une femme comme vous, dit-il, ne pouvait changer qu'en mieux.

***

Un professeur d'une Université belge avertit ainsi ses grands élèves :

— Soyez toujours indulgent avec les imbéciles. Ils sont souvent plus intelligents que vous.

***

Dans un petit village du Hainaut, le directeur régional d'un grand établissement financier visite inopinément, vers onze heures du matin, la succursale locale. La porte est grande ouverte mais aucun des quatre employés n'est derrière son guichet.

D'abord surpris puis furieux, l'homme attend cinq minutes, dix minutes, un quart d'heure; personne ne se manifeste.

Alors, il cherche le signal d'alarme et l'actionne avec énergie.

Et, aussitôt, le garçon d'une taverne voisine arrive en apportant quatre bières bien tirées.

***

Rien n'est plus difficile que l'éducation d'un petit Belge. Comment le critiquer pour son incontinence d'urine alors que, lorsqu'il s'agit du Manneken Piss, tout le monde trouve cela très bien ?

***

— Je voudrais faire dresser mon chien, dit une dame.

— Vous voulez peut-être, suggère le dresseur, que, le soir, il apporte ses chaussons à votre mari ?

— Non. Ce que j'aimerais surtout, c'est qu'il fasse la tournée des bistrots et qu'il apporte mon mari à ses chaussons.

***

Un fabricant de machines à écrire vient de créer un nouveau modèle, destiné aux secrétaires belges.

Cette machine ne comporte qu'une seule touche.

Celle qui permet de rectifier les fautes de frappe.

***

Un Belge a réalisé le rêve de sa vie : il s'est acheté un yacht. Une affaire exceptionnelle : 30 000 francs belges (environ 3 000 F français).

Maintenant, il se demande où il va bien pouvoir trouver l'argent pour le remonter de cent mètres de fond.

***

— Vous n'avez rien à déclarer ? demande un douanier français à une opulente touriste belge.

— Si, dit-elle, déçue par une fouille des plus sommaires. J'espère que vous vous montrez un peu plus consciencieux les jours où vous entamez une grève du zèle ! C'est à vous décourager de vous faire propre avant de passer une frontière !

***

— C'est vrai, demande un garçon éperdu de bonheur à la jeune femme qu'il vient d'épouser, tu ne dis pas ça pour me faire plaisir ? Je ne suis réellement que le vingt-septième ?

***

En composition d'histoire des petits Belges se voient donner ce sujet à traiter :

« Quelle est la différence entre un Roi et un Président de la République ? »

Un gamin répond :

« Le Roi est le fils de son père mais pas le Président. »

***

Un Belge entre dans une pâtisserie :
— Je voudrais un chausson aux pommes.
— Voilà, monsieur.
— Heu... Vous n'auriez pas un peu plus grand ? Je chausse du 46.

***

Vu cette pancarte à la devanture d'une petite teinturerie de Flandre orientale :

« Fermeture pour cause de décès provisoire »

***

Un jockey belge ne se fait aucune illusion. Il sait très bien que son cheval **est** si lambin qu'il franchira la ligne d'arrivée longtemps après les autres.

C'est pourquoi il a remplacé sa casaque par un pyjama.

***

Victime d'un accident d'automobile, un Belge gît sur un lit d'hôpital, totalement couvert de bandelettes, à l'exception de la bouche, du nez et des yeux.

Justement, on lui annonce la visite de sa femme.
— Eh bien, s'écrie-t-elle, avec un sourire radieux, on peut dire que, toi, tu as de la chance !

Sur l'instant, il se demande si elle se moque de lui mais elle ajoute bien vite :
— Au moins, si tu t'enrhumes, on pourra te mettre des gouttes dans le nez.

***

Deux Flamands, en veine de plaisanterie, pénètrent dans un estaminet de Wallonie et prennent place de chaque côté d'un consommateur qui boit tranquillement une bière.
— Êtes-vous un idiot ? questionne un des Flamands.
— Êtes-vous un imbécile ? interroge le second.
— Ma foi, répond, sans se démonter, le Wallon, je crois bien que je suis entre les deux.

***

Un Belge, qui dirige une immense usine, s'est acheté le dernier modèle d'ordinateur. L'ingénieur lui dit :
— Nous allons vérifier sa bonne marche. Quel problème voulez-vous lui poser ?
— Eh bien, fait le Belge, une chose m'a toujours intrigué et j'aimerais lui en demander confirmation : Est-ce que c'est 7 fois 9 ou 8 fois 8 qui fait 54 ?

***

— Docteur, questionne une jeune femme, combien de temps après mon opération des amygdales pourrai-je recommencer à faire l'amour ?

***

Un Belge explique à un ami, avec des larmes dans la voix :
— Figure-toi qu'à la maison je lave

tout : je lave la vaisselle, je lave le dallage, je lave les carreaux...

— Mais, s'étonne son interlocuteur, et ta bonne ?

Le Belge devient encore plus sombre :

— Hélas, elle tient absolument à se laver elle-même !

***

Compte-rendu d'un journal du Limbourg, sur le bal chez le bourgmestre :

« Au cours de cette soirée, Mme Charlotte Ursule Lubin portait une robe si courte que l'on voyait ses initiales. »

***

Dans un petit restaurant de la ville basse de Charleroi, un client attaque sa viande en surveillant, d'un air inquiet, le gros chien du restaurateur. Soudain, il s'écrie :

— Zut ! J'ai fait tomber mon bifteck par terre. Le chien va le manger !

— Rassurez-vous, monsieur, lui dit le serveur, avec un bon sourire, votre bifteck ne risque rien : j'ai le pied dessus.

***

— Docteur, dit un Belge à un psychanalyste, je voudrais que vous receviez ma femme.

— Qu'a-t-elle donc ?

— Depuis quelques mois, elle a pris l'habitude de me réclamer 2 000 F à chaque fois que je veux faire l'amour avec elle.

— Ce comportement, explique le spécialiste, peut vous paraître étonnant mais, en fait, il traduit seulement, de la part de votre épouse, une tendance névrotique et des pulsions érotico-castratrices qui...

— Ce qui me tracasse surtout, coupe le pauvre homme, abasourdi par

tout ce charabia, c'est pourquoi elle me réclame 2 000 F alors qu'avec tous mes amis elle se contente de la moitié.

***

Lu ce fait-divers tragique dans un journal de Belgique :

« Panne de courant dans un grand magasin. Trente clients restent, pendant une heure, prisonniers d'un escalier mécanique immobilisé. »

***

Deux époux viennent consulter un conseiller conjugal qui interroge :

— Vous êtes mariés sous quel régime ?

— Et bien, répond la femme, nous évitons les féculents et tous les plats en sauce.

***

Une jeune femme s'indigne, auprès de sa meilleure amie :

— Pourquoi as-tu dit à Catherine que j'étais une imbécile ?

— Excuse-moi mais je ne pouvais pas imaginer que tu voulais garder la chose secrète.

***

Le service de l'orientation professionnelle belge a trouvé un débouché pour les sourds-muets. Il les incite à devenir avocats. Ceux-ci seront ensuite désignés d'office pour plaider les causes perdues.

***

Un Wallon devait être opéré du cerveau. Le chirurgien le lui ôte, le pose sur la table d'opération. Le temps de se retourner pour prendre une pince, le patient avait disparu, le crâne vide.

On ne l'a retrouvé que trois ans plus tard.

293

Il était devenu professeur d'Université chez les Flamingants.

***

Un touriste interroge un paysan d'un village de Basse Ardenne :
— Dites donc, mon brave, à votre avis, quel est le meilleur restaurant de ce pays ?
— Heu... fait l'homme, visiblement embarrassé... eh bien... il y a bien l'Auberge des Quatre Canards.
— Et selon vous, c'est la meilleure du village ?
— Heu... oui... je crois.
Le touriste se met en colère :
— Vous le croyez ou vous en êtes sûr que c'est le meilleur restaurant du village ?
— J'en suis sûr, dit le paysan. D'autant qu'il n'y en a pas d'autre.

***

Très impressionné d'avoir entendu la mer dans un coquillage, un Belge porte un caillou à son oreille.
Et il s'étonne de ne pas entendre la montagne.

***

Un turfiste raconte :
— J'ai acheté de nouvelles jumelles extraordinaires. Elles rapprochent tellement qu'à cinq cents mètres on entend le halètement du cheval.

***

Vu cette pancarte à la devanture d'un petit restaurant d'Oudenaarde :
« Un bon repas demande du temps. Le vôtre vous sera servi, ici, en trois minutes. »

***

— Pardon, monsieur, demande un Belge à un passant, auriez-vous du feu ?
L'autre fouille dans ses poches à la recherche d'une pochette d'allumettes. Il en tire successivement une, deux, trois, quatre, dix boîtes d'aspirine mais pas une seule allumette.
— Non, fait-il, désolé, je n'en ai pas.
— Ça ne fait rien. Mais, permettez-moi une question indiscrète : toute cette aspirine dans vos poches, est-ce parce que vous avez souvent mal à la tête ?
— Pas du tout. Mais à chaque fois que j'entre dans une pharmacie pour acheter des préservatifs, comme par un fait exprès, il n'y a que des femmes dans la boutique.

***

Si l'inventeur du football avait été Belge, il aurait prévu qu'un match se déroulerait avec vingt-deux ballons, pour chaque joueur ait le sien et que ça ne fasse pas de jaloux.

***

Un homme politique belge est interrogé à la radio par un aréopage de journalistes. A la fin de l'entretien, devant les mines incrédules de ses interlocuteurs, il s'écrie, avec vigueur :
— De toute façon, messieurs, vrais ou faux, les faits sont là !

***

— Mon Dieu, s'écrie une visiteuse d'un salon de peinture, comment pouvez-vous peindre des femmes aussi laides ?
— Mais... balbutie l'artiste, c'est ma sœur.
— Oh ! excusez-moi ! Je suis impardonnable ! J'aurais dû noter la ressemblance !

***

Dans un hôpital, un homme, récemment opéré de la gorge, est nourri par injections rectales. Un soir, un nouvel

294

infirmier commence à lui administrer son potage quand le patient se met à hurler :

— Arrêtez ! Arrêtez !

— C'est trop chaud ? questionne l'infirmier.

— Non. Trop salé.

***

Un dîneur appelle le garçon de restaurant :

— Dites-moi, avec quoi ce potage a-t-il été fait ? Ce n'est sûrement pas du bouillon de poulet.

— Heu... si, monsieur, répond le garçon, c'est du bouillon de très jeune poulet. Il a été confectionné avec l'eau dans laquelle nous faisons bouillir les œufs durs.

***

Un inspecteur du Ministère de la Santé visite un asile. Il interroge le psychiatre-chef :

— Comment faites-vous pour déterminer si un de vos pensionnaires est fou ou non ?

— Je l'invite à me fournir la réponse à un petit problème de logique : « Le capitaine Cook a fait trois tours du monde et il est mort à l'issue d'un de ces voyages. Lequel des trois ? »

— Ça alors, s'écrie l'inspecteur, je serais bien en peine de vous le dire ! Et, pourtant, j'ai toujours été fort en histoire et en géographie.

***

— Ah ! mais, proteste vigoureusement un mari, il faudrait savoir qui commande dans cette maison ! En tout cas, sois certaine d'une chose : je ne descendrai pas la poubelle avant d'avoir terminé la vaiselle !

***

Lu, dans un journal sportif belge ce compte-rendu d'une course cycliste :

— Vanbergen, qui souffre de l'estomac, demande le médecin. Il prend un cachet et crève aussitôt après.

***

Un Belge, qui exerce la profession d'homme-sandwich, costumé en petit rat de l'Opéra, grimpé sur des échasses et la tête couverte d'un bonnet à grelots, vient consulter un psychanalyste en lui avouant :

— Docteur, je fais un complexe. Dès que je mets le pied dans la rue, je m'imagine que tout le monde a constamment les yeux fixés sur moi.

***

Un Belge vient voir un fabricant de piscines :

— Cela fait trois ans, lui dit-il, que vous m'avez installé une piscine dans mon jardin et qu'est-ce qu'on a pu s'amuser dedans, avec les enfants ! Maintenant, je voudrais vous demander un petit renseignement : comment peut-on la remplir d'eau ?

***

Enveloppé de bandelettes et cloué sur un lit d'hôpital avec une fracture du bassin, une jambe cassée, la colonne vertébrale en capilotade, le thorax enfoncé et la mâchoire en lambeaux, un monsieur reçoit la visite de son moniteur d'équitation qui le félicite :

— Vous savez que ce n'est pas mal du tout, comme résultat, pour une première leçon !

***

Cette pancarte est collée à la devanture d'une blanchisserie d'Anvers :

« Ici, nous ne saccageons pas vos chemises avec des machines.

Nous faisons ce délicat travail entièrement à la main. »

***

Une circulaire de la Compagnie belge des chemins de fer vient d'être adressée à tous les chefs de train.

Elle leur précise, entre autres, ce point d'une importance primordiale :

« Le nombre de voyageurs descendus dans une gare ne peut, en aucun cas, être supérieur au nombre de voyageurs présents dans le train, au départ de la gare précédente. »

***

Dans un hôpital de Leuven, la victime d'un grave accident de la route, interpelle le médecin-chef qui fait sa tournée :

— C'est scandaleux, dit-il, je proteste énergiquement.

— Pour quelle raison ?

— Voilà. J'ai été transporté ici à 4 heures du matin. Or, j'ai vu successivement mourir, l'occupant du lit N° 15 à 5 heures ; le 8 à 7 h 30 ; le 2 à 9 heures moins le quart et le 21, il n'y a pas cinq minutes.

— Je ne comprends pas le sujet de votre indignation, dit le médecin-chef.

— C'est clair, pourtant. Pourquoi n'avoir pas mis tous ces gens-là dans la salle des mourants ?

— Vous allez rire, fait le médecin-chef, mais la salle des mourants, c'est ici !

***

Un jeune Belge, qui vient de faire l'amour avec sa fiancée, s'inquiète :

— Est-ce que je suis le premier ?

— Non, répond-elle. Mais si ça peut te consoler, vous êtes soixante-douze à m'avoir posé la même question.

***

Un patient vient passer une radio pulmonaire. Le spécialiste le fait pénétrer dans une pièce obscure et lui ordonne :

— Maintenant, déshabillez-vous.

Quelques minutes passent. Le radiologue s'inquiète :

— Alors, monsieur Vandenbrouke, ça y est ? Vous êtes déshabillé ?

— Heu... non...

— Mais, vous n'avez pas entendu ce que je vous disais ?

— Eh bien... j'avais cru que vous vous adressiez à votre assistante.

***

Dans une usine de Belgique, il existe un service si secret que toutes les notes échangées entre ses employés portent cette mention impérative :

D A L

(Détruire Avant Lecture)

***

Si un cinéaste belge avait réalisé *Le troisième homme*, il l'aurait intitulé : *Ma femme a deux amants*.

***

Un homme, mal en point, consulte un médecin.

— Que ressentez-vous ? lui demande celui-ci.

— Des douleurs dans le ventre, docteur, qui durent un bon quart d'heure à chaque fois.

— Et elles se produisent à quelle fréquence ?

— Toutes les dix minutes.

***

— Laisse-moi te révéler l'amour, supplie un jeune Belge.

— Non, répond la pure jeune fille qu'il a entraînée dans un bois. J'ai juré à maman de rester vierge jusqu'au soir de mon mariage... Et puis, à chaque fois, ça me donne la migraine.

***

Un touriste français, de passage à

Namur, venait de s'apercevoir qu'on lui avait volé sa voiture avec tous ses bagages. Il se rend au plus proche commissariat pour déposer plainte.

— Est-ce bien nécessaire ? lui dit mollement le commissaire. Il y a tellement de vols, dans cette ville, que jamais les plaintes n'aboutissent.

— J'insiste.

— Ah ! fait le commissaire, embarrassé. Ce qu'il y a, c'est que je ne vais pas pouvoir enregistrer votre plainte. On m'a dérobé mon stylo.

***

— Ma fiancée est vraiment d'une naïveté extraordinaire, raconte un Belge à un ami. Tiens, voilà deux ans qu'elle travaille dans une fabrique de contraceptifs pour hommes. Eh bien, elle est toujours persuadée qu'il s'agit là de sacs de couchage pour souris.

***

Un multimillionnaire belge est venu traiter quelques affaires à Paris. Un soir, alors qu'il se promène sur les quais de la Seine, il fait la connaissance d'une très jeune fille qui semble près de se jeter à l'eau. Il lui parle, la réconforte et, finalement, la raccompagne dans le misérable logis qu'elle occupe avec son père, dans un quartier sordide de la capitale.

Et la demoiselle, dans un grand élan de reconnaissance, lui saute au cou et insiste pour le remercier de la plus tendre façon.

Au petit matin, le milliardaire quitte le pauvre logement sur la pointe des pieds quand il se heurte, dans le couloir, au père de la jeune fille qui, d'un air terrible, lui montre une série de clichés, pris pendant leurs ébats.

— Alors ? questionne le père.

— Eh bien, fait le Belge, mettez m'en dix de celles-ci, trois de celles-là et un agrandissement 21x27 de cette troisième.

***

— Aidez-moi, dit une jeune fille à son fiancé. Si quelqu'un me demande ce que je vous trouve, avez-vous une idée de ce que je pourrais répondre ?

***

En Belgique, tous les appareils ménagers portent cette garantie, en grosses lettres :

« Votre argent vous sera retourné en cas de non-satisfaction. »

Un additif, en lettres microscopiques, précise : « N'attendez donc aucun remboursement si votre argent nous donne toute satisfaction. »

***

Un Belge vient chercher sa fiancée pour l'emmener au cinéma. C'est le petit frère de la demoiselle qui lui ouvre la porte :

— Gertrude, se met-il à hurler, c'est le grand cornichon dont papa dit toujours que si, avec un dégourdi pareil, tu te faisais faire un enfant, c'est que sûrement tu l'aurais violé !

***

Un jeune Belge, très timide, est assis sur un banc dans l'allée sombre d'un parc, auprès d'une demoiselle plus âgée que lui.

Il la prend par la taille. Elle se laisse faire et elle attend, elle attend, elle attend.

— Je ne sais plus quoi faire, à partir de là, avoue le jeune homme. Je n'ai jamais réussi à aller plus loin sans me faire gifler.

***

Dans un train une jeune femme lance une grande gifle à un voyageur qui s'était permis une indiscrète privauté.

— Excusez-moi, enchaîne-t-elle. Je

rentre de vacances, alors j'ai un peu perdu l'habitude.

***

Une dame en grand deuil, est au restaurant. Soudain, elle appelle le garçon :

— Ces épinards sont immangeables, dit-elle. Je les mâche, je les mâche, sans arriver à les avaler.

— Mais, madame, fait poliment le garçon, si vous tentiez d'abord de relever votre voile !

***

Deux érudits belges bavardent :

— Certains disent qu'Homère était aveugle. D'autres prétendent qu'il n'a jamais existé. Qu'en pensez-vous ?

— Eh bien, pour ma part, je suis persuadé qu'il n'a jamais existé. Mais je suis tout disposé à croire qu'il était réellement aveugle.

***

Deux Belges vont, pour la première fois de leur vie, sur un champ de courses.

— Quel cheval joue-t-on ? demande le mari.

— Essaie le 6, dit sa femme.

Il mise sur le 6, et gagne.

— Et dans la deuxième ?

— Joue encore le 6.

Une seconde fois, le 6 triomphe.

A la troisième course, les choses se déroulent de la même façon.

Avant la quatrième, le Belge se rue vers le guichet mais son épouse l'arrête :

— Change un peu maintenant, dit-elle. Il doit commencer à être fatigué, le 6.

***

— Pourquoi, interroge l'instituteur, les Parisiens ont-ils pris la Bastille ?

— Heu... répond un petit Belge, pour fêter le 14 juillet.

***

Un adolescent marche dans la rue avec son père.

— Regarde, dit-il, le monsieur, là-bas, avec son bras en écharpe.

— Je le connais, fait le père. C'est un homosexuel notoire. Et s'il a le bras bandé, c'est parce qu'il a glissé en sortant de sa baignoire.

— Dis papa, demande le grand jeune homme, je voudrais savoir...

— Ce que c'est qu'un homosexuel ?

— Non. Ce que c'est qu'une baignoire ?

***

Le commissaire de police interroge un Belge, arrêté pour scandale sur la voie publique :

— Pouvez-vous m'expliquer la raison de votre curieuse attitude ? D'abord, en descendant du tram, vous vous êtes entièrement déshabillé, à l'exception de vos chaussettes et de votre cravate. Vous avez remonté le boulevard Anspach en chantant, puis, après avoir démoli d'un coup de poing la vitrine d'une papeterie, vous vous êtes mis à bombarder les passants à coups d'encriers. Alors j'attends.

— C'est que, dit le malheureux, j'ai senti que, si je ne faisais pas cela, je risquais de devenir complètement fou.

***

Une Belge confie à son marchand de tabac :

— Ça, je dois reconnaître que mon mari n'a aucun vice. Il ne sort pas le soir, pour aller jouer aux cartes avec les copains. Il ne boit pas. Il ne regarde pas les autres femmes. Tout ce qu'il aime, c'est fumer un cigare après avoir fait un bon repas. Oh ! il en fume à peu près deux par mois.

***

Un cordonnier d'Ixelles, sur le coup

de midi, met cette pancarte à la porte de son échoppe :

« Parti déjeuner. Si pas de retour à 17 heures, parti également dîner. »

***

Un Belge, portant l'équipement complet du pêcheur sous-marin, aborde, au fin fond du Sahara, un prospecteur de pétrole :

— A quelle distance se trouve la mer ?

— La mer ! dit le prospecteur, éberlué. Mais elle est bien à trois cents kilomètres.

— Tant que ça ! fait le Belge, eh bien je vais d'abord me dorer un peu sur la plage.

***

Chez le psychiatre, un monsieur avoue :

— Docteur, je suis affreusement complexé. Chaque nuit, je rêve que ma femme et Ursula Andress se battent pour se partager mes faveurs. Et, à chaque fois, c'est ma femme qui gagne.

***

A un examen d'élèves infirmières avait été posée cette question : « Citer une maladie causée par l'eau. »

Une candidate répondit, avec beaucoup de logique :

— La noyade.

***

Vu cette pancarte à l'entrée d'un petit restaurant bruxellois :

« Entrez donc déjeuner ici avant d'aller manger ailleurs. »

***

Un Belge arrive à son bureau pâle et défait.

— Pour venir, ce matin, en voiture,

explique-t-il, j'ai traversé, comme je le fais depuis dix ans, la place de Brouckère. Mais, aujourd'hui, je ne sais pas quelle folie m'a pris : j'ai commis l'imprudence d'ouvrir les yeux.

***

Après une folle surprise-party chez une de leurs camarades de classe, une douzaine de jeunes gens reçoivent une circulaire des parents de la jeune fille :

« Si celui d'entre vous qui a subtilisé, dans un placard de la cuisine, un bocal plein d'alcool, veut bien restituer l'appendice de ma femme qu'il contenait, aucune question ne lui sera posée sur l'usage qu'il a pu faire de cet alcool. »

***

Un astronaute belge était monté à 50 000 kilomètres d'altitude avec sa fusée. De là-haut, il a pris une photo de la terre mais il est désolé du résultat.

Quelqu'un a bougé.

***

Une dame téléphone au commissaire de police du quartier le plus chic de Bruxelles.

— Je viens de tuer mon mari. S'il vous plaît, auprès de qui dois-je m'excuser ?

***

Dans un petit restaurant, un Belge timide commande le menu du jour. Puis, il appelle le garçon :

— S'il vous plaît, pourrais-je avoir un changement de garniture ?

— Ce n'est pas l'usage, ici, dit le garçon, mais je vais voir. Qu'est-ce que vous désirez, au juste ?

— Eh bien, voilà, explique le petit homme timide, à la place des frites, j'aimerais mieux un jeton de téléphone.

***

299

Quand un parachutiste belge touche terre, son premier geste est de brosser le fond de son pantalon pour effacer la trace du coup de pied.

***

Un de ses amis avait conseillé à un Belge d'utiliser la vaseline quand il faisait l'amour.

C'est sa femme qui a trouvé la meilleure utilisation. Elle en enduit le bouton de la porte de leur chambre à coucher pour que les enfants ne puissent plus entrer à l'improviste.

***

Une Belge lit, dans son journal, l'histoire d'un chirurgien venu dire à un opéré :

— Il va falloir vous rouvrir le vente. Je viens de m'apercevoir que j'y ai oublié mes gants.

La dame prend son mari à témoin :

— Tout de même, il y en a des gens près de leurs sous ! Moi, je te jure qu'à la place de ce monsieur, j'aurais dit au chirurgien : « Tenez, voilà 200 F, allez vous en racheter une paire. »

***

Sur la place Royale de Bruxelles, un couple regarde les pigeons.

— C'est bizarre, dit le mari, avec toi, ils sont très familiers, alors qu'ils s'enfuient à mon approche.

— C'est ta faute, aussi, répond sa femme. Tu les traumatises, avec ta cravate à petits pois.

***

Un lycéen est allé consulter un dermatologue pour les boutons dont il a le visage couvert. Le soir même, après avoir déchiffré attentivement son ordonnance, il téléphone, affolé :

— Allô, docteur... vous m'avez prescrit, tout à l'heure, un traitement à usage externe...

— En effet.

— Ça ne va pas du tout : je suis demi-pensionnaire.

***

— Pour maigrir, raconte un Belge, ma femme, sur les conseils de son médecin, a acheté un rouleau à massages et voilà deux mois qu'elle s'en sert.

— Et vous avez constaté un résultat ?

— Oui. Le rouleau a fondu de moitié.

***

Après une heure d'examen, un ophtalmologue est perplexe :

— J'avoue, dit-il au patient, venu le consulter, que je n'ai jamais vu des yeux comme les vôtres.

— Peut-être, fait l'homme, aurais-je dû vous préciser que je suis un grand amateur de mots croisés : alors j'ai un œil qui lit horizontalement et l'autre verticalement.

***

Au milieu d'une délicate opération du cœur, le chirurgien belge réclame :

— Pinces.

Et son assistante de demander, mutine :

— Dans quelle main ?

***

Un Belge entre dans un restaurant et commande d'abord une langue de bœuf.

Tout à coup, il se ravise :

— Réflexion faite, c'est écœurant de songer que cette langue était dans la bouche d'un animal. Garçon, donnez-moi donc plutôt une bonne omelette.

***

— Je n'ai jamais eu de chance avec mes femmes, soupire un monsieur.

— Ah ! fait son confident. Je savais que ta première femme était partie mais que t'est-il arrivé avec la seconde ?

— Elle est restée.

***

Un professeur d'une Université belge annonce à ses collègues :

— Je vais écrire une thèse intitulée : « De l'influence de l'amour sur l'étude des langues mortes. »

— Qu'est-ce qui vous a donné cette idée ?

— Ma femme. A chaque fois que nous venons de faire l'amour, elle se met à parler latin sans jamais avoir appris.

— Et que dit-elle, au juste ?

— *Bis, bis...*

***

Un fermier entre dans un magasin de Namur, avec deux seaux plein de lait.

— Excusez-moi, dit le marchand, mais nous nous sommes mal compris quand je vous ai proposé de payer votre réfrigérateur par traites.

***

Un Belge souffrait d'un dédoublement de la personnalité.

Il a demandé le divorce en invoquant comme raison que sa femme était bigame.

***

Un faux-monnayeur belge s'est fait arrêter bêtement.

Il était tellement fier de son imitation qu'il n'avait pas pu résister à la tentation de mettre son portrait en filigrane sur tous ses billets.

***

Petit dialogue surpris dans un restaurant :

— Tu ne casses pas les noix, avant de les manger ?

— A quoi bon ? Je sais ce qu'il y a dedans.

***

Un Belge voit l'un de ses amis sortir d'une pharmacie. Il s'inquiète :

— Tu n'es pas malade, au moins ?

— Pas du tout. Je viens de m'acheter de l'*after-shave.*

— De quoi ?

— De l'*after-shave...* Voyons, toi, qu'est-ce que tu mets, quand tu as fini de te raser, le matin ?

— Eh bien... heu... mon pantalon.

***

C'est la finale de la Coupe de Belgique de football. L'arbitre réunit les capitaines des deux équipes en présence et leur dit :

— Le brouillard va tomber de bonne heure, ce soir. Alors, pour qu'on ne soit pas pris par la nuit, je vous propose de commencer par jouer les prolongations.

***

Deux Belges bavardent :

— Vous est-il déjà arrivé de chasser le lièvre ?

— Oui. Mais jamais aucun d'eux ne s'en est aperçu.

***

L'inspecteur du Ministère de l'Instruction belge fait une visite inopinée dans une classe.

— Vous, là-bas, dit-il à un de ses élèves, combien font 5 et 6 ?

Le petit Belge répond, sans une hésitation :

— 14.

— Alleï ! s'écrie l'instituteur, il ne l'a pas manqué de beaucoup.

***

301

Que dit un psychanalyste belge à une dame qui lui confie avec inquiétude que son fils a le complexe d'Œdipe ?

« — L'essentiel, c'est qu'il aime bien sa maman. »

***

A un congrès de spécialistes de la mémoire, un médecin belge monte à la tribune pour déclarer :

— Mes chers collègues, j'ai enfin trouvé le remède définitif à l'amnésie... du moins, je l'avais trouvé, mais, n'ayant pas eu la prudence de le noter immédiatement, je l'ai complètement oublié.

***

Quelle est la différence entre le grand magasin à l'Innovation et une Maternité ?

Une femme entre à Inno avec un enfant, et elle en ressort avec un gros ballon. Dans une Maternité, c'est exactement le contraire.

***

Le chirurgien. pénètre dans la chambre où son patient commence à sortir de son anesthésie.

— Surtout, le supplie-t-il, promettez-moi de ne pas rire quand je vais vous dire ce que mon idiot d'assistant vous a enlevé à la place du gros côlon et du pancréas.

***

Un Belge appelle sa femme :

— Chérie, c'est un enquêteur d'un institut de sondages. Quelle est mon opinion sur la politique étrangère du gouvernement ?

***

Une bourgeoise fait remarquer à sa nouvelle bonne :

— Caroline, vous avez oublié de fermer la porte de la cage du serin.

— Oh ! répond la bonne, avec le beau temps qu'il y a aujourd'hui, ça m'étonnerait qu'il risque de s'enrhumer.

***

— Toutes nos poules ont quarante de fièvre, annonce une fermière du Limbourg à son mari.

— Bon, dit-il. En ce cas, remplace la pancarte : « A vendre : œufs frais » par « A vendre : œufs durs. »

***

Un Belge raconte ses vacances dans un camp de nudistes :

— Ce n'était pas commode de différencier les sexes : la plupart des hommes avaient de la moustache, exactement comme ma femme.

***

Au plus fort de la dernière guerre, une attaque de bombardiers américains a réduit à l'état de décombres tout un quartier d'une ville belge. L'alerte passée, les sauveteurs fouillent parmi les ruines pour tenter de retrouver quelques rescapés. Justement, l'un d'eux pousse de faibles gémissements :

— Où êtes-vous ? crie l'un des sauveteurs.

Et le Belge de répondre :

— Au cinquième étage, troisième porte à gauche en sortant de l'ascenseur.

***

La femme d'un individu très superstitieux feuillette un magazine.

— Tiens, dit-elle, le mois prochain commence par un vendredi.

— Mon Dieu, s'écrie-t-il, j'espère que ce n'est pas un vendredi treize !

***

Un Belge, très timide, entre dans une librairie :

— Je vous ai acheté hier, dit-il à la vendeuse, ce livre : *Comment porter la culotte dans son ménage.* Pourriez-vous me le reprendre ? Ma femme m'a interdit de le lire.

***

Tandis que son patient prend place sur la table d'opération, un chirurgien belge dit à son assistant :

— Alors, c'est bien entendu comme ça : moi, je note attentivement toutes vos erreurs et vous, vous relevez les miennes. En procédant ainsi, il y a bien un jour où l'on finira par apprendre le métier.

***

A quoi reconnaît-on un agent secret belge d'un policier ?

— Il porte un uniforme et une casquette, comme les policiers.

Avec, en plus, sur un badge, le mot *Espion.*

***

Un politicien belge réussit toujours à mettre d'accord ses partisans et ses adversaires en terminant ainsi chacun de ses discours :

— Mes amis, levons nos verres au passé qui ne reviendra jamais et à l'avenir qui ne peut manquer d'être notre lot, demain !

***

Vu ces deux pancartes, dans une joaillerie du Boulevard Anspach, à Bruxelles :

« Cadeaux pour votre femme »

Et, à côté :

« Bijoux au-dessus de 50 F. »

***

A chaque fois qu'il roule sur une autoroute, un Belge s'étonne de constater que tant de villes portent le même nom : Sortie.

***

Un homosexuel avoue à son petit ami :

— Ça y est ! Je suis renvoyé de la fabrique de vélomoteurs.

— Mais pourquoi toi ?

— Je ne pouvais pas y échapper. En raison de la crise, ils avaient décider de faire des économies sur les pédales et sur les cadres.

***

Les horlogers belges, voulant faire concurrence aux Suisses, se sont mis, eux aussi, à construire des coucous.

La seule différence, c'est que dans les pendules belges, le coucou sort tous les quarts d'heure en questionnant :

— Quelle heure est-il ?

***

Lu cette offre d'emploi dans un magazine réservé aux médecins belges :

« Importante maison matériel pharmaceutique cherche voyageurs-représentants *bien introduits*, pour vente thermomètres médicaux. »

***

Un Belge adore faire la cuisine. Régulièrement, il rapporte à la maison une superbe dinde qu'il farcit lui-même.

Il ne reste plus à sa femme qu'à la tuer, la plumer et la mettre à cuire.

***

Un Belge, qui avait fait de longues études pour se lancer dans la chirurgie cardiaque, a dû y renoncer après avoir raté, successivement, ses dix premières opérations.

Sa mère lui avait toujours répété, dans son enfance :

— Rappelle-toi bien, ma fille, que, chez un homme, le chemin du cœur passe par l'estomac.

***

Dans une caserne de Belgique, l'arsenal est en train d'exploser.

Sans perdre son sang-froid, un soldat de garde tire deux coups de fusil en l'air — pour réveiller ses camarades.

***

Un paysan, spécialisé dans la culture des tomates, s'est acheté sa première voiture avec laquelle il va découvrir la ville.

Soudain, il pile devant un feu vert.

— Qu'est-ce qui vous prend ? proteste l'automobiliste qui le suivait et qui l'a embouti à l'arrière.

— Tiens, répond le paysan, j'attends qu'il mûrisse !

***

L'institutrice interroge :

— Qui peut me dire ce que signifie le mot « empirique » ?

Un petit Belge lève la main :

— C'est quand on essaie. Par exemple quand Napoléon s'est dit : « Je vais toujours me nommer empereur. On verra bien si ça marche. »

***

Une jeune Belge passe l'examen pour devenir infirmière.

— Que feriez-vous, lui demande-t-on, si votre jeune frère avalait la clé de la porte d'entrée ?

— Heu... répond-elle. Je rentrerais par la fenêtre.

***

Un Belge est persuadé que l'électricité est quelque chose qui se mange.

Dans son enfance, tous les samedis soirs, il entendait son père dire à sa mère :

— Coupe l'électricité, on va s'en payer une tranche !

***

Cédant aux instances de leur neveu, deux vieilles demoiselles s'étaient résolues à risquer aux courses une partie de leurs maigres économies, sur un cheval qui termina bon dernier.

Le lendemain, le jeune homme, penaud, vint leur présenter ses excuses.

— C'est mieux ainsi, le rassura l'une de ses tantes. Imagine que nous ayons gagné : où l'aurions-nous logé, ce cheval, dans notre petit deux-pièces ?

***

Un avaleur de sabres belge se refuse obstinément à manger du poisson : il a toujours peur de s'étrangler avec une arête.

***

Une voyante extra-lucide belge demande, à son mari, qui rentre, sur le coup de deux heures du matin :

— D'où peux-tu bien venir à une heure pareille ?

***

Quand il voyage en train, ce qu'admire le plus un Belge c'est l'habileté du mécanicien qui ne rate jamais l'entrée d'un tunnel.

***

Pour un chirurgien belge, une opération est parfaitement réussie quand le fisc laisse aux héritiers de l'opéré suffisamment d'argent pour qu'ils lui règlent ses honoraires.

***

— Alors, demande le chirurgien belge à l'un de ses assistants, ça s'est bien passé, cette opération ?

Le jeune homme blêmit puis balbutie :

— Une opération, dites-vous. Bon

Dieu, j'étais persuadé qu'il s'agissait d'une autopsie.

***

Après une sauvage dispute avec sa femme, un Belge se dirige vers la porte.
— Où vas-tu ? crie l'épouse.
— Je pars. Je vais m'engager dans la Légion étrangère. J'affronterai tout pour t'oublier : la soif, les bêtes féroces, l'ennemi sauvage...
Il ouvre la porte puis la referme en faisant demi-tour.
— Tu as de la veine, dit-il. Il commence à brouillasser.

***

Il y a peu de grands pianistes en Belgique. Cela tient au climat.
Rien n'est plus difficile, pour un petit Belge, que d'apprendre le piano en gardant ses moufles.

***

Un paysan belge visite la Suisse, à l'occasion des premières vacances de sa vie. A son retour, ses amis du village l'interrogent :
— Alors, c'est beau, la Suisse ?
— Peuh ! dit-il, enlevez-leur leurs montagnes et leurs lacs et, finalement, c'est exactement comme ici !

***

Un expert en organisation dit à l'industriel belge assez naïf pour l'avoir engagé :
— Je vous promets que je vais vous faire réaliser des économies — peu importe combien cela devra vous coûter.

***

Un Belge, propriétaire d'une écurie de courses, rentre chez lui à l'improviste et trouve sa femme en galante compagnie avec Hector, son meilleur jockey.

— Hector, hurle-t-il, je vous préviens solennellement : c'est la dernière fois que vous montez pour moi !

***

Quand son médecin annonce à un Belge qu'il est incurablement stérile, son patient se désole à l'idée que ses enfants risqueront d'être atteints de la même infirmité.

***

Un Belge raconte sa lutte héroïque contre une taupe qui, depuis plusieurs mois, ravageait son jardin :
— Je l'ai guettée pendant des heures. Enfin, ma patience a été récompensée. J'ai attrapé cette sale bête et là, j'ai cherché un moyen de la punir de façon exemplaire. Finalement, je l'ai enterrée vivante !

***

Un jeune télégraphiste belge a été surpris au lit, par un mari furieux, avec la femme à qui il était venu apporter un télégramme annonçant l'heure du retour du cocu.

***

Un Belge écrit à la jeune fille de ses pensées :
« Chère Isabelle. Je t'aime et je veux t'épouser. Si tu es d'accord, réponds-moi par retour du courrier. Sinon, ne prends même pas la peine d'ouvrir cette lettre. »

***

Quand elle envoie un mandat à son neveu, pour son anniversaire, une vieille dame n'indique jamais, sur le formulaire des postes, le montant de la somme qu'elle veut expédier.
Pour lui en réserver la surprise.

***

Quand vous suivez un motocycliste belge et que vous le voyez tendre le bras à gauche, vous pouvez être certain
— Soit qu'il tourne à droite
— Soit qu'il va tout droit
— Ou encore qu'il s'inquiète de savoir s'il ne commence pas à pleuvoir.

***

Le Code pénal belge est formel : l'inceste ne constitue pas un délit tant qu'il ne sort pas de la famille.

***

Un Belge reçoit une lettre. Il ouvre l'enveloppe avec impatience et y trouve une feuille blanche.
— Ça doit venir de ma femme, dit-il. Voilà trois ans que nous ne nous parlons plus.

***

Lu ce fait-divers tragique, dans un grand quotidien flamand :
« A la suite d'une collision, un motocycliste a été victime d'une blessure à la tête si grave que les médecins qui le soignent redoutent que l'amputation ne soit inévitable. »

***

Une maman belge fait l'éducation sexuelle de son grand fils :
— Les petites filles naissent dans les roses, les petits garçons dans les choux et les nains dans les choux de Bruxelles.

***

Un Belge se présente dans une agence de travailleurs intérimaires à Bruxelles.
— Je cherche une place, dit-il.
— Vous êtes bilingue ?
— Mieux que cela : je possède six langues.
— Parfait. Je vous mets en rapport avec la maison Brodebeek. Ils veulent quelqu'un pour lécher les enveloppes.

***

Un voyageur belge, à qui le contrôleur dit : « Vous êtes dans un train rapide alors que votre billet est pour un omnibus », répond :
— En ce cas, faites diminuer la vitesse. Moi, je ne suis pas pressé.

***

Le « stylographe à mine de plomb » vient d'être inventé par un Belge. Il est obtenu en enrobant une mine de plomb dans deux demi-cylindres de bois soigneusement collés. Il suffit, alors, de tailler convenablement ce cylindre pour que la mine de plomb apparaisse et permette l'écriture.
— C'est simple, affirme le génial inventeur, pratique et bon marché. On ne risque plus de tomber en panne sèche ni, surtout, de tacher son veston en y répandant de l'encre dans les poches.

***

Dans un grand hôtel de Bruxelles, un Français, tenant une enveloppe à la main, appelle un chasseur.
— Voudriez-vous me mettre cette lettre à la poste ?
— Certainement, monsieur.
— Au fait, connaissez-vous la différence entre une boîte à lettres et un rhinocéros ?
— Heu... non monsieur.
— Alors, en ce cas, je crois plus prudent de poster cette lettre moi-même.

***

Chaque matin, un Belge prend, à la gare de Clabecq un billet pour Nivelles. Un jour, l'employé lui suggère :
— Puisque vous rentrez tous les soirs, pourquoi ne prenez-vous pas un aller-et-retour ?

Le Belge proteste :

— Et votre collègue de Nivelles, il a bien le droit de gagner sa vie, lui aussi !

***

Tombé dans la misère, un Belge a dû se résoudre à vendre sa voiture. Devenu piéton, il n'a pas, pour autant, perdu ses bonnes habitudes.

Tous les dix mille kilomètres, il fait réviser ses lacets.

***

Des provinciaux viennent, pour la première fois, rendre visite à leurs cousins qui habitent au douzième étage d'un grand immeuble de Bruxelles. Ils débarquent, tout essoufflés, après avoir gravi péniblement les escaliers.

— Pourquoi, s'étonnent leurs cousins de la ville, n'avez-vous pas pris l'ascenseur ?

— On l'a raté de peu. Au moment où on est entrés dans le hall, il venait juste de partir.

***

Un journal belge a publié cet « Echo des tribunaux » :

— Après réquisitoire et plaidoiries, la Cour a condamné le prévenu à la réclusion à vie (moins les deux cent quatre-vingt treize jours de sa détention préventive).

***

Le patron d'une pâtisserie goûte le morceau de pâte informe que lui tend son nouveau commis.

— Pouah ! s'écrie-t-il. Ce gâteau est absolument immangeable. Comment t'es-tu débrouillé ?

— Je ne sais pas. La recette disait de mettre deux œufs *entiers*. Ce sont sans doute les coquilles qui craquent sous la dent.

***

Les fabricants de boissons gazeuses fabriquent des bouteilles spécialement destinées aux Belges.

Sur le fond de chaque bouteille est gravé cet avis : « Côté à ne pas ouvrir. »

***

Un Belge, c'est ce jeune homme qui détache le soutien-gorge de la fille avec laquelle il flirte... et qui lui mordille les oreilles.

***

Dans un magasin de vêtements, un Belge dit à la vendeuse :

— Je voudrais acheter une robe de chambre.

— Certainement, monsieur. Quelles sont les dimensions de la chambre ?

***

Un représentant de commerce, qui ne se fait guère d'illusion sur le fonctionnement du service des postes en Belgique, met, en post-scriptum, à une lettre qu'il adresse à sa femme :

« Tu sais que d'innombrables lettres ne sont pas distribuées par ces fainéants de facteurs. Alors, si celle-ci ne t'est pas parvenue dans les trois jours, écris-moi aussitôt pour m'en informer.»

***

Un jockey belge termine toujours tellement loin derrière les autres qu'il triple son mois en heures supplémentaires.

***

Un Belge, propriétaire d'une résidence secondaire, dit à un de ses invités :

— Cette panne de secteur se prolonge. Voilà ce qu'on va faire : prenez cette bougie pour vous éclairer jusqu'à ce que vous ayez gagné votre chambre, au premier. Vous n'aurez qu'à me la rapporter dès que vous serez en haut.

***

Un Français interroge un chef de gare belge :
— A quelle heure doit passer le train de 14 h 34 ?
— A 17 h 56.
— A 17 h 56 ?
— Oui. Il est en avance de trois quarts d'heure.

***

Lu, sur la porte de WC publics, en Belgique, cet avis impératif :
« 5 F au lieu de 3 F, avec effet rétroactif au 1er mars. »

***

Une compagnie belge avait construit, à grands frais, une raffinerie en Arabie Saoudite.
Tout a marché à merveille, si ce n'est qu'à la place du pétrole, il a jailli du sucre en poudre.

***

Sur le coup de sept heures, un dimanche matin, les habitants d'une petite ville de Flandre sont éveillés en sursaut par une voiture, munie de hauts-parleurs, qui diffuse ce message au maximum de puissance :
— Chers concitoyens, la pollution par le bruit est intolérable. N'hésitons pas à élever la voix pour en venir à bout !

***

L'administration pénitentiaire belge a fait équiper de solides verrous toutes les cellules des prisons.
Comme on ne leur avait rien précisé, les ouvriers ont tout natu-

rellement mis les verrous *à l'intérieur.*

***

Quand un masochiste belge se fait fouetter, il commence par se protéger le postérieur avec un oreiller, pour ne pas trop souffrir.

***

Dans un grand restaurant, un Belge demande, très fort, au maître d'hôtel.
— Pardon, mon ami, la salade que vous venez de nous apporter est bien pour deux personnes ?
— En effet, monsieur.
— Alors, expliquez-moi pourquoi il n'y a qu'une seule chenille dedans ?

***

Une ménagère belge n'a plus jamais fait d'œufs durs à sa petite famille depuis qu'elle en a bêtement égaré la recette.

***

— Que c'est bête ! Que c'est bête ! s'écrie un Belge en feuilletant son journal. A un chiffre près, je gagnais dix millions à la loterie.
— Comment cela ?
— Le gagnant est M. Bijgarrden, qui habite au 37 rue de Semmerzake. Et moi, j'habite au 36.

***

Un Belge voulait absolument servir de témoin oculaire à la victime d'un chauffard. Comme un agent de police se refusait à enregistrer son témoignage, il l'a assommé avec sa canne blanche.

***

Un jour, à Monte-Carlo, un Belge est littéralement pris en charge par son ange gardien qui lui glisse à l'oreille, d'une voix impérative :

— Assieds-toi à la table du milieu.

Abasourdi, le Belge obéit. Et, par la suite, il va suivre à la lettre tous les ordres qui lui parviennent :

— Joue 1 000 F sur le 7.

Le 7 sort et lui rapporte une petite fortune.

— Maintenant, lui ordonne la voix, reporte tout sur le 13.

Le joueur belge ne cherche pas à comprendre. Il reporte tout sur le 13... qui sort.

Et il en est de même avec le 27, le 3, le 9, le 34, le 15, le 8, deux fois de suite...

La banque est sur le point de sauter quand l'ange gardien du joueur lui ordonne :

— Risque tout sur le 20.

Il risque tout sur le 20... et c'est le 6 qui sort.

— Bon, fait la voix angélique, à son oreille, eh bien, on ne peut pas gagner à tous les coups.

***

Un fonctionnaire de l'état-civil belge rend son formulaire à un monsieur en lui disant :

— Le règlement est formel : vous devez indiquer tous vos prénoms.

— Mais, je n'en ai qu'un.

— Alors, en ce cas, ayez l'intelligence de le souligner.

***

— Je voudrais apprendre à nager, dit un Belge au maître-nageur d'une station balnéaire.

— Mais, s'étonne l'autre, vous avez déjà appris avec moi, l'année dernière.

— En effet. Et je voudrais voir si j'apprendrai plus vite cette année.

***

Un Belge, rapidement enrichi, s'est fait construire une superbe demeure dans le jardin de laquelle trône un cadran solaire de l'époque romaine.

Quand il veut savoir l'heure qu'il est, le Belge ordonne à un de ses domestiques de lui apporter ce cadran dans la salle de séjour, pour qu'il puisse le consulter.

***

— On ne dénoncera jamais assez les méfaits du tabac ! raconte un Belge. Tenez, moi, j'ai eu un oncle qui en a été victime. Il venait tout juste de fêter son cent deuxième anniversaire quand il est mort, écrasé par un autobus, alors qu'il bourrait sa pipe sur un passage clouté.

***

Un homme des cavernes belge, dont la femme assurait qu'elle n'avait plus rien à se mette, était parti en chasse, à la recherche d'un ours, pour faire, de sa peau, un manteau de fourrure.

A la fin de la journée, il avait péniblement assommé un lapin.

C'est ainsi qu'a été créé le premier « bikini »

***

Une nouvelle vendeuse a été engagée dans une librairie belge, après avoir satisfait à un test d'aptitude.

Son patron lui avait demandé :

— De quel auteur est le Petit Prince ?

Et elle avait répondu :

— Environ 1,25 m.

***

Dans sa robe de tulle blanc, la jeune mariée belge se présente, avec son rougissant époux, à l'hôtel où ils vont passer leur lune de miel.

— Surtout, dit-elle au portier, ne nous donnez pas le 24 : le bidet fuit. Ni le 32 : la fenêtre ferme mal. Ni le 15 : le lit est affreux. Ni le 7, on y sent toutes les odeurs de cuisine. Ni le 12...

***

Si un Belge avait inventé la moutarde, il l'aurait faite phosphorescente, pour qu'on puisse enfin manger des hot-dogs au cinéma sans risquer de se mordre les doigts.

***

Cet avis est affiché, à la porte d'un cimetière de campagne du Brabant :
« On n'enterre dans ce cimetière que les personnes vivant dans la commune. »

***

La vente des fers à repasser a dû être interdite, en Belgique.
Trop de ménagères se brûlaient grièvement en portant leur fer à l'oreille quand le téléphone sonnait.

***

Les mots-croisés belges connaissent le plus grand succès en Afrique.
Ils ont cette particularité de ne comporter que des cases noires.

***

Lorsqu'il constate qu'il a des pellicules, un Belge s'achète une demi-douzaine de lotions de couleurs différentes.
Pour récolter des confetti.

***

L'agent immobilier belge vante un appartement à un candidat acheteur :
— C'est un immeuble très, très calme, dit-il. Tenez, un locataire a été assassiné par un rôdeur, la semaine dernière. Eh bien, de tous ses voisins, aucun n'a rien entendu.

***

Trois petites filles ont revêtu des vêtements qu'elles ont trouvés dans le grenier.
— A quoi jouez-vous ? demande la maman de l'une d'elles.
— Au mariage. Moi, je suis la mariée, Madeleine et Françoise sont mes demoiselles d'honneur.
— Mais, fait la mère, en riant, vous n'avez pas de marié.
— Oh ! non. Il n'y en a pas besoin. C'est un mariage sans cérémonie.

***

Un fabricant belge de papier carbone a réussi à écouler ses stocks.
En les vendant comme « Kleenex » aux ouvriers d'une mine de charbon.

***

Dans une salle de concerts, l'orchestre achève un morceau très applaudi quand une dame se penche vers son voisin et lui murmure à l'oreille :
— Ce que j'aimerais, c'est qu'ils jouent la Vème symphonie de Beethoven.
— Mais, fait son voisin, un peu surpris, c'est justement ce qu'ils viennent de terminer.
— Mon Dieu ! gémit la dame et personne ne me l'a dit... alors que c'est mon morceau favori !

***

Le permis de chasse belge est attribué en deux temps.
Les candidats passent, d'abord, une épreuve pratique, fusil en main.
Les survivants sont ensuite interrogés sur la théorie.

***

Un Belge entre dans un magasin de meubles.
— Je voudrais, dit-il au vendeur, une très belle chaise, mais avec une petite particularité : le dossier devant. C'est pour m'asseoir à califourchon.

***

Le directeur d'un petit music-hall belge, qui prépare son programme pour l'été, télégraphie à un impresario parisien :

« Envoyez-moi d'urgence deux comiques et une chanteuse. »

L'impresario répond par le même moyen :

« Vous envoie les deux comiques. Pour la chanteuse, il y a pénurie. »

Et il reçoit ce télégramme en retour :

« D'accord. Envoyez Pénurie. »

***

Quand il vient en permission, pour ne pas se charger inutilement, un soldat belge laisse ses chaussettes dans son cantonnement.

Il se contente d'apporter les trous à sa mère pour qu'elle les lui reprise.

***

Dans un petit village du Hainaut, le nouveau bourgmestre procède à son premier mariage. Il saisit un *Manuel d'allocutions pour toutes les circonstances* et commence à lire, sans remarquer l'air consterné de l'assistance ni la colère qui monte aux joues du marié.

Soudain, l'un de ses adjoints monte sur l'estrade et glisse à l'oreille du bougmestre :

— Excusez-moi mais vous avez fait une petite erreur... Vous êtes en train de lire le discours sur *L'élevage et l'amélioration des bêtes à cornes.*

***

Ayant lu que le Prix Goncourt récompense la meilleure œuvre d'imagination, un commerçant belge a fait parvenir au Jury le double de sa déclaration de revenus.

***

Dans un grand magasin de Bruxelles, une cliente s'étonne :

— Mademoiselle, je lis sur l'étiquette de ce pull-over : 40 % laine, 55 % coton. A quoi correspondent les 5 % restants ?

— Heu... fait la vendeuse... eh bien, ce doit être ce qui rétrécit au premier lavage.

***

Une Belge, d'une quarantaine d'années, vient consulter un médecin pour des troubles qui l'étonnent.

— Eh bien, fait le docteur, après l'avoir auscultée, c'est très simple, vous êtes enceinte.

— Mais voyons, c'est impossible. Jamais vous entendez, *jamais* un homme ne s'est approché de moi... à part ce secouriste de la Croix-Rouge qui est venu, il y a deux mois, m'expliquer ce qu'est la respiration artificielle.

***

Cet avis, assez surprenant, a paru dans un grand quotidien de Belgique :

« Les sociétés. Ce soir, rassemblement à 20 h 30, salle des fêtes pour répétition du concert. Tenue : casquette seulement. »

***

— Mon pauvre vieux, s'apitoie un Belge qui retrouve un ami, perdu de vue depuis longtemps, qu'est-ce que tu as à faire cette mine de catastrophe ?

— C'est ma femme. Elle est morte il y a trois semaines.

— Oh ! Et de quoi est-elle morte ?

— D'un rhume.

— D'un rhume ! Mais ce n'est pas grave du tout !

***

— C'est merveilleux, confie un Belge à un ami. Depuis deux ans que je porte continuellement une patte de lapin dans ma poche, je n'ai pas eu un seul rhumatisme.

— En effet, c'est efficace.

— Oui. Et le mieux, c'est que ça a un effet rétroactif. Je n'en ai jamais eu un seul avant, non plus.

***

Une pancarte d'un tramway d'une petite ville de Belgique prévient ainsi les voyageurs :

« Il est interdit de poser les pieds et autres objets sales sur les banquettes. »

***

— Cette fois, confie une jeune Belge à sa meilleure amie, je fréquente un intellectuel.

— Vraiment ? Qu'est-ce qui te fait dire ça ?

— L'autre jour, je l'ai vu entrer à la bibliothèque municipale... et il ne pleuvait même pas.

***

Souffrant d'ankylose du coude, une Belge va consulter un médecin qui lui conseille :

— Portez des choses lourdes : des seaux pleins d'eau, par exemple.

— Bien, docteur. Mais... est-ce que je dois faire bouillir l'eau, au préalable ?

***

Un fabricant belge d'échelles s'est trouvé ruiné par les indemnités qu'il avait dû verser à ses clients, victimes d'accidents en série.

Il avait oublié de faire figurer, comme le prescrit la loi, le mot « stop » sur le dernier échelon.

***

Dans une université, un élève interroge un professeur :

— Monsieur, que signifie ce fil

rouge que vous avez entouré autour de l'annulaire droit ?

— Oh ! dit le professeur, c'est un pense-bête pour me rappeler de mettre une lettre à la poste.

— Et vous l'avez postée, cette lettre ?

— Non. J'ai oublié de l'écrire.

***

Souffrant d'une inflammation d'une trompe utérine, une Belge va consulter son médecin qui conclut son examen par ces mots :

— C'est une salpingite.

La patiente, qui n'a jamais entendu ce mot, questionne :

— Et ça vient de quoi ça, docteur ?

— Du grec.

— Oh ! s'écrie-t-elle ! Qui aurait pensé ça d'un directeur de banque à Athènes ?

***

Un jeune poète belge avait soumis à un éditeur un choix de ses œuvres qu'il avait baptisé *Flâneries*.

Quelque temps après, il questionna l'éditeur :

— Que pensez-vous de mon recueil de poèmes ?

— J'en trouve le titre un peu long. Vous devriez supprimer les deux premières lettres.

***

Un automobiliste belge, qui voulait tourner à gauche, réfléchit :

— Voyons, la droite, c'est le côté de la main avec laquelle j'écrirais si je n'étais pas gaucher. Donc la gauche est le côté opposé... Zut ! J'ai encore raté ma rue !

***

Un monsieur est ravi du terrain qu'il vient d'acheter sur les bords de l'Escaut.

— Mais, s'inquiète un de ses collègues de bureau, est-ce qu'il ne risque pas, un jour, d'être inondé ?

— Absolument pas ! L'agent immobilier qui me l'a vendu a été formel sur ce point.

— Ah ! bon ! Et combien l'as-tu payé, ce terrain ?

— Pas cher : 50 F le litre.

***

Un automobiliste s'arrête, à l'entrée de Mons, et demande à un passant :

— Comment s'appellent les habitants de cette ville ?

— Ben, vous savez, dit l'homme j'les connais pas tous.

***

Dans sa maison de campagne, un Belge a toujours, sur sa table de nuit, une bougie qu'il allume pour vérifier s'il a bien éteint l'électricité.

***

Un fantaisiste revient, ravi, d'une tournée d'été Outre-Quiévrain.

— Les Belges, dit-il, constituent le plus merveilleux des publics. Lorsqu'on leur raconte une histoire drôle, ils rient trois fois de suite : d'abord, quand ils l'entendent; puis quand on la leur explique; et, enfin, quand ils la comprennent.

***

Une firme de disques belge veut en donner pour leur argent à ses clients.

Les microsillons qu'elle produit sont tellement bourrés qu'ils ne comportent même pas de trou au milieu.

***

La criminalité a tellement augmenté, ces dernières années, en Belgique, que les commissariats de police ont obtenu de ne plus figurer à l'annuaire.

***

Un représentant belge a réussi à convaincre une ménagère de lui acheter un gros livre intitulé : *Comment avoir une mémoire fantastique.*

Elle va prendre son porte-monnaie et questionne :

— C'est combien, exactement ?

— Heu... fait le représentant : 315,25 F... Non : 272,30 F... Non. Attendez que je me rappelle : 187,80 F... ou, peut-être 457,59 F.

***

Un opticien-lunetier belge, inspiré par le cordonnier, son voisin, a mis cette affiche, dans sa vitrine :

« Ici, vos yeux examinés pendant que vous attendez. »

***

Ayant, depuis quelque temps, sa maison infestée de punaises, une habitante d'un vieux quartier de Louvain va chez un droguiste où elle achète de la poudre destinée à exterminer ces répugnantes petites bêtes. Et, au moment de payer, elle a une hésitation à l'idée que sa réputation risque de souffrir de cet achat.

Alors, d'un air enjôleur, elle dit au droguiste :

— S'il vous plaît, vous me mettrez cela dans un emballage-cadeau, c'est pour offrir.

***

Les Belges pensent à tout. Quand ils arrosent leur jardin sous une pluie battante, ils n'oublieraient jamais de revêtir leur imperméable.

***

Venue de sa province, une jeune bonne, pas très délurée, vient consulter un médecin bruxellois qui lui dit :

313

— Avant tout, il faudrait vous faire vacciner.

— Ah ! non, proteste-t-elle, le docteur de chez nous m'a déjà fait le coup ! Et c'est comme ça que j'ai eu mes jumeaux !

***

Un ventriloque belge a dû renoncer à faire carrière au music-hall. Malgré tous ses efforts, il n'était jamais parvenu à s'empêcher de remuer les lèvres.

Non seulement lorsqu'il parlait mais aussi lorsqu'il écoutait.

***

Ayant glissé du toit, un couvreur belge a fait une chute d'une hauteur de deux étages et s'est brisé les deux jambes. On le transporte à l'hôpital où le chirurgien décide de l'amputer au-dessus des genoux. Puis il téléphone au commissariat du quartier pour qu'un agent aille avertir la femme du malheureux, avec ménagement.

Le jeune policier se rend au domicile du couvreur.

Et il annonce d'emblée à la femme, venue lui ouvrir la porte :

— Votre mari est tombé du toit. Il est mort.

Sous le choc, elle s'évanouit.

Quand elle revient à elle, quelques instants plus tard, l'agent est hilare :

— Bonne surprise, lui dit-il. Il sera simplement cul-de-jatte.

***

Un médecin demande à un patient :

— Vous bégayez toujours comme ça ?

— N... non... doc... doc... docteur... Seu... seule... ment... quand... quand... je pa .. parle.

***

Un petit Bruxellois qui n'a jamais dépassé le square de son quartier va, pour la première fois de sa vie, se promener en forêt. Et, tout de suite, une chose le surprend : le chant du coucou.

— Ça alors, maman, s'écrie-t-il, c'est marrant ! Tu entends cet oiseau qui chante comme notre pendule ?

***

Pendant la dernière guerre, les Belges se sont bêtement fait couler leur unique sous-marin. Alors qu'il était en plongée, un homme-grenouille allemand était venu frapper à la porte en disant qu'il livrait des frites.

***

Un spécialiste interroge une Belge du meilleur monde qui se plaint de maux d'estomac :

— Vous mangez épicé, madame ?

— Docteur, répond-elle, offusquée, je mange et... j'urine normalement.

***

Les homosexuels belges souffrent tous du torticolis.

Avec leur manie de vouloir s'embrasser sur la bouche pendant qu'ils font l'amour !

***

Un Belge dépose sur le guichet de la poste le texte suivant :

« Glop-glop — glop-glop — Glop-glop — glop-glop »

— C'est un télégramme ? demande l'employé.

— Oui.

— Je vous signale que, pour le même prix, vous avez droit encore à deux mots. Voulez-vous ajouter deux « glop » ?

— Surtout pas, hurle le Belge Ça ne voudrait plus rien dire !

***

Un jeune médecin vient tout juste de s'établir dans la banlieue de Bruxelles. Il fait entrer son premier patient dans son cabinet et l'interroge :

— Que se passe-t-il ?

— C'est à cause du tendon d'Achille.

— Et alors, s'indigne le médecin, il ne pouvait pas venir me consulter lui-même ?

***

Le tapage nocturne n'est toléré, en Belgique, qu'entre dix heures du matin et cinq heures de l'après-midi.

***

Comment briser l'index d'un Belge ?

Vous lui lancez un grand coup de poing sur le nez.

***

— Je me marie, dit, à un droguiste un Belge, resté célibataire jusqu'à plus de quarante ans. En prévision de ma nuit de noces, je voudrais un peu de vaseline.

— Voilà, monsieur.

L'homme s'en va et le lendemain, il est de retour :

— Alors, fait le droguiste, cette nuit de noces, ça à marché ?

— Heu... oui.. oui. Mais, si c'était possible, je voudrais échanger cette vaseline contre un peu d'amidon.

***

Sa femme ayant donné le jour à des triplés, un Flamand recherche les deux autres heureux papas pour les féliciter.

***

Un Belge venait d'apprendre que son billet de loterie avait remporté le lot d'un million. Fou de joie, il se rend sans attendre dans un grand magasin où il s'achète un superbe costume. Puis il rentre chez lui et, pour rompre avec son misérable passé, il jette dans le vide-ordures, muni d'un puissant broyeur, son vieux costume.

Il n'avait oublié qu'une chose : c'est qu'il y avait laissé dans une poche son fameux numéro gagnant.

***

Après une partie de poker, qui avait duré la nuit entière, un Belge se trouvait devoir à ses trois partenaires plus de 100 000 F.

— Je refuse de payer ! fit-il énergiquement.

— Et pourquoi donc ?

— Quelqu'un a triché.

— Qui ?

— Moi !

***

Un grand distrait avait laissé, par mégarde, le gaz ouvert avant de se coucher.

Quand, le lendemain matin, il craqua une allumette pour allumer son réchaud, une formidable explosion retentit. Les murs et les vitres volent en éclats et le Belge est projeté au beau milieu de la rue.

Un passant le relève et lui demande :

— Etes-vous blessé ?

— Oh ! non, répond le malheureux. Mais je suis sorti juste à temps.

***

Les Belges sont contre l'amour avant le mariage parce qu'ils ont peur que cela ne retarde la cérémonie

***

— Madame, dit un concessionnaire d'une grande marque d'automobiles à une Belge, je vous précise que les morceaux de ferraille qui, selon vous, déparent la moquette de votre voiture, sont, respectivement, les pédales de l'embrayage, du frein et de l'accélérateur.

315

***

Un commerçant belge explique :
— Ce costume coûte 5 000 F comptant. Si vous voulez un crédit, ce sera 6 000 F. Soit 5 000 payables immédiatement et quatre mensualités de 250 F.

***

Une dame tend à une postière le texte d'un télégramme, adressé à sa bien-aimée. L'employée lit à haute-voix ce message :
« Je t'adore. Je t'adore. Je t'adore. »
— Pour le même prix, dit-elle au jeune homme, vous pouvez ajouter encore un mot.
Il hésite longuement puis se décide à écrire à la fin de son télégramme :
Amitiés.

***

Jamais un automobiliste belge ne comprendra comment un policier peut l'accuser de rouler à 140 à l'heure alors qu'il n'est parti que depuis vingt minutes.

***

Un peintre en bâtiment s'est tué en tombant du troisième étage d'une tour.
— Eh bien, dit un Belge, témoin de l'accident, qu'est-ce que ç'aurait été s'il était tombé du dix-septième !

***

— J'ai des troubles de mémoire extraordinaires, dit un patient à son médecin.
— Et cela dure depuis longtemps ?
— Oh ! oui ! A peu près depuis que Georges Simenon est devenu Roi des Belges.

***

Un petit inventeur belge vient de faire breveter sa dernière trouvaille :
— C'est une sorte de rayon de la mort, explique-t-il. En dix secondes, ce fusil enflamme un quartier entier. Et, en dix minutes, il est capable d'allumer le charbon de bois dans un barbecue.

***

Un Belge est persuadé que si les rayons X portent ce nom, c'est parce que leur inventeur a désiré conserver l'incognito.

***

Un petit Belge, très médiocre, faisait le désespoir de son professeur de mathématiques.
Dix ans plus tard, celui-ci le retrouva, jeune homme et visiblement florissant.
— Que t'est-il arrivé ? questionna le professeur, fort surpris.
L'ancien cancre rayonnait :
— J'ai gagné le gros lot de dix millions à la loterie, et cela grâce à vos bonnes leçons d'autrefois.
— Explique-toi mieux.
— Eh bien, voilà : trois nuits de suite, j'ai rêvé que je retournais à l'école et que vous m'interrogiez : « Combien font 7 fois 8 ? » Alors, voyant là un signe du Destin, le troisième jour, j'ai demandé à une marchande un billet se terminant par 63 et c'est lui qui est sorti au tirage.

***

On reconnaît un chien policier belge à ce qu'il ne sort jamais sans son képi et son ceinturon.

***

L'employé d'un bureau de postes dit, d'un ton sévère, à la dame qui vient de lui tendre un paquet :
— Il faudrait récrire votre adresse. Il y a deux mots totalement illisibles.
— Ah ! lesquels ?
— Le nom du destinataire, Straven-

breek et celui de la ville, Munsterbilsen.

***

En consultant sa montre, un psychanalyste belge dit à son patient qui arrive avec trois minutes de retard, après avoir été pris dans un embouteillage :
— Il était temps ! J'allais commencer sans vous.

***

Il a été indispensable de croiser les pigeons voyageurs belges avec des perroquets.
Ils se perdent toujours autant mais, au moins, maintenant, ils peuvent demander leur chemin.

***

Devant la gare du Midi, à Bruxelles, un porteur reconnaît un voyageur chargé de bagages.
— Ferdinand, s'écrie-t-il, où vas-tu, comme cela ?
— A Venise, en voyage de noces.
— Ah ! bon !
— Oui, je me suis marié hier.
— Mais ta femme ne part pas avec toi ?
— Non. Ce n'était pas possible. Il faut bien que quelqu'un reste à la maison pour garder les gosses.

***

Si Beethoven avait été Belge, sourd comme il l'était, il serait, toute sa vie, resté persuadé qu'il faisait de la peinture à l'huile.

***

Un médecin, très gaffeur, dit à sa cliente qui s'apprête à quitter son cabinet :
— Au fait, chère madame, ne manquez pas de dire à votre mari que sa secrétaire est venue me consulter et

qu'il n'a aucune inquiétude à se faire : les petits boutons rouges qui le tracassaient tant viennent sûrement d'une mauvaise alimentation.

***

On interroge une receveuse des Postes belges :
— Comment avez-vous choisi cette profession ?
— C'est l'orientation scolaire qui a décidé de mon avenir.
— Et pourquoi ?
— Ma maîtresse d'école avait noté, parmi mes qualités, que je possédais une voix bien timbrée.

***

Un Belge tente de retrouver son compartiment, après un repas bien arrosé au wagon-restaurant.
— J'ai un point de repère, explique-t-il. Quand je me suis levé, pour aller déjeuner, par la fenêtre, on voyait un troupeau de vaches, dans un pré.

***

Une secrétaire explique sa manière de pratiquer :
— Moi, j'ouvre toutes les lettres qui sont adressées à mon patron. Celles qui sont envoyées sous une enveloppe ordinaire, ne posent aucun problème.
Quant à celles qui portent la mention « personnel », j'estime que c'est pour les signaler spécialement à l'attention du personnel.

***

— Mon médecin, raconte un Belge, m'a donné des pilules qui sont, paraît-il, souveraines contre les troubles de mémoire.
— Elles t'ont fait du bien ?
— Aucun. Il est vrai que je n'ai pas pensé une seule fois à les prendre.

***

— Quand je pense, soupire un mari brimé, qu'un inventeur a passé des mois, des années peut-être, à mettre au point un détecteur de mensonge. Alors qu'il aurait obtenu le même résultat en rencontrant ma femme.

***

Une Belge est allée se faire avorter. Avant que son mari n'ait eu le temps de s'étonner de sa sveltesse retrouvée, elle s'écrie, en se tâtant le ventre :

— Mon Dieu ! J'ai été victime d'un pickpocket !

***

— Ma femme, raconte un homme, accablé, a une passion : elle collectionne les grandes boîtes vides.

— Vraiment ? Et pour en faire quoi ?

— Pour y ranger de petites boîtes vides.

***

Une Belge se présente chez son médecin qui lui annonce qu'elle est enceinte pour la dixième fois.

— Enfin, s'écrie-t-il, votre mari ne prend donc aucune précaution ?

— Mon mari, si, dit-elle. Mais tout le monde n'a pas sa correction !

***

— J'en ai assez de flirter avec ce médecin, confie une jeune fille à une amie. A chaque fois qu'il me prend la main, tout ce qu'il trouve à me dire c'est : « Votre pouls est parfaitement normal. »

***

— Ah ! je m'en souviendrai du jour de mon mariage ! raconte un Belge à un compagnon de beuverie.

— Tu as fait une nuit de noces à tout casser ?

— Ça, pour tout casser, on a tout cassé. J'ai embouti un autobus en conduisant ma femme à la clinique d'accouchement.

***

En plein Boulevard Anspach, un homme se met brusquement à sauter frénétiquement sur place. Aussitôt, la foule se masse autour de lui et on l'interroge :

— Vous êtes malade ?

— Pas du tout, explique-t-il. Mais je viens de me rappeler, brusquement que, lorsque j'ai pris ma potion, ce matin, j'avais oublié, auparavant, d'agiter soigneusement le flacon.

***

Un Belge a-épousé, en secondes noces, la belle sœur de l'oncle, du côté paternel, de sa première femme. Quel est son lien de parenté avec elle ?

Il est son mari, puisqu'il vient de l'épouser.

***

Pourquoi les autobus belges sont-ils plus larges que longs ?

C'est parce que tous les voyageurs veulent être assis près du chauffeur.

***

Un employé très timide pénètre, en tremblant, dans le bureau de son patron auquel il a demandé audience :

— Monsieur le directeur, bredouille-t-il, je sollicite de votre haute bienveillance un congé exceptionnel d'une journée, pour le 15 du mois prochain.

— Et sous quel prétexte ? rugit le directeur.

— Je me marie ce jour-là, explique l'employé. Et, si vous vouliez bien m'en accorder la permission, cela ferait plaisir à ma fiancée que j'assiste à la cérémonie.

***

Un Belge supplie la femme de ses pensées :

— Jurez-moi qu'il n'y a jamais eu d'homme avant moi, dans votre vie.

Je vous le jure, répond-elle. Sur la tête de ma petite fille.

***

Un éminent romancier, membre de l'Académie Royale de Belgique, dédicace ses derniers ouvrages. A un moment, une dame s'approche de lui et dit :

— Ah ! maître, la fin de votre dernier roman est fantastique... fantastique...

— Merci beaucoup, dit l'académicien, flatté, et que pensez-vous du début ?

— Ah ! excusez-moi, répond la dame, mais je n'en suis pas encore là.

***

Ce qui tracasse le plus une automobiliste belge, c'est de savoir si elle ne risque pas d'abîmer son moteur en continuant à rouler quand son réservoir d'essence est complètement à sec.

***

Un sadique belge a été arrêté facilement par la police après avoir commis son premier viol.

Il avait oublié d'emporter l'arme du crime.

***

— Frédéric est un sale menteur, dit un petit Belge à sa mère.

— Pourquoi cela ?

— Je lui ai demandé : « Combien as-tu de frères ? » Il m'a répondu : « Un seul. » Et quand j'ai posé la même question à sa sœur, elle, qui est franche, au moins, elle m'a tout de suite dit : « Deux. »

***

Avant de prendre la route, un automobiliste belge prend soin de démonter ses pare-chocs et de les ranger soigneusement à l'intérieur de sa voiture.

Pour qu'ils ne risquent pas d'être abîmés en cas de collision.

***

Une vieille dame était étonnée. Tous les quatre mois, quand elle réglait sa note d'électricité, elle avait des discussions avec la compagnie. Une fois, elle devait de l'argent; une autre fois, on lui en remboursait.

Finalement, elle comprit ce qui se passait quand elle reçut ce petit mot :

« Madame, le montant que vous avez à régler est le dernier chiffre, en bas, à droite de la quittance. Jusqu'à présent, vous nous avez toujours payé la date. »

***

Dans un restaurant belge, le garçon vous sert toujours votre soupe à peine tiède.

Parce qu'il est trop douillet pour risquer de se brûler le pouce.

***

Un Belge écrit une lettre anonyme :

« Espèce de cocu. Ta femme te trompe, pendant que tu es au boulot, avec le charcutier, le sacristain, le capitaine des pompiers et tous les caporaux-chefs du 27ème régiment d'artillerie. »

Il glisse sa lettre dans une enveloppe quand il se ravise et ayant récupéré sa missive, ajoute une formule de politesse :

« Veuillez agréer, Cher monsieur, mes salutations distinguées. »

***

Un homosexuel dit à son petit ami :
— On va jouer à cache-cache. Si tu me trouves, on fait l'amour. Et si tu ne me trouves pas je suis dans le placard à balais.

***

Un Belge s'étonnera toujours du manque de sérieux des Français. Une plaque, fixée sur la Tour Eiffel, précise que ce monument a été inauguré en 1889.
Mais elle ne dit pas s'il s'agit de 1889 avant ou après Jésus-Christ.

***

Vu cette annonce à la rubrique « Occasions » d'un grand quotidien bruxellois :
« A vendre, prix exceptionnel, superbe encyclopédie en dix volumes. Impeccable. Jamais feuilletée; ma femme sait tout. »

***

Un Belge est entré dans un magasin pour s'acheter des chaussures. Il en essaie une paire, deux paires, trois paires... dix paires. Soudain, le patron intervient :
— Monsieur, lui dit-il, l'odeur pestilentielle que dégagent vos pieds incommode à la fois le personnel et les clients. Je vous fais cadeau de cette paire de chaussures neuves mais, je vous en supplie, sortez, immédiatement.
Le Belge sort en emportant ses chaussures neuves.
Un instant plus tard il rouvre la porte et lâche un énorme pet.
— Avec ça, demande-t-il, est-ce que je pourrais avoir une boîte de cirage ?

***

La nuit, un automobiliste belge prend la sage précaution de rouler tous feux éteints. Comme ça, il est sûr de ne pas risquer d'éblouir les conducteurs qui viennent en sens inverse.

***

Les Belges sont pour le mariage des prêtres.
— Sinon, s'inquiètent-ils, comment les curés auraient-ils des enfants de chœur ?

***

Une Belge vient consulter un gynécologue.
— Vous êtes enceinte, lui annonce-t-il, après avoir procédé à un examen approfondi.
— Ah ! non ! proteste-t-elle, sûrement pas ! Voilà près de six mois que je prends la pilule.
— Pourtant, il n'y a aucun doute.
— Je ne comprends pas, soupire la jeune femme. Ces pilules sont tout à fait inefficaces, alors. Mais, au fait, docteur : un chose m'intrigue. Pourquoi n'ont-elles pas la forme d'une petite fusée, comme les autres suppositoires ?

***

Une ménagère belge s'est stupidement brisé les reins.
Elle était tombée de l'échelle sur laquelle elle avait grimpé pour repasser ses rideaux.

***

D'une voix parfaitement normale, un monsieur confie à son médecin :
— Ah ! là ! là ! là ! Vous savez que j'ai une laryngite carabinée !
— Mais, s'étonne le toubib, cela me surprend un peu que vous me disiez cela si fort.
— Voyons, reprend l'autre, une laryngite, ça n'a rien de honteux. Pourquoi ferais-je des mystères à propos de cela ?

***

Quand ils vont aux Jeux Olympiques, les champions belges de natation sont certains de recevoir un message de félicitations du Roi, dès l'instant où ils peuvent prouver qu'ils n'ont eu aucun noyé.

***

Vous ne ferez jamais croire à un habitant de Namur que la lune est plus loin que Bruxelles.

— La preuve, vous soutiendra-t-il, c'est que par temps clair, de Namur, on voit nettement la lune alors qu'on est bien incapable de voir Bruxelles.

***

Invité à dîner chez des amis, un Belge dit, galamment, à son hôtesse :

— Vous êtes très belle ce soir.

— Oh ! minaude-t-elle, vous me flattez.

— Pas du tout, s'enferre le Belge. D'ailleurs, j'ai dû vous regarder à deux fois avant de vous reconnaître.

***

Un soldat belge est de garde de nuit quand il s'aperçoit que la caserne est en feu.

Il se met à hurler :

— Cessez le feu !

***

Un Belge, en piteux état vient trouver un pharmacien.

— Je ne sais pas ce que j'ai, explique-t-il. Depuis trois jours, je n'arrête pas de tousser. Que pourriez-vous faire pour moi ?

— Attendez un instant, répond le potard.

Il disparaît dans son arrière-boutique et revient en tendant au client un verre contenant un liquide rosé.

— Buvez cela, ordonne-t-il, d'un ton sans réplique.

L'autre lampe d'un coup le contenu du verre, grimace tant le goût en est mauvais, puis questionne :

— C'est sans doute un nouveau sirop contre la toux ?

— Pas du tout, répond le pharmacien, rigolard. C'est de l'huile de ricin.

— Et... vous croyez que cela va m'empêcher de tousser ?

— En tout cas, dit le pharmacien, avec la dose que vous avez absorbée, une chose est sûre : pendant les prochaines quarante-huit heures, je peux vous garantir que vous *n'oserez pas tousser*.

***

Un paysan belge souffrant d'une grippe particulièrement corsée, le médecin du pays avait conseillé à sa femme de lui faire un bon cataplasme à la farine de moutarde.

Trois jours plus tard, il repasse et demande :

— Alors, ça lui a fait de l'effet ?

— Pas tellement, dit la fermière. Il tousse toujours beaucoup. Ah ! au fait, il a demandé si, avec son prochain taca... capa... pataclasme... il pourrait avoir un peu de pain et une tranche de lard.

***

Depuis son plus jeune âge, un Belge allait, chaque dimanche après-midi, coller son œil à un trou dans une clôture de bois, persuadé qu'il s'agissait d'un terrain de football.

Il lui a fallu inaugurer sa première paire de lunettes, à vingt ans, pour se rendre compte qu'en réalité c'était un camp de nudistes.

***

— J'adore les enfants, dit un Belge. Figurez-vous qu'il m'est arrivé d'en être un, autrefois, quand j'étais plus jeune.

***

La gardienne d'un immeuble belge interroge un de ses locataires :

— On ne vous voit plus, M. Wommerson, depuis près d'un mois. Qu'est-ce que vous faites de beau, enfermé comme ça, toute la journée ?

— J'écris un roman, explique-t-il.

— Quelle drôle d'idée ! Alors qu'on en vend des tout faits dans toutes les bonnes librairies !

***

— Docteur, dit un Belge timide et très embarrassé... Voilà... heu... je viens vous voir parce que... heu... un de mes amis... enfin... il a un petit bouton... qui l'inquiète... sur le bras droit...

— C'est bien, coupe le médecin. Déculottez-vous et faites-moi voir le bras de votre ami.

***

La plupart des Belges ont deux êtres en eux : celui que connaît leur femme et celui qu'ils s'imaginent que leur femme ne connaît pas.

***

Un Belge s'imagine qu'en engageant un franc-maçon, celui-ci ne lui mentira pas sur le prix de revient de sa maison en construction.

***

Un feuilletonniste, qui écrit ses romans à la va-vite, fait raconter à son héroïne :

— Il me causait sérieusement d'une lèvre tandis que, de l'autre, il caressait la nuque de la jolie fille campée sur ses genoux.

***

Un myope se fait poser des verres de contact.

— Vous renoncez donc aux lunettes ? lui dit l'ophtalmologiste.

— Au contraire. Quand j'aurai mes verres de contact, ça me permettra peut-être de retrouver plus facilement mes lunettes, lorsque je les cherche, le matin.

***

Dès sa sortie de l'école, une jeune fille, qui n'avait absolument pas la bosse du commerce, avait été engagée dans un magasin « Tout à 100 F. »

Au bout de trois jours, elle a été renvoyée.

Elle ne manquait pas d'une certaine bonne volonté mais elle n'arrivait pas à se rappeler les prix.

***

Cette précision utile figure dans tous les livres de cuisine belges, à la rubrique Frites :

— Epluchez soigneusement les pommes de terre. La partie utilisable est *l'intérieur* de la pomme de terre.

***

— Je n'oublierai jamais ton visage, écrivait à sa femme un Belge prisonnier de guerre. Et pourtant, je te jure que j'ai souvent essayé.

***

Un éditeur belge confie à un critique :

— Les manuscrits qui nous sont soumis sont, dans l'ensemble, si médiocres qu'il nous faut, la plupart du temps, en récrire une bonne moitié avant de les jeter à la corbeille.

***

Un de ses enfants devant absolument porter des lunettes, une maman belge, dans la crainte qu'il ne casse ses verres,

322

ne le laissait partir pour l'école qu'avec la monture.

***

En lisant, dans un magazine historique, qu'en 1840, on avait ramené en France les cendres de Napoléon, un Belge s'étonne :
— Je ne savais pas qu'il était mort dans un incendie.

***

— Jamais plus, s'écrie un routier belge, je ne chargerai une auto-stoppeuse à bord de mon camion. J'ai commis trois fois cette imprudence : les trois fois je me suis fait violer.

***

Dans un cocktail, une jeune femme s'approche d'un grand romancier très célèbre et lui dit :
— Oh ! maître ! Quelle joie de faire votre connaissance. J'ai lu votre dernier livre dès sa parution. Et je peux vous assurer que j'ai eu des discussions passionnées avec des gens auxquels il avait plu.

***

Un officier de parachutistes belges dit à ses hommes :
— La statistique prouve qu'il y a un accident mortel sur vingt. Cela ne vous concerne pas puisque vous n'êtes que dix-neuf.

***

Un éditeur bruxellois a reçu cette lettre d'une mère de famille inquiète :
« Voudriez-vous m'indiquer les titres de quelques livres que ma fille de quinze ans puisse lire les yeux fermés. »

***

Tous les lièvres du monde courent

en zig-zag mais seuls les lièvres belges ne se trouvent pas dans le zig quand le chasseur tire dans le zag.

***

Un Belge ne s'endormirait jamais sans garder ses lunettes sur le nez. Sinon, il voit ses rêves tout flous.

***

Un paysan belge confie à un autre :
— Le médecin me conseille de me faire vacciner contre la grippe.
— Bah ! dit son interlocuteur, il y a du pour et du contre, avec ce vaccin. Vous connaissiez le père Zutendaal ? Il se l'est fait faire, ce vaccin. Eh bien, deux jours plus tard, il était mort — écrasé par le camion de la coopérative.

***

Une boutique de la rue la plus commerçante de Bruxelles annonce, en vitrine :
POUR LA JEUNE FILLE MODERNE
ROBES DE MARIAGE
POUR FUTURES MAMANS

***

Le chef des pompiers d'une petite ville du Limbourg va trouver le propriétaire d'une villa en feu :
— Nous sommes un peu à court de tuyaux, lui dit-il. Est-ce que, par hasard, il ne vous serait pas possible de rapprocher un peu l'incendie de notre voiture ?

***

Les antialcooliques belges attendent le 15 novembre avec impatience.
Pour goûter enfin le coca-cola nouveau.

***

Depuis que sa femme a donné le

jour à des triplés, un Belge s'est juré de ne plus jamais faire l'amour quand il aurait le hoquet.

***

Un policier belge, au cours d'une ronde, avait repéré un cambrioleur transportant son butin dans deux énormes valises. Il l'interpelle aussitôt et l'invite à le suivre au commissariat. L'autre obtempère sans discuter.

— Vous permettez que je fume une cigarette ? demande-t-il simplement.

— Si vous voulez.

— Ah ! Zut ! Je n'ai pas d'allumettes. Voulez-vous m'attendre une seconde, le temps que j'en achète, dans ce bureau de tabac ?

Naïvement l'agent accepte. Le monte-en-l'air pénètre dans la boutique... et ressort par une porte de derrière.

Furieux, le policier belge se jure de prendre sa revanche. Effectivement, quelques mois plus tard, il aperçoit de nouveau le malfaiteur, qui venait visiblement de piller un appartement.

— Cette fois, dit-il, je t'embarque et tu ne m'auras pas !

Les deux hommes passent devant le même bureau de tabac.

— Je peux fumer une cigarette ? interroge le voleur.

— Si vous voulez.

— Ah ! Zut ! Je n'ai pas d'allumettes ! Voulez-vous... ?

— Non, non et non ! s'écrie l'agent. Pas deux fois de suite ! Vous, restez dehors à surveiller les valises et moi, je vais aller les acheter, vos allumettes !

***

Un Belge s'inquiète en voyant que sa femme a un peu mal au cœur.

— Ce n'est pas que tu attends un enfant, au moins ?

— Ah s'écrie-t-elle, je te jure que si c'était le cas, c'est ton ami Henri à qui j'irais dire deux mots !

***

Brimé par une épouse tyrannique, un Belge avait passé six mois à mettre au point un plan d'évasion sensationnel. Il comptait dire, un soir, à sa femme qu'il s'absentait cinq minutes pour aller chercher des cigarettes. Il en aurait profité pour filer et refaire sa vie dans un autre pays.

Il a dû abandonner ce projet : sa femme vient de lui interdire de fumer.

***

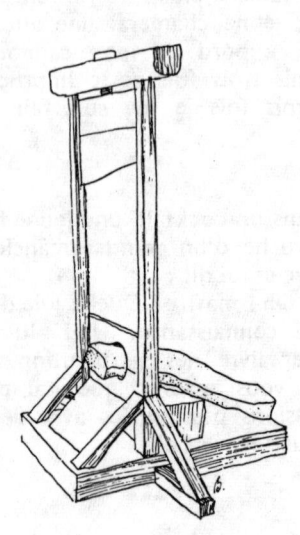

CES HISTOIRES AMUSENT LES FRANÇAIS ILS LES COMPRENNENT !

Un Belge au chômage s'est vu offrir une place d'eunuque dans un harem d'Arabie.

Fou de joie à cette idée, il court faire quelques emplettes : d'abord vingt boîtes de préservatifs.

Puis un dictionnaire pour savoir ce que peut bien être un eunuque.

***

324

En Belgique, un match de football dure 115 minutes.

Quarante-cinq minutes pour chaque mi-temps, un quart d'heure de repos...

Et une demi-heure, au moment du « toss », pour que l'arbitre rappelle aux deux capitaines la différence entre « pile » et « face ».

***

La Belgique est le seul pays au monde où, quand il s'agit d'élire la plus jolie fille du pays, le jury s'installe le dos à la scène sur laquelle défilent les candidates.

***

Un Belge souffrait d'hémophilie. Il a entrepris de se soigner par l'acupuncture.

***

Un affreux bandit a kidnappé un petit Belge.

Le lendemain, il le renvoie chez ses parents pour qu'il aille chercher sa rançon.

Les parents, aussitôt, le réexpédient chez le kidnappeur en lui recommandant de faire bien attention, avec la grosse somme qu'il transporte.

***

Deux homosexuels belges se désolaient de ne pas encore avoir d'enfant. Cette fois, ils y sont bien décidés.

La preuve : ils ont cessé, l'un et l'autre, de prendre, chaque soir, la pilule anticonceptionnelle.

***

Lorsqu'un jury d'assises se réunit, en Belgique, pour délibérer, il exige un certain nombre d'accessoires : des frites, de la bière et une pièce de monnaie pour tirer sa décision à pile ou face.

***

Pourquoi les petits Belges ne s'amusent-ils pas, comme tous les autres enfants du monde, à empiler leurs cubes ?

C'est parce que les cubes belges sont les seuls à avoir une forme sphérique.

***

Pourquoi les femmes belges font-elles toujours leur ménage dans la gaieté ?

C'est parce que, pendant qu'elles balaient, les poils du balai les chatouillent sous le cou.

***

Un Belge avait décidé d'en finir avec la vie. Après cinquante tentatives de suicide, il y a renoncé.

A chaque fois qu'il s'était lancé devant une voiture — il en avait choisi une arrêtée.

***

Dans une fête foraine, une extra-lucide annonce :

« Je lis ce que vous avez dans la tête. »

Avec cette précision :

« Demi-tarif pour les Belges. »

***

Un Belge n'est jamais arrivé à faire du ski nautique.

Il était persuadé que, pour pratiquer ce sport, il fallait aller dans une station de montagne et attendre la fonte des neiges.

***

Un crayon belge présente un aspect très particulier : il a une gomme à chaque bout.

***

Quand un Belge veut avoir un mouchoir à ses initiales, il se les fait tatouer sur le pouce et l'index.

***

Le syndicat des manutentionnaires belges a exigé que soit, désormais, interdit l'usage du « diable », ce chariot à deux roues servant aux transports des marchandises.

Les malheureux, qui devaient utiliser cet engin, lourdement chargé, se plaignaient qu'il leur fasse terriblement mal aux épaules.

***

Si Christophe Colomb avait été Belge, il serait parti vers l'ouest avec la Nina, la Pinta et la Santa Maria.

Et, six mois plus tard, il aurait découvert la Suisse.

***

— J'ai gagné cette médaille d'or aux Jeux Olympiques, explique un Belge. J'aimerais en faire un objet d'art : pourriez-vous me la recouvrir de bronze ?

***

Combien faut-il de Belges pour réaliser un kidnapping ?

Six.

Un pour ravir la victime.

Et cinq pour composer le numéro de téléphone de sa famille, afin de fixer le montant de la rançon.

***

Un Belge fouille dans la poche de son veston et en tire une crotte de chien. Il la tend à sa femme en lui disant :

— Je l'ai échappé belle ! Regarde dans quoi j'ai failli marcher, sur le trottoir.

***

On reconnaît qu'un Belge a de l'instruction, quand, au moment d'écrire le mot « frites », il se demande si cela commence bien par *ph*, ou s'il ne confond pas avec « Aphricain ».

***

Un Belge s'est fait cruellement mordre l'endroit le plus délicat de sa personne, lors de sa première expérience amoureuse.

Il avait cru comprendre, lors des cours d'éducation sexuelle, que, pour avoir un enfant, un homme devait faire l'amour avec une cigogne.

***

Le record de la dissimulation appartient à une Belge.

Lorsqu'elle a avoué à son mari qu'elle était incurablement stérile, ils avaient déjà cinq enfants.

***

— C'est merveilleux, s'écrie le directeur d'une grande station de sports d'hiver, depuis que nous avons la clientèle des Belges, nous amortissons nos installations deux fois plus vite. Il faut dire que les Belges sont les seuls à n'emprunter les remonte-pentes que pour la descente.

***

Comme les Suisses, les Belges ont eu leur Guillaume Tell.

Lui aussi, avait refusé de saluer le chapeau de Gessler. C'est pourquoi celui-ci lui imposa un exploit à réaliser : poser, en équilibre, sur la tête de son jeune fils, une pomme de terre.

Et, d'une flèche bien ajustée, la transformer en une douzaine de frites.

***

Une jeune mariée belge sort de sa maison au moment où passent les éboueurs. Ils lui demandent:

— Pas d'ordures, aujourd'hui ?

— Eh bien, répond-elle, pour vous faire plaisir, je vais en prendre deux sacs.

***

Un chirurgien belge ne peut écrire qu'au stylo à bille.

Par déformation professionnelle il ouvre en deux tous ses crayons pour voir s'ils n'ont pas mauvaise mine.

***

— Je voudrais, dit un Belge à son médecin, suivre un sévère régime amaigrissant.

— Pour être plus séduisant ?

— Non. Pour pouvoir me glisser discrètement sous la porte quand je vais dans les toilettes payantes.

***

Un Belge s'est entendu conseiller, pour gagner au tiercé, de jouer, dans l'ordre, le nombre de boutons de sa braguette, le nombre de boutons de sa chemise et le nombre de fois qu'il a fait l'amour à sa femme depuis un mois.

Il joue donc la combinaison : 4 — 7 — 15.

Le soir, il entend à la radio que le résultat du tiercé est : 4 — 7 — 1.

— Zut ! s'écrie-t-il, dépité, si j'avais su, j'aurais dit la vérité.

***

Les mamans belges s'obstinent à nourrir leurs enfants au sein.

Et pourtant, ça fait mal de faire bouillir les tétines pendant un quart d'heure.

***

Une superbe blonde arrive dans un commissariat, tout essoufflée. Un agent de police lui demande :

— Que se passe-t-il ?

— Je vous en supplie, dit la belle enfant, aidez-moi, je viens d'être violée, dans une rue déserte, par un Belge.

— Mais, s'étonne l'agent, comment savez-vous que c'était un Belge ?

— Il a fallu que je lui montre comment s'y prendre !

***

Quelle est la première chose que fait un Belge quand il sort de sous la douche ?

Il enlève son costume pour le mettre à sécher.

***

Parmi cinquante motocyclistes qui roulent dans une rue, à quoi reconnaît-on un Belge ?

C'est le seul qui n'a pas déverrouillé son antivol.

***

Les spécialistes de la biologie étudient la possibilité de créer un homme avec six doigts à chaque main.

C'est le seul moyen pour que les Belges apprennent à compter jusqu'à douze.

***

Qu'est-ce qui est encore plus mince que la Marine suisse ?

L'Intelligence Service belge.

***

Un chirurgien wallon a réussi une grande première mondiale : une transplantation de l'appendice.

***

A quoi reconnaît-on une ferme flamande ?

Il y a un plongeoir au-dessus de la fosse à purin.

***

Les chanteurs belges ont accueilli avec enthousiasme la naissance du microsillon.

Au temps du 78 tours-minutes, c'était vraiment trop épuisant de courir autour du micro, pendant les séances d'enregistrement.

***

Un Belge a offert à sa femme un magnifique service de table en porcelaine de 728 pièces.

En fait, ce service ne comptait que 52 pièces avant qu'il ne trébuche, en sortant du magasin.

***

— Pourquoi, demande le juge à un Belge, avez-vous étranglé votre femme en lui serrant le cou avec son foulard ?

— Dans une bonne intention, monsieur le juge. Je voulais éviter que son rhume de cerveau lui tombe sur la poitrine.

***

Si Velpeau avait été belge, sa bande n'aurait pas tenu trois jours, avant d'être démantelée par la police.

***

Un Belge louche tellement qu'il est sans doute le seul homme au monde à pouvoir suivre intégralement un match de tennis sans jamais tourner la tête.

***

Si Cyrano de Bergerac avait été belge, il aurait été engagé pour faire la publicité d'un de ses compatriotes. chirurgien-esthétique.

Afin de montrer ce que deviennent les clients de celui-ci *après* l'opération.

***

Les films policiers belges sont réalisés avec un minimum de frais. Ils ne comptent que deux personnages : l'assassin et sa victime qui est tuée au début de la première bobine.

***

A un automobiliste belge, qui a provoqué un grave accident en brûlant un stop, un gendarme demande :

— Vous n'aviez donc pas remarqué le signal ?

— Si, fait le Belge. Mais, depuis vingt ans que je conduis, j'ai toujours cru que « stop » était un mot anglais qui voulait dire « Accélérez ».

***

Le responsable de la Bibliothèque nationale belge se méfie des cambrioleurs.

Chaque soir, quand il quitte la bibliothèque, il prend la précaution d'emporter *le* livre dans une de ses poches.

***

Les ingénieurs de la Marine belge peuvent être légitimement fiers de leur œuvre.

Ils ont réussi à mettre au point un sous-marin *absolument insubmersible*.

Sauf, évidement, si on le met dans l'eau.

***

Comment appelle-t-on un Belge qui affirme avoir un Quotient intellectuel au-dessus de la moyenne ?

Un menteur.

***

A quoi différencie-t-on un ingénieur des Ponts-et-chaussées belges d'un cantonnier ?

Le cantonnier, quand on lui confie une brouette, a l'idée de la saisir par les poignées.

***

— Citez-moi, dit l'instituteur, un exemple de pléonasme.

Un petit Belge répond :

— Écrire, sur la porte des WC, le mot « Poussez ».

***

Pourquoi faut-il dix Belges pour planter un clou ?

Un des Belges tient le clou et les neuf autres poussent le mur.

***

Lu dans un journal belge, ce commentaire à une vilaine affaire de mœurs :

« Dès que la police eut été saisie d'une plainte pour viol, elle se rendit sur les lieux pour rechercher l'arme du crime. »

***

La Société belge pour l'amélioration de la race chevaline a décidé de se moderniser. Désormais, en cas de dead-heat, il sera fait appel à la photographie pour départager les chevaux ex-aequo.

Depuis la création de la Société, le jury examinait une peinture à l'huile de l'arrivée.

***

Un Belge explique pourquoi il embrasse toujours son chien sous la queue.

— C'est la seule façon d'être sûr qu'il ne me mordra pas.

***

Un Belge a gagné le gros lot d'une loterie de charité, consistant en une authentique tapisserie d'Aubusson.

— Chic ! s'écrie-t-il. Je vais l'installer par terre, dans ma salle de séjour. Ça économisera un peu la moquette.

***

Un Belge adore faire la cuisine. Régulièrement, il rapporte à la maison une superbe dinde qu'il farçit lui-même.

Il ne reste plus à sa femme qu'à la tuer, la plumer et la mettre à cuire.

***

Les lauréates des concours de beauté, organisés en Belgique, n'ont aucun souci à se faire pour leur avenir.

Elles se reconvertissent dans une exploitation agricole comme épouvantails à moineaux.

***

Un Belge différencie parfaitement le froid du chaud. Quand il sort de sous la douche, il se regarde dans une glace en pied. S'il est vert, c'est que l'eau était glacée et s'il est tout rouge, c'est qu'elle était bouillante.

***

Si un bandit belge vous lance une grenade, rattrapez-la au vol, *dégoupillez-la* et relancez-la lui.

***

Il existe un Club de *kamikazes* belges. Il réunit tous les pilotes qui sont rentrés indemnes d'au moins vingt missions-suicide.

***

Désespéré, un Belge, expatrié aux États-Unis a décidé d'en finir avec sa vie.

Il est monté tout en haut de l'Empire State Building, il a sauté dans le vide... Et il a raté le sol.

***

Ayant entièrement équipé son appartement en meubles scandinaves aux formes révolutionnaires, un Belge s'étonnait d'être très fatigué, au moment de se lever, le matin.

Au bout de six mois, il en a compris la raison : c'était parce qu'il couchait dans sa table de nuit.

***

Son bateau ayant fait naufrage, un Belge avait trouvé refuge, sur une île déserte, avec une énorme meule de gruyère.

Il y est mort de faim. A chaque fois qu'il se taillait une part de gruyère, il mangeait les trous et il jetait ce qu'il y avait autour.

***

Savez-vous comment les Belges font des crêpes ?

La femme prépare la pâte pendant que le mari va voler un rouleau-compresseur.

***

Que fait un Belge, quand il rentre chez lui et qu'il trouve sa femme au lit, en train de faire l'amour avec son meilleur ami ?

Il commence à avoir des soupçons.

***

— Il va falloir que je ferme mon zoo, dit tristement un Belge : ma poule est morte.

***

Si Moïse avait été belge, il n'aurait pas pu être plus stupide que le vrai qui, à leur sortie d'Égypte, a fait tourner les Hébreux à gauche, alors que le pétrole était à droite.

***

Leur balance commerciale ne permet pas aux Belges d'importer des raisins secs. C'est pourquoi les éleveurs de lapins font fortune en nettoyant leurs clapiers.

***

Quand le veuvage d'un Belge est terminé, il le signale à ses amis et connaissances en se curant les ongles.

***

Les livres de cuisine n'ont aucun succès, auprès des ménagères belges. Celles-ci sont découragées d'emblée en voyant que toutes les recettes commencent par : « Prenez un plat *propre...* »

***

Une ménagère belge assure que son appartement est équipé de la plus simple des machines à laver.

Vous mettez tout votre linge dans la machine et vous tirez la chaîne.

Le seul ennui, c'est que vous ne revoyez jamais votre linge.

***

Un chevalier du Taste-vin belge peut vous dire, en humant un vin, non seulement son année mais aussi le nom du vigneron qui a foulé les grappes aux pieds.

***

Si Charles Lindbergh avait été Belge, lorsqu'il a effectué la première traversée de l'Atlantique en avion, il se serait arrêté au moins six fois en route pour demander son chemin.

***

Les Belges hésitent toujours avant de prendre leur température. Ils trouvent que ce qui fait le plus mal, quand on introduit le thermomètre, c'est la planchette graduée.

***

Pourquoi un Belge sourit-il toujours largement pendant qu'il se soulage dans un endroit public ?

Parce qu'il se dit qu'il est peut-être en train de participer à une émission de la *Caméra invisible.*

***

— Docteur, dit un Belge, j'ai besoin que vous me soigniez énergiquement pour des troubles de mémoire.

— Ces troubles se manifestent comment ?

— Eh bien, par exemple, pris d'une envie pressante, j'entre dans une vespasienne. Et là, ayant complètement oublié ce que je venais faire, j'ouvre ma veste et je sors ma cravate.

***

Si un Belge avait inventé la fourchette, il n'aurait prévu qu'une dent, pour qu'à la fin du repas, elle puisse être utilisée comme cure-dents.

***

Une Belge est tellement laide que lorsqu'elle entre dans une pièce, toutes les souris grimpent sur une chaise.

***

Avez-vous déjà fait un puzzle belge ?

Il a cette particularité de ne comporter qu'*une seule pièce.*

***

Un agent du Service du recouvrement de la taxe sur la télévision se promène dans un département du Nord de la France. Soudain, il voit une antenne au-dessus d'une cabane servant de waters, au bout du jardin.

Il frappe à la porte. Un Portugais lui ouvre et lui explique :

— Je n'avais pas de logement alors j'ai été bien content de louer ça à un paysan.

Huit jours plus tard, le même fonctionnaire repasse au même endroit et voit *deux* antennes de télévision au-dessus des cabinets.

Il frappe à la porte. Le Portugais lui ouvre et dit :

— Ça me faisait trop cher alors j'ai loué la cave à un Belge.

***

— C'est ruineux, le water polo, soupire un grand sportif. Je ne le pratique que depuis quinze jours et j'ai déjà noyé douze chevaux.

***

On interrogeait un médecin belge :

— Que pensez-vous de l'Euthanasie ?

— J'espère bien que les Chinois renonceront à l'envahir.

***

Un Belge arrête le conducteur d'une arroseuse municipale.

— Vous devriez faire réparer votre citerne, lui dit-il. Elle fuit d'un peu partout.

***

Une infirmière belge entre dans la chambre d'un nouveau malade :

— Ah ! s'écrie-t-elle, en regardant le nom inscrit au pied du lit, sur la feuille de température, c'est vous le patient à propos duquel le médecin-chef m'a dit : « S'il vous demande ce qu'on pense de son cas, feignez de ne pas prendre la chose au tragique et laissez-lui croire, avec un sourire optimiste, qu'il en a encore pour une bonne huitaine. »

***

A la suite d'un chagrin d'amour, un Belge a tenté, sans y parvenir, de s'ouvrir les veines avec son rasoir.

C'est fou ce que c'est malcommode avec un rasoir électrique.

***

Les mousses à raser vendues en Belgique comportent cet avis impératif : « Ne pas appliquer sur le visage. Danger. »

***

Pourquoi les cuisiniers des restaurants belges ont-ils de petites silhouettes peintes sur leur toque ?

Comme les aviateurs, ils comptent leurs victimes.

***

Une fois les bagages chargés et toute sa famille installée, un automobiliste belge ne manque pas de vérifier la pression de ses quatre pneus.

Il enfonce un clou dedans. Si un des pneus met moins de dix secondes pour être complètement à plat, c'est qu'il n'était pas suffisamment gonflé.

***

Un homme-volant belge s'est noyé, lors de sa première tentative.

Pour mettre ses ailes au point, il avait pris modèle sur un poisson-volant.

***

Si le macaroni avait été inventé par un Belge, le trou serait à l'extérieur.

***

Pour savoir s'il lui reste encore assez d'essence, un automobiliste belge allume une allumette et l'introduit dans le réservoir, afin d'y jeter un coup d'œil.

Si rien n'explose, il est grandement temps de faire le plein.

***

Pour additionner 5 et 4 un Belge prend une feuille de papier, perce cinq trous puis quatre autres. Il introduit ses doigts dans les trous et il compte.

Pour une soustraction, c'est la même méthode mais, avec une lame de rasoir, il coupe autant de doigts qu'il y a de chiffres à retrancher.

***

Une auto-école belge offre une prime à tous ses élèves reçus au permis : un bon pour cinq séjours gratuits à l'hôpital.

***

Une mite belge avait fait des économies pour passer un bon mois de vacances.

Elle n'a rien trouvé de mieux que d'aller dans un camp de nudistes.

***

Les quatre musiciens d'une petite formation belge font toujours un entracte, au milieu de leurs concerts, pour chasser la salive de leurs instruments.

Tous les quatre : les deux violonistes, le contrebassiste et le cymbalier.

***

Les soirs d'orage, dès le premier éclair, tous les Belges se précipitent aux fenêtres.

Ils veulent absolument être sûrs de figurer sur la photographie.

***

Il y a une grande différence entre un accident et une catastrophe. Un bateau avec deux cents Belges à bord fait naufrage. C'est un accident. Tous les Belges savaient nager. Ça, c'est une catastrophe.

***

Jamais un Belge ne tenterait de se suicider un vendredi 13.

Il aurait trop peur que cela ne lui porte malheur.

***

Il a été décidé d'imposer, aux cantonniers belges, la journée continue.

Sinon, il fallait entièrement les recycler, après la pause casse-croûte.

***

Les mineurs de charbon belges ne manquent pas de prévoyance.

Dans l'ascenseur qui les emmène vers le fond, ils prennent toujours la précaution de s'enduire le visage de crème antisolaire.

***

A la veille de se marier, une jeune Belge commence par s'acheter une robe de tulle blanc, symbole de sa virginité.

Puis elle se met en quête d'une baby-sitter pour faire garder ses enfants le jour de la cérémonie.

***

Bien que souhaitant ardemment pratiquer le ski nautique, un Belge n'y est jamais parvenu.

Malgré tous ses efforts, il n'a pas encore réussi à trouver un plan d'eau avec suffisamment de pente pour pouvoir prendre son élan.

***

Une actrice belge, qui avait connu les plus grands succès au théâtre, n'a jamais pu réussir au cinéma. Pourtant, elle a essayé. Tout allait bien aux répétitions mais, dès que le metteur en scène criait : « On tourne », elle se présentait de dos à la caméra.

***

Les Belges ne jouent jamais aux dominos : ils ont trop de mal à se rappeler quel est l'atout.

***

Le concours de la meilleure cuisinière a été organisé en Belgique.

L'épreuve de sélection consistait à servir un sandwich au jambon beurre sans le faire brûler.

***

Un exhibitionniste belge se plante, chaque jour, à l'heure de la sortie des classes, devant un lycée de jeunes filles. D'un geste brusque, il ouvre son imperméable.

Et il tire la langue.

***

Un ophtalmologiste belge a toujours été persuadé que l'opération de la cataracte consistait à bloquer les chutes du Niagara.

***

— Ah! soupire un Belge, si seulement la bêtise se vendait! On serait tous millionnaires.

***

— Comment, demande le président du tribunal belge, à un sadique étranger, avez-vous réussi à faire tant de victimes parmi les petites filles de ce pays ?

333

— Très simplement. Je me cachais dans la forêt, derrière un arbre, et j'imitais le cri de la frite.

***

Lorsqu'une jolie fille demande à un Belge : « Voulez-vous que je vous montre où j'ai été opérée de l'appendicite ? », il répond : « Non, j'ai horreur des hôpitaux. »

***

Si Beethoven avait été belge, il n'aurait écrit que trois symphonies : la deuxième, la cinquième et la neuvième.

***

En Belgique, tous les passages à niveau franchissant une ligne de chemin de fer à voie unique portent cet avertissement, destiné aux automobilistes et aux piétons :

« Attention. Un train peut en cacher un autre. »

***

AMIS BELGES, VENGEZ-VOUS. SONT-ILS BÊTES, CES FRANÇAIS !

Le peintre mondain Jean-Gabriel Domergue avait convié le grand sculpteur Antoine Bourdelle à fêter son anniversaire chez Maxim's.

Bourdelle, qui sortait fort peu, goûta pour la première fois de sa vie au caviar. En sortant du célèbre établissement de la rue Royale, il questionna timidement :

— Ton Maxim's, c'est une bonne boîte ?

— Bien sûr, dit Domergue. Sans doute la meilleure de Paris. Pourquoi ?

— En ce cas, comment expliques-tu que leurs lentilles sentent, ainsi, le poisson ?

***

Un metteur en scène d'avant-garde avait décidé de monter une version modernisée d'*Esther*. En arrivant au vers : « Là tu verras d'Esther la pompe et les honneurs », il eut un moment d'hésitation.

— On n'a pas les moyens de t'offrir une pompe, dit-il à l'actrice qui devait incarner Esther : tu n'auras qu'à tenir un arrosoir à la main.

***

Dans un café de Montmartre, un joueur de belote dissimule mal son impatience : un casse-pieds s'est planté derrière lui au début de la partie et, depuis une heure, il ne cesse pas de lui conseiller :

— Jouez votre roi... Jouez votre as... la dame, bon sang !

A un moment, le beloteur hésite. Il se retourne vers son conseiller :

— Qu'est-ce que vous feriez à ma place ?

Et l'autre de répondre :

— Il faudrait d'abord que je sache à quel jeu vous jouez.

***

L'auteur de *Climats*, André Maurois, avait été convié à parrainer un bateau de sauvetage, lancé à Cabourg.

On le baptisa au sol puis on le poussa vers l'eau. Et c'est alors que l'adjoint, représentant le maire à cette cérémonie, s'écria, l'air extrêmement étonné :

— Tiens, il flotte !

***

— Les Français, avait remarqué le pionnier de la radio privée, Louis Merlin, sont hargneux et insupportables quand ils sont en voiture, tant est grand leur complexe de supériorité et leur « droit absolu » à passer le premier. Et ils sont insupportables et hargneux quand ils sont à pied, tant ils sont vexés de leur condition de piéton — fût-elle momenttanée — par rapport aux écraseurs.

***

Le maire d'une petite ville de province s'excusait auprès d'Henri IV de ne pas avoir salué son arrivée par une salve d'honneur.

— Si nous n'avons pas fait tirer le canon, dit-il, confus, c'est que nous avions pour cela dix-huit raisons que je vais me permettre de vous développer dans ma harangue. La première, c'est que nous n'avons pas de canon.

— Ventre-Saint-Gris, s'écria Henri IV, cette raison-là me suffit et je vous dispense de me détailler les dix-sept autres.

***

Un comédien naïf, nommé Simon Max, fit un jour s'écrouler de rire Samuel, le directeur des Variétés. Lors de la répétition des couturières d'une nouvelle pièce, il vint le trouver dans la salle pour lui dire :

— M. le directeur, il me manque un costume.

— Lequel ?

— Mon costume de « tapinois ».

— Voyons, dit Samuel, il n'y a pas de tapinois dans la revue.

— Mais si, M. le directeur. Lisez plutôt le manuscrit : « Ici, il entre en tapinois ».

***

Pendant la dernière guerre, un Parisien fumeur invétéré, auquel ne suffisaient pas les deux paquets de cigarettes de sa « décade », s'était abouché avec un contrebandier belge qui le ravitaillait, à prix d'or.

Un jour, pourtant, il s'inquiéta :

— J'ai bien peur que votre trafic ne puisse pas durer éternellement.

— Rassurez-vous, fit le contrebandier, tant qu'il y aura de l'herbe en Belgique, il y aura du tabac pour les Français !

***

Lu dans un feuilleton de Ponson du Terrail :

« C'est en vain que la famille du moribond s'acharna à lui faire avouer son secret. Ses dernières paroles ne furent qu'un silence morne et farouche. »

***

Deux professeurs au Collège de France se retrouvent, dans un petit café, pour y manger rapidement un morceau au comptoir.

— Peut-être allez-vous pouvoir me renseigner sur un point qui m'intrigue

fait l'un d'eux : doit-on dire *un* sandwich ou *une* sandwich ?

— Moi, répond son collègue, j'ai
résolu le problème. Je commande
toujours au garçon : « Donnez-moi
deux sandwiches. »

***

Talleyrand recevait à souper un
éminent archéologue qui avait fait
d'importantes fouilles en Égypte avec
Bonaparte. Il dit à son épouse dont
l'étourderie était célèbre :

— Vous aurez à côté de vous un
homme remarquable, M. Vivant Denon,
qui a écrit des livres de voyages. Parlez
avec lui un peu plus raisonnablement
que d'habitude. Passez à ma bibliothèque, feuilletez rapidement un de ses
ouvrages et, ce soir, amenez la conversation sur ce sujet.

La princesse obéit et demanda au
bibliothécaire :

— Donnez-moi les aventures surpre-
nantes de ce grand voyageur dont le
nom se termine par *on*.

Sans hésiter, le bibliothécaire lui
apporta un exemplaire du *Robinson
Crusoe*, de Daniel Defoe. La princesse
dévora ce livre avec passion.

Et dès le potage, elle dit aimablement à M. Denon :

— Quelle joie avez-vous dû éprouver,
monsieur, quand vous avez rencontré
Vendredi !

***

Un disquaire parisien s'est amusé à
noter les bourdes de certains de ses
clients, pour les réunir en volume.
L'une des plus belles est sans doute
due à une charmante jeune femme
qui lui a demandé, en toute simplicité :

— Auriez-vous un enregistrement
du *Beau zéro* de Ravel ?

***

Savez-vous pourquoi, en France, sur
chaque quai de gare, il y a généralement
un petit miroir sur les distributeurs
automatiques de confiseries ?

C'est pour que vous voyiez la tête
que vous faites quand la machine est
bloquée.

***

En 1814, un ingénieur des mines
visionnaire, Moisson Desroches, avait
remis à Napoléon 1er un projet visant
à créer « sept grandes voies ferrées à
travers l'Empire ».

Napoléon regarda à peine ce projet
et le retourna à son auteur avec la
mention : *Sans intérêt.*

***

Entre les deux guerres, le maire
d'un petit village de l'Oise avait fait
annoncer, par le garde-champêtre,
l'arrêté suivant :

« Le maire porte à la connaissance
de ses administrés qu'il est défendu
d'élever des poules à l'intérieur des
maisons. Bien entendu, le mot « poule »
doit être compris ici dans le sens de
« femelle du coq ».

***

La Palisse n'est pas tout à fait mort,
si l'on en juge par cette phrase, parue
dans la revue : *L'Infirmière et l'assistante sociale.*

« Pour réaliser la nourriture satis-
faisante d'un nourrison, les deux
hémisphères cérébraux du plus savant
des professeurs ne valent pas deux
bonnes glandes mammaires. »

***

« Les Français, a remarqué Gilbert
Cesbron, ne se doutent pas qu'aux
conseils les plus graves, à propos de
guerre ou de paix, leurs ministres disent
avec impatience, en regardant l'heure :

— Alors, qu'est-ce qu'on décide ?
Comme s'il s'agissait de choisir
entre deux restaurants. »

— Vous connaissez bien votre Tour Eiffel ? demande un Belge à un Français.

— Bien sûr.

— Parfait. Alors, vous allez trouver rapidement la réponse à cette devinette. Le responsable de l'entretien monte au sommet de la Tour pour mesurer la superficie de l'appartement de Gustave Eiffel, afin de procéder à sa réfection. Arrivé tout en haut, il s'aperçoit qu'il a oublié son mètre pliant. Avant de redescendre pour le chercher, il s'assied un instant pour admirer le panorama. A quelle altitude se trouve-t-il ?

— A trois cents mètres.

— Eh bien, non, dit le Belge, en éclatant de rire. Je vous l'ai bien précisé : il est assis sans mètre.

***

Pour son émission télévisée *Trente six chandelles*, Jean Nohain inscrivit, un jour, sur sa liste d'accessoires, une défense d'éléphant, un carrosse, deux vases chinois et un chou vert. Le service intéressé lui fournit le carrosse, la défense d'ivoire et les vases chinois – mais pas le chou.

— Sur le chapitre des légumes frais, lui expliqua-t-on gravement, les crédits sont épuisés. Vous ne voudriez pas une bonne choucroute en conserve ?

***

Dans une rencontre internationale d'athlétisme, un Belge a remporté, de loin, le concours de saut en hauteur.

— Comment, interroge un journaliste, avez-vous pu sauter si haut ?

— Simplement, répond-il. Une seconde avant, un athlète français m'avait dit le prix que le bifteck atteint à Paris.

***

A la tribune de la Chambre des Députés, Paul Deschanel (qui allait devenir un éphémère Président de la République), déclara, un jour :

— Il faut solutionner la question.

Le président du Conseil, Georges Clemenceau, lui répondit, du tac au tac :

— Nous allons nous en occupation-ner.

***

La maîtresse demande :

— Qui est le plus grand homme que la France ait connu ?

Un petit garçon lève la main :

— Louis Pasteur.

— Très bien. Et pourquoi ?

— Parce qu'il a inventé l'électricité.

— Tiens, s'étonne l'institutrice, qui t'a dit cela ?

— Mon père. A la maison, c'est toujours papa qui se charge de mon instruction.

***

Un auditeur parisien a écrit à un animateur d'un poste périphérique :

« Pourriez-vous me passer, un matin, un grand succès de Sheila : *Adieu Saint Maur* ? »

Personne, parmi les programmateurs, ne connaissait ce titre. Sheila, interrogée par téléphone, l'ignorait également. L'énigme serait restée entière si un technicien n'avait eu une idée de génie en suggérant :

— Tout le monde ne connaît pas les langues étrangères. Ce doit être ça que cet auditeur a compris quand tu as annoncé, un jour précédent, *Adios amor*.

***

337

DES BELGES
PLEINS D'ESPRIT

SALVATORE ADAMO

Après sa révélation, au cours d'un radio-crochet, en 1961, le chanteur belgo-sicilien, Salvatore Adamo, monta très vite au firmament des grandes vedettes de la chanson.

Quelques années plus tard, alors qu'il s'était solidement installé parmi les « super-grands », il déclara, ébloui :

— A la vitesse à laquelle se réalisent mes espoirs, je n'ose même plus rêver.

***

Les « idoles » de la chanson se plaignent souvent de leur excessive popularité, mais celle-ci leur manque vite. Adamo en a fait l'expérience, au cours d'un séjour aux États-Unis.

— A Los Angeles, raconte-t-il, pendant les quinze premiers jours, j'étais heureux que personne ne m'accroche dans la rue. Après, je regardais les gens fixement pour voir si vraiment, il ne me reconnaissaient pas.

***

Rien ne l'amuse plus que cette anecdote.

Le directeur d'un music-hall bruxellois a reçu cette lettre d'un artiste au chômage :

— Monsieur. Je ressemble de façon stupéfiante à Adamo et je chante au moins aussi bien que lui. Or, Adamo demande de très gros cachets et n'est jamais libre alors que moi je ne demande pas grand chose et je suis toujours libre. C'est pourquoi je ne saurais trop vous conseiller de m'engager.

***

Le créateur de *Crazy Lou* avait reçu, d'un impresario japonais, ce télégramme :

« Chez nous vos disques se vendent comme du poisson gâté. »

Adamo a été rassuré quand son correspondant lui expliqua que ce mets constitue le régal des gastronomes, au pays du Soleil levant.

JACQUES BREL

Jacques Brel, qui nous a quittés le 9 octobre 1978, se dépeignait ainsi :

— Je suis né à Bruxelles, le 8 avril 1929, dans une famille de la bourgeoisie industrielle. Mon père était Flamand et ma mère *Zinneke*... En patois bruxellois, cela signifie quelque chose comme corniaud : vous savez, ces chiens sans race qui ressemblent à des fox-terriers.

***

Il décrivait ainsi la Flandre :

— Une chose grise avec toutes les nuances du gris.

***

— La révolution, lui disait un interviewer, se fait parfois avec des chansons.

Brel soupira :

— Si ça pouvait être vrai !

Et il ajouta :

— Je ne crois pas que les chansons puissent changer le monde ou même les gens. Comme dit Brassens : « Chanter, c'est pousser de tous petits cris. »

***

— Pourquoi êtes-vous devenu chanteur ? demanda un jour un journaliste à Jacques Brel.

— Parce que, répondit avec humilité, l'auteur de *Ne me quitte pas*, je n'avais pas assez de talent pour être écrivain, pas assez, non plus, pour être musicien. Alors j'ai choisi un moyen terme : écrire des chansons.

***

A la question : « Que vous manque-t-il pour devenir poète ? », il répondit :
— Y croire.

***

— Souffrez-vous, demandait à un de ses admirateurs à Jacques Brel, de ne pas avoir la tête d'un séducteur ?

— Les gens laids, répondit-il, ont beaucoup de chance : ils sont obligés de compenser, d'inventer. La nostalgie, c'est pour les gallinacés.

Pourtant, il se souvenait avec amertume de ce directeur de cabaret qui, lors de ses débuts, lui avait lancé :

— Tu es trop laid pour réussir au music-hall.

Et Brel ajoutait :

— Il m'a fallu quatre cents bouteilles de beaujolais pour m'en remettre.

***

— Enfin, quoi, disait-il, si j'avais du talent, je n'aurais tout de même pas fait des chansons.

***

Quand on le félicitait d'avoir écrit, avec *Ne me quitte pas*, une magnifique chanson d'amour, il protestait :

— Pas du tout ! C'est un hymne à la lâcheté, parce qu'on peut être aussi lâche que ça. On peut descendre jusqu'à dire : « Je serai l'ombre de ton chien. » J'ai choisi le thème de l'amour parce

que c'est, finalement, ce qu'il y a de plus commode, de plus général, mais je n'ai pas fait une chanson d'amour. Il pourrait être aussi bien question de quelqu'un qui s'aplatit devant son patron qui veut le mettre à la porte.

***

— Ça aussi, disait-il des Flamingants, cela fait partie de l'imbécillité du monde. Voilà des gens que personne ne comprend et qui veulent obliger l'univers à parler leur langage.

***

Quelques mots de Jacques Brel parmi bien d'autres.

— Les mots me font peur. Ils peuvent faire beaucoup de mal. Ils vous échappent. Ils n'expriment qu'imparfaitement la pensée. Si je vous dis : « J'aime le ciel bleu », cela ne traduira pas la nuance de bleu que j'ai dans la tête. Vous interpréterez en pensant à votre bleu à vous.

***

— Si j'avais une mitrailleuse, je tuerais le music-hall. C'est con, c'est pourri. C'est con comme la mort, comme un chien, comme une valise sans poignée.

***

— A mes débuts, j'ai enregistré dans une église, qui était, d'ailleurs, un temple réformé. Du coup, je suis devenu, pour certains, une sorte de prêtre-ouvrier de la chanson. C'est idiot. La vérité est tellement plus banale : j'avais besoin d'orgues pour la musique et elles se trouvent plus généralement dans les églises que dans les lupanars.

***

Le grand amour est un ennemi. Il

détruit. A-t-on jamais vu un incendie avoir de la tendresse ?

***

— Devant la tour de Pise, un homme se dit : « Que c'est beau ! » ou « Que c'est laid ! », alors qu'une femme pense : « Attention ! Elle va tomber. » Toute la différence entre l'homme et la femme est dans cette anecdote.

***

— La femme a peur de l'avenir. L'homme redoute le présent.

***

— Quand j'étais enfant, je m'isolais en rêvant au Far-West, de chefs indiens et de Chine. Il faut le faire, vous savez ! Inventer la Chine à Bruxelles. Maintenant, je sais que le Far-West c'est une blague. Comme l'amour.

***

— Les femmes pondent un œuf, il faut un gars pour le faire. Il doit aller chercher de la paille, pour en mettre sous l'œuf. Puis il pleut. Il faut qu'il fasse un toit au-dessus de l'œuf, puis qu'il mette des murs autour. Conclusion : le gars n'est plus nomade. Il est cuit.

***

— Au fond, les gens devraient peut-être apprendre à aimer avant de songer à s'aimer.

***

— Quand un homme n'a pas peur, avant de coucher avec une femme, c'est qu'il ne l'aime pas. Avec la chanson, c'est la même chose ! je me défonçais et j'y laissais ma peau.

***

— Si vous apprenez, un jour, que je suis devenu pauvre, ne me plaignez pas. J'ai toujours eu peur de l'argent, peur qu'il me bouffe.

***

— Il est presque impossible, pour un père, d'établir un dialogue véritable avec ses enfants. Évidemment, vous pouvez toujours faire guili-guili mais cela ne va pas très loin.

***

— La chanson n'est ni un art majeur ni un art mineur. Ce n'est pas un art du tout. Je vous mets au défi d'exprimer clairement la moindre pensée en trois couplets et en trois refrains. La chanson est faite pour passer à la radio, c'est-à-dire dans des circonstances telles que tout le monde l'entende mais que personne ne l'écoute.

***

— Mon humour était germanique, du genre « un couteau sans lame auquel manque le manche ». La France m'a appris à ne pas me prendre au sérieux, ce qui est à la fois une source de courage et d'humour. Elle a été pour moi comme une cuillère à café qui m'aurait enlevé le nombril.

***

— La chanson est essentiellement latine. Elle n'existe que de la Grèce à dix kilomètres au nord de Bruxelles. Ailleurs, ce n'est que de la musique pour danser.

***

— Si je fais de l'humour méchant, c'est contre moi. Parce que l'humour, c'est la forme la plus saine de la lucidité. C'est bon comme une douche froide.

***

— Dans le fond, je suis un type simple. Je crois plus en mon corps qu'en ma tête. Quand ça va mal, je me dis bêtement : « C'est le foie ».

***

— Le bonheur est incompatible avec la jeunesse. Quand un type de vingt à trente ans vous dit qu'il est heureux, c'est qu'il est gravement malade.

***

— Personne n'a voulu que je débute. Personne ne voulait que je m'arrête.

***

Quand, en 1969, Jacques Brel décida de faire retraite, il dit à son attachée de presse :

— A partir de maintenant, je ne veux plus rien sur moi dans les journaux : plus une ligne, plus une photo. Considérez, désormais, que plus vous resterez inactive, mieux vous ferez le travail pour lequel je vous paie.

***

Son mot de la fin fut à l'image de sa vie :

— Il est extrêmement mal élevé, quand on est blessé, de le faire savoir.

ANNIE CORDY

La joyeuse chanteuse Annie Cordy est née Léonie Cooremann, dans la banlieue de Bruxelles, à Laeken, à deux pas du palais du roi.

— C'est pourquoi, explique-t-elle, dans un grand éclat de rire, je dis toujours : « Le roi n'est pas mon cousin mais c'est mon voisin. »

***

Sacha Guitry avait été enchanté d'avoir Annie Cordy pour interprète, dans un petit rôle de *Si Versailles m'était conté*.

— Vous devriez, lui dit-il, reprendre tous les rôles de Réjane.

— Mais, fit la chanteuse, je n'ai jamais pris de leçons de comédie.

— On ne devient pas comédienne, répliqua le Maître : on naît ainsi.

***

Annie Cordy et son mari n'aiment que les plaisirs simples et sains : la campagne, les réunions d'amis, le ski. L'un et l'autre détestent les boîtes de nuit.

— Mais tous les cinq ans, raconte la créatrice d'*Hello Dolly*, je pique ma crise : « Tu ne me sors jamais. Je voudrais un peu m'encanailler ». Alors, on fait toutes les boîtes de Paris, on rentre à six heures du matin, écœurés. On regarde le bilan : négatif. Et en voilà pour cinq ans.

***

— Chanter en plein air, avec dix mille personnes devant moi, dit-elle, c'est mon oxygène. Un récital dans ces conditions me donne l'impression de rouler en Cadillac.

***

Et pourtant :

— La tournée de plein air, ajoute-t-elle, c'est la surprise du chef, la bombe norvégienne. On n'est jamais sûr de rien. Qu'il pleuve ou qu'il vente, on arrive bien coiffé et il y a des soirs où, après la deuxième chanson, on ressemble à Frankenstein.

***

Reine de l'opérette, Annie Cordy ne se prend pas au sérieux.

— Je ne suis pas, assure-t-elle, du genre superbe : « J'te descends l'escalier et j't'envoie trois plumes. » Je préfère le gag : m'empêtrer dans l'ourlet de ma robe, me casser la figure ou glisser sur la rampe. Moi, j'aime le rire : c'est plus sain.

***

Une de ses amies d'enfance s'étonnait :

— Tu n'as plus du tout l'accent belge.

— Je le retrouve, répondit-elle, quand je suis en colère. Tu devrais m'entendre quand je crie à Bruno, mon mari : « Tu m'énerves ! ».

***

Elle se souvient :

— Maurice Chevalier me disait : « Les Américains, il faut d'abord leur raconter l'histoire puis la leur mimer et seulement ensuite, la leur chanter pour qu'ils n'en perdent pas une miette. »

***

Annie Cordy aime à raconter cette anecdote.

Le metteur en scène de la *Bataille du rail*, René Clément, s'apprêtait à regarder le Journal télévisé de 13 heures quand il vit, à la fin d'une émission de variétés, une jeune femme blonde qui se démenait comme un diable.

— Ça y est, s'écria-t-il, voici, pour mon prochain film, *Le passager de la pluie*, la mère de Marlène Jobert.

— Mais, dit sa femme, c'est Annie Cordy !

— Alors, conclut René Clément, c'est Cordy que je veux.

L'accord faillit ne pas se faire. Quand il lui téléphona pour lui annoncer sa décision, Annie Cordy lui rit au nez. Elle était persuadée que c'était une blague de Francis Blanche.

***

Fourmi dans l'âme, Annie Cordy sait aussi être généreuse mais à bon escient. Elle se méfie des « tapeurs » inconnus qui la sollicitent quotidiennement.

— Un jour, raconte-t-elle, je reçois la lettre d'une mère de cinq enfants. Elle me demandait des vêtements chauds pour eux. Je charge ma secrétaire d'aller les voir, d'acheter des lainages et des anoraks pour toute la famille. Trois jours après, cette femme m'écrit : « Ma fille aînée voudrait bien une bicyclette, mais elle la veut rouge. » Là, alors, c'est moi qui ai vu rouge !

FERNAND GRAVEY

Le délicieux comédien Fernand Gravey, né Fernand Mertens, en 1905, à Bruxelles, venait de traverser une crise sentimentale. Un de ses amis, lui rendant visite, le trouva en train de passer en revue les soldats de plomb dont il faisait collection.

Et Gravey lui expliqua, avec un sourire triste :

— Les petites manies guérissent des grandes passions.

***

Il résumait d'un mot sa philosophie :

— Plus je connais les hommes et plus j'aime mon chien.

MAURICE MAETERLINCK

Maurice Maeterlinck, qu'avait lancé, cinq ans plus tôt, un vibrant article d'Octave Mirbeau, dans le *Figaro*, continua, tant que sa carrière littéraire ne fut pas assurée, à exercer son premier métier d'avocat.

Hélas, il se rendait compte qu'il ne possédait aucunement le don d'éloquence. C'est pourquoi, le soir même ou celle qui allait devenir sa fidèle compagne, l'actrice Georgette Leblanc, lui fut présentée, au cours d'un dîner chez un avocat bruxellois, il fit part à ses amis d'une grande décision :

— C'est fini, je ne plaiderai plus... Je conduis fatalement mes clients à la prison.

***

Maeterlinck, né à Gand en 1862, était toujours aussi affairé que les fourmis dont il avait décrit la vie. Quand des amis s'étonnaient de le voir sans cesse au travail, il leur répondait, avec un sourire :

— Rien de tel, pour le bonheur, que d'échanger ses préoccupations contre des occupations.

***

En 1941, l'auteur de *Pelléas et Mélisande* s'était réfugié à New York. Épouvanté par les horreurs de la guerre qui ravageait l'Europe, il s'écria :

— Si j'étais Dieu, j'aurais honte d'avoir créé les hommes.

GEORGES SIMENON

Georges Simenon venait d'écrire sa première aventure de Maigret : *Pietr le Letton*. Il introduisit ce personnage dans trois autres romans et alla confier ses manuscrits à un grand éditeur parisien qui passait pour avoir un flair infaillible.

— En somme, lui dit celui-ci, quelques jours plus tard, qu'est-ce que vous avez voulu faire ? Vos romans ne sont pas de vrais romans policiers. Un roman policier se déroule comme une partie d'échecs dont le lecteur doit posséder toutes les données. Rien de tel chez vous. Votre commissaire n'est pas infaillible. Il n'est ni jeune ni séduisant.

Quant aux victimes et aux assassins, ils ne sont, eux, ni sympathiques ni antipathiques. Enfin, cela finit toujours mal. Pas d'amour. Pas de mariage... Tant pis ! conclut l'éditeur. Nous allons perdre beaucoup d'argent mais je veux tenter l'expérience.

Il n'eut jamais à le regretter

***

Simenon, qui avait eu l'occasion de consulter un psychanalyste, lui demanda, un jour :

— Qu'apprenez-vous, au juste, à vos patients ?

— Rien du tout, répondit franchement le psychanalyste. C'est d'eux que nous apprenons.

***

Il est facile de savoir le degré d'amitié de Simenon à votre égard en observant avec soin une de ses lettres :

— Pour les étrangers, dit-il, je soigne. Pour les indifférents, un peu moins. Pour ceux que j'aime, vraiment pas du tout.

***

— Si l'on devait donner un conseil aux romanciers débutants, assure Georges Simenon, ce serait de ne jamais écrire, en tête d'un de leurs manuscrits : « Tous les héros de cette histoire sont fictifs et sans aucune ressemblance avec une personne quelconque, vivante ou récemment décédée ».

C'est précisément ce que les éditeurs leur reprochent.

***

Simenon, sans doute l'un des contribuables les plus imposés du monde, était venu, en 1924, s'installer à Paris, au rez-de-chaussée de l'ancien hôtel du maréchal de Richelieu, 21 place des Vosges.

343

Il apprit alors avec amusement pourquoi l'ancienne Place Royale se vit donner ce nom en 1800 : ce fut tout simplement afin d'honorer le département qui s'était acquitté le premier du paiement de ses impôts.

***

Le romancier belge répond avec amabilité à toutes les questions que lui posent inlassablement les journalistes depuis près d'un demi-siècle, mais il se refuse à parler d'argent.

Deux reporters étaient venus l'interviewer, à quelques jours d'intervalle. Simenon les avertit, une fois de plus, de ne pas aborder ce sujet tabou. Ils lui jurèrent, l'un et l'autre, qu'il n'en serait nullement question dans leurs articles.

Ceux-ci parurent la même semaine, à la grande fureur de Simenon. L'un était titré :

« L'homme qui tire des milliards de son encrier. »

Et le second :

« Il a vendu les droits de télévision de Maigret pour plus d'un milliard. »

***

— Vous êtes, lui disait-on, un homme de lettres.

Simenon sursauta :

— Le mot a toujours sonné à mes oreilles un peu comme « femme de ménage ». Pourquoi ne pas me considérer comme un artisan et m'en contenter ?

***

Simenon explique ainsi pourquoi il a cessé, depuis l'âge de vingt-cinq ans, de lire des romans :

— Si le roman que je lis est excellent, je suis pris de trac. Je me dis : « A quoi bon écrire puisque ce type-là écrit beaucoup mieux que moi ? » Si, au contraire, je lis un roman que je considère comme médiocre, je pense :

« Mon Dieu, quel grand bonhomme je suis ». Dès lors, je fais quelque chose de mauvais, bien entendu.

***

— Ne finissons-nous pas toujours, s'interroge Simenon, par croire ce qui nous convient personnellement ? C'est pour cette raison que je ne me suis jamais convaincu de l'insincérité totale d'un homme, fût-il politicien.

***

Un astucieux mécène aurait pu facilement gagner des milliards s'il avait rencontré Georges Simenon à ses débuts.

— Je rêvais, raconta celui-ci, un demi-siècle plus tard, de signer un contrat avec quelqu'un qui m'aurait acheté mon œuvre pour toute ma vie, moyennant une mensualité qui m'aurait permis de vivre tranquillement dans un quatre pièces. Si j'avais rencontré ce quelqu'un, j'aurais signé immédiatement.

***

— Avez-vous déjà essayé de vérifier l'exactitude d'une des innombrables traductions de vos livres ? demandait un journaliste à Simenon.

— Non, répondit celui-ci. Jamais depuis qu'un ami de Tokyo m'a raconté qu'un traducteur japonais avait adapté *Don Quichotte* à l'intention de ses compatriotes. Le chevalier à la triste figure y attaque toujours des moulins à vent. Mais, dans la version japonaise, c'est au karaté.

***

Le père du commissaire Maigret a toujours redouté les effets de style.

— Pour les romans, dit-il, j'ai toujours suivi ce conseil de Samuel Johnson : « Relisez soigneusement ce que vous avez écrit et, quand un passage vous enchante particulièrement — coupez-le sans hésiter. »

***

Un reporter questionnait Simenon, alors septuagénaire :

— Aimez-vous la lecture ?

— J'ai lu, répondit le père de Maigret. J'ai beaucoup lu, d'un bout à l'autre de ma vie.

Un temps, puis il ajouta, avec malice :

— J'ai dû mal lire puisque je n'ai à peu près rien retenu.

***

— J'ai souvent, disait Georges Simenon avant de prendre sa retraite de romancier, la même réaction que bon nombre de lecteurs : il m'arrive, quand j'écris un roman de l'abandonner à la moitié parce que j'en ai deviné le dénouement.

***

— La seule chose que la vie m'ait apprise, comme elle l'a apprise à tant d'autres, conclut Simenon, c'est que l'homme vaut beaucoup mieux que ce que chacun pense des autres et pense de lui-même.

Armand Isnard

Raconte... Popov

les meilleures histoires
de l'humour russe

SOUS LE MANTEAU

Qu'on les appelle Pays satellites ou Républiques populaires, les proches voisins de l'U.R.S.S. ne sont pas toujours enthousiastes quant à leur situation de « membre du groupe des pays de l'Est ».

Les Roumains, par exemple, se définissent eux-mêmes comme « une abeille dans la gueule de l'ours russe ».

Mais, à l'intérieur même des frontières soviétiques, il semble que la contestation gronde et, de Moscou à Vladivostok, sur la côte du Pacifique, en passant par Jaroslav, Kabarovsk, Sverdlovsk, Novosibirsk, des rives de la Volga, de l'Oural, du Tobol et de l'Ob à celles de l'Iénisséi, de la Selenga et de l'Amour, les allusions plus ou moins perfides, les mises en boîte (parfois désabusées ou désespérées) et les bonnes blagues (plus particulièrement anti-régime communiste) se propagent sous le manteau.

Sous le manteau parce que certains ont appris à leurs dépens qu'il ne fallait pas vendre la peau de l'U.R.S.S. avant de l'avoir tué et parce qu'en Russie, il fait parfois si froid qu'il faut attendre que les mots des histoires qu'on se raconte dégèlent avant de savoir exactement ce que l'on s'est raconté.

La contestation est partout, même dans les écoles.

L'un des maîtres d'école de la « 625 » (école expérimentale de la rue Chvernik, à Moscou) demande à ses élèves :

— Quelle idée vous faites-vous du parti communiste ?

— Il doit avoir environ 1 mètre 60 ! répond aussitôt le jeune Igor

— *Houligan* (voyou) ! Je te demande ce que tu penses de son importance ! Et, d'abord, pourquoi 1 mètre 60 ? Qu'est-ce que ça veut dire, ça ?

— Ben, fait le petit garçon, mon père mesure 1 mètre 80 et tous les soirs, il se met la main sous le menton et fait : « Le Parti communiste, j'en ai jusque-là ! ».

***

À Moscou encore, on prédit qu'en 1985, un citoyen de l'Union soviétique sur cinq aura une voiture, un sur trois la télévision et un sur deux une paire de chaussures.

***

Les hôtesses de l'air des avions qui s'apprêtent à atterrir à Moscou ne disent plus aux passagers : « Attachez vos ceintures » mais « Serrez-vous la ceinture ».

***

La veuve de Nicolai Podgorny assiste à une réunion de spirites chez des amis de la rue Ordjonikidsé, à Kalinine, et entre pour la première fois en conversation avec son défunt mari :

— Es-tu plus heureux que lorsque tu étais au Politburo.

347

— Oh ! oui. Je suis beaucoup plus heureux !

— Et que fais-tu au paradis ?

— Mais, je ne suis pas au paradis ! fait Podgorny, je suis en enfer !

***

Un Russe et un Américain bavardent pendant un entracte, à l'O.N.U. :

— Combien gagne un ouvrier, chez vous ? demande le Russe.

— Environ sept cents dollars par mois.

— Et combien dépense-t-il pour vivre ?

— Cinq cents dollars à peu près.

— Ah ? fait le Russe, et qu'est-ce qu'il fait avec le reste ?

— Personne ne s'en occupe ! répond l'Américain, nous sommes en démocratie et le citoyen fait ce qu'il veut de son argent ! Et un ouvrier soviétique, ça gagne combien ?

— Cent cinquante roubles par mois.

— Et il dépense ?

— A peu près trois cents roubles.

— Quoi ? Mais où va-t-il chercher la différence ?

Alors, le Russe :

— Ah ! ça, c'est son affaire ! Chez nous aussi, on est en démocratie !

***

Un Russe fait visiter Moscou à un ami français. Ils passent devant plusieurs immeubles dont les fenêtres sont garnies d'imposants barreaux :

— Ici, explique le Russe, c'est le quartier de la presse !

***

Deux pensionnaires d'une *psikushki* (clinique où sont « traités » les dissidents) engagent la conversation :

— Pourquoi as-tu été interné ? demande le premier.

— J'ai emprunté quelques produits dans le magasin que je dirigeais, sur la Sadovaïa (large avenue qui fait le tour de Moscou) ! Et toi ?

— Moi, parce que je suis paresseux.

— Non ? sursaute le premier, la paresse est un motif d'inculpation, maintenant ?

— Voilà comment les choses se sont passées, explique alors l'autre. Après une réunion du Parti, le secrétaire de notre cellule m'a invité à boire un verre au café. On ne refuse pas ça ! Surtout à un secrétaire. Bref, nous avons bavardé. La vodka, ça délie la langue, tu le sais, camarade. En rentrant chez moi, j'ai voulu aller à la milice faire un rapport sur notre entretien, mais j'étais fatigué. Je me suis dit : « Bof ! Tu iras demain ! » Seulement, l'autre, il y est allé tout de suite ! Tu vois où mène la paresse ?

***

En Russie, on a une économie planifiée.

Quand le jambon manque, les œufs manquent aussi.

***

Pourquoi les intellectuels russes jouent-ils aux quilles avec un pavé ?

Parce qu'ils ont perdu la boule

***

Le Comité central du Parti organise un concours de la meilleure anecdote politique.

Premier prix : vingt-cinq ans dans une clinique psychiatrique.

***

En médecine, le B.K., c'est le bacille de Koch, responsable de la tuberculose.

Le B.C.G., c'est le bacille de Calmette et Guérin, vaccin contre la tuberculose.

Le K.G.B., c'est un truc utilisé en U.R.S.S. pour guérir les fous.

***

Un enfant peut-il résulter de l'union de deux hommes ?

Non, mais les expériences se poursuivent en U.R.S.S.

***

En Russie, il y a la télévision dans toutes les chambres d'hôtel.

Mais, là-bas, c'est elle qui vous regarde.

***

Qu'est-ce qui est long d'au moins cinquante mètres et se nourrit de choux ?

La queue devant une boucherie à Moscou.

***

Quelles sont les conditions nécessaires pour être admis dans le Syndicat des écrivains russes !

Publier un livre et dénoncer deux camarades.

***

Un Allemand de l'Est est accusé d'avoir utilisé des allumettes de l'Ouest passées en contrebande :

— J'avoue ! reconnaît-il, c'est vrai, je me suis procuré des allumettes à l'Ouest mais c'était avec les meilleures intentions : C'était pour allumer des allumettes soviétiques !

***

Pourquoi les paysans russes portent-ils des chemises sans col ?

Parce qu'ils ont peur que les cols causent.

***

Nos parents étaient certainement russes : ils allaient, pauvres et nus, et affirmaient qu'ils étaient au paradis.

***

Qu'est-ce qui se passerait si les Soviétiques prenaient le contrôle du Sahara ?

L'année d'après, l'Afrique devrait importer du sable.

***

La météo de Moscou donne les prévisions à la veille du traditionnel défilé du 1er mai sur la place Rouge :

— Demain, temps sec et ensoleillé. C'est un ordre !

***

Deux jeunes filles russes ont été arrêtées pour avoir pris un bain de soleil sur la magnifique plage de Sotchi, sur la mer Noire, l'une dans le plus simple appareil, l'autre en bikini.

Motif de l'inculpation de la première : « S'est conduite de manière à exciter une partie de la population contre l'autre. »

Motif d'inculpation de la seconde : « Dissimulation d'objets de première nécessité. »

***

Qu'est-ce qu'un Russe qui est libre et qui mange du chewing-gum ?

Un Russe qui ne mâche pas ses mots.

***

Un Américain bavarde avec un Russe au cours de la visite touristique du monastère de Tolga, sur la Volga (que les Soviétiques appellent « la matouchka », c'est-à-dire « La petite mère ») :

— Chez nous, en Amérique, nous sommes très libres. Ainsi, tout le monde peut publiquement dire qu'il est en désaccord avec la politique du gouvernement Carter !

— Ah ! mais, nous aussi ! clame le Russe, nous sommes très libres : Tout le monde ici peut publiquement dire qu'il est en désaccord avec la politique du gouvernement Carter !

***

Pourquoi n'y a-t-il pas de viande en Union Soviétique ?

Parce que les moutons travaillent et les vaches gouvernent.

Un Hongrois.

***

Dans le port de Londres, un bateau russe vient d'accoster. Oh ! Surprise, on découvre un passager clandestin à bord.

Aussitôt prévenus de la présence du réfugié, les journalistes se précipitent pour le harceler de questions :

— Quels sont les prix en U.R.S.S. ?

— On ne peut pas se plaindre ! fait le Russe.

— Et le niveau de vie ?

— On ne peut pas se plaindre.

— Peut-on se procurer de tout dans les magasins ?

— On ne peut pas se plaindre.

— Mais, alors, interroge un journaliste, pourquoi vous êtes-vous évadé pour venir ici ?

— Parce qu'ici, explique le Russe, on peut se plaindre !

***

Pourquoi n'y a-t-il pas de poisson sur les marchés de Moscou ?

Pour détourner l'attention des consommateurs du manque de viande.

Un Roumain.

***

Les Français et les Soviétiques ont signé un important accord de réciprocité.

Les Français vont envoyer aux Soviétiques dix milles voitures Citroën et les Russes vont envoyer aux Français dix milles places de parking, à Rerezov, en Sibérie.

***

Qu'est-ce qu'on va dire aux finalistes du cent mètres au cours des Jeux Olympiques de Moscou ?

A vos Marx...

***

Les Russes sont très confiants sur l'issue d'une guerre éventuelle avec les Chinois.

C'est une coïncidence si, de plus en plus, on apprend aux enfants des écoles d'U.R.S.S. à manger du caviar avec des baguettes.

***

A quoi reconnaît-on un Russe galant ?

A ce qu'il entre derrière une dame dans une porte à tambour et qu'il en ressort le premier.

Un Tchécoslovaque.

***

Mais c'est, bien entendu, de l'autre côté du Rideau de fer, dans ces « Pays frères », que les attaques sont les plus vives.

Voici la devinette classique qui circule rue Szewska, à Cracovie, en Pologne.

Les Russes sont-ils des amis ou des frères ?

Des frères parce que ses amis, on les choisit.

***

Et ces attaques ne datent pas d'aujourd'hui.

A l'époque où Titov, le cosmonaute, réalisa l'exploit dont on se souvient encore, en Tchécoslovaquie, on s'interrogeait :

Quel est l'homme le plus malchanceux ?

Titov, le cosmonaute. Faire dix-sept fois le tour de la terre et atterrir en Union soviétique !

350

***

Tandis qu'en Yougoslavie, on ironisait :

Quel est l'homme qio n'a que ce qu'il mérite ?

Titov. A chaque fois qu'il passait au-dessus de l'Union soviétique, il disait : « Tout va bien » !

***

Dans une épicerie de la rue Szewska, à Cracovie, en Pologne (où l'on dit que sur les 4 000 zlotys qu'il gagne, un ouvrier en dépense 5 000 et épargne le reste), une cliente demande au vendeur :

— Vous avez de la farine ?

— Grâce à Dieu, oui, madame.

— Et du sel ?

— Grâce à Dieu, oui.

Un fonctionnaire qui fait la queue derrière la dame, apostrophe le vendeur :

— Pourquoi dites-vous toujours « Grâce à Dieu » ?

— C'est vrai, excusez-moi ! admet le brave bougre.

La cliente enchaîne :

— Avez-vous du beurre ?

— Non, madame ! fait le vendeur, *Nie ma* (Il n'y en a plus), grâce au Parti !

***

Une cliente entre dans une épicerie de Varsovie.

— Un paquet de thé, s'il vous plaît ! demande-t-elle au vendeur.

— Du chinois ou du soviétique ?

— Ah ! fait la cliente, en regardant autour d'elle, je dois choisir ? Alors, donnez-moi un paquet de café !

***

Question posée en Hongrie.

Pourrait-on construire le socialisme au Liechtenstein ?

Réponse.

Non, car c'est un trop petit pays pour un si grand malheur.

***

A Berlin-Est, trois ouvriers sont arrêtés et mis dans la même cellule :

— Je suis accusé de sabotage, explique le premier, parce que, comme ma montre retardait, je suis arrivé cinq minutes en retard à l'usine !

— Moi, dit le deuxième, on m'accuse d'espionnage parce que, ma montre avançant de cinq minutes, je suis arrivé en avance à l'usine !

Alors, le troisième gémit :

— Moi, on m'a arrêté parce que ma montre va juste ! On m'accuse de l'avoir achetée à l'Ouest !

***

Varsovie, an 2000.

Deux amis, habillés identiquement d'une vareuse grise, se rencontrent à l'angle du boulevard Staline et de la rue Teng Hsiao-Ping.

— Quand même ! soupire l'un, c'était quand même pas si mal du temps de Brejnev !

***

Le Premier ministre hongrois va consulter une voyante :

— Qu'est-ce que vous voulez savoir ? lui demande-t-elle.

— Je ne sais plus quoi faire ! avoue l'homme d'Etat, pour le problème du logement, par exemple !

— C'est pourtant bien simple, camarade ! lui répond la voyante, vous ouvrez la frontière à l ouest et il n'y a plus de problème !

— Il reste le problème du ravitaillement ! poursuit le Premier ministre.

— C'est encore plus simple à régler, dit alors l'extra-lucide : Vous fermez la frontière à l'est et il n'y a plus de problème !

***

La devinette qu'on pose en Pologne.
Les dirigeants et vingt maréchaux russes survolent Varsovie.
L'avion s'écrase au sol.
Qui est sauvé ?
Réponse : La Pologne.

***

Un beau jour du mois d'octobre, exceptionnellement ensoleillé, Gierek arrive à son bureau de Varsovie vêtu d'un imperméable.
— Il fait un soleil magnifique, camarade ! s'étonne son secrétaire.
— C'est vrai, camarade ! répond Gierek, mais il pleut à Moscou !

***

Le citoyen hongrois Krajdnej est délégué par son gouvernement auprès des pays « amis » pour signer des accords commerciaux.
Dans le cadre de sa mission, il a entrepris une longue randonnée et, quinze jours après son départ, il télégraphie de Sofia :
— Accord conclu : Vive la libre Bulgarie !
Huit jours plus tard, il envoie cette dépêche de Bucarest :
— Accord conclu : Vive la libre Roumanie !
Quelques jours plus tard, c'est un télégramme de Prague :
— Accord conclu ! Vive la libre Tchécoslovaquie !
Trois mois passent et le dernier câble arrive de New York au ministère du Commerce de Budapest :
— Accord conclu : Vive le libre Krajdnej !

***

Un colonel roumain a eu de la chance.
Quand il est rentré chez lui, il a trouvé sa femme avec un général soviétique.
Heureusement, le général ne l'a pas vu.

***

Budapest est aujourd'hui la ville la plus polluée d'Europe.
Mais, comme disent ses habitants : « Ce n'est pas grave puisqu'on a à peine le droit de respirer. »

***

Un Hongrois dont la femme et les deux filles ont été tuées au cours du soulèvement de 1956 par des soldats russes, écrit à son fils, réfugié en France.
— Mon cher petit, ne t'en fais surtout pas pour moi. Ici, la vie est belle et je suis très heureux. Pas aussi heureux, peut-être, que ta mère et tes sœurs, mais enfin, très très heureux...

***

A quoi servent les syndicats dans les pays de l'Est ?
A défendre les intérêts du gouvernement contre les revendications de la classe ouvrière.

Un Roumain.

***

Un médecin de Plauen, ville allemande au centre de laquelle se trouve une frontière permettant de passer d'Est en Ouest, vient d'annoncer à l'un de ses clients ouest-allemands qu'il n'a plus que quelques jours à vivre.
— Bon! fait stoïquement le condamné, je vais franchir le mur !
— Le mur ? Et pourquoi ça ? s'étonne le médecin.
— Parce que, explique le malade, j'aime mieux que ce soit un mauvais communiste qui meure plutôt qu'un bon Allemand !

***

Le bruit court que le pape viendrait bientôt en Pologne.

Pour donner l'extrême-onction à l'économie du pays.

Un Polonais.

***

La situation en Tchécoslovaquie sera bien meilleure en 1985.

A cette époque, ce sera un pays sous-développé auquel on viendra en aide.

Un Tchécoslovaque.

***

Un Polonais arrive en enfer et voit deux entrées. Sur celle de gauche, il y a écrit : « Enfer communiste », sur celle de droite : « Enfer capitaliste. »

Devant la porte de l'enfer communiste, il y a la queue. Devant l'enfer capitaliste, le diable, tout seul, attend les clients.

Le Polonais se range dans la queue de damnés qui s'allonge à l'entrée de l'enfer communiste comme à la porte d'une boucherie de la grande place de la Halle aux draps, à Moscou.

— Comment est-on traité dans l'enfer communiste ? demande-t-il, au bout d'un moment, à celui qui est devant lui.

— On fait bouillir les gens, d'abord, explique le damné, on les rôtit ensuite sur un feu de charbon. Entre-temps, on est assis sur des lames de rasoir !

— Et dans l'enfer capitaliste ?

— C'est la même chose.

— Alors, pourquoi y a-t-il la queue uniquement devant l'enfer communiste ?

— Parce que, explique le malheureux, dans l'enfer communiste, le charbon et les lames font toujours défaut !

***

Devinette polonaise.

Quelle différence y a-t-il entre les deux sources d'énergie : le soleil et le charbon ?

Réponse : Le soleil disparaît à l'ouest, le charbon est à l'est.

***

Cette courte histoire, connue en France, a été récemment adaptée par les Roumains.

Podgorny éternue.

— A vos souhaits ! lui dit Brejnev.

Et il tombe raide mort.

***

Edward Gierek, chef du gouvernement polonais, inaugure une crèche dans son village natal de Haute Silésie.

Il rencontre son plus fidèle ami, un ami d'enfance qui, lui, est resté un simple et modeste paysan.

— Dis-moi, camarade, lui demande son ami le paysan, c'est vrai que le communisme a été inventé par tous ces barbus dont on voit les portraits partout : Marx, Engels, Lénine...

— C'est vrai, camarade ! dit Gierek.

— Alors, comme ça, poursuit le paysan, ce ne sont pas les scientifiques qui ont inventé le communisme ?

— Non. Ce sont ceux dont tu viens de parler.

Alors, le paysan polonais :

— Je me disais aussi, si ça avait été les scientifiques, ils auraient d'abord expérimenté ça sur des animaux...

***

A quoi s'est-on aperçu que les Russes devenaient civilisés ?

A ce que, en 1956, quand les chars russes ont envahi les rues de Hongrie, ils s'arrêtaient de tirer sur les maisons quand ils étaient bloqués à un feu rouge.

Un Hongrois.

353

***

— Autrefois, dit-on en Pologne, l'enseigne d'une boucherie était « Boucherie » et l'on trouvait de la viande à l'intérieur. Maintenant, on lit « viande » sur la devanture, mais, dedans, il n'y a que le boucher.

***

En Pologne, Franciszek Szlachcic, à l'époque secrétaire du Parti, convoque un vieux travailleur :

— Alors, lui dit-il, cette fois, ça y est ! Tu n'auras plus l'occasion de râler ! Ton fils qui était parti avec l'Armée Rouge, il y a trente ans, il est revenu ?

— Oui, oui ! pleurniche le vieillard, ils me l'avaient enlevé. Je m'en souviens comme si c'était hier. Il était là, à m'attendre, dans son petit costume bleu. Le temps de rentrer et de ressortir, plus personne !

— Allez, c'est fini tout ça ! Comment l'as-tu trouvé ?

— Oh ! Très bien ! s'exclame le vieillard. Il est en pleine santé, il est beau, il est fort !

— Parfait ! Et, qu'est-ce qu'il te dit sur la vie en Union soviétique ?

— Il dit que c'est le paradis. Il a été élevé par l'Etat, l'Etat lui a payé ses études à l'Université, il est nourri, on lui offre les distractions...

— Qu'est-ce que je te disais ! Et toi qui ne voulais rien entendre... Au fait, comment l'as-tu reconnu après trente ans ?

— Ben, fait le vieux, la larme à l'œil, il portait son petit costume bleu...

***

Qu'est-ce qui caractérise l'économie bourgeoise ?

Des difficultés temporaires.

Un Hongrois.

***

Il y a peu de temps, deux citoyens polonais regardaient à la télévision le match France-Pologne dans leur petit appartement proche du Wawel, la vieille forteresse de Cracovie.

— Maintenant ! dit l'un, je voudrais être à Paris !

— Qu'est-ce que tu racontes ! proteste l'autre, le match a lieu à Lyon.

— Eh ben ! conclut le premier Polonais, ça n'a aucune importance : Je verrais le match un autre jour !

***

Budapest est l'une des villes où on ne peut pas demander à un chauffeur de taxi :

— Vous êtes libre ?

Un Hongrois.

***

Un Berlinois de l'Ouest assure avoir vu cet écriteau dans une rue de Berlin-Est :

— Vous êtes ici dans le secteur libre de Berlin. Interdiction de prendre des photos.

***

L'histoire qu'on raconte en Yougoslavie.

La guerre vient d'être déclarée entre la Russie et la Chine.

La première semaine, les Russes font un million et demi de prisonniers.

La deuxième semaine, ils font sept millions de prisonniers.

La troisième semaine, ils font vingt-cinq millions de prisonniers.

La quatrième semaine, ils font cinquante millions de prisonniers.

La cinquième semaine, quatre-vingt millions de prisonniers.

Alors, Teng Hsiao-Ping, successeur de Mao, envoie ce télégramme à Brejnev :

— Compris ? Vous vous rendez, maintenant ?

354

RACONTE... POPOV !

***

Dans la queue qui s'étire à la porte d'un commerce d'une rue de Poznan, entendue cette devinette.

— Quelle différence y a-t-il entre les nains américains et les nains russes ? Les nains russes sont plus grands.

***

Il y a la queue à la porte d'une boucherie du secteur privé, à Poznan (le seul quartier où l'on peut se procurer de la viance... à 40 % plus cher).

— Pourquoi n'y a-t-il pas de viande en Pologne ? demande quelqu'un.

— Parce que, répond un client, parce que les Polonais vont si vite vers le socialisme que les bêtes ne peuvent pas suivre !

***

Le président polonais Gierek fait une tournée d'inspection et, bien entendu, est harcelé de demandes de crédits supplémentaires. Il fait la sourde oreille pour tout ce qui touche à l'enseignement et à la santé publique mais se montre chaud partisan, en revanche, de l'amélioration des conditions pénitentiaires.

Concrètement, il accorde un subside spécial de plusieurs milliers de roubles aux prisons d'Etat.

Le Premier ministre, Piotr Jaroszewicz, qui l'accompagne, est choqué :

— Tu as refusé des subsides aux écoles, aux maternités et, pour les prisons, tu es plus que généreux. Pourquoi, camarade ?

Alors, Gierek, pensif :

— Je n'irai plus à l'école, je ne retournerai jamais dans une maternité. Mais, une prison... Tu sais ce que l'avenir te réserve, toi ?

***

Annonce parue (dit-on, mais j'en doute !) dans le *Neues Deutschland* d'Allemagne de l'Est.

— Échangerais appartement luxueux, quatre pièces, tout confort, contre trou dans le mur percé au bon endroit.

***

Un touriste entre dans une pharmacie proche du pont Charles IV, à Prague, pour acheter une boîte de somnifères :

— Vous n'en trouverez dans aucun pays socialiste ! lui dit le pharmacien.

— Mais, j'ai entendu dire que, dans les pays socialistes, on trouve tout ce dont on a besoin !

— Voici l'adresse d'un médecin compétent ! lui fait le pharmacien, allez donc faire examiner vos oreilles !

***

Un Polonais résume ainsi sa situation :

— Toutes les solutions de rechange étant pires, je suis pour Gierek à cent pour cent !

***

Dans la petite ville de Radom, en Pologne, se trouve un statue de la Vierge aux pieds de laquelle on remarque une petite souris en argent :

Un touriste demande à un habitant :

— Qu'est-ce que représente cette souris ?

— C'est une légende, explique le brave homme, au XIIe siècle, la ville a été envahie par les souris. Les habitants déposèrent cette souris en argent devant la Vierge et, le lendemain, toutes les vraies souris avaient disparu !

— Et les gens d'ici croient à cette histoire ?

— Oh ! non, conclut le bonhomme, sans quoi, il y a longtemps qu'ils auraient déposé aux pieds de la Vierge le portrait de Brejnev !

***

RACONTE... POPOV !

L'organisateur d'une exposition de livres français à Budapest, en Hongrie, se plaint à l'un de ses amis :

— Les œuvres françaises sont tellement appréciées par nos compatriotes qu'à la fin de l'exposition, la moitié des livres avaient disparu !

— Eh bien, répond l'ami, cela fait une moyenne avec la récente exposition des livres soviétiques. Il y en avait deux fois plus à la fin qu'au début !

***

Rappelons que juste avant la construction du mur de Berlin, un opticien de Berlin-Est a eu le temps de passer à l'Ouest après avoir affiché sur son rideau de fer baissé :

— Que ceux qui ont la vue courte consultent un oculiste. Que ceux qui voient de loin me suivent.

***

En Pologne, dit-on, il paraît qu'il n'y a qu'un seul communiste.

Seulement, tout le monde doit faire attention parce qu'on ne sait pas qui il est.

***

Au cours d'un Congrès qui tient ses assises à Genève, un savant russe entretient ses collègues internationaux des résultats d'une de ses dernières expériences :

— J'ai opéré ma propre mère de la cécité. Je lui ai greffé les yeux d'un poisson qu'on trouve dans la mer Noire. Et ma mère voit à nouveau, maintenant.

— Eh bien, moi, l'interrompt un savant américain, j'ai fait mieux, voyez-vous : Ma femme avait perdu sa main dans un accident de voiture, entre Kansas et Jefferson City. J'ai greffé une mamelle de vache sur le moignon et cela a parfaitement réussi. La main artificielle fonctionne tout à fait bien. Ah ! bien sûr, trois fois par jours, la main donne du lait, mais ce n'est rien, ça !

— Colossal mensonge capitaliste ! s'emporte alors le Russe, qui a vu votre femme ?

— Votre foutue mère ! fait l'Américain, avec ses yeux de poisson !

***

Varsovie.

Une école, proche de l'église Saint-Martin.

Le maître :

— Stanislas, mon petit, dis-moi : Quel est ton père ?

— Le camarade Brejnev.

— Et ta mère ?

— La Pologne.

— Bien. Et, maintenant, dis-moi : Quel est ton idéal ?

Alors, Stanislas :

— Que mon père fiche la paix à ma mère !

***

A rapprocher de cette histoire.

Un délégué du Parti inspecte une école primaire et interroge les élèves qui ont suivi des cours d'instruction politique :

— Qui est ton père !

— Le camarade-président Brejnev !

— Et qui est ta mère !

— La puissante et invincible Union soviétique.

— Bien ! Qu'est-ce que tu voudrais être plus tard ?

— Orphelin.

***

Sur un pont du Danube, un homme court, tout nu :

— Tu es fou, camarade ? lui lance un ami qui l'aperçoit, tu ne vois pas que tu es nu ?

— Un bandit vient de m'attaquer et

m a dépouillé de toutes mes affaires !
Il a bondi sur moi avec un revolver et
m'a crié : « *Davaï* ! »...

L'autre reste interdit.

— Il t'a dit « *Davaï* ! » ? Mais, alors,
c'est un Russe !

— Ah ! fait le malheureux, transi
de froid, c'est toi qui l'as dit, moi,
je n'ai rien dit de pareil !

***

Sur les bords de la Sprée, fleuve qui
sert de démarcation entre les zones
russes et allemandes de l'Ouest, à Berlin
deux pêcheurs se regardent d'une rive
à l'autre :

— Ça mord ? lance celui qui se
trouve sur la rive est, c'est le dixième
que vous prenez !

— Normal ! répond l'autre, de ce
côté, les poissons, ils osent ouvrir la
bouche.

***

On se souvient qu'après qu'il eut
réalisé le premier vol humain dans
l'espace, Youri Gagarine retomba dans
la Volga.

Minimisant l'exploit, les Polonais
affirmèrent que les premières paroles
que le cosmonaute prononça lorsqu'on
le repêcha furent :

— Si je connaissais le salaud qui
m'a enfermé dans cette cabine au moment où je la nettoyais !

***

Un Polonais a mis dans son champ
un épouvantail qui a la tête de Brejnev.

Depuis, non seulement les oiseaux
ne volent plus ses graines mais ils
rapportent celles qu'ils ont volées auparavant.

***

L'oculiste demande à son client en
lui désignant le tabeau sur lequel figu-
rent les lettres

ZUQLHWKYMX :

— Pouvez-vous lire ça ?

— Bien sûr ! fait le patient, je suis
Polonais !

***

Popov, en voyage à Przemysl, en
Pologne, s'est foulé la cheville et est
obligé d'aller consulter un médecin.

Le médecin le fait asseoir devant
une large fenêtre dépourvue de rideaux
tout en lui ordonnant :

— Déchausse-toi, camarade, et tire
la langue !

Popov s'exécute et présente au médecin un pied énorme tout en tirant
la langue.

— Mieux que ça, la langue, voyons !
commande le toubib, tire-moi cette
langue à fond... Là ! Et, maintenant,
ne bouge plus !

Un quart d'heure plus tard, la
consultation est terminée. Le malheureux Popov, perplexe, se risque enfin
à demander :

— Camarade docteur, que tu me
fasses déchausser pour une foulure,
je comprends, mais pourquoi m'avoir
fait tirer la langue ?

— Tu vas comprendre, camarade !
explique le médecin, en face, c'est
l'ambassade d'U.R.S.S. !

***

Un habitant de Budapest fait une
demande de passeport :

— Je dois quitter immédiatement
la Hongrie, explique-t-il.

— Pourquoi ? lui demande l'employé.

— Parce qu'un récent décret du
gouvernement communiste interdit
d'avoir plus de deux crocodiles dans sa
chambre à coucher !

— Vous êtes fou, non ? proteste
l'employé, vous n'avez certainement
aucun crocodile dans votre chambre
à coucher !

— Bien sûr ! répond le Hongrois,
mais la milice me le fera certainement
avouer !

***

Un lapin est assis devant l'impressionnant immeuble du Plan, à Varsovie.

Un autre lapin s'approche.

Le premier lui fait :

— Tu sais ce qu'ils viennent de décider là-dedans ?

— Non.

— Sous prétexte du manque de viande, ils ont décidé de couper la cinquième patte de tous les lapins.

— Et alors ?

— C'est grave.

— Ce n'est rien du tout puisque nous n'avons que quatre pattes !

— Toi, alors ! s'indigne le premier lapin, tu n'as rien compris au socialisme. Ils vont couper n'importe quelle patte. Ils affirmeront que c'était la cinquième et ils liquideront le président du Plan pour s'être trompé de patte !

***

Un brave paysan arrive à Berlin-Est et demande à un agent de la circulation :

— Pour aller à la Rheinstrasse ?

— Ce n'est plus la Rheinstrasse, c'est la Leninstrasse ! rectifie l'agent. Vous prenez la Marxstrasse, ex-Gœthestrasse. Vous tournez à gauche, dans la rue qui oblique un peu, la rue Staline, ex-Bismark. Vous poursuivez jusqu'à la Moskowa-Platz, ex-Siegfriedplatz. Après, c'est à vingt mètres !

Alors, le paysan, en s'éloignant :

— Merci, ex-heil Hitler !

***

On disait à un Polonais que les Russes prétendaient avoir inventé la télévision bien avant toutes les autres nations.

— L'avoir inventée avant tout le monde, c'est déjà une performance ! dit le Polonais, mais l'avoir supprimée pendant tant d'années, c'est génial !

***

La devinette qu'on se pose à Prague.

Qu'est-ce qu'un gouvernement socialiste ?

C'est un gouvernement qui donne mal à la tête à tous les citoyens et leur donne de l'aspirine gratuitement.

***

Un paysan de Czestochowa, à environ deux cents kilomètres au sud-ouest de Varsovie, est désigné par ses concitoyens pour se rendre à Moscou à l'occasion d'une grande manifestation de masse.

En compagnie d'autres responsables, il visite la capitale soviétique, sous la direction de guides expérimentés.

Les voici arrivés dans les studios ultra-modernes de Radio-Moscou :

— Vous parlez là-dedans, explique le guide aux braves délégués attentifs en leur désignant un micro, et le monde entier vous entend !

— Non ? s'exclame le paysan, médusé, c'est pas possible, camarade !

— Je t'assure que si !

— Le monde entier m'entendrait si je parlais là-dedans ?

— Mais, oui, camarade !

Alors, le paysan s'élance vers le micro, l'empoigne et hurle en le plaquant contre sa bouche :

— Au secours !

***

Devinette polonaise.

Savez-vous pourquoi, quand la fin du monde arrivera, elle touchera tous les pays sauf la Pologne ?

Parce que la Pologne a cinquante ans de retard.

***

Cette affiche vue sur les murs de Prague :

— Igor, rentre vite chez toi, Natacha est au lit avec Ivan.

***

Les Berlinois de l'Est sont fiers de leur tour qui a été édifiée pour le vingt-cinquième anniversaire de la République Démocratique Allemande.

Ils n'en posent pas moins cette question à leurs amis étrangers qui leur rend visite :

— Savez-vous pourquoi le restaurant de la tour est mobile et possède un mouvement giratoire comme le restaurant des Chutes du Niagara ?

Et, comme personne ne peut répondre, ils expliquent, sans rire :

— Parce qu'autrement personne ne prendrait jamais place du côté de l'est !

***

Au camp de *Le Pley*, deux prisonniers bavardent :

— Tu es condamné à combien, toi, camarade ?

— Quinze ans.

— Quinze ans ? Qu'est-ce que tu as fait pour être condamné à quinze ans ?

— Rien.

Alors, le premier prisonnier :

— Tu mens ! Rien, c'est cinq ans !

***

Pourquoi un Russe conduit-il prudemment sa petite *Jigouli* dans les virages ?

Parce qu'il ne veut pas être déporté.

***

Lorsqu'il fut question d'éprouver la solidité du nouveau pont Elisabeth, à Budapest, un ouvrier suggéra d'y faire défiler les troupes d'occupation soviétiques :

— Si le pont tient, c'est bien ! dit-il, s'il ne tient pas, c'est encore mieux !

***

Sur les bords de la Vistule, en Pologne, on raconte l'histoire suivante.

Alexandre le Grand, Jules César et Napoléon ont tous trois l'envie d'assister au grand défilé militaire qui marque chaque année l'anniversaire de la révolution d'Octobre.

Après avoir demandé l'autorisation à saint Pierre, ils descendent du ciel et s'installent à la tribune d'honneur avec les dirigeants soviétiques.

La parade terminée, ils sont enthousiasmés :

— Formidable! s'exclame Alexandre le Grand, avec des soldats comme ceux-là, j'aurais été jusqu'en Chine !

— Fantastique! renchérit le Romain, avec des fusées pareilles, j'étais le maître du monde !

— Moi ! soupire tristement Napoléon, si j'avais eu un journal comme la *Pravda*, on ne saurait même pas encore que j'ai perdu la bataille de Waterloo !

***

Le Premier polonais, Edward Gierek, passe son temps à s'adresser aux travailleurs pour les inciter à produire plus et mieux.

Pourtant, à la campagne, la production de lait est encore déficitaire.

Les Polonais disent que c'est parce qu'il n'a pas encore eu le temps de s'adresser aux vaches.

***

Pourquoi Pliouchtch était-il considéré comme fou en U.R.S.S. ?

Réponse d'un Polonais : parce que lors d'un congrès de mathématiciens, il avait déclaré à plusieurs reprises et à haute voix, que $2 + 2 = 4$.

***

On connaît maintenant la manière dont le Parti a été réorganisé en Hongrie après les événements de 1956.

Tous les membres qui ont recruté un nouveau membre ont été

dispensés de six mois de cotisations.

Ceux qui ont recruté cinq nouveaux membres ont été autorisés à quitter le Parti.

Ceux qui en ont recruté dix ont reçu un document officiel attestant qu'ils n'avaient jamais appartenu au Parti.

***

Les Polonais, eux-mêmes, et avec leur sens de l'humour, ne se définissent-ils pas comme « le baraquement le moins triste du camp socialiste » ?

***

Cette devinette, enfin, qui explique — si l'on en croit les Roumains — les difficultés économiques que connaît l'Union soviétique.

Que fait un Russe après le travail ? Il sort les mains de ses poches.

***

A défaut de croire à l'authenticité de ces histoires, je vous l'accorde, on ne peut mettre en doute leur origine.

Surtout qu'on dit à Moscou que le Comité central du Parti communiste de l'Union soviétique garde dans une section spéciale de la clinique de Tbilissi toute une équipe d'auteurs d'anecdotes.

LE NUMÉRO 1

« Brejnev : Le plus grand clown depuis Popov ! ». Le croirez-vous, c'est ainsi que le Soviétique moyen décrit son numéro 1.

En prenant toutes les précautions d'usage, bien entendu.

Sa position d'homme d'État à l'échelon international tout autant que son accent très prononcé font de Léonid Brejnev une cible toute désignée et l'une des plus prisées des polémistes.

Celui dont on dit qu'« il porte sur le front la moustache de Staline » (allusion, bien sûr, à ses sourcils très fournis), doit à une grave affection de la gorge une élocution difficile et confuse.

Faut-il le préciser : On ne comprend que rarement ce qu'il dit.

— Ce qui rend supportable sa façon de parler, raille-t-on, toujours sous le manteau, c'est qu'elle est le signe qu'il n'en a plus pour longtemps !

Cette peu aimable prophétie ne semble pas atteindre « Super B », (le dernier surnom qu'on lui attribue au pied de la cathédrale Saint-Basile, bulbeuse et colorée).

Propriétaire de nombreuses datchas (chalets de campagne en bois) sur la mer Noire, d'autres datchas de luxe près de Leningrad ou en Russie centrale (Pitsounda et Zavivodo ont été le cadre de rencontres internationales), Léonid Brejnev jouit sans discrétion des avantages que lui procure sa réussite.

A l'époque où sa mère était encore de ce monde, on racontait à Moscou que le numéro 1 l'avait fait venir d'Ukraine pour lui permettre de contempler ces biens qu'il avait acquis.

Il lui avait montré ses datchas et son parc automobile (qui, outre plusieurs modèles occidentaux, compte une Maserati, une Mercédès et une Cadillac).

La vieille dame avait admiré et s'était exclamée, angoissée :

— C'est bien, mon fils, mais si les Rouges reviennent ?

***

L'une des anecdotes les plus irrespectueuses qu'on raconte au sujet du premier soviétique est sans nul doute celle-ci.

Un homme se présente aux autorités ouest-allemandes et demande à bénéficier du droit d'asile. Un responsable l'interroge et lui demande soudain :

— Pourquoi avez-vous une boîte de pilules rouges dans votre poche ?

— C'est pour soigner ma bronchite ! répond le réfugié.

— Et cette boîte de pilules roses ?

— C'est pour guérir mes rhumatismes.

— Et cette boîte de pilules bleues ?

— C'est pour soigner ma sinusite.

— Ah ! Et ce portrait de Brejnev, imprimé sur caoutchouc, que vous portez enroulé autour de votre ventre ?

— Ça ! explique le malheureux,

très digne, c'est un remède contre le mal du pays !

***

La plupart des histoires qu'on raconte sur Brejnev ont une forte odeur de fiction.

Qu'on en juge.

Léonid Brejnev se lève, un matin, passe sur le balcon du 26, Koutousovski Prospekt, l'immeuble où il habite et dans lequel demeurent également Youri Andrpov, le chef du K.G.B., et l'actuel ministre de l'Intérieur, Nicolaï Chtcholokow, regarde le soleil et reste stupéfait quand il entend le soleil lui dire :

— Comment vas-tu, camarade Léonid ? Pas trop fatigué ?

— Tout va bien, soleil ! répond le premier soviétique, ému, merci de t'intéresser à moi !

— C'est que tu es le plus grand d'entre tous !

Brejnev passe la matinée à essayer de comprendre l'Eurocommunisme dont font preuve Marchais et Berlinguer, puis, très las, sur le coup de midi, sort à nouveau sur son balcon :

— Bonjour, camarade Léonid ! lui lance le soleil, la journée n'est pas trop dure ?

— Merci, camarade soleil ! répond le numéro 1, je suis vraiment très touché que tu t'intéresses à moi comme ça !

— Entre grands ! conclut le soleil.

Le soir venu, profondément découragé par la propagande antisoviétique de Soljenitsyne, ayant eu à faire face à des discussions, des réunions et des intrigues exténuantes, Brejnev sort sur son balcon. Le soleil se couche à l'horizon. Silencieux.

— Alors ? s'étonne Brejnev, tu ne me dis plus rien, camarade soleil ? J'aime bien, pourtant, quand tu me causes !

Alors, après un long silence, le soleil s'exclame :

— Va te faire foutre, camarade

Léonid, maintenant je suis à l'ouest !

***

Au cours d'une partie de chasse dans les Carpates, Brejnev, déguisé en garde-chasse, interroge une bohémienne :

— Toi qui vois l'avenir, dis-moi, quand Brejnev va-t-il mourir ?

— Un jour de grande fête russe, camarade ! répond l'extra-lucide.

— Quel jour férié ? Parle !

— Je ne sais pas.

— Je veux savoir ! menace le numéro 1, parle ou je te fais interner pour schizophrénie !

— Puisque je vous dis que je ne sais pas cette date !

— Qu'est-ce que tu sais, alors ?

— Je sais, sanglote la bohémienne, que ce sera un jour de grande fête russe !

***

Léonid Brejnev a appris que le président Carter était beaucoup mieux informé que lui des affaires chinoises.

Faisant abstraction de tout amour-propre, le numéro 1 décide de téléphoner au président des Etats-Unis pour lui demander quelle est la source de ses informations.

— Je tiens ces renseignements de l'enfer ! lui avoue Carter. L'agence de presse que dirige Belzébuth est la première du monde. Le seul ennui, c'est que chaque seconde de conversation téléphonique avec l'enfer coûte 120 dollars !

— Quel est le numéro de cette agence ?

— Vous faites E.N.F.E.R. sur le cadran.

Brejnev remercie et, aussitôt libéré de Carter, téléphone à l'enfer, obtient tous les renseignements qu'il désire et s'étonne quand on lui annonce qu'il ne doit que cinq kopecks (prix de l'accès au métro de Moscou) :

— Si peu ? Pourtant Carter m'a

que chaque seconde coûte 120 dollars !

Alors, la voix de l'enfer, à l'autre bout du fil :

— C'est vrai, mais quand Carter téléphone, c'est une conversation avec l'étranger !

***

1985.

Brejnev et Carter se rencontrent dans un camp de concentration chinois.

Ils se jaugent, les larmes aux yeux, puis tombent dans les bras l'un de l'autre.

— Tu vois, Léonid, dit Carter, je t'ai toujours dit que le problème allemand n'était pas le plus grave !

***

Brejnev est en voyage aux Etats-Unis.

Carter lui fait admirer un ordinateur perfectionné.

— Il est capable de répondre à toutes les questions ! dit-il. Tenez, je vais lui demander : « Que seront les Etats-Unis dans cinquante ans ? »

Quelques minutes plus tard, l'ordinateur rend son verdict : Cent pages qui précisent l'évolution des Etats-Unis au cours des cinquante années à venir.

— Très intéressant ! fait Brejnev, puis-je à mon tour lui demander « que sera l'U.R.S.S. dans cinquante ans » ?

— Bien sûr.

Très rapidement, l'ordinateur crache une centaine des pages que Brejnev regarde, ahuri.

— Alors ? interroge Carter.

— Ben, je ne peux pas lire, répond Brejnev, c'est écrit en chinois !

***

Brejnev est bien décidé à se débarrasser du corps de Staline.

Sans scrupules, il demande à différents gouvernements s'il leur serait possible d'accepter les restes de son plus célèbre prédécesseur.

— Nous avons déjà trop de fantômes dans nos vieilles demeures ! prétextent les Anglais.

— Impossible ! répondent les Américains, il faut se souvenir qu'il haïssait tellement les Etats-Unis qu'il souhaitait les renverser par la force.

— Avec tous nos morts de la campagne de Russie ! s'exclament les Allemands.

Demande est faite alors auprès des autorités israéliennes. Et Moshe Dayan écrit à Brejnev :

— Très touchés de l'honneur que vous nous faites de songer à Jérusalem comme sépulture pour le grand homme qui a marqué à tout jamais l'Union soviétique mais nous sommes au regret de devoir décliner cette offre. Vous semblez ignorer qu'il y a eu des exemples de personnes enterrées sur notre sol qui ont été ressuscitées !

***

Un visiteur interroge l'interne d'une *Psikuhki* (clinique psychiatrique) sur le cas d'un mégalomane en traitement.

— Oh ! répond l'interne, ça ne s'arrange pas : Jusqu'ici, il se prenait pour Dieu le père, maintenant, il se prend pour Léonid Brejnev !

***

Il paraît que Brejnev a renoncé à faire imprimer des timbres à son effigie : les acheteurs se plaignaient parce qu'ils ne collaient par sur l'enveloppe.

Il est vrai que tout le monde crache du mauvais côté.

***

Brejnev ressemble à un crocodile, disent ses détracteurs, quand il ouvre la bouche on ne sait jamais si c'est pour vous sourire ou pour vous dévorer.

363

***

Sur la place Wenceslas, à Prague, une Rolls-Royce est garée près d'une petite voiture soviétique Moskvitch.

Brejnev — grand collectionneur de pendules et de modèles de voitures, on l'a vu — de passage, incognito, arrête sa populaire Zil noire sans numéro (signe distinctif des personnalités, en Union soviétique), celle-là même dans laquelle il arrive chaque matin au Comité central, sur la Staraïa Plotchad.

Il met ses lunettes et s'approche des badauds :

— Laquelle préfères-tu, camarade ? demande-t-il à l'un d'eux, en désignant les voitures.

— La Moskvitch ! répond l'autre.

— Ah ! Eh bien, on voit que tu ne connais pas les voitures !

— Les voitures, je les connais ! rectifie l'autre, prudent, c'est toi que je ne connais pas !

***

Un Russe a traité Brejnev de brute sanguinaire.

Il a été condamné à vingt ans de camp en Sibérie, 5 ans plus insultes, 15 ans pour divulgation de secret d'Etat.

***

Brejnev engage un garde du corps que lui a recommandé Alexis Kossyguine.

— Avec moi, camarade, tu n'as plus rien à craindre, lui dit l'homme, donne-moi seulement les noms et les adresses de tes ennemis.

Alors, Brejnev lui tend l'annuaire du téléphone.

***

Brejnev vient d'exposer ses projets à ses plus proches collaborateurs.

— Que ceux qui sont pour lèvent la main ! dit-il. Ceux qui ne sont pas d'accord, qu'ils s'alignent en face au mur, les mains en l'air, en attendant que le peloton d'exécution arrive !

***

Brejnev visite Kaliningrad, en Lituanie.

Tous les citoyens l'accueillent avec enthousiasme en agitant leurs chaînes.

***

Toute une famille, offrant des mérites exceptionnels à des titres divers, est présentée à Brejnev au cours d'un de ses voyages à Tbilissi : le frère aîné est chef de brigade de travail, le deuxième est l'un des plus dévoués secrétaires du Parti, le troisième est secrétaire de la jeunesse communiste.

— Ah ! s'écrie Brejnev, avec des familles comme celle-là, l'Union soviétique grandira sans cesse !

— Certes ! admet Gretchko, qui se trouve au côté du numéro 1, mais ils ont encore un autre frère qui habite New York !

— Quoi ? Mais, il faut qu'il revienne immédiatement, s'emporte Brejnev, il faut qu'il aide sa famille, sa belle et généreuse famille, à participer à la tâche grandiose de la montée du communisme :

Alors, Gretchko :

— C'est que, camarade Léonid, c'est impossible : C'est lui qui nourrit toute la famille !

***

Brejnev désire s'expatrier. (Ah ! Je vous avais prévenu qu'il y avait de la fiction dans tout ça).

Il remplit un long questionnaire et répond négativement à toutes les questions posées.

Au lieu de mettre « non », il trace simplement un N majuscule.

L'employé consulte sa fiche, un peu plus tard, et lui lance :

— Je comprends que vous vouliez partir : Vous avez des « N » mis partout !

***

Un des meilleurs hommes de la C.I.A. a réussi à s'introduire dans le jardin de la datcha de Léonid Brejnev, à Joukovko, à cinquante kilomètres de Moscou.

A l'aide d'un micro, il enregistre cette conversation entre Léonid et son épouse, Victoria Petrovna (sa camarade de classe qu'il a épousée à Dniepropetrovsk et dont il a eu deux enfants, Galina et Youri, respectivement employée à l'agence Novosti et vice-ministre du Commerce extérieur).

— Je viens de lire un livre sur la vie du président Kennedy, Léonid adoré. Est-il exact qu'il a été assassiné ?

— Aucun doute là-dessus.

— On dit que l'assassin était un Russe.

— Je ne le crois pas.

— Aurait-il pu te tuer, toi aussi, Léonid chéri ?

— Nos services de sécurité sont très efficaces ! Il me semble que cela n'aurait pas été possible.

Alors, Victoria Brejnev, rêveuse :

— Tout de même, Léonid adoré, s'il avait réussi à te tuer, est-ce que j'aurais pu devenir madame Onassis ?

***

Le chef des services de renseignements de Léonid Brejnev lui annonce, un matin :

— Camarade, il va y avoir un mouvement tellurique en Kirghizie !

Aussitôt, Brejnev fait télégraphier à Tachkent, capitale de l'Ouzbekistan.

— Mouvement tellurique annoncé. Prenez mesures nécessaires et rendez compte. Urgent !

Quelques jours plus tard — alors que l'agence Tass évoquait de gros dégâts dans la petite ville minière de Kyzil-Kia — le maire de Tachkent télégraphie à Brejnev :

— Mouvement tellurique terminé. 94 telluriques ont été fusillés, 217 ont été envoyés en Sibérie, 44 dans des hôpitaux pour « délire réformiste » et nous en poursuivons encore une centaine. Mais, nous sommes gênés parce qu'il y a eu un gros tremblement de terre...

***

Certains accusent (toujours discrètement) Brejnev d'un immobilisme inquiétant. Cette histoire illustre parfaitement leur pensée.

***

Staline, Krouchtchev et Brejnev sont dans un train qui traverse la Sibérie.

Le train tombe en panne.

— Patientez cinq minutes ! dit Staline en se levant, je m'occupe de ça !

Cinq minutes plus tard, il est de retour :

— Tout est réglé ! affirme-t-il.

— Ah ? s'étonnent les deux autres, et comment as-tu fait, camarade Staline.

— Simple ! J'ai fusillé les mécaniciens.

Bien sûr, le train ne repart pas.

— Bon ! Je vais m'en occuper ! décide Krouchtchev.

Il s'en va quelques minutes et revient, hilare :

— Tout est arrangé ! annonce-t-il, j'ai réhabilité tout le monde !

Hélas ! le train ne repart toujours pas. Angoissés, chacun se retourne alors vers Brejnev qui tire le rideau du compartiment en disant :

— Tout est réglé ! Supposons que le train roule !

***

Ce n'est, en tout cas, pas l'impression que donne Brejnev à la chasse.

Les ours du Kazakstan, les sangliers,

365

les cefs et les élans que le numéro 1 traque au cours d'interminables parties de chasse qui commencent à l'aube pour se terminer dans l'après-midi ont, paraît-il, compris que Brejnev les vise entre les deux yeux.

Maintenant, ils marchent côte à côte en fermant chacun un œil.

***

Brejnev a invité tous les chefs communistes de l'Est européen à une partie de chasse à l'ours du Kazakstan.

Il y a là le Polonais Gierek, le Tchécoslovaque Husak, l'Allemand Honecker, le Bulgare Jivkov, le Hongrois Kadar et le Roumain Ceaucescu.

Le soir venu, ils sont réunis autour d'un bon feu et bavardent.

— J'ai bien regardé vos coups de fusil à tous, camarades ! apprécie Husak, bravo !

— Oh ! fait Honecker, ce n'est rien. Chez nous, tirer est un geste naturel. Tout petit, à l'école, on nous apprend à tirer. Combien de fois j'ai vu une gosse d'à peine sept ans lancer une pièce en l'air et la transpercer aussitôt d'un coup de revolver !

Joignant le geste à la parole, l'Allemand lance une pièce en l'air et la transperce.

— Ce n'est pas si fort que ça ! fait Gierek. En Pologne, à trois ans, on fait mieux ! Avec des cartes à jouer, par exemple. Quatre as sont lancés en l'air et nos jeunes sont plus rapides que ta petite teutonne, camarade. Ils transpercent les quatre as bien avant qu'ils ne soient tombés à terre. Comme ça !

Tout en parlant, le Polonais, qui avait extrait quatre as d'un jeu, les lancent en l'air, tire quatre coups et, lorsque les cartes tombent sur le sol, elles sont percées d'un trou chacune.

— C'est bon, ça ! s'écrie Brejnev, mais, chez nous, dans immense Russie, c'est encore plus jeune qu'on nous apprend à tirer. Regardez ce moustique qui tourne autour de nous...

Brejnev extirpe son revolver de sa gaine, tire un coup — un seul — et, satisfait, souffle la fumée qui s'échappe encore du canon.

Les rires des autres secouent alors le chalet tout entier.

Kadar, le Hongrois, tape sur l'épaule de Brejnev et lui désigne le moustique qui volette toujours autour d'eux :

— Ah, ah ! Tu nous feras toujours rire, camarade, ricane-t-il. Avec tes vantardises ! Regarde le moustique, il est là, bien vivant ! Il se fout de toi ! Ah, ah, ah !

— Il a tort ! fait alors Brejnev, désinvolte, parce qu'il ne baisera plus !

***

Brejnev convoque Youri Andropov, actuellement à la tête du K.G.B., et lui dit, « rouge de colère » :

— On vient de m'apprendre que, dimanche dernier, à ce qu'il paraît, tu es allé à la messe et tu as prié pour obtenir une augmentation. Tu sais pourtant que j'ai horreur que l'on tente de passer au-dessus de ma tête pour obtenir quoi que ce soit !

***

Brejnev doit subir une délicate opération :

— Docteur, demande Andropov au chirurgien, est-ce qu'il y a de l'espoir ?

— Eh bien, répond le chirurgien, ça dépend de ce que vous espérez !

***

Brejnev est malade.

Le médecin qui le soigne demande à l'infirmière :

— Comment va-t-il ?

— Il réclame sans cesse : « Pliouchtch ! Pliouchtch ! »

— Je vois ! fait le médecin, toujours le délire !

***

Brejnev se rend incognito dans une salle de cinéma de la rue Tchaikovski, à Moscou.

Il s'assied au milieu de la foule et, bien sûr, dans l'obscurité, personne ne le reconnaît.

Sur l'écran, passe un documentaire où on le voit en train de haranguer le peuple russe.

Aussitôt la salle entière se lève et applaudit.

Seul, évidement, Brejnev reste assis, savourant sa popularité et sa puissance.

Alors, son voisin de droite se penche et lui glisse à l'oreille :

— Lève-toi, camarade ! La salle est pleine de droujenik (policiers aux ordres de la milice). Tu ne vas pas risquer de te faire interner pour ce pourri !

***

Dans la zone orientale de Berlin, deux vopos (soldats est-allemands qui gardent le mur de Berlin) font leur ronde nocturne. Soudain, un cri jaillit d'une ruelle obscure :

— A bas Brejnev !

Les deux Russes se précipitent, revolver au poing, et se trouvent nez à nez avec un brave poivrot qui bredouille :

— Con... content de v... vous... v... voir, les gars ! J'ai été attaqué par... par un ro... ro... rôdeur. Il vient de s'enfuir en vous voyant arri... arriver !

— Bon ! grogne l'un des vopos, mais, qu'est-ce qui vous a pris de crier « A bas Brejnev » ?

Alors, le poivrot, lucide, malgré tout :

— Vous seriez pas venus aussi vite si j'avais crié simplement « au secours » !

***

Dans le hal de l'aéroport de Moscou, Cheremetievo, un vieillard, est assis.

Il prie à haute voix.

Passe un membre du Parti qui lui demande :

— Qu'est-ce que tu fais là, petit père ?

— Je prie.

— Pour qui ? s'inquiète l'autre.

— Pour Brejnev ! avoue le vieillard.

— Quelle stupidité, petit père ! explose l'autre, superstition ridicule ! Réfléchis un peu : Dans ta jeunesse, pour qui as-tu prié ?

— Pour notre petit père le tsar.

— Alors, tu vois ! Tes prières n'ont servi à rien : Ton tsar, on l'a exécuté !

— Justement, mon fils ! fait le vieux en hochant la tête, justement !

***

Les savants soviétiques ont fait des miracles : Ils sont parvenus à ressusciter Lénine.

Brejnev est prévenu.

Il se précipite pour demander au père de la Révolution s'il a un désir à formuler.

— Je souhaiterai obtenir cinq secondes à la télévision ! dit Lénine, cinq secondes seulement !

— Cinq heures si tu le veux ! propose Brejnev.

— Non, non ! Cinq secondes suffisent !

La presse internationale est convoquée, la Mondovision se réserve tous les circuits par satellites et, à l'heure prévue, Lénine apparaît sur le petit écran.

Il va parler.

Il parle.

Et on l'entend dire :

— Pardon !

***

— Papa ! demande le petit Youri, Staline était-il un bon chef d'Etat !

— Non. Très mauvais.

— Et Lénine ?

367

— Très bon, très bon.

— Et Brejnev, il est bon ou mauvais ? Alors, le papa :

— Comment veux-tu que je le sache ? Il n'est pas encore mort !

***

Selon un nouveau règlement, on ne doit plus dire « Dieu soit loué », en Union soviétique.

On doit dire « Brejnev soit loué ».

Quand Brejnev mourra, on pourra dire « Dieu soit loué ».

Lu sur un tract distribué rue Kalinine, à Moscou.

***

Brejnev est à l'article de la mort. Podgorny meurt quelques mois après lui et, en arrivant dans l'au-delà, la première chose qu'il voit est son vieux complice (et ennemi), assis sur un nuage, tenant une jolie fille sur ses genoux :

— Eh bien, lui dit-il, je suis heureux de voir qu'on t'a accordé la récompense suprême !

— Niet ! rugit Brejnev, elle n'est pas ma récompense. C'est moi qui suis son châtiment !

***

Brejnev meurt et se retrouve au paradis.

Pendant longtemps, il joue du luth, chante des cantiques et se laisse bercer sur un fond de balalaïka.

Un jour, il voit un nuage sur lequel des anges font la fête avec de splendides créatures à demi dénudées, jouent aux cartes, boivent de la vodka à même la bouteille, bref, s'en donnent à cœur joie.

Aussitôt, il demande son transfert et... se retrouve en enfer !

Trois démons le piquent, armés de fourches redoutables tandis que deux autres lui lacèrent le visage et qu'un dernier l'enduit d'huile bouillante.

— Mais, ce n'est pas ce que j'ai demandé ! hurle l'ex-numéro 1, il y a une erreur administrative, sans doute !

— Vous n'avez pas signé une demande de transfert ?

— Si ! mais c'était pour aller sur le nuage où on rigole tellement !

— C'est bien ce que je pensais ! dit l'un des démons, encore un qui a plongé ! Le nuage, c'est notre service de propagande !

***

Brejnev est mort (la fiction, toujours et encore la fiction).

On a déposé son corps embaumé dans le mausolée à côté de la momie de Lénine.

Le Parti cherche quelqu'un digne de le remplacer.

Roussakov, secrétaire du comité central, est chargé de consulter l'opinion publique.

Il descend dans la rue et tombe sur un juif :

— Camarade, qui voudriez-vous voir à la place de Brejnev ?

— Moi ? fait l'intéressé, tous les communistes !

***

Brejnev frappe à la porte du ciel.

Saint Pierre vérifie ses papiers.

Hélas ! le camarade Léonid n'a aucune pièce justifiant son identité :

— Rubinstein est arrivé sans papiers, lui aussi, dit saint Pierre, il a joué du piano. Picasso, lui, a peint un tableau. La Callas a chanté. Vous, qu'est-ce que vous pouvez faire pour prouver que vous êtes bien Brejnev ?

— Qui sont Rubinstein, Picasso et la Callas ?

— Ah ! vous ne savez pas ? fait saint Pierre, alors, vous êtes sûrement Brejnev. Entrez !

***

Brejnev vient de mourir et se rend au paradis.

Le Bon Dieu demande à saint Pierre, quelques heures après l'arrivée du numéro 1 soviétique :

— J'apprends que Brejnev est ici ? J'espère qu'il n'a pas fait de propagande !

Et saint Pierre répond :

— Niet, camarade Bon Dieu !

***

La plus belle histoire de fiction qu'on puisse trouver à propos de Léonid Brejnev reste sans doute celle qu'on m'a racontée au « Marché Kolkhozien », à Moscou (le seul marché où les paysans du Caucase ou d'Ukraine peuvent venir vendre leurs produits).

— Dis, papa, demande le petit Mikhaïl Ivanovitch, qui c'était Brejnev ?

— Brejnev ? répond le père, après avoir longuement réfléchi, c'était un dirigeant du Parti à l'époque de Soljenitsyne !

VIE RUSSE

On connaît l'histoire de cette jeune fille et belle parisienne qui raconte à ses amis à son retour de Russie :

— Ah ! Moscou ! Quelle ville étonnante ! Je suis allée jusqu'à la statue de Maïakovsky, toute nue, sans même un cache-sexe, avec seulement mes chaussures. Et tout le monde me regardait les pieds !

C'est peut-être pousser à l'extrême la description de la vie dans la capitale soviétique. Comme l'on peut imaginer que cette devinette ne reflète pas pour autant l'univers du Russe moyen.

— Pourquoi les citoyens russes sont-ils contraints de marcher par trois ? Réponse.

Parce qu'il y en a un qui sait lire, un qui sait écrire et le troisième qui surveille les deux intellectuels.

***

On en dit tant de choses, mais, en vérité, on en sait si peu sur le bonheur en Russie.

— Pour moi, le bonheur, disait un Anglais à deux amis, l'un Français, l'autre Russe, c'est passer la soirée, à mon club, sans ma femme !

— Pour moi, dit le Français, c'est gagner au tiercé et me faire une petite de temps en temps !

— Pour moi, conclut alors le Russe, le bonheur c'est quand deux types en imper gris frappent à ma porte, à six heures du matin, pour me dire : « Ivan Pétrovitch, suivez-nous ! » et que je peux leur répondre : « Ivan Pétrovitch, c'est à côté ! »

***

Un radio-reporter interroge les passants, rue de l'Akhbat, à Moscou.

— Camarade, demande-t-il à l'un d'eux, quelle sorte de logement habites-tu ?

— J'ai trois pièces, cuisine, salle de bain, W.-C. ! répond l'homme.

— Très bien ! triomphe le radio-reporter, et avant, qu'est-ce que tu avais ?

— Oh ! Avant, ma famille et moi, on occupait une malheureuse chambre de bonne, rue de la Bolchaya Polianka. Nous y étions entassés à six !

— As-tu pu faire des économies ?

— Oui. J'ai cinquante mille roubles à la Banque populaire.

— Et avant, qu'est-ce que tu avais ?

— Des dettes.

— Manges-tu bien ?

— Oui. Tous les jours : du gigot, de l'oie, du bœuf, de la dinde, de...

— Et avant ?

— Avant, je mangeais du pain sec. Et, encore, pas tous les jours !

— Bravo, camarade ! triomphe le radio-reporter. Dernière question, maintenant : Depuis quand ce changement est-il intervenu dans ton existence ?

Alors, le « camarade » :

— Depuis que ma fille aînée est la maîtresse d'un commissaire du peuple !

370

***

Deux Français louent une chambre à l'hôtel Rossia.

Le réceptionniste leur dit, en leur remettant la clef :

— Si vous avez besoin de quelque chose, venez me trouver. Je vous expliquerai comment on peut s'en passer !

***

Dialogue discret sur la place Rouge.

— Ça va ?

— Mieux que l'année prochaine.

***

Ivanov rencontre Popov, à la sortie de l'usine Kaganovitch, à Moscou.

— Ton fils Boris est un cochon, camarade !

— Pourquoi dis-tu ça, camarade Ivanov ?

— Il a écrit le nom de ma fille, Natacha, dans la neige.

— Qu'est-ce qu'il a fait de mal ?

— Il l'a écrit en pissant.

— Innocent jeu d'adolescent. Rien de plus !

Alors, Ivanov, rouge de colère :

— Non, Popov ! C'est l'écriture de Natacha !

***

Parc Gorki, à Moscou, un homme dort sur un banc.

Soudain, il se réveille en sursaut et aperçoit devant lui un agent de la milice.

— J'ai dû rêver à quelque chose ! fait-il, affolé, Mon Dieu ! A quoi ai-je pu rêver ?

***

Colline des Moineaux, au pied du gratte-ciel d'où l'on surplombe tout Moscou, Ivan Ivanovitch rencontre Youri et lui dit :

— Tu sais, camarade, à Riazan, on distribue de la farine.

— Non ?

— Si. Mais, pour en avoir, il faut aller à Tambov !

— Quoi ? A Tambov pour avoir de la farine qu'on distribue à Riazan ?

— Da, explique Ivan Ivanovitch, la queue commence à Tambov !

***

A Moscou, dans un café de la rue Gorki, un camarade vante à un de ses amis les beautés futures du régime :

— En 1987, tous les citoyens de l'Union soviétique auront leur avion particulier.

— Mais, qu'est-ce que je ferais d'un avion particulier ?

Alors, l'autre :

— Tu t'en serviras pour te déplacer ! Suppose, par exemple, que tu apprends qu'une distribution de pommes de terre a lieu à Kiev. Tu prends ton avion et tu vas là-bas pour en bénéficier !

***

L'ambassadeur des Etats-Unis passe par Sismeis, près de Yalta, sur la mer Noire, la Côte d'Azur soviétique, et aperçoit un mendiant qui mâche du foin au coin d'une rue :

Il s'approche :

— Qu'est-ce que vous faites là, mon brave ?

— Ma femme est malade, explique le pauvre hère, j'ai huit enfants affamés. Qu'est-ce que je peux faire d'autre ?

L'ambassadeur sort un billet de cent dollars et le tend au mendiant, puis s'éloigne.

L'ambassadeur de France passe à son tour, quelques minutes plus tard, voit le mendiant et lui demande des explications. Le pauvre bougre les lui fournit volontiers et l'ambassadeur lui glisse un billet de cinq cents francs.

L'ambassadeur de Grande-Bretagne vient à passer, lui aussi, et, instruit de la situation du malheureux, lui donne un bon paquet de livres sterling.

C'est alors que surgit l'ambassadeur d'Union soviétique qui s'arrête, calmement, écoute les doléances du clochard, secoue la tête et lui fait :

— Ce n'est pas bien du tout ce que tu fais là ! Il faut manger de l'herbe et garder le foin pour l'hiver !

***

Un congrès scientifique réunit un certain nombre de savants internationaux tous intéressés par les questions dentaires.

Le délégué soviétique se lève soudain et expose une méthode tout à fait révolutionnaire selon laquelle on introduit un appareil dans l'anus du patient, on traverse l'estomac, on atteint la gorge, en évitant bien sûr les poumons, pour arriver à la bouche où l'on peut arracher toutes les dents que l'on souhaite extraire. Après quoi, l'appareil est retiré de la manière dont il a été appliqué.

— Nous sommes sincèrement favorables à votre méthode, professeur Pétrov Pétronovitch Pétronoeïev, s'écrie alors un collègue scandinave, elle est ingénieuse... Permettez-moi, pourtant, de vous poser une question : Ne pensez-vous pas qu'il serait plus économique et beaucoup plus simple d'opérer par la bouche ?

Alors, le savant soviétique :

— Certes ! Mais, chez nous, qui ose ouvrir la bouche !

***

A défaut de pouvoir ouvrir la bouche, les Russes font le *fig v karmane* (« la figue dans la poche », geste typiquement soviétique qui veut dire à peu de chose près « va te faire f... » et qui consiste à coincer le pouce entre l'index et le majeur. Ce geste se fait, bien sûr, dans la poche intérieure du pantalon lorsqu'on a du mal à se contenir et qu'on ne peut pas dire ce que l'on pense. C'est

parce qu'il se fait à l'intérieur du pantalon qu'il porte le nom de « figue dans la poche »).

On peut imaginer, à la lecture des histoires suivantes, que le *fig v karmane* est souvent pratiqué en U.R.S.S.

Un citoyen russe demande au chef du Parti communiste de son village :

— Est-ce qu'il y a encore des prisonniers politiques en Russie ?

— Bien sûr que non ! répond l'autre, si tu continues à poser des questions pareilles, tu vas finir par te faire boucler...

***

Assises sur un banc du square Pouchkine, deux personnes qui ne se connaissent pas.

La première pousse un soupir.

— S'il vous plaît ! proteste l'autre, pas de politique devant moi !

***

Le commissaire politique d'un village situé à quelques kilomètres de Voronej est allé faire un voyage à Moscou.

Rentré au village, il décrit à ses administrés les merveilles de la grande ville.

— Moscou s'agrandit de jour en jour ! J'ai vu des palais construits tout récemment. Ils serviront de logements aux camarades ouvriers.

— Moi aussi, je suis allé à Moscou ! s'écrie un des villageois, surpris, je n'ai pas vu ces palais !

— La prochaine fois que tu y retourneras, lui lance alors le commissaire, péremptoire, je te conseille de te promener un peu moins et de lire avec plus d'attention la *Pravda* !

***

Alexandre rencontre Yakov.

— Comment ça va, camarade ?

— Hum ! fait Yakov.

— Le travail ?

— Hum ! fait Yakov.

— Le ravitaillement ?

— Hum ! fait Yakov.

— Ta femme ?

— Hum !

— Les enfants ?

— Hum !

— Et, au Parti, qu'est-ce qu'on dit ?

— Hum ! fait Yakov.

— Allez, au revoir ! dit Alexandre.

— Au revoir, camarade ! conclut Yakov.

Et, après un soupir :

— Ah ! On a bien raison de dire que quand on a pu se confier à quelqu'un, on se sent mieux !

***

Dans le courrier des lecteurs d'un hebdomadaire spécialisé, en U.R.S.S., dans les sujets animaliers.

— Les pieuvres peuvent-elles être chauves ?

Réponse du rédacteur :

— Nous ne répondons pas aux questions politiques.

***

Deux droujeniks (policiers aux ordres de la milice) se promènent dans les rues de Moscou.

Rue de l'Akhbat, ils voient un petit portrait de Brejnev.

Place du Manège, leurs yeux butent sur un portrait beaucoup plus grand du numéro 1.

A mesure qu'ils avancent, ils se trouvent face à des portraits de plus en plus grands du camarade président.

Ils s'arrêtent, se regardent, puis, l'un demande à l'autre :

— Franchement, camarade, qu'est-ce que tu en penses ?

L'autre réfléchit, puis répond :

— La même chose que toi.

Alors, le premier droujenik :

— Dans ce cas, je t'arrête !

***

Dans une rue de Toula, un passant crache par terre.

Un membre de la milice (anciennement police) s'approche et lui lance :

— Vous ne savez pas qu'il est interdit de faire de la politique dans la rue ?

***

Un touriste demande à un Russe :

— Est-ce qu'il est permis de manifester en Russie ?

— Bien sûr ! répond le Russe, le gouvernement va même faire agrandir les places devant les ambassades de Chine et d'Amérique, alors !

***

Le petit Vladimir demande à son père :

— Papa, qu'est-ce que c'est la propagande anti-soviétique ?

— Eh bien, je vais te donner un exemple lui explique son père. Un plongeur américain a plongé dans l'océan Atlantique. A 3 500 mètres de profondeur. En même temps, un plongeur soviétique a plongé à 5 000 mètres dans la mer Noire. Qu'est-ce que tu en dis ?

— J'en dis que c'est possible dans l'Atlantique, papa, mais pas dans la mer Noire. Elle n'est profonde que de 2 500 mètres au maximum.

— Tu vois ! dit le père, c'est de la propagande anti-soviétique !

***

Un ouvrier est planté devant une usine de Zvienigorod, au bord de la Moskova, à une cinquantaine de kilomètres de Moscou.

Il grogne :

— Que je sois propriétaire de cette usine, ça, je le comprends. Mais ce que je n'arrive pas à comprendre, c'est pourquoi je me suis foutu à la porte...

***

Un lapin rencontre un autre lapin :
- Tu fuis l'Union soviétique ?
- Oui.
- Pourquoi ?
- Parce que Brejnev organise de grandes chasses.
- Des chasses à l'ours ! T'es pas un ours. toi !
- C'est vrai ! fait le lapin, mais j'ai aucun papier qui le prouve !

***

Un droujenik apostrophe un pauvre type, rue Kalinine, à Moscou :
- Activité antiparti ! lui lance-t-il, tu sais ce que ça coûte ?
- Oui ! fait le malheureux, quinze ans à Kaschenko pour délire réformiste.
- C'est ça ! Heureusement pour toi, camarade, aujourd'hui, je suis de bonne humeur ! Alors, ça va peut-être s'arranger pour toi. Si tu réponds bien à la question que je vais te poser, on ne parlera plus de Kaschenko ! Lequel de mes deux yeux est un œil de verre ?
- L'œil droit ! répond le brave bougre, sans hésitation.
- Eh bien, tu as du flair ! s'écrie le policier, comment as-tu découvert ça si vite ?
Alors, l'autre :
- C'est l'œil où j'ai lu de la pitié.

***

Il est trois heures du matin.
On frappe à la porte d'un modeste appartement de Khabarovsk.
Youri, à moitié ensommeillé, vient ouvrir. Deux droujeniks l'interrogent aussitôt :
- Tu connais Oleg Kabanovitch ?
- Non.
- Mais, tu connais Yossip Korkavanov ?
- Euh ! fait alors Youri, dans ce cas, je crois que j'aime mieux connaître Oleg Kabanovitch !

***

Le directeur d'une école d'Akademgorodok demande à ses élèves la profession de leurs parents :
- Mon père, répond le petit Vassili, il est directeur lui aussi !
- C'est bien ça !
- Non, mais, il est directeur d'un bordel !
Le directeur, hors de lui, convoque aussitôt le père de Vassili.
Oh ! Surprise, le père se présente en uniforme de colonel du K.G.B. :
- Mais, mon colonel, je ne comprends pas, s'excuse le directeur de l'école. Pourquoi votre fils affirme-t-il que vous dirigez un bordel ?
Alors, le colonel sourit et explique :
- C'est qu'il a honte !

***

En sortant du musée de l'Hermitage, à Leningrad, un touriste demande à un passant :
- Vous êtes heureux ?
- Très heureux ! répond l'interpellé.
- Vous avez les mêmes droits que dans un pays capitaliste ?
- Bien sûr ! répond l'homme.
- Avez-vous la radio ? insiste le touriste.
- Ben, naturellement ! conclut le Russe, comment saurions-nous ce qu'il faut répondre sans ça ?

***

On sait qu'encore de nos jours, le micro fait partie intégrante de la vie de tous les jours en Russie. En Russie et dans tous les pays de l'Est.
Lorsqu'ils firent contruire l'actuelle ambassade de France à Varsovie, les Français pensaient avoir pris toutes les précautions pour éviter que des micros ne se trouvent posés à l'intérieur.
Le matériel était français, les

ouvriers étaient français et les rares Polonais présents pour des raisons internes étaient surveillés de près.

Certes, de jolies Polonaises étaient là pour permettre aux ouvriers de se changer les idées. Mais, elles aussi, faisaient l'objet de fouilles systématiques.

Comment les Polonais réussirent-ils à insérer des micros partout, dans les murs, les planchers et les marches d'escaliers ? On ne sait. Toujours est-il qu'il fallut creuser l'ambassade toute neuve pour arracher tous les fils.

On dit d'ailleurs que dans toutes les chambres d'hôtel de Moscou, on trouve cette inscription en quatre langues :

— Il est interdit d'arroser les fleurs qui se trouvent dans les pots : cela fait rouiller les micros.

***

Dans un grand restaurant de Dniepropetrovsk — la ville où Brejnev épousa, on l'a dit, sa fidèle compagne — l'ambassadeur de France est invité à dîner par le premier soviétique :

— Bizarre ! dit-il, tout à coup, sur les trois boulettes de viande qu'on vient de me servir, il y en a une que je n'arrive pas à couper.

— Ah ! fait Brejnev, contrarié.

Et, apostrophant le garçon :

— Je t'avais dit « sans micro », ce soir, camarade !

***

Pourquoi trois popes (prêtres orthodoxes russes) qui se promènent sont-ils toujours sûrs d'avoir l'heure exacte ?

Parce qu'au troisième pope, il sera exactement...

***

— Pourquoi un prêtre russe n'a-t-il jamais d'accident de voiture ?

Parce que le pope corne.

***

Quelle est la nouvelle forme de la roulette russe ?

Cinq comprimés anticonceptionnels et un comprimé d'aspirine.

***

Y a-t-il encore une autre nouvelle roulette russe ?

Oui : un homme est au lit avec six femmes. L'une est cannibale.

***

En Union soviétique, dit-on, il y a plus d'ivrognes qu'ailleurs et les distributeurs d'eau minérale placés dans les rues des grandes villes ne parviennent pas à dissuader les buveurs de vodka.

L'un d'eux s'était fait servir sa quinzième consommation, l'autre jour, dans un café proche de l'hôtel National, à Moscou.

Le garçon, qui lui avait présenté ses quatorze premières boissons sur des dessous de verre en carton, oublia le dernier dessous de verre.

Alors, le Russe le rappela :

— *Wafliouje niet ?* (Il n'y a plus de gaufrettes ?)

***

Excellent remède contre les rigueurs du froid que la vodka ! On ne peut en douter lorsqu'on connaît la force de caractère du Russe moyen.

Un médecin de O'ïmiakon (où le record mondial du froid a été établi en 1948 avec moins 71°) ne se laisse pas attendrir par ses malades.

Il range son stéthoscope dans son réfrigérateur.

***

A O'ïmiakon, les flammes des bougies gèlent tellement qu'on doit les souffler au couteau.

***

Dialogue entre deux habitants d'Oïmiakon :
— On n'a jamais vu un si bel hiver !
— Si. L'été dernier.

***

En U.R.S.S., il y a trois manières de passer le temps : Premièrement, se soûler, deuxièmement, se soûler, troisièmement, se soûler.

***

Mais, excellent remède aussi pour oublier, que la vodka ! Oublier la dureté de la vie, par exemple.

En Russie, femmes et hommes s'attellent aux mêmes tâches. Ce qui n'empêche pas ces dames de considérer qu'elles en font plus que ces messieurs.

— En Russie, dit une conductrice de rouleau compresseur, les femmes travaillent et les hommes leur montrent comment il faut faire !

***

— Savez-vous, demande une autre, ce que les Russes ont trouvé comme système pour faire le travail de cent hommes ? Cent femmes.

***

C'est dans la vie de tous les jours que le Russe se trouve le plus souvent face à des problèmes insolubles.

Et, comme il est homme d'esprit, il en rit.

Un Russe, qui revient de visiter Paris, affirme :

— On voit des tas de marchandises aux devantures des magasins français mais les Français ne peuvent rien acheter. On ne voit jamais les gens faire la queue devant les boutiques...

***

On raconte aussi cette belle histoire d'amour.

Le jeune Ivanov vient de sauver la jolie Natacha d'une mort certaine : tombée dans l'eau boueuse de la Negrzïa, l'une des rivières les plus traîtres d'U.R.S.S., la jolie Natacha allait se noyer.

N'écoutant que son courage, le vaillant Ivanov a plongé et l'a remontée sur la berge.

— Je ne sais pas quoi faire pour vous remercier, lui dit-elle.

— Etes-vous libre, ce soir, à dix heures ?

— Oh ! Oui ! répond-elle, sans hésiter.

En elle-même, elle se dit qu'elle lui doit bien le sacrifice de sa vertu sur l'autel de la reconnaissance. Déjà, elle s'imagine, nue dans ses bras :

— Bon ! lui dit-il alors, puisque vous êtes libre ce soir, pourriez-vous aller faire la queue à l'épicerie de la rue Neswisky. Ma femme viendra vous relayer demain matin vers six heures !

***

Le contremaître d'une usine d'Odessa dit à un ouvrier qui se présente pour trouver du travail :

— J'aurais bien du boulot pour toi mais il faut travailler dix heures par jour !

— Alors, c'est pas possible ! fait le pauvre type, je ne peux pas me contenter d'un travail à mi-temps !

***

Un pauvre homme, qui vit dans une petite chambre proche du café Oktiarbr, à Moscou, est au bord de la misère. Il ne trouve pas de travail et, en plus, souffre de la solitude.

Il souhaiterait avoir un chien ou un chat mais son propriétaire s'y oppose.

Un jour, en revenant d'une usine où une nouvelle fois on lui a refusé du travail, il passe devant la boutique d'un marchand d'animaux et voit des perroquets :

— Voilà ce qu'il me faut ! pense-t-il, si je peux avoir un de ces oiseaux qui parlent, j'entendrais au moins quelques mots, le soir, dans ma pauvre petite chambre...

Il entre, explique à l'oiselier qu'il ne possède que vingt roubles en tout et pour tout et, sous les quolibets du commerçant, il s'apprête à ressortir lorsque la brute le rappelle :

— Pour vingt roubles, au fait, je peux te donner ce perroquet-là, camarade ! lui dit-il.

Et l'homme lui désigne un vieux perroquet minable, incolore et déplumé qui somnole en bavant sur son perchoir.

— Il parle, au moins ? demande le pauvre homme.

— Sûr, qu'il parle, il ne fait que ça ! Écoute !

Il frappe sur la cage toute rouillée en hurlant :

— Vas-y, Dimitri !

Aussitôt, le vieux perroquet s'anime et lance :

— *My Gavarime iz Sibiri !* (Nous parlons de Sibérie !)

— Formidable ! s'écrie le pauvre type, voilà vos vingt roubles. Et, vous savez, c'est bien pour meubler ma solitude parce que, voyez, maintenant, je n'ai plus un kopeck sur moi. Je suis même obligé de rentrer à pied car je n'ai plus les trois kopecks qu'il me faudrait pour mon tramway...

Se disant, le malheureux prend la cage rouillée dans laquelle se trouve le vieux perroquet qui bave et sort.

A l'instant où il arrive sur le trottoir et qu'il s'apprête à traverser, le perroquet crie :

— Taxi !

***

Sur la piste du Grand Cirque de Moscou, monsieur Loyal s'écrie :

- Voici Pétranovitch, le plus joyeux des éléphants ! Le cirque offre cinq cents roubles à qui réussira à le faire pleurer !

Les candidats affluent. Les uns injurient l'éléphant, calomnient son père et sa mère, le pincent, le piquent, le menacent de le faire interner pour délire capitaliste ou de l'obliger à vivre toute l'année devant le Palais de la Culture de Varsovie —don de l'U.R.S.S. à la capitale polonaise, ce Palais de la Culture est une source permanente de rigolade et on dit que les appartements dans le quartier Mariensztat (quartier où est érigé le palais) sont deux fois plus chers qu'ailleurs parce que c'est le seul endroit de Varsovie d'où l'on ne voit pas le Palais de la Culture — bref, le pachyderme ne se départit pas de sa jovialité.

Arrive alors un Russe pauvrement vêtu qui murmure quelque chose à l'oreille de l'éléphant. Et, ô stupeur ! une grosse larme se met à couler sur la joue de Pétranovitch.

— Cette larme ne prouve rien ! s'écrie monsieur Loyal, il avait sûrement une poussière dans l'œil.

L'inconnu — pauvre mais honnête — murmure à nouveau quelques mots à l'oreille de l'éléphant qui, aussitôt, s'effondre en sanglotant. Il se roule par terre, il frappe la piste avec sa trompe, éprouvé par un gros chagrin.

Consterné, monsieur Loyal console son éléphant, le mouche, le renvoie de la piste, remet les cinq cents roubles au pauvre type et lui demande :

— Qu'est-ce que vous lui avez dit la première fois ?

— Que j'étais ouvrier à l'usine Togliatti (usine d'automobiles livrées par Fiat installée à Togliatti, ex-Stavropol).

— Et ensuite, quand il a pleuré si fort ?

— Je lui ai dit combien je gagnais ! fait l'homme.

***

Les Vakanovitch voient leurs économies baisser à vue d'œil. Monsieur est au chômage, madame est souffrante et il y a plusieurs enfants à nourrir. Certes, cela fait plusieurs mois que la famille n'a pas goûté un seul morceau de *bortsch* (sorte de pot-au-feu russe), mais ce soir-là, c'est grave :

— Il va falloir manger les croûtes de fromage ! décide monsieur.

C'est la misère.

Dans la souricière qu'il place à la cave pour se débarrasser des rongeurs, papa Vakanovitch remplace le traditionnel morceau de gruyère par une coupure des *Izvestia* représentant un bout de fromage.

Le lendemain, il descend à la cave et regarde la souricière.

Dans la souricière, il y a la photo de la souris !

***

Qui ne connaît cette histoire d'un Russe, en voyage à Paris, qui décide d'aller acheter une voiture.

Il se rend dans une grande firme des Champs-Elysées et demande à parler au directeur :

— Voilà, dit-il un peu gêné, je voudrais une voiture mais comme je suis étranger, je n'ai pas de bons d'achat !

— Inutile d'avoir un bon d'achat. Vous payez et la voiture est à vous.

Le Russe verse un million, puis, se ravise :

- Je n'ai pas non plus de bons d'essence.

— L'essence est à vous au prix légal. Autant que vous en voudrez !

On lui fait le plein du réservoir. Il se frappe le front :

— J'oubliais : je n'ai pas d'autorisation de voyager !

— Mais, voyons, monsieur ! fait le directeur, vous montez dans votre voiture et vous allez où vous voulez !

— Non ? fait alors le Russe en se prenant la tête entre les mains, quel désordre dans ce pays !

***

Il va de soi que le système D et la fauche vont de pair pour pallier les difficultés de la vie quotidienne.

Il y a peu de « rouble » à « roublard ».

C'est pourquoi le Russe a fini par avoir une renommée bien établie de voleur.

A tort, d'ailleurs.

L'histoire suivante est sensée se passer en France, au cours du voyage qu'a effectué Léonid Brejnev dans notre pays.

Le président Giscard d'Estaing se plaint au N°1. On lui a volé sa montre pendant une des séances de travail. Et il y tenait car c'était un cadeau de Jacques Chirac.

— Qui était à côté de vous ? demande Brejnev.

— Votre camarade Chtcherbitski !

Le lendemain, Brejnev restitue sa montre à Giscard d'Estaing, confus et touché.

— Mais, comment avez-vous fait ? demande notre président.

— Oh ! Rien de plus simple ! fait Brejnev, Chtcherbitski n'a même pas eu le temps de s'en apercevoir !

***

Comment peut-on s'orienter la nuit ?

— Avec une montre. On la prend dans la main et la direction dans laquelle elle disparaît, c'est l'est !

***

Ça n'était vraiment pas la peine d'aller chercher deux bulldozers pour faire tomber la statue de Staline au moment de la révolution, à Budapest.

On aurait placé une montre devant le socle, Staline serait descendu tout seul.

***

A Berlin-Ouest, un agent de liaison russe, ne trouvant pas de chambre libre, se voit obligé d'accepter l'hospitalité d'un soldat américain.

Le lendemain matin, le Russe regagne la zone Est la main blessée.

Il raconte à ses camarades :

— Je me déshabille et je jette mon uniforme par terre dans un coin de la chambre, comme tout le monde; l'Américain accroche le sien sur un porte-manteau, comme dans un film. Je prends ma montre et je l'attache à une corde autour de mon cou, comme tout le monde; l'Américain place la sienne sur la table de nuit comme dans un film. J'éteins la lumière et je veux prendre la montre de l'Américain, comme tout le monde; l'Américain prend son revolver et tire, comme dans un film...

***

Un Russe, qui fabriquait des mouchoirs, a dénoncé tous ses clients au K.G.B. parce qu'il ne pouvait plus supporter qu'ils mettent le nez dans ses affaires.

***

Quelle différence y a-t-il entre un siège du train Moscou-Kalinine (159 kilomètres) et un nid de fourmis rouges ?

On est mieux assis sur un nid de fourmis rouges.

***

Les Américains ont réussi à inventer un super-U 2 totalement indétectable et à l'expédier au-dessus de l'U.R.S.S.

L'avion se promène, puis, parvenu au-dessus du Kremlin, lance un ours en peluche qui tombe en plein milieu de la rue Granovski, à côté du Kremlin (là où se trouve la borne sonore qui résonne chaque soir pour avertir le milicien qu'il doit arrêter la circulation

pour laisser passer la longue Zil noire de Brejnev).

Le lendemain, le président Carter lit la presse russe, de la *Pravda* à la *Literatournaïa Gazeta*. Tous les articles concernant l'affaire commencent par :

— L'ours américain a avoué !

***

Et pourtant, l'U.R.S.S. est le pays où l'on compte le plus grand nombre de centenaires.

On est consterné d'apprendre parfois par la presse européenne, elle-même informée par l'agence Tass, qu'un homme vient de mourir à 120 ou 130 ans, en Russie.

A ce propos, on raconte qu'un jour, un journaliste de la *Pravda* apprend qu'à Tomtor, au pied de la chaîne de montagnes de Tcherski, un homme de 65 ans vient de remporter le championnat de boxe de sa région. Il se précipite pour l'interviewer. Il arrive dans une ferme et se présente à un brave paysan qui lui dit :

— Y'a erreur, mon gars ! C'est pas moi qui ai remporté ce championnat de boxe, c'est mon père !

— Votre père ? s'étonne le journaliste, mais, quel âge a-t-il, votre père ?

— Il a 98 ans ! Si vous voulez le voir, c'est la troisième datcha à gauche, près de la mare !

Le journaliste court à l'adresse indiquée et se trouve en présence d'un vieillard :

— C'est bien vous qui avez gagné le championnat ?

— C'est bien moi, garçon ! Seulement, faudra revenir parce que là, je me prépare pour aller au mariage de mon père :

Ahurissement du journaliste.

— Au... Au mariage de... de votre père ? Quel âge a-t-il donc, votre père ?

— 125 ans, gamin ! répond le vieillard.

— Quelle famille ! laisse échapper le journaliste, ça alors ! Un homme de

65 ans en pleine forme, un homme de 98 ans, champion de boxe et votre père. Ah ça, alors ! Il a vraiment eu envie de se remarier à 125 ans ?

Alors, le bonhomme, simplement :

— Non, il n'a pas tellement envie, mais il est obligé, gamin ! Y'a rien à faire, quand on a fait une bêtise, faut réparer !

***

Le pope Ivan Souflovitch, devant se rendre de Leslivograd à Krasskofiev s'en alla voir le charretier Boukablovitch qui, moyennant vingt roubles, consentit à faire le voyage.

On se mit en route dans l'allégresse la plus totale.

A la première côte, le charretier dit humblement :

— Petit père, mon cheval, mon vieux Ztronov, est rhumatisant. Mon devoir est de l'épargner. Souffre que je descende et marche à côté de lui !

— Allez, fils ! dit le saint homme.

Ainsi fut franchie la côte de Majiskaïa.

A la deuxième difficulté, le moujik dit :

— La route est longue, épargnons la bête. Descendons et montons la côte à pied afin d'encourager le noble animal.

Jusqu'à la monté suivante, tout alla bien. Mais, au moment d'affronter cette troisième bosse, le moujik dit :

- Pauvre Ztronov, il est mort de fatigue. Il faut qu'il s'assoie dans la carriole. Vous m'aiderez bien à tirer ?

Ainsi fut fait.

Enfin, la ville de Krasskofiev apparut avec ses tours multicolores perchées au sommet du col de Metbozoko :

— Diable ! Ce cheval commence à ruer, dit le moujik, il déteste la solitude. Il ne connaît que moi. Père, je monte à côté de lui dans la voiture.

— Mais...

— La prière vous donnera la force de monter jusqu'en haut !

Alors, le malheureux pope, en se laissant tomber par terre, hurla :

— Que j'aie eu besoin d'aller à Krasskofiev, d'accord ! Que j'aie engagé tes services et loué ta carriole, soit ! Mais, par toutes les icônes, je te conjure de me dire : Pourquoi ce cheval a-t-il insisté pour venir avec nous ?

***

Quelle différence y a-t-il entre les Russes et les Français ?

Les Russes ont du fer à ne pas savoir qu'en foutre. Les Français, c'est le contraire.

***

La preuve qu'on rit de tout en U.R.S.S., c'est qu'on brocarde jusqu'aux cliniques psychiatriques. Toujours à voix basse, évidemment.

***

Deux intellectuels russes ont été arrêtés.

On les a surpris en train de se faire des signes d'intelligence.

***

A quoi reconnaît-on, maintenant, un intellectuel russe ?

A ce qu'il se présente spontanément à la porte d'une clinique psychiatrique pour demander le droit d'asile.

***

En U.R.S.S., on interne les papillons qui ne vont pas sur les pensées plantées exprès par le régime.

***

Un Russe demande à un psychiatre de Moscou s'il lui arrive de rencontrer des gens normaux et ce qu'il fait dans ce cas-là :

— Dans ce cas-là, répond le psychiatre, je ne les lâche pas avant de les avoir complètement guéris !

***

Un intellectuel est allongé sur le divan d'un psychiatre, dans son bureau de l'asile psychiatrique :

— Allez, détendez-vous ! lui dit doucement le médecin, et, maintenant, dites-moi... Depuis combien de temps avez-vous envie de mettre le feu au Kremlin ?

— Quoi ? fait l'autre, étonné, mais je n'ai jamais eu envie de mettre le feu au Kremlin !

Alors, le psychiatre, nerveux :

— Ah ! Ecoutez ! Il va falloir vous montrer coopératif, sans quoi, comment voulez-vous que je vous soigne ?

***

Dans la cour de l'hôpital psychiatrique Kaschenko, Alexis Kossyguine et Nicolaï Podgorny se promènent :

— Ce qu'on s'ennuie, ici ! soupire Kossyguine.

— Tu l'as dit, camarade, répond Podgorny, c'est à devenir fou !

***

L'histoire incroyable que se racontent deux intellectuels russes :

— C'est un sain d'esprit qui rencontre un autre sain d'esprit...

***

Pensée russe.

Il faut très vite donner tous nos secrets militaires aux Américains. Comme ça, ils auront cinq années de retard.

***

Pourquoi sont-ce les chiens de Sibérie qui courent le plus vite ?

Parce qu'en Sibérie les arbres sont distants de plusieurs kilomètres l'un de l'autre.

***

Le juge dit au prévenu :

— J'ai bien étudié votre dossier, Alexandrov Popoïev, votre innocence n'est pas douteuse. Hélas ! la *Pravda* de ce matin annonce votre condamnation à quinze ans d'internement pour « délire réformiste ». Gardes, emmenez le condamné !

***

Pourquoi n'y a-t-il pas de doryphores en Russie ?

Parce qu'il n'y a pas de pommes de terre.

***

Le comité central recherche une sténo-dactylo pour établir les procès-verbaux des séances.

La secrétaire qui obtiendra la place sera celle qui peut gommer le plus de syllabes à la minute.

***

Qu'est-ce qu'une rumeur ?

Une rumeur, c'est quelque chose d'inventé par le *New York Times*, de réfuté par la *Pravda* et qui, en fin de compte, se réalise en Union soviétique.

***

Brejnev convoque ses experts atomiques :

— Le capitalisme doit cesser ! déclare-t-il. Il se trouve que nous avons maintenant assez de bombes atomiques pour l'exterminer. Qu'est-ce que vous pensez d'envoyer dix agents secrets aux Etats-Unis ? Chacun porterait une bombe atomique dans sa valise et devrait la faire sauter dans une ville importante...

— Il y a un problème ! l'interrompt un expert.

— Lequel ?

— Pour les bombes, ça va ! explique

l'expert. Les volontaires, nous en trouverons aussi ! Mais, dix valises, on n'arrivera jamais à trouver dix valises !

***

Un *droujenik* se vante d'avoir une excellente voiture :

— Elle fait du quinze intellectuels à l'heure ! précise-t-il.

***

Brejnev meurt et monte au ciel. Saint Pierre lui refuse l'entrée. Il va en enfer.

Le lendemain, une cinquantaine de jeunes démons arrivent à leurs tours aux portes du ciel :

— Mais, qu'est-ce que vous venez faire ici ? s'étonne saint Pierre.

— Nous ? répond un des jeunes démons, on est les premiers réfugiés !

***

Un malheureux Polonais est à l'agonie dans un hôpital de Moscou.

Il demande une portion de haricots.

On satisfait son désir et il mange ses haricots.

Le lendemain, il est complètement rétabli.

Le médecin-chef, ébahi, note dans son carnet les bienfaits de cette cure extraordinaire.

Quelques jours plus tard, il est appelé au chevet d'une personnalité du Parti qui souffre du même mal :

— Sois tranquille, camarade ! affirme le toubib, je connais un remède infaillible !

Il fait servir une portion de haricots au malade, qui, le lendemain, est aussi mort qu'on peut l'être.

Alors, le médecin-chef complète ses notes :

— Ce remède n'agit que sur les Polonais.

***

Pourquoi les pompiers russes sont-ils les plus rapides du monde pour éteindre les incendies ?

Parce qu'ils jettent sur les flammes le charbon vendu à Moscou et ça s'arrête de brûler tout de suite.

***

Deux communistes se font leurs adieux. L'un reste à Paris, l'autre part pour Moscou.

Celui qui reste, qui doute quelque peu du paradis soviétique dont on parle tant, dit à son ami :

— Ecoute ! Si ça ne colle pas, là-bas, écris-moi à l'encre verte ! Je saurai, comme ça, que tout ce que tu me racontes est faux. Si tout est bien comme on le dit, écris à l'encre noire !

Quelques semaines plus tard, le communiste resté à Paris reçoit une lettre de Moscou : Elle est écrite avec une belle encre noire !

— Ici, tout est merveilleux, lit-il, la nourriture est abondante, les vêtements sont pour rien. Personne ne travaille trop. Tout le monde vénère les dirigeants communistes. Bref, tout est formidable. Un petit détail qui n'a pas grande importance, bien sûr, mais qui m'a étonné : On ne peut pas trouver d'encre verte. C'est pourquoi je t'écris à l'encre noire. Crois à toute mon affection...

***

Les Russes et les Hongrois se sont mis d'accord sur les problèmes de la navigation sur le Danube.

Les Russes disposeront du fleuve librement dans le sens de la longueur.

Les Hongrois de même, mais dans le sens de la largeur.

***

Sur la place Rouge, deux balayeurs bavardent :

— Ils nous ont bien eu ceux qui promettaient que, sous le régime

382

communiste, ce seraient les seigneurs qui balayeraient les rues ! fait l'un.

— Ce que ça peut être bête, ce que tu dis ! répond l'autre, puisque, maintenant, c'est nous les seigneurs !

***

Au zoo de Moscou, deux singes terminent leur repas du soir : une quinzaine de bananes.

— Bof ! fait l'un des singes, c'est pas pire que l'ancien régime !

***

Une ouvrière d'une usine de main-d'œuvre féminine va trouver la directrice :

— Pouvez-vous me permettre de partir plus tôt, ce soir, pour aller à l'Opéra, madame ?

— Oui, accepte la directrice, mais, s'il te plaît, appelle-moi « camarade », pas « madame » !

— Oui, camarade.

— Bien. Et quelle pièce vas-tu voir jouer ?

Alors, l'ouvrière, pas butée :

— *Camarade Butterfly*, camarade.

***

On fait visiter une usine à un visiteur étranger, ingénieur de son état.

— Que fabrique-t-on dans cette usine ? demande-t-il.

— Des pancartes ! répond un responsable.

— Des pancartes ? s'étonne le visiteur, et vous avez besoin d'une usine d'une telle importance pour faire des pancartes ?

— C'est qu'en Russie, la pancarte est une industrie importante. Il y a trois ans, nous en avons fait 500 000, il y a deux ans, 800 000, l'an dernier plus d'un million. Et nous pensons faire mieux cette année !

— Et qu'est-ce qu'il y a d'écrit sur vos pancartes ? demande l'ingénieur.

Alors, le responsable :

— Il y a marqué « Pas de viande » !

***

Un pickpocket qui travaillerait en Russie, tout ce qu'il prendrait, ce serait un peu d'exercice.

Un Russe.

***

Le camarade Provodéïev fait un cours d'économie politique à l'Université de Leningrad :

— Quand il y a de la nourriture dans les villages et qu'il n'y en a pas dans les villes, c'est du déviationnisme de droite, explique-t-il. Quand il y a de la nourriture dans les villes et qu'il n'y en a pas dans les villages, c'est du déviationnisme de gauche.

— Et quand il y a de la nourriture dans les villes et dans les villages ? interroge un jeune communiste.

— Alors, là, répond le professeur, c'est de la propagande capitaliste !

***

La jeune et jolie Provlovia est dans les bras de son amant, le fort et ténébreux Dimitri :

— *Wa t'ebyà lyublyu !* (Je t'aime) lui dit-elle.

Il la presse contre sa poitrine. Soudain, le visage de la belle Provlovia s'assombrit. Elle pense à son mari.

— Je me demande si j'ai eu raison d'épouser Youri ! dit-elle. Un homme qui n'est même pas inscrit au Parti !

— Quoi ! sursaute Dimitri, ton Youri n'est pas inscrit au Parti ?

— Non.

— Sûre ?

— Certaine.

— Mais, ne sais-tu pas qu'un homme qui n'est pas inscrit au Parti ne peut-être qu'un mauvais mari ?

— Sûr ?

— Certain.

Alors, Provlovia, encore plus amoureuse, se presse contre son amant :

— Je n'ai plus de remords, chéri, on remet ça ?

***

Brejnev a convié à un pique-nique Husak, le Tchécoslovaque, Jivkov, le Bulgare, Honecker, l'Allemand, Gierek, le Polonais, Kadar, le Hongrois et Ceaucescu, le Roumain.

Il a été entendu que chacun apporterait son casse-croûte.

Les voici assis sur l'herbe en train de déballer leurs provisions.

Husak a apporté deux œufs durs et des tartines de beurre. Honecker, du pain et deux tranches de jambon, Kadar, un gros morceau de saucisse, Ceaucescu des tomates et deux bananes, Gierek et Jivkov du pain et de la confiture.

Mais, quelle n'est pas leur stupéfaction à tous les six en voyant Brejnev ne sortir de sa poche que deux tranches de pain et un peu de sel :

— Ah ! Ces Soviétiques, toujours les mêmes ! s'écrie Jivkov, après quelques secondes de silence, ils ont toujours deux ou trois ans d'avance sur nous !

***

Le désir de vivre — au sens propre comme au sens figuré — allié à un tempérament balkanique, et c'est la fête des sens endiablés au son des balalaïkas.

En Russie, comme ailleurs, mais, peut-être, plus qu'ailleurs, l'humour léger connaît un succès grandissant.

Le tramway freine brusquement dans une rue de Kalinine. Complètement déséquilibrée, une jeune fille se retrouve assise sur les genoux d'un prêtre orthodoxe :

— Oh ! Ben, dites donc ! s'extasie-t-elle aussitôt.

— Hélas, non, mon enfant ! l'interrompt le pope, ce ne sont que les clefs du monastère !

***

Pourquoi, en Russie, peut-on obtenir encore de la pure laine vierge ?

Parce que les moutons courent plus vite que les bergers.

***

Une jeune touriste français a pris le Transsibérien pour se rendre de Moscou à Iaroslavl, sur les bords de la Volga (ville jumelée avec Poitiers, ville française).

En face d'elle se trouve un officier russe, sanglé dans son uniforme.

C'est le seul voyageur qui occupe le compartiment avec notre petite compatriote.

Au bout d'une heure, l'officier russe dit à sa compagne de voyage :

— La demoiselle de France connaît Moscou ?

— Très peu ! répond-elle en minaudant.

Une heure passe et l'officier interroge à nouveau :

— La demoiselle française connaît Kiev ?

— Non, non ! avoue la jeune fille, timidement.

Le train roule, roule. Le soir tombe.

Alors, soudain, l'officier s'écrie :

— Assez fierté, petite Française, à poil, maintenant !

***

Brejnev convoque Kossyguine et lui demande :

— Camarade, que pense le peuple ?

— De quoi, camarade président ?

— Est-ce qu'il est heureux ?

— C'est comme en tout, camarade président, il y a les optimistes et les pessimistes.

— Ah ? Et que pensent les optimistes ?

— Euh... hésite Kossyguine, ils pensent que nous ne tarderons pas à bouffer de la merde, camarade président !

384

— Et les pessimistes ?

— Oh ! eux ! fait Kossyguine, ils craignent qu'il n'y en ait pas pour tout le monde !

***

Devant un *juvelitorgue* (une bijouterie), un Russe est accosté par une prostituée.

Il accepte de monter avec elle et, arrivé dans la chambre, il est frappé par les yeux magnifiques de la jeune femme : des grands yeux bleus à faire damner un saint !

— Je vais te faire le coup de la propagande officielle ! propose-t-elle en se déshabillant.

— C'est combien ? demande le client.

— Dix roubles ! Mais, ça vaut le coup, tu verras !

— Da ! accepte l'homme, mais dis-moi ce que c'est que ton coup de la propagande officielle !

— Tout à l'heure ! promet-elle, gourmande.

Ils se couchent, font ce qu'ils ont à faire et se retrouvent, enlacés et épuisés sur le lit encore chaud. Soudain, la proposition insolite de sa compagne lui revient en mémoire et, la regardant dans ses magnifiques yeux bleus, il lui demande :

— Alors, tu me fais le coup de la propagande officielle ?

— Da ! répond-elle en lui caressant la poitrine.

De l'autre main, elle retire alors son œil de verre qu'elle pose sur la table de nuit :

— Maintenant, dit-elle, bourre-moi le crâne !

***

Un reporter enquête sur la longévité en U.R.S.S. Avisant un vieillard qui marche prestement rue Gorki, à Moscou, il lui demande :

— Quel est votre âge, papy russe ? (En fait, il ne lui a peut-être pas dit tout à fait cela mais je n'ai pas pu résister.)

— 93 ans, gamin ! répond le vieux.

— Non ? Et à quoi devez-vous votre âge, papy ?

— Au lait, mon gars ! Le matin, je bois du lait, à midi, du lait, le soir, du lait !

Le reporter continue son enquête. Il rencontre un vieillard plus respectable encore :

— Quel âge avez-vous ?

— 104 ans, petit.

— Comment êtes-vous arrivé à cet âge ?

— Grâce aux légumes. Le matin, je mange des légumes, à midi, je mange des légumes et le soir, des légumes, encore des légumes !

Ébahi, le reporter s'approche d'un troisième bougre qui semble encore plus âgé :

— Quel est le secret de votre âge avancé ? lui demande-t-il.

— Les femmes ! bredouille le vieillard, les femmes ! Le matin, une femme, à midi, une femme, le soir des femmes ! Rien que des femmes !

— Ah ! s'exclame le reporter, ébloui, et quel âge avez-vous ?

— Moi ? fait le vieillard, 32 ans !

***

Pourquoi un Russe ne ferme-t-il jamais la porte derrière lui quand il entre quelque part ?

Parce qu'il pense que ça ne changera rien et qu'il fera toujours aussi froid dehors.

***

Sur les bateaux russes, on mange si mal que même les mouettes se plaignent.

***

— Alors, camarade Popovitch, comme ça, vous avez quatre enfants ?

— Oui. Et je n'en aurais pas un

cinquième.

— Pourquoi ?

— Parce que j'ai lu récemment que sur cinq enfants qui viennent au monde, il y a un Chinois !

***

Un villageois de Tver, entre Moscou et Petrograd, rentre chez lui avec un poisson qu'il demande à son épouse de faire cuire :

— Pas possible ! lui dit-elle, on n'a pas d'huile.

— Prends du beurre.

— Niet ! On n'a pas de beurre non plus !

— Alors, je ne sais pas, moi : fais-le griller au charbon de bois !

— On n'a pas de charbon de bois.

Désemparé, le villageois prend le poisson et va le rejeter dans la Mologa.

Alors, le poisson sort la tête de l'eau et crie :

— Vive Brejnev !

***

Popov, de Iaroslav, sur la Volga, se réveille en pleine nuit, trempé de sueur, en proie à un cauchemar affreux :

— Ah ! Aaahhh ! hurle-t-il, non ! Non ! je... Eh ! Oh ! Non ! Aaaahhhh !

Sans ménagement, Mme Popov réveille son mari qui, petit à petit, retrouve son calme. Assez de calme même pour expliquer :

— Ah ! Si tu savais, ma chérie ! Si tu savais ! J'ai rêvé que la milice me poursuivait... Je tombais dans un ravin... Ah ! là, là... Heureusement, je réussissais à m'accrocher à une touffe d'herbe...

— Calme-toi, mon chéri, calme-toi ! l'interrompt sa femme qui a sommeil, tu es sauvé ! Dors !

Puis, après un temps, elle ajoute :

— Tu peux lâcher la touffe d'herbe maintenant !

***

Pourquoi Brejnev a-t-il fait supprimer tous les pigeons de Moscou ?

Parce qu'ils continuaient à faire « Khrou, khrou... Khrou, khrou... »

***

Teng Hsiao-Ping appelle Brejnev au téléphone.

— C'est bien la *Pravda* qui a dit que j'étais une vipère lubrique ?

— Niet ! répond le numéro un soviétique, c'est un journal capitaliste, sans doute ! La *Pravda* ne publie que des exclusivités !

***

Popov a fait poser l'écriteau « Les Membres de la milice sont priés de sonner trois fois » sur la porte de son appartement proche de la cathédrale Saint-Isaac, à Leningrad.

Comme ça, il sait qui c'est et il n'ouvre pas.

***

Devant un restaurant de la rue Gorki, en plein Moscou, deux Russes hèlent le même taxi.

Brève discussion, puis l'un d'eux vient rejoindre sa femme qui l'attend sur le seuil de la porte et lui explique :

— Il avait la priorité sur moi : Il était en retard pour sa leçon de karaté !

***

Dans la même rue Gorki, un vieillard distribue des prospectus aux passants.

Un *droujenik* s'approche et saisit les prospectus.

Surprise ! Les feuilles de papier sont vierges !

— Qu'est-ce que ça veut dire ? interroge-t-il sévèrement.

Alors, le vieil homme, simplement :

— Te tourmente pas, camarade, tout le monde comprend !

***

386

***

Un professeur de philosophie de l'Université de Leningrad a proposé à ses élèves de choisir un sujet sur quelque aspect psychologique de la vie des éléphants.

L'étudiant français choisit : « Les amours des éléphants », l'Italien choisit « La grandeur de l'Empire défunt des mastodontes », l'Anglais choisit : « La charge de la brigade des pachydermes », l'Américain choisit : « Des mérites comparés de l'éléphant et de la bombe à hydrogène pour le maintien de la paix. »

Le Russe, lui, choisit : « Persécutions subies par les éléphants sous la domination impérialiste britannique et américaine. »

***

Deux petits garçons, Popov et Ivanov, se rendent à l'école N°64, à Moscou.

— T'as vu ! fait Popov, il fait 15 au-dessous de zéro. Peut-être que le maître va nous renvoyer chez nous pour cause de chaleur !

***

On dit que la propreté laisse parfois à désirer en U.R.S.S.

C'est un peu vrai. Mais de là à raconter ces histoires ! Et pourtant, elles circulent, elles aussi.

Trois chasseurs, un Anglais, un Français et un Russe sont réunis dans une cabane isolée sur le plateau de la Valdaï, au nord-ouest de Moscou.

Dans la cabane se trouve un oiseau mort qui dégage une odeur irrespirable.

Chacun des trois hommes parie néanmoins une assez jolie somme qu'il restera dans la cabane le dernier.

Bientôt, la porte s'ouvre et l'Anglais part en courant.

Une demi-heure plus tard, à moitié asphyxié, le Français sort, vaincu.

Le Russe a gagné.

Les heures passent. Il demeure toujours enfermé. Or, vers le milieu de la nuit, la porte s'ouvre doucement. Et l'on voit sortir l'oiseau.

***

Avenue Boulgopov, à Moscou, Androv à Popov :

— Comment fais-tu pour avoir les ongles aussi sales, camarades ?

Alors, Popov :

— Je me gratte.

***

Popov se plaint à la patronne de la pension de famille où il est descendu, rue Boulganine, à Rybinsk.

— Je ne resterai pas plus longtemps chez toi !

— De quoi te plains-tu, camarade ?

— Les W.-C. sont toujours pleins de mouches.

— Ah ! s'exclame la patronne, c'est vrai que tu es nouveau, ici ! Les autres pensionnaires n'y vont qu'à l'heure des repas !

— Et pourquoi ça ?

— Parce qu'à ce moment-là, explique la patronne, les mouches sont dans la salle à manger, camarade !

***

— Il n'y a pas de censure en U.R.S.S. ! affirme Popov, mais il n'y a que deux sortes de films autorisés à Moscou : ceux autorisés aux moins de dix-huit ans et ceux autorisés pour les Russes.

***

La toque en fourrure d'un Russe, qui marche sur le trottoir, lui est enlevée par un brusque coup de vent et va rouler sur la chaussée de la rue Pochkoëv, dans la banlieue de Moscou.

Popov, épouvantablement myope, qui passe dans sa Jigouli à ce moment, freine brutalement et, dans un crissement de pneus, crie au piéton :

— Dis donc, camarade, tu ne sais pas que tu dois tenir ton animal en laisse, non ?

***

Un Russe rencontre un de ses amis, en plein centre de Moscou :

— Où cours-tu si vite, camarade ?

— Rue Gorki. Il paraît qu'une jeune fille splendide, complètement nue, vend du savon devant le stand d'Intourist (organisme qui se charge de faire visiter Moscou aux étrangers et dont les représentants se tiennent derrière des petites tables installées en plein air dans les rues).

— Une fille nue qui vend du savon ? s'écrie l'autre Russe, tu es sûr ?

— Sûr ! Regarde autour de toi, tout le monde y va !

— Vite, alors ! s'enflamme le Russe, ça fait des années que je n'ai pas vu de savon !

***

C'est la pause du déjeuner sur ce chantier de la centrale hydro-électrique d'Ivankovo.

Popov, qui y travaille, prend sa gamelle et s'assied sur une caisse de nitro-glycérine en disant :

— Maintenant, je vais faire sauter mes petites patates !

***

Deux espions russes en mission en France sont absents de leur domicile depuis plus d'un an.

Un matin, l'un d'eux reçoit une lettre, la lit et extrait de l'enveloppe une touffe de poils noirs qu'il montre à son collègue, surpris.

— C'est ma femme, la jolie Pétrovna, qui a eu cette idée, camarade ! explique-t-il, elle m'envoie de Moscou quelques poils de la partie la plus intime de sa personne pour que je la retrouve en les sentant...

Le second Russe renifle la touffe et s'écrie :

— Ah ! Mais, ça y est ! J'y suis ! Je me disais : Ce vieux X 124 PP 15, je le connais ! Tu es Ivan Ivanovitch Pétrograd, qui habite à l'angle de la rue Boukovski et de l'avenue Lénine ?

***

Dans un bar de Moscou, un touriste prend place à côté d'une jolie blonde qui boit, seule, en fumant une cigarette.

Il adresse la parole à la jeune femme, et, la vodka aidant, quelques minutes plus tard, laisse errer une de ses mains sur le genou de la dame.

La jolie blonde n'objecte pas.

L'autre s'enhardit. Sa main devient plus précise.

Alors, seulement, la jolie blonde glisse à son voisin ce billet :

— Niet ! Pas plus haut ou je te fais embarquer. Igor Pétrovitch, du K.G.B.

***

On connaît la propension des Russes à se croire les plus forts en tout.

Un Américain dit, un jour, à un Russe qui visite les U.S.A. :

— Regardez cette tour de trente étages : Nous l'avons construite en huit jours !

— Et alors ? fait le Russe, chez nous, vous voyez les ouvriers qui commencent les fondations, un matin, d'une tour de cinquantes étages et, en repassant le soir, vous voyez les premiers locataires expulsés parce qu'ils n'ont pas payé leur loyer !

***

La légende veut que Popov, tirant de l'eau d'un puits, aperçut l'image de la lune au fond du puits.

— Ah ! s'écria-t-il, voilà qui est sérieux ! La lune tombée dans le puits !

Mon devoir est de la repêcher !

Popov descendit le seau et tira tant qu'il put. Il tira si fort que la corde cassa et qu'il tomba à la renverse.

C'est alors qu'il vit la lune dans le ciel.

— J'ai réussi ! s'écria-t-il, j'ai réussi !

C'est depuis ce jour-là, dit-on . d'Astrakhan à Onéga et d'Odessa à Berezov, que le Russe est aussi sûr de lui.

***

Popov, en visite en France, arrive à Paris et se promène sur les bords de la Seine :

— Pour un fleuve capitaliste ! s'exclame-t-il soudain, c'est tout de même pas mal !

***

L'avion va atterrir à l'aéroport Sheremetyevo, à Moscou.

Une voix résonne tout à coup dans l'appareil :

— Ici le commandant Ivanoëv Popovitch qui vous souhaite un bon séjour à Moscou. C'est aujourd'hui mon dernier vol après trente ans de carrière. Alors, voilà : J'ai décidé de faire le looping dont j'ai envie depuis tout ce temps-là ! Attachez vos ceintures !

Quelques secondes plus tard, l'énorme avion effectue un looping incroyable puis reprend sa place initiable dans le ciel.

Tous les passagers applaudissent. Ce ne sont que des « Hurrah, camarade ! », « Longue vie au camarade commandant ! », « Vive le camarade Ivanoëv Popovitch ».

Seul un Français n'applaudit pas. Il est tout mouillé des pieds à la tête et reste debout au fond de l'avion. Il s'avance doucement vers la cabine de pilotage en s'essuyant les yeux :

— Sensationnel, hein, camarade ? lui lande une hôtesse réjouie.

— Oui ! admet le malheureux touriste français, mais, moi, j'étais dans les toilettes !

***

A l'un des bars de l'aéroport de Sheremetyevo, trois pilotes se vantent de l'énormité de leurs avions respectifs.

— Moi, dit le pilote français, mon appareil est si gros que je pourrais transporter une équipe de football avec ses mille supporters !

— C'est rien du tout, ça ! répond le second, américain, mon avion à moi est si grand qu'il est possible d'y jouer à l'intérieur une partie de football !

— Et le mien, donc ! s'écrie alors le pilote russe. Lors de mon dernier vol Paris-Moscou, j'entends un bruit anormal. Je dis à mon copilote : « Camarade Ivanov, prends la jigouli (petite voiture très populaire en U.R.S.S.) et va voir ce qui se passe au bout de l'aile droite ! » Une heure plus tard, mon copilote revient et me dit qu'il n'a rien trouvé. Alors, je l'envoie inspecter l'aile gauche. Il part avec la Jigouli et revient deux heures plus tard en me disant qu'il n'a rien trouvé d'anormal. Je lui dis : « Camarade Ivanov, ça doit pourtant bien venir de quelque part ! Prends la Togliatti (autre voiture populaire russe de plus forte cylindrée) et va voir à la queue de l'appareil ! » Il revient trois heures plus tard et me fait son rapport : « Tu as l'oreille drôlement fine, camarade, me dit-il, il y a un imbécile qui a laissé la fenêtre ouverte dans l'un des W.-C. et un Boeing 747 est en train de tourner autour du plafonnier ! »

***

Ignorant volontairement ce qui pourrait mettre ce sentiment de force qui le place « au-dessus de la mêlée » en situation délicate, le Russe — qui s'identifie dans ce domaine à nos Marius et Olive méridionaux (en plus fort, bien sûr !) — n'aime pas qu'on lui parle de choses qui risquent de ternir l'image de marque qu'il s'est forgée.

Ainsi n'est-il pas indiqué de raconter cette histoire si vous prenez un jour le petit train électrique Moscou-Kalinine dont je vous parlais au début de ce volume.

Outre ses banquettes en bois parfaitement inconfortables et si vous parvenez à éviter les skis des jeunes qui rejoignent chaque jour leurs « bases sportives » financées par l'usine ou le syndicat, bref, si vous ne sortez pas borgne de ce pittoresque moyen de transport, vous en garderez de toute façon le souvenir d'un des trains les plus lents que vous n'ayez jamais pris pour vous déplacer.

On raconte cette histoire, donc, à son sujet.

Deux touristes sont assis dans un compartiment dudit train et attendent le départ depuis un très long moment.

Le train s'ébranle enfin et le premie touriste demande :

— Est-ce que vous avançons ?

— Non ! répond le second touriste qui n'y croit plus, c'est plutôt la gare qui recule !

***

Plus fort que les autres — si on l'en croit — le Russe l'est particulièrement en amour. Son tempérament volcanique incite d'ailleurs à le créditer de toutes les performances en ce domaine.

Un nouveau club très fermé vient d'ouvrir (si l'on peut dire pour un club fermé !) près de l'Observatoire de Petrozavodsk, capitale de la Carélie soviétique.

Popov, toujours à l'affût des plaisirs de la nuit, demande au portier comment il pourrait obtenir sa carte de membre.

— Il y a une condition ! lui dit le portier, il faut avec un sexe énorme !

— Alors, ça va, camarade ! triomphe Popov, j'ai vingt-huit centimètres !

— Idiot ! (à noter que le mot idiot s'écrit, se prononce comme en français. A noter qu'il signifie la même chose,

aussi). Idiot ! J'ai dit « énorme » ! Vingt-huit centimètres, c'est ridicule, camarade !

Popov s'en va dépité.

Néanmoins, de ce jour, il commence un entraînement intensif. Il suit un régime à base de pilules et le résultat ne tarde pas : Quatre mois plus tard, il est à nouveau présent devant le portier :

— Voilà ! lui glisse-t-il à l'oreille, j'ai quarante centimètres, maintenant !

— Je te répète pour la dernière fois, camarade, lui répond le portier, que tu ne peux être admis que lorsque tu auras un sexe énorme !

— Mais, enfin, hurle Popov, quarante centimètres !

Alors, le portier relève la jambe de son pantalon de quelques centimètres et fait :

— Sois pas buté ! Regarde ce qui pend sur ma chaussure. Et je ne suis que le portier, camarade !

***

Un Russe gras et laid est au bar de « La Vipère Lubrique en folie », une boîte de nuit de Kiev.

Malgré son aspect peu engageant, il est entouré de jolies filles qui semblent l'idolâtrer.

Popov, qui est là lui aussi, ressent une petite pointe de jalousie et demande au barman :

— Mais, qu'est-ce qu'elles lui trouvent ? Il est laid, gras, plus tout jeune, il ne semble pas riche. Et, pourtant, il les a toutes ! Comment s'y prend-il d'après toi, camarade ?

— J'suis comme toi, camarade Popov, je ne comprends pas, répond le barman, en plus, il ne fait rien pour les séduire. Il reste là, au bar, sans rien dire, à se lécher les sourcils...

***

Popov, en voyage à Paris, prend un taxi et prie le chauffeur de lui montrer les monuments de la capitale.

Arrivé au Panthéon, le chauffeur explique qu'on a mis vingt-cinq ans pour le construire :

— Da, da ! apprécie Popov, chez nous, on l'aurait construit en moins de six mois !

Le chauffeur encaisse et emmène son client devant Notre-Dame :

— On a mis deux cents ans pour la construire ! tente-t-il timidement.

— Da, da ! fait Popov, on aurait mis un an chez nous !

Devant le Louvre, Popov affirme que trois mois auraient suffi à Moscou pour construire un tel palais.

On arrive devant l'Arc de Triomphe et, comme le chauffeur continue sa route, Popov s'informe :

— Et ça, qu'est-ce que c'est ?

— J'sais pas ! répond flegmatiquement le chauffeur de taxi, faudrait demander aux gens du quartier. Hier, ça n'y était pas encore !

***

Victor, modeste employé aux usines de réparations de machines du combinat de textiles artificiels, rentre chez lui, ce soir-là, dans son petit deux pièces H.L.M. de la rue Ordjonikidzé, à Kalinine.

Il embrasse sa femme, Lydia.

— Lydia chérie, voici ma paie ! lui dit-il. Il manque dix kopecks, tu verras ! J'ai acheté un billet de la loterie au profit de kolkhoziens nécessiteux dont s'occupe le chef de brigade...

— Tu as bien fait, Victor chéri ! approuve l'épouse. Si on gagnait, je m'achèterais une machine à laver !

— Moi, j'achèterais une voiture ! rêve le mari, une belle Zil, comme celle du camarade Brejnev.

— Moi ! dit Reinata, la fille, je monterai derrière avec maman. Je mettrais ma robe des grands jours, la marron et noire. On ferait de grandes promenades sur les bords de la Volga : Rybinsk, Iaroslav, Gorki, Kazan, Oulianosk, Kouibichev, Saratov, Engels, Volgograd ! Mon rêve !

Le jeune Alexéï, huit ans, qui n'a rien dit jusqu'ici, s'exclame :

— Moi, j'aurais mon beau costume des dimanches. Et je me mettrais devant, à côté de papa !

— Toi, lui dit sa mère, tu monteras où on te dira de monter ! Les enfants ne choisissent pas leur place. Tu seras derrière avec ta sœur et moi.

— Niet ! fait le gamin, avec papa devant !

— Alexéï, intervient le père, écoute ce que ta mère te dit !

— Non ! Je veux être devant avec toi !

— Écoute, vipère lubrique, hurle la mère, tu monteras derrière où tu sera giflé !

— Je veux être devant !

Alors, sa mère lui envoie une gifle à lui décrocher la tête et lui ordonne :

— Alexéï ! Descends tout de suite de l'auto !

*****
***

Franck Fernandel raconte

les histoires drôles
de notre midi

I. LE MÉTIER

Disons, pour commencer, que j'ai réussi ma vie car, pour moi, la réussite c'est la vie qu'on avait envie d'avoir.

D'abord, il y avait un nom célèbre et ça c'est déjà lourd à porter. Et puis, il y avait ce métier qui me rongeait, le piano, la batterie, la comédie et tout ça n'allait pas très bien avec la pulsation de mes artères ni mon rythme de vie.

Ensuite, il y a ce soleil qui vous incite plutôt à regarder mûrir vos tomates qu'à aller faire le « Midi-première » de Danielle Gilbert. Enfin, je crois qu'il doit y avoir cet « assent » que l'on se traîne dans une capitale qui, il faut bien le dire, ne nous a jamais pris au sérieux, nous autres Méditerranéens.

C'en est d'ailleurs un autre, un Aubagnais celui-là, qui m'a décidé à raconter quelques histoires de notre Midi.

Ce livre est donc à savourer, confortablement installé, un pastis sur votre guéridon, pendant que mijote une de ces daubes qui apportera l'odeur propice à la dégustation de ces quelques pages.

Pendant que je vous tiens en haleine — c'est le cas de le dire — passons très rapidement sur une naissance sans histoire — enfin presque...

***

Rellys et Andrex étaient venus chercher mon père pour faire une partie de pêche vers sept heures du matin. Tout étonnés de le trouver en costume de ville, ils lui demandèrent ce qui se passait :

— Écoutez les gars, aujourd'hui je peux pas aller à la pêche.

— Et pourquoi tu irais pas à la pêche ?

— Parce que je viens d'avoir un garçon !

C'était le 10 décembre 1935 et le petit garçon en question avait tout juste deux heures : Franck Gérard Ignace venait de naître pour le meilleur et sans souci du pire.

Franck parce que Monsieur Franck — nom d'artiste de François Esposito — qui était le directeur du vieil Alcazar où mon père jouait, lui avait demandé d'être le parrain.

Et bien sûr « Ignace », puisque c'est la pièce qu'il interprétait au moment où ma mère Henriette ressentit les premières douleurs.

A Marseille, à l'Alcazar donc, où mon Père allait applaudir dans sa jeunesse les gloires locales pas encore nationales, il y avait un public ingrat qui houspillait volontiers n'importe quel artiste quelqu'en soit le renom. Brassens, Montand, Trenet y ont connu des rampes difficiles et il traînait, dans les tiroirs des « tontons » Rellys et Andrex de savoureuses histoires sur ce haut lieu du spectacle.

***

Trébor, un célèbre imprésario, avait à l'époque, engagé toutes les gloires du music-hall : au programme, Andrée Turcy, André Baugé et Esther Lekain accompagnés par le célèbre Gabaroche.

Il avait invité, comme à l'habitude, la presse marseillaise.

Quelques jours après, en ouvrant son quotidien, une bien mauvaise surprise l'attendait : « Il est affligeant de voir un spectacle pareil ! Des gens qui ont eu des noms dans le spectacle ne devraient pas se montrer comme ça, ils sont trop âgés » — et le reste de l'article était d'une constante désolation.

Quelques jours plus tard, le critique repasse à l'Alcazar et c'est Trébor qui le reçoit :

— Tu as eu tort d'écrire ça, tu sais, va les voir ce soir, depuis deux jours, ils m'ont fait des progrès...

Ça, c'est typique de l'humour méditerranéen, un humour à froid malgré la chaleur ambiante. Et de la chaleur, il y en avait dans cette salle où l'air conditionné n'était pas encore arrivé des Amériques. Cette ambiance surchauffée dès le moi de mai dans cet Alcazar de ses débuts, le grand comique Polin la raconte.

***

Nous sommes en 1910 et Polin, dont mon père a repris la fameuse chanson « Mademoiselle Rose » est dans les coulisses. En avant-programme, un petit bonhomme rachitique arrive sur scène dans un silence de mort. Il se présente et entame son premier couplet; mais au bout de quelques minutes — c'est toujours un spectateur du « poulailler » qui donne le signal du départ — c'est un véritable déluge qui s'abat sur scène accompagné d'un tollé indescriptible. Une véritable pluie de tomates, de courgettes, de salades mais aussi — c'est ça qui est incroyable — des cageots de crabes vivants !

Les pauvres bêtes partent dans tous les sens, le pianiste déserte son siège et la scène de l'Alcazar devient en quelques minutes aussi déserte que la plage de la Pointe Rouge un soir d'hiver.

***

C'est Andrée Turcy qui rapporte celle-là. Même scène de l'Alcazar, même public délirant quand il n'apprécie pas l'artiste. Mais aussi, un public qui ne ménage ni le calembour, ni la tendresse.

L'artiste arrive dans un costume sombre et étriqué et commence à égréner un refrain — disons-le — assez égrillard. Comme d'habitude, la salle est aussi silencieuse qu'un hospice de sourds muets. Alors, au bout de quelques minutes, une voix descend du balcon :

— Elle le sait ta mère, que tu es là ?

Inutile de dire qu'à partir de cette minute, ç'en est fini de la sérénade...

En cette époque difficile où le public marseillais sut se faire une réputation légendaire de férocité envers ses artistes, il en est d'autres pour lesquels il se montra souvent magnanime.

***

Rellys avait tout juste trente ans et venait de terminer « Merlusse » de Marcel Pagnol où il jouait le rôle de l'appariteur. L'histoire qu'il raconte doit se passer à l'Odéon de Marseille cette année-là. Il est superflu de vous dire que dans cette salle comme dans toutes les autres de la cité phocéenne, l'accueil est invariable pour l'artiste de passage. Désastreux...

Ce soir-là, un chanteur « à voix » se fait très chaleureusement... siffler par le public. Le régisseur, affolé, s'excuse auprès de la femme de l'artiste, une matrone qui feuillette la revue Mon Ciné, peu soucieuse semble-t-il de l'accueil — bruyant — que l'on entend derrière le rideau.

— Vous savez, Madame, ici le public est très difficile, il va s'en sortir.

FRANCK FERNANDEL RACONTE...

— Oh, il s'en sort très bien... Té, vé*
...la semaine dernière à Arles, « ils me
l'ont » presque battu !

C'est ça aussi l'humour, chez nous.

***

Sarvil aussi était une gloire locale.
Né à Toulon, il a été un des premiers
fabricants de « tubes » pour les
mangeurs de bouillabaisse qu'étaient
les Perchicot, Alibert ou la fameuse
Juliette Saint-Giniez. C'est lui qui a
écrit le refrain popularisé par Alibert :
« Zou, zou, zou, un peu d'aïoli... »
Il débute donc sur les planches dans
les années 20 et le silence de la salle en
dit long sur l'intérêt qu'elle lui porte.
Du fond de l'orchestre, résonne une
voix, lugubre comme une lame de
guillotine :

— Dépêche-toi, pitchoun**, tu vas
rater ton tram !

Le tramway à Marseille était une
institution quasi-religieuse puisque
presque toutes les lignes desservaient
un saint en autant de prénoms que
l'alphabet peut en contenir.

Bien entendu, après un silence
religieux, vint une réplique devenue
légendaire :

— Eh, laisse-le le petit, tu le vois
pas qu'il est brave...

***

Celle-ci plus méchante.
Le présentateur arrive sur scène et
annonce fièrement :

— Et voici Clara Tambour !

— Je la connais, c'est une pute,
enchaîne une voix.

Le présentateur hésite un instant,
puis reprend avec une belle assurance :

— Quoi qu'il en soit, voici Clara
Tambour !

***

Celle-là est franchement odieuse.
C'est un vieux monsieur avec queue
de pie et binocle posé comme « en l'an
40 ». Un vrai désastre d'autant plus
que c'est un tour de chant plutôt
in memoriam. Il annonce :

— Une chanson de regretté Georgel,
ensuite une chanson du regretté Frag-
son et enfin une chanson du regretté
Polin...

Et un spectateur du poulailler lui
lance :

— Eh ! pépé, va faire ton tour de
chant au cimetière !

***

Cette autre se passe bien plus tard
encore sur une de ces fameuses scènes
marseillaises.

Le directeur cherche une attraction
qui puisse redonner l'intérêt à ses
spectacles — autrement dit il veut un
« gros visuel ».

— J'ai un chameau extraordinaire
pour vous, lui dit un agent artistique
parisien.

L'animal arrive bientôt à la gare de
Marseille par wagon spécial et fait ses
débuts le soir même sur la scène du
music-hall.

Quelques jours plus tard, l'agent
parisien téléphone au directeur.

— Alors, vous êtes content de mon
chameau ? Comment ça marche ?

— Non, monsieur, depuis qu'elle a
commencé, cette bête, la salle est un
vrai désert !

***

Dans les années d'après-guerre —
pour parler de guerre dans un livre
humoristique, autant que ça soit drôle
— vers les années 20, un autre personnage assez pittoresque occupait le
haut de la scène marseillaise : Berval.

Avec Fortunet Cadet et Suzanne
Chevalier, il formait la première

---

* Expression provençale populaire : « Tenez, écoutez. »
** Petit. Expression amicale. On dit aussi Pitchounet ou Gari.

395

trilogie comique qui se fit se déchaîner les foules. Et il en fallait pour le remuer, ce public qui se précipita pour se faire signer les premiers « orthographes » que l'on connut sous le soleil du Midi !

***

C'est Ardisson, une autre figure marseillaise, coiffeur devenu vedette sous la houlette de Jean Renoir dans cette fameuse version de « La Marseillaise » qui fit d'ailleurs couler beaucoup d'encre, qui se souvient de Berval mais aussi de Doumel. On disait, à propos de ses histoires très « osées » :

— Dans le Midi, il n'y a pas que les sauces qui sont piquantes mais tout — le soleil, les femmes, les olives et bien sûr, les histoires de Doumel !

***

Revenons à l'Alcazar dont nous avons situé les deux directeurs successifs Esposito et Trébor. Mais, dans la fosse d'orchestre, un charmant bonhomme les surpassa. *Le Provençal* écrivit même un quatrain à sa gloire — une gloire que Charles Elmer n'accepta jamais : il était trop timide.

« Jadis, on payait le prix fort
Un bon chef d'orchestre, en France
Vraiment vous aviez de la chance
Elmer d'alors. »

Tre-Ki, quant à lui, est originaire d'Afrique du Nord et se produit dans une espèce de djellaba, une sorte de pyjama vert. Son œil vif et ses cheveux frisés font la joie des Marseillaises.

Son seul défaut — charmant d'ailleurs — est une autre sorte de cheveu posé là, très exactement sur le bout de la langue !

Louis Jouvet était, à ses débuts, atteint de bégaiement ce qui ne l'a pas empêché non plus de faire carrière.

« Pied-noir » avant la marée des années 60, Tre-ki fut une excellente affaire pour les imprésarii locaux bien avant Enrico Macias.

Il faut dire, à leur décharge, qu'ils étaient nantis d'une belle et légendaire patience et d'un humour qui dépassait parfois celui des vedettes qu'ils avaient engagé.

***

Le maire veut contacter Frank Sinatra pour le faire passer à Plan-de-Cuques, petite bourgade située dans l'arrière-pays à quelques kilomètres de Marseille. Il en parle au Comité des fêtes qui semble ravi de l'événement et donne son accord.

Quelques jours après, le maire appelle l'imprésario.

— Alors, Sinatra, tu l'as contacté ?

— Vé, j'ai eu son « managère » hier. Quand il m'a dit son prix, j'ai cru que c'était mon numéro de sécurité sociale !

***

Plan-de-Cuques a dû attendre longtemps la venue de Frank Sinatra. Jusqu'au jour où le cinéma de la paroisse, profitant de l'aubaine, annonça ainsi la nouvelle dans la revue du diocèse :

Frank Sinatra en personne dans « Le Diable à 4 heures ».

Spectacle à 14 heures.

A 13 heures, il y avait déjà la queue jusque sur le cours. A 14 heures, la séance commença devant un public tassé comme des anchois.

A 16 h 30, tous les spectateurs heureux s'éparpillèrent dans les collines environnantes pour y terminer le dimanche.

Ils avaient vu Frank Sinatra... au cinéma.

***

Il faut dire qu'à cette époque bénie, la télévision n'avait pas encore absorbé l'intérêt dominical des familles pour la promenade, la visite à la grand-mère ou la séance au « cinématographe ».

Cette nouvelle invention en faisait rêver plus d'un. Et ils en avaient des idées dans la tête, ces figurants qui échafaudaient les rêves les plus fous : égaler Raimu ou peut-être Jean Gabin...

Charles Pons, alors directeur des Studios marseillais de la rue Jean Mermoz racontait, dit-on, cette histoire :

Un théâtre phocéen avait engagé en extra un chauffeur de taxi tout fier de jouer le rôle de Nabuchodonosor.

La composition du brave homme était simple : il fallait rester assis durant toute la pièce et à un seul moment se lever et dire à l'assistance : « Je suis le Roi Nabuchodonosor. » Et le cachet de 5 000 francs représentait, à l'époque, une somme assez rondelette.

Le soir de la première, on le déguise en Nabuchodonosor.

Lever du rideau.

La pièce se déroule sans histoire jusqu'au moment de sa fameuse réplique où il se lève et lance, superbe :

— Je suis le roi... — le trou, le vide total, un silence de mort qu'un comédien chevronné aurait certainement comblé.

— Nabuchodonosor, souffle un comédien.

Mais le modeste amateur reste muet, puis soudain descend les marches de son trône, commence à enlever son costume et dit :

— Je suis le roi des cons, j'ai perdu cinq mille francs.

***

Comme on dit dans notre jargon provençal « le type, ce soir-là, il s'est mis minable »*.

Pourtant, chaque paroissien, de

* Se rendre ridicule.

Méjanes à Vintimille, voulait tenter sa chance. C'est peut-être la raison pour laquelle, il y avait dans le Sud de la France un nombre stupéfiant d'agents artistiques, de régisseurs de spectacles et d'imprésarii de tout acabit.

Certainement pas une de nos grandes vedettes nationales n'ignore l'existence de cette race d'artisans en voie de disparition. Quand ils engagèrent Fernand Raynaud, Raymond Devos et Pierre Doris pour des spectacles locaux, ce fut pour la plus grande joie des spectateurs. Mais ceux dont il faut bien rire aujourd'hui, ce ne sont pas de grands comiques — pardon à vous, messieurs, mais laissons pour une fois la place à ces humoristes inimitables que furent ceux qui vous engageaient.

Que Marc Gimbert, Marcel Viano, Jean-Pierre Micol, Marcel Reval, Lucien Revest, Gérard Tempesti, Robert Trébor ou Robert Renzulli nous pardonnent — nous allons rire à leurs dépens. Qu'ils en soient remerciés.

***

C'était un jour de gala au casino de Cassis. La salle était aussi déserte que la Crau un jour de plein mistral. Il n'y avait personne sauf bien sûr — le journaliste local chargé de « couvrir » l'événement.

Pour la petite histoire de la presse locale, il faut vous dire qu'elle se résume en quatre ou cinq tirages importants. *Nice-Matin* pour la tranche de littoral s'étendant de Vintimille à Toulon et *La Marseillaise*, *Le Provençal* et le *Méridional* qui se partagent le reste de la région. A part les « apéritifs d'honneur » timide imitation des cocktails parisiens, où se précipitent les trois représentants, le modeste fait divers est dévolu au plus jeune d'entre eux, jeune boutonneux frais émoulu du lycée Saint-Charles à qui l'on a remis un carnet, un stylo et — insigne honneur — le « Rolleï » chargé de fixer pour l'éternité la promotion d'un gendarme ou la remise d'une gerbe au pied de la plaque d'une avenue.

C'est donc à cet Hemingway local qu'échoit le privilège de photographier ce soir-là l'artiste face à une salle déserte. Ce qu'il fait aussitôt, vexant ainsi l'imprésario local qui sans commentaire, lui assène un direct à la Marcel Cerdan.

Choc ! et étonnement du jeune reporter :

— Ça va pas la tête ?

— Si, petit, mais là au moins tu pourras écrire qu'on s'est battu à l'entracte !

***

Cet autre avait téléphoné à son homologue parisien pour lui demander une grande vedette de la scène parisienne. Il reçoit un télégramme ainsi libellé :

« D'accord pour l'artiste le 8 juin à Bandol au prix convenu. Pour le pianiste, cablez. »

Quelle ne fut pas la stupéfaction de l'artiste, quand il arriva à l'aéroport de Marseille-Marignane, de lire sur les programmes des spectacles locaux :

Le mercredi 8 juin au Casino de Bandol

Charles X, le grand artiste parisien accompagné au piano par Monsieur Cablez.

***

Il y avait aussi un grand comique provençal qui était d'un caractère tel que la plupart des imprésarii évitaient de le programmer dans leur spectacle. Selmas, c'était son nom, avait pourtant un sérieux sens de l'humour qui se rapprochait assez de celui de Raimu. Il s'ennuyait ferme dans une pièce qui contait l'histoire d'un sous-marin qui coule. Le drame était qu'il n'y avait qu'un seul des personnages à être sauvé. Il faisait donc le tour de ses copains afin qu'ils puissent à l'extérieur, transmettre aux familles les dernières paroles de chacun.

— Dis à ma mère que je pense à elle, lui dit celui-là.

— Dis à ma femme que je l'aime, dit celui-ci.

— Dis à mes enfants qu'ils gardent espoir, murmura ce troisième.

Et Selmas, quand vint son tour, dit au comédien :

— Et tu diras à mon imprésario que je termine demain !

***

C'est l'ultime répétition d'une pièce importante. Le metteur en scène a demandé à un imprésario d'écumer les cours de comédie et la distribution serait parfaite s'il n'y avait ce rôle de hallebardier tenu par un ancien garçon de café qui se prend pour Pierre Fresnay. Inutile de dire que s'il en a la belle prestance, il n'en possède pas le talent et — comble de malchance — encore moins la mémoire.

Son rôle est pourtant simple. Il doit, au deuxième acte, entrer en scène et déclamer sur un ton de tribun :

— Et voilà !

C'est tout, mais cette réplique dans la bouche du jeune homme termine toujours par un pitoyable...

— Et voili !

L'émotion, sans doute. L'imprésario invoque tous les saints, le diable, le Bon Dieu, la Bonne Mère et bien sûr la porte si ce fatidique « Et voilà » n'est pas déclamé correctement le soir de la première.

Durant les quelques heures qui restent aux comédiens, Anselme fait les cent pas dans les coulisses en répétant inlassablement les deux mots. De son côté, l'imprésario, l'œil mauvais et le cigare nerveux au coin des lèvres, arpente le hall d'entrée du théâtre.

Premier acte. Le rideau s'est levé et le public semble satisfait. Mais l'imprésario attend avec effroi la réplique fatidique...

— Et voilà... Et voili... non ! té, j'y arriverai pas, murmure Anselme.

Au deuxième acte, la partie semble gagnée. Le producteur jubile, le metteur en scène se détend sur son siège mais notre imprésario est de plus en plus pâle.

Arrive l'instant fatal où apparaît Anselme qui prend une longue respiration et avec une belle assurance...

— Et voilà !

Soulagé, l'imprésario se lève d'un bond du fond de la salle et lui crie :

— Et voili !!!

L'envers du décor m'a très tôt fasciné. J'ai souvent préféré, durant mes toutes premières années de métier, me retrouver dans cet univers des coulisses où j'ai découvert — dans les années 60 — le monde bigarré des imprésarii marseillais.

J'ai donc fait mon apprentissage chez un « tourneur »*, Robert Renzulli, duquel je conserve le souvenir de quelques savoureuses histoires.

***

La première se passe dans l'arrière-pays varois, à Saint-Cyr je crois, où comme régisseur je devais m'occuper du spectacle d'Annie Cordy. L'élément le plus indiscipliné de cette tournée était sans doute le chat de l'organisateur qui faisait le voyage dans le coffre de la voiture.

Inutile de dire que plusieurs heures passées sous le « cagnard »** ne rendaient pas l'animal très calme. La pauvre bête, sitôt sa prison ouverte bondissait à travers les musiciens et on ne la revoyait plus jusqu'à la fin du spectacle.

Cette nuit-là, nous avons cherché en vain à travers les gradins, dans le matériel de sonorisation, dans le jardin de l'hôtel, le félin échappé.

Comme chaque jour, au petit matin, le chat attendait près de la portière après avoir vécu sa propre nuit folle.

Il est vrai que de notre côté... Mais ça, c'est une autre histoire !

Parlons plutôt de l'humour bon teint qui était de rigueur dans ma région quand il nous arrivait d'essuyer un bide. C'est après un de ceux-ci que se déroule ma dernière histoire de métier.

***

C'est une soirée de première à Marseille.

Un four. Enfin presque. Quelques personnes égarées, des amis, le frère de l'imprésario, les parents des comédiens et le pompier de service.

L'auteur, derrière le rideau, constate néanmoins avec un large sourire :

— Ils sont cinquante mais ils applaudissent pour cinq cents.

— Cinquante mais avec les quarante-cinq invitations, ils ont payé comme cinq !

Ça, c'est du Pagnol.

II. LES AMIS

Dans le cinéma, on dit « flash-back » — ou retour en arrière si vous préférez.

Je quitte la douceur des « Olives », le quartier où se trouve la villa des « Mille Roses » pour me retrouver dans le noyau du métier parisien.

Je me souviens du contrat qui lie Franck Contandin à une maison de disques sur lequel est paraphé « assistant artistique ».

Je n'assistais rien du tout et les artistes, ou du moins ils le croyaient, m'ont très vite fatigué. Puis l'été arrivait et Paris au mois d'août, même

* Agent artistique ou organisateur de concert.
** Soleil.

399

chanté par Aznavour, ça ne me disait pasgrand-chose. Je suis parti en vacances à Carry-le-Rouet et je me suis retrouvé à côté de Rome pour y jouer le fils... de mon père.

« Avanti la musica » commence sous un soleil de plomb, dirigé par une espèce de barbu ventripotent très compliqué.

Nous avons fait deux jours chacun.

Moi, parce que j'avais un tout petit rôle.

Lui, parce qu'il était trop cher, trop long et qu'il mettait trois heures pour tourner une scène qu'il couperait de toute façon au montage.

C'est ma première et dernière rencontre avec un des géants du cinéma italien : Sergio Leone.

Son successeur, Georgio Bianchi, terminera le film sans histoire. Enfin presque...

Je me rappelle qu'il avait attrapé une pneumonie et qu'il a dirigé les comédiens... d'une cage en verre.

En plein cagnard. Et par interphone interposé.

« En avant la musique », j'avais trouvé ma voie.

Pas encore ma voix.

***

Raymond Mamoudy

C'est lui qui m'a mis sur les planches pour la première fois. Avec « Fanny », ma chanson fétiche, qu'il a composée avec André Gomez.

Derrière la pochette d'un disque, il avait écrit ceci : « Malgré la cohorte et la forêt de guitares électriques, à travers les blousons plus ou moins noirs qui encombrent les ondes et les juke-boxes, le romantisme ne perd jamais ses droits. Il se déguise autrement et emprunte çà et là un visage, une voix. Il apparaît aujourd'hui sous les traits de Franck Fernandel, et le jabot de dentelle est remplacé par le plus savoureux accent qui soit, celui de Marseille. Un romantisme qui sent bon la lavande, l'amour et les vacances. »

J'ai le souvenir d'un homme heureux de vivre qui n'avait pas peur de voir le bout du chemin. Il avait la verve d'un Daudet, l'éclat d'un Mistral et l'entrain d'un Rostand mais la chanson n'a jamais mené son auteur jusqu'au *Petit Larousse*...

Il pourrait dire aujourd'hui :

— Mistral repose à Maillane, Pagnol à La Treille et Giono à Manosque. Alors, si je comprends bien, il n'y a plus que moi qui travaille !

***

Rellys

Pour lui, je suis le « pitchoun ». Pour moi, il est le « tonton ».

Comme Andrex, qui lui a connu mon père sur les bancs de l'école communale, Rellys est marseillais de pure souche.

Il s'appelle Henri Bourelly — Il y en a trois cents sur l'annuaire téléphonique de la ville — et il serait sûrement resté pâtissier si Alibert ne l'avait pas poussé à prendre le train pour Paris.

Il s'y est installé provisoirement. Mais dès qu'un projet voit l'ombre d'un Méditerranéen typique dans ses pages, on fait appel à lui. C'est une des raisons de sa carrière essentiellement « marseillaise » bien qu'il habite Paris, à deux pas d'ailleurs de la rue de Provence.

— Tu te rends compte, m'a-t-il dit un jour, j'ai commencé à jouer « Tante Clarisse » et je finis par jouer « La Mouette » de Tchékhov. Y a qu'à moi que ça arrive...

Ce qu'il a oublié de dire, tonton Rellys, c'est qu'un jour de décembre 1952, il a fait la plus belle déclaration d'amour que le cinéma ait jamais mis en image.

Et les spectateurs niçois du « Paris » s'en souviennent encore.

C'était dans « Manon des Sources » de Marcel Pagnol et il y jouait Ugolin, le brave paysan de La Treille qui déclarait ainsi son amour à la belle bergère :

— Je sais bien que je suis vilain, mais je suis brave et toi tu es belle pour deux... Et dans les petits que tu nous feras, si par hasard il y en avait un qui soit... comme son père, moi ça serait mont préféré, mon caganis*, mon plus joli, et je lui demanderais pardon tous les jours, à genoux devant son berceau...

Vingt-cinq ans après, il a encore trouvé le moyen de faire de l'esprit :

— Ça fait vingt-cinq ans que j'y pense à cette petite, la preuve, j'habite aux « Folies-Bergère ».

***

Claude Blanc

J'ai eu une période où le travail me courait après. Finalement, un jour, il a fini par me rattraper. Du gala au studio, du disque à l'émission de télé, j'ai décidé de me retirer dans mes quartiers d'été. J'avais à cette époque un secrétaire qui s'occupait de toutes mes « affaires » — les boules, le pastis, les tomates fraîches et « le » gala dominical — ami dont je garde un extraordinaire souvenir. Un peu journaliste mais beau parleur, un peu buveur mais cuisinier hors de pair, Blanc nous distillait une histoire drôle à chaque respiration.

Il aurait rétorqué à ma phrase que j'ai de l'inspiration mais j'ai sincèrement le regret d'un homme qui depuis lors la pratique en famille. C'est lui qui me disait à propos des premiers cosmonautes :

— Tu sais, Franck, le voyage dans la Lune ça ne me passionne pas, sauf, précisait-il les yeux animés d'une soudaine lueur, si dans la capsule je peux te faire des pâtes au pistou**.

C'est aussi de cette époque que doit dater cette histoire qu'il m'a rappelée sans éveiller chez moi le moindre souvenir.

Un jour, je vais chanter dans une boîte de nuit à Aix-en-Provence. Comme d'habitude dans ce genre d'établissement, la salle est très mal éclairée et quelques filles sont au comptoir pendant mon tour de chant.

A la fin, le patron vient me prendre amicalement par le bras.

— Franck, je vais te présenter une fille superbe.

— Ah oui et qu'est-ce qu'elle fait ?

— Elle est mannequin chez « Figatelli ».

Si je ne peux garantir l'authenticité de cette déclaration, je peux vous garantir que j'adore ce saucisson italien.

Surtout s'il est bien roulé.

C'est encore lui, également grand amateur de moto, qui m'a un jour raconté l'histoire de son accident.

Il avait un copain sur le porte-bagages et la roue se prend dans le rail du « tram », boulevard Chave.

Ils passent tous les deux par-dessus le guidon, font dix mètres sur le ventre l'un à côté de l'autre.

— Oh, p..., que ça fait mal. Ayayaï ! mon costume du dimanche !

Son copain s'est arrêté, le pantalon en lambeaux et la veste arrachée. Il se relève, grimpe dans un bus et largue l'autre comme ça sur la chaussée.

Blanc, il en est jamais revenu.

***

Henri Salvador

C'est le plus provençal des artistes français et l'homme qui a payé le plus de sa personne sur les scènes de France. Remarquez qu'avec un père percepteur, il ne pouvait pas faire moins.

Avec Eddie Barclay, ils ne ratent pas une occasion de venir jouer à la pétanque.

L'artiste est tordant, le bouliste l'est moins.

Un peu comme moi. C'est certai-

* Enfant.
** Produit typiquement provençal.

nement pour ça que je l'aime tant.

***

Un type arrive avec un orchestre un peu spécial chez un imprésario de Marseille.

Le chat joue du piano et la souris chante.

Après une démonstration de leur talent, l'imprésario sort un contrat immédiatement, le signe et débouche le champagne pour le visiteur.

— Mais dites-moi, lui demande-t-il intrigué, maintenant que je vous ai signé le contrat, vous pouvez peut-être m'expliquer le « truc » ?

Le monsieur refuse catégoriquement.

— Ecoutez. Ce n'est quand même pas moi qui vais révéler un « truc » qui va me rapporter des sommes folles. Je ne suis pas idiot.

— Puisque vous insistez, je vais vous expliquer. En fait, la souris ne chante pas, c'est le chat qui est ventriloque.

***

Max André

Un grand des scènes du Midi. A Paris où il n'aime pas vivre, il a « fait » un petit cabaret : le Théâtre des deux Anes.

Il en parle avec passion, avec amour et avec bonheur. Il ne parle d'ailleurs que de ça et c'est ce qui fait son charme.

Mais il raconte aussi cette anecdote.

Une jeune fille vient de rencontrer un jeune homme. Il est très beau, très riche, très intelligent mais comme on ne peut pas tout avoir, il est homosexuel. Et à Marseille, ce n'est pas très bien vu.

Finalement, malgré l'opposition de sa famille, elle l'épouse et sa mère vient lui rendre visite le lendemain de ses noces.

— Alors, ma petite, comment ça s'est passé cette nuit ?

— Bien maman, d'abord il m'a aidé

* Chapeau à l'italienne.

à enlever mon voile, puis ma robe de mariée et ensuite mes dessous de dentelle.

— Et après ? demande la mère intéressée.

— Il les a mis et il est parti.

***

Robert Renzulli

Comme je l'ai déjà dit, Renzulli m'a mis comme on dit « le pied à l'étrier » et je crois que le meilleur remerciement que je puisse lui faire est de lui rappeler une histoire qui nous est arrivée.

J'étais donc régisseur de ses tournées.

Inutile de vous préciser que nous ne manquions point de « groupies » comme on dit depuis que le spectacle s'est anglicisé.

Nous revenions d'un gala et j'étais avec les musiciens sur la RN 7 tandis que lui était parti avant nous, sans doute en bonne compagnie. A un croisement, je l'aperçois, arrêté sur le bord de la route, qui nous fait de grands signes. La demoiselle est déjà dans le champ. Nous lui répondons par un grand coup de klaxon et notre approbation collective et bruyante.

Le lendemain, je le vois arriver au bureau.

Il est furieux, le cheveu en bataille, mal rasé et il semble fatigué.

— Mais alors mon petit Franck, pourquoi ne vous êtes-vous pas arrêté ? J'étais en panne d'essence !

Les gendarmes de Salon l'avaient trouvé en pleine nuit, et l'avaient gardé au poste.

Depuis ce jour-là, je fais toujours attention aux réputations usurpées ou surfaites.

A en croire certaines personnes qui me l'ont rapporté, je suis un peu « truand », très menteur et séducteur patenté.

Tout ça parce qu'un jour, j'ai chanté avec le « borsalino »*, une chanson du Midi qui parlait d'amour.

***

Henry Byrs

Il compose un personnage qui ressemble un peu à « lou ravi »* de la crèche provençale.

Rigolo jusqu'à l'absurbe, il pianote joliment depuis des décennies sur les scènes du Sud-Est. Cette année-là, il devait accompagner en tournée le chanteur Jean-Philippe.

En première partie, contrat oblige, il doit supporter un baryton local qui fait d'abord un long discours sur sa ville et les premières dents de son gosse. Byrs piaffe et commence les premières mesures.

Un ton trop haut.

Au bout de trois couplets, le pauvre bougre s'égosille, les veines de son cou se gonflent et son visage devient rouge.

A l'alto final, le gars n'a plus qu'un filet de voix. C'est l'extinction. Il salue, regagne les coulisses, se change et file sans demander son reste.

Grâce à Byrs, le Midi a gagné un boulanger, un maçon ou peut-être un gendarme !

***

Robert Rippa

Une autre figure populaire du Midi.

Pourtant aucun dictionnaire de la chanson française, aucun lexique musical ne mentionnera jamais son nom car il a choisi de rester sur la terre où il a vu le jour.

Restaurateur, il prend sa guitare pour les clients du restaurant qu'il a ouvert à Aix.

Comédien, il est un merveilleux conteur pour la télévision locale. Chanteur, son répertoire est impressionnant.

Et quelques bonnes histoires... qu'on se raconte entre deux pots. C'est justement à Méjanes, dans une de ces nouvelles fermes modèles, qu'un ouvrier en croise un autre. C'est une salle où des milliers de « couveuses » caquettent allégrement en remplissant les paniers d'œufs.

— Ça n'a pas l'air d'aller très fort, demande l'un.

— Oui, je sais. Ça ne va pas. Je suis certainement en train de couver quelque chose.

***

Gu

Ce diable d'homme abreuve nos passions et nourrit notre amitié.

« Chez Gu », c'est le haut lieu de la bonne chère à la provençale et un sérieux concurrent pour l'ami précédent.

Détail pittoresque : si un jour Gu arrête la restauration, il pourra toujours se lancer dans la céramique. En effet, près de mille assiettes ornent les murs du maître de céans dédicacées par des mains prestigieuses.

Et la mienne.

Au restaurant, on a servi à ce monsieur un pigeon aux petits pois. Mais malgré ses efforts, il n'arrive pas à découper l'animal. Il fait une réclamation au garçon qui lui apporte un couteau mieux affûté.

Finalement, la bête s'ouvre en deux et laisse apparaître un bout de papier enserré dans un anneau. Il le déplit et lit :

« Débarquons demain. Signé : Foch. »

Si d'aventure vous traversez Salon par la Nationale 7, vous pouvez vous arrêter chez Gu sans crainte.

Chez lui, le gibier s'appelle perdreaux ou lièvres.

Il vient des proches collines, éloignées de la mer.

***

Robert Nyel

On lui doit le plus bel hymne de la

---

* Le simple du village. Un fada sympathique.

Provence, celle de la Camargue, des férias et des Gitans.

« Magali » a gagné à son auteur-compositeur une ligne dans les ouvrages sur la chanson française. Mais, oublié du grand public, ce troubadour moderne s'est révélé un brillant poète. Entre un quatrain écrit pour ce livre et la fabrication de « l'aïoli » dont il a le secret — il a eu le temps de raconter cette histoire.

Le directeur des Variétés avait l'habitude de dire à ses comédiens :

— Une comédie où l'on rit, c'est une comédie. Une comédie où l'on ne rit pas, c'est un drame.

Ce quatrain est dédié à la Provence.
« Tu es les yeux de mes calanques
Les cheveux de mon soleil d'or
Au creux de toi, contre ton corps
Je suis comme un bateau à l'ancre. »

***

Marcel Zanini

Il est né à Constantinople et pourtant il est presque plus marseillais que moi. Quand on se rencontre, le « cabanon » prend des airs de cave montmartroise.

« Tu veux ou tu veux pas... »
Il dit toujours non, prend sa clarinette et ne la lâche plus jusqu'à deux heures du matin.

« Le Caveau de la Huchette » aurait dû être construit à Marseille et Marcel en aurait été le Claus Lutter.

Il a connu les cachets minables, les boîtes sordides et les musiciens les plus fabuleux du monde.

Il se souvient de ce vieux tram en bois, le « 68 » qui descendait le boulevard Chave et qui s'enfonçait sous terre.

On arrivait — on y arrive d'ailleurs toujours puisque ce tram, aujourd'hui en « acier aérodynamique » circule encore — à la gare centrale Noailles. C'est la cohue du matin et un monsieur demande à un autre :

— Vous avez l'heure ?
— Oui, c'est mercredi.
— Alors, c'est là que je descends.

Vous voyez, à Constantinople aussi, ils savent mentir.

***

Fernand Sardou

Fernand, c'est le père de Michel (le chanteur), le mari de la comédienne et le fils d'un autre illustre chansonnier du Midi. Une famille qui a porté « l'assent » aux quatre coins de notre hémisphère. Fernand racontait cette histoire savoureuse sur un Tartarin perdu dans une épaisse savane africaine avec son compagnon.

Ce dernier propose de préparer les ustensiles de cuisine pendant que l'autre ira chasser quelque menu gibier pour le repas.

Chemin faisant, ce dernier rencontre un lion et s'empresse de prendre ses jambes à son cou.

Arrivé à la cabane, il ouvre la porte, entre suivi du lion furieux, sort et referme la porte en disant à son compagnon :

— Tiens Titin, fais cuire celui-là, je vais voir si je peux en trouver un autre.

Comme sur ce pont, en Avignon où il est né, on « danse tous en rond » mais on le traverse aussi trop vite. Comme la vie...

Alors, mieux vaut en rire et si Fernand ouvrait ce chapitre sur mes amis, il le refermerait aussitôt. Par la voix de Michel.

***

Michel Sardou

— Vous avez vu ces travailleurs de force qu'on voit chez nous dans le Midi. Un jour, on a voulu en photographier un en plein effort. On n'a pas pu trouver d'appareil assez rapide.

C'est mon père qui a chanté d'ailleurs un des plus célèbres hymnes à la fainéantise : « Aujourd'hui peut-être » son seul « tube ». Et quel tube !!!

Voici un extrait du texte de cette chanson :

« Aujourd'hui peut-être ou alors demain

Ce sacré soleil me donne la flemme

Je la couperai té après demain

Et si je peux pas la couper moi-même

Je demanderai à l'ami Tonin

Qui la coupera aussi bien lui-même.

Ce n'est pas qu'on soit fainéant par ici

Mais il fait si chaud dans notre Midi. »

III. LES GLOIRES

L'art est universel.

L'« assent », produit purement local est interdit à l'exportation. Sauf, bien sûr, s'il est véhiculé par l'art.

Il fut un temps où l'avoir était un privilège.

C'est devenu — dixit Andréa Ferréol — un lourd fardeau pour le comédien. Curieux signe des temps où il faudrait oublier Scotto, Pagnol et Giono — oublier ce don merveilleux du franc-parler qu'avaient les Raimu, Poupon, Blavette ou Arnaudy — oublier cette véritable « école » qui durant près d'un siècle fit de nos artistes locaux de véritables gloires internationales.

On connaît certainement moins Shakespeare en Ouganda que la fameuse Trilogie car ce n'est un secret pour personne que Mistral est étudié dans les universités américaines.

L'art est universel, notre « assent » aussi mais grâce à eux...

Qu'ils en soient remerciés.

***

Raimu

Modeste souffleur à l'Alhambra de Marseille, il remplace un soir au pied levé une gloire locale, Fortuné Ainé.

Le reste fait partie de l'histoire du cinématographe.

Mais aussi du domaine public : celui du rire.

Raimu tournait ce mois-là aux Studios de la Victorine à Nice et profitait de ses week-ends pour venir à Marseille rendre visite à mon père. Inutile de préciser que ce dernier était aux petits soins pour son ami. Pour Raimu, rien n'était trop beau.

Monsieur Raimu était invité d'honneur, « guest star » comme disent les Américains.

Et ce matin-là, c'est Josette, ma sœur, qui avait monté le plateau tant la peur était grande que le personnel ne fasse un écart de politesse envers le grand comédien.

— Merci, ma petite, je te remercie, tu es gentille ma chérie.

Et on laisse déjeuner Raimu.

A midi, il descend sur la terrasse, jette un œil concupiscent sur les rosiers du jardin, inspire une grande bouffée d'air et dit à ma mère :

— Ce matin, c'est la main des Grâces qui m'a servi le café.

Le compliment était bien lancé et rend ma mère confuse.

Raimu continue, impassible et joue avec sa main pour se protéger du soleil.

— Vouais... Y avait qu'un truc embêtant, c'est que la petite avait oublié la cuillère et que j'ai tourné le café avec le doigt. Mais ça fait rien, pensez dites.

C'était ça la grande force de Raimu.

Le sens de l'à-propos, de la « chute » dirait-on au théâtre.

En un mot, le sens du dialogue.

***

Une autre histoire prouve combien Raimu avait également ce merveilleux don de l'improvisation à la scène.

Il répétait dans un grand théâtre marseillais. Alors qu'il entrait, un autre comédien devait précipitamment jeter un papier compromettant dans la cheminée.

— Ça sent le papier brûlé ici, devait-il dire en humant l'air ambiant. Or ce comédien ne trouve pas les allumettes dans sa poche et déchire le papier au lieu de le brûler comme il est prévu dans la scène.

Et Raimu, splendide, lance au comédien :

— Tiens, ce soir, ça sent le papier déchiré ici.

C'était un acteur royal, disait un chroniqueur très à la mode.

— Bien sûr puisque je m'appelle Jules Auguste César...

Le plus grand.

Mon père disait même qu'il était « hors-concours ».

***

Marcel Pagnol

Pagnol a écrit, produit, réalisé, fabriqué et distribué ses 28 films dans son « triangle des Bermudes » à lui.

Malgré ses pièces, ses livres, ses biographies, ses historiens, le mystère Pagnol reste entier.

Il avait le secret du rire.

— Tu connais, me dit-il un jour, la différence qu'il y a entre la Bretagne et la Méditerranée ? Un pêcheur est sur le port en train de raccommoder ses filets et je lui demande pour quelle raison il ne sort pas son bateau alors que la mer semble calme.

— Vous voyez les petits nuages qui arrivent là-bas, me dit-il, ça veut dire qu'il va y avoir du vent et que la mer va se lever. Alors, j'en profite pour raccommoder mes filets. Je repasse deux heures plus tard et effectivement, le ciel s'était légèrement couvert avec un filet d'air qui soulevait un léger clapotis.

— C'est ça que vous appelez « la mer qui se lève » ?

— Mais je vous l'avais bien dit qu'il y aurait du vent et voyez il y a bien du vent. Alors, pour le piquer un peu au vif, je lui annonce : Oui, peut-être, mais en Bretagne, ils sortent avec des mers démontées. Et il me répond le plus naturellement du monde : — Bien sûr. Mais en Bretagne, vous allez au cimetière, vous voyez écrit « Mort en mer ». Ici pas besoin d'aller au cimetière, vous pouvez les trouver au bistrot.

Pagnol savait observer la vie des gens du Midi comme rarement un écrivain l'avait fait avant lui sauf peut-être Edmond Rostand.

Pourtant, cette anecdote semble prouver le contraire.

Je vais le voir à son appartement parisien un an avant sa mort.

Il ne m'avait pas vu depuis l'âge de 15 ans.

J'en avais alors 35.

Je sonne, je l'attends au bas de l'escalier.

Quand il arrive, il me dit étonné :

— Oh ! par exemple, Franck ! Monte.

Puis, en me regardant de la tête aux pieds.

— Dis, tu as grandi depuis la dernière fois.

Ce même jour, quelques instant après, confortablement installé dans son salon-bibliothèque, nous avons parlé de ses projets. Il en avait beaucoup dont un qui lui tenait particulièrement à cœur.

Et il paraît évident que pour écrire ce projet, il faut descendre dans le Midi pour le « façonner » — sans ça, c'est pas un vrai projet.

— Sautez dans le premier avion, lui dis-je.

Ce que je ne savais pas, c'est que Pagnol ne prenait jamais l'avion. Il me l'expliqua.

— Admettons que « mon » pilote, une heure avant de prendre les commandes de l'appareil, trouve sa femme avec un homme dans son lit. Figure-toi ce bonhomme, quand il monte dans sa cabine, il est malheureux — il est cocu. Il peut se dire, j'en ai plus rien à f... de la vie. Il rentre dans une colline et il « m'entraîne » dans sa mort. Alors ça, je veux l'éviter.

Il est mort un an après, loin de ses collines natales.

Le sort en avait décidé ainsi, avec ou sans pilote d'avion.

J'ai su par la suite que ce projet me concernait de près.

Dans un *remake* de la trilogie qu'il voulait réaliser en couleurs cette fois-ci, mon père héritait du rôle de César.

— J'aurais, disait-il, été un excellent Marius.

***

Victor Boucher

Grand acteur du début du siècle, il a joué au théâtre le rôle créé trente ans plus tard par mon père au cinéma dans « Les Vignes du Seigneur ». Charmeur, il avait un esprit qui en avait fait l'ami d'Harry Baur, ce personnage pourtant réputé difficile.

Ce jour-là, il répète une pièce sans décor où il devait entrer par une porte. Boucher n'est pas à son aise.

— Faites comme si la porte y était, Victor, voyons, lance le metteur en scène irrité.

Mais Boucher, préoccupé sans doute par d'autres problèmes oublie à chacune de ses apparitions la fameuse porte.

Finalement, la pièce s'est jouée mais au bout de quinze jours, excédé, Boucher est entré à quatre pattes en portant une enveloppe.

Il l'a glissée sous la porte fictive et a dit au metteur en scène :

— Je vous glisse ma démission sous la porte.

Les répliques de Boucher sont aussi célèbres que celles de Tristan Bernard ou d'Alphonse Allais.

Il arborait dans cette autre pièce une magnifique mais fausse moustache.

Un soir, le côté droit de la moustache tomba alors qu'il était en scène.

Sa partenaire le lui fit comprendre par un petit signe discret.

— Excusez-moi, on a sonné, dit-il en se dirigeant vers les coulisses Affolement de la maquilleuse : impossible de trouver un autre postiche.

Immédiatement, Boucher revint sur scène et annonça à sa partenaire décontenancée devant cette demi-moustache très apparente :

— Ce n'était rien, rien qu'un raseur.

L'art et la manière de sauver la face Même s'il y manque une moustache

***

Maurice Escande

Un jour, il quitte le Français pour partir en tournée.

Il joue les séducteurs et les amoureux de tous poils.

Retour à Paris et au Français.

Deuxième départ pour d'évasives tournées dont une dans le Sud de la France qu'il affectionne particulièrement.

Un détail pittoresque : Maurice Escande avait son souffleur particulier.

Un jour, le souffleur tombe malade alors qu'il est en tournée sur le littoral varois.

Malheureusement pour Escande, les souffleurs provençaux ont un grave défaut : ils ont des trous de mémoire.

C'est justement ce soir-là que choisit le comédien pour tomber « en panne ». Aussitôt, il se penche vers le trou du souffleur.

— Alors, murmure-t-il.

— Alors, quoi ? lui répond simplement le souffleur.

Depuis, l'administrateur général des Comédiens français a supprimé, dit-on, le poste de souffleur.

Nous n'aurons peut-être plus jamais de Raimu.

Donc, pas de Maupi.

407

***

Maupi

Maupi n'a jamais été un « grand » acteur.

Petit par la taille, il était un grand « indispensable » aux comédies provençales.

Le « chauffeur du ferriboate » est né deux ans avant son grand ami Raimu et lui a survécu deux années.

De tristesse, disent les uns.

Non, c'est pour faire bisquer Jules, affirment les autres.

On raconte qu'au ciel, chez saint-Pierre, le grand comédien s'impatiente en attendant son complice de toujours.

Bon enfant, il a quand même accepté de « disputer » une belotte avec Frédéric Mistral, « Panisse » Charpin et un ange qui fait le quatrième en attendant Maupi. Ainsi, Raimu l'a attendu deux ans...

Même sur terre, Raimu passait son temps à attendre le « Maupi ».

Le « petit » était toujours parti lui faire une course.

Ce jour-là, à Marseille, Raimu était avec mon père avec lequel il tournait « Les rois du Sport ». Et devant l'hôtel « Noailles », on attendait la buick de Jules que devait descendre Maupi.

Les heures passaient et toujours pas de nouvelles de Maupi.

— Tu vas voir quand il va appeler, ce con de Maupi.

Bien plus tard, on appela Raimu au téléphone. C'était lui.

— Alors, qu'est-ce que tu fous ?

— Je viens d'avoir un accident près de Pierrelatte.

— Ane que tu es, je le savais bien que ça arriverait.

— Mais, Jules, ne te mets pas en colère, les phares n'ont rien.

***

Vincent Scotto

Qui a dit que les Marseillais étaient des *feignants* ?

Vincent Scotto a composé plus de quatre mille chansons que l'on a fredonné dans le monde entier.

Qui a dit que les Marseillais se regardait le nombril ?

Vincent Scotto a fait chanter l'Orient (« Ma petite Tonkinoise »), Paris (« Sous les ponts de Paris ») et le corse Tino Rossi (« Marinella »).

Prodigieusement inventif, Scotto a griffonné les plus belles chansons du monde dans cet Alcazar où Polin le découvrit.

C'est lui qui racontait cette histoire.

Deux amis s'aperçoivent mais l'un est au balcon tandis que l'autre, en galante compagnie, est à la fosse d'orchestre.

— Eh dis, tu es bien accompagné à ce que je vois, dit l'un.

— C'est une p., rétorque l'autre.

— Bonjour, madame, salue poliment le monsieur en ôtant son chapeau.

On respecte la vertu dans notre Midi, même si elle est toute « petite ». Mais on use du langage avec une vivacité qui étonne encore bien des gens du Nord.

***

C'est encore une dame qui est passée avec brio d'une rue « chaude » toute proche à la scène de l'Alcazar.

Mais l'accueil est disons, pour le moins glacial.

La diva en herbe s'interrompt, bégaie et bredouille quelques excuses au public :

— Je suis désolée mais j'ai un « trou ».

Et du vaste couloir circulaire surplombant la scène ou se tenaient les critiques les plus acerbes, une voix lance :

— Pourquoi t'en as qu'un ?

A Paris, on aurait chassé l'importun. Là-bas, il était nommé « critique musical ».

***

Yves Montand

Yvo Livi, ce petit italien de Monsumagno a trouvé son nom dans les rues de Marseille.

« Yvo monta » est devenu Yves Montand comme Fernand Contandin mon père est un jour devenu le « Fernand d'elle ».

Comme lui, il est devenu une star internationale et n'a pas oublié la ville de ses débuts. Le gosse de la Cabucelle, l'apprenti coiffeur de la rue Pavillon, l'adolescent timide de Saint-Antoine et vedette « américaine » de l'Odéon de la Canebière n'a d'ailleurs jamais perdu son accent.

Ni sa simplicité. Un jour, nous nous sommes croisés dans un aéroport.

Il partait en tournage et j'allais à Marseille.

— Yves, je vais faire le « Vamping »*, vous connaissez ?

— Oui, bien sûr que je connais. J'y suis passé à mes débuts mais je l'ai perdu de vue.

Montand est resté un homme très simple qui aimerait beaucoup, je crois cette parabole.

C'est un artiste qui est tellement « cabot » que lorsqu'il ouvre son frigidaire en pleine nuit, il salue dès que la lampe s'allume...

***

Henri Poupon

Il fit partie de la « bande à Pagnol ».

Huit fois, il répondit « présent » à l'appel du génial cinéaste.

Ce fut là l'essentiel de sa carrière.

Dans les années 50, alors que Pagnol freine ses activités, Henri Poupon donne la réplique à Charles Trenet dans « Bouquet de joie » du réalisateur méridional Maurice Cam.

Ceux qui l'ont connu se rappellent que ce dernier faisait une consommation effrénée de caramels mous sur les plateaux de tournage.

Poupon racontait bien volontiers cette histoire sur les figurants marseillais qui se pressaient toujours aux portes des studios de la rue Jean-Mermoz, au Prado.

Celui-ci s'est introduit dans les locaux et rencontre le « fou chantant ». Il se jette littéralement dans ses bras.

— Charles, mon vieux Charles, comme je suis content de te revoir.

Précision sans doute inutile : Trenet ne l'avait jamais vu.

— Qu'est-ce que tu fais ?

— Moi, je me fais un nom, réplique Trenet. Et toi ?

Qu'est-ce que vous voulez répondre à ça ?

IV. LES PERSONNAGES

J'ai « un genre » de fatigue quand je reviens de Paris et que je m'assieds sous le pin de la terrasse des « Mille Roses ». Mais je sais aussi que ça va vite passer et qu'« ils » vont certainement venir klaxonner au portail.

Alors, je fais « porte ouverte », je sors les glaçons et je suis sûr qu'avant la fin de la nuit, je vais « les » voir.

Pour mieux m'en souvenir, je leur ai d'ailleurs trouvé à chacun un surnom qui les fait ressembler à des personnages de la « pastorale ». Et dès qu'arrivent les beaux jours, je suis sûr de voir s'animer cette crèche au « cabanon » des « 3-lucs ».

Marcel « le Copieux », Martin « le Loup », Félix « l'Aïoli », Bonbon « la Raideur », Max André « du théâtre des Deux Anes », autant d'artistes méconnus.

Et les Laugier, les Fabris, les Tempesti qui partagent mon soleil, mes boules et mon Midi.

* Club de Marseille.

Et encore ceux qui à Aubagne, Tourves, Bandol ou Carry me rappellent une bonne blague, une soirée mémorable ou une farce gigantesque.

Et puis il y a « Banane ».

Quand je l'ai rencontré en 70, il m'éclairait la « tronche » avec un projecteur mal réglé. De régisseur, je l'ai revu secrétaire, attaché de presse, cinéaste et journaliste. Je n'aurais jamais cru qu'il deviendrait mon « historiographe ».

C'est à la fois « Marius », « Olive », Orson Welles et la « déesse Sivah » (à cause du nombre de bras de l'une et des multiples activités de l'autre).

Pendant qu'il lui en restait un de libre, il en a profité pour écrire ce livre à ma place.

J'ai, comme je vous le disais au début, un « genre » de fatigue.

Lui jamais.

— Oh ! Jean-Jacques, c'est à toi.
— Je le sais bien, mais j'hésite !!
— Et alors, tu vas hésiter comme ça jusqu'à demain ?
— C'est que la chose est importante...*
— On commence par les pêcheurs ou par les chasseurs ?
— Par les deux, j'en connais une qui...

Béni soit l'inventeur du magnétophone.

Il nous permet de garder la main libre, la droite, celle du stylo.

Pour tenir le pastis.

***

Les « pescadou » **

C'est Titin qui pêche dans l'Huveaune, un petit cours d'eau qui vient se jeter près de la Corniche de Marseille. Sur le pont du village, il se penche et ses lunettes tombent. Il arrête un passant.

— Dites, j'ai tombé mes lunettes dans l'Oise.

— Mais c'est pas l'Oise, c'est l'Huveaune.
— Oh, vous savez, moi, sans mes lunettes...

***

Marius et Olive pêchent dans le petit port du « vallon des Auffes ».

— Dis, tu sais, Olive, que les Américains viennent de battre le record de plongée des Russes. Il y en a un qui est resté douze heures sous l'eau à « Nev-Yorque ».
— Dis Marius, tu rigoles, Honoré ça fait douze mois qu'il a plongé et il est toujours pas remonté.

***

Le mérou est un poisson très difficile à sortir de l'eau.

— Si tu tires trop fort, la peau de mérou s'tend.
— Si tu tires trop fort, la peau de mérou pète.

***

Quel est le quartier de Marseille où il y a le plus de pêcheur ?
— Celui du « Merlan ».

***

Les chasseurs

Si le perdreau se fait rare et la besace vide, il n'est pas un chasseur de l'hémisphère, qu'il soit de Bordeaux, Lille ou Carcassonne qui n'ait une histoire à raconter. Tous en rajoutent certainement beaucoup.

Mais ici personne n'a jamais cru à la parole d'un chasseur.

Alphone Daudet non plus avec son *Tartarin de Tarascon*.

C'est André Daick, un Parisien de... Châteaurenard qui raconte cette aventure — inédite — du célèbre chasseur.

* Toute ressemblance avec une réplique célèbre ne serait pas fortuite.
** Pêcheurs.

Au détour d'une piste éloignée, Tartarin tombe nez à nez avec un énorme lion.

Majestueux dans sa prestance autant que dans son langage, ce dernier demande au chasseur.

— Alors, on chasse ?

Tremblant de peur, Tartarin lui répond :

— Nnnnon, jeeeuh, je pêche.

***

Un jour, par mégarde, un chasseur avale des plombs (de chasse) avec son pastis.

Arrivé dans la garrigue et après tant d'effort pour grimper un chemin escarpé, il pète.

Il tue son chien qui le suivait.

***

Deux chasseurs sont embusqués dans des taillis de genêts à la lisière d'une clairière.

— Gibier à plumes ? demande le premier.

— Non, femme à poil, répond le second.

***

Les truands

Bien avant « Pierrot le fou » ou « Borsalino », le cinéma donna à Andrex l'un des plus beaux personnages de truand à la fois tendre et odieux.

Dans « Angèle », c'est mon père qui tue le mauvais Louis.

— Il y a des bons et des méchants partout, disait-il, même chez les truands.

Ici, on ne parle que de la première catégorie.

***

Un truand, bien que blessé mortellement dans les collines de la «Gineste »

* Célèbre quartier de la ville.

arrive à se traîner jusqu'à un brave berger qui garde ses chèvres. Ce dernier avise un couteau planté dans le dos du malheureux.

— Vous souffrez, mon brave ?

— Oui, surtout quand je rigole.

***

C'est l'histoire d'un autre qui se présente au quartier de l'évêché — l'équivalent marseillais du « Quai des Orfèvres » avec un couteau planté entre les deux omoplates.

Mais il est aussitôt arrêté par la Brigade.

Pour « port » d'arme prohibé.

***

C'est quelque part sur la côte la réunion annuelle de la haute pègre méditerranéenne dans la villa retirée du caïd Ange Génovèse.

Tard dans la nuit, un des « invités » ne trouve pas les toilettes et fait ses besoins dans une des vasques de l'entrée.

Le lendemain, la réunion prend fin et chacun retourne chez soi.

L'« invité » reprend ses activités dans son secteur du « Panier »* à Marseille.

Quelques jours plus tard, il reçoit un télégramme du patron ainsi libellé.

— Te pardonnons mais dis-nous où c'est ?

***

Chaque soir c'est le même scénario pour Marcel Dominici, modeste employé de banque, lorsqu'il rentre chez lui et qu'il passe devant un immeuble cossu de la Canebière.

Une pierre, lancée d'un des étages, tombe à ses pieds.

Un soir, excédé, il ramasse la pierre, avise une fenêtre éclairée au troisième et s'engouffre dans l'immeuble.

Arrivé à l'étage, il frappe violemment à la porte d'où filtre un léger rayon lumineux.

Cigare aux lèvres, cicatrice sur la joue et « doulos » posé sur la tête, c'est une véritable armoire à glace qui lui ouvre la porte.

— Ouais, c'est pourquoi ?

— C'est vous qui m'envoyez une pierre chaque soir ?

— Ouais, c'est moi. Pourquoi ?

— Eh bien. Je vous l'ai ramenée.

***

Deux truands sympathiques se sont donnés rendez-vous dans un bar mal famé du quartier de l'Opéra de Marseille.

Le premier arrive et commande un pastis.

Arrive une espèce de brute qui marche comme un crabe, c'est-à-dire qu'il rentre de travers par les portes où l'on rentre habituellement à deux de face.

— Y en a un qui s'appelle Jo, ici ?

— Moi, répond le petit truand.

Et il se prend une dérouillée monumentale.

— Je vous ai bien eu, nasille-t-il en se relevant dans un triste état. Je m'appelle pas Jo.

***

C'est à ce moment-là que rentre son copain.

Il l'aide à reprendre ses esprits et questionne la brute.

— Dites, vous pourriez refaire ce que vous avez fait ?

Son copain se reprend à nouveau une volée.

— Remettez ça encore, juste pour voir ?

Et comme ça, trois ou quatre fois de suite.

Finalement, le truand soulève son copain et le traîne hors du bar :

— Allez viens, tu vois bien qu'on peut discuter avec ce type-là.

Et après, n'allez pas dire qu'on est bavard dans notre région.

***

Les professeurs

Le plus célèbre d'entre eux restera sans doute, pour l'histoire, le grand Marcel Pagnol.

Il a d'ailleurs donné son nom à un établissement scolaire de Marseille.

Il a cependant préféré l'Académie française aux « Palmes académiques ». Depuis, il y a chez chaque enseignant du moindre petit village un aspirant poète, un utopiste, écrivain ou artiste vélléitaire.

Mais aussi une certaine dose de détermination et de sens civique.

***

Un gamin arrive à l'école avec un « poumon d'acier ».

— Oh, Saturnin, mais c'est le poumon d'acier de ton père que tu m'amènes là. Qu'est-ce qu'il a dit ton père ?

— Il a dit ouf, monsieur l'instituteur.

***

Il a dix ans et sa famille voit en lui un muet incurable. A l'école, monsieur Garcin l'a placé près de la fenêtre afin qu'il puisse voir les collines environnantes, le merveilleux paysage des vignes qui s'étendent à perte de vue et surtout le soleil.

Rien n'y a fait. Ni les cris des copains, ni la brutalité de son père, ni la tendresse de sa mère, ni la science du docteur et encore moins la pédagogie du brave instituteur.

Et le gamin impassible continue d'observer la nature, la vie, les gens et le soleil dans le ciel.

Justement, les nuages viennent de le voiler un instant.

— Tiens, il pleut, constate le gosse.

— Mais, gari, tu parles maintenant ?

Qu'est-ce qui t'arrive ?

— C'est que, monsieur le professeur, jusqu'à présent tout allait bien, j'avais rien à dire. Mais s'il se met à pleuvoir, alors là, c'est pas pareil.

C'est un cancre que l'instituteur a écarté des bons élèves car c'est aujourd'hui la visite de monsieur l'inspecteur d'Académie.

Mais le vieil inspecteur n'est pas dupe et interroge au hasard dans les rangées de la vieille classe.

— Toi, ici, mon garçon. Qu'est-ce qui commence par un C et qui est rond.

— Un chapeau, monsieur l'inspecteur.

— Très bien. Et toi, là, tu peux me dire le mot qui commence par un B et qui est dur ?

— Une barre — il réfléchit — ou du bois, monsieur l'inspecteur.

— Oui, très juste. Et toi là, qui te cache derrière le poêle, il ne faut pas avoir peur comme ça. Tu peux me dire un mot qui commence par un N et qui peut avoir un C comme tout à l'heure. Allez, je vais t'aider, un Neeeuh...

— Un nain, monsieur l'inspecteur, dit le cancre au grand soulagement de son instituteur.

— Et c'est tout ? réplique l'inspecteur.

— Oui, mais avec une paire de C... comme ça.

***

Un autre inspecteur, une autre classe, mais malheureusement un autre cancre.

L'inspecteur prend un mouchoir dans sa poche, l'agite et demande aux élèves.

— A quoi ça vous fait penser, ça ?

Un gamin lève le doigt.

— Peut-être que c'est une barque qui s'en va à la pêche avec le papa dedans et le petit garçon il agite son mouchoir pour lui dire au revoir.

— Très judicieux, c'est très bien mon garçon. Quelqu'un d'autre a-t-il une autre explication à me donner ?

— C'est peut-être deux amoureux, dit un autre qui semble très timide, qui se trouvent sur le quai de la gare. Et quand la fiancée est dans le train, le fiancé agite le mouchoir sur le quai.

— Très bien. Et toi qui lève le doigt ?

— Moi, monsieur, ça me fait penser à une super gonzess avec des seins *comma co*, un c. terrible. Formidable quoi !!!

— Et, s'étonne l'inspecteur ahuri, si j'agite un mouchoir ça te fait penser à ça ?

— Mais, bien sûr, monsieur l'inspecteur, je ne pense qu'à ça de toute façon.

***

J'étais un élève insupportable, comme Sacha Guitry, Alphonse Allais ou Yvan Audouard.

Disons que j'en ai moins profité. Eux chantent la Provence, Paris et l'amour devant leurs feuilles blanches « assis » sur leur fauteuil. Moi, pour dire la même chose, ça fait vingt ans que je suis debout devant un micro.

Ça me rappelle ce professeur d'un de mes amis qui enseigne depuis vingt ans dans le petit village d'Allauch.

Le jeune instituteur, monsieur Guérard, frais émoulu du rectorat de Marseille a affaire cette année-là à une classe particulièrement difficile. L'affaire se complique avec l'arrivée inopinée d'un inspecteur d'Académie qui fait une tournée surprise.

— Alors, ces garçons !!! De véritables cancres, paraît-il ?

— Je n'irais pas jusqu'à cette affirmation, monsieur l'inspecteur.

— Je vais m'en rendre compte moi-même. Vous, jeune homme, vous pouvez quand même me dire combien font deux et deux ?

Le gosse semble embarrassé, lève les yeux au ciel puis finalement annonce timidement :

— Trois, monsieur l'inspecteur.

Celui-ci se retourne vers le jeune instituteur et lui demande :

— Et alors, deux et deux, ça fait quatre ou non ?

Un peu désemparé, il lui répond :

— Vous avouerez, monsieur l'inspecteur, qu'il ne s'est pas trompé de beaucoup.

***

Une jeune institutrice a bien du mal avec ses chenapans. Il faut dire que c'est l'école de la Penne-sur-Huveaune, une bourgade qui se trouve sur la Nationale Marseille-Toulon.

La classe semble avoir été soulevée par un véritable raz-de-marée.

— Qu'est-ce que vous avez fait pendant que je me suis absentée ?

— Moi, madame, j'ai regardé par la fenêtre.

— Tu me copieras cinquante lignes.

— Moi, j'ai rien fait madame, c'est lui qu'a voulu jouer à la bataille navale, c'est pas moi.

— Vous me copierez chacun cent lignes.

— Moi, j'en ai rien à foutre, je me suis battu avec Chouquet et il va voir sa gueule à la récré.

— Vous me ferez aussi cent lignes tous les deux et vous serez retenus jeudi.

— Moi madame, j'ai rien fait que jeter du carton par la fenêtre.

A ce moment-là, on frappe à la porte et un gosse complètement massacré entre dans la classe.

— Bonjour madame, je m'appelle Ducarton et...

***

Le vieux professeur a également bien du mal à tenir une trentaine de garnements qui n'attendent qu'un moment : celui de la cloche.

Ils sont en cours d'anatomie.

— Monsieur, je vous parie que je me mords l'œil droit.

Rires dans la classe, le vieillard frappe un coup de règle sur la table et répond à la moquerie :

— Je voudrais bien voir ça.

Et le gosse prend son œil de verre et se le mord.

— Eh bien moi, sacripant, j'ai pas d'œil en verre mais je peux bien faire la même chose que toi.

— C'est pas vrai, clament les garnements.

Et le vieux professeur enlève son dentier.

***

L'instituteur est en train de donner une leçon de vocabulaire.

— Trouvez le mot que je suis en train de mimer.

Le mot mystérieux, « danse » en l'occurrence, lui permet de sautiller sur l'escabeau.

Les élèves restent muets.

Le jeune instituteur gesticule de plus belle.

Toujours rien.

Il se met en transe puis épuisé, s'arrête.

— Alors, il y en a quand même un qui va me dire ce que j'ai fait.

— Je sais, moi, monsieur.

— Alors, dis-le à tes camarades.

— Le fada*, monsieur.

***

On trouve parfois d'excellentes perles dans les livres scolaires. Michel Guérrard, pas le cuisinier — celui-ci « cuisinait » les jeunes cervelles des loulous de banlieue pour en faire des préposés à l'E.N.A. Il s'est usé la santé mais il raconte cette histoire, une véritable perle — de culture — si j'ose dire.

C'est lors de la correction d'une épreuve d'histoire pour le certificat d'études primaires.

Cet élève, pourtant doué, étonne un

* Le simplet, l'idiot.

de ses professeurs par cette singulière réponse concernant la vie de Clovis.

— Clovis avait embrassé le derrière de sa femme.

On convoque l'élève qui, gêné, affirme avoir appris ça sur son manuel d'histoire.

On fait sortir de la bibliothèque le livre incriminé et au chapitre concernant Clovis, on trouve le paragraphe suivant :

— Clovis Ier, roi des Francs, bat Syagrius à Soissons (486), les visigoths à Vouillé (507) après avoir auparavant embrassé le culte de sa femme en 496.

Ce qui nous amène tout naturellement à parler religion.

***

Les ecclésiastiques

Marseille est la ville la plus sainte du monde.

Non content d'occuper les rues centrales (de la rue de Rome à la rue Saint-Ferréol), les gares (de Saint-Charles à Saint-Marcel), le Port (c'est le Fort Saint-Nicolas qui en garde l'entrée) et les lieux publics (du Cimetière Saint-Pierre à l'hôpital de Sainte-Marthe), le clergé a baptisé la plupart des quartiers de nom de saints.

On y béatifie sainte Marguerite, on y consacre saint Juste, on y bénit saint Jérôme, on y sacre saint Barnabé, on y honore saint Roch, on y glorifie saint Victor et l'on y sanctifie pêle-mêle saint Menet, saint Mitre et même saint Loup.

Tous augustes personnages placés sous l'œil sévère et dominateur de Notre-Dame-de-la-Garde, patronne de la mer et des pêcheurs.

Elle a placé juste devant mon portail un autre saint de l'alphabet : saint Julien.

Même les vieux trams ont des « tronches » d'apôtres.

Cela me rappelle une bien curieuse histoire.

Un conducteur de tram avait dressé un procès verbal d'accident ainsi rédigé :

« L'accident s'est produit après le passage d'un merlan au lieu précis où saint Joseph allait se croiser avec sainte Marthe. Etant arrivé à une vitesse excessive, saint Joseph se jeta impétueusement sur sainte Marthe qui eut sa plate-forme avant emportée. Devant ce malheur, saint Barthélémy, qui suivait sainte Marthe, recula en vitesse. »

***

Garantie authentique, cette aventure est confirmée sur un quotidien local du 18 juillet 1950.

C'est un aveugle qui fait un pèlerinage auprès de la Bonne Mère.

Le « chemin de croix » impose au croyant la pénitence qui consiste à gravir la colline de Notre-Dame-de-la-Garde avec des pois chiches dans les souliers.

Des pois chiches secs (et durs) naturellement.

Quelques jours après, on le retrouve en train de mendier, sur le vieux-port. Il a retrouvé la vue mais — le pauvre — il est manchot.

— Eh vouais, dit-il à ceux qui s'inquiètent de sa santé, la vue m'est revenue, les bras m'en sont tombés.

***

Marius entre un jour dans l'église des « Réformés ».

Les « Réformés », c'est un quartier de Marseille qui a une allure militaire dans l'alignement de ses immeubles au bout desquels se dresse une caserne. Quand il arrive près du bénitier et au moment même où il va signer, il pète.

Soudain, près de lui, un objet tinte sur le sol.

Il cherche, se baisse et ramasse un clou.

En relevant la tête, il aperçoit Jésus qui se bouche le nez.

415

***

Trois curés marseillais arrivent ensemble au ciel et se présentent devant saint Pierre.

Le saint dit au premier :

— Alors, Père Anselme, quand tu recevais les belles paroissiennes, tu en profitais pour... enfin, ce n'est pas trop grave. Mais pour ta pénitence, tu vas rouler mille ans en vélo avant de rentrer au Paradis.

Au second, il dit :

— Quant à toi, Père Joseph, tu ne t'es pas privé pour glisser un œil par-ci par-là. Ce n'est rien car tu t'en es souvent confessé mais tu vas me faire quand même une pénitence. Tu vas rouler cinq cents ans dans une Simca 1000 avant de revenir sonner ici, à la porte.

Enfin, au troisième :

— Toi, Père Casimir, tu as été très bien mais tu t'es un peu oublié. C'est pardonnable mais va quand même rouler cent ans avec cette Cadillac avant de vivre au Paradis.

Cinquante ans passent et la Simca 1000 croise par hasard la Cadillac au détour d'un nuage. Le Père au vélo est assis sur une borne céleste, en proie à une véritable crise de fou rire.

— Père Anselme, je ne vous comprends pas, il vous reste 950 ans à tirer sur votre vélo et vous vous marrez ?

— Eh vouais, dit-il en se tenant les côtes, figurez-vous que je viens de voir passer le pape sur une trottinette.

Je ne sais pas si vous avez remarqué que les Marseillais ne se moquent jamais d'eux-même...

Les ecclésiastiques sont peut-être marseillais mais le pape lui, est italien.

***

*Les jobastres**

Il y a quelques années, on parlait de « la Timone » comme on cite

* Les fous.

« Charenton » ou « Sainte-Anne » pour la capitale.

C'était là qu'étaient abrités à l'écart des yeux indiscrets ceux que l'on avait qualifiés une fois pour toutes de fous.

Depuis, comme il y en avait beaucoup plus dehors que dedans, on les a relâché.

***

Place de la Bourse, derrière le Palais de Justice (encore une autre sorte folie, celle-là) il y a trois tours.

La « Montparnasse » à côté, ressemble à un pavillon de banlieue.

C'est de là que se jettent les fous. Celui-ci est le trente-cinquième depuis le début de l'année.

Il tombe et s'écrase au sol. Attroupement puis arrivée de la police.

— Qu'est-ce qui se passe ? dit l'agent.

— Je ne sais pas, dit le fou, je viens d'arriver.

***

Cet autre saute également d'une des tours et quand il arrive au sol, ses cheveux arrivent après lui.

Pourquoi ?

Parce que la lotion « Pétrole Han » ralentit la chute des cheveux.

***

Ces deux-là se rencontrent sur le cours Belsunce.

— Tiens, Amédée, qu'est-ce qui est gris, qui sort la nuit sur les toits, qui a des moustaches et qui fait « Miaou » ?

— C'est un chat, répond l'autre.

— Ah bon, tu la connaissais ?

***

Un brave homme rentre chez lui en voiture sous une pluie battante. Quand il arrive à hauteur de l'hôpital de la

Timone, il crève puis va s'embourber quelques mètres plus loin.

Il sort le cric, défait la roue et met les quatre boulons dans l'enjoliveur posé dans la boue.

Mais il fait un faux mouvement et les quatre boulons se perdent dans la gadoue.

Furieux, il se demande ce qu'il va faire quand il avise un bonhomme juché sur le mur de l'asile.

— Je m'évadais mais je peux vous aider, dit-il. Ecoutez mon conseil. Vous démontez un boulon à chaque roue ce qui vous en fait trois et vous les mettez à celle qui n'en a pas. Vous pourrez remonter votre roue de secours, repartir et demain vous aurez tout le temps de voir un garagiste pour votre pneu crevé.

L'automobiliste reste sidéré devant la logique de ce pensionnaire de l'asile.

— Mais dites-moi, mon brave, vous êtes pourtant fou ?

— Oui, je suis fou mais je suis pas con.

***

Enfin, l'histoire d'un fou qui semble guéri de son aliénation mentale principale qui consistait dans la confusion de toutes les parties du corps. Avant d'être libéré, il passe une ultime fois devant un conseil médical chargé de donner son avis.

Un vieux professeur lui montre son profil nasal.

— Et ça, vous l'appelleriez comment ?

— Le nez, docteur.

Un autre lui montre un doigt.

— Et ceci, par exemple ?

— Un doigt, docteur.

Et chacun à son tour de poser la question qui pourrait piéger le malade qui finalement ne l'est plus du tout. On le libère donc. Quelques heures après, le directeur va le voir dans sa chambre afin de lui faire signer sa feuille de sortie, mais il est quand même intrigué de cette rapide guérison.

— Dites-moi, monsieur Fadoli, comment avez-vous fait pour ne pas faire une seule faute au cours de notre interrogatoire de cet après-midi ?

— Tout dans les reins, monsieur le directeur, dit-il en se frappant le front.

***

Les docteurs

Marius est malade.

Curieusement, il n'arrête pas de pisser.

Alors, il fait le tour de tous les « espécialists » de la région. En vain.

C'est Olive qui lui soumet une nouvelle idée.

— Va voir un « pchikiatre ».

Une semaine après, Marius rencontre Olive et lui annonce :

— Olive, tu m'as sauvé la vie.

— Pourquoi, Marius, tu ne pisses plus ?

— Non, maintenant, je m'en fous.

***

Olive annonce à son docteur.

— Docteur, je suis amnésique.

— Depuis quand ? demande le docteur.

— Depuis quand, quoi ?

***

Marius va voir un oculiste car il a des troubles de la vue.

— Qu'est-ce que vous lisez-là ?

— Rien.

— Et plus gros. Ces lettres ?

— Non plus.

— Et celles-là ?

— Là non plus.

— Bon, je vois ce qu'il vous faut, c'est pas des lunettes, c'est un chien.

***

Elzéar se précipite dans le premier hôpital venu car il a une violente crise d'hémorroïdes.

Il frappe au cabinet des urgences et

c'est un brave monsieur en blouse blanche qui le reçoit. Il baisse son pantalon et lui montre son postérieur.

— Regardez, docteur, j'en peux plus.

— Effectivement, ça pour des hémorroïdes, ç'en est de belles. Vous devez souffrir le martyre. Oh Louis, viens voir.

Arrive un autre monsieur en blouse blanche.

— Oh fan de pied*. C'est incroyable ça. Oh Zé**, viens voir ça.

Bientôt, ils sont une dizaine autour du pauvre Elzéar.

— Alors, qu'est-ce que vous en pensez, docteur ?

— Oh, vous savez, monsieur, nous, on en pense rien, on est les peintres.

***

— Docteur, j'ai besoin d'un fortifiant, ça ne va plus du tout.

Effectivement, le monsieur n'est plus tout jeune. Soixante-quinze peut-être quatre-vingts ans.

— Vous comprenez, je suis fiancé à une jeune fille et chaque fois que je vais chez elle, j'ai des difficultés.

— Mais, vous savez, c'est tout à fait normal à votre âge.

— Pas du tout docteur, au premier, pas de problème mais au deuxième, ça devient difficile et au troisième c'est fini je peux plus.

— Alors, arrêtez-vous au premier, c'est déjà très bien comme ça, répond le docteur un peu admiratif.

— Mais docteur, la jeune fille habite au quatrième.

— Docteur, je tombe du lit en dormant.

— Hé bien, vous remontez sur votre lit et vous vous rendormez.

— Mais vous ne vous rendez pas compte, si je remonte, je risque de me tomber dessus.

***

— Vous savez, docteur, se plaint cette dame, mon mari se prend pour un réfrigérateur.

— Ce n'est pas très grave, il faut le raisonner.

— Oui mais docteur, rétorque-t-elle, ce qui me gêne c'est cette petite lumière.

***

Marius rencontre son docteur.

— Dites, docteur, on est amis. Vous pouvez quand même me dire combien de fois vous faites l'amour par nuit ?

— Deux ou trois fois, Marius, ça dépend d'Honorine. Pourquoi, tu as des problèmes ?

— Non, docteur, mais je ne comprends pas. Je n'arrive plus qu'à une ou deux fois par nuit comme hier et pourtant l'après-midi j'y étais arrivé huit fois.

***

Les paysans

Ferrat disait qu'ils n'avaient pas leur pareil pour préparer la tome de chèvre.

Depuis l'avènement de l'audiovisuel, finies les longues veillées au coin du feu, fini le rempaillage des chaises ou le travail du bois, fini aussi les légumes frais, les œufs du jour et l'huile d'olive fabriquée à la maison.

Ma femme à un coup d'ouvre-boîte magnifique, m'a dit celui-ci.

Les haricots on les achète au supermarché, m'a dit celui-là.

L'huile d'olive, on la fabrique en Grèce, m'a affirmé cet autre.

Il nous reste au moins quelques bonnes histoires naturelles.

* Exclamation provençale.
** Zé remplace souvent le prénom du gars qu'on appelle.

***

Au début du siècle, dans toute la vallée du Rhône, on envoyait des pigeons d'une ferme à l'autre pour porter les messages.

A Beaucaire, le paysan — et maire du village — envoie un pigeon pour prévenir de l'arrivée des premiers froids sur les hauteurs.

On n'écoutait pas encore Monsieur Météo sur les transistors.

C'était les pauvres volatiles qui parcouraient le chemin à tire d'aile. On guette le retour de celui-là avec une certaine impatience.

On attend un, deux, trois, cinq, huit puis quinze jours. Rien. Un mois passe, puis deux. Pas de réponse.

Trois mois après, le pigeon revient. Le maire est furieux.

Le patron des « voyageurs » est également très en colère.

— Mais qu'est-ce que tu as foutu ? Tu ne pouvais pas revenir de suite ?

— Tu sais, il faisait tellement beau que je suis revenu à pattes.

***

En plein mois d'août, un vieux cheval a du mal à tirer la charrette de son maître qui commence à lui frapper l'échine et les flancs.

Rien n'y fait.

La pauvre bête est exténuée. Elle piétine, transpire, glisse mais n'avance plus d'un pouce.

— Tu n'as pas honte de me taper dessus pour me faire monter cette saleté de côte avec le cagnard qu'il fait ? dit le cheval à bout de force.

— Ça alors, par exemple, c'est bien la première fois que j'entends un cheval qui parle.

— Moi aussi, dit le chien assis à côté de son maître.

***

Un coq attend impatiemment dans la maternité d'une basse-cour d'une ferme des environs d'Arles.

Soudain, la porte de la salle d'attente s'ouvre et la poule-infirmière annonce :

— Bravo, monsieur, c'est un œuf.

***

Un « estranger » demandait sa route à un vieux paysan qui remontait le chemin de Magnan sur le contrefort du chemin des Caussettes et qui le lui indiqua d'un signe de la main :

— Vous voyez là-bas sur ce chemin, ce n'est pas le premier fanal, c'est le deuxième fanaux.

***

Il y avait dans cette vallée qui allait de La Sainte-Baume jusqu'à la mer, des paysans qui aimaient à se mettre à table pour y faire bonne chère après les durs travaux des champs.

— J'ai encore faim, s'écrie monsieur Jourdan alors qu'il a presque terminé son assiette.

— Et ta saucisse salée, réplique Junie son épouse.

— Qué saucisse salée ?

— Mais elle était dans la soupe affirme Junie.

— Ah bon, j'ai dû l'avaler en respirant.

***

Cette dernière affirmation vient d'un paysan d'Aups, village de l'arrière-pays varois. Son fils fait à Draguignan des études d'agronomie.

— Mon fils est ingénieur « à grenoble ».

***

Les gendarmes
Ici mieux qu'ailleurs les gendarmes sont bon enfant.

Le panier à salade s'est arrêté pour une rafle quai de la Joliette.

Le plus vieux métier du monde aime bien l'air de la mer.

Ou les marins, je ne sais pas.

Marius et Olive sont gendarmes depuis 2 jours.

Marius : Je ne sais pas si j'arriverai à les faire rentrer.

Olive : Oh, tu vas bien arriver à t'en sortir.

***

C'est Marius Boyer, bougneto d'Aubagne qui nous a raconté cette histoire.

Deux routiers pressés descendent à Barjols.

A Valence, ils sont arrêtés pour un contrôle de routine mais voulant leur éviter une grosse perte de temps, un gendarme leur demande ce qu'ils transportent.

— Tiens, justement, je transporte des collègues à vous, répond le chauffeur.

Ils ont passé la nuit au poste.

Le camion était chargé... de peaux de vaches.

***

C'est à Bédarrides, petit village sur la Nationale 7.

Celle de Charles Trenet.

Une Ferrari arrive en trombe à la sortie du village et stoppe devant la gendarmerie. Le chauffeur descend, affolé, et va sonner à la porte. C'est un brave brigadier de permanence qui lui ouvre.

— Pardon, pourriez-vous me dire si vous avez une vache noire dans le pays ?

— Oh, pas du tout, pas par ici.

— Alors, une chèvre peut-être ?

— Non, il n'y en a plus.

— Et un âne noir ?

— Je ne vois pas.

— Un gros chien noir ?

— Encore moins.

— Alors, c'est ça. J'ai écrasé le curé.

***

A Roquevaire, la gendarmerie a servi de cadre à un film de Pagnol. Il était venu tourner en voisin.

Ils l'ont reçu en ami.

Ce soir-là, ils font une ronde de routine. Quand je dis routine, c'est plutôt une promenade de plaisir vu la douche fraîcheur qui tombe sur le village.

Soudain, ils tombent face à face avec un homme nu.

Le brigadier l'interpelle.

— Eh ! dites donc vous, qu'est-ce qui vous prend de vous promener comme ça, tout habillé de déshabillé ?

Le monsieur semble un peu gêné pour répondre.

— C'est un accident, monsieur l'agent. Je vais vous expliquer, c'est une erreur malencontreuse. D'ailleurs, je suis un honnête homme, je suis père de six enfants.

Le brigadier lui coupe la parole d'un air complice.

— Ça va, ça va, allez vaï, circulez.

Et à son collègue :

— Pandore, s'il est père de six enfants, c'est qu'il est en tenue de travail.

***

A Marseille, il existe dans la campagne environnante des centaines de petits passages ombragés qu'on appelle « traverses ».

Elles portent des noms de fleurs, d'oiseaux ou celui de lieu-dit que justement elles « traversent ».

Cette anecdote se déroule dans l'une d'elles.

En sens interdit pour les automobilistes.

Et le brave paysan du coin ne se soucie pas plus du panneau que de l'an 40.

Malheureusement, l'adjudant Scotto est de faction à l'ombre d'un olivier. Il l'interpelle.

— Vous savez où vous allez, vous —

élevant la voix pour couvrir le bruit d'un tracteur qui vient en sens inverse.

— Je sais où je vais mais ce que je sais aussi, té vé, c'est que je suis en retard car depuis un moment, je vois tous les autres qui reviennent.

***

Les boulistes

Quand nous jouons aux boules, c'est une véritable institution.

Et comme chaque institution, elle a ses lois, ses règles et son langage.

J'ai enregistré l'an dernier un véritable lexique « chanté » à l'intention du débutant.

— Quand nous jouons aux boules, voilà ce qu'on se dit :

Envoie la bassette, manque pas la donnée

Enfonce ta casquette, le cagnard va cogner.

Pas de rabissoulette, y a deux points par terre.

Enlève les gravettes, faut tirer au fer.

J't'en fais une en quinze, je me sens plein bras.

On va faire la belle, attention à toi,

Joue la basse et molle t'as plus qu'à pointer.

Vise la rigole pour embouchonner.

Je t'ai mis la table, t'as plus qu'à tirer.

Un carreau en place et on a gagné.

Un treize à zéro ça veut dire aussi,

Que tu vas mon béo* embrasser Fanny**.

Après ça, vous êtes prêt à vous prendre la piquette***.

Les boulistes, s'ils ont la parole, ils n'ont pas oublié d'y joindre le geste.

Et ça, ça ne s'apprend pas dans les livres.

***

Cette histoire est arrivée à un Parisien qui disputait une partie de boules sur la place de Cuges-les-Pins.

C'est Félicien, le patron de l'hôtel qui l'a pris dans son équipe.

— Et surtout, bonne Mère, visez bien le cochonnet.

— Vous pouvez me montrer qui c'est ? demande le touriste.

***

C'est au « Prado », à Marseille, que se déroule chaque année le grand concours patronné par un grand quotidien régional.

Les conversations vont bon train car durant ces quelques jours, on remet en jeu les titres des grands champions. C'est un champ de courses, la Bourse, pire, c'est le public de la salle Wagram un soir de catch.

Mais ici on ne se bat qu'avec deux choses : les boules et les mots, dont il ne faut d'ailleurs jamais se formaliser.

Quand on a une figure comme la tienne, on ne parle pas : on pète.

Quand on fait une cagade**** comme ça, on arrête de jouer.

C'est pas la peine de faire le beau, tu vas encore flasquer*****

***

Et quand ça doit se terminer en bagarre, c'est parce qu'en général, ils sont d'accord.

Il y en a justement deux qui sont en train de se soigner côté arbre généalogique.

— Et la tienne, vé, c'est pas des seins qu'elle a c'est des coucourdes. D'ailleurs, je suis sûr que tu t'es fait

* Mon beau.
** Quand on perd et qu'on reste à 0, on « baise » Fanny.
*** La raclée.
**** Merde.
***** Faire une merde.

estanquer* pour ton minot**. C'est sûrement pas le tien, vaï, on dirait le fils de Bébert le poissonnier... etc.

— Et toi bougre d'aï, qué, ta femme, c'est un vrai figuier***. Et puis quand on va embrasser Fanny, on risque pas d'aller plus loin avec ton calamar d'épouse. Vaï, tu peux la laisser sortir la nuit sans crainte... etc.

— Li sian maï, dit un papet assis sur un banc proche.

Un promeneur, certainement un touriste, lui demande :

— Et là, ils se battent pourquoi, monsieur ?

— Ils se battent parce qu'ils sont d'accord.

— Ah bon, parce qu'ici vous vous battez quand vous êtes d'accord ?

— Eh non, bougre d'aï. Je vais vous expliquer. Honoré, il a dit à Jules, tu vois ma femme là-bas, elle est pas mal vé, vu d'ici ?

— Vouais, c'est vrai, répond Jules.

— Et en plus, elle fait très bien l'amour.

Alors Jules il lui a dit :

— C'est vrai, tu as raison.

***

— Oh, aujourd'hui, tu as le bras comme la « Vénus de Milo », Marius.

— Oui, mais avant son accident, lui répond Olive.

Tout près de là, sur l'Avenue, certaines jeunes personnes se sont spécialisées dans un autre genre de sport.

***

Les P...
Elles se rencontrent au détour d'une rue.

— J'ai fait trente-cinq clients aujourd'hui.

— Je te plains. Tes pauvres pieds !!!

***

C'est un Anglais qui en croise une autre sur la Canebière.

— Pouvai-fou me dir où se trouf le « University council of Great Britain » ?

— Le quoi ? Vous m'épelez...

— Vous mé plaît beaucoup aussi, répond l'Anglais ravi.

***

C'est un client qui vient de l'aborder.

— Dis, chérie, tu veux pas qu'on fasse l'amour comme des chiens ?

— Dis, pépé, compte pas sur moi pour tes cochonneries. Je suis respectable, moi.

— Mais si tu veux, je te paie le double, le triple même. Je veux qu'on fasse l'amour comme des chiens.

— Bon d'accord, acquiesce la jeune femme, mais faisons ça dans une rue où on ne me connaît pas.

***

Nous sommes en plein mois d'août et il fait très chaud.

Aussi, celle-ci a-t-elle décidé d'offrir une consommation fraîche à ses clients.

C'est d'abord un jeune lycéen boutonneux du lycée Saint-Charles tout proche.

Puis un homme qui sent le poisson. Un marin, un pêcheur ou tout simplement un poissonnier.

Le troisième est un vieux monsieur très strict. Certainement un fonctionnaire. Les deux suivants sont l'un, un commerçant du quartier et le second, un gendarme à la retraite qui habite aussi une rue toute proche.

Le sixième est un habitué, un représentant de commerce qui arrive du Vaucluse.

* Tu t'es fait avoir.
** Enfant.
*** Monstre.

Le suivant est un jeune laideron, un apprenti cordonnier très timide escorté d'un voyou aussi honteux que lui.

Les deux autres sont également ensemble parce que jumeaux et militaires cantonnés au camp de Carpiagne.

En résumé, neuf d'entre eux ont bu un pastis et le dixième un lait grenadine. Pourquoi ?

Parce qu'en Provence, neuf personnes sur dix boivent du pastis.

***

C'est une nouvelle qui arrive du Grand Nord.

De Tourcoing exactement.

— Tu sais, y en a qui se gênent pas pour vendre la « marchandise ».

— Pourquoi tu me dis ça ?

— Dimanche dernier, je suis allée avec Jules à la campagne. A la Bédoule, j'en ai vu une qui avait installé un immense panneau sur le bord de la route.

— Et qu'est-ce qu'il y avait d'écrit dessus ?

— Bouilla baise à tout heure. S'adresser ici.

***

Sur le Port, cette autre accoste un marin.

— Alors Gari, on vient me voir ?

Le marin accepte et la suit. Avant de monter il lui demande :

— Tu sais, je n'ai pas de monnaie et je n'ai qu'un billet de cinq cents francs.

— Ça ne fait rien, dit la dame et elle appelle un gamin assis sur le pas de la porte voisine.

— Té, Marcel, va me faire la monnaie pour le monsieur, je monte.

Le couple s'est installé sur le lit. Alors dehors, on entend le gamin qui crie :

— Tante Emilie, tante Emilie, ne le finis pas le monsieur, son billet il est faux.

***

Elle s'aiment bien toutes les deux. C'est pourquoi, leur jour de repos, celle-ci invite celle-là.

— Tu habites toujours Château-Gombert ?

— Voui mais j'ai changé de maison. Tu verras, tu tournes à gauche dans mon ancienne rue, tu passes le pont, tu traverses le jardin public et au fond, tu verras un cabanon peint en vert. Tu rentres et tu pousses le portail avec le pied...

— Pourquoi le pied ? s'étonne l'autre.

— Eh voui, tu vas pas venir manger les mains vides ?

***

Pour se reposer de son dur labeur, cette jeune dame décide d'aller au cinéma.

Elle y va d'ailleurs pour la première fois de sa vie.

Elle se présente à la caisse, paie, entre et ressort presque aussitôt pour reprendre le billet.

Cinq fois, elle refait la même scène.

— Mais, lui dit la caissière, pourquoi vous revenez chaque fois prendre un billet.

— Je sais bien, dit la dame, mais chaque fois que j'arrive à la porte y a un type bizarre qui me prend mon billet et qui me le déchire.

***

C'est au premier temps du cinématographe et elles vont découvrir pour la première fois la « toile magique qui s'anime ».

Le film est déjà commencé et la salle est plongée dans le noir.

Alors, la lampe de l'ouvreuse se dirige vers elles.

L'une des deux prend son amie par le bras et l'entraîne contre le mur.

— Pousse ti, pousse ti, tu vas te faire écraser par le vélo.

***

Les commerçants

Et bien entendu, les plus célèbres, les restaurateurs qui se vantent chacun de faire les vraies spécialités du Midi.

C'est « Cigalon » qui se disait par la voix d'Arnaudy son interprète :

« Un cuisinier qui mange. Parce que pour ces messieurs et dames, un cuisinier ça n'a pas le droit de manger. Pendant trente-cinq ans, sur le coup de midi, je me suis coupé l'appétit à goûter la mangeaille des autres. Pendant trente-cinq ans, j'ai préparé le régal des clients; je me suis servi de mon goût, de mon odorat, de mon coup d'œil, au profit des mangeurs qui se faisaient la belle panse... et moi, je grignotais n'importe quoi, n'importe quand, au coin d'une table pleine d'épluchures : un morceau de la daube d'hier, une côtelette refusée, un bout de fromage et un verre d'eau... Eh bien maintenant, je ne marche plus. Maintenant, je m'assieds à la meilleure table et je mange le meilleur plat, un plat fait pour moi spécialement. Tout à l'heure, vous m'avez dit : Pourquoi avez-vous pris un restaurant ? Eh bien, monsieur, c'est pour manger : et je mange. »

Mon père dans « La Cuisine au beurre », patron du restaurant « La bonne bouillabaisse », retrouve son établissement transformé en « La sole normande » par Bourvil. Il faut pas mélanger pastis et crème fraîche ni demander du bœuf Bourguignon dans un restaurant du vieux port.

***

Un monsieur, en vacances avec sa famille, entre dans une modeste pension du Port.

— Vous servez des nouilles ici ?

— Mais on sert tout le monde, monsieur.

***

Remarquez, en général, les braves chefs du Midi arrivent toujours à retourner la situation.

Celui-ci auquel ce routier belge demandait un jour une assiette anglaise, la lui apporta quelques minutes plus tard en lui précisant.

— Voilà votre assiette « anglaise » mon bon monsieur, d'ailleurs je ne vois pas pourquoi on persiste à l'appeler comme ça alors que nous y mettons du saucisson d'Arles, du pâté de Carpentras, du jambon de Brignoles et des cornichons du jardin de derrière.

— Mais il reste l'andouille, dit le routier goguenard.

— Non, « elle ne reste pas », une fois « qu'elle » a payé, en général, « elle » s'en va, rétorque le patron.

***

Entre Marseille et Vintimille la voie ferrée fut électrifiée au début des années soixante.

C'est la raison pour laquelle dans les wagons-restaurant, on ne sert plus de pommes vapeur.

***

Pour finir ce repas, une « évidence » provençale.

— A Pau, on soigne les maladies du foie.

— A Foix, on soigne les maladies de peau.

— Chez nous, même avec du pot on est malade du foie.

***

Un monsieur entre chez un chemisier de la porte d'Aix.

— Je voudrais une chemise lilas.

Le commerçant lui sort une chemise mauve, puis une autre de couleur parme, enfin une dernière franchement violette.

— Non, non, ce n'est pas ça. Montrez-moi celle que vous avez en vitrine.

— Mais c'est une chemise blanche. Elle n'est pas lilas, vous voyez bien !!!

— Pourquoi ? Vous avez jamais vu du lilas blanc ?

***

Un autre monsieur, encore plus compliqué, entre chez un marchand de pantalons. Il demande un pantalon de qualité mais pas trop coûteux.

Le commerçant lui sort un alpaga superbe à trois cents francs.

— Trois cents balles pour un pantalon en alpaga. Vous ne vous rendez pas compte ? C'est trop cher.

— Ecoutez, monsieur, voilà un article qui vaut un peu moins cher mais il est de très bonne qualité. Deux cents francs, ça vous irait ?

— Deux cents francs. C'est encore bien trop cher.

— J'ai ici par contre celui-ci qui fait cent francs. Vous convient-il ?

— Dix sacs. C'est trop cher.

— Ecoutez, monsieur, conclut le marchand un peu énervé par ces palabres, vous pouvez emporter celui-ci pour quatre-vingts francs. Tenez non, cinquante puisque vous m'êtes sympathique.

— Cinquante francs ce ravan* ? C'est un vrai désastre, j'espère que vous plaisantez au moins ?

— Ecoutez non monsieur, ce pantalon prenez-le, je vous le donne.

— Ah bon, dit le client, alors j'en veux deux.

***

— Faites-moi une coupe au rasoir.

Le monsieur s'est installé en enlevant son chapeau. Il a trois poils sur la tête. Pas un de plus.

Le coiffeur aiguise son rasoir, prend délicatement le premier cheveu mais le casse malencontreusement. Il se confond en excuses.

— Ça ne fait rien, dit le client, faites-moi la raie au milieu.

Un coup de peigne et voilà le deuxième cheveu qui tombe.

— Ah, décidément, excusez-moi, je suis navré.

* Chiffon (dans ce cas précis).

— Ça ne fait rien, rétorque le client compréhensif, renvoyez-moi tout en arrière.

Le pauvre coiffeur prend la brosse et arrache le dernier cheveu.

— Ahhh. Espèce de couillon, rugit le client hors de lui, regardez ! Maintenant, je suis chauve.

***

Un fou du volant traverse Tourves à deux cent cinquante kilomètres à l'heure.

Heureusement, à la sortie du village, un brave gendarme embusqué derrière une ferme, le siffle.

Le conducteur freine à mort, puis s'arrête, recule et vient se garer au niveau du gendarme.

— Ecoutez monsieur, je m'excuse mais je croyais que je ne roulais pas très vite.

— Non, vous ne rouliez pas très vite, vous voliez trop bas.

***

A 120 kilomètres à l'heure, ce conducteur aperçoit un type qui court derrière sa Mustang.

Il regarde encore une fois dans le rétroviseur et pousse à 150. Le coureur le suit toujours.

180 puis 300 à l'heure, et le type est toujours là aussi frais que Marius Trésor à son entraînement.

A 240 à l'heure dans un virage, il ne voit plus le coureur. Il freine, fait marche arrière et revient dans le virage.

Des badauds se sont arrêtés, les gendarmes d'un proche village sont déjà là et un attroupement s'est formé autour d'une ambulance.

— Qu'est-ce qui se passe, monsieur l'agent, demande le conducteur intrigué.

— Oh, vous savez un « basket » qui éclate à 200 à l'heure, ça pardonne pas...

***

A Gonfaron, selon une vieille légende provençale, les ânes volent.

Ce jour-là, le commandant de gendarmerie fait un discours à ses hommes :

— ...et messieurs, si nous sommes acculés au bord du précipice par cette violence qui nous entoure, je vous proposerai alors de faire un grand pas en avant.

Vous voyez qu'il n'y a pas que les ânes qui volent à Gonfaron...

***

Les sportifs

La veille de son mariage, un footballeur de l'Olympique de Marseille qui participe à l'entraînement, prend un mauvais coup dans un endroit bien utile à sa future épouse.

— Ne touchez pas à ça pendant huit jours ou vous risquez des complications, diagnostique l'infirmier du Stade.

On le compresse, on le gaze, on le bande comme un saucisson.

Le soir de la noce, il se retrouve avec sa jeune épouse dans une chambre d'hôtel.

La jeune femme se déshabille et met une chemise de nuit très, très transparente et lui murmure tendrement :

— Tu vas posséder ce soir un corps qui n'a été souillé par personne. Tu vas avoir une vierge, comprends-tu ?

— Et toi, regarde, dit le mari en baissant son pantalon, j'ai même pas enlevé l'emballage du cadeau.

***

Au parc Borely, un champ de courses situé à Marseille, se court chaque dimanche un triplet, modeste réplique du tiercé national.

Un parieur rentre chez lui en fin d'après-midi. Il est furieux.

— Ça ne fait rien mon chéri, tu gagneras la semaine prochaine, lui dit tendrement son épouse.

— Ne m'en parle plus. Au départ, je tombe le portefeuille, je me penche pour le ramasser et on me colle une selle sur le dos.

— Et alors ? questionne l'épouse.

— Et alors, je suis arrivé second.

***

Une véritable horde de gamins en survêtements poursuit une gamine du même âge. Le petit Marius débouche sur la piste et les suit.

Quand il arrive à la hauteur du dernier, il lui demande :

— Je peux venir ?

— Oui, répond le gosse, quand il y en a pour deux, y en a aussi pour trois. On court après la fille pour lui faire l'amour.

— Ah bon, dit le gosse. Et il redouble de vitesse.

Après trois tours de stade, il y a eu beaucoup d'abandons et le petit Marius commence à montrer des signes de faiblesse. Alors, il dit au grand, en sueur à côté de lui :

— Bon, moi, je fais l'amour encore un coup et puis je m'arrête.

***

Toutes les femmes qui sont sur la plage regardent le maître nageur. Il est grand, blond, musclé, beau comme un Dieu et nage à une vitesse incroyable.

Soudain, une fille superbe se jette à l'eau et le dépasse en quelques brasses dans un style superbe.

Le gars perd la face et la rejoint tout essoufflé sur le sable alors qu'elle ne montre aucun signe de fatigue.

Il l'aborde et lui demande :

— Dites donc, vous êtes une vraie championne de natation !

— Non, dit la dame, je fais le trottoir à Venise.

***

Les arbitres marseillais ont une bien curieuse façon pour chronométrer les fins de round d'un match de boxe.

— Quand l'adversaire est en train de terrasser un de nos concitoyens, il peut compter de cette façon : un et deux et trois — attention on arrive à quatre — c'est bientôt cinq et il ne reste plus que cinq secondes. Et maintenant, c'est peut-être six... etc, etc. Ça peut durer cinq bonnes minutes.

— Quand c'est le contraire et que le Marseillais vient de mettre son adversaire à terre, c'est beaucoup plus simple : un, deux, trois, quatre, cinq et cinq, dix.

Imaginez ce que peut donner le compte rendu sur les quotidiens du lendemain, ce qui m'amène tout naturellement à parler des journalistes.

***

Les journalistes ou les perles de la presse du Midi

Pour couronner la réunion et le repas de la cellule communiste de Mazargues, aura lieu une projection de « Le rouge et le noir ».

***

Au Lido, le soir « Le dernier train du Katanga ». Voir horaires selon les jours.

***

Du lundi au vendredi au Comédia : « Un drôle de dimanche ».

***

Au cinéma l'Edma : « L'auberge du cheval blanc » (en couleurs).

***

Au Lido demain soir : « Les aventuriers du Mékong ». Quelque part dans la brousse, cinq hommes sont réunis autour d'une belle fille pour l'aventure. En se penchant fébrilement sur ce trou où un groupe de patriotes exalté a caché, il y a quelques années, des lingots d'or. Excitante aventure.

***

Au palais des festivals — Programmes du mois de juin.

Le 1er — Amphitryon.
Le 2 — Hélène de Troie.
Le 4 — Jules César.
Le 5 — Charles de Gaulle.

***

Et du côté des petites annonces.

32 ans. Née vierge à Marseille. Désire changer pour Paris.

***

Jeune fille 25 ans cherche jeune homme âge indifférent style Alain Delon. Imitateurs s'abstenir.

***

Hôpital militaire Toulon demande d'urgence boucher-charcutier qualifié avec références sérieuses.

***

A vendre 850 kilomètres de Paris superbe château avec parc, points d'eau et dépendances de style. S'adresser Versailles. Tél...

***

A vendre d'urgence lait frais. S'adresser au SEIN (Société d'élevage industriel de Nîmes).

***

Ou des titres qui font « la une »...

A 91 ans, Auguste Lumière s'est éteint.

***

Sur l'autoroute de l'Estérel, les trombes d'eau étaient si épaisses que la visibilité a dû être interrompue.

***

Le Palais de Justice d'Aix s'est écroulé au moment où le ministre de la Prévoyance venait d'en sortir.

***

Après l'accident de Claude Antant-Lara dans notre région, sa carrosserie n'avait plus forme humaine.

***

Et comme en Provence, tout finit par des chansons :

— Monsieur Chouquet a sauvé l'honneur méridional en chantant « La Paimpolaise » au cours du Banquet des vieux de Saint-Savournin.

V. LA VILLE

On ne peut pas quitter Marseille sans parler de l'un de ses plus beaux fleurons : les bars.

Voilà donc quelques histoires qui sentent le « pastagua », le poisson et la cigarette.

***

— Garçon, un ca - un ca- un café dit péniblement un bègue accoudé à un comptoir.

— Quoi ? demande le garçon qui sert un autre client tout en l'écoutant d'une oreille distraite.

— Un ca - un ca - un café - si - si- s'il - vou- vous pl-vous plaît, annonce le monsieur. Quelques minutes après, le garçon revient.

— Oui, qu'est-ce que vous m'avez demandé déjà tout à l'heure ? demande encore une fois le garçon étourdi.

— Un ca- un ca- un caf- enfin une limonade.

***

Un bar de la fameuse rue « Longue », véritable cour des miracles de la ville.

Le patron offre la tournée.

— Aujourd'hui, je marie ma fille.

— Oh, la putain ! s'exclame un client.

— Non, pas celle-là, l'autre, répond le patron.

***

C'est une manifestation qui passe par le cours Joseph Thiers. Un participant entre dans un bar pour se rafraîchir. Il arbore une magnifique pancarte sur laquelle on peut lire :

« Nous voulons du travail ».

— Ecoutez, lui propose le patron, si vous voulez, je peux vous embaucher. Justement, j'ai besoin d'un serveur pour la terrasse.

Et le Marseillais, sinistre, de répondre :

— Comment, monsieur. Nous sommes dix mille à manifester et c'est justement sur moi que vous tombez !

***

A Méjanes, un matador vient de toréer durant plus d'une heure sous un ardent soleil. Il arrive à Marseille.

Il entre dans un bar, commande une consommation et demande :

— Vous avez quelque chose à manger aussi ?

— Ce que vous voulez, monsieur.

— Alors, donnez-moi du « corned-beef ».

Chez les matadors, la vengeance aussi est un plat qui se mange froid.

***

Au bar, Marius dit à son copain Olive :

— L'autre jour, je suis allé au cinéma voir « Les Vignes du Seigneur ». C'était très bien mais figure-toi qu'au début, il y avait un petit film de la ligue anti-alcoolique. J'ai tellement été touché qu'en rentrant chez moi, je me suis dit que c'était bien fini et qu'on ne m'y reprendrait pas de sitôt !

— Alors, tu ne bois plus ? lui demande Olive.

— Non, je vais plus au cinéma.

***

— Un pastis, patron.

Le client boit et demande le prix pour régler.

— Deux francs, monsieur.

— Comment ! Mais ça a encore augmenté ?

— Pas du tout, monsieur. C'est quatre francs assis à la terrasse, trois francs assis dans la salle et deux francs debout accoudé au comptoir, lui explique le patron.

— Très bien, alors la prochaine fois, vous me servirez au cabinet et je le boirai sur une jambe.

***

Marius cherche du travail comme barman.

Il rentre dans un établissement chic de la rue d'Aubagne. Personne.

Il va vers le comptoir, se penche, et voit le barman en train de se faire la petite serveuse.

Pour ne pas les déranger, il se dirige vers la porte où est inscrit « Direction » et frappe. Personne. Il entre et voit un monsieur et une dame entièrement nus sur le bureau en train de procéder à quelques travaux pratiques.

Au moment de sortir, il aperçoit sous l'escalier qui mène au premier étage, quatre jambes qui sortent d'un réduit à balais.

Dégoûté, il sort de l'établissement et voit un couple de chiens faire ce qu'il est convenu d'appeler une chose naturelle.

Alors Marius prend les deux chiens, entre à nouveau dans le bar, les pose sur le comptoir et lance à la cantonade :

— Ne vous dérangez pas, je vous rends votre enseigne.

***

Une pancarte est apposée sur un bar privé :

« Tenons table ouverte pour cercle d'amis très fermé ».

***

Marius chute du cinquième étage de son immeuble. Par une chance inouïe, il tombe sur la toile d'un camion garé devant le café de son copain Olive.

Celui-ci se précipite vers lui avec un verre d'eau.

— Oh fan* ! Marius, j'ai eu chaud, remets-toi de tes émotions.

— Dis, de quel étage, il faut que je tombe pour avoir droit à un pastis ?

***

Un Marseillais doit boire vingt pastis pour marcher de travers comme un crabe.

Un crabe marche de travers naturellement.

Pourquoi ?

Parce qu'il boit pas de pastis. Naturellement.

***

Un type est assis dans un bar sur une table en face d'Hyppolite. Inlassablement, il fait des boules de papier et les lance sous la table d'Hyppolite.

— Coquin de sort ! Qu'est-ce que vous faites depuis tout à l'heure ? Vous voyez bien que je suis submergé

* Expression équivalent à peu près à « ça alors ».

par vos boules ! Alors arrêtez un peu !

— C'est pour éloigner les éléphants, lui répond l'autre.

— Qué éléphant ! Vous êtes pas marteau, vous ? Y a jamais eu d'éléphant dans ce café ?

— Eh alors, vous voyez bien que c'est efficace.

***

C'est l'histoire d'un pauvre noir qui s'est perdu dans le massif de La Sainte-Beaume. La faim le tenaille et pour ne pas mourir, il attrape une aragne*. Celle-ci lui dit :

— Ecoute coco, je suis un bon génie alors si tu me relâches, je peux t'exaucer trois vœux, je t'écoute.

— Eh bé, fait le brave noir étonné, je voudouez dé l'eau, je voudouez voir des culs, beaucoup de culs et je voudouez etoueu blanc.

C'est comme ça qu'il s'est retrouvé cuvette de WC au « bar de la Marine » de Marseille.

***

Un touriste entre dans un tabac du Port. A la caisse est posé un panneau ainsi rédigé : « Sardines à vendre ».

Et le monsieur de poser l'évidente question :

— Pourquoi vendez-vous des sardines dans un débit de tabac ?

— Pourquoi ? Les fumeurs ne mangent pas de sardines.

***

Ce malabar entre et commande un double pastis bien « serré ».

Il le boit d'un trait, prend un tabouret, en casse les quatre peids, jette le tout par terre et s'en va sans payer.

Un tout petit bonhomme accoudé à l'autre bout du comptoir commande un diabolo-menthe, le boit d'un trait,

prend un tabouret et se casse la jambe.

***

Un autre client entre dans un autre bar.

— Patron, deux pastis dans deux verres.

Et c'est ainsi tous les jours pendant des semaines jusqu'au jour ou le patron, intrigué par la singulière habitude de son client, lui en demande la raison.

— C'est bien simple. Mon ami Ignace est parti s'installer en face, en Algérie, et quand je l'ai accompagné au bateau, on s'est fait la promesse réciproque de boire chaque jour deux verres de pastis chacun de notre côté en souvenir de notre belle amitié. Comme cela, on a encore un peu l'impression d'être ensemble.

Pourtant, un jour, ce client ne commande plus qu'un seul verre.

Et le patron, un peu intrigué, lui en demande encore une fois la raison.

— Dites-moi, il est arrivé quelque chose à votre ami ?

— Non, il va très bien mais mon docteur m'a ordonné de ne plus boire.

***

C'est un ancien d'Afrique qui raconte ses souvenirs de brousse.

— Et alors, je me suis trouvé devant un de ces lions, il était plus gros que les statues du Palais Longchamp. Je charge mon fusil, il s'approche, je vise, il s'approche encore plus, le fusil s'enraye. Et le gars se siffle son pastis pour faire une pause qui, bien sûr, tient les autres en haleine.

— Et alors ? demandent-ils en chœur.

— J'ai chié dans mon pantalon.

— Et quand c'est arrivé, ça ?

— Maintenant.

***

* Araignée.

430

Un type vient de finir son dixième pastis et semble un peu soûl.

Le garçon s'approche de lui et murmure :

— Ecoutez monsieur, je ne vous connais pas mais vous êtes déjà à moitié empêgué...

L'autre le reprend en élevant la voix.

— Moi, empêgué, vous rigolez, non ? Je tiens le coup, moi ! Allez, remettez m'en un et pour vous prouver que je suis pas empêgué, vous voyez le chat qui rentre en face, vous voyez bien ses deux yeux ?

— Il rentre pas, monsieur, il sort.

***

Celui-ci entre dans un bar et commande un double pastis.

Après l'avoir bu, il dit au garçon.

— Ecoutez, j'ai peur de personne.

Et il s'en va sans payer.

Dix minutes après, il revient et répète au garçon :

— Ecoutez, vous, j'ai peur de personne ! Alors, un double pastis.

Et le scénario se déroule ainsi cinq ou six fois.

Le garçon s'approche alors d'un consommateur accoudé au bout du comptoir.

— Ecoutez monsieur, ça fait trois fois qu'un client entre, commande un double pastis, le boit, me menace et s'en va sans payer. Vous qui êtes costaud, vous pourriez peut-être m'aider à lui faire peur si jamais il revient ?

Effectivement, quelques minutes plus tard, le type réapparaît.

— Patron, donnez-moi un double pastis et je vous préviens, j'ai peur de personne.

L'autre client s'approche de lui et dit au garçon :

— Moi non plus j'ai peur de personne. Alors : deux pastis doubles.

***

Ce couple vient de se disputer à la table d'un bar où ils sont assis en tête-à-tête.

Le monsieur éternue.

La dame, conciliante, chuchote

— A tes souhaits.

Et elle meurt sur place.

***

C'est un grand café à l'angle de la Canebière et de la rue Saint-Ferréol. Le directeur surveille son personnel depuis la caisse et aperçoit au fond de la salle un serveur appuyé sur une table qui semble réfléchir.

Il va voir le garçon et lui demande.

— Alors mon petit, qu'est-ce que vous faites comme cela ?

— Moi, rien, monsieur le directeur.

Mais le directeur avise un autre garçon qui, lui, est tranquillement assis au fond de la salle en train de fumer un cigare en le regardant.

— Et vous, jeune homme, peut-on savoir ce que vous faites ? interroge le directeur furieux.

— Moi, j'aide mon collègue.

***

— Marius, j'ai une affaire terrible, dit Olive devant son pastis.

— Alors pourquoi tu la fais pas toi ? lui répond Marius.

***

Voici quelques petites annonces ou entrefilets parus dans la presse régionale :

— Trois morts au bar des « Bons vivants ».

— Monsieur Magnan, patron du café « Au bout du monde » vient de mourir.

— Café des Acoules demande serveuses couchées. Tél. pour R.V.

— Règlement de compte au bar « Aux armes de Marseille ».

— Les dix mille manifestants se sont ensuite rendus au bar des Cinq avenues.

VI. LA RADIO

Avec Patrick Roy

Un grand orchestre doit passer au « Palais de la Méditerranée » de Nice. Mais le pianiste a quarante de fièvre et ne peut quitter sa chambre d'hôtel. Le directeur téléphone à un agent artistique local et lui demande un musicien au pied levé pour remplacer le pianiste défaillant.

— J'ai pas de pianiste mais j'ai un cheval.

— Vous avez un cheval ?

— Oui, oui, n'ayez aucune crainte, il joue du piano comme Errol Garner. Je vous l'envoie tout de suite.

Effectivement, le soir, un véritable virtuose joue du sabot. Dès le lendemain, l'épidémie continue. Cette fois-ci, le premier saxo est groggy.

Nouvel appel du directeur à l'agent artistique.

— Dites-moi, j'ai mon premier saxo qui a une fièvre épouvantable. Vous pouvez me le remplacer ?

— Aucun problème, je vous renvoie le cheval.

Et le soir, le cheval joue du saxo comme Stan Getz. Prodigieux.

Surlendemain, c'est au tour du trompettiste.

Re-cheval. C'est Louis Armstrong.

Deux jours plus tard, le clarinettiste.

Re-cheval. C'est Sidney Bechet.

Le cinquième jour, alors que les autres musiciens se sont rétablis, le batteur a un accident de voiture.

— Dites-moi, monsieur, mon batteur est malade, vous pouvez m'envoyez le cheval ?

— Pourquoi, s'étonne l'agent, vous avez déjà vu un cheval jouer de la batterie, vous ?

Comme l'ordre des programmes sur R.M.C. me permet de reprendre l'antenne à Patrick, je peux compléter mon histoire.

Nous arrivons donc au cinquième jour où le batteur a un accident de voiture. Le directeur téléphone donc à l'agent pour lui demander son cheval.

— Il est malade, lui répond l'agent. Il a une fièvre... de cheval.

***

Avec Jean-Pierre Foucault

— Est-ce que tu connais la différence entre les autobus de Paris et ceux de Marseille ?

— A Paris, il est interdit de parler au chauffeur.

— A Marseille, il est interdit de répondre au chauffeur.

***

Avec Frédéric Gérard

Frédéric, on le sait est le fils du regretté comédien Arius. Le fameux Maître Rostaing de « Naïs » où mon père était Toine.

Du Pagnol inspiré de Zola.

Paris transporté à Cassis. Pourtant, de ce petit port de pêche situé à quelques kilomètres de Marseille, vous pouvez lire sur les toits des autobus qui y accèdent :

« Qu'a vis Paris e noun Cassis a ren vis. »

Qui a vu Paris et non Cassis n'a rien vu. Ce qui nous a rappelé ces noms d'artistes chers à nos compatriotes.

Des noms comme des noms de ville ou de quartier : Juliette Saint-Giniez, Luce Catalans ou Ange Vitrolles.

C'est une des joies de ces galas

donnés dans cet arrière-pays qu'affectionne particulièrement Frédéric et où, d'ailleurs, il habite. Quand une vedette est engagée par un comité des fêtes local, on fait appel à lui (et à R.M.C.) pour parrainer et présenter le spectacle.

Et les vedettes dites « anglaises » ou « américaines » sont souvent des chanteurs régionaux.

Quel plaisir d'annoncer alors :

— Et voici mesdames, mesdemoiselles et messieurs, pour la première fois sur la scène d'Eze-Village : « Guigue de Beaulieu ».

C'est à trois kilomètres à vol d'oiseau.

Mais ce sont ces « Chichois de la Bédoule » ou ces « Honoré de Villefranche » qui sont le plus applaudis.

Plus que la vedette.

On n'est pas chauvins par ici.

***

Avec Léon

L'âme damnée de Jean-Pierre Foucault. Habitué plus aux boutons de console qu'à ce micro qu'un jour, le succès lui a mis dans les mains. Un véritable sens du gag fait de lui un des plus sûrs continuateurs de l'humour à la Raymond Devos.

Voici des histoires cueillies au détour de quelque couloir, que notre bien-aimé directeur nous pardonnera de préférer à la moiteur de ses bureaux.

Il était tellement petit qu'on aurait dit qu'il était loin.

Il était tellement petit qu'il s'est suicidé en sautant du trottoir.

Il était tellement petit que pour sortir de sa baignoire, il lui fallait une corde de rappel.

Le « rappel » dans le spectacle, c'est quand le public en redemande.

Pour Léon, c'est simple, il suffit d'ouvrir un bouton.

Et personnellement, aussi loin que je sois, c'est un geste que j'ai plaisir à faire.

Je ne voudrais faire de tort à personne en oubliant un (ou une) de mes nombreux(ses) amis(es) de la station monégasque, alors je vais me permettre de leur dédier cette petite histoire.

C'est aussi, pour chacun de nous, une leçon d'humilité.

Frank Sinatra appelle un jour R.M.C. où il a, chuchote-t-on, quelques relations.

— Frank Sinatra à l'appareil, vous pouvez me passer X ?

— Vous pouvez me répéter votre nom, s'il vous plaît, monsieur ?

— Frank Sinatra, madame.

— Attendez, je n'ai pas compris, Frank comment ?

— Frank Sinatra, madame. Le chanteur, vous savez.

— Epelez, s'il vous plaît.

Une dernière.

Savez-vous ce qu'est une pause qui introduit l'idée d'un repos en cours d'activité ?

Une Station.

Etonnant, vous ne trouvez pas, cette définition de Radio Monte-Carlo ?

VII. ET MON PÈRE

J'ai donc accepté d'être le fils de mon père dans « En avant la musique » surtout parce que ma sœur Josette avait déjà fait ça une fois dans sa vie et que ça lui était passé aussitôt.

Le hasard allait en décider autrement pour moi.

Marc-Gilbert Sauvageon, l'auteur dramatique, me télégraphie à Rome où il savait que je faisais mes débuts.

Je lui ai répondu que je n'étais pas comédien.

— Tentez l'expérience, au moins, m'a-t-il dit, en me destinant secrètement une pièce qu'il avait dans ses tiroirs depuis deux ans.

J'ai donc commencé à travailler la comédie avec un ami à lui, à Versailles, qui me faisait réciter du Shakespeare, du Victor Hugo avec mon « assent » épouvantable.

C'est à cette époque de ma vie que je me suis dit que je ne pourrais jamais jouer la comédie.

Je me suis pourtant retrouvé sur les planches le 19 avril 1963 avec une pièce méridionale où je me suis « baladé ».

Mais j'avais vraiment la ferme intention de ne pas continuer.

— Si on te le propose, fais-le. Pourquoi refuserais-tu ? me disait mon père.

J'ai alors appris à mes dépens que nous exerçons le plus difficile métier qui soit. Mais j'ai eu la chance d'avoir un professeur extraordinaire en la personne de mon père et autour de moi, des personnalités fantastiques.

***

Gary Cooper

J'avais dix-sept ans et je m'étais fait faire une veste sur mesure chez un célèbre tailleur de Marseille. C'était l'époque où j'habitais encore aux « Mille Roses » et je ne montais à Paris que pour les grandes occasions. L'arrivée du cow boy américain en fut une en même temps qu'un cadeau d'anniversaire. J'avais vu tous ses films, des « Trois lanciers du Bengale » au « Train sifflera trois fois ». Quand il m'a vu, moi le petit « français du pays de Marius », il m'a serré la main et avec son célèbre sourire m'a lancé :

— Hello, big boy ! (Salut, grand garçon)

De la part d'un homme qui mesurait près de deux mètres, je ne sus comment le prendre. Mais quand je repense à la façon « très avantageuse » dont avait été taillée ma veste, je comprends maintenant qu'il a dû un peu se foutre de moi. Mais sans méchanceté.

Je n'ai pas gardé la veste mais bel et bien le souvenir de cette rencontre avec une idole de ma jeunesse.

Cinq ans auparavant, mon père jouait une pièce qui s'appelait « Tu m'as sauvé la vie », de Sacha Guitry. Un soir, je vais le voir au théâtre et il me présente « le Maître ».

Il m'a fait un sourire dans le genre :

— Il est gentil ce gosse.

Mais quand je fais mine de repartir un peu gêné, il fronce les sourcils et me pose la question rituelle à cet âge.

— Alors, mon garçon, l'école, ça marche bien ?

Et c'est mon père qui lui répond — pensant un instant que je puisse faire une bourde.

— Oui, il aime pas trop ça, il préfère la musique.

Et grand seigneur, Guitry se tourne vers mon père et lui répond :

— Mais, mon cher Fernand, n'oubliez pas que moi, je n'ai même pas le certificat d'études. Alors qu'il ne s'inquiète donc pas, ce garçon.

C'est un de mes premiers conseils que j'ai d'ailleurs suivi. Je ne m'inquiète jamais !!!

Gino Cervi était un homme que j'ai peu connu mais dont le souvenir me laisse celui d'une classe peu commune.

Celle des hommes simples.

Il y eut dans mes fabuleuses rencontres celle du petit anglais parti un jour de son pays pour y conquérir l'Amérique. Elle le répudia mais en fit l'un des hommes les plus célèbres du monde. Mon père l'admirait beaucoup et je crois qu'il le lui rendait bien.

Ah ! J'allais oublier de vous dire son nom.

Il s'appelait Sir Charles Spencer Chaplin, plus connu sous le nom de Charlot.

Ces « grands » du métier, bien que très jeune alors, m'ont finalement beaucoup marqué. Je crois que même encore maintenant, j'essaie de faire ce métier comme ils le faisaient eux, c'est-à-dire très simplement. C'est peut-être aussi ce qui, d'une certaine façon, me rend un peu, disons « marginal », par rapport au métier que je fais.

Il y avait un côté très près du peuple qui plaisait chez mon père. Aujourd'hui encore, beaucoup de gens m'arrêtent pour me parler de lui. Certains se targuent de l'avoir connu soit à l'école, soit à l'armée ou dans sa vie de tous les jours. D'autres à sa première communion, dans un film ou chez son garagiste. Si j'avais chaque fois dû croire ces affirmations, je constate qu'il aurait usé ses culottes sur les bancs de deux cents écoles, qu'il aurait fait vingt ans d'armée, vingt premières communions et j'en passe et des meilleures. Tout ça parce qu'il faisait partie du domaine public, parce qu'il avait une furieuse envie de donner mais aussi de recevoir, d'où ces amis nombreux auxquels j'ai donné la parole durant ces trop courtes pages.

— Vé, Franck Fernandel, vous savez, j'ai vu tourner votre père dans Né (Naïs)

Ou alors :

— Un de la région au lieu de « Un de la Légion ».

Ou encore :

— La berge rouge au lieu de « L'auberge rouge ».

Ou bien :

— Castagne au lieu de « Cocagne ».

Ou mieux :

— Pétrus au lieu de « Crésus » (bien que les deux existent).

Ou une fois :

— Les nœuds de la marine au lieu des « Bleus de la Marine ».

et :

— La soupe à l'huile au lieu de « La cuisine au beurre ».

Ce qui m'amène tout naturellement à parler d'André Bourvil.

Le seul lien qui unissait le Normand au Marseillais fut ce rôle du « Rosier de Madame Husson » qu'ils jouèrent tous les deux à vingt ans d'intervalle, jusqu'au jour où ils tournèrent « La cuisine au beurre ».

Je l'ai revu plusieurs années après le film de Gilles Grangier à un repas qu'avait organisé la Gaumont dans un grand hôtel parisien.

Je me souviens d'un détail significatif.

Il avait arrêté sa voiture pour me serrer la main, preuve d'une grande simplicité. Mais j'ai eu aussi ce soir-là une preuve de la futilité des gens de ce métier.

Je m'assieds donc à une table avec Bourvil et nos hôtes avaient prévu un orchestre afin que nous puissions souper en musique. C'était Georges Jouvin, qui d'ailleurs me gratifia d'un large sourire.

Mais revenons quelques années en arrière où je ne suis que le petit régisseur d'une minable tournée dont ce même monsieur Jouvin est la vedette. Le « trompettiste d'Or » m'a, je ne sais pour quelle raison, ordonné de porter ses valises, chose que j'ai naturellement refusé de faire. Ce qui l'a profondément vexé. Mais cela ne l'empêchait pas, ce soir-là, de me gratifier de ce fameux large sourire.

C'était encore une leçon pour moi.

Pour lui aussi, peut-être.

J'ai aussi appris à connaître des gens simples.

A « L'estaou de la Mer », la villa de Carry-le-Rouet, il y avait un garage avec une petite dépendance qui était inhabitée.

Un jour, un jardinier vient pour défricher le terrain envahi d'herbes folles. Quand il juge du travail à faire, avec le chemin qu'il doit effectuer chaque jour pour rejoindre Marseille où il habite, le jardinier hésite.

Mon père propose alors au brave homme de coucher dans la dépendance.

— Mais vous savez, la chambre n'est pas habitée depuis longtemps, il faudra

FRANCK FERNANDEL RACONTE...

que vous fassiez attention, il y a certainement de la poussière, et surtout des insectes, des araignées...

— Pensez-vous, réplique-t-il, ça fait rien. Chez moi, elles mes tiennent le pied du lit.

Un des plus grands plaisirs de mon père fut, on le sait, la pêche à la ligne. Son grand ami était justement un pêcheur de Carry qui venait le chercher pour aller taquiner le poisson dans le golfe au pied de la villa.

C'est lui qui un jour, dit cette merveilleuse phrase alors qu'il se sentait malade :

— Moi, je mourrai en pleine santé.

Un autre détail me revient à l'esprit.

Ces fameuses pêches de Carry, il les faisait toujours avec un matériel perfectionné — il était perfectionniste — et chose étrange, toujours acheté à Paris. Etonnant pour le Marseillais de pure souche qu'il était d'acheter ses hameçons et ses « piades » près des Ternes à deux pas de l'Etoile...

Raimu et mon père ont fait ensemble sept films en quinze ans.

On les disait rivaux mais ils furent les meilleurs amis du monde.

— C'est Raimu qui déclarait à propos de l'Alcazar :

— Tous les grands y sont passés, sauf le plus grand : Fernandel.

Et mon père, pour ne pas être en reste, répondait par la presse :

— Je suis peut-être le n° 1 mais « lui », il est « hors-concours ».

Ça voulait tout dire.

Et encore une bonne leçon pour moi.

Celle-là est moins comique. Elle nous concerne tous.

Enfin presque, si on omet les femmes.

On ne plaisante pas avec le service militaire. La première fois, je suis réformé, mais un plaisantin juge utile d'envoyer une lettre anonyme. On revient sur ma réforme, on me convoque et me voilà au secret.

En pleine guerre d'Algérie.

Je fais les trois jours à Tarascon avec le contingent et là, éclate le scandale.

J'ai la colonne vertébrale qui ressemble à du caoutchouc, une vue à me faire rater un char (blanc) dans un tunnel (noir) et un cœur malade à faire pâlir de jalousie Emmanuel Vitria.

Qui est, entre parenthèses, le seul homme au cœur greffé qui soit encore vivant.

Inutile de dire que c'est un Marseillais, on nous traiterait de chauvin.

Pour revenir à mon toubib de Tarascon, il m'annonce en termes clairs que je vais mourir très jeune, peut-être à trente-ans.

Merci, je vais très bien.

Et une bonne expérience de plus.

Mais il n'y en a pas que des bonnes.

J'ai eu beaucoup de voitures.

Des Mercedes, des Jaguar, des Alfa-Romeo, des Pontiac, des Triumph, des Mustang, des Thunderbird, bref des voitures qui roulaient vite.

Et qui avaient forcément des accidents.

Passons sur ces plaies et bosses.

Un jour, un monsieur me téléphone pour me proposer de tourner un film.

— Monsieur Franck Fernandel, j'ai un sujet pour vous, je vous l'envoie et je vous rappelle pour que vous me disiez ce que vous en pensez.

Le sujet est très bien et le bonhomme me rappelle plus tard.

— Ecoutez, puisque vous êtes d'accord et que vous êtes tout à fait mon personnage, vous pourriez également me dire qui vous verriez pour réaliser le film.

Alors là, je commence à penser sérieusement que j'ai affaire à un fou. Néanmoins, je lui cite Autant-Lara, Duvivier, Grangier — enfin des gens avec qui je voudrais bien tourner.

Et il m'a demandé comme ça

437

jusqu'au chef-opérateur en passant par l'habilleuse, le secrétaire et mon garde du corps.

— Ecoutez, mon cher Franck, je pars pour les Etats-Unis où j'ai là-bas une première — rappelez-moi dans une dizaine de jours.

Puis c'est le Brésil, le Japon, l'Angleterre, etc., etc.

J'ai finalement quelqu'un au bout de quinze jours qui m'annonce que le monsieur est en prison.

Je ne croyais plus jamais entendre parler de lui quand, un jour, une voix m'appelle sur les Champs-Elysées.

— Vous êtes bien monsieur Franck Fernandel ? Je suis ravi de vous connaître. Voilà, j'ai un projet pour vous...

J'avais reconnu la voix de mon farfelu.

Il doit encore m'attendre dans son bureau.

Ou peut-être est-il retourné faire un séjour à l'ombre ?

Personnellement, je préfère le soleil.

Même pour une expérience de plus.

Quand je pense que mon père avait dit à mon oncle :

— Celui-là au moins, il va faire un métier sérieux. Il sera docteur, notaire, avocat ou pharmacien.

Un malheureux concours de circonstances a tout gâché.

Donc, après la pièce de Sauvageon, parallèlement à ma carrière de chanteur, je me suis retrouvé sur le plateau pour « Cherchez l'idole » avec Dany Saval; le film réalisé par Michel Boisrond.

Elle portait dans le film le prénom de ma sœur : Josette.

Mais je ne me suis pas entendu avec elle comme avec Josette ma sœur. Passons sur cet épisode avec une partenaire qui n'était pas encore madame Michel Drucker.

« L'Age ingrat » est à l'origine le résultat de la longue amitié qui liait

Jean Gabin à mon père. Ce qui donna la Gafer, maison de production qui liait les deux hommes également sur le plan professionnel.

On tournait « L'Age ingrat » sur la plage de Saint-Mandrier.

Pour les besoins du film, on en avait interdit l'accès aux touristes et aux autochtones.

C'était un spectacle assez incroyable de voir mon père et Gabin seuls sur le sable et séparés par un cordon de police de mille personnes qui assistaient au tournage.

C'est à partir de cette époque que j'ai laissé en route mon métier de comédien pour ne faire que du théâtre et de la télévision mais surtout de la chanson. Je commençais déjà à souffrir du préjugé défavorable dû au nom que je porte.

Une autre forme d'expérience en forme de question posée et laissée sans réponse.

Jean Manse, mon oncle, fut je crois, le meilleur et le plus sincère ami de mon père. C'étaient deux beaux-frères qui s'aimaient comme des frères. Il a écrit pour lui des centaines de dialogues, de chansons; je crois que c'est lui qui lui en a écrit le plus.

L'une des grandes joies de mon père était de le déguiser et l'oncle Manse y prenait un réel plaisir.

Il était tantôt gendarme, tantôt rabbin, tantôt curé ou clochard. Dans « Ali Baba », mon oncle se déguise un jour en Emir de je ne sais quoi. Un assistant vient alors trouver discrètement mon père et lui demande :

— Monsieur Fernandel, il y a l'Emir qui veut vous saluer. Puis-je le faire entrer ?

— Mon père accepte et ne s'étonne point de cette visite car il se sait très apprécié parmi la population arabe.

Mon oncle entre, maquillé comme

un prince du désert de la meilleure dynastie.

Mon père lui a parlé un quart d'heure sans le reconnaître...

C'est mon oncle qui a éclaté de rire le premier.

Une autre fois, mon oncle a improvisé une scène dans l'un des « Don Camillo ».

Mon père entre dans une maison avec un tank et demande à un pauvre bougre assis à une table :

— Vous avez fait votre prière ?

— Oui mon révérend, lui répond l'autre.

Jean Manse fut un peu le Maupi de mon père.

Je me souviens également des gens qui ont entouré mon père aux « Mille Roses » outre Jeanine et Josette mes deux sœurs et Henriette, ma mère.

Il y avait également Mme Olive, une lavandière qui m'a connu dès l'âge de trois ans. Cette brave dame m'a vu toute sa vie comme un petit garçon que je n'étais pas resté. Elle était aussi assez dépassée par le progrès. Un jour qu'elle m'avait vu à la télévision, elle dit à ma mère :

— Vous savez madame, monsieur Franck à la télévision, il m'a dit bonjour.

Notre jardinier Bastien fait aussi pour ainsi dire, partie des meubles. Un jour, je lui dis que je pars à la neige à Mégève.

Je reviens quelques jours, peut-être quelques semaines après.

C'est lui qui m'ouvre le lourd portail en fer de la propriété :

— Oh Franck, vous avez drôlement grandi à la « colline ».

C'est pendant toutes ces années passées près de mon père que j'ai aussi connu le véritable sens de l'humour marseillais.

Il avait déclaré un jour à mon propos :

— Vous savez je suis content d'avoir un fils qui chante et quand on est allé au Canada tous les deux, je me suis aperçu qu'il était plus connu que moi !

J'ai appris l'humilité des grands.

Je me dis aussi que certains comédiens français feraient mieux d'aller travailler aux Dames de France (l'équivalent marseillais du Printemps, le magasin des grands boulevards parisiens) ou à la mairie de Saint-Laurent-du-Var.

Certains musiciens ou chanteurs également.

Je suis heureux d'avoir fait ce livre avec Jean-Jacques avec le même plaisir que lorsque j'ai joué dans un de ses courts métrages en 71 ou l'an dernier dans « Monsieur Marcel Marius », son premier long métrage, où j'avais le rôle d'un « personnage de ponctuation ».

Pour conclure, c'est encore Marcel Pagnol qui nous donne une leçon de rire.

Le 28 février 1895, naissait à Aubagne le célèbre académicien. Le 28 février 1935, les frères Lumière, proches voisins puisqu'ils habitaient La Ciotat, lui télégraphiaient en ces termes :

« Venez jeudi pour célébrer le 40e anniversaire. » Quel honneur, se dit Pagnol, non seulement ils savent ma date de naissance mais encore ils m'invitent à le fêter. Ce n'est qu'arrivé à la fête qu'il s'est aperçu de sa bévue...

Le 28 février 1895, c'était aussi l'invention du Cinéma, et le 28 février 1935, on fêtait ses quarante années d'existence !

*****
***

439

Armand Isnard

les bonnes blagues
des petits suisses

ROMANDS CONTRE ALÉMANIQUES

« Il n'y a pas de Suisses. Il n'y a que des Bernois, des Genevois et ainsi de suite... soit en fait vingt-deux nations différentes mais aucun Suisse typique. »

C'est vrai. Il est juste d'ajouter que pour le cas où un péril quelconque menacerait le pays, il n'y aurait plus de cantons, mais une seule et unique Suisse.

Mais, c'est vrai ! Les Suisses alémaniques appellent les Romands « Les gueules élastiques » se référant aux plaques minéralogiques de leur voiture marquée G.E. et les Genevois, pour leur part, nomment les vaudois « Les Vaches dangereuses », se référant eux aussi aux plaques minéralogiques des véhicules du canton de Vaud marqués V.D.

C'est dire que, pour n'être pas hostiles, les rapports entre Romands et Alémaniques (les seconds représentant environ 70 % de la population) ne sont pas toujours teintés d'amabilité.

Exemples ces histoires que les Fribourgeois racontent volontiers sur les Welsches (Les Suisses Alémaniques appellent ainsi les Suisses Romands) auxquels ils reprochent surtout leur célèbre lenteur.

Un Genevois reçoit un ami Français :
— Tac ! lui dit-il.
Puis, après dix minutes :
— Tac !
Enfin, au terme d'un long silence, il ajoute :
— Tac ! C'est une devinette. Qu'est-ce que c'est ?

— J'en sais rien ! avoue le Français.
— On peut dire que vous n'êtes pas futé à Paris ! s'exclame alors le Genevois, c'est une mitraillette !

***

Le speaker de la radio suisse Romande diffuse, chaque jour, sa leçon de culture physique :
— Levez, baissez, levez, baissez, levez, baissez.
Puis, après un court silence :
— Et maintenant, l'autre paupière...

***

Un Genevois parle si lentement que lorsqu'il se met à vous raconter son passé vous en faites déjà partie.

***

Un brave Genevois montre un abonnement au receveur du bus Cornavin-Le Rondeau de Carouge :
— Mais, il s'agit d'un abonnement scolaire au nom d'un pousse-cailloux (enfant en bas âge) de 5 ans ! proteste le receveur.
Alors, le Genevois :
— Alors, maintenant, vous pouvez constater par vous-même combien de temps j'ai attendu votre sacré bus !

***

On sonne chez les Berthelier, place

441

XXII cantons. Monsieur Berthelier va ouvrir :

— Áh ! C'est le plombier ! Enfin ! Voilà huit jours que nous vous attendons !

— Huit jours ? fait le plombier, surpris, en refermant sa boîte à outils, j'ai dû me tromper d'appartement ! Là où je vais, ils m'ont appelé y'a deux mois !

***

A quoi reconnaît-on qu'un Genevois est énervé ?

A ce qu'il dit deux phrases à la minute.

***

Un Français entre dans la boutique d'un savetier de la rue de la Confédération, dans la Vieille Ville :

— Bonjour, cher monsieur, débite-t-il d'une voix pressée. Je ne fais que visiter votre ville, petite mais charmante, oh ! combien charmante. Ah ! Ce parc Mon-Repos, quelle petite merveille ! La dame du kiosque du coin, qui m'a donné votre adresse, m'a dit que vous étiez savetier. Vous êtes bien savetier, n'est-ce pas ? Il m'est arrivé un incident stupide, un de ces fait qui sont monnaie courante dans notre bas monde. En marchant sur le bord du trottoir, au coin de la rue Croix-d'Or et de la rue Céard, j'ai coincé le bout de ma chaussure dans le caniveau et j'en ai arraché un morceau. Ce sera pour vous l'affaire d'une minute. Un petit bout de cuir grand comme l'ongle de l'auriculaire et le tour est joué. Une plaquette et deux petits clous, vous voyez ce que je veux dire. Je vous laisse mon soulier. Nous allons visiter la ville avec ma femme et ma belle-mère. Donc, je vous laisse ma chaussure, j'irai à cloche-pied. Quand on a vécu la guerre et ses atrocités... Je reviens à six heures, c'est dit !

Le savetier levé la tête de dessus la semelle qu'il rapetasse et dit lentement :

— Entrez !

***

Cet avis figure sur la vitrine d'un marchand de chaussures de la rue Pécolat, près de la Place des Alpes :

— 10 % de réduction à toute cliente qui aura effectué un achat dans les 20 minutes suivant son entrée dans le magasin.

***

Le train s'est arrêté plusieurs fois à peine vingt kilomètres après avoir quitté les Eaux-Vives (l'une des gares principales de Genève avec Cornavin) en direction d'Annemasse.

Une voyageuse met la tête à la portière, constate que le convoi est stoppé en pleine campagne et appelle le contrôleur :

— Est-ce que je peux descendre cueillir des perce-neiges ?

— Mais ! s'étonne l'employé des C.F.F. (Chemins de fer fédéraux), il n'y a pas de perce-neiges ici !

— Ça ne fait rien ! lui lance la dame, j'ai emporté des semences !

***

On croit généralement que l'inscription S.B.B.-C.F.F. qui figure sur les wagons des trains suisses signifie Chemins de Fer fédéraux.

En réalité, cela veut dire : c'est bas bossible, ça fa fite.

***

Trois semaines par an seulement, c'est l'époque de la chasse, en Suisse.

Ce jour-là, on entend un coup de fusil.

Un quart d'heure après, un second coup de fusil.

Une demi-heure plus tard, un troisième coup de fusil.

Alors, le Loyon (Louis, en Suisse) s'écrie :

— Tiens ! On tire à la mitrailleuse !

***

Il est juste de dire que les autres histoires que les Fribourgeois racontent sur les Genevois concernent plus particulièrement l'intelligence de ces derniers. Qu'on en juge.

Un contrôleur entre dans un compartiment du train Genève-Lausanne :

— Billets ? demande-t-il.

Un vieux monsieur lui tend son billet. Le contrôleur le regarde et, d'un ton désolé, déclare au noble vieillard :

— Vous vous êtes trompé de train, mon pauvre monsieur ! A Rolle, descendez et prenez le prochain train pour repartir sur Nyon !

Une dame brune, assise à côté du vieux monsieur, tend à son tour son billet :

— Ah ! s'exclame l'employé, vous aussi ? Ah ! Vous vous êtes trompée ! C'est pas à croire, ça ! Vous n'aurez qu'à faire comme monsieur, ma petite dame !

Le contrôleur passe à la banquette suivante. Un couple tend ses billets. Le contrôleur les prend, les compulse et s'écrie :

— J'ai jamais vu ça ! Trente ans que je suis à la C.F.F. ! J'ai jamais vu ça ! Faudra faire comme ces messieurs-dames, madame et monsieur. Vous vous êtes trompés de train, vous aussi !

Le contrôleur passe dans le wagon suivant où il constate que les huit voyageurs qui l'occupent ont également pris le train qu'il ne fallait pas :

— Vous descendrez à la prochaine station ! tranche-t-il, énervé.

A Rolle, cinquante voyageurs, découragés et encombrés de paquets, descendent de leurs wagons et se dirigent vers le quai opposé.

Tandis qu'à contre-voie, le contrôleur saute du marche-pied et s'éloigne en toute hâte : il vient de s'apercevoir que c'est lui qui s'est trompé de train !

***

Comment un Genevois reconnaît-il sa main droite de sa main gauche ?

Il sait que sa main droite est celle où son pouce se trouve à gauche et que sa main gauche est celle où son pouce se trouve à droite.

Un Fribourgeois.

***

Qu'est-ce qui est moins doué qu'un Genevois ?

Deux Genevois.

Le même Fribourgeois.

***

Un Suisse a acheté un poste à ondes courtes car il habite un **très petit** appartement.

***

C'est l'histoire d'un Suisse qui, n'ayant pas le téléphone, est obligé d'écrire à l'horloge parlante pour savoir l'heure exacte.

***

Le Lolet (Louis) se trouve dans une cabine téléphonique de la rue de la Confédération, à Genève. Il pose soudain le combiné, prend un annuaire, le met par terre et monte dessus. Il parle quelques secondes au téléphone et recommence. Il prend un second annuaire, le place sur le premier puis reprend le combiné et crie :

— Ah, non ! Cette fois, je ne peux pas parler plus haut !

***

Une dame se présente à l'Institution Lavigny à Aigues-Verte (hospice des enfants malades) avec son petit garçon :

— Je ne sais pas ce qu'il a, docteur, depuis ce matin, il ne tient plus debout. Hier, il n'avait rien. Aujourd'hui, il tombe tout le temps !

443

Le médecin ausculte l'enfant, tente même de le faire marcher : en vain !

— J'ai peu d'espoir ! dit-il à la maman, je crois qu'il est hélas paralysé pour toujours !

A ce moment, une infirmière entre, regarde l'enfant et demande :

— Pourquoi vous lui avez mis ses deux jambes dans la même jambe de son pantalon, à ce gosse ?

***

A quoi reconnaît-on qu'un enfant suisse a un idéal ?

A ce que plus tard il veut être retraité des douanes.

***

Il est trois heures du matin. Monsieur Favre, de Neuchâtel, est réveillé par un coup de sonnette. Il passe une robe de chambre, ouvre sa fenêtre et hurle :

— Qu'est-ce que c'est ?

— Vous êtes bien monsieur Favre ? demande une voix.

— Oui.

— Bon, alors, voilà ! J'arrive de Genève où j'ai rencontré votre ami Huguenin ! Il vous fait toutes ses amitiés !

— Vous vous fichez de moi ? hurle encore le malheureux ensommeillé, dites à cet abruti de Huguenin que je lui botterai le derrière. Ça lui apprendra à m'envoyer des traîne-grolles (voyous) qui me font sortir de mon lit pour me dire ça !

Monsieur Favre claque la fenêtre d'un geste rageur puis se recouche. Quelques minutes plus tard, nouveau coup de sonnette. Monsieur Favre se penche à nouveau à sa fenêtre :

— C'est toujours moi, entend-il, vous m'avez bien dit de prévenir Huguenin que vous lui botteriez le derrière ?

— Parfaitement !

— Bon ! fait la voix. Et est-ce qu'il doit venir à Neuchâtel pour ça ou bien est-ce que vous irez vous-même à Genève ?

***

Un Suisse vient d'apprendre qu'il fallait cueillir les cerises avec la queue. Il se demande bien comment il va faire, lui qui a déjà tant de mal à les cueillir avec la main.

***

Un Genevois allume son feu avec *La Tribune* de Genève depuis qu'on lui a dit que c'était un journal à grand tirage.

Un Vaudois.

***

Un Genevois se promène avec son petit garçon lorsque, soudain, l'enfant tombe en arrêt devant un trou creusé dans le sol :

— C'est un trou de quoi ? interroge-t-il.

— Je ne sais pas ! avoue le père. Mets-toi à quatre pattes et aboie, on verra bien !

Le petit garçon s'exécute et du petit trou sort un mulot.

— Eh bien, voilà ! conclut le Genevois, c'est un trou de mulot !

Un peu plus loin, l'enfant s'arrête de nouveau devant un trou un peu plus grand. Il se met à quatre pattes, aboie et voit un lapin filer sous son nez :

— C'était un trou de lapin ! dit le papa.

Ils arrivent enfin devant un énorme trou noir :

— C'est un trou de quoi ? questionne l'enfant.

— Je ne sais pas, dit le père, on va se mettre tous les deux à quatre pattes et aboyer. On verra bien !

Le lendemain, dans *La Tribune de Genève*, on pouvait lire dans la rubrique « Faits divers » et sous le titre « Issue fatale » :

— L'un de nos compatriotes, bon

444

père et excellent citoyen, a été écrasé avec son fils par un train à la sortie du tunnel de...

***

Pourquoi dit-on d'un Genevois qu'il est borné puisqu'on dit que la bêtise est sans limite ?

Un Bernois.

Un célèbre chef d'orchestre doit donner un concert au grand théâtre de Genève, place Neuve. Il cherche un trompettiste solo et, au terme de nombreuses auditions, engage Gusti dont la technique lui paraît sûre.

Le soir de la première représentation, le chef d'orchestre prête tout particulièrement l'oreille pour savoir si son nouvel instrumentiste se tire bien de sa tâche. Dans le silence, la trompette sonne, mélodieuse :

— Ta... ta, ta, ta, ta... ta, ta...

Et, tout à coup, la trompette s'interrompt. Gusti tourne la page de sa partition et, enfin, reprend :

— Ta, ta, ta... ta, ta, ta, ta, ta, ta... ta...

La représentation terminée, le chef d'orchestre fait appeler le trompettiste :

— Enfin, mon vieux ! Qu'est-ce qui vous a pris d'interrompre le morceau ?

— Ben, fait Gusti, fallait bien que je tourne la page de ma partition !

— Quoi ? explose le chef, mais, enfin, quoi, vous n'avez qu'à demander à l'un de vos voisins de tourner pour vous !

Le lendemain soir, seconde représentation. Le clarinettiste, voisin de Gusti, est attentif, à ses côtés, pour lui tourner la page au moment voulu :

— Ta, ta, ta, ta... ta, ta... ta, ta, ta... lance la trompette.

Le bas de la page arrive et le clarinettiste la tourne précipitamment. Alors, Gusti, machinalement :

— Merci, mon vieux ! A charge de revanche, hein ?

***

Dans un compartiment du train Genève-Lausanne, un peu avant Allaman, un Bernois et un Genevois sont assis face à face. Le premier, constatant que son vis-à-vis a une bonne tête naïve, se lève, feint de vouloir tirer la sonnette d'alarme, souffle, geint, puis retombe, épuisé :

— Laissez-moi faire ! fait le Genevois en se levant.

Il attrape la poignée, la tire avec violence et le train s'arrête en pleine campagne, à quelques kilomètres de Grandvaux.

Un contrôleur se présente :

— Qui a tiré le signal ?

— C'est moi ! fait le Genevois, fier de lui, et d'une seule main !

— Parfait ! fait le contrôleur, votre nom ?

— Oh ! fait le Genevois, c'est pas la peine, vous savez, moi, les médailles !

***

Un Genevois a rapporté de vacances un coquillage dans lequel il entend la mer.

Maintenant, il en cherche un dans lequel il pourrait entendre la montagne.

Un Vaudois.

***

Le Jean-François, plongé dans un buisson d'une rue de Névey semble chercher quelque chose. Passe le Loyon, un de ses camarades :

— Qu'est-ce que tu fais ? lui demande-t-il.

— J'ai perdu ma montre ! explique le Jean-François, désolé. Je l'avais achetée à La Chaux-de-Fonds à un prix avantageux. Ça m'embête parce que...

Le Loyon aide son copain à chercher dans le buisson. Passe un gapion (terme péjoratif désignant un agent de police).

— Qu'est-ce qui se passe ?

— Il a perdu sa montre ! explique le Loyon.

L'agent plonge à son tour dans le buisson et dix minutes plus tard celui-ci est complètement exploré : aucune trace de montre.

— Vous êtes sûr de l'avoir perdue ici ? demande l'agent.

— Non ! précise alors le Jean-François, elle est tombée dans l'égout, là-bas ! Mais, ça sent meilleur ici !

***

Quel est le comble de la perspicacité pour un Genevois ?

Lâcher un pet sur une chaise cannée et se lever pour découvrir par quel trou il est passé.

Un Vaudois.

***

Un Suisse achète un candélabre et dit au marchand :

— Vous auriez la paire, ce serait une pièce unique !

***

Un Suisse a failli perdre sa montre : elle s'était arrêtée et lui continuait à marcher.

***

Les Alémaniques disent que la naïveté des Romands est telle qu'elle éclate jusque dans les endroits les plus insolites.

Et ils racontent l'histoire de ce ver de terre genevois (bien sûr !) qui sort de son trou et qui, voyant un autre ver de terre à proximité, engage poliment la conversation :

— Beau temps, hein ?

Pas de réponse.

Un peu surpris, l'autre poursuit néanmoins :

— Espérons que ça ne va pas se gâter ! Il paraît qu'il pleut sur Annemasse...

Toujours pas de réponse.

— Remarquez ! poursuit le ver de terre genevois, que c'est bien fait pour eux. Seulement, lorsqu'il pleut à Annemasse, il pleut à Genève !

Pas de réponse.

Alors, le ver de terre genevois rentre dans son trou en murmurant :

— Ça y est ! J'ai encore parlé à ma queue !

***

Un Suisse est sûr que les lampes-flashes qu'il a achetées pour son appareil-photo marchent : il les a toutes essayées une par une.

***

Les Genevois ne se laissent pas ridiculiser sans réagir et les histoires qui courent la Suisse romande au sujet des voisins alémaniques (les Schtaubirnes, comme les appellent les Suisses romands) sont mordantes à souhait.

Cibles principales servant de thèmes à ces histoires : la dureté et le goût prononcé des Fribourgeois et des Zurichois pour la boisson, qui restent — toujours d'après les Genevois — les clients les plus assidus de la Croix-Bleue (Ligue anti-alcoolique suisse).

Trudi et Gretli bavardent Stockerstrasse, à Zurich :

— C'est comme je vous le dis, ma chère ami, ce pauvre Hans est mort. Si vous saviez le coup que ça m'a fait ! Nous vivions pratiquement ensemble... Le matin, je le voyais partir à son travail, Bernerstrasse-Sud, avec ses trois ou quatre bouteilles de Fendant (vin du canton de Zurich) dans son porte-documents. A midi, nous nous retrouvions au restaurant. Il mangeait peu d'ailleurs, ce pauvre Hans, il se contentait de trois ou quatre vins blancs et de deux ou trois bouteilles de Blauburgunder (autre vin zurichois). Pas plus de trois ou quatre Prunes pour faire passer le repas... Ah ! Pauvre Hans ! Je l'entends encore me dire : « Tu vois, Trudi, je vais jusqu'à cinq quand c'est le « Sechselaüten » (grande

446

MANITOUWADGE PUBLIC LIBRARY

fête zurichoise célébrée un lundi du mois d'avril), mais, en général, c'est jamais plus de quatre ! Pauvre Hans ! Le soir, en sortant du bureau, il passait toujours prendre sur le pouce, comme il disait, quatre ou cinq Seldschlössen (bière renommée en Suisse), à la Croix-Verte, sur la Bahnhofplatz (Place de la gare de Zurich), puis, il rentrait, son petit tonnelet de Marc sous le bras...

— Pauvre Hans ! pleurniche Gretli, et de quoi est-il mort ?

— C'est bien ça le pire ! conclut Trudi, c'est qu'on n'en sait rien !

***

Vous ne partez pas vous promener avec un paralytique ? Alors pourquoi conversez-vous avec un Bernois ?

Pensée valaisane.

***

Il est très tôt, ce matin-là, quand Ernst et Walter entrent *Au raisin doré.* Le patron est en train d'essuyer son comptoir avec de l'esprit-de-sel :

— Deux prunes, patron.

— On vous a répondu ! (On s'occupe de vous) répond le patron encore tout ensommeillé.

Et il se trompe de bouteille et leur sert de l'esprit-de-sel. Les deux consommateurs boivent sans rien dire et, quelques minutes plus tard, payent et sortent.

— *Guten Abend !* leur lance joyeusement le patron.

Ils sont à peine sortis qu'il s'aperçoit de son erreur. Il est fou d'inquiétude et il tente de les retrouver. Il suit la Künslergasse, arrive au carrefour du Hirschengraben, il passe devant le palais de justice, arrive au Heimplatz, contourne la Schauspielhaus (la comédie) et revient par l'Hirschengraben. En vain.

Jusqu'au lendemain, le malheureux ne vit plus. Il ne dort pas de la nuit et, le matin venu, les traits ravagés, il ouvre son établissement, comme à son habitude. Il est en train de passer sa panosse (serpillière) quand Ernst et Walter entrent :

— *Guten Tag !*

Le patron qui avait la tiède (manquait d'air) comme l'on dit, est soulagé et, pour faire oublier son erreur, il leur sert un petit marc de qualité supérieure Les deux hommes boivent, font claquer leur langue et Ernst déclare

— Il ne vaut pas celui d'hier !

***

Hans vient trouver un médecin de la Kanzleistrasse, à Constance :

— Je suis bien ennuyé, docteur, chaque fois que je monte un escalier, je laisse partir un petit bruit sonore à chaque marche. Heureusement, ça ne sent rien mais c'est très embêtant !

— On va voir ça ! fait le médecin, tenez, justement, il y a un escalier dans la pièce à côté de mon cabinet. Allons-y !

Arrivé au pied de l'escalier, le médecin ordonne à Hans de monter quatre marches et à chacune des marches, en effet, le malheureux lance un petit bruit sonore. Enfin, il redescend :

— Qu'est-ce que vous en pensez, docteur ?

— C'est bien simple ! répond le toubib en se faisant de l'air avec sa main, il faut vous opérer du nez !

***

Un Zurichois seul est toujours en mauvaise compagnie.

Pensée genevoise.

***

L'Europe est en guerre contre l'U.R.S.S. (C'est heureusement une vue de l'esprit !)

Un capitaine de l'armée alémanique dit au soldat Hans, cantonné à Fribourg.

— Je suis satisfait de toi, Hans. Je vais te faire avoir du galon. Mais, pour cela, il faut que tu te soumettes à un test !

— Oui, mon capitaine.

— Tu te trouves en rase campagne. Soudain, tu vois surgir un Genevois et un Russe. Sur lequel tires-tu ?

— Sur le Genevois, mon capitaine.

Le capitaine est hors de lui.

— Tu tues le Genevois, imbécile ! Tu n'as rien compris ! Réfléchis un peu au problème pendant huit jours et reviens me voir !

Huit jours plus tard, Hans est de retour auprès de son supérieur.

— Alors, Hans, tu as réfléchi ?

— Oui, mon capitaine.

— Alors, tu tues le Russe ?

— Non, mon capitaine, je tue toujours le Genevois !

— Triple galapiat (voyou) ! hurle le capitaine.

— Mon capitaine ! l'interrompt Hans, est-ce que je peux vous poser une question ?

— Oui.

— Dans la même situation, vous, mon capitaine, qu'est-ce que vous feriez ?

— Je tuerais le Russe, bien sûr !

Alors, Hans se jette aux genoux de son capitaine et lui embrasse les mains :

— Ah ! Merci, mon capitaine ! Merci de me laisser le Genevois !

***

Pourquoi les Zurichois ont-ils si souvent des échardes dans les doigts ?

Parce qu'ils n'arrêtent pas de se gratter la tête.

Un Genevois.

***

Le Lolet vient trouver son psychiatre, le brave docteur Monnier, place du Molard :

— Je viens vous voir parce que cette nuit j'ai fait un rêve épouvantable : un Zurichois et un crocodile me poursuivaient. Brrr ! Cette peau rugueuse, ces yeux pleins de sang, cette haleine empoisonnée, ces grosses pattes, toutes griffes dehors...

— Ça devait être horrible, en effet ! admet le docteur Molard.

— Ah ! Mais ce n'est pas tout, docteur ! reprend le Lolet, attendez que je vous décrive le crocodile !

***

En plein centre de Zurich, la police a arrêté un homme pour port d'arme.

Il avait un couteau dans le dos.

***

Ce Suisse n'est plus clerc de notaire. Depuis qu'il a entendu son patron dire qu'il allait tirer les choses au clair.

***

Un pasteur marche tranquillement dans la verdoyante campagne d'Appenzell.

Tout à coup, il aperçoit une ferme et constate que le fermier est assis sur le pas de sa porte, entouré de nombreux enfants. Il s'approche :

— Guten Tag !

L'homme salue d'un signe de tête

— Ils sont à vous tous ces enfants ? demande le pasteur.

— J'en ai 15 ! répond le fermier.

— Bravo ! s'écrie le pasteur, je suis le nouveau pasteur et je parlerai de vous, dimanche, au temple !

— Pourquoi ? proteste le fermier, je ne suis pas protestant, je suis catholique. J'ai habité Genève toute ma jeunesse !

Alors, le pasteur, en s'éloignant :

— Alors si vous croyez que je vais continuer à parler à un maniaque sexuel...

***

Un Zurichois est toujours certain de faire plaisir à des amis lorsqu'il vient les voir.

Si ce n'est pas en arrivant, c'est en partant.

Un Genevois.

***

Un Suisse est certain d'avoir tué une puce : il l'a lancée par la fenêtre la tête la première !

Y'EN A POINT COMME NOUS

C'est là une expression qu'emploient volontiers les Suisses.

Pour se brocarder eux-mêmes.

Prouvant bien là s'il en était besoin leur sens aigu de l'humour.

Car avoir de l'humour, c'est avant tout savoir rire de soi-même.

***

Un Anglais, un Français, un Bernois et un Genevois sont dans un petit avion qui connaît de grosses difficultés au-dessus du Tessin. Le pilote, constatant qu'il ne maîtrise plus son appareil, appelle les quatre hommes et leur annonce qu'il va leur falloir sauter en parachute s'ils veulent être sauvés :

— Hélas ! ajoute-t-il, vous êtes quatre et je n'ai que trois parachutes !

— Moi, dit aussitôt l'Anglais, je suis un haut fonctionnaire du ministère de la Défense de sa Gracieuse Majesté. Je possède des documents ultra-secrets et je dois sauter !

Le fonctionnaire anglais saute.

— Moi, dit le Français, je suis un chirurgien mondialement connu et je viens d'inventer une nouvelle technique d'opération du cœur. Cela sauvera des milliers et des milliers de vies !

Et le chirurgien français saute de l'appareil.

-- J'exige un parachute, moi aussi ! s'exclame le Bernois, je suis le plus grand mage suisse et je viens de découvrir une chose épouvantable qui menace

le pays ! Je dois pouvoir la révéler !

Et le mage saute de l'avion.

— Je suppose, dit alors le Genevois, que le troisième parachute est pour moi ?

— Je suis désolé, répond le pilote, mais je vous avais dit qu'il n'y avait que trois parachutes !

— Je sais ! répond le Genevois, mais il en reste un puisque le mage a sauté avec mon sac à dos !

***

Un Valaisan, assis à la terrasse d'un café du quai Capo d'Istria, à Genève, se penche **vers** son voisin et lui lance d'un air narquois :

— Vous lisez *La Tribune de Genève* à l'envers !

— Et alors ? répond le Genevois, à l'endroit, tous les imbéciles peuvent la lire !

***

En sortant de l'Église Saint-Joseph, place des Eaux-Vives, une dame confie à une autre :

— C'est dur, vous savez, de travailler toute la journée et puis, le soir, d'être obligée de faire le ménage, la cuisine, les enfants...

***

Monsieur et madame Berthelier roulent paisiblement dans leur petite Pilcar électrique quand, soudain, une puissante Montéverdi les double et leur fait une magnifique queue de poisson :

— Naturellement ! fait monsieur Berthelier, c'est encore une femme qui conduit !

Quelques minutes plus tard, place Cornavin, un embouteillage bloque les voitures et monsieur et madame Berthelier rattrapent la Montéverdi qui les a doublés. Ils constatent alors que la préposée conductrice est en réalité un conducteur. Alors, monsieur Berthelier, de mauvaise foi :

— Alors, c'est sa mère qui lui a appris à conduire !

***

— J'ai été volé ! s'écrie un Suisse à qui on vient de poser un œil de verre, je ne vois rien avec !

***

Rue du Marché, à Genève, une quêteuse tend une boîte de carton fendue sur le dessus à monsieur Lachenal qui la remercie aimablement :
— Hélas, madame, je ne peux rien prendre, j'ai les doigts trop gros !

***

Dominicé est assis calmement dans un restaurant de la rue Centrale, à Lausanne. Soudain, le garçon s'approche et lui demande :
— Je vous demande pardon, monsieur, mais toutes les tables sont prises. Verriez-vous un inconvénient à ce que j'installe un monsieur seul en face de vous ?
— Pas le moins du monde !
Deux minutes passent et le nouvel arrivé est pris d'une effroyable quinte de toux qui le fait postillonner dans l'assiette de Dominicé.
— Désolé ! s'excuse-t-il.
Il prend l'assiette de Dominicé et entreprend de l'essuyer et, ce faisant, il renverse la salière :
— Je vous demande pardon ! bégaye-t-il.
Il ramasse la salière et fait tomber ses lunettes dans le verre de Dominicé. Il les récupère mais fait tomber le verre. Il se baisse pour ramasser les morceaux et marche sur le pied de Dominicé qui lui fait simplement :
— Avec les oreilles, vous ne savez rien faire ?

***

Un postier helvétique était persuadé que les télégrammes iraient plus vite s'il n'y avait pas marqué « stop » entre chaque mot.

***

Vous connaissez l'histoire de ce Suisse qui a tellement grandi qu'il est obligé de monter sur un tabouret pour mettre son béret ?

***

Un Suisse prévoyant a acheté trois lampes électriques car il part le lendemain pour la Forêt Noire.

Un perceneige (nom donné par les Genevois à leurs agents à casques blancs) se précipite vers un conducteur qui vient de stopper rue de Rive et descend de voiture :
— Et alors, vous n'avez pas vu le feu rouge ?
— Non.
— Et mon coup de sifflet, vous ne l'avez pas entendu ?
— Heu... Non.
— Et quand j'ai crié, ça ne vous a rien fait ?
— Ben, non !
Alors, l'agent se met à essuyer une larme et murmure :
— Mais, alors, à quoi je sers, moi ?

Il y a la queue à l'arrêt du bus de ceinture, à Plainpalais. Une grosse dame se retourne vers Gusti qui est derrière elle :
— Dites, eh ! Ne poussez pas !
Le bus arrive. Les voyageurs montent. La grosse dame, assez lourde, a du mal à monter. Alors, elle se retourne une seconde fois vers Gusti :
— Eh ben ! C'est le moment de pousser !

***

Un Suisse a le visage en sang : depuis deux jours il essaie de se débarrasser d'un boomerang !

450

***

Un Suisse a volé une locomotive. Arrêté, il a expliqué qu'il désirait se mettre à son compte !

***

Gusti vient trouver un médecin de l'avenue Léopold-Robert, à La Chaux-de-Fond :

— Docteur, lui demande-t-il, je voudrais que vous m'en coupiez cinq centimètres !

— Qu'est-ce que vous dites ? s'indigne le médecin, vous êtes bon pour l'hôpital Bel-Air (Hôpital psychiatrique du quartier Chêne-bourg à Genève) !

— Non, non ! Soyez gentil ! insiste Gusti, coupez-m'en cinq centimètres !

Le médecin qui voit là l'occasion de gagner quelque argent, réfléchit puis finit par accepter de faire l'opération. Celle-ci terminée, Gusti demande :

— Maintenant, docteur, coupez-m'en encore trois centimètres !

— Ah, non, mais là, il n'y a aucun doute ! explose le toubib, vous êtes complètement fou !

— Je vous assure que non ! répond Gusti, encore trois centimètres, je vous en prie !

— Mais pourquoi ne pas m'en avoir fait couper huit centimètres, d'un coup ?

— Je sais ce que je fais ! fait Gusti, l'air entendu.

Devant la liasse de billets qu'il sort de sa poche, le médecin n'hésite plus. Il opère. A contre-cœur, certes. Mais, il opère.

L'opération dure deux heures. Lorsqu'elle est finie, Gusti demande :

— Pouvez-vous recoudre le premier morceau, celui de cinq centimètres, à ce qui reste ?

— Ah, ça, alors ! s'écrie le médecin, j'aurais dû vous faire enfermer ! Vous êtes bon pour Bel-Air c'est sûr ! Vous prétendez que je recouse le premier morceau et que je jette le second ?

— C'est ça, oui.

— Mais, pourquoi ? Pourquoi toutes ces opérations ? Et pourquoi sacrifier ainsi les trois centimètres ?

Alors, Gusti, radieux :

— Parce que j'ai remarqué que c'était toujours dans le milieu que « ça » pliait !

***

Trudi perdit, un jour, un collier de grande valeur. L'assurance paya. Quelques jours plus tard, elle recevait cette lettre de Trudi :

— Messieurs, j'ai retrouvé mon collier sous un meuble. Comme je suis trop honnête pour conserver l'argent que vous m'avez donné, j'en ai fait don à « L'Œuvre des petits orphelins »...

***

Un agent de police pousse vers le commissariat un landeau avec dedans un bébé qu'il a trouvé, avenue de Béthusy, à Lausanne. Une dame lui demande en le croisant :

— Qu'est ce qu'il a bien pu faire, ce pauvre petit ?

***

On a volé la voiture d'un Suisse. Heureusement, il a eu le temps de relever le numéro !

***

Un Suisse était persuadé qu'il n'y a aucun risque à se baigner tout de suite après le déjeuner. A condition d'avoir mangé du poisson.

***

Sur le quai de la gare de Praille, la gare de marchandises de Genève, Hans, assis sur un wagonnet que tire un employé de la C.F.F., murmure en s'essuyant le front :

— Ouf! Un peu plus, je le manquais !

451

***

Sur la route de Grächen (village valaisan. Prononcez Grenen), la chaleur est épouvantable. Un automobiliste de Genève arrête sa voiture et, avisant un cantonnier, immobile, appuyé sur sa pelle, il lui lance :

— Quel soleil, mon brave ! Le travail est épuisant par une telle chaleur ! Qu'est-ce que vous faites, vous ?

— Ça se voit pas ? fait le cantonnier, je fais de l'ombre !

***

Les pompiers s'affairent devant un hôtel minable du quartier des Pâquis (le Pigalle genevois) qui a pris feu. Un des hommes vient dire tout à coup à son capitaine :

— Capitaine, manque vingt mètres de tuyau !

Alors, le capitaine ordonne à ses hommes :

— Rapprochez le sinistre !

***

Un Suisse dont l'épouse vient d'avoir des jumeaux lui dit :

— On a bien fait d'en prévoir un de rechange !

***

Un violoniste est entré l'autre jour chez Tivoli, l'une des plus célèbres brasseries de Genève :

— Mesdames et messieurs, je ne voudrais pas vous assourdir avec les sons de mon instrument. J'ai pitié de vos oreilles. Ayez pitié de moi !

***

Jean-François vient de renverser un piéton Chemin du Champ-d'Anier. Le malheureux gît sous la voiture. Jean-François se penche vers lui, constate que, fort heureusement, il n'est pas blessé et lui demande aimablement :

— Pendant que vous êtes là-dessous, ça vous ennuierait de voir si mon pot d'échappement est encore en bon état ?

***

Une dame dépose de la monnaie dans la sébille qu'un aveugle, assis par terre dans une rue de Kehrsiten, sur le lac des Quatre-Cantons, a posée devant lui. Elle n'est même pas relevée que l'aveugle se précipite sur elle, l'encouble (lui fait un croche-pied), la pousse derrière une palissade et la viole. Lorsque tout est fini, elle lui crache à la figure :

— Brute ! Qu'est-ce qui vous a pris de me sauter dessus comme ça ?

— Mais ! fait alors l'aveugle poliment, comment voulez-vous que je sache si je dois dire : « merci, madame » ou « merci, monsieur » !

***

Un speaker de Radio-Lausanne butte toujours sur le nom de Rimsky-Korsakov et lorsqu'il doit l'annoncer au micro, il bafouille lamentablement :

— Vous allez écouter maintenant un morceau de Rismy... Euh... Un morceau de Rimsky Vorsa... Non... Euh... De Riskov Korsky... Un morceau de...

Un jour, sur le point d'être congédié, il décide de suivre des cours de rééducation dans un cours d'art dramatique de la place Saint-François et, trois mois plus tard, prêt à tout, il lance dans son micro :

— Voici maintenant un morceau de Rimsky-Korsakov : « Le bol du Vourdon ! »

***

Ernst, qui habite Schwarzenburg, s'apprêtait à épouser la plus jolie fille de Berne, Greti. Celle-ci avait mis une condition à leur union : que Ernst se décide à porter des lunettes en raison de sa myopie évidente.

Ernst a obéi.

Il est sorti de chez l'opticien de l'Elisabethenstrasse très étonné du monde nouveau qu'il découvrait.

Et il s'est rendu compte que, tout bien réfléchi, Greti était plus belle à imaginer qu'à regarder avec des lunettes et il est resté célibataire.

***

Saturnin, Valaisan bon teint, rentre chez lui tout heureux et annonce à sa femme :

— Je viens d'être nommé sous-directeur aux appointements de...

— Pfuutt ! l'interrompt sa femme, sous-directeur ! Et alors ?

— Quoi « et alors » ? s'indigne Saturnin, on rend justice à mes capacités et c'est tout l'effet que ça te fait ?

— Tu parles, mon pauvre ami ! Des sous-directeurs, il y en a à revendre ! Tiens ! Pas plus tard que cet après-midi, j'ai été au « Grand Passage » (Grand magasin suisse), eh bien, il y avait un sous-directeur qui ne s'occupait que des caleçons, exclusivement !

Vexé, Saturnin ne répond pas, se précipite au téléphone, appelle « Le Grand Passage » et demande :

— Pourriez-vous me passer le sous-directeur des caleçons, s'il vous plaît ?

— Lequel, monsieur ? demande l'employée du standard, celui des caleçons courts ou celui des caleçons longs ?

***

Un Suisse a trouvé un violon. Aussitôt, il se demande si c'est un Stradivarius ou un Ingres.

***

Que fait un Suisse définitivement guéri de son bégaiement ?

Il prévient sa femme qu'il ne le lui répétera pas deux fois.

***

Un Genevois se présente à la réception de l'hôtel Schweizergarten, Papiermühlestrasse, à Berne.

— Je voudrais prendre pension pour trois jours !

— Rien de plus facile, monsieur, lui dit l'employé, nous avons le petit déjeuner de sept à onze heures le matin, le déjeuner de midi à trois heures et le dîner de six à neuf heures du soir...

— Ah ! fait le Genevois, en se grattant la tête, tout ça ne me laisse pas beaucoup de temps pour visiter la ville !

***

C'est la fête de l'Escalade, place de Plainpalais, à Genève. Un haut-parleur diffuse soudain l'annonce suivante :

— Le petit Jean-François, qui ne mesure pas plus de nonante centimètres, a perdu sa maman.

En attendant l'arrivée de celle-ci, un agent prend en charge l'enfant et le promène entre les manèges. Soudain, l'enfant pleure.

— Ne pleure pas ! lui dit l'agent, rassurant, ta maman va venir !

— J'veux faire pipi ! hurle le pousse-cailloux, j'veux faire pipi !

L'agent pousse le petit garçon entre deux baraques foraines. Il continue à pleurer.

— Tu n'as plus envie ?

— Si ! pleurniche l'enfant, mais, maman me la sort !

Très gêné, l'agent déboutonne le petit pantalon du gamin et, après avoir regardé à gauche et à droite, fait ce que le petit a demandé :

— Vas-y !

— Non ! fait le galapiat (voyou), maman m'aide !

L'agent hésite, puis, après avoir regardé autour de lui, aide le garnement, espérant bien en finir avec lui. Hélas, celui-ci pleure de plus belle.

— Qu'est-ce qu'il y a encore ?

LES BONNES BLAGUES DES PETITS SUISSES

— Maman chante une jolie chanson !

Le cogne (nom vulgaire donné à l'agent de police suisse) n'en peut plus. Il tente un dernier effort et attaque avec émotion et courage :

« Sentiers et Valaisans. »

Les cris du sale gamin redoublent et il pleure de plus belle :

— Pas celle-là ! hurle-t-il, celle-là, c'est pour mes gros besoins !

***

Dans le grand cimetière Saint-Georges, route d'Onex, à la sortie de Genève, on peut lire sur une pierre tombale :

— Ci-gît Jean-Louis, notre ami, mort tragiquement dans un accident de voiture. Il avait la priorité.

***

Comment fait-on les petits Suisses ? Comme on fait les petits Français !

***

Non, la Suisse n'est pas un pays humide. Ce n'est pas parce qu'on y achète les gâteaux secs. au litre...

***

C'est l'hiver dans un coin de campagne isolée entre Berne et Lucerne. Les habitants de cette petite maison près de l'Emme (fleuve suisse) voient rarement du monde. L'homme, Ernst et sa femme, Vreni, qui l'habitent, veillent ce soir-là, au coin du feu car il fait froid dehors (Le Suisse n'aime pas qu'on dise qu'il fait froid dans son beau pays et il est très mal vu, quel que soit le canton dans lequel on se trouve, d'assurer par exemple qu'en Suisse on vend de la crème à bronzer avec de l'antigel dedans. A bon entendeur, salut !).

On frappe. Ernst ouvre : c'est un vagabond qui demande asile pour se chauffer. On lui fait place. Vreni regarde le vagabon du coin de l'œil et ne le trouve pas laid de sa personne. Ernest, pour sa part, ne semble pas s'apercevoir de l'intérêt que sa femme porte au nouveau venu.

— Vous auriez pas un morceau à manger ? demande le vagabond.

Ernst se lève et lui coupe une tranche de pain.

— Vous auriez pas un bout de fromage avec ? s'enhardit le vagabond.

— Non ! hurle Ernst. Le pain, passe encore ! Mais, le fromage, c'est moi qui en bave pour le faire ! Je le fais pas pour des bons à rien comme toi !

— Dehors, y'a la tempête ! poursuit l'homme, je pourrais pas passer la nuit ici ?

— Ça, tu peux ! admet Ernst.

Ils se mettent au lit tous les trois, Vreni à gauche, le vagabond à droite. Au milieu d'eux : Ernst.

L'orage redouble à l'extérieur :

— Faut que j'aille voir les moutons ! s'écrie Ernst, tout à coup.

Il se lève et sort. La porte est à peine fermée que Vreni tape sur l'épaule du vagabond :

— Qu'est-ce que tu attends ? Vas-y !

— Et s'il revient ?

— Il en a au moins pour une demi-heure à compter les moutons.

— Vous croyez que je peux ?

— Sûr ! Dépêche-toi.

Alors, le vagabond se lève, se dirige vers la cuisine, sort son couteau et se coupe un large morceau d'« Emmenthal ».

***

Un Genevois a trouvé cinq francs suisses.

Il fait aussitôt passer une annonce dans *La Tribune de Genève* proposant dix francs de récompense à qui les a perdus.

***

Dans le train, un peu avant Nyon, une dame à une autre :

454

— C'est bien le train qui s'arrête à Morges ?

— Oui, oui ! Vous n'aurez qu'à descendre la station avant moi !

***

Un Suisse en avait assez que sa femme lui perce sans cesse ses points noirs : il a acheté un Dalmatien.

***

Vous ne verrez jamais un Suisse manger de la langue de bœuf. Il trouve dégoûtant ce qui vient de la bouche d'un animal.

Il préfère de beaucoup les œufs au plat.

***

Quand un Suisse est seul, il monologue. Un second Suisse le rejoint, ils dialoguent. Si un troisième Suisse arrive, que font-ils ?

Ils cataloguent. Vous n'avez jamais entendu parler du cataloguent. Vous n'avez jamais entendu parler du catalogue des Trois Suisses ?

***

— Avez-vous passé une bonne nuit ?

— Je ne sais pas ! répond le Suisse, j'ai dormi tout le temps !

***

Un Suisse a inventé une savonnette de deux mètres sur trois : on ne se savonne pas avec car elle est trop lourde, on s'assied dessus et on fait des glissades.

***

Des savants suisses ont croisé des piverts avec des souris.

Cela leur a donné des bêtes qui font de drôles de trous dans le gruyère.

***

Le nouveau commis suisse a suivi les ordres de son patron, boucher à Genève : il a balayé le magasin, nettoyé tous les billots et pendu toute la viande.

C'est pour pendre la viande hachée que cela lui a pris le plus de temps !

***

Un Suisse contemple un livre non encore coupé : il se demande comment ils ont pu imprimer là-dedans.

***

Un vieux monsieur, un peu sourd, entretient une jeune chanteuse, actuellement dans le spectacle de « La Comédie » (Théâtre de Genève). Ce soir-là, fatigué, il ne l'a pas accompagnée et il est une heure du matin lorsqu'elle rentre.

— Alors, mon petit ? lui demande-t-il, ça a bien marché ?

— Oh, oui ! s'écrie la jeune femme, radieuse. A chaque chanson, j'ai bissé !

Alors, le vieillard, d'un air entendu :

— Ce n'est rien : c'est le trac !

***

Pictet et Monnier, toujours très dignes, sont ensemble au grand théâtre de Genève, place Neuve.

A l'entracte, ils vont satisfaire un besoin naturel et, pensant au jeu des acteurs, Pictet s'écrie :

— Belle pièce, mon cher Monnier.

— Ah, écoutez, Pictet ! Proteste son compagnon, je vous prie de regarder devant vous !

***

Cornioley, de Lausanne, a acheté un side-car magnifique et décide de se rendre à Genève avec.

Pour ne pas faire la route tout seul, il propose à son meilleur ami, Estoppey, de l'accompagner. Celui-ci accepte et, ce matin-là, de bonne heure, tandis que le conducteur, Cornioley, s'installe sur la moto, son compagnon se cale confortablement dans le side-car. Et, en route pour la capitale !

A peine sur la route, notre homme fait une pointe de 80 kilomètres à l'heure et regarde discrètement son ami. Il est tout pâle !

— Il pète le chaud (il manque d'air) ! Le pauvre ! pense-t-il.

Et il pousse son engin à 100 à l'heure. Il regarde à nouveau son compagnon : il est rouge ! A Rolle, Estoppey étouffe. Alors, Cornioley pousse la moto à 120 puis jette un coup d'œil en direction du side-car : Estoppey est noir et tire une langue inquiétante. Alors, Cornioley arrête son side-car sur la bas de la route :

— Eh ben, nous ne sommes qu'à Nyon et tu es tout chaviré ! Qu'est-ce qui se passe, mon pauvre vieux ?

Alors, Estoppey, dans un souffle, avant de s'évanouir :

— Ton side... Il n'a pas de fond !

***

Cet écriteau, sur la porte d'un bureau de l'administration Fédérale des Contributions :

— Le bureau de recette est ouvert de 9 heures à 12 heures et de 14 heures à 16 heures à l'exception des dimanches et jours fériés, le samedi après-midi, de l'après-midi du dernier jour ouvrable précédent le 26 de chacun des onze premiers mois et du dernier jour ouvrable de décembre.

***

Un jeune homme, appelons-le le Loyon, fait la cour à une charmante jeune fille. Ils sont assis, ce soir-là, dans le parc La Grange. Et, manifestement, le Loyon, très timide, est mal à l'aise.

— Dites ! fait-elle soudain, vous ne trouvez pas que mes yeux brillent autant que les feux du 1er Août (fête national suisse) sur la montagne ?

— Oh, si ! Si ! répond le jeune homme.

Quelques minutes plus tard, la jeune fille reprend :

— Dites ! Mes cheveux blonds ne vous font pas penser au soleil couchant sur le Léman ?

— Si, si ! Oh, si ! acquiesce le Loyon, en baissant les yeux.

Cinq minutes passent. La jeune fille reprend :

— Ma silhouette n'évoque-t-elle pas pour vous celles des déesses antiques ?

— Oh, ben, si, alors ! reconnaît le Loyon.

Alors, la jeune fille, en soupirant :

— Comme j'aime quand vous me dites d'aussi jolies choses !

***

Gusti est guide dans le Jura vaudois.

Ce jour-là, il conduit un groupe de touristes dans la montagne.

En haut d'un versant abrupt, tout le monde s'arrête au bord d'un précipice caché par des hautes herbes.

— C'est un endroit très dangereux ! proteste un touriste qui a failli tomber, pourquoi n'y a-t-il pas un écriteau pour le signaler ?

— Y'en avait un ! explique Gusti. Y'avait marqué dessus « endroit très dangereux ». Mais, avec l'écriteau, l'endroit n'était plus dangereux, alors, on l'a enlevé !

***

Defagot loue un cheval dans un ranch d'Interlaken, dans le canton de Berne.

— Comment je peux le faire avancer ? demande-t-il au loueur.

— C'est simple ! répond l'autre, pour partir vous faites « ouf ! », pour le faire galoper, vous faites « ouf, ouf ! ». Pour l'arrêter, vous dites « Amen » !

Defagot prononce « ouf ! » : le

cheval commence à marcher. Grisé par la vitesse, Defagot crie « ouf, ouf ! » : le cheval file comme l'éclair ! Si vite qu'il arrive à vingt mètre d'un précipice et ne ralentit pas pour autant.

Paniqué, Defagot ne trouve plus le mot qui lui permettrait d'arrêter l'animal.

Il se met à prier.

Comme de bien entendu, il termine sa prière par « Amen ». Et le cheval stoppe à quelques centimètres du gouffre.

Alors, Defagot soupire :
— Ouf !

***

Dans le bus qui va de l'aéroport de Genève (Cointrin, récemment agrandi et dont l'une des pistes déborde sur le territoire français) à Bel-Air, un voyageur consulte une carte d'Afrique.

Le Loyon, son voisin, se penche vers lui et lui murmure à l'oreille :
— Vous êtes sûr d'avoir pris l'auto-bus qu'il fallait ?

***

— J'ai trouvé un truc formidable pour pêcher ! affirme Gusti, j'achète une lotion capillaire et je la vide dans l'eau. Quand les poissons commencent à avoir des cheveux, je n'ai plus qu'à passer une blouse blanche, à prendre une paire de ciseaux et à crier « Au suivant ! », comme un rase-tronche (coiffeur) ordinaire !

***

Avenue Léopold-Robert, à La Chaux-de-Fonds, un brave homme marche, tenant à la main les chaussures de sa femme qu'il porte chez le cordonnier. Un ami le croise et l'arrête :
— Tu as raison ! lui dit-il, c'est encore le meilleur moyen pour les empêcher de sortir !

***

Le Jean-François est « monté » à Genève et a été engagé à la C.G.T.E. (Compagnie genevoise des tramways électriques) comme employé à tout faire.

Ce jour-là, son chef lui demande d'aller changer une ampoule grillée dans la salle d'attente des voyageurs.
— Allons-y tous les deux, chef ! propose le Jean-François, ça m'évitera d'aller chercher l'échelle ! Vous me porterez sur vos épaules. Y'en a pour deux minutes !

Ils y vont. Le chef s'accroupit et le Jean-François lui monte sur les épaules. Puis, le chef se relève lentement et, debout, attend que le Jean-François ait fini. Un quart d'heure passe et, comme le poids de son employé se fait sentir, le chef questionne, enfin :
— Alors, ça y est ?
— Ça y est, chef ! répond le Jean-François, je tiens l'ampoule, vous pouvez tourner !

***

Le train de Genève vient d'arriver en gare de Rolle. Le chef de gare s'écrie :
— Rolle ! Rolle ! Ceux qui descendent ici sont arrivés !

***

Le docteur vient d'ausculter Hans :
— J'hésite entre l'appendicite et une congestion cérébrale, lui dit-il. Je reviendrai demain. Ne vous en faites pas : si vous êtes encore vivant, c'est l'appendicite !

***

Un Suisse sourd constate :
— Si je m'écoutais, je ne ferais jamais rien !

***

Pourquoi un Suisse prend-il des gants pour parler à sa femme ?

Parce qu'il fait la vaisselle en même temps.

***

Comment ce Suisse évitait-il de se taper sur les doigts quand il enfonçait un clou ?

En prenant son marteau à deux mains.

***

Dans un quotidien de la banlieue de Berne — Non, ce n'est pas Der Berner Oberlander Volkszeitung, renommé, lui, pour l'authenticité de ses informations et le soin que ses rédacteurs apportent à la relation de l'information — cette mise au point :

— Dans le compte rendu de la réunion du conseil, une faute de frappe nous a fait écrire : « Avant d'aborder les questions importantes, les conseillers ont liquidé quelques bouteilles. Nos lecteurs auront rectifié d'eux-mêmes. C'était « ont liquidé quelques broutilles » qu'il fallait lire...

***

Dans le même journal, quelques jours plus tard :

— Demain, les musiciens se rassembleront à dix heures devant le « Renfort de Sézegnin ». En raison de la température, ils ne revêtiront pas leur uniforme mais seulement la casquette...

***

Tous les soirs, depuis peu de temps, Monnier passe par le quartier des Pâquis, le Pigalle genevois, pour rentrer chez lui.

Chaque soir, alors qu'il passe devant la même porte cochère, un individu, posté dans l'encoignure de la porte, l'interpelle :

— Tu viens, mon mignon ?

Ce soir-là, l'individu lui lance :

— Ah ! La jolie petite gueule d'amour !

Profondément choqué, Monnier, apercevant un agent en faction à quelques mètres de là, s'élance vers lui et lui dit :

— Monsieur l'agent, il y a là-bas une créature... Enfin, un homme... Enfin, vous voyez ce que je veux dire...

Alors, l'agent, le regard chargé de reproche lui lance :

— Oh ! La vilaine rapporteuse !

***

Comme chaque année dans la nuit du 11 au 12 décembre, c'est la fête de l'Escalade, à Genève.

Un grand mât de cocagne a été dressé au milieu de la place de Plainpalais et les sportifs sont cordialement invités à y monter, encouragés en cela par un énorme jambon qui se balance au faîte du mât.

Gusti se présente, s'agrippe, se déhanche et parvient en huit minutes au sommet. Il y accroche un petit bout de papier et redescend sans même avoir jeté un coup d'œil au jambon.

Stupeur dans la foule.

Un second candidat, le Jean-François, se présente, et, pressé d'arriver en haut, met sept minutes pour atteindre le bout de papier.

Et, toujours sans s'occuper du jambon, il redescend le plus vite qu'il peut.

Parvenu à terre, il ouvre le petit bout de papier et lit :

— Fin du poteau.

***

Le Loyon vient d'être engagé par le rédacteur en chef de La Tribune de Genève qui lui dit, un matin :

— Il y a eu un accident très grave, un de nos compatriotes de Lausanne s'est pris la main dans son porte-monnaie en voulant l'ouvrir. On a beau renouveler les mises en garde, il y en a encore qui ouvrent leur porte-monnaie... Enfin ! Bref, partez maintenant pour être à pied d'œuvre dans une heure !

Trois heures après, le rédacteur en chef retrouve son « reporter » dans son bureau :

— Qu'est-ce que vous faites là ? Vous n'êtes pas parti ?

Alors, le Loyon :

— J'ai même cherché dans *Le Dictionnaire des communes*, chef, j'ai pas trouvé « Pied d'Œuvre » !

***

Hans entre chez son coiffeur de la route de Saint-Julien :

— Vous m'avez bien eu avec votre produit qui fait repousser les cheveux. Quelle colossale blague !

— Pourtant, proteste le rase-bobine (nom donné — en cachette — par les Suisses à leurs coiffeurs), d'habitude, ce produit fait de l'effet. Avez-vous suivi le traitement comme il fallait ?

— Ah ? fait Hans, ça pourrait être ça ? Je veux bien vous croire une dernière fois mais c'est la dernière bouteille que je bois !

***

Un mendiant demande la charité, près de la banque Rohner, rue du Rhône, à Genève. Un brave homme à l'allure aisée s'arrête devant lui :

— Pourquoi mendiez-vous, mon ami ? Vous devriez travailler, vous gagneriez votre vie comme tout le monde...

— C'est ce que je faisais autrefois, mon bon monsieur, gémit le mendiant. J'étais un homme d'affaires comme vous, je gagnais des sommes folles. Je roulais dans une Montéverdi et je fumais des cigares gros comme le vôtre. Je déjeunais au Restaurant de l'Hôtel de ville, à Crissier, chez M. Girardet et j'avais un bureau formidable... Au-dessus, il y avait une pancarte : « Réfléchis avant d'agir. » Et vous voyez où j'en suis réduit !

— Mais qu'est-ce qui vous est arrivé ?

— C'est la faute de ma femme de ménage ! fait le pauvre type, un matin, elle a jeté la pancarte !

***

Trois jeunes « traîne-grolles » (voyous) arrêtent leurs puissantes motos devant *La Pinte*, un petit restaurant de La Chaux-de-Fonds, pénètrent dans l'établissement, s'installent à côté d'un routier qui termine son repas. L'un d'entre eux jette le mégot de la Brunette (marque de cigarette suisse) qu'il était en train de fumer dans la tasse à café du routier qui ne réagit pas.

Quelques instants passent. L'un des voyous prend alors un verre de Feldschlösschen (bière suisse renommée) et le renverse sur la tête du routier qui ne donne aucun signe d'impatience.

Mieux ! Il sort du restaurant sans dire un mot. L'un des galapiats l'arrête avant qu'il n'atteigne la porte et lui crache à la figure tout en l'encoublant (en lui faisant un croche-pied). Le routier tombe, se relève et sort. Il se dirige en silence vers son camion.

Les trois voyous triomphent :

— Tu parles d'une lavette, ce mec-là ! fait l'un d'eux au patron, il ne sait pas manger, sans ça il ne déjeunerait pas chez toi, il n'aime pas la bière et il n'aime pas se battre !

— Et en plus, fait alors le patron, il ne sait pas conduire. Regardez ! En faisant marche arrière, il vient d'écraser trois motos !

***

Dans la base d'essais pour avions de Sion, dans le Valais, on est en train d'essayer un nouveau prototype. L'avion décolle et, à peine est-il en l'air, qu'il pique sur le sol et s'écrase, l'une de ses ailes s'étant arrachée toute seule.

On reprend les calculs après avoir remis l'avion en état. Chacun travaille dans le hangar. Soudain, passe le Loyon, le balayeur :

— Elle va s'arracher encore votre aile !

Stupéfaits, les ingénieurs regardent l'intrus qui reste modestement appuyé sur son balai. Mais quelques minutes plus tard, sans tenir compte de l'avis du Loyon, les hommes se remettent au travail.

Et six heures après, l'avion est prêt.

Il décolle une seconde fois et, une seconde fois, s'écrase, son aile s'étant arrachée en vol.

Désolés, les ingénieurs reprennent leurs calculs. Les chiffres succèdent aux chiffres. Le grand hangar est une vraie ruche. Soudain, le Loyon s'approche, son balai à la main, regarde les malheureux savants penchés sur leurs papiers et leur lance :

— Elle va encore s'arracher, votre aile !

Enervés, les autres fixent le pauvre bougre d'un air méchant. L'un d'eux, plus énervé que les autres, saisit le Loyon par le col de sa blouse grise et le pousse hors du hangar sans ménagements.

Douze heures plus tard, l'avion est prêt à s'envoler pour la troisième fois. Il s'envole et alors qu'il a atteint huitante mètres, il retombe lamentablement, une aile arrachée.

C'est la consternation.

Le directeur, sceptique, se décide à convoquer le Loyon :

— Puisque vous savez prévenir les accidents de vol, lui dit-il, vous en connaîtriez peut-être le remède ?

Le Loyon prend une perceuse et fait des pointillés sur l'aile.

L'avions s'envole quelques heures plus tard et, cette fois, tout se passe bien :

— Bravo ! s'exclame le directeur en félicitant le balayeur, expliquez-moi vite !

Alors, le Loyon :

— Voilà trente ans que je balaye les toilettes, voyez ! J'ai eu tout le temps de constater que les papiers ne se déchirent jamais à l'endroit des pointillés...

***

Gusti suit une jeune et jolie femme qui se promène dans le parc de la Grange, à Genève.

— Me permettez-vous de vous offrir quelque chose ? lui propose-t-il lorsqu'il l'a rejoint.

— Non, merci, monsieur ! répond-elle avec un sourire enjôleur, je ne bois jamais !

— Vous refusez ? Comme c'est dommage ! Vous devez vous ennuyer, toute seule ?

— Je ne m'ennuie pas, monsieur. Je surveille un malheureux que la nature n'a pas gâté pour lui faire un peu de bien : je suis une fée !

— Je comprends ! admet Gusti pour ne pas contrarier la belle dame. Ce serait un beau conte pour moi si vous vouliez bien venir manger un gendarme (cervelas) et une raclette avec moi.

— C'est tout bon ! accepte la jeune femme.

Après un repas, somme tout bien agréable, Gusti, très amoureux, propose à la jeune femme de venir boire un dernier verre chez lui, quai Gustave-Ador.

— Jamais une fée ne monte chez un monsieur seul ! répond la belle dame.

— Je vous en prie ! insiste Gusti.

— Je vous accorde tout ! fait la dame, mais pas ça !

— Alors, accordez-moi une grâce ! supplie Gustie. Dès que vous le pourrez, faites-moi signe !

— Si vous voulez ! conclut la fée.

Et elle disparaît.

Quelques jours plus tard, la fée ayant tenu sa promesse, Gusti se retrouve au milieu du lac du parc de la Grange, recouvert d'un beau plumage blanc.

***

Un Suisse parle en dormant. Il est ennuyé car, au bureau, il paraît que cela fait rire ses collègues.

***

Vous connaissez l'histoire de cette Suissesse qui était si laide que son vibromasseur tombait toujours en panne ?

***

Un Suisse est fier de son honnêteté : il a été dix ans surveillant dans un établissement de bains et il n'en a jamais pris un seul !

***

Une mère de famille suisse a trouvé le moyen de faire des économies : chaque fois qu'elle change l'eau de l'aquarium, elle l'emploie pour faire une soupe de poissons.

***

— Chéri, est-ce que nous jouons encore à la transplantation des organes, ce soir ? demande tendrement l'épouse d'un chirurgien suisse à son mari.

***

A la sortie du cinéma, un Suisse dit à son voisin :
— Si chacun restait à sa place en attendant que tout le monde soit sorti, ça irait plus vite !

***

Certes, ce n'est pas un Suisse qui a inventé le fil à couper le beurre. Mais c'est un Suisse qui a inventé la passoire à trous carrés pour le bouillon Kub.

***

Une dame suisse tricote très vite : elle se dépêche de finir avant qu'il n'y ait plus de laine !

***

Depuis vingt ans, c'est tous les jours la même chose, gronde le gardien d'un musée suisse, y'en a toujours un qui est le dernier à s'en aller !

***

Vous connaissez l'histoire de ce Suisse qui a attrapé une hernie rien qu'en soulevant une objection ?

***

Ne demandez jamais à un Suisse : « Comment va votre charmante épouse ? » Il vous répondra que, n'ayant qu'une femme, il trouve la plaisanterie de mauvais goût.

***

En hiver, il fait si froid en Suisse, que les exhibitionnistes sont obligés de se décrire.

***

Un Anglais, qui visite la Suisse s'approche d'un agent en faction place du Molard, à Genève.
— Aoh ! Please, sir ! Je moi aller place du Cirque ! Pour aller place du Cirque, je vous prie vous ?
— Place du Cirque ? fait l'agent, vous prenez la rue du Marche, puis la rue de la Confédération. Vous tournez à gauche, rue de la Corraterie et .. Et puis, non ! Il y a mieux à faire !
L'agent fait demi-tour sur lui-même.
— La place du Cirque ? A Genève ?
— Aoh ! Yes ! Please !
— Pour aller place du Cirque, vous prenez la rue Croix-d'Or, vous arrivez à la rue du Perron. Alors là, vous...
L'agent se gratte la tête regarde l'Anglais et conclut :
— Écoutez ! Moi, je serais que vous pour aller place du Cirque je ne partirais pas d'ici. Là.

***

Si vous dites à un petit Suisse que c'est très vilain de mettre les doigts dans son nez, il vous répondra :
— Alors, pourquoi y'a des trous ?

***

Le médecin de la rue des Remparts, à Yverdon, ausculte le Jean-Marie puis lui rédige une ordonnance :
— Votre nom, c'est bien Jean-Marie Chasstronbergten ?
— Oui, oui. Mon père est de Zurich et ma mère de Genève.
— Ah ! fait alors le médecin, je comprend maintenant pourquoi vous avez de la tension !

***

Berthelier, furieux, entre chez son tailleur, place de la Fusterie, à Genève :
— Vous m'avez fait un veston avec trois manches !
— Et alors ? fait le tailleur calmement, vous ne m'aviez pas dit d'en faire plus !

***

Maman rentre de faire quelques courses place Saint-François, à Lausanne.
— Jean-Louis, dit-elle à son petit garçon, si tu devines ce que j'ai dans mon sac, je t'en donnerais une grappe !
— Du raisin ! s'écrie l'enfant.
— Quand même ! s'extasie alors la maman, ce qu'il est intelligent !

***

Un Genevois, en voyage à Paris, est un peu perdu dans la circulation.
Il grille un feu rouge et est sifflé par un agent.
— Tous ces feux, s'excuse-t-il, ça m'a un peu perdu !
L'agent, le trouvant sympathique (comment d'ailleurs ne pas trouver un Suisse sympathique ?) se laisse attendrir. Cependant, il marque le coup :

— Et si vous aviez renversé une femme, hein ?
Alors, le joyeux Suisse, en clignant de l'œil :
— Oh, pour ça, sans me vanter, ça aurait pas été la première, allez !

***

Dans une brasserie d'Engelberg, à trente kilomètres de Lucerne, deux Genevois dégustent la bière du pays.
Le garçon, qui désire connaître leur opinion, demande :
— Est-elle ponne ?
— Je lui trouve un goût amer ! fait l'un des Genevois.
— Moi, je trouve qu'elle a plutôt un goût sucré ! fait l'autre Genevois.
Alors, le serveur, tout heureux :
— C'est norbal ! Ici, nous aimons faire d'une pière deux goûts !

***

Le canton de Berne, aux alentours de Bienne, est, comme chacun sait, une merveille de la nature.
Ce jour-là, un automobiliste français, qui a perdu son chemin, demande à une vieille Bernoise :
— Pour aller au lac, madame ?
— Vous savez pas ? lui dit l'aïeule.
— Non.
Alors, la brave Bernoise, en levant sa canne :
— Quand on sait pas, on va pas !

***

Un touriste français traverse Rougemont lorsqu'il constate que le poste radio de sa voiture ne fonctionne pas.
A ce moment, il aperçoit un électricien et, sagement, il range sa voiture le long du trottoir puis traverse la rue et entre dans le magasin.
Le patron, bien Suisse, l'écoute calmement raconter ce qui ne va pas et demande :
— Où il est votre poste ?

— Là ? En face ! De l'autre côté de la rue !

Alors, l'électricien réfléchit et propose :

— Si vous reveniez demain ? Ici ce sera le bon côté du stationnement, ça fera moins loin à aller pour réparer...

***

En sortant d'un restaurant de Bex (prononcez Bé), sur les rives de l'Avançon, dans la plaine du Rhône, une dame constate qu'elle a oublié ses gants.

— Attends-moi un instant ! dit-elle à son mari.

Elle rentre dans l'établissement et se dirige vers la table où elle déjeunait quelques instants auparavant.

Ne voyant pas ses gants, elle soulève la nappe et se met à quatre pattes pour chercher sous la table.

C'est alors que l'un des garçons intervient :

— Pardonnez-moi ! lui dit-il, mais je crois que votre mari est devant la porte...

***

Un Français, furieux, dit un matin, au gérant de l'Hôtel de Lausanne où il a passé la nuit :

— Je vous avais demandé une chambre sans risques de bruit et, toute la matinée, j'ai entendu démarrer les locomotives !

— Vous faites erreur, monsieur ! répond le gérant, ce ne sont pas des locomotives, ce sont des Zurichois ! Des maçons qui travaillent sur un chantier derrière l'hôtel. Ils se passent des briques. Et, comme ils sont polis, ils disent « *Bitte schoen, danke schoen, bitte schoen, danke schoen...* ».

***

Un Genevois tend le journal à sa femme :

— Tiens ! lui dit-il, lis-moi l'histoire sans paroles !

***

Un motard de la police de la route arrête un automobiliste qui n'a pas respecté un panneau sur la route Bouveret-Vouvry.

— Je ne l'ai pas vu ! avoue le conducteur.

— Ah ! fait le motard, vous reconnaissez avoir une vision défectueuse ?

— Pas du tout ! J'y vois très bien !

Le motard recule de quelques pas, déplie un panneau semblable à celui des opticiens :

— Lisez la première ligne ! ordonne-t-il.

— A, Z, E, R, T, Y, U... commence l'automobiliste.

— La troisième ligne, en petites lettres, maintenant ! l'interrompt le motard.

L'automobiliste lit :

— « Je vais prendre des billets pour la tombola de la police. »

— Parfait ! fait le motard, combien je vous en mets ?

***

Un client entre dans un restaurant de Locarno, dans le Tessin.

— A la porte, dit-il au garçon, il y a une pancarte qui indique : Spécialité italienne. Et il n'y en a aucune sur la carte ! Pourquoi ?

— C'est à cause dé la police qui est venue cé matin ! fait le garçon.

Et il explique :

— La spécialité italienne, zé doit vous dire que c'était la serveuse, ouné magnifique brune de Bergamo...

***

Un Zurichois est en train de boire une bière avec un Genevois, à la terrasse d'une brasserie de Berne :

— Ah ! Zurich ! s'écrie le premier, ça, c'est une ville ! J'en connais pas une qui lui soit supérieure !

— Pour dire ça, c'est que vous n'êtes jamais venu à Genève ! remarque le Genevois.

Alors, le Zurichois :

— Ah ! Vous savez, on ne peut pas connaître tous les patelins...

***

A Saint-Cergue, un brave montagnard demande à l'un de ses voisins :

— Tu parles allemand, toi ?

— Je ne sais pas ! répond l'autre, j'ai jamais essayé !

***

Deux Genevois se rencontrent, rue du Mont-Blanc :

— Depuis deux mois, dit l'un, je fais partie d'une chorale qui tient ses assises au café de la Place.

— Ah ?

— On s'amuse bien. On boit quelques verres, on joue aux cartes et au billard et quand nos femmes viennent nous rejoindre, nous dansons...

— Mais, alors, quand est-ce que vous chantez ?

— Ben ! fait le Genevois, sur le chemin du retour !

***

Un Zurichois, en voyage à Genève, constate que sa montre est arrêtée.

Il se rend chez un horloger qui fait sauter le couvercle et examine l'intérieur du boitier.

A l'aide d'une pince, enfin, il extrait une puce écrasée.

— Ah ! fait le Zurichois, réjoui, machiniste kaput ! Il faut changer machiniste !

***

Un Valaisan dit au directeur d'une agence immobilière de Sion :

— Cette maison que vous m'avez fait visiter, à vingt kilomètres d'ici, me plaît beaucoup...

— C'est en effet une belle maison ! répond honnêtement le directeur. Il faut reconnaître, pourtant, qu'elle a un inconvénient : le train passe derrière le jardin. On est dérangé les deux premières nuits, mais on finit par s'y habituer...

Alors, le Valaisan :

— Ce n'est pas grave ! Pour les deux premières nuits, j'irai coucher chez ma mère qui habite Aigle !

***

Deux agents font une ronde dans le quartier des Pâquis.

Soudain, ils entendent des cris en provenance de la rue du Môle.

Ils se précipitent et découvrent un malheureux allongé sur le trottoir qui gémit lamentablement.

Ils le raniment de leur mieux et, lorsqu'il est en mesure de parler, ils l'interrogent :

— Ah, la, la ! bredouille le pauvre type, il y a deux mois, j'ai été agressé au même endroit par une crapule... Il m'avait volé mon portefeuille...

— Et alors ?

— Aujourd'hui, c'était le même bandit !

— Et il vous a volé quoi, aujourd'hui ?

— Mon portefeuille. J'en avais racheté un !

Alors, l'un des agents lève les bras au ciel :

— Ah, ben, alors ! Si vous faites exprès de le provoquer !

***

Entre Genevois :

— Cela fait deux mois que vous avez obtenu votre permis de conduire et je ne vous ai jamais vu au volant ?

— De vous à moi, j'ai eu tant de difficultés pour obtenir mon permis que je ne veux pas risquer de me le faire retirer à la première occasion !

***

Une infirmière de l'Hôpital cantonal de Genève entre dans le bureau du médecin-chef :

— Il arrive une drôle de chose à une dame que j'ai au bout du fil, dit-elle.

— Quelle chose ?

— Eh bien, en défaisant les bandelettes du blessé que nous lui avons renvoyé, elle s'est aperçue que ce n'était pas son mari. Remarquez, elle nous le signale seulement, elle ne s'en plaint pas...

LEUR SENS DU COMMERCE

Le Suisse partage avec l'Écossais un sens inné du commerce. C'est bien connu.

Un sens du commerce et de l'économie.

On connaît l'histoire de ce brave Bolomey qui garde précieusement la montre en or que son père lui a vendue sur son lit de mort.

Et lon raconte ainsi la création de la Suisse.

Au sixième jour, Dieu créa la Suisse avec des montagnes, des prairies et des vaches. Puis, Dieu dit au Suisse :

— Que puis-je faire pour toi ?

— Je voudrais beaucoup de lait ! dit le Suisse.

Dieu donna satisfaction au Suisse et, quelque temps plus tard, passant par là :

— Est-il bon ton lait ?

— Y'a pas meilleur ! Goûtez-le !

— Il est très bon ! fit Dieu après avoir goûté. Désires-tu encore quelque chose ?

— Oui ! dit le Suisse, un franc vingt pour le verre de lait !

***

Quand un Suisse ouvre son portemonnaie, dit-on également, il n'est pas rare d'en voir sortir une mite.

***

Pour situer le sens du commerce très développé du Suisse, je rappellerai qu'un jour on a fait remarquer à un Genevois qui avait émis l'idée d'ouvrir un bar en plein Sahara qu'il n'aurait pas un client.

— Peut-être ! a répondu le Genevois, mais le jour où il y en aura un, qu'est-ce qu'il aura soif !

***

Un Français, un Italien et un Suisse entrent dans un café de la rue de la Treille, à Neuchâtel et commandent trois Cardinal (bière suisse).

A peine servis, ils remarquent que, dans chaque verre se trouve une mouche. Le Français et l'Italien commandent de nouvelles bières. Le Suisse, lui, prend la mouche (au sens propre du terme, si j'ose dire !) qui est dans son verre entre ses doigts et lui ordonne :

— Crache ce que tu as bu !

***

Monsieur Meylan reçoit un pauvre hère qui lui a demandé un bout de pain :

— Venez prendre un bout de gâteau ! lui propose-t-il.

Stupéfait, le malheureux remercie son bienfaiteur et prend *La Tribune de Genève* qui traîne sur la table de la cuisine afin d'envelopper son bout de gâteau.

— Qu'est-ce que vous faites ? hurle monsieur Meylan.

— Faites excuse, monsieur ! répond le pauvre type, mais je pensais que ça valait la peine d'être mis dans le journal !

***

En France, on raconte qu'un jour huit Genevois sont entrés chez Landolt (grande brasserie genevoise) et ont appelé le serveur :

— Garçon ! Un diabolo-menthe et huit pailles !

LES BONNES BLAGUES DES PETITS SUISSES

***

Quel est le comble de l'avarice en Suisse ?

Regarder la messe à la télévision suisse romande et fermer le poste pendant la quête.

***

Un Vaudois rencontre un Genevois, rue des Fontenailles, à Ouchy (Faubourg de Lausanne) et l'entraîne, très excité (aussi excité qu'il est possible pour un Suisse, en tout cas) vers l'avenue du Servan :

— Vite ! Vite !

— Y'a pas le feu au lac ! (expression typiquement suisse qui veut dire « du calme »).

— Si, si ! Figure-toi que je viens de découvrir un bar où l'on ne paie pas !

— C'est tout bon, ça ! reconnaît le Genevois en suivant son ami.

Quelques minutes plus tard, les deux hommes entrent à « La pinte » et commandent deux Feldschlösschen.

On les sert et, effectivement, on ne leur demande rien.

— Alors ? fait le Vaudois à son compagnon, c'est pas à mettre dans *L'Est vaudois*, ça ?

Puis, il appelle :

— Barman ! Remettez-nous ça !

Ils boivent de nouveau, boivent encore et, après la dixième Feldschlösschen, le Vaudois tape sur l'épaule de son copain :

— Viens, Jean-François, on a assez bu. On reviendra !

Mais, le Genevois refuse de sortir :

— Hé, la ! Hé la ! fait-il, ils ne rendent pas la monnaie dans cette boîte ?

***

Dans une boîte de nuit de Lausanne, un des musiciens de l'orchestre passait de table en table pour faire la manche (faire la quête) :

— Comment faites-vous, demanda un client au chef d'orchestre, pour éviter que le musicien qui fait la quête ne garde quelque chose pour lui ?

— Simple ! répondit le chef d'orchestre, je lui donne l'assiette dans la main gauche et une mouche qui vit dans la main droit. Si la mouche est encore là quand la quête est terminée, le musicien est honnête...

***

Un voyageur de commerce fait sa toilette, un matin, dans la chambre spacieuse de l'hôtel Winkelried, Winkelriedstrasse, à Lucerne.

Tout à coup, il casse sa brosse à dents.

Ennuyé, il s'habille et descend à la recherche d'un pharmacien. Il trouve un bazar, achète une brosse à dents puis remonte dans sa chambre.

Dix minutes plus tard, il est de retour au bazar, la brosse à la main.

Dès qu'elle l'aperçoit, la commerçante qui l'a servi s'exclame :

C'est la brosse à poils doux, n'est-ce pas ? Je m'en doutais ! ça fait la cinquième fois qu'on me la rapporte !

***

Dans une rue obscure des Pâquis, un traîne-grolles (bandit) attaque un Genevois :

— Ton fric, vite !

Devant le revolver braqué sur sa poitrine, le Genevois flanche. Il sort de sa poche un billet de cinquante francs et le tend au gansgter :

— Ça va ! Rendez-moi vingt francs !

***

Un Genevois demande un rendez-vous au directeur de *La Tribune de Genève :*

— Monsieur, lui dit-il, ma fille et mon gendre habitent Collonges. Je suis navré de devoir vous dire que si votre journal ne passe pas davantage d'articles sur Collonges, je cesserai de l'emprunter...

***

Quelle différence y a-t-il entre les oiseaux et les Suisses ?

Les oiseaux font leurs nids, les Suisses nient leurs fonds.

***

Defagot, Le Valaisan, a une voiture.

Un jour, son vieil ami, Dubosson, lui demande s'il veut bien la lui vendre.

— Combien en veux-tu ?

— 100 000 francs.

Aussitôt, Dubosson devient propriétaire du véhicule.

A quelque temps de là, Defagot a besoin d'une automobile et demande à son ami Dubosson s'il pourrait lui racheter sa voiture.

— Je t'en offre 12 000 francs.

Dubosson accepte et Defagot rentre en possession de sa voiture.

Un jour, Dubosson la rachète à Defagot 15 000 francs.

Quelques mois passent et Defagot la rachète de nouveau 17 000 francs.

Un an plus tard, Dubosson la rachète à Defagot 20 000 francs et Dubosson la conduit depuis quelques jours seulement quand Defagot se présente pour la lui racheter encore une fois :

— Désolé, mon vieux ! lui dit Dubosson, je l'ai vendue 23 000 francs il y a deux jours à un type que je ne connais pas !

— Pourquoi tu as fait ça ? se désole Defagot, de quoi allons nous vivre, maintenant ?

***

Dans un café de l'Avenue de la gare, à Zurich, Rudolf consomme tranquillement, assis à côté d'un Genevois.

— Et si je m'en allais sans payer ? pense-t-il tout à coup.

Aussitôt, il appelle le garçon :

— C'est tout bon ? lui demande-t-il, ça va comme vous voulez ? Tout le monde est gentil avec vous, ici ? Ach ! Et, tiens, on peut faire schmolitz ! Ta femme, elle n'est pas de Laufenburg, par hasard ? Si ! Ach ! Colossale coïncidence ! Moi aussi, je suis de Laufenburg ! C'est drôle de se retrouver, comme ça...

Rudolf se lève négligemment, serre la main du garçon et se dirige vers la sortie.

— Et vos deux verres de Herrliberg ? demande le garçon.

— Je vous les ai payés il y a un instant, rappelez-vous !

— C'est sans doute der Dorftrottel (l'idiot du village) ! pense le garçon, mais il n'est pas fier. Je vais lui faire cadeau de ses deux verres de vin !

Le Genevois, qui a suivi la scène, se dit : « Et pourquoi je paierai mon Marc, moi ? »

Il hèle aussitôt le garçon :

— Dites-moi, mon ami, ça va comme vous voulez ? Tout le monde est gentil avec vous, ici ?

— Ça va ! fait le garçon, on me l'a déjà fait on ne me le fera pas deux fois !

Le Genevois, un peu déconcerté, gagne froidement la porte en lançant un sonore :

— Bonne conservation ! (au revoir).

Le garçon le rejoint immédiatement.

Alors, le Genevois, sans lui laisser placer un mot :

— Ah ! C'est juste ! Vous ne m'avez pas rendu ma monnaie !

***

Huguenin, qui habite Soleure, est retraité des Établissements Bally — Eh, oui ! Les chaussures — Le matin, il plante ses cabus (laitues) et, l'après-midi, il va pêcher sur l'Aare.

Sur la rive opposée, une autre pêcheur fait de même.

Les deux hommes ont l'habitude de se voir et se sentent amis sans pour autant s'être adressé la parole.

Et voilà six ans que cela dure.

Un après-midi, Huguenin, radieux, arrive et ne voit pas son « copain » d'en face.

Le soir venu, l'ami ne s'est pas présenté.

Huguenin rentre chez lui où l'attend sa femme, Ursi, un pur produit du pays d'Appenzell.

— Qu'est-ce que tu as ? lui demande-t-elle, tu es tout curieux !

— Rien, rien ! Enfin... Tu sais, le copain de l'autre côté de l'Aare dont je t'ai parlé ? Eh ben, cet après-midi, il n'était pas là !

— Quelle affaire ! Il aura été faire quelques courses !

Le lendemain après-midi, personne. Le surlendemain, toujours personne.

Huguenin en perd l'appétit et l'accorte Ursi désespère de le voir goûter aux Ruchti (pommes de terre cuites à l'eau, coupées en rondelles et revenues avec des bouts de lardons. Un régal !) qu'elle lui a préparées.

Aller à la pêche ne lui plaît même plus.

— Il est peut-être malade ! suggère Ursi, il reviendra !

Le temps passe, puis, un bel après-midi, en arrivant de son côté, Huguenin aperçoit son copain, installé sur son pliant.

Il lui vient l'envie de lui parler.

De sa main en porte-voix, il lance :

— Adieu ! C'est tout bon ?

— Ça va ! Je suis de bonne (je suis de bonne humeur) !

— Vous étiez malade ?

— Non. Ma femme. J'ai été la voir à Genève.

— Ah ? Elle va mieux ?

— Non ! Elle est morte. Elle est au cimetière Saint-Georges, en direction d'Onex, à la sortie de Genève. Mais, j'attendais...

— Quoi ?

— Les vers !

***

Un Genevois et un Bernois se perdent de vue car l'un a décidé de travailler et l'autre pas.

Cinq ans plus tard, ils se rencontrent : l'un est en voiture, l'autre est clochard.

— Qu'est-ce que tu deviens ? demande le clochard.

— Je travaille au « Crédit Suisse ». Je suis sous-chef de service. J'ai ma petite voiture et mon petit appartement acheté à crédit, chemin du Bout-du-Monde. Et toi ?

— Moi ? fait l'autre, je bois.

Cinq ans plus tard, les deux hommes se rencontrent à nouveau :

— Qu'est-ce que tu deviens ?

— Je suis directeur adjoint d'une agence du « Crédit suisse ». J'ai une grosse Mercédès, un appartement dans le Champel (quartier chic de Genève) et une maison de campagne à Apples. Et toi ?

— Moi ? fait l'autre, je suis toujours clochard : je bois !

Cinq ans plus tard, nouvelle rencontre.

— Que deviens-tu ?

— Je suis président-directeur général de l'agence pour toute l'Europe de l'Ouest. J'ai une Montéverdi avec chauffeur et... Et toi ?

— Moi ? je bois toujours.

Trois ans plus tard, le banquier rencontre son ami. L'ex-clochard descend d'une superbe Rolls :

— Ça alors ! s'exlame-t-il, comment as-tu fait ?

Alors, l'autre :

— J'ai rendu les bouteilles consignées !

***

Un Genevois, voyageur de commerce, prospecte la clientèle du désert Il aperçoit soudain un Vaudois, assis sur le sable, qui s'est perdu dans le Sahara au cours d'un voyage organisé par une agence de l'avenue des Mousquines, à Lausanne (vous savez, pas loin du tribunal fédéral !). Il ouvre sa valise et fait au Vaudois :

— Je suis persuadé que vous serez

très intéressé par la splendide écharpe de laine que voici...

— De l'eau... De l'eau... gémit le Vaudois.

— Ah ! Je n'ai pas d'eau, hélas ! poursuit le Genevois. En revanche, j'ai un lot de superbes cravates et un lot de magnifiques bracelets-montres. Toutefois c'est surtout sur cette somptueuse écharpe de laine que j'attire votre attention. Je...

— Pitié ! murmure le Vaudois, dites-moi... où je... peux avoir de l'eau...

— Il y a une oasis à un kilomètre d'ici, mais vous êtes bien sûr que vous ne voulez pas cette belle écharpe de laine qui...

Le Vaudois se lève difficilement et marche, suivi du Genevois. Après une heure de marche, suivi du Genevois. Après une heure de marche, il aperçoit des palmiers, des fleurs et un petit groupe d'hommes :

— Enfin ! murmure le Vaudois, épuisé, c'est l'oasis, n'est-ce pas ? C'est bien l'oasis ?

— Oui ! répond le Genevois, c'est bien l'oasis. Mais, on ne vous laissera pas entrer si vous n'avez pas une belle écharpe de laine...

***

Cette histoire offre le double avantage — pour les Genevois — de cerner d'une part le sens du commerce particulier — pour eux — des Zurichois et d'autre part leur légendaire dureté.

Le même Genevois doit se rendre dans le plus profond désert et achète un chameau au marché marocain à un Zurichois qui a quitté sa ville natale pour diriger un campement nomade au pays des hommes bleus (campement dont la clientèle est en partie assurée par le « Club Méditerranée »).

Pendant dix jours, le Genevois marche sous un soleil de plomb d'oasis en oasis. Un matin, à quelques kilomètres seulement du prochain point d'eau, le chameau tombe raide mort.

Heureusement pour notre Genevois, deux nomades qui passaient le sauvent d'une mort certaine et le ramènent au village marocain.

Là, il n'a de cesse de retrouver son marchand de chameau-directeur du club de vacances au pays des hommes bleus pour lui dire ce qu'il pense de son sens du commerce.

Un jour, il l'aperçoit et l'apostrophe, très en colère :

— Bandit ! Un Suisse, faire ça à un autre Suisse !

Le Zurichois écoute avec patience l'histoire que le Genevois lui raconte, puis, lui demande :

— Aviez-vous pris la précaution de « pierrer » le chameau ?

— De quoi ?

— Ah ! Je vois ce qui s'est passé, fait le marchand. Avant de partir pour une longue marche, un chameau doit beaucoup boire. Or, vous savez qu'un chameau n'aime pas boire. C'est pour ça qu'il faut le « pierrer » !

— Qu'est-ce que ça veut dire ?

— Voilà ce qu'il faut faire, explique le Zurichois, vous prenez un grand seau d'eau que vous placez devant le chameau. Vous vous glissez derrière lui sans qu'il vous voie et vous lui écartez doucement les pattes de derrière. Vous prenez deux pierres, l'un dans la main gauche et l'autre dans la main droite et vous lui écrasez violemment les testicules. Surpris, le chameau penche la tête dans le seau d'eau et, sous le coup de l'émotion, en aspire le contenu en entier !

— Mon Dieu ! s'exclame le Genevois, mais ça doit faire très mal !

Alors, le Zurichois :

— Ah, bien sûr, faut faire attention à ne pas se taper sur les doigts !

***

Que fait un centenaire genevois qui gagne le gros lot à la loterie romande (loterie nationale) ?

Il met l'argent de côté pour ses vieux jours.

***

Walter a acheté huit cent mille calendriers de l'année 1976 à 1 franc pièce :

— Qu'est-ce que tu veux en faire ? lui demande Rudolf.

— Pour le moment, rien ! répond-il, mais si 1976 revient un jour, je fais fortune !

***

Hans va se marier et, rencontrant son ami de toujours, Ernst, il lui montre la bague qu'il compte offrir à sa fiancée, Hedi :

— Elle est bien mince ! s'écrie Ernst.

— Elle était très épaisse quand je l'ai achetée ! fait alors Hans, mais ça fait huit fois que je fais gratter le prénom...

***

Deux Genevois et un « Italien » de Bellinzona (dans le Tessin, la région méridionale de la Suisse, très marquée par le voisinage de l'Italie) viennent d'achever un confortable repas à l'Hôtel Président, quai Wilson.

Aucun d'eux n'est pressé de régler l'addition.

Soudain, Berthelier, connu, cependant pour son sens aigu de l'économie, s'écrie :

— L'addition, s'il vous plaît ?

L'aimable directeur, monsieur Richard, reste interdit, le garçon n'en revient pas... mais remet la note à monsieur Berthelier qui paye avec autant de grâce que si on lui arrachait les cheveux un à un.

Et, quelque temps plus tard, à l'époque du Carnaval, on pouvait lire cet article dans *La Terreur* (journal satyrique paraissant une fois par an à l'occasion du carnaval) :

— A la sortie du « Président », quai Wilson, un Genevois, Jean-François Berthelier, tire deux balles de revolver

sur l'un de ses amis, ventriloque, avec lequel il venait de dîner...

***

Un représentant se présente au domicile de Mme Lachenal, place Claparède, à Genève.

— L'aspirateur que je vous propose, commence-t-il, est parfaitement révolutionnaire...

Mme Lachenal lui claque la porte au nez. Trois secondes passent et on sonne à nouveau. Mme Lachenal ouvre et se trouve face au représentant.

— L'aspirateur que je vous propose est...

Une seconde fois, Mme Lachenal lui claque la porte au nez.

Le lendemain, on sonne. C'est le représentant.

— L'aspirateur que je vous propose, chère petite madame, est tout à fait révolutionnaire...

Une fois encore, Mme Lachenal claque la porte au nez de l'intrus. Les jours suivants, le même représentant se présente au domicile de la malheureuse qui, à chaque fois, lui lance, avant de lui envoyer la porte au nez :

— Je ne veux plus vous voir !

Le dixième jour, on sonne. Mme Lachenal va ouvrir et voit le représentant accompagné d'un autre homme :

— Je vous ai dit que je ne voulais plus vous voir ! hurle-t-elle, j'en ai assez, vous entendez ?

— Justement ! fait l'autre, vous allez être contente, j'ai trouvé une autre place !

Et, désignant l'homme qui l'accompagne, il ajoute :

— J'ai tenu à vous présenter M. Monnier qui va me remplacer !

***

Le sens du commerce, un Suisse l'a tout jeune. C'est un don. Comme la musique pour certains. Cette histoire le prouve.

Un homme sort d'un hôtel du quartier du Pâquis, à Genève.

Il regarde à gauche, puis à droite, l'air gêné.

Soudain, un pousse-cailloux (gosse) qui jouait aux billes sur le trottoir d'en face s'approche et lui lance :

— Tradéridéra ! Tradéridéra ! Je t'ai vu et je sais ce que t'as fait !

L'homme rougit jusqu'aux oreilles, tire quelques francs de sa poche et les tend à l'enfant.

— Tu oublies que tu m'as vu, hein, petit ?

Puis, il s'en va d'un pas pressé.

Il arrive chez lui, rue de la Croix-Rouge, monte ses trois étages, introduit sa clé dans la serrure et, au moment où, l'esprit léger, il pousse sa porte, il entend une petite voix derrière lui :

— Tradéridéra ! Tradéridéra ! Maintenant, je sais où tu habites !

Furieux, l'homme se retourne. Il se calme, pourtant, sort quelques francs de sa poche et les tend à l'enfant :

— Tu sais comment ça s'appelle ce que tu fais-là ? Du chantage ! Et ce n'est pas beau, ça ! Tu devrais aller te confesser tout de suite !

Et, haussant les épaules, l'homme claque la porte au nez du gamin. Celui-ci passe aussitôt chez l'épicier pour acheter des caramels puis pris de remords, après une heure d'hésitations, il se rendit à l'église pour se confesser.

Il pénétra dans le confessionnal.

Devant lui, une main blanche écarta un rideau et les yeux du garçonnet brillèrent d'un éclat tout particulier :

— Tradéridéra ! Tradéridéra ! murmura-t-il, maintenant, je sais où tu travailles !

***

L'hospitalité des Suisses est légendaire.

Sur un banc du magnifique parc des Eaux-Vives, à Genève, le Lolet et Greti sont assis. Il est préoccupé :

— Je donnerais bien ma paye de vendeuse au « Grand Passage » pour savoir ce qui te tracasse ! remarque la jeune fille.

— Alors, je vais te le dire ! fait le Lolet, je suis tourmenté par l'envie que j'ai de t'embrasser !

— C'est que ça ? sourit la jeune fille en se penchant tendrement vers son compagnon et en prenant l'initiative d'un baiser.

Quelques secondes plus tard, elle remarque que le garçon est encore plus préoccupé qu'auparavant :

— Qu'est-ce qu'il y a encore qui ne va pas ? lui demande-t-elle.

Alors, le Lolet, sombrement :

— Tu as oublié de me dire : ta paye, elle est de combien ?

***

Un commencement d'incendie se produit chez un Genevois de la rue de la Convention. Aussitôt, il se précipite sur son téléphone :

— Allô ? C'est au sujet de la démonstration que vous m'aviez proposé de faire de votre extincteur. Pouvez-vous m'envoyer quelqu'un tout de suite avec un appareil ?

***

Dans le petit train à crémaillère qui traverse le Pilate, au milieu d'une flore exceptionnelle d'environ trois cents espèces différentes (un vrai paradis !), un Bernois s'écrie :

— Ah, la, la ! En voulant prendre quelque chose dans mon paquet qui est dans le filet, j'ai tiré le signal d'alarme. Combien ça va me coûter ?

Un vieux Genevois, assis en face de lui, lui propose alors :

— Vous inquiétez pas ! Je fais de l'épilepsie. Vous me donnez vingt francs et je vous pique une crise !

***

Un Genevois écrit au père de sa fiancée pour lui demander sa main :

— Cher monsieur, je crois que j'ai

471

trouvé le moyen de vous faire faire des économies...

***

Le même Genevois — après leur mariage — part en voyage et recommande à sa femme :

— Surtout, pense à quitter tes lunettes quand tu ne regardes rien !

***

Devant la porte d'un supermarché de Genève, une pauvre femme regarde les étalages avec envie.

Le directeur, ému, lui dit :

— Entrez, ma brave dame, prenez un caddie et servez-vous ! C'est la maison qui paye ! Vous n'avez qu'à choisir ce qui vous plaît !

La dame remercie, prend un caddie, entre et disparaît dans les rayons. Une heure plus tard, elle se présente, chargée de paquets, devant la caisse N° 4 :

— Passez ! lui souffle le directeur, c'est gratuit !

— Oui, merci ! lui répond la vieille dame, mais j'attends mes tickets prime !

***

Il fait nuit noire à Genève.

Dans un taxi, Berthelier roule vers un rendez-vous.

Arrivé à destination, il s'aperçoit qu'il a oublié son portefeuille et qu'il n'a pas d'argent sur lui.

Il descend alors avec flegme et dit au chauffeur :

— Voudriez-vous me passer une allumette, s'il vous plaît. J'ai laissé tomber un gros billet derrière le siège !

Aussitôt, le chauffeur démarre puis disparaît dans la première rue à gauche !

***

Un touriste français est en admiration devant le chien d'un restaurateur genevois :

— Il est formidable ! s'exclame ce dernier, très fier, tenez, il fait nuit, n'est-ce pas ?

— Oui.

— Eh bien, si vous voulez jeter une pièce aussi loin que vous le pourrez, mon chien ira la chercher et la portera au marchand de bonbons qui lui donnera une friandise. Et vous verrez Titus revenir en mâchant un caramel !

— Ah ! Je voudrais bien voir ça ! s'écrie le touriste.

Il lance une pièce de monnaie dans la nuit. Le chien bondit et cinq minutes passent. Dix minutes passent. Un quart d'heure. Le chien ne revient pas.

Le restaurateur et son client partent à sa recherche et le trouvent au coin d'une rue, en galante compagnie d'une charmante teckel.

Alors, le restaurateur, ébahi, s'exclame :

— Ça alors ! C'est bien la première fois qu'il gaspille son argent à des bêtises pareilles.

***

Greti dit à son soupirant :

— Tenez, Jean-Louis, reprenez votre collier. Maman m'a dit que je ne devais pas accepter des cadeaux de ce genre !

— Quoi ? Mais, je ne comprends pas ! Je vais aller parler à votre mère !

Alors, Greti :

— Inutile, Jean-Louis, elle l'a fait expertiser !

***

Un Genevois passe la frontière française. Le douanier lui demande d'ouvrir sa valise :

— Mais, elle est pleine de pain ! fait-il.

— Je vais vous expliquer, monsieur le douanier, dit alors le Genevois en clignant de l'œil, on m'a dit qu'à Paris on pouvait avoir une jolie fille pour une bouchée de pain...

***

Gusti agonise. Sa femme est à son chevet avec le médecin.

— Je dois te dire... murmure le malheureux Gusti, que le Lolet me doit cinquante francs !

— Bien ! fait la future veuve.

— Le Jean-Louis me doit soixante-douze francs.

— Il aura eu sa tête jusqu'au bout ! pleurniche l'épouse, admirative.

— A Ernst, poursuit le moribond, je dois, moi, deux cent francs...

Alors, l'épouse, affolée, prend le médecin à témoin :

— Faites quelque chose, docteur, voilà qu'il délire !

***

Un Genevois vient trouver un chirurgien de la rue du Vidollet, près du stade de Varembé :

— Amputez-moi du bras gauche ! lui demande-t-il, je viens de perdre un gant !

***

Ouin-Ouin a un chien magnifique qui vient de voler un morceau de viande chez un boucher de la rue du Marché :

— C'est bien votre chien, n'est-ce pas ? lui demande le commerçant.

— C'était ! fait Ouin-Ouin, maintenant il est établi à son compte !

L'ARMÉE SUISSE

La Suisse — peut-être à cause de sa célèbre marine, composée en réalité de petits bateaux de plaisance nommés mouettes, qui loin de dépendre de l'armée suisse sont la propriété de la C.G.N. (Compagnie générale de Navigation) — connaît toujours un franc succès auprès des raconteurs d'histoires militaires.

C'est à qui racontera « la meilleure » ou « la dernière » dont le héros est le soldat helvétique au célèbre uniforme vert cintré.

***

On raconte l'histoire de caporal qui harangue les jeunes recrues, au quartier de La Boya, à Fribourg :

— Quand je vous donnerai un ordre, faudra l'exécuter sans dire un mot. Je ne me trompe jamais, moi ! Je ne me suis trompé qu'une seule fois dans ma vie : le jour où j'ai pensé que j'avais tort. En réalité, j'avais raison !

C'est le même caporal qui affirmait qu'« un document secret est considéré comme perdu quand il ne peut être retrouvé ».

***

Le Major Turretigni reçoit un soldat qui, très troublé, lui confie :

— Voilà, major ! J'ai eu un accident aux dernières manœuvres. J'ai été touché par des chevrotines à l'endroit le plus... Enfin, à l'endroit qui... Enfin, vous voyez ce que je veux dire, Major ? Depuis, j'ai plein de problèmes. Vous vous rendez compte ! Quand je vais aux toilettes, j'asperge tous mes camarades ! J'en peux plus, moi !

— Déshabillez-vous, commande le major, et étendez-vous là !

Au terme d'un long examen, le major ordonne au soldat de se revêtir et inscrit quelques lignes sur une ordonnance :

— Allez, au cours de votre prochaine permission, à ce numéro, rue des bouchers. C'est près du « Duc de Bertold ». Vous avez des chances d'être guéri !

— Vous m'envoyez chez un spécialiste, Major ?

— C'est ça, oui ! C'est un joueur de flûte. Il pourra vous montrer comment il faut vous y prendre !

***

Quartier La Boya, à Fribourg :

— Alors, de quoi vous plaignez-vous ? demande le major à un nouveau venu.

— J'ai des cors aux pieds, major.

— C'est rien, ça ! J'ai eu la même chose au front !

Alors, le « bleu » :

— Au front, ça vous empêchait pas de marcher !

***

Toujours quartier La Boya.

En pleine nuit, l'adjudant entre dans cette chambrée, réveille les « bleus » et ordonne :

— Je veux voir la section en tenue de campagne dans une minute !

Alors, un des Suisses, à moitié endormi :

— Si on veut on peut être prêt avant ?

***

Place d'aviation d'Isone.

L'adjudant enseigne le maniement du parachute à un jeune.

— A trois mille mètres d'altitude, tu sautes dans l'espace en tirant sur le cordon du parachute qui s'ouvre aussitôt et tu atteris en douceur...

— Et si le parachute ne s'ouvre pas ?

— Alors, tu passes au magasin, fait l'adjudant, on t'en donne un autre !

***

Quartier de Drognons. Le capitaine fait venir le Loyon, son ordonnance :

— Tiens ! lui dit-il, voilà trois francs pour m'acheter deux paquets de « Brunettes » !

— J'y vais tout de suite, mon capitaine ! s'empresse le Loyon.

— Attends ! l'arrête le gradé, voilà trois autres francs pour m'acheter du vin rouge.

— Oui, mon capitaine.

Cinq minutes plus tard, le Loyon est de retour, la tête basse :

— Alors ? l'interroge son capitaine.

— Ben, mon capitaine, avoue l'autre, j'ai mélangé les premiers trois francs avec les deuxièmes trois francs. Maintenant, je ne me rappelle plus lesquels trois francs qui sont pour les Brunettes et lesquels trois francs qui sont pour le vin rouge !

***

— Comment, dit l'adjudant à Gusti, tu te dis un bon soldat et tu es toujours consigné ?

— Mais, mon adjudant ! répond Gusti, c'est vous qui avez dit qu'un bon soldat ne doit connaître que la consigne !

***

École de Transmission d'Infanterie La Boya, à Fribourg, toujours.

Les recrues sont en rang par deux. Le caporal passe :

— Que ceux qui ont des dons pour la musique sortent des rangs !

Sept soldats se présentent. Alors, le caporal leur ordonne :

— Allez au mess des officiers, y' a un piano à transporter !

***

Un soldat, actuellement incorporé dans une caserne de Sion, écrit à ses parents.

— Enfin, mes chers parents, je ne vous en dis pas plus long car nous rentrons de manœuvres par moins vingt au-dessous de zéro et j'ai si froid aux pieds que je ne trouve même plus la force de tenir mon stylo...

***

Après une marche d'entraînement dans la douce campagne fribourgeoise, un officier d'infanterie dit à ses hommes :

— Pour donner l'exemple à tout le quartier, nous allons rentrer à pied !

Consternation générale. L'officier ajoute :

— Nous n'avons fait que 50 kilomètres. J'espère que vous êtes tous volontaires. Que ceux qui, pourtant, voudraient rentrer au campement en camion avancent de trois pas !

Tous les soldats avancent de trois pas.

Sauf Gusti.

— Alors ? lui dit l'officier, tu es le seul à vouloir rentrer à pied ?

— Oh, non ! gémit Gusti, moi, je ne peux même plus faire les trois pas en avant !

***

Motif de punition relevé sur le cahier de la caserne d'Andermadt.

— Quinze jours au soldat Herberon. Motif : A facilité le coït d'un chien et d'une chienne de plus petite taille en mettant sous le derrière de celle-ci le registre de l'officier de détail.

***

Ouin-Ouin, jeune parachutiste cantonné à Isone, s'apprête à sauter de l'avion. L'adjudant l'arrête de justesse :

— Tu es fou, tu vas sauter sans parachute ?

— Qu'est-ce que ça peut faire ? fait Ouin-Ouin, c'est un excercice d'entraînement, non ?

***

Ce sont les grandes manœuvres. L'adjudant appelle Gusti :

— Tu vois cette gare qui est là-bas. Débrouille-toi pour la rendre inutilisable. Faut pas que l'ennemi puisse s'en servir. Vu ?

Une heure plus tard, Gusti se présente devant son adjudant, sourire aux lèvres :

— Mission accomplie, mon adjudant. Pour ce qui est de la gare, l'ennemi ne pourra pas s'en servir de sitôt !

— Bravo, mon garçon ! Comment as-tu fait ?

— Facile, mon adjudant ! répond Gusti, regardez dans ce sac, tous les billets y sont !

***

Pendant les grandes manœuvres, un Genevois arrive au P.C. de son général :

— Mon général, soixante-quinze pour cent du groupe rouge hors de combat !

— Bien ! fait le général.

Puis, après un temps :

— Qu'est-ce que tu me racontes là, sombre idiot ! Soixante-quinze pour cent ? La section rouge ne comprend que 60 hommes !

***

Hans est soldat aux « Fusillers de montagne » — Gebirge Grenadiere — (nos chasseurs alpins français).

Il a obtenu une permission exceptionnelle et, à son retour, le capitaine l'interpelle :

— Alors, mon garçon, ce congé ? Qu'est-ce que tu as fait en arrivant chez toi ?

— Ben, mon capitaine, je... Nous... Enfin, ma femme et moi...

— Je vois ! Bien, ça ! Le soldat suisse a le sens de la famille ! Ensuite, qu'est-ce que tu as fait ?

— Ben, on a remis ça, mon capitaine. Je veux dire : la même chose...

— Bien ! siffle d'admiration le capitaine, tu es un fier gaillard ! Il est vrai que l'armée t'assure une parfaite condition physique... Et, ensuite, qu'est-ce que tu as fait ?

— Ensuite ? tente de se souvenir Hans, ensuite... Ah, oui, j'ai enlevé mes skis !

***

L'adjudant, au Jean-François :

— Qu'est-ce que tu fais dans le civil ?

— Interprète. Je possède dix langues.

— Bon ! fait l'adjudant, tu aideras le vaguemestre à coller les timbres !

***

En passant près du lac Léman, le Lolet aperçoit l'adjudant d'une compagnie d'infanterie qui est en train de se noyer.

Il plonge aussitôt et le ramène sur la rive.

— Ah ! Merci, mon gars ! lui dit l'adjudant, sans toi... Dis-moi, est-ce que je peux faire quelque chose pour toi ?

— Ben, fait le Lolet, oui : Ne dites à personne que je vous ai sauvé !

— Modeste avec ça ! s'étonne l'adjudant. Et pourquoi donc ?

— Parce que, dit le Lolet, les copains, s'ils savaient que je vous ai sauvé, ils me casseraient la gueule !

***

Place d'aviation d'Isone.

Le sergent instructeur donne la première leçon aux élèves parachutistes :

— Je commencerai par vous dire une chose importante : la moyenne des accidents mortels est de 1 pour 1 000 !

Puis, avec un sourire rassurant, il ajoute :

— Vous n'avez donc pas à vous en faire puisque vous n'êtes que 40 !

***

Gusti a perdu son fusil au cours des manœuvres. Le commandant n'est pas content :

— Tu me feras quinze jours de tôle et on te retiendra ta solde jusqu'à ce que le fusil soit payé !

Alors, Gusti :

— Je comprends maintenant pourquoi les gradés n'ont pas de fusil !

***

C'est l'histoire que m'a racontée un pilote de La Planche, l'école de protection aérienne de Fribourg.

Un général vient visiter un hôpital militaire et les malades de la première salle l'attendent au garde-à-vous. Le gradé les interroge sur leur état :

— Toi ! Quelle maladie ?

— Hémorroïdes, mon général.

— Qu'est-ce qu'on te fait comme traitement ?

— Bien. Dis-moi : quel est ton plus grand désir ?

— Retourner à la caserne au plus tôt, mon général.

— Bravo, mon garçon.

Le général s'adresse à un autre.

— Et toi, de quoi souffres-tu ?

— D'hémorroïdes, mon général.

— Comment te soigne-t-on ?

— Par des badigeonnages, mon général.

— Bien. Et quel est ton plus grand souhait ?

— Guérir vite, mon général, pour retourner au quartier.

— Très bien, mon petit gars.

Le général se tourne vers Gusti :

— Et toi, tu as aussi des hémorroïdes ?

— Non, mon général, moi, j'ai les gencives gonflées !

— Ah ! Et on te soigne comment ?

— Par des badigeonnages, mon général.

— Et ton plus cher désir, qu'est-ce que c'est ?

Alors, Gusti rougissant :

— Qu'ils changent de pinceau, mon général !

***

On sait que les Suisses inaptes au service national sont versés d'office dans le corps des sapeurs-pompiers.

Ce qui ne manque pas de laisser planer un doute sur les capacités intellectuelles de ces soldats du feu.

A tort, bien entendu.

Et ces deux histoires sont bien éloignées de la réalité.

Elles sont parfaitement gratuites.

Ce qui ne sera pas pour déplaire à nos amis suisses.

Un pompier d'un petit bourg proche de Montreux est entré, un jour, précipitamment, dans le bureau de son adjudant :

— Mon adjudant, criait-il, affolé, y'a le feu au poste. Où est-ce que je dois téléphoner ?

***

— Alors, comme ça, c'est une cigarette qui a mis le feu à la robe de Mme Meylan ?
— Oui. Et rapidement elle a été entourée de flammes.
— Et brûlée vive ?
— Ah, non ! Pas brûlée vive ! Les pompiers ont été là tout de suite : elle est morte noyée !

***

Les Suisses sont, en tous les cas, très sûrs de leur armée censée être opérationnelle en deux jours.
Et l'un d'eux imagine volontiers cette histoire censée se dérouler en temps de guerre et qui confirme bien la confiance que nos voisins placent dans leurs compagnies.
Un dimande, un capitaine de l'armée suisse téléphone à sa petite amie, adjudant dans le service auxiliaire de santé :
— On sort mardi ?
— Tu n'y penses pas ! C'est la guerre !
— C'est vrai ! Alors, mercredi ?

*****
***

Mina et André Guillois

racontent...

les meilleures histoires écossaises

LES HISTOIRES ÉCOSSAISES

Un Écossais demande à un Anglais :
— Connaissez-vous la dernière histoire écossaise ?
— Non.
— Donnez-moi dix pence et je vous la raconte.[1]

***

Après être resté un mois dans le coma, un vieil Écossais ouvre l'œil pour la première fois.
— Mrs McGregor, annonce le médecin, attendez-vous à une bonne nouvelle. Votre mari est sauvé. Dans quinze jours, il trottera comme un lapin.
— Vous appelez ça une bonne surprise, s'écrie l'Écossaise. Mais qu'est-ce que je vais faire, moi, maintenant, alors que j'ai déjà vendu tous ses vêtements ?

***

Un Écossais est en train de lire un livre qu'il a emprunté à un ami. Toutes les deux minutes, il se lève de son fauteuil, va éteindre l'électricité, se rassied, se relève, rallume la lampe.
— Murdoch, s'étonne sa femme, que fais-tu donc ?
— Des économies. Crois-tu que j'ai besoin de lumière pour tourner les pages ?

***

— Nous vous avons dérangé pour rien, docteur, dit un Écossais. Nous avions vu notre bébé avaler une pièce de monnaie mais, pendant que je courais à l'auberge, pour vous téléphoner, ma femme s'est aperçu qu'il ne s'agissait que d'une pièce démonétisée.

***

Dix Écossais entrent dans un pub. L'un deux passe la commande :
— Une bière... et dix pailles !

***

Un grand journal écossais annonce en titre de première page :
« Scène de violence dans une rue de Glasgow. Un passant avait laissé tomber une pièce d'un penny. Huit morts et vingt-sept blessés à l'issue d'une mêlée qui s'en est suivie. Un champion de judo a emporté le trophée. »

***

Une soucoupe volante se pose sur la grand-place d'une ville écossaise. Une douzaine d'extra-terrestres en sortent. La foule les contemple avec stupéfaction.
— Oh ! comme ils sont bâtis !

---

1. Les cours du change étant fluctuants, on se fixera comme ordre de grandeur, qu'un penny correspond, en gros, à 10 centimes, et une *livre* (cent *pence* ou cent *pennies*, au choix) à 10 francs.

Regardez : ils ont cinq petites jambes et trois grands bras !

Soudain, les extra-terrestres se mettent en marche vers la boutique d'un célèbre tailleur pour hommes. Terrorisés, les employés s'enfuient du magasin, sauf un qui montre un sang-froid extraordinaire. Avant de courir rejoindre ses camarades, il retire prestement de la vitrine la pancarte :

RETOUCHES GRATUITES POUR L'ACHAT DE TOUT COSTUME

***

A Monte-Carlo, un Écossais vient de gagner 250 000 F à la roulette. Il ramasse ses plaques et, tendant au croupier une pièce de cinquante centimes, il lui demande :

— Auriez-vous de la monnaie, que je fasse quelques heureux parmi le personnel ?

***

Une éclipse totale du soleil a lieu à 11 heures du matin. Au moment précis où le ciel s'obscurcit, un Écossais pénètre dans un bureau de poste et tend une formule à l'employée en expliquant :

— C'est un télégramme que je veux envoyer en bénéficiant du tarif de nuit.

***

Un Écossais soupire, en lisant un livre de vieilles légendes de la mer :

— Quel bonheur ce devait être, pour un homme, d'épouser une sirène!

— Tu penses, en disant cela, à l'agrément d'entendre sa voix mélodieuse ?

— Non. Je pense surtout à ce qu'il devait réaliser comme économies de chaussures.

***

Premier de sa classe en calcul mental, un jeune Écossais demande à un épicier :

— C'est combien, les bonbons ?

— Six pour 5 pence, dit le commerçant.

Aussitôt le gamin se met à calculer à mi-voix :

— Six pour 5 pence, cela fait cinq pour 4 pence, quatre pour 3 pence, trois pour 2 pence, deux pour un penny... Bon, je prendrai juste le gratuit.

***

Cette annonce a paru dans un grand journal d'Édimbourg :

« Grande charcuterie cherche vendeuse. Préférence accordée à végétarienne. »

***

Des touristes qui visitent l'Écosse entrent dans une sorte de grange en ruines, pompeusement baptisée « magasin d'antiquité ». Le tour en est vite fait, quelques brocs d'étain verni y voisinent avec des bols de faïence ébréchés et quatre marmites à pot-au-feu trouées.

Après trois minutes, très déçus, ils s'apprêtent à ressortir, quand le propriétaire des lieux, un Écossais plus vrai que nature, s'interpose, la main tendue :

— Please, dit-il, dix pence par personne... pour la visite du musée.

***

Un Écossais bavarde avec son futur gendre :

— Croyez-vous que si vous épousez ma fille, vous pourrez subvenir à ses besoins ?

— Certainement.

— Vous l'avez déjà vue manger ?

— Oui, monsieur.

Le père réfléchit un instant, puis il ajoute :

— L'avez-vous déjà vue manger *lorsque personne ne la surveille ?*

***

Comment un hôtelier peut-il être certain de faire plaisir à un client écossais ?

En lui faisant un lit en portefeuille.

***

Un Écossais raconte à un ami :

— Hier, je suis revenu en taxi avec une fille en jupe mini-mini-mini. Elle était jolie, mais alors si jolie que j'ai eu un mal fou à garder constamment mes yeux fixés sur le compteur.

***

Un lecteur furieux a écrit d'Edimbourg à un grand quotidien de Londres:

— Je vous préviens solennellement que si vous ne cessez pas de publier des plaisanteries stupides sur la prétendue avarice des Écossais, moi j'arrêterai d'emprunter votre journal.

***

Un Écossais entre dans un café des Boulevards et demande le prix d'un demi de bière.

— 4 F, répond le garçon.

— C'est cher, dit l'Écossais.

— Alors ne buvez pas en terrasse. Debout, au comptoir, ce n'est que 2,50 F.

— Et, questionne l'Écossais, combien le faites-vous au comptoir si je me tiens sur une seule jambe ?

***

Quel est le comble de l'avarice pour un Écossais qui part en vacances ?

C'est, quand il va prendre son billet de chemin de fer, de se mettre à la fin de la file d'attente la plus longue, pour garder le plus longtemps son argent dans sa poche.

***

— C'est terrible, gémit un Écossais, je ne parviens jamais à boire un café exactement comme je l'aime. Chez moi, par économie, je ne mets qu'un sucre. Chez des amis, où c'est gratuit, j'en mets trois. Or, je ne l'aime qu'avec deux.

***

Un Écossais a fait la connaissance d'un Auvergnat.

— L'autre jour, raconte l'Écossais, j'ai ouvert mon porte-monnaie : il en est sorti trois mites.

— Ce n'est rien à côté de moi, fait l'Auvergnat. Quand j'ai ouvert mon portefeuille pour en tirer un billet de dix francs, Berlioz a été tellement surpris de voir le jour qu'il en a cligné des yeux.

***

A Edimbourg, un bandit écossais a réussi un joli coup. Il a lancé une brique dans la vitrine d'une joaillerie, et par le trou ainsi pratiqué, il a volé pour quelque 20 000 livres de bijoux.

La police l'a arrêté le lendemain.

Au moment où il revenait chercher sa brique.

***

Un couple d'Écossais avait pris pension dans un petit hôtel, pour la durée des vacances. Un jour, en s'éveillant, le mari s'aperçoit que sa femme est morte. Son premier réflexe est d'appeler la réception de l'hôtel pour ordonner :

— Please, un seul breakfast, ce matin.

***

— Mes enfants, annonce, le matin de Noël, un Écossais à ses deux garçons, Santa Claus ne vous a pas oublliés. Pour toi, Charlie, il a graissé tes patins à roulettes, et pour toi, Bobby, il a regonflé ton ballon de rugby.

481

***

— C'est aujourd'hui le dixième anniversaire de notre mariage, dit un Écossais à sa femme. Au diable, l'avarice ! Donne double ration de graine au canari.

***

— Allez, Angus, dit une Écossaise, en secouant vigoureusement son mari, il est l'heure de te lever.

L'Écossais ouvre un œil, se dresse sur son séant et s'écrie avec reconnaissance .

— Oh! merci, ma chérie, merci!

— Mais de quoi ? fait sa femme, étonnée.

— J'étais en train de rêver que je téléphonais d'un bureau de poste à notre tante Martha en Australie. Et tu m'as réveillé au moment précis où j'allais payer le prix de la communication.

***

— Donnez-moi un sandwich, ordonne un Écossais à un garçon de café.

— Certainement, monsieur. Au pâté, au saucisson, au fromage ?

— Non, nature.

***

Un marchand de gibier reçoit la visite d'un chasseur écossais qui vient lui vendre un lièvre. Ils tombent assez vite d'accord sur le prix.

— Ah ! fait l'Écossais, un mot encore. Soyez aimable de prier le client qui vous l'achètera de me mettre les plombs de côté, pour que je recharge mes cartouches.

***

On interroge un Écossais, qui a visité le monde entier :

— Quel est l'endroit que vous avez préféré ?

— La Corse, répond-il, sans hésiter.

— A cause du climat ?

— Heu... En fait, c'est surtout parce que, là-bas, les gens sont tellement paresseux que le personnel des hôtels ne fait même pas l'effort de tendre la main pour réclamer un pourboire.

***

— Tu sais, dit une Anglaise à une amie, que je me suis fiancée par correspondance avec un Écossais que je n'ai jamais vu.

— Pas possible ?

— Si. Et il vient de m'envoyer une photo.

— Alors, comment est-il ?

— Attends, il faut, d'abord, que je fasse développer le cliché.

***

Un richissime Écossais a consenti à remettre un chèque important à une œuvre de bienfaisance.

— Merci infiniment, s'écrie la Présidente de l'œuvre.

Puis, jetant un coup d'œil au chèque :

— Excusez-moi, mais il n'est pas signé.

— Je sais, fait le millionnaire écossais, avec un clin d'œil. Quand il s'agit de bonnes œuvres, j'entends rester le plus discret possible.

***

Un reporter interroge la femme du champion écossais de voltige aérienne.

— Quand votre mari se livre à tous ces loopings, ces vrilles et ces vols sur le dos, n'êtes-vous pas trop inquiète ?

— Non, répond l'Écossaise, parce qu'avant chaque meeting, je prends soin de vider ses poches de toute la petite monnaie qui pouvait s'y trouver.

***

Un pasteur écossais va déjeuner dans un petit restaurant. Au moment de payer, il dit à la serveuse :

— Je vois que les pourboires sont interdits, ici.

— C'est vrai, admet la jeune fille. Mais je vous rappelle que les pommes étaient également interdites au jardin d'Eden.

***

Un romancier en vogue a reçu cette lettre d'un admirateur écossais :

« Votre dernier livre m'a tellement plu que j'ai été à deux doigts de l'acheter. »

***

Un tailleur d'Édimbourg a réussi à décider ses clients, renommés pour leur pingrerie, à se fournir chez lui.

Il a mis cette pancarte dans sa vitrine :

« Achetez un pantalon ici en ne payant que les deux jambes : cinq livres chacune. Le fond est gracieusement offert en prime par la maison. »

***

Les Écossais sont les gens les plus méfiants du monde. Après que vous leur ayez serré la main, ils étendent leurs doigts et ils comptent.

***

Une auberge d'Écosse était hantée, depuis des siècles, par des fantômes.

— J'ai une idée pour m'en débarrasser, annonça, en en prenant possession, son nouveau propriétaire.

Et, prenant la carte, il multiplia par quatre le prix de tous les plats.

Effectivement, à un tel tarif, il n'est plus jamais revenu personne dans son auberge.

***

— Madame, annonce un garde-champêtre à une Écossaise, votre mari

a dû avoir un étourdissement, pendant qu'il était à la pêche. Il est tombé à l'eau et il s'est noyé.

— Etes-vous sûr qu'il était bien mort quand on l'a repêché ?

— Absolument certain. J'ai moi-même fouillé toutes ses poches et il n'a pas bougé.

***

Un Écossais se fâche après son jeune fils qui a allumé l'électricité pour lire un illustré :

— Petit gaspilleur ! Va donc finir ton livre dans le jardin. J'ai vu qu'à côté du puits il y avait un ver luisant !

***

A l'office du dimanche, un Écossais dépose sur le plateau de la quêteuse une pièce d'un penny.

— Excusez-moi, fait la jeune fille, en la lui rendant, mais je n'ai pas la monnaie.

***

Une famille d'Écossais est venue assister au Carnaval de Nice. Le père ramasse, sur sa veste, quelque confetti :

— Tenez, les enfants, dit-il à ses rejetons, voici cinq confetti pour chacun de vous. Amusez-vous bien, et, surtout, ne les gaspillez pas.

***

En Écosse, le commissaire interroge un candidat au poste d'agent de police.

— Vous cherchez à disperser un attroupement. Que faites-vous ?

— La quête, répond, sans hésiter, le postulant.

— Mon ami, vous êtes engagé !

***

— Papa, dit fièrement un petit Écossais, en rentrant de l'école, au lieu de prendre le bus, j'ai couru derrière.

Comme cela, j'ai économisé vingt pennies.

— Petit imbécile, grommelle le père, si tu avais eu l'intelligence de courir derrière un taxi, tu aurais économisé au moins deux livres.

***

— Vous ne savez pas, se désole un Écossais, le malheur qui m'est arrivé ? Figurez-vous que j'avais trouvé par terre un billet pour une tombola. Quand celle-ci a été tirée, je consulte la liste des gagnants et je constate que je remporte le premier lot : une superbe Rolls-Royce.

— Et alors ? Où est le malheur, là-dedans ?

— Les organisateurs n'avaient même pas fait le plein de leur voiture. Il m'a fallu acheter cinq litres d'essence pour la ramener.

***

Un employé de bureau raconte ses vacances à un collègue :

— A Perth, dans une fête foraine, j'ai vu une femme qui jeûnait totalement, depuis un mois.

— Et il ne lui est rien arrivé ?

— Si. Dix Écossais l'ont demandé en mariage.

***

En Écosse, une femme fantôme feuillette le catalogue d'une grande maison de vente par correspondance.

— Chéri, dit-elle, à son fantôme de mari, je vois que le blanc, c'est complètement dépassé. Je crois que je vais me commander un nouveau suaire, avec des bleuets et des marguerites imprimés sur fond jaune clair.

***

Un ventriloque a été invité, avec six autres personnes, chez un Écossais, plus pingre encore que la moyenne des Écossais.

Au moment où la maîtresse de maison apporte un minuscule poulet, le ventriloque s'écrie :

— Écoutez ! On dirait qu'il parle !

Et, effectivement, on « entend » la bestiole s'écrier :

— Que de monde ! Que de monde!

***

— Votre petit garçon n'est plus là ? demande une cliente à une commerçante écossaise.

— Non. J'ai dû me résigner à le mettre à la campagne, chez ma mère.

— Pourquoi, il était malade ?

— En un sens, oui. Il se mettait a pleurer à chaque fois que je rendais la monnaie.

***

A la veille du mariage de son fils, un Écossais lui dit :

— Donne-moi tes jouets que je te les mette de côté — pour quand tu retomberas en enfance.

***

— Ma fille, raconte un Écossais, a fait la connaissance d'un jeune homme bien sous tous rapports que j'espère lui voir épouser.

— Qu'a-t-il donc de si extraordinaire ?

— Chaque soir, il vient la voir, au moment où ma femme et moi allons au lit. Il éteint la lumière, s'assied sur une chaise, prend ma fille sur ses genoux et ils restent comme ça pendant des heures.

— Et toi, tu trouves ça bien ?

— Voyons, n'est-ce pas le gendre idéal ? Ce garçon économise l'électricité, il n'use qu'une chaise pour deux et, en plus, il fait à ma fille un massage complet !

***

Un Écossais vint déclarer son fils au bureau de l'état-civil.
— Qu'allez-vous en faire, de ce jeune homme ? interroge l'employé.
— Un médecin. D'ailleurs, en prévision, voilà déjà cinq ans que je lui mets de côté, à l'usage de ses futurs clients, tous les magazines.

***

Un fantôme sort d'un château hanté d'Écosse. Deux minutes plus tard, il est de retour.
— Avec le froid qu'il fait, explique-t-il, ça glisse terriblement. Je vais mettre des chaînes.

***

Devant le casino de Monte-Carlo, un milliardaire écossais, qui descend de sa Rolls-Royce, dit au clochard qui s'est précipité pour ouvrir sa portière :
— Merci, mon ami. Votre geste mérite une récompense. Mon chauffeur va venir vous serrer la main.

***

Après avoir erré, des heures durant, dans une forêt d'Écosse, un touriste aperçoit enfin un bûcheron.
— Ah ! s'écrie-t-il, avec soulagement, quelle joie de vous rencontrer ! Figurez-vous que j'étais complètement perdu.
— Une récompense a-t-elle été offerte pour vous retrouver ? interroge l'Écossais.
— Heu... non.
— Alors, fait le bûcheron, en tournant les talons, vous êtes toujours perdu.

***

Un Écossais arrive en courant au temple où va être célébré son mariage:
— Excusez-moi d'être un peu en retard, dit-il au pasteur, mais j'ai eu un mal fou à emprunter deux alliances.

***

Un cinéaste écossais a porté à l'écran la Vie de Jésus. Dans sa version de la Cène, après avoir pris son dernier repas avec ses disciples, Jésus appelle le serveur et lui dit :
— Vous nous ferez des additions séparées.

***

Dans un château d'Écosse, quatre gentlemen jouent au bridge. Soudain, une porte s'ouvre en grinçant. Cinq minutes plus tard, la même porte s'ouvre à nouveau.
— Ça va arrêter, ce chahut, les fantômes ! s'écrie un des bridgeurs. Enfin, les trous de serrure ne sont quand même pas faits pour les chiens !

***

— Votre femme est-elle bonne ménagère? demande-t-on à un Écossais.
— Si elle est bonne ménagère ! Savez-vous que lorsqu'elle change l'eau de l'aquarium, nous mangeons de la soupe de poisson pendant trois jours.

***

Un petit garçon va en vacances dans une ferme, tenue par une Écossaise très avare. Pour son goûter, la dame lui tend un morceau de pain sur lequel elle a tartiné une minuscule cuillerée de miel.
— Je vois, dit le gamin, sans sourciller, que vous avez *une* abeille.

***

Pourquoi tous les Écossais ont-ils le sens de l'humour ?
Parce que c'est un don de la nature.

***

— Alors, demande le médecin, au vieil Écossais qui vient le consulter pour la première fois, de quoi souffrez-vous exactement ?

— Attention, fait le vieil homme, si je vous le dis, j'espère que vous ne me ferez payer que demi-tarif.

***

Dans un autobus écossais, le receveur regarde fixement les voyageurs comme s'ils n'avaient pas payé leur place.

Les voyageurs ne se laissent pas impressionner pour autant. Ils regardent le receveur bien en face — exactement comme s'ils avaient payé.

***

Un Écossais, rentrant chez lui à l'improviste, a la désagréable surprise de trouver sa femme au lit en compagnie de son meilleur ami. Il sort son revolver et, ne perdant pas son sens de l'économie, ordonne :

— Madame, mettez-vous derrière votre complice que je vous tue tous les deux d'une seule balle.

***

Dans une petite ville d'Écosse une jeune fille questionne le garçon avec lequel elle flirte, depuis quelque temps.

— Darling, avez-vous parlé à papa ?
— Oui.
— Lui avez-vous dit que votre amour pour moi était si violent qu'il vous empêchait de dormir ?
— Oui.
— Alors, il vous a accordé ma main ?
— Non. Mais il m'a proposé une place de veilleur de nuit dans son établissement.

***

Le dentiste demande à un Écossais :
— Voulez-vous que je vous endorme ? Ce sera une livre de plus.
— Inutile, je sens que je vais m'évanouir.

***

A l'intention des touristes, qui visitent les Iles Britanniques, un guide donne cette précision qui permet de bien différencier les Anglais des Écossais.

Un Anglais admet sans discuter que deux livres plus deux livres font quatre livres. Un Écossais le sait pertinemment, lui aussi. Mais il trouve que ça ne fait pas assez.

***

Douze anciens membres de la Royal Air Force, dont un Écossais, se réunissent à déjeuner pour évoquer leurs souvenirs de guerre. A la fin du repas, l'Écossais dit au maître d'hôtel :
— Donnez-moi la note.

Le lendemain, les journaux relataient ce fait-divers :
« Un Écossais furieux tue un ventriloque. »

***

Un Écossais avait trouvé, dans la rue, un paquet d'emplâtres pour soigner les cors aux pieds. Ravi de cette aubaine, il courut aussitôt s'acheter des chaussures trop petites.

***

Leur père étant mort, un Écossais se rend à la poste pour avertir son frère qui habite en Nouvelle-Zélande.

— C'est un forfait, lui dit l'employé: dix mots pour deux livres.
— En ce cas, fait l'Écossais, envoyez le message suivant : « Enterrons père mercredi. Stop. Glasgow bat Dundee 7-6 après prolongations. »

***

Un Écossais entre dans une librairie et prend, sur un rayon, un livre intitulé: *Comment faire fortune en huit jours.*

— S'il vous plaît, demande-t-il au vendeur, combien me le louez-vous... pour une semaine ?

***

Un individu souffrait en permanence de crises de hoquet.

Un jour, un de ses amis lui conseilla de consulter un spécialiste de Glasgow qui avait connu les plus grandes réussites, en ce domaine. Le malheureux se précipita en Écosse et, après un mois de traitement, il revenait, encore plus sombre qu'en partant.

— Tu as vu le Dr MacMish ? lui demanda son ami.

— Oui.

— Alors, il t'a guéri de ton hoquet?

— Complètement.

— Tu vois ! Comment a-t-il procédé?

— Il m'a fait jouer, pendant un mois, de la cornemuse. Mais, maintenant, ce que je cherche, c'est un spécialiste qui me guérirait de la cornemuse.

***

Deux Écossais se retrouvent à la sortie du bureau de poste.

— Tu viens de toucher un mandat ? interroge le premier.

— Non, répond l'autre. Je viens de remplir mon stylo.

***

— Voici, annonce à un Écossais le directeur d'une organisation de concours de pronostics, le montant de votre prix : 500 000 livres en beaux billets tout neufs de la Banque d'Angleterre. Puis-je vous demander ce que vous allez faire de ces billets ?

— D'abord, les recompter.

***

Trois Écossais s'étaient rendus, un soir, à une conférence gratuite. Hélas, c'était trop beau. Au milieu de son exposé, le conférencier annonça :

— Nous allons, maintenant, faire une petite pause, pendant laquelle sera effectuée une quête au profit des vieillards nécessiteux de notre commune.

Aussitôt, un des Écossais tomba évanoui.

Et ses deux amis s'empressèrent de le transporter hors de la salle.

***

On sonne à la porte d'un cottage d'Écosse.

— Mon Dieu, s'écrie la maîtresse de maison, en pâlissant, je parie que ce sont les MacAdam et qu'ils n'ont pas dîné !

— Recevons-les sur le pas de la porte, suggère son mari, en tenant ostensiblement un cure-dent à la main.

***

Un Écossais achète à sa femme, pour Noël, un cadeau royal : un sac à main.

— Je. vous l'enveloppe ? demande la vendeuse.

— Non, fait l'Écossais, ce n'est pas la peine. Mettez-moi simplement le papier et la ficelle à l'intérieur.

***

L'an passé, un richissime Américain, voyant deux Écossais se baigner, sur une plage d'Aberdeen, avait offert une prime d'un dollar à celui qui serait capable de rester le plus longtemps sous l'eau.

On recherche toujours les deux cadavres.

***

Un Écossais, qui vient de perdre sa femme, est secoué de sanglots.

— Allons, allons, lui dit un ami, remets-toi. Évidemment, c'est une terrible perte que tu as subie là.

— Oh ! là ! là ! gémit l'Écossais, pire encore que tu ne peux l'imaginer. Figure-toi que, la semaine dernière, le pharmacien m'avait vendu pour elle une boîte de pilules — et qu'il se refuse absolument à me reprendre celles qui restent.

***

Les Jeux Olympiques doivent se dérouler à Glasgow.

— J'ai les ouvriers chez moi, dit une Écossaise à une voisine. Je fais agrandir mon appartement pour loger des visiteurs étrangers, pendant les Jeux.

— Auriez-vous acheté l'appartement contigu au vôtre ?

— Pensez-vous ! Simplement, avec quelques cloisons, judicieusement disposées, de mon trois pièces, j'en fais neuf.

***

Un Français, en vacances en Écosse, a chargé dans sa voiture un indigène qui faisait de l'auto-stop. Il le ramène jusqu'à la fabrique de whisky dont l'auto-stoppeur lui dit être le directeur. Les deux hommes entrent dans la maison et bavardent amicalement quelques instants. Tout à coup, l'Écossais s'écrie :

— Vous n'allez pas partir sans vous rafraîchir.

Et il ouvre les fenêtres.

***

Un Écossais va consulter un spécialiste et, au moment de prendre congé, il lui tend trois billets d'une livre.

— Je vous signale, lui dit le médecin, que le prix de la consultation, chez moi, est de huit livres.

— Excusez-moi, fait l'Écossais. J'étais persuadé que c'était cinq.

***

— J'ai échangé ma cornemuse contre une vache, raconte un Écossais. Les deux font le même bruit, mais, en plus, la vache me donne du lait.

***

Revenant de vacances en France, un Écossais s'étrangle d'indignation :

— Quand je pense qu'on se moque de notre prétendue avarice ! Qu'est-ce que c'est, à côté de celle des Auvergnats ! Figurez-vous que j'avais demandé, en Auvergne, à la buraliste d'un petit village, si elle pouvait me donner un peu de feu pour allumer mon cigare. Elle me rembarre sèchement en me disant qu'elle vend d'excellentes allumettes pour vingt centimes le sachet ! Eh bien, vous me croirez si vous voulez mais j'ai dû faire trois bons kilomètres à pied avant de trouver un paysan qui consente à me donner gratuitement du feu.

***

Une Écossaise s'indigne :

— Pourquoi n'as-tu pas partagé ta pomme avec ton petit frère ?

— J'ai fait mieux que cela. Je lui ai donné toutes mes graines pour qu'il puisse les semer et avoir plus tard un verger rien qu'à lui.

***

Dans la rue, un Écossais aborde un passant et lui demande très poliment :

— Pardonnez-moi, monsieur... puis-je vous demander...

— Mais je vous en prie, répond le passant.

— Vous buvez ? questionne l'Écossais.

— Non, absolument pas.

— Ah ! bon ! Alors, voulez-vous avoir la gentillesse de me tenir ma bouteille de whisky pendant que je rattache mon soulier.

***

Un homme d'affaires écossais, qui marchait imprudemment sur une jetée est tombé à l'eau. Comme il ne savait pas nager, il coula à pic et serait mort noyé si un jeune marin-pêcheur n'avait pas courageusement plongé pour le tirer de là.

Il réussit à le ramener sur le quai et, après une demi-heure de respiration artificielle, l'homme ouvrit les yeux. Bien vite, il reprit conscience et, se redressant, fouilla dans une de ses poches et en tira une pièce de dix pence.

— Tenez, mon brave, dit-il à son sauveteur. Voilà pour votre peine.

La foule, qui s'était massée, gronda d'indignation devant tant de mesquinerie mais le jeune marin s'interposa :

— Laissez, dit-il. Monsieur est le meilleur juge pour savoir exactement ce qu'il vaut.

***

Un Écossais bâtit lui-même sa maison. Un curieux s'étonne :

— Vous ne mettez pas de toit, au-dessus de la petite pièce, à côté de la cuisine ?

— Non, dit l'Écossais. C'est là que je vais installer la douche.

***

— Ça ne va pas du tout, dit un pharmacien de Glasgow. Nos balances sont régulièrement mises hors d'usage au bout d'une journée. Il est vrai que les Écossais ont une manière bien à eux de se peser : ils montent à trois sur la balance et divisent ensuite par trois le poids indiqué.

***

Un vieux grigou d'Écossais dit à son petit neveu :

— Si je te donnais une pièce d'un shilling, qu'en ferais-tu ?

— Je m'achèterais un gros sac de bonbons avec.

— Et si je te donnais un billet d'une livre ?

— Je te le rendrais aussitôt.

— Pourquoi donc ?

— Parce qu'il serait certainement faux.

***

Son facteur habituel dit à un Écossais :

— Je vous souhaite la réalisation de votre vœu le plus cher.

— Vous pouvez y contribuer, répond l'Écossais, en vous abstenant de me réclamer des étrennes.

***

Une Écossaise reçoit des amis à déjeuner. A la fin du frugal repas qu'elle leur a confectionné, elle sert le café et, à chacun d'eux, elle demande :

— Je vous mets un sucre ou pas du tout ?

***

Un Écossais va consulter un médecin auquel il confie :

— J'ai des brûlures à l'estomac.

— Vous mangez peut-être trop vite.

— C'est-à-dire, explique l'Écossais, que je déjeune au restaurant. Et, sitôt la dernière bouchée avalée, je règle mon addition et je sors précipitamment.

— Alors, ne montrez plus tant de hâte si ça doit vous faire mal.

— C'est que, docteur, avec les pourboires que je laisse au garçon, cela me ferait encore plus mal si je ne sortais pas à toute allure.

***

— Votre fils, disait-on à un Écossais, voulait devenir spécialiste des oreilles et, finalement, il est devenu dentiste. Comment expliquez-vous ce changement de vocation ?

— Oh ! dit le père, c'est très simple. Un jour, je lui ai fait remarquer qu'un homme n'a que deux oreilles alors qu'il a trente-deux dents.

***

Deux touristes écossais sont seuls dans un compartiment de chemin de fer. Soudain, l'un d'eux s'affole :

— Mon Dieu ! s'écrie-t-il, dans un

moment de distraction, j'ai involontairement tiré la sonnette d'alarme. Cela va me coûter au moins trois livres d'amende.

— Donnez-moi seulement une livre, dit l'autre, et je vous sors de ce mauvais pas en simulant une crise d'épilepsie.

***

Un Écossais arrive dans une station de sports d'hiver.

— Je voudrais, dit-il au moniteur, apprendre à skier sur une jambe.

— Et pourquoi ?

— Parce qu'ainsi, je n'userais qu'un ski à la fois.

***

Un professeur écossais avait annoncé ce sujet de rédaction :

— Que ferez-vous plus tard ?

Un petit garçon, très malin, répond :

— J'ouvrirai une belle boutique de tailleur. J'aurai des tissus superbes à des prix raisonnables. Et je ferai 20 % de réduction à mon excellent professeur.

***

Au mois de décembre, on sonne à la porte du cottage d'un vieil Écossais plus avare encore que la moyenne des Écossais.

— Entrez, crie-t-il, qu'est-ce que c'est ?

Du hall, le visiteur répond :

— C'est le facteur, pour les étrennes.

— Je suis dans mon bain, fait l'Écossais. Glissez-les sous la porte.

***

Trois Écossais parlent du mariage d'un ami commun.

— Moi, dit le premier, j'ai envoyé en cadeau un service à café, pour six personnes.

— Et moi, fait le second, j'ai offert un service de table pour douze personnes.

— Et bien, moi, conclut le troisième, je me suis fendu d'une pince à sucre pour au moins deux cents personnes.

***

Un pêcheur sous-marin écossais, ayant apprivoisé une pieuvre, avait eu l'idée de lui offrir, pour l'amuser, une petite cornemuse. Il donna donc l'instrument de musique à son animal chéri puis il vaqua à ses occupations.

Jusqu'au moment où des cris déchirants le firent accourir, affolé.

Et, effectivement, le spectacle qu'il découvrit avait de quoi glacer l'échine.

La cornemuse était en train de jouer de la pieuvre.

***

Dans une petite ville d'Écosse, il a été nécessaire d'afficher l'avertissement suivant :

« Les membres du club de golf sont instamment priés de ne pas ramasser les balles perdues avant qu'elles aient entièrement fini de rouler. »

***

Deux jeunes Écossais viennent de se marier.

Parmi les cadeaux, exposés sur la table, figure un chèque de 500 livres.

— Qu'est-ce que c'est ? questionne un invité.

— Ça, c'est le cadeau de l'oncle de la mariée.

— Et qui est ce petit homme qui prend le chèque dans sa main et l'examine en se tordant de rire ?

— C'est le directeur de la banque où l'oncle de la mariée a son compte.

***

— Docteur, dit un Écossais à un ophtalmologiste, je vois tout en double.

— Quand vous avez bu ?

— Non, à jeun. Ainsi, ma femme

me sert un steak : j'en vois deux, dans mon assiette. Je regarde la télévision, je vois deux écrans, côte à côte. Je mets mes chaussettes : j'ai l'impression d'avoir quatre pieds...

— Ce n'est rien, fait le spécialiste. Chaque soir, vous allez vous instiller quelques gouttes de collyre dans chaque œil et, dans huit jours, vos ennuis seront terminés.

— Oh ! merci docteur. Combien vous dois-je ?

— Dix livres.

L'Écossais ouvre son portefeuille, en tire un billet de cinq livres et dit :

— Voilà, docteur.

***

— Andy, lance une Écossaise, il faut que nous fassions de sévères économies. Alors, de ton côté, tu vas cesser de boire du whisky. Et, moi, de mon côté, je vais te faire perdre l'habitude de fumer la pipe.

***

Une Écossaise part en vacances en train avec son jeune fils.

— Surtout, lui recommande son mari, pas de gaspillage. A chaque fois que le paysage ne sera pas intéressant à regarder, n'oublie pas d'enlever ses lunettes au petit.

***

Un reporter décrit ainsi un jeune chanteur de pop-music écossais, renommé pour son avarice :

— Il range soigneusement son argent au fin fond de la poche droite de son pantalon. Le malheur, c'est qu'il est gaucher.

***

Un Écossais pleure à chaudes larmes:
— Que se passe-t-il ? questionne un passant.
— Hélas, j'ai cassé une dent à mon

peigne. Il va falloir que j'en rachète un.
— Mais pourquoi ?
— Parce que c'était la dernière.

***

— Mon futur gendre m'inquiète, dit un Écossais. Il est sourd comme un pot. Ça, ce n'est pas grave. Il a un appareil acoustique fonctionnant sur pile. Qu'il le branche quand on lui parle, c'est parfait. Mais s'il avait le sens de l'économie, il aurait l'idée de le débrancher quand c'est *lui* qui parle.

***

Un Écossais interroge un de ses voisins, père de huit enfants :
— Dites donc, ça a dû vous coûter cher, le Christmas de toute cette famille ?
— Peuh ! Juste le prix d'une cartouche de revolver.
— Vous n'allez pas me faire croire que vous avez assassiné un marchand de jouets pour dévaliser son magasin.
— Pas du tout. Je me suis contenté de tirer un coup de feu dans la cheminée. Et j'ai raconté aux enfants que Santa Claus s'était suicidé.

***

En mangeant des huîtres, un Écossais avait avalé une perle qui lui perfora l'intestin.
— Quelle chance, expliquait plus tard sa veuve. S'il n'avait pas avalé cette perle, nous n'aurions jamais eu de quoi payer ses obsèques.

***

Un Écossais entre dans une épicerie et demande le prix d'une minuscule bouteille-échantillon de whisky, à l'étalage.
— Trois pence, lui dit le marchand.
— Parfait, approuve l'Écossais. Donnez-la moi. C'est exactement ce qu'il me faut : ce soir, j'ai une réception.

***

Alors qu'elle se livrait aux joies du ski, à Chamonix, une Écossaise avait été victime d'une très grave chute, au cours de laquelle elle se rompit la colonne vertébrale. Son mari accourut pour la relever, mais elle ne se faisait aucune illusion.

— Je vais mourir, lui dit-elle. Ce que je voudrais, c'est que tu me fasses enterrer à Glasgow. C'est promis ?

— Écoute, répondit son pingre de mari, effrayé, à l'idée d'une telle dépense, je vais d'abord te faire enterrer ici. Et puis, si tu ne te trouves pas bien, je te promets que je te ramènerai à Glasgow.

***

Sur un terrain de golf, un joueur explique à son caddy qu'il est Écossais et qu'il arrive tout droit de Dunblane.

— Bon, dit-il au gamin, maintenant, es-tu bon pour retrouver les balles ?

— Oh ! oui ! monsieur.

— Alors trouves-en une que son propriétaire a perdue de vue et on commence la partie.

***

Un vieil Écossais soupire :

— Zut ! Encore un penny de fichu!

— Pourquoi donc ?

— Figurez-vous que j'avais perdu mon portefeuille avec cinquante livres dedans. Un gamin me le rapporte. Je suis bien obligé de lui donner un penny de récompense.

***

Que font les Écossais avec leurs vieilles lames de rasoir ?
Ils se rasent.

***

Un jeune radio-reporter avait été chargé d'interviewer un richissime Écossais.

— Pouvez-vous m'expliquer, demande le jeune homme, en tendant le micro de son magnétophone, comment vous êtes devenu multimillionnaire ?

— C'est une longue histoire, répondit l'Écossais. Puisque vous n'avez pas à prendre de notes, permettez-moi d'éteindre la lumière, le temps que je vous la raconte.

— Ça va, conclut le jeune homme en se levant. J'ai compris.

***

Une Écossaise, d'âge plus que mûr, téléphone à la direction de l'hôtel où elle est descendue :

— Monsieur, dit-elle au patron, il y a dans ma chambre un jeune homme, visiblement animé de mauvaises intentions.

— Et vous voulez qu'on le fasse sortir ?

— Non. Je voudrais être sûre que vous ne me compterez pour cela aucun supplément.

***

Un paysan écossais quitte son village à pied, de bon matin.

— Où vas-tu de ce pas ? interroge un de ses voisins.

— Je vais à la ville.

— Tu as une course à faire ?

— Pas du tout. Je vais simplement voir si, par hasard, je n'y trouverais pas un automobiliste qui pourrait me ramener gratuitement.

***

En Écosse, quand des parents veulent faire peur à un petit garçon turbulent, ils ne menacent pas d'appeler le croquemitaine : ils lui racontent l'horrible histoire de cet Écossais qui avait eu, un jour, tellement besoin d'argent, qu'il se résigna à aller à la banque en tirer sur son compte.

***

Une vieille Écossaise dit à son mari:
— Darling, je voudrais bien que tu m'emmènes au cinéma.
— Mais, Allison, proteste-t-il, nous y sommes déjà allés.
— C'est vrai. Mais, depuis, on a inventé le cinéma parlant.

***

Sur le coup de cinq heures du matin, le directeur de l'hôtel, passant par hasard dans un couloir, voit le garçon d'étage, assis devant la porte d'une chambre, en train d'astiquer une paire de chaussures.
— Mais enfin, s'écrie-t-il, vous ne pouvez pas aller à l'office, pour ce genre de travail ?
— Je voudrais vous y voir, moi. Ce sont les chaussures d'un Écossais. Et il est cramponné aux lacets, derrière la porte.

***

Un rhumatologue écossais questionne un de ses patients :
— Y a-t-il des gestes qui vous sont particulièrement douloureux à accomplir ?
— Oh ! oui, docteur. Un, surtout.
— Lequel ?
— Tirer de la poche intérieure de mon veston, mon portefeuille.

***

Un Écossais, à la suite d'un naufrage, s'était échoué sur un minuscule îlot désert. A peine a-t-il posé le pied qu'il récupère quelques épaves flottant sur l'océan et il en fait un écriteau, sur lequel il inscrit cet avertissement menaçant :
« Plage privée. Entrée : deux livres. »

***

— Oh ! s'écrie un pharmacien écossais, avec indulgence, ce n'est pas que le vieux McAngus soit près de ses sous.

Mais supposez qu'un jour il lui prenne la fantaisie de s'empoisonner. Eh bien, je suis sûr qu'il achèterait une bouteille de poison suffisamment lent pour qu'il ait le temps, après l'avoir absorbé, d'aller récupérer la consigne.

***

— Un hiver glacial, raconte le guide d'un château hanté, en Écosse, nous en avons connu un il y a dix ans. C'est simple, cette année-là, tous nos fantômes avaient troqué leurs draps contre des couvertures chauffantes.

***

Un chef d'entreprise écossais, dont la standardiste est très curieuse, reçoit un coup de téléphone d'un tapeur.
— Allô, fait celui-ci, dis-donc, je voudrais te demander un service : pourrais-tu me prêter 50 livres ?
— Comment ? s'écrie l'autre. Je ne t'entends pas.
— Pourrais-tu me prêter 50 livres ?
— Allô. Parle plus fort. Je ne comprends pas un mot.
Le solliciteur se met à hurler :
— Pourrais-tu me prêter 50 livres ?
— Décidément, je n'arrive pas à saisir ce que tu dis.
A ce moment, la standardiste ne peut se retenir d'intervenir en disant :
— C'est bizarre. Moi j'entends très bien votre correspondant.
— En ce cas, conclut le directeur, prêtez-lui donc ces 50 livres.
Et il raccroche.

***

Les Écossais restent fidèles au kilt de leurs ancêtres. A ce propos, un spécialiste de la mode masculine affirme :
— J'ai trouvé pourquoi les Écossais ont inventé le kilt. Cette jupe plissée sans poche était le meilleur moyen de se défendre contre les pickpockets.

***

— Moi, dit un Écossais, depuis que tous mes amis ont commencé de se marier, je leur ai toujours offert le même cadeau : un pigeon voyageur.

— Ça a dû vous coûter cher.

— Pas tellement. Parce qu'il revient à chaque fois.

***

Une petite Écossaise arrive en hurlant :

— Papa, mon petit frère est en train de manger le journal.

— Laisse, fait le père, avec indulgence. C'est celui d'hier.

***

Le Ministre de la Justice avait demandé à ses collaborateurs de lui soumettre des projets pour endiguer la vague, sans cesse grandissante, de criminalité.

Un haut-fonctionnaire suggéra :

— Imitons l'exemple de l'Écosse. Ils sont parvenus, là-bas, à supprimer totalement le crime en décidant que, dorénavant, tout malfaiteur emprisonné devait payer sa pension en pénitencier au tarif des hôtels de luxe. Deux jours plus tard, il n'y avait plus un seul bandit en Écosse.

***

Un Écossais, marié depuis quelques mois, emmène sa femme chez le dentiste.

— Oh ! Oh ! s'écrie celui-ci, vous avez là, madame, une dent cariée qui aurait dû être soignée depuis au moins trois ans.

— Vous dites bien trois ans, fait l'Écossais, très intéressé.

— En effet.

— En ce cas, je vous demanderai de bien vouloir adresser votre note d'honoraires à mon beau-père.

***

— Chérie, demande un jeune Écossais à la demoiselle qu'il a invitée à dîner au restaurant, je vais vous poser une devinette : connaissez-vous la différence entre un saumon fumé et une tranche de pâté de foie ?

— Heu... non...

— En ce pas, pas d'hésitation : garçon, deux pâtés de foie.

***

Un Écossais explique à sa femme comment il faut s'y prendre pour faire des économies :

— Par exemple, tout à l'heure, les Mac Gregor vont venir prendre le thé. Eh bien, au lieu de mettre du sucre en morceaux sur la table, tu mettras du sucre en poudre. Mais, bien entendu, tu les feras se servir, comme d'ordinaire, avec la pince à sucre.

***

Voyant un de ses compatriotes en grande tenue, un Écossais l'interroge :

— Où vas-tu de ce pas ?

— Au mariage du fils Mac Mich.

— Et pourquoi emportes-tu un balai ?

— Pour ramasser le riz qu'on va lancer aux jeunes mariés, bien sûr.

***

Un fantôme écossais, complètement moulu, confie à un autre spectre :

— J'ai toujours détesté les jours de grande lessive — mais avec ces machines à laver perfectionnées, c'est devenu pire que jamais !

***

Un Écossais neurasthénique s'est enfermé dans son cottage et a entrepris de se suicider par le gaz. Sa femme, apprenant la nouvelle, en rentrant du marché, se met à sangloter.

494

— Voyons, lui dit une voisine, les pompiers sont alertés. Ils vont sûrement arriver à temps pour le sauver.

— Ce n'est pas pour ça que je pleure, dit la femme, mais la note de gaz, ce sont peut-être les pompiers qui vont la payer, aussi.

***

En Écosse, un voyageur de commerce télégraphie à la firme qui l'emploie :

« Bloqué dans île Shetland par tempête. Envoyez instructions. »

Quelques heures plus tard, il reçoit la réponse :

« Considérez êtes en vacances depuis hier. ».

***

Un père de famille écossais se fâche après son grand fils :

— Tu es encore sorti avec Margaret, hier !

— Oui, papa.

— Et combien a coûté cette soirée?

— Trente pence.

— Trente pence, seulement ?

— Oui. C'est tout ce que Margaret avait sur elle.

***

Un Écossais va chez un marbrier et lui demande s'il n'aurait pas une pierre tombale d'occasion pour sa belle-mère qui vient de mourir.

— Comment s'appelait-elle ? questionne le marchand.

— Judy Mac Farlane.

— J'en ai bien une, mais elle est gravée au nom de Sally Mac Adam.

— Ça ira très bien, fait l'Écossais. De toute façon, ma belle-mère était de ces personnes qui ne prennent jamais le temps de lire.

***

Un Écossais vient au bureau de l'État-Civil et annonce :

— Je viens déclarer la naissance d'un enfant.

— Bien, dit l'employé, en prenant note.

— Combien vous dois-je ? questionne l'Écossais.

— Mais rien du tout.

— C'est gratuit ?

— Bien sûr.

— Ah ! bon ! Alors, en ce cas, je déclare aussi le second de mes jumeaux.

***

Durant l'été 1917, le Maréchal Haigh était venu inspecter les troupes britanniques qui attaquaient avec une folle ardeur dans les Flandres.

Il entend un coup de feu, puis un second, cinq minutes plus tard, un troisième après un nouveau délai de cinq minutes...

Il questionne le commandant du secteur :

— Qu'est-ce que c'est ?

— Oh ! Ce sont les Écossais qui tirent à la mitrailleuse.

***

Un Écossais interroge un de ses compatriotes :

— Tu l'as épousée quand même cette petite pimbêche ? Tu m'avais pourtant dit que tu allais rompre tes fiançailles.

— Hélas, elle avait grossi entre temps et elle ne pouvait plus retirer sa bague.

***

Des cousins ayant débarqué à l'improviste, une Écossaise se résout à leur offrir une petite collation.

— Maman, demande sa fillette, qu'est-ce que j'apporte, comme gâteaux : les meilleurs ou les moins bons ?

495

La mère hésite un instant puis répond .

— Ceux qui sont dans la boîte bleue.

***

Un Écossais et son jeune fils reviennent de la ville à pied. Ils parcourent plusieurs kilomètres et le père dit à son gamin :

— Souviens-toi, petit, de ce que je t'ai dit : tu as des chaussures neuves, alors, fais de grands pas.

***

Il est très facile, en Grande-Bretagne, de savoir, au premier coup d'œil, la nationalité d'un voyageur. L'Irlandais saute du train en marche et se précipite au buffet pour boire une bière.

L'Anglais descend posément à l'arrêt.

Quand à l'Écossais, il attend que tout le monde soit sorti du compartiment, afin de regarder avec attention si personne n'a rien oublié.

***

Un jeune homme pose une devinette à des amis, installés à la terrasse d'un café de Saint-Tropez.

— Quelle est la différence entre un Écossais et une noix de coco ?

Personne ne répond.

— Eh, bien, explique-t-il : une noix de coco offre toujours à boire, tandis qu'un Écossais, jamais.

A cet instant, un Écossais s'avance et lance gaiement :

— Je suis Écossais. Voulez-vous boire quelque chose ?

— Bien sûr, fait le jeune homme, très surpris.

— Eh bien, enchaîne l'Écossais, allez donc acheter une noix de coco.

***

Un Écossais s'aperçoit que le feu a pris dans sa cuisine. Aussitôt, il téléphone à une fabrique d'extincteurs.

— Allô, dit-il, un de vos représentants est venu la semaine dernière pour me faire une démonstration de votre dernier modèle.

— En effet.

— Cela ne m'intéressait pas à ce moment là mais pourrait-il repasser dans les trois minutes ?

***

Un vieil Écossais, qui ne se sent pas bien, a appelé un médecin. Celui-ci ordonne :

— Il vous faut absolument respirer l'air de la mer.

La femme de l'Écossais raccompagne le médecin à la porte puis elle dit au malade :

— Je vais à l'épicerie du coin acheter des harengs.

— Pourquoi faire ?

— Eh bien, pour t'éventer avec.

***

Un charcutier interpelle un Écossais qui vient régulièrement faire ses courses au village :

— Je dois vous dire que votre chien, en passant devant ma boutique, ce matin, m'a volé un chapelet de saucisses.

— Vous faites bien de m'en avertir. Sinon, je lui aurais donné sa soupe à midi, comme d'habitude.

***

Un Écossais avait mis un flacon de whisky dans sa poche arrière quand il fut renversé par une voiture.

En se relevant, il tâte son pantalon et sent qu'il est humide.

— Nom d'une pipe, murmure-t-il. Pourvu que ce soit du sang !

***

— On va voir si vous croyez vraiment à ce que vous prédisez, dit une Écossaise à la diseuse de bonne aventure : au lieu de vous payer tout de suite les trois livres que vous me réclamez, je vous offre dix pour cent de ce que, selon vous, mon futur mari me donnera.

***

Un Écossais a commandé un demi.
Quand le garçon lui apporte sa consommation, l'homme en kilt s'aperçoit qu'une mouche est tombée dans sa bière.
Fou de colère, il la saisit, entre deux doigts et lui ordonne :
— Allez, recrache ce que tu as bu !

***

Deux touristes, qui visitent les îles britanniques, questionnent un petit garçon :
— Dis-donc, mon mignon, est-ce que nous sommes en Écosse, maintenant ?
— Donnez-moi dix pence, répond le gamin, et je vous renseigne.
— Ça va, fait le touriste à sa femme, aucun doute n'est possible, nous sommes bien en Écosse.

***

Une vieille Écossaise hésite devant la porte du Muséum d'histoire naturelle dont le droit d'entrée est de vingt pence. Avisant un gardien, elle le hèle :
— Psst, s'il vous plaît, n'y aurait-il pas un moyen pour que j'entre ici sans payer ?
— Il y en a un, répond le gardien, après l'avoir dévisagée : faites-vous d'abord empailler.

***

Après une nuit blanche passée à refaire des additions, en s'arrachant les cheveux, un Écossais va réveiller sa femme et lui annonce triomphalement :
— Bonne nouvelle, ma chérie : ces 6 427 931 livres, que je croyais portées à notre débit, sur le dernier relevé de la banque et que je t'accusais d'avoir dépensées en achats de Noël...
— Oui. Eh bien ?
— C'est tout simplement notre numéro de compte.

***

L'air fébrile, un jeune Écossais interroge le grand patron :
— Je vous en prie, Dr Merrybone, le malade de la chambre 12 est mon oncle et je suis son seul héritier. J'ai besoin de savoir la vérité à son sujet.
— Vous êtes un homme, n'est-ce pas, dit le praticien. Un de ces individus auxquels on peut parler en toute franchise, sans rien cacher, fût-ce le pire ?
— Naturellement.
— Eh bien, mon pauvre ami, il s'agit bien du pire : dans quinze jours, au maximum, votre oncle trottera de nouveau comme un lapin.

***

Un automobiliste, roulant en Écosse, a écrasé une poule. Il s'arrête, va trouver le fermier, et après avoir confessé sa maladresse, veut l'indemniser d'un billet d'une livre.
— Donnez m'en donc deux, fait le fermier, parce que j'ai un coq qui adorait cette poule et, quand il apprendra la nouvelle, j'ai bien peur qu'il ne meure de chagrin !

***

Un Écossais, qui prépare ses vacances va se renseigner dans une agence de voyage. Feuilletant un dépliant sur la Grèce, il questionne, d'un air dégoûté :
— Pour ce genre de pays en ruines, j'espère que vous faites demi-tarif ?

***

Un Français, qui visite le Royaume Uni, questionne un habitant d'Aberdeen.

— Franchement, que pensez-vous de toutes ces histoires que l'on raconte à propos de la prétendue avarice écossaise ?

— J'en pense, dit l'Écossais que l'on devrait s'en montrer beaucoup plus économe.

***

Deux Écossais, amateurs de rugby, avaient fait trente kilomètres à pied pour assister à un palpitant match du Tournoi des Cinq Nations.

Ils ne l'ont pas vu, finalement. Quand ils sont arrivés au stade, ils étaient trop fatigués pour trouver encore la force d'escalader la palissade.

***

Une Écossaise feuillette le journal qu'elle a emprunté à une voisine :

— Je vois, dit-elle, que nous ne figurons pas parmi les gagnants du Sweepstake.

— En effet, darling.

— Alors, conclut-elle, je me félicite d'autant plus que nous n'ayons pas pris de billet.

***

En Écosse, un professeur de physique annonce à ses élèves :

— J'ai mis une pièce d'un penny dans ce liquide. Va-t-elle se dissoudre ?

— Non ! crient les trente élèves, d'une seule voix.

— Et d'où vient cette belle assurance ?

— Oh ! fait un des étudiants, si elle risquait quelque chose, vous ne l'auriez pas mise dans ce liquide.

***

Un Écossais s'éveille, après une opération :

— M. Scott, lui dit le chirurgien, j'ai deux nouvelles à vous annoncer : une bonne et une mauvaise. La mauvaise d'abord : j'ai dû me résoudre à vous couper la jambe gauche. La bonne, à présent : j'ai réussi à vendre votre chaussure gauche, à un autre unijambiste.

***

Un jeune Écossais avait l'habitude de rapporter scrupuleusement sa paye, le vendredi soir, à ses parents. Une semaine, il manquait deux pence sur le compte habituel. Son père fit mine de ne pas s'en apercevoir.

Mais, le vendredi suivant, constatant qu'il manquait, cette fois, trois pence, il se fâcha et somma son fils d'avouer :

— Dis-moi, petit misérable ! Quel est le nom de cette femme ?

***

Une famille d'Écossais campe dans un village d'une région désertique. Soudain, en quelques secondes, un terrible orage éclate. La pluie se déverse en cataractes, emportant sur son passage les tentes, les voitures et les caravanes.

Cinq kilomètres en contrebas, l'Écossais, entraîné par les flots, reprend connaissance dans un hôpital improvisé et, quand on lui a raconté la catastrophe, il se met à gémir :

— Oh ! là ! là ! C'est terrible ! Quel malheur ! Quel malheur !

Une infirmière tente de le consoler :

— Bien sûr, votre matériel de camping a été englouti.

— Ce n'est pas ça, dit l'Écossais.

— Votre femme a péri dans l'inondation...

— Ce n'est pas ça !

— Ainsi que vos six enfants.

— Ce n'est pas ça !

— Mais alors, questionne l'infirmière, quel est donc ce malheur qui vous cause un tel chagrin ?

LES MEILLEURES HISTOIRES ÉCOSSAISES

— Figurez-vous, explique l'Écossais, que cinq minutes avant que l'orage n'éclate, j'avais donné deux pence à un gamin du camp pour qu'il aille me chercher un jerrican d'eau.

***

Un Écossais en vacances adresse une carte postale à ses voisins et amis. Après leur avoir écrit : « Temps superbe. Pensons bien à vous », il ajoute : « Lizbeth et moi profitons de l'occasion pour vous souhaiter un Joyeux Noël, une bonne année, de Joyeuses Pâques et un excellent anniversaire pour vous deux et pour vos six enfants. »

***

Deux jeunes Françaises, qui séjournaient à Inverness, avaient décidé de procéder par elles-mêmes à une petite vérification.

— Voilà ce qu'on va faire, dit l'une, à son amie. Nous repérons un bel Écossais séduisant. Je marche devant lui et je laisse subrepticement tomber une pièce d'un penny. Avares comme le sont tous ses congénères, il se baisse pour la ramasser. Toi, tu marches à quelques mètres derrière lui et tu observes avec attention. D'accord ?

— D'accord.

— Tout se déroule comme prévu.

— Alors, demande la première à son amie, c'était instructif ?

— Très instructif. Tiens, on va recommencer, en rattrapant ce bel Écossais. Je passe devant lui, tu marches derrière. Mais, cette fois, je laisse tomber un billet d'une livre. Je te jure que ça en vaut la peine !

***

Un Écossais, passant devant un aveugle, en profite pour lui refiler une fausse pièce qui encombre sa poche depuis plusieurs jours.

— Merci, dit l'aveugle. Dieu vous la rendra au centuple.

***

— Hier soir, au cirque, raconte un Écossais, il est arrivé une chose terrible : un lion a dévoré son dompteur sous les yeux horrifiés du public.

— Vous a-t-on fait payer un supplément pour ce numéro hors programme?

— Non ?

— Alors, qu'y a-t-il de si terrible ?

***

Un vieil Écossais attrape par le cou l'oculiste de son quartier et le secoue comme un prunier.

— Qu'est-ce... qui vous... prend ? hoquète le malheureux.

— Vos lunettes neuves, dont j'ai pris possession hier...

— Oui... eh bien ?

— Eh bien, une fois que je les eues sur le nez, cela ne m'a pas empêché de me cogner à cinq personnes à qui je dois de l'argent.

***

— C'est mon cinquantième anniversaire, dit gaiement un Écossais à son charcutier. Pour la circonstance, vous allez bien me donner une saucisse.

— Je vais faire mieux que ça, répond le charcutier. Je vous souhaite de vivre assez longtemps pour me voir, un jour, vous donner une saucisse.

***

Un Écossais, incorporé dans une escadrille de la RAF, dit à l'un de ses compagnons anglais :

— Non, vraiment, j'ai honte. Vous allez croire que nous autres, Écossais, sommes réellement près de nos sous. Voilà trois mois que je me fais payer quotidiennement trois ou quatre whiskies. Je ne peux pas accepter

499

cela plus longtemps. J'insiste pour que nous tirions celui-ci à pile ou face.

***

A quoi reconnaît-on un bateau de pêche écossais ?

Aucune mouette ne serait assez bête pour perdre son temps à voleter dans son sillage.

***

Un Écossais emmène son jeune fils à l'hôpital.

— Il a avalé une pièce de cinq pence, explique-t-il au médecin-chef.

— Bien, dit celui-ci. Nous allons le garder pendant deux ou trois jours et lui faire restituer cette pièce.

— Vous êtes sûr, s'inquiète le père, de pouvoir la récupérer ?

— Certain.

— En ce cas, pourriez-vous me donner, tout de suite, une petite avance ?

***

— Oh ! s'écrie une jeune Écossaise, que cela sent bon, cette odeur de maïs grillé !

— Venez, dit son flirt, nous allons nous rapprocher du marchand pour que vous puissiez la sentir encore mieux.

***

Un Écossais, en vacances, va au bureau de poste pour envoyer un télégramme.

— C'est six pence le mot, lui dit l'employé. Et la signature est gratuite.

— En ce cas, mettez simple : « Bonjour », fait l'Écossais. Et ne vous étonnez pas de mon nom. Je suis descendant d'Indiens. Vous signerez : « L'ami-qui-arrivera-vendredi-au-train-de-six-heures-cinquante-trois. »

***

Au siècle dernier, une vieille paysanne écossaise s'était décidée, un soir, à aller faire quelques courses après avoir veillé trois jours durant, son mari agonisant.

— Bon, lui dit-elle, tu as retrouvé toutes tes forces, à présent. Je peux te laisser durant une heure. Si jamais tu mourais pendant ce temps-là, n'oublie pas de souffler la chandelle avant de partir.

***

Une Écossaise déballe le cadeau qu'elle rapporte pour offrir à une tante à héritage. A un moment, elle saisit l'étiquette.

— N'enlève pas le prix, lui conseille son mari, afin qu'elle se rende compte de la valeur de notre présent.

— Mais, répond l'Écossaise, je n'avais nullement l'intention d'arracher l'étiquette. Au contraire, je voulais rajouter un zéro.

***

Le pionnier du cinéma, Georges Méliès, aimait raconter comment l'idée lui était venue de tourner certaines scènes au ralenti :

— C'était dans un café, un jour où je regardais un Écossais mettre la main à la poche au moment de payer sa consommation.

***

Une Écossaise s'inquiète auprès d'une voisine :

— Que se passe-t-il, ma pauvre Mrs Mac Nasty ? Le médecin passe chez vous tous les matins. Est-ce grave ?

— Très grave ! Figurez-vous qu'il s'est mis en tête de se faire payer une consultation qu'il m'a donnée l'année dernière.

***

A l'heure de l'entracte, au cinéma, une jeune Écossaise qui louche sur les esquimaux dit à son père :

— Ce que j'ai chaud, papa !

— Attends, fait le père, je vais te raconter une histoire de fantômes qui va instantanément te glacer le sang dans les veines.

***

Un Écossais demande au patron d'un pressing :

— Combien me prendriez-vous pour me repasser mon pantalon ?

— Quarante pence.

— Bon. En voici vingt. Repassez seulement une jambe. Je vais chez le photographe. Je me ferai prendre de profil.

***

Un chirurgien écossais dit à son patient :

— Je vais vous demander de me payer d'avance le montant de mon intervention.

— Mais pourquoi ?

— C'est dans votre intérêt. Comment voulez-vous que je vous opère d'une main sûre si je tremble pour mon argent ?

***

En Écosse, on enterre les personnalités debout, et seulement jusqu'à la ceinture.

La partie supérieure sert de statue.

***

Un vieil Écossais est très triste.

— C'est fini, dit-il, avec des larmes dans la voix. Je ne jouerai plus au golf de ma vie.

— Et pourquoi ?

— J'ai perdu la balle que j'utilisais depuis vingt ans — la ficelle s'est cassée.

***

Deux jeunes Écossais, ravis, passent en revue leurs cadeaux de mariage :

— Regarde, dit la jeune femme, la superbe ménagère en argent que nous a envoyée ta tante Margaret.

— Ce n'est pas de l'argent, fait péremptoirement le mari.

— Tu t'y connais tellement, en argenterie ?

— Non. Mais je connais très bien ma tante Margaret.

***

Un grand patron d'un hôpital écossais participe à une partie de chasse.

— Mais, s'étonne son hôte, vous chargez votre fusil avec des cartouches à blanc.

— A quoi bon des frais inutiles ? répond l'Écossais. Après tout, le simple bruit de la déflagration peut fort bien faire mourir de peur un lièvre cardiaque.

***

Lu, dans un quotidien écossais, cet appel désespéré :

« Perdu billet une livre — Valeur sentimentale. »

***

A l'age de douze ans, un Écossais qui assistait à l'office du dimanche, avait, par inadvertance, donné un shilling à la quête, au lieu du penny habituel.

Pendant les quatre-vingts ans qui lui restaient à vivre, à chaque fois que la quêteuse lui tendait son aumônière, il se contenta de répondre fièrement :

— Abonné !

***

— Pourquoi, s'emporte un Écossais, t'es-tu mis en tête de changer ton manteau de fourrure ?

— Tout simplement, répond sa femme, parce que lorsque j'ai voulu le faire rafistoler, le fourreur m'a dit que l'animal qui avait fourni cette fourrure appartenait à une espèce ayant raté de peu l'embarquement à bord de l'Arche de Noé.

***

Après avoir déjeuné dans un petit restaurant, un Écossais laisse généreusement à la serveuse une pièce d'un penny.

— Même le plus miséreux, proteste la jeune femme, n'a jamais eu le toupet, jusqu'à présent, de me donner, en pourboire, moins de deux pence.

Pas vexé du tout, l'Écossais lève les deux bras en l'air et s'écrie :

— Saluez le nouveau champion !

***

Comment a été creusé le gouffre de Padirac ?

A l'origine, c'était un simple terrier de lapin. Jusqu'à ce qu'un touriste écossais fasse tomber dedans un pièce d'un penny.

***

Dans toutes les îles britanniques, quand un chauffeur de taxi veut souligner sa pingrerie à un client qui ne lui a pas laissé de pourboire, il le laisse s'éloigner de quelques pas puis il le rappelle :

— Monsieur ! Monsieur !

L'autre revient sur ses pas.

— Monsieur, enchaîne le chauffeur, êtes-vous sûr de ne pas avoir oublié votre cornemuse ?

***

Un commerçant écossais se pose un cas de conscience :

— Ce billet d'une livre qu'a laissé tomber, par mégarde, en me réglant sa note, Mrs Mac Mich, dois-je le garder pour moi tout seul ou le partager avec mon associé ?

***

Un représentant sonne à la porte d'un cottage écossais et propose à son propriétaire de lui installer le chauffage électrique.

— Je regrette, répond sèchement l'Écossais, mais je ne me chauffe qu'au bois.

— Voyons, dit le représentant, songez au nombre de stères de bois qu'il vous faut consommer en une seule année.

— Mais pas du tout. Une bûche me chauffe pendant tout un hiver.

— Une bûche vous chauffe tout un hiver, s'étonne le représentant. Je serais curieux de savoir comment.

— C'est bien simple : dès que j'ai froid, je descends prendre une bûche à la cave et je la monte au premier étage. Là, je la laisse tomber par la fenêtre et je descends très vite pour la récupérer dans le jardin. Lorsque j'ai fait cela vingt fois de suite, je vous jure que j'ai chaud pour au moins deux heures !

***

Un médecin écossais a mis cette pancarte, dans sa salle d'attente :

Pour la première consultation : 5 livres.

Les autres : 3 livres.

Tous ses patients entrent dans son cabinet, en lançant joyeusement .

— Bonjour, docteur ! C'est *encore* moi !

***

— C'est scandaleux ! proteste un Écossais auprès d'une blanchisseuse, vous me comptez deux livres pour m'avoir lavé un pyjama, alors que le tarif affiché n'est que d'une livre.

— En effet. Mais le supplément, c'est pour les douze paires de chaussettes, les quinze mouchoirs, les quatre torchons et le drap de lit dont vous aviez bourré les poches de votre pyjama.

***

Un fermier écossais refait, pour la dixième fois, son compte d'exploitation :

— Il nous faut faire de sérieuses économies, dit-il à sa femme. D'abord, nous allons vendre le chien. Désormais, quand j'entendrai du bruit, la nuit, j'aboierai moi-même.

***

Quatre Britanniques sont en train de jouer aux cartes. Soudain, l'Anglais meurt d'un infarctus. Ses adversaires abaissent leur jeu et constatent que chacun doit une livre au défunt.

L'Irlandais sort un billet d'une livre de sa poche et la glisse dans une poche du mort. Le Gallois agit de même.

Quant à l'Écossais, il râfle prestement ces deux billets et, à la place, dépose un chèque au porteur de trois livres.

***

Quand il voit un mendiant lui tendre son chapeau crasseux contenant quelques pièces de monnaie, un Écossais lui dit toujours avec magnanimité :

— Merci beaucoup, mon brave, mais vous en avez certainement plus besoin que moi.

***

Dans une clinique, une infirmière demande à une collègue :

— Quel est le malade qui est sur la table d'opération en ce moment ?

— Un monsieur qui a avalé une balle de golf.

— Et cet individu qui n'arrête pas d'aller et de venir nerveusement, sans doute un parent de l'opéré ?

— Absolument pas. C'est son partenaire écossais. Il attend de retrouver sa balle pour continuer la partie.

***

Un Écossais a pris place dans un taxi. Tout à coup, dans une descente menant droit à la rivière, les freins cassent.

— Arrêtez-vous, crie l'Écossais affolé.

— C'est impossible, dit le chauffeur.

— Alors, arrêtez au moins le compteur !

***

— Je suis désolée, confie une jeune Écossaise à une amie, mon fiancé m'aime vraiment trop.

— En quoi cela est-il si désolant ?

— C'est qu'avec ses embrassades, un tube de rouge à lèvres ne me fait pas une semaine.

***

La femme d'un richissime Écossais était très fière du superbe collier qu'il lui avait offert, en cadeau de fiançailles. Jusqu'au jour où ils sont allés dîner dans un restaurant spécialisé dans les fruits de mer.

Les perles de l'Écossaise ont poussé un grand cri.

C'était la première fois qu'elles voyaient une huître.

***

Le petit village écossais de Fingal s'apprêtait à fêter, dans une grande allégresse, le centenaire de son plus vieux citoyen quand celui-ci tomba gravement malade, à huit jours de la cérémonie. Le médecin ne laissait aucun espoir au conseil municipal qui se désolait à l'idée d'avoir engagé tant de frais pour rien.

Il fallait absolument maintenir le vieillard en vie jusqu'au jour de la fête, mais comment ?

C'est l'entrepreneur des Pompes funèbres qui résolut le problème en faisant annoncer, à sons de trompe, une hausse de trente pour cent sur le prix des enterrements.

Du coup, le vieillard moribond en a repris pour dix ans.

***

Une Écossaise raconte à une amie :

— Mon mari a été victime d'un accident, en rentrant à la maison, l'autre soir. Il a glissé sur une peau de banane et il est tombé avec deux bouteilles de whisky.

— Oh ! Et il en a renversé beaucoup ?

— Pas une goutte ! Heureusement, il a bien fait attention de garder la bouche bien fermée.

***

Deux jeunes Écossais font des projets d'avenir :

— Il faut prévoir, dit la jeune fille, une table de nuit avec une lampe de chevet, pour lire au lit, le soir.

— J'ai une idée beaucoup plus économique, répond le garçon. On va apprendre à lire le braille avec les doigts.

***

Un Écossais arrive de son pays natal à New York par le bateau. La première chose qu'il voit est un scaphandrier qui remonte du fond du port sur le quai.

Fou de colère, l'Écossais se précipite sur le capitaine du paquebot en hurlant :

— Vous êtes des voleurs, dans cette compagnie ! Vous vous êtes bien gardés de me dire qu'on pouvait aussi faire le trajet à pied.

***

— J'ai décidé de cesser de fumer, raconte un Écossais. Dans un premier temps, je n'achèterai plus de cigarettes. Dans un second temps, si c'est concluant, j'arrêterai d'en emprunter à mes amis.

***

Un Écossais souffre atrocement d'une rage de dents.

— Il n'y a qu'une solution, dit le dentiste qu'il est allé consulter : il faut arracher cette molaire.

— Mais ça va me faire mal.

— Pas du tout. Je vous insensibiliserai avant.

— Et ça va me coûter combien ?

— Dans les dix livres.

— Écoutez, fait l'Écossais, arrachez-moi la dent comme ça. Et puis vous me ferez la piqûre pour m'insensibiliser au moment où vous me présenterez votre note d'honoraires.

***

Un grand patron écossais de la médecine fête son jubilé.

— Quel est, lui demande un journaliste, l'échec qui, de toute votre carrière, vous a laissé le plus cuisant souvenir ?

— Oh ! répond-il, cela remonte à ma première année de pratique. J'ai complètement guéri, en trois visites, un millionnaire dont j'aurais pu faire un client à vie.

***

Au fin fond de l'Écosse, un touriste voit un berger portant une barbe longue de deux pieds. Il l'interroge :

— Comment avez-vous eu l'idée de porter la barbe ?

— Eh bien, un jour, ma femme m'a offert en cadeau un rasoir électrique. Alors, j'ai jeté mon vieux rasoir mécanique

— Et votre rasoir électrique ?

— Je l'ai soigneusement rangé pour le jour où nous aurons l'électricité.

***

Un employé d'une distillerie écossaise demande à un ami :

— Tu ne sais pas le drame dont j'ai été victime ?

— Non.

— Je suis tombé dans une cuve pleine de whisky.

— Mais tu t'en es tiré.

— Justement. A peine tombé là-dedans, j'ai bêtement appelé au secours. Et ils m'ont retiré de la cuve à whisky avant que j'aie seulement eu le temps de boire un demi gallon.

***

En Écosse, un candidat locataire fait la moue :

— Pour 80 livres par mois, ce logement n'est pas mal mais la fenêtre est vraiment étroite, en cas d'urgence.

— Quel cas d'urgence ? dit la propriétaire. De toute façon, le loyer est payé un mois d'avance.

***

— Jessie, demande un jeune Écossais à une amie de collège, savez-vous que je ferais si je disposais d'un million de livres sur mon compte en banque ?

— Certainement, Richard. Vous vous apprêteriez à partir en voyage de noces avec moi.

***

Un voyageur débarque dans un hôtel d'Écosse.

— Le chauffage central marche, en ce moment ? demande-t-il au patron.

— Non, dit celui-ci, mais regardez cette petite bonne en mini-jupette, là-bas. C'est une ancienne championne du 1 500 yards. Je peux vous assurer que lorsque vous l'aurez poursuivie pendant une demi-heure dans les couloirs, pour lui voler un baiser, vous serez entièrement réchauffé.

***

— C'est terrible, dit un homme d'affaires écossais à un ami, je n'ai pas dormi de la nuit en songeant aux 20 000 livres que je dois trouver avant demain.

— Tu aurais dû venir m'en parler, dit l'autre.

— Pourquoi ? Tu m'aurais prêté ces 20 000 livres ?

— Non. Mais je t'aurais conseillé un bon somnifère.

***

Un paysan écossais rentre à sa ferme, les vêtements déchirés et couvert de boue.

— Ma pauvre Daisy, dit-il à sa femme, affolée, je l'ai échappé belle. Figure-toi que je suis tombé sous les roues de la Rolls-Royce de Lord Mac Millan et je m'en suis tiré indemne !

— C'est trop bête, fait l'épouse, contrariée. Pour une fois où on tenait quelqu'un qui pouvait nous verser une belle indemnité !

***

En Écosse, quatre messieurs très dignes sont réunis au club. L'un d'eux sort son étui à cigares et le tend à son voisin de gauche qui refuse poliment. Il fait de même avec son voisin de droite qui refuse également. Alors, il tire de son étui un cigare et l'allume.

— Pourquoi, s'étonne le quatrième, ne m'avez-vous pas demandé si je voulais un cigare ?

— Ah ! non, surtout pas, Mac Aron. Vous, je sais bien que vous fumez.

***

Dans un petit hôtel d'Écosse, tenu par une vieille dame particulièrement pingre, un nouvel arrivant, qui s'apprête à prendre son petit déjeuner, questionne :

— Vous beurrez vos tartines des deux côtés ?

— Non, fait l'hôtelière, d'un seul.

— En ce cas, soyez aimable de me montrer lequel ?

***

Le propriétaire d'un cottage, dans la banlieue d'Aberdeen, après avoir été longuement patient, va trouver son voisin et lui dit :

— Mr Mac Pherson, allez-vous vous décider à me rendre ma tondeuse que vous m'avez empruntée il y a plus d'un an ?

— Certainement, répond l'autre, dès que vous m'aurez remboursé les frais d'ambulance et de clinique que m'a occasionnés cet engin quand je me suis pris un orteil dedans.

***

— Eh bien, Mr Scott, s'écrie un chirurgien écossais, il était temps que vous veniez me voir !

— Pourquoi ? s'étonne le patient. Vous aviez tellement besoin d'argent?

***

— C'est combien, les places, pour le récital de Tom John ? demande un jeune Écossais à la caissière d'un music-hall.

— Deux livres.

— Vous pouvez m'en donner une à moitié prix. Tenez : j'ai un certificat médical prouvant que je suis à moitié sourd.

***

En Écosse, un cordonnier interpelle une dame qui passait devant son échope :

— Mrs Mc Laglen, voilà six mois que j'ai ressemelé une paire de chaussures à votre mari. Allez-vous vous décider un jour à vous acquitter de ce que vous me devez pour ce ressemelage?

— Un peu de patience, répond la dame. Ces chaussures, il va bien falloir qu'on les paie au marchand, d'abord.

***

Une dame patronnesse interroge un petit Écossais très pauvre :

— Qu'as-tu trouvé, l'année dernière, sous ton arbre de Noël ?

— Papa, répond le gamin. Il était rentré complètement ivre, à quatre heures du matin, et maman l'avait assommé avec le sapin.

***

— Je connais un dentiste, raconte un Écossais à un ami, qui propose à ses clients un moyen économique d'arracher les dents sans anesthésique. Au moment où il procède à l'extraction, pour les distraire de leur douleur, il leur pince violemment le bas du dos. Et que disent ses clients ?

— « Je n'aurais jamais cru que la racine était si profonde. »

***

En Écosse, la maîtresse interroge un de ses jeunes élèves :

— Que ferais-tu si tu trouvais un portefeuille contenant cent livres en billets ?

— Heu... dit le gamin, j'offrirais dix livres de récompense à celui qui l'a perdu.

***

— Mr Miller, annonce le grand patron d'un hôpital d'Édimbourg, votre opération a parfaitement réussi. Vous êtes tiré d'affaire.

— Mais, docteur... à quoi voyez-vous cela ?

— Aux innombrables gerbes adressées par vos amis. Il y en a plein la chambre et vous savez comme moi qu'ici, on n'aime pas envoyer *deux fois* des fleurs.

***

Un proverbe écossais conseille :
« Pour manger le lièvre dans les meilleures conditions, il faut être trois: le lièvre, le chasseur et le verrou à la porte. »

***

Un rouspéteur, lassé de mettre continuellement la main à la poche, avait fondé une « ligue anti-pourboires ».

Un Écossais, très pingre, se précipite pour s'y inscrire. Le trésorier de l'association lui dit :

— Veuillez me verser votre cotisation annuelle : vingt pence.

L'autre manque de s'étouffer :

— Vous plaisantez ! Vingt pence ! Mais c'est plus que ce que je donne de pourboire en un an !

***

Un Écossais lit avec attention les cours de la Bourse de la City.

— Cette fois, dit-il à son barman, je suis complètement ruiné. Je vais me pendre.

— Ce soir ? interroge le barman.

— Non. Dans quelques jours ?

— Et pourquoi, ce délai ?

— Les cours du chanvre sont les seuls à n'avoir pas encore baissé.

***

Un habitant d'un petit village écossais dit à son fils :

— Va chez les Londoniens qui viennent d'acheter un cottage comme résidence secondaire et demande leur de te prêter leur tondeuse à gazon.

Cinq minutes plus tard, le gamin revient en expliquant :

— Ils m'ont dit qu'ils n'en avaient pas.

— Alors, grommelle son père, parce que ces gens là son fauchés, il va encore falloir que j'utilise la mienne !

***

Un chef de gare écossais a apposé cette affiche :

« Trouvé portefeuille contenant grosse somme d'argent mais aucun papier d'identité. Son propriétaire est invité à venir le récupérer. »

Connaissant bien ses compatriotes, il ajoute :

« Prière de faire la queue, à partir de demain, 8 heures, devant le bureau des réclamations. »

***

— Tu te rappelles, dit un Écossais, ce vieux Ducan qui, voilà quelques années, passait toutes ses soirées au pub avec nous ?

— Très bien.

— Je l'ai rencontré hier, par hasard. Il a émigré aux États-Unis où il a monté une fabrique de corned-beef ce qui en a fait un millionnaire en dollars. Eh bien, il n'a pas changé du tout. Il m'a laissé payer les consommations, exactement comme au temps où il était sans un penny en poche.

***

HISTOIRES ANGLAISES

Un monsieur commet l'imprudence de suggérer à sa femme :

— Honey, tu devrais songer à protéger ton manteau de fourrures contre les mites.

— Tu penses, ricane-t-elle, comme les mites seraient assez bêtes pour se gaver de lapin chez nous quand elles peuvent se régaler de vison chez Mrs Denbigh, notre voisine de palier.

***

— Allô, Mr Terrington ?
— C'est moi-même.
— Ici, le garage Barnstaple. Je voulais vous signaler que votre épouse nous a amené, à midi, votre voiture, très abîmée, pour que nous la réparions.
— Ah ! Eh bien, vous n'aurez qu'à m'envoyer la facture concernant cette réparation.
— Certainement. Et je me permettrai d'y joindre les frais de remise en état de la façade de notre garage que votre femme a complètement démolie, en entrant.

***

— Maman, demande un affreux garnement, je peux aller jouer gentiment avec William Surlough ?
— Sûrement pas. C'est un petit voyou.
— Alors, est-ce que je peux aller lui flanquer une râclée ?

***

C'est une honte, s'écrie une femme, indignée, hier soir, vous aviez bu plus que de raison !
— Pas du tout, riposte son mari.
— Enfin, Michael, vous me l'avez avoué vous-même.
— Oh ! fait le mari, avec insouciance, on dit n'importe quoi, quand on est saoul.

***

Un avocat plaide un procès de divorce :
— Mon client, dit-il, en trouvant sa femme adultère au lit avec un garçon boucher a vu rouge... Votre Honneur, sait ce qu'on ressent dans une telle situation.

***

— Cela m'ennuie, dit une Londonienne à son mari, que tu t'en ailles en déplacement en Nouvelle-Zélande.
— Voyons, ma chérie, fait-il, en se rengorgeant, je serai peut-être revenu plus tôt que tu ne l'imagines.
— Justement, c'est bien cela qui m'ennuie.

***

Un chef d'entreprise accueille joyeusement un de ses employés :
— Mon cher Mr Brodrick, lui dit-il, il m'arrive rarement de mêler le plaisir au travail. Aujourd'hui, je le fais, exceptionnellement : je vous flanque à la porte.

***

Un amateur de Marché aux Puces, qui s'est égaré dans une gargotte de Portobello, sursaute en voyant la façon dont le serveur lui apporte son couvert.
— Ma parole, s'écrie-t-il, vous essuyez mon assiette avec votre mouchoir. Vous êtes fou !
— Mais non, monsieur, pas du tout, répond le garçon. De toute façon, il était déjà sale.

***

Une dame, qui est venue à l'improviste au bureau de son mari, dit à celui-ci avec un mauvais sourire :
— Miss Thacker, ta nouvelle secrétaire est absolument charmante. J'espère, Henry, que tu vas lui donner un bon certificat afin qu'elle puisse tenter sa chance *dès demain*, chez un nouvel employeur.

***

— Mrs Bloomfield, dit le médecin, après avoir procédé à un examen approfondi du malade, je vais essayer de bien me faire comprendre : si j'étais un garagiste, votre mari une voiture et que vous veniez me consulter, je vous découragerais tout de suite d'entreprendre dessus pour plus de deux livres de réparations.

***

— Jerry Bowden, vous êtes accusé, dit le juge, d'avoir conduit votre voiture en état d'ivresse. Plaidez-vous coupable ou non coupable ?

— Non coupable, Votre Honneur. J'ai, au plus haut point, le sens des nuances. C'est lui qui me fait préciser que je n'étais nullement ivre mais seulement un peu pris de boisson.

— Pour respecter votre sens des nuances, répond le juge, je ne vous condamne pas à un mois de prison mais à trente jours seulement.

***

A Heathrow, l'aéroport de Londres, un couple arrive, surchargé de bagages. L'homme est visiblement furieux quand la femme s'écrie :

— Ah ! mon Dieu ! J'aurais dû prendre le piano !

— Ça, fait le mari, je te conseille de plaisanter. C'est le moment !

— Mais je ne plaisante pas, chéri. J'ai laissé les billets dessus.

***

— Dans ma jeunesse, raconte un médiocre critique littéraire, j'écrivais beaucoup. Un peu de tout : des pensées, des réflexions, des poèmes. Un jour, j'ai même écrit quelque chose que le *Sunday Times* a accepté sans hésitation.

— Quoi donc ?

— Un bulletin d'abonnement pour un an.

***

— Vous savez, Samuel, dit une demoiselle un peu prolongée au courageux garçon qui lui fait un brin de cour, on m'a suppliée au moins cent fois de me marier.

— Ah ! bon ! fait-il, assez impressionné. Et qui ça ?

— Heu... papa et maman.

***

— Ma fille, Gwendolyn, est bavarde, mais bavarde ! raconte un employé de bureau à un collègue. Je ne connais personne qui ait une langue pareille.

— A ce point-là ?

— Tenez, c'est certainement la seule personne au monde qui soit capable de lécher le dos d'une enveloppe *après* qu'elle ait déjà mis sa lettre à la boîte.

***

— Tu as confiance en moi, n'est-ce pas, Herbert ? demande une femme à son mari.

— Bien sûr, Janice. Pourquoi me demandes-tu cela ?

— Et si une lettre anonyme t'apprenait de vilaines choses sur moi, que ferais-tu ?

— C'est simple. Je ne l'ouvrirais même pas !

***

Sur le pont d'un paquebot, secoué par la tempête un passager souffre horriblement du mal de mer. Tout à coup sa femme lui dit :

— Regarde, Tracy, un bateau.

— Je... t'en... prie... articule-t-il péniblement... ne me dérange plus... que lorsque tu verras... passer un bus.

***

Dans le petit village de Streatley, aux environs de Londres, la propriétaire d'un cottage vient répondre, épanouie, au coup de sonnette d'un homme en cotte bleue, portant une mallette d'outils, sur l'épaule.

— Enfin, s'écrie-t-elle, Mr Orwell, vous voilà ! Depuis trois semaines qu'on vous attend !

— Combien de temps dites-vous ? s'étonne le plombier.

— Trois semaines.

— Excusez-moi, mais j'ai dû me tromper. Où je devais aller, ça fait *deux mois* qu'ils m'attendent.

Et il repart en sifflotant.

***

— C'est pour mon mari qui est si malade, explique une dame, en prenant du raisin chez son fruitier. Mais, dites-moi, a-t-on pulvérisé dessus des produits empoisonnés ?

— Non, madame, avoue le fruitier. Mais vous trouverez ça dans toutes les bonnes pharmacies.

***

Un chef syndicaliste raconte avec force détails les avanies que lui a fait subir sa femme.

— Moi, tu vois, lui dit un de ses auditeurs, je trouve, en toute objectivité, qu'elle a raison.

— Ça alors, Godfrey, s'indigne le syndicaliste, ce n'est pas que tu passerais du côté des patrons !

***

Un amnésique a été hospitalisé. Au bout de quelques jours, il appelle la nurse :

— Miss Callaghan, je m'ennuie à mourir, ici. Je veux m'occuper. Donnez-moi, au moins, quelques feuilles de papier et un crayon à bille.

— Je veux bien, répond l'infirmière, mais que voulez-vous en faire ?

— M'en servir pour écrire mes mémoires.

***

La « cocktail-party » bat son plein. Tout en grignotant quelques amandes et en sirotant son whisky, le maître de maison, Mr Smooth, bavarde avec une charmante invitée.

— L'ennui, avec les femmes, lance-t-il, c'est que, quoi qu'on dise, elles se croient toujours visées.

A ce moment, Mrs Smooth, qui se trouvait à proximité, sursaute et s'indigne :

— C'est pour moi que tu dis ça ?

***

Un affreux bandit va consulter une cartomancienne.

— Que voulez-vous que je vous révèle, lui demande-t-elle : vos chances en amour, votre espérance de vie, vos espoirs de promotion ?

— Ce que je voudrais surtout que vous lisiez, dans votre boule de cristal, dit-il, c'est la combinaison du coffre-fort de la banque Harry Smith and Co.

***

Une jeune mariée réveille son mari en sursaut :

— Herbert, je te préviens, dit-elle, profondément indignée. Si je rêve encore une fois que tu embrasses cette petite chipie de Betsy, je demande le divorce.

***

Au moment où une femme va quitter le parking de Marble Arch, où elle a laissé sa Mini Morris, le gardien la rappelle :

— Madame, madame, vous ne l'avez sans doute pas remarqué mais votre plaque d'immatriculation arrière est fixée à l'envers.

— Je sais, mon ami, dit-elle. Et cela m'est bien pratique pour retrouver ma voiture quand je viens la reprendre le soir.

***

Un ouvrier agricole a invité un de ses compagnons de travail à faire un tour dans la voiture d'occasion qu'il vient de s'acheter.

— Elle est bien, dit l'autre, mais une chose me semble bizarre : il n'y a pas de compteur. Comment sais-tu à quelle vitesse tu roules ?

— Oh ! c'est très simple. Jusqu'à vingt miles à l'heure, les parechocs tremblent. Entre 30 et 50 miles, les portes tremblent. Et au-dessus de 50 miles, c'est moi qui tremble.

***

— Allez, boys ! lance gaiement le sergent. On va faire une petite marche de vingt miles. Pour vous donner du courage, imaginez qu'à l'arrivée une belle blonde vous attend.

— Moi, soupire un des soldats, j'aimerais mieux rencontrer une rousse à mi-chemin.

***

En sortant du Stock Exchange, deux boursiers parlent des cruelles déceptions essuyées par l'un de leurs collègues :

— Ce n'est pas vraiment que Harrison soit malchanceux, mais je l'imagine bien, voici 50 000 ans, le jour même où l'on inventait la roue, investissant tout ce qu'il possédait dans une affaire de traîneaux.

***

Étendu, encore à demi conscient, sur la table d'opération, le patient entend le directeur de la clinique dire, d'une voix sévère, au chirurgien qui prépare ses outils :

— Dr Gladstone, essayez d'appuyer un peu moins fort, avec votre bistouri. C'est la troisième table, cette semaine, que vous rendez totalement inutilisable.

***

Une dame interroge son médecin

— Dr Walker, est-ce qu'embrasser un homme peut être dangereux pour ma santé ?

— Ça dépend, répond le toubib en souriant, si votre mari vous surprend ou non.

***

Dans une exposition d'automobiles, une jeune personne blonde s'était rendue au stand Rolls-Royce.

— Vous voulez peut-être la liste de nos concessionnaires ? lui dit aimablement le vendeur.

— Non, fit-elle. Mais cela me rendrait bien service de connaître l'adresse de quelques uns de vos clients

***

Une habitante de Sheringham dit au directeur de la succursale locale de la Banque d'Angleterre :

— J'ai ouvert un compte commun avec mon mari. Je voudrais tirer cent livres mais, seulement, sur sa moitié. Est-ce possible ?

***

— J'ai perdu mon chien, Tommy, se désole une employée de bureau Une bête adorable, sensible et intelligente, mais intelligente...

Un collègue lui suggère :

— Pourquoi ne mettez-vous pas une annonce dans le *News of the World* ?

L'autre se redresse, offusquée :

— Gardez pour vous vos plaisanteries de mauvais goût. Mon chien est, certes, très intelligent mais quand même pas au point de lire le journal !

***

Un réparateur de voitures accidentées de Woolwich a affiché à l'entrée de son garage :

Mesdames qui conduisez

511

ICI, ON ÉCOUTE VOS CONFESSIONS.

***

Un gentleman très triste explique à un ami.

— Dès le premier jour de notre mariage, j'ai bien dit à ma femme qu'il n'était pas question que je fasse la vaisselle tout seul. Alors, on a convenu de la faire moitié-moitié : moi, de mon côté, je lave la vaisselle et ma femme, de son côté, la laisse sécher.

***

Une mère borde tendrement son petit garçon :

— Endors-toi vite, mon petit Peter. Et si tu as besoin de quelque chose, dans la nuit, appelle maman : papa viendra tout de suite.

***

Dans Picadilly Circus, un petit monsieur, en chapeau melon, tenant une valise à la main, regarde le ciel en poussant des cris extasiés :

— Oh ! Ah ! Extraordinaire ! Oh ! là ! là !

Aussitôt, un attroupement se forme et une cinquantaine de badauds se mettent à scruter l'azur, bien forcés d'avouer :

— Nous ne voyons rien.

— Qu'à cela ne tienne, dit alors le petit homme, en ouvrant sa valise.

Et il se met à vendre des jumelles.

***

Le juge demande à un automobiliste :

— Comment pouvez-vous être certain que vous ne rouliez pas à plus de 30 miles à l'heure ?

— Demandez à mon dentiste. J'allais chez lui pour me faire arracher une dent.

***

— Le patron n'est pas le mauvais cheval, confie un employé d'une banque de la City à un jeune collègue. Mais il est affreusement snob.

— Vraiment ?

— C'en est à un point qu'il n'a jamais pu consentir à prendre place dans la même voiture que son chauffeur.

***

Dans un asile, un fou se livre à quelques travaux de jardinage. Un autre pensionnaire l'interroge :

— Qu'est-ce que vous faites, Milton, avec cet arrosoir ?

— Vous le voyez. J'arrose mes fleurs.

— Mais ce sont des fleurs artificielles.

— Je le sais. C'est pourquoi mon arrosoir n'a pas de fond.

***

Une dame donne les derniers conseils à sa fille qui va se marier :

— Surtout, Margaret, quand tu ne seras pas d'accord avec ton mari, ne discute jamais. Pleure !

***

— Je vous remercie beaucoup, dit, faussement confuse, une plantureuse personne qui vient d'être élue Miss Grande-Bretagne. Mais ce que j'ai eu peur ! J'ai bien craint d'être disqualifiée quand les deux bretelles de mon maillot de bain ont craqué en même temps, alors que je me présentais devant le jury, et que mon maillot m'est tombé sur les chevilles.

***

A un explorateur britannique, solidement ficelé dans la marmite, le cuisinier d'une tribu de cannibales demande aimablement :

— Mr Raleigh, comment vous préférez-vous : en sauce blanche ou flambé au cognac ?

***

Dans le salon d'attente du Dr H.W. Bistoury, un monsieur aborde timidement sa voisine :

— Pardon, madame, vous venez, vous aussi, pour un changement de sexe ?

— Oui, monsieur.

— Si j'osais me permettre... au cas où mon pantalon vous irait, je vous l'échangerais volontiers contre votre jupe.

***

Une étudiante, pas très jolie, questionne sa camarade de chambre :

— A ton avis, qu'a voulu dire Mike, hier, quand il m'a assuré : « Tu es tout à fait le genre de fille à emmener au cinéma... lorsqu'on a envie de voir le film. » ?

***

— Alors, Brian, demande le père, ça a marché ta composition de calcul ?

— Oui.

— Vous avez eu combien de problèmes ?

— Cinq.

— Et tu les as tous faits justes ?

— Oui... sauf les deux premiers et les trois derniers.

***

— C'est terrible mais c'est tristement vrai, a remarqué un commentateur politique de la BBC. N'importe quelle personne sera prête à croire tout ce que vous lui raconterez — à une condition toutefois : que vous le lui chuchotiez à l'oreille.

***

— J'ai fait la connaissance de deux jeunes gens, raconte tristement une secrétaire à une collègue de bureau.

— Tu dois être heureuse, alors ?

***

— Pas tellement. Le premier, George, est gai, charmant, intelligent, très riche. Mais, c'est le second, Mortimer, qui veut m'épouser.

***

Une jeune fille sort, pour la première fois de sa vie, avec un garçon.

Celui-ci l'emmène dans un bar et commande :

— Deux scotches.

Ne sachant trop ce qui se fait, en une telle circonstance, la jeune fille glisse timidement au barman :

— Vous me donnerez la même chose.

***

Une petite fille a des difficultés en calcul mental.

— C'est simple, Dorothy, lui dit sa maman. Représente-toi un tableau noir dans ta tête et tu y inscris tes chiffres au fur et à mesure. Ça y est ?

— Oui, répond la gamine.

— Alors, additionne-moi 4 + 8.

La fillette hésite longuement.

— Tu as inscrit tes chiffres ? demande la mère.

— Non. Je ne trouve pas la craie.

***

Rentrant d'une tournée dans Bond Street, les bras chargés de paquets, une femme soupire :

— Quelle journée ! J'ai couru tous les magasins sans trouver une seule des choses que je voulais.

— Mais, fait timidement son mari, qu'y a-t-il alors, là-dedans ?

— Des choses que je n'aimais pas mais que j'apprendrai à aimer.

***

Un pochard rentre à deux heures du matin, d'une prétendue réunion d'anciens élèves d'Oxford et dit à sa femme, d'une voix pâteuse :

— De... devine... d'où... je... reviens...

— J'ai déjà deviné, répond-elle, sèchement. Mais raconte-moi quand même ton histoire.

***

Un vieux pêcheur emmène avec lui, pour la première fois, son petit neveu. A quatre heures du matin, ils s'installent au bord de la Tamise.

— Assieds-toi là, Jim, dit l'oncle, surveille ton bouchon, ne bouge pas et tais-toi.

Le gamin obéit scrupuleusement. La matinée se passe, sans une touche, sans un mouvement, sans une parole.

Et, vers midi, l'oncle se met brusquement en colère :

— Jim, bougre de petit sacripan, hurle-t-il, voilà deux fois depuis ce matin que je te vois agiter un pied. Alors, il faudrait savoir : tu es venu ici pour pêcher ou pour danser ?

***

Le pasteur d'un petit village, où beaucoup de fermettes ont été rachetées par des Londoniens, admirait poliment la pelouse d'une propriété appartenant à un richissime industriel.

— Elle peut être belle, s'écria orgueilleusement le nabab : elle me revient à plus de deux mille livres l'acre[1]. Et je ne vous parle pas des arbres que je fais venir directement de leurs pays d'origine : les bouleaux de Norvège, les sapins de Bohème, les cèdres du Liban... Ils me coûtent au moins cent cinquante livres pièce.

Le brave pasteur écoutait cela avec un sourire à peine ironique.

— Tout de même, s'extasia-t-il

enfin, que le Monde aurait été beau si, quand il l'a créé, le Bon Dieu avait disposé de tout votre argent !

***

— Clark, mon mari, est terrible, confie une femme volage à une amie. Il m'a dit que si jamais je continuais de le tromper, il me tuerait.

— Et alors ?

— J'ai soigneusement caché son browning.

***

La maîtresse de maison sert des coquilles de poisson. Son mari, pêcheur enragé, explique :

— Pour venir à bout de ce saumon, il m'a fallu plus d'une demi-heure d'efforts.

— Cela ne m'étonne pas, Mr Peabody, fait gentiment une invitée. Il m'est arrivé, à moi aussi, d'avoir un ouvre-boîte qui fonctionnait mal.

***

Petit dialogue surpris dans le « pool » des secrétaires :

— Qu'est-ce qu'il t'est arrivé, ma pauvre Peggy ? Tu t'es cognée dans une porte pour avoir un œil au beurre noir, comme cela ?

— Non. C'est mon mari.

— Mais... Je le croyais en voyage jusqu'à la fin de la semaine.

— Justement. Moi aussi !

***

Lu dans un journal du Devonshire :

« Mr William Doolitle s'est tué accidentellement, hier, alors qu'il s'apprêtait à tirer sur un lapin. Il laisse une femme, quatre enfants... et un lapin. »

***

1. 40,46 ares

Un élève, très paresseux, s'était vu donner en sujet de rédaction : « Décrivez un naufrage. »

Après avoir réfléchi pendant cinquante minutes, il se décida enfin à écrire sur sa copie :

« Le capitaine du navire The Valiant, n'eut pas le temps de réagir quand la tempête surgit d'un coup. En trente secondes, son bateau avait coulé: On n'en a jamais su davantage car il n'y a eu aucun survivant. »

***

— Élisabeth, dit une dame à la nouvelle nurse, au visage particulièrement ingrat, qu'elle a engagée pour son jeune fils, cet après-midi, vous conduirez Malcolm au zoo.

— Oh ! non ! s'écrie la nurse, je vous en prie, n'importe où mais pas au zoo !

— Et pourquoi donc ?

— La dernière fois que j'y suis allée, les singes n'ont pas arrêté de me lancer des cacahuètes.

***

— Qu'avez-vous l'habitude de manger le soir ? demande le médecin au représentant de commerce, venu le consulter.

— Juste une tranche de bacon, salade.

— Vous êtes au régime ?

— Non. A la commission.

***

Deux banlieusardes bavardent :

— Votre mari ne fait pas son jardin, cette année, Mrs Curley ?

— Non. L'année dernière, il a été définitivement écœuré. Après bien des échecs, il avait essayé de planter du chiendent et des liserons. Eh bien, même cela n'a pas voulu pousser.

***

La sage-femme annonce à un membre du Parlement, dont la femme vient d'accoucher :

— Vous êtes le père de beaux petits quadruplés.

A ces mots, il se dresse en clamant :

— Je réclame un nouveau pointage.

***

Au cours d'une party, Mr Morrison a disparu. Sa femme, atrocement jalouse, fouille toute la maison sans parvenir à remettre la main dessus. Et puis, dans une inspiration géniale, elle ouvre la porte de la penderie et là, au milieu des vêtements pendus sur les cintres, découvre son mari en compagnie d'une blonde au corsage un peu froissé.

— Ah ! Janet, s'écrie le mari avec un aplomb phénoménal, tu es donc là ! Voilà plus d'une heure que je te cherche partout !

***

Un spécialiste des emprunts en tous genres, demande au propriétaire d'un cottage, à côté du sien :

— Pouvez-vous me prêter votre tondeuse à gazon ?

— Ah ! non, dit l'autre. Je regrette mais c'est impossible : ma fille épouse samedi un constable de Newcastle.

— Et alors ? fait le tapeur, interloqué, quel est le rapport ?

— Il n'y a pas de rapport, dit l'autre, sauf que quand on ne veut pas prêter sa tondeuse le premier prétexte venu est le bon.

***

Un britannique, qui se méfie du beaujolais d'importation, a un truc à lui pour vérifier son authenticité :

— Avant de le boire, dit-il, je laisse mon doigt tremper dedans quelques instants. Si l'ongle ne s'en va pas, c'est que c'est du vrai.

Un bijoutier de Bond Street (la rue des commerces de luxe), exaspéré par les atermoiements d'un mauvais payeur, lui envoie cet ultimatum :

— Mr Gibbins, si vous ne me réglez pas intégralement votre dette dans les vingt-quatre heures, j'adresse, à tous vos autres créanciers, la photocopie d'une lettre où je vous remercierai d'avoir bien voulu vous acquitter auprès de moi, après avoir hérité de votre oncle d'Amérique.

***

Deux jeunes filles bavardent, sur la plage.

— Moi, dit l'une, mon fiancé, Sylvester, est toujours d'une parfaite correction — mais qu'est-ce que tu veux, ça vaut encore mieux que pas de fiancé du tout.

***

Un couple de touristes britanniques arrive en caravane en vue des Pyramides. La femme, furieuse, s'en prend à son mari :

— Douglas, tu es toujours aussi têtu ! Je te l'avais bien dit que, pour Cadix, il fallait tourner à droite, à Paris.

***

Une jeune mariée, qui ne se fait aucune illusion sur ses talents en matière culinaire, met du beurre dans sa poêle et interroge son mari, installé devant la télévision :

— Dis-moi, honey, ton steak saignant, tu le veux très cuit ou carrément carbonisé ?

***

Une dame dit ironiquement à son mari qui se pique d'être un amateur de vins français.

— Mortimer, tu te rappelles cette bonne bouteille de bordeaux que tu avais tenu à garder quinze ans, pour une grande occasion ?

— Oui, eh bien ?
— Nous l'avons dégustée pour nos vingt ans de mariage. C'était le vinaigre que j'ai mis dans la salade, ce soir.

***

Pendant la dernière guerre, une vieille Anglaise affreusement sourde, s'était décidée à acheter un appareil accoustique qu'elle se brancha dans l'oreille, à peine rentrée chez elle.

A ce moment une alerte éclata. Une vague de bombardiers allemands venait pilonner la ville et une bombe tomba dans le jardin de la sourde avec un bruit infernal. Alors la dame, avec un sourire radieux, s'écria :

— Entrez, Mary! C'est merveilleux ! Avec mon appareil, pour la première fois depuis dix ans, je vous ai entendue frapper à la porte.

***

Un journaliste questionne le Premier Ministre du gouvernement de Sa Majesté:

— Vous rangez-vous parmi les optimistes ou les pessimistes ?
— Je me sens, répond-il, très optimiste quant à l'avenir du pessimisme.

***

— Je reviendrai sans doute tard, ce soir, dit le chief-détective de Scotland Yard, en embrassant sa femme. Je dois procéder à un interrogatoire difficile : le patron du grand restaurant « Mario's » est accusé de meurtre.

— Oh ! darling ! supplie l'épouse du policier, quand il sera passé aux aveux, profites-en pour tâcher de lui soutirer la recette de sa timbale de fruits de mer qu'on vient goûter du monde entier.

***

Un acrobate, en quête d'un engagement, se présente au directeur du Mondial Circus :

— Que savez-vous faire ? questionne celui-ci.

— Je monte à cent pieds de haut et je plonge droit dans le goulot d'une bouteille.

— Mais..., interroge le directeur, vous devez bien avoir un truc ?

— A vous, je peux le dire, fait l'acrobate. Sur le goulot de ma bouteille j'adapte un petit entonnoir.

***

Le directeur d'un grand magasin convoque l'employé chargé du service des réclamations :

— Depuis que je vous ai confié ce poste, Mulally, lui dit-il, j'ai reçu de nombreuses lettres signalant que vous êtes arrogant, désagréable, sarcastique et totalement dépourvu de sympathie à l'égard des clients qui viennent protester. Bravo, mon ami : je vous augmente.

***

Une collégienne raconte à sa mère :

— Tu sais, nous faisons des travaux pratiques d'art ménager.

— Et on vous laisse manger votre cuisine ?

— Tu veux dire qu'on nous y force !

***

— Herbert, j'en ai assez, assez ! Tu entends, assez ! hurle une femme au comble de l'exaspération. Je te préviens que si tu me trompes une fois de plus, je retourne chez ma mère.

— Parfait, répond le mari. Eh bien, moi, en ce cas-là, je retourne chez ma femme.

***

— Mrs Coolidge, dit le juge, veuillez nous expliquer pour quelle raison vous souhaitez divorcer.

— Voilà, Votre Honneur, Gregory, mon mari, est un hypnotiseur. Depuis six mois que nous sommes mariés, chaque matin, il m'oblige à le regarder droit dans les yeux. Il me répète : « Tu es un canari. Tu es un canari. » jusqu'à ce que j'en sois absolument persuadée. Et cela lui permet de me nourrir uniquement des graines qu'il me donne.

— Mr Coolidge, reconnaissez-vous les faits ?

— Votre Honneur, c'est exact. Mais, permettez-moi de souligner que si j'étais aussi cruel que ma femme le prétend, je lui ferais croire qu'elle est un moineau — et je l'obligerais à se débrouiller par elle-même pour trouver sa nourriture.

***

— Mon cher Mr Bunbury, dit le radiologue à son client, vous aviez eu l'amabilité de m'inviter à déjeuner chez vous, dimanche prochain, et je vous en remercie. Mais, compte tenu de l'état de délabrement de votre estomac, je préfère refuser cette invitation.

***

On échange les derniers potins, devant le Stock Exchange :

— Depuis que lord Woodward est ruiné, la moitié de ses amis lui tournent le dos.

— Et l'autre moitié ?

— Eux, ne savent pas encore qu'il est ruiné.

***

Au moment où il fait visiter un cottage à restaurer à deux Londoniens avides de grand air, un agent immobilier voit soudain disparaître le mari dans un trou béant du plancher.

— Ça, explique-t-il à sa femme, qui s'affole, c'est encore un avantage dont je ne vous avais pas parlé : l'accès direct à la cave.

***

— Ça alors, Mrs Barnstaple ! s'étonne une visiteuse, je n'ai jamais vu un si grand canari !

— Taisez-vous donc, Mrs Morris ! C'est mon perroquet qui a la jaunisse!

***

— Si tu n'aimes pas ma cuisine, dit une très mauvaise ménagère, à son époux, pourquoi, chaque midi, manges-tu le contenu de ton assiette jusqu'à la dernière miette ?

— Oh ! simplement pour ne pas faire de restes que tu me servirais le soir, nappés de sauce tomate.

***

Ses collègues éclatent de rire quand un employé d'une banque de la City fait son entrée, un matin, avec les deux yeux pochés. On l'interroge :

— Que t'est-il arrivé ?

— Eh bien, dit-il, l'œil droit, c'est ma femme quand elle a appris que j'avais une petite amie.

— Et le gauche ?

— C'est ma petite amie, quand elle a appris que j'avais une femme !

***

— Comment, dit à l'un de ses ingénieurs, le directeur d'un chantier de la Clyde, vous osez demander une augmentation alors que les affaires vont si mal ! Écoutez bien ceci, Barnett : ou vous avez l'intelligence de conserver votre place à votre salaire actuel — ou, alors, tant pis pour vous : je vous prends comme associé.

***

Un entrepôt des docks est en train de brûler. Un jeune homme s'approche et montre sa carte au service d'ordre.

— Circulez, ordonne l'agent de faction.

— Mais, proteste le jeune homme, je suis journaliste au Daily-Express. Il faut que j'aille voir ce qui se passe.

— J'ai dit : « circulez ». Les détails, vous les lirez demain, dans les journaux.

***

Une revue, distribuée gratuitement, par le Service national de Santé, aux journalistes qui en font la demande, vient d'envoyer à ses abonnés la note suivante :

« Étant donnée l'augmentation du papier, des frais d'impression et des taxes postales, veuillez bien considérer que ce magazine est encore *deux fois* plus gratuit qu'auparavant. »

***

Dans une usine de produits chimiques, un employé du service des gaz lacrymogènes va trouver le patron, pour tenter d'obtenir une augmentation.

— Hélas, fait le directeur, mon pauvre Harroughby, les affaires vont mal et je ne puis pas ajouter un penny à vos appointements. Mais je peux quand même faire quelque chose pour amener un sourire sur votre visage. A partir de demain, vous serez transféré au service des gaz hilarants.

***

Dans un chenil du Strand, une cliente interroge la vendeuse :

— Ce dalmatien est-il vraiment de race ?

— Mais, madame, répond la vendeuse, pincée, chacune de ses puces a un pedigree.

***

Un artiste peintre est en train de bavarder sans malice avec son charmant modèle. Soudain, il entend un bruit de talons dans le hall. Il pâlit et s'écrie :

— Ça doit être ma femme et elle est affreusement jalouse. Vite, Marylin, déshabille-toi complètement qu'elle ne nous trouve pas comme cela !

***

Un journaliste interroge le directeur du Glorious Circus :

— Est-il vrai que le nain que vous venez d'engager dans votre cirque est vraiment, très, très petit ?

— A un point, répond le directeur que, lorsqu'il souffre d'un cor au pied, il croit qu'il a la migraine.

***

Un employé de la voirie était passé accidentellement sous un rouleau compresseur. Sa femme court aussitôt à l'hôpital où il a été transporté :

— Voyons, dit l'infirmière. Ah ! oui, Herbert Spencer, chambres 17, 18, 19, 20 et 21.

***

Au cours de grandes manœuvres de la Royal Navy, un jeune enseigne de vaisseau s'est vu confier le commandement d'un cuirassé. Tout ému, il s'affole et se débrouille si bien qu'il envoie son bateau heurter le navire-amiral.

Le grand patron de la flotte surgit, fou furieux. Il contemple les dégâts et demande, d'un ton glacial, à l'enseigne :

— Et maintenant, qu'est-ce que vous comptez faire ?

— Heu... fait le maladroit... acheter une petite ferme.

***

Une mère de famille avisée dit à son mari :

— Darling, notre petit Conrad joue en bas de chez nous. Veux-tu commencer à lui crier de venir à table ? Le souper sera prêt dans une heure.

***

On s'étonnait devant un Anglais de trente ans qu'il s'obstine à demeurer célibataire.

— J'ai toujours en tête, expliqua-t-il, ce proverbe qui dit : « La femme est comme le pilchard : quand c'est bon, ce n'est pas fameux et quand c'est mauvais, c'est franchement détestable »

***

— Je trouve que les gens sont de plus en plus culottés, raconte un Londonien. J'ai vu, l'autre jour, devant la cathédrale Saint-Paul, un vieux chapeau crasseux, posé sur un pliant, avec cette pancarte :

« Ayez pitié d'un pauvre mendiant qui est allé déjeuner. »

***

Après que son soupirant lui ait fait sa déclaration, une jeune fille lui dit, en souriant :

— Mon cher Peter, vous possédez toutes les qualités que ma mère souhaite voir réunies chez un gendre... Vous comprendrez donc facilement que je n'aie aucune envie de vous épouser.

***

Un « bobby » note le signalement d'un individu dont la femme vient signaler la disparition.

— Il mesure six pieds trois pouces, déclare la dame. Il pèse 165 livres, il est chauve, porte des lunettes à verres très épais et il a un nez si grand que nos cinq perroquets peuvent l'utiliser comme perchoir.

— Cinq perroquets ! ricane le commissaire. N'exagérez-vous pas un peu ?

— C'est vrai, convient la dame. Je reconnais que le dernier ne se tient que sur une patte.

***

Vu cette pancarte dans un grand magasin de Mayfair :

« Si nous n'avons pas l'article que

519

vous cherchez, c'est que vous n'en avez pas réellement besoin. »

***

— Je vous ramène le chien que j'ai adopté hier, dit une dame à l'employé de la Société Royale pour la protection des animaux.

— Il n'est pas gentil ?

— Si. Il est très affectueux.

— Alors, pourquoi ne gardez-vous pas ce magnifique chien de berger ?

— Précisément, explique la dame, parce que c'est un chien de berger. Alors que les autres chiens ont des puces, lui, à force de vivre en compagnie des moutons, il a des mites.

***

— Mirna, as-tu suivi mes conseils pour l'établissement de notre budget ? demande un monsieur à sa femme.

— Oui, à la lettre, répond-elle. Et je peux même te dire que si nous continuons à économiser au train où nous le faisons actuellement, nous aurons environ cent mille livres de dettes le jour où tu prendras ta retraite.

***

Au tribunal des divorces, un pauvre homme explique :

— Ma femme, Ethel, souffre d'un dédoublement de la personnalité. Parfois, elle est charmante et pleine de douceur. D'autres fois, c'est une véritable mégère.

— Et vous demandez donc le divorce ?

— Non. C'est elle.

— C'est votre femme qui demande le divorce ? Et sous quel prétexte ?

— Elle m'accuse d'être bigame.

***

Dans une pension de famille anglaise, renommée pour sa médiocre nourriture, la logeuse lisait, un soir, à haute-

voix, une épître de Saint-Paul aux Corinthiens où l'on trouve ce passage :

« Quoi qu'on mette devant vous, mangez-le, sans vous poser de questions. »

Elle reposa sa Bible et soupira :

— Ce Saint-Paul ! Comme j'aurais aimé l'avoir pour locataire !

***

Une dame bouscule son mari, tranquillement installé dans un fauteuil pour lire son journal :

— Allons, Harry, lève-toi. Laisse-moi passer un bon coup de balai que ce soit propre quand la femme de ménage va arriver.

***

— Moi, dit un touriste anglais, j'ai trouvé le moyen idéal pour faire venir une femme de chambre quand vous êtes à l'hôtel, sur la Côte d'Azur. Vous savez qu'en général, rien n'est plus difficile. Eh bien, c'est tout simplement parce que l'on ne sonne pas comme il faut le faire. La méthode infaillible pour faire venir une femme de chambre, si vous avez besoin de quelque chose dans un hôtel, c'est vingt-cinq coups de sonnette, espacés entre eux d'environ trois minutes.

***

Déballant le cadeau d'anniversaire que lui a apporté son mari, une femme en extrait une combinaison de nylon bleu ciel.

— Oh ! Harold ! s'écrie-t-elle. Comment as-tu deviné ? C'est *exactement* le genre de chose que je rêvais d'aller échanger.

***

Un psychiatre londonien a mis cette pancarte sur sa porte :

« Si vous avez des ennuis, je vous soigne pour quinze livres.

Si vous n'avez pas d'ennuis, entrez quand même, je vous donne vingt livres pour que vous m'expliquiez comment vous faites. »

***

Après avoir fait, un mois durant, la preuve de sa totale incapacité, une jeune secrétaire est mise à la porte par son patron auquel elle a pourtant l'audace de réclamer un certificat.

— Certainement, dit son employeur en souriant. Voici ce que je me propose d'écrire : « Lorsque vous connaîtrez Miss Callaghan, comme je la connais, vous l'apprécierez comme je l'apprécie.»

***

Un représentant sonne à la porte d'une dame qui est en train de langer son petit garçon. Il commence son boniment mais la mère de famille l'interrompt :

— Je n'ai pas tellement de temps, en ce moment. Pourriez-vous repasser un peu plus tard... par exemple quand mon fils sera à Cambridge.

***

— Il paraît, dit un ivrogne à un ami de rencontre, dans un *public bar*, que l'âge améliore le whisky.

— C'est vrai, répond l'autre, et je l'ai constaté moi-même : plus j'avance en âge et plus je trouve bon le whisky.

***

— Ah ! soupire un Anglais, les jeunes générations ne connaissent pas leur bonheur ! Si les couvertures chauffantes et les plats surgelés avaient existé à mon époque, moi, je ne me serais jamais marié.

***

— Je ne comprends pas, Suzy, dit une mère à sa grande fille, que tu te refuses obstinément à épouser le richissime lord Bromingham sous le simple prétexte qu'il est sexagénaire. Avoue qu'il est extraordinaire pour son âge.

— Pour son âge, peut-être, maman. Mais pas pour le mien !

***

Un grand match international de football vient de se terminer par une victoire inattendue des visiteurs. Pâle de colère, le capitaine de l'équipe anglaise va serrer la main de l'arbitre, en lui disant :

— Ça a été vraiment un beau match. Quel dommage que vous n'en ayez rien vu !

***

Un lord anglais, voulant faire remettre à neuf son hôtel particulier, avait convoqué un entrepreneur pour obtenir un devis. Il faillit suffoquer en voyant ce qu'il lui réclamait :

— Six mille livres ! s'écria-t-il. Mais, pour ce prix, j'aurais pu avoir, pour repeindre les murs, Leonard de Vinci en personne.

— Ouais, grommela l'entrepreneur, eh bien, moi, je peux vous dire que si cet Italien veut travailler au rabais, il risque d'avoir des ennuis avec les syndicats.

***

Une vieille fille, qui souhaitait se rendre utile, avait confectionné, pour l'offrir à la Red Cross, un superbe pyjama.

— Je vous remercie beaucoup, lui dit la responsable de l'organisation charitable, en recevant ce don. Mais, une chose m'intrigue : pourquoi n'avez-vous pas prévu une ouverture, sur le devant ?

— Heu... dit la vieille fille, en rougissant jusqu'aux oreilles, j'avoue que je n'y ai pas pensé. Mais, vous n'aurez qu'à le donner à un célibataire.

***

Lu cet avis à la rubrique « Recherches » d'un grand quotidien londonien:

« Quelqu'un a-t-il vu mon mari, disparu depuis le 25 mars dernier ? Étant sourd-muet, il ne répond pas au nom de Graham. »

***

Un instituteur, excédé, dit à un de ses élèves, qui l'énerve :

— Tiens, Johnny, voici dix pence : tu vas aller chez l'épicier du coin et tu lui demanderas de te donner pour dix pence d'intelligence.

Dix minutes plus tard, le gamin revient et fait bien rire ses camarades en racontant :

— J'ai dit à l'épicier que c'était pour vous. Il m'a répondu qu'en ce cas, il fallait bien que j'en prenne pour une livre.

***

— Diana, dit une riche bourgeoise à sa bonne, j'ai remarqué que, dans la lessive hebdomadaire, il y a sept soutiens-gorge et sept culottes qui vous appartiennent. Certes, c'est une grande qualité d'être propre et de changer souvent de linge mais il ne faut pas que cela tourne à l'exagération. Tenez, ma propre fille, miss Betty, qui est certainement aussi soigneuse que vous, ne change de sous-vêtements que tous les deux jours.

— Ce n'est pas la même chose, proteste la bonne.

— Et pourquoi n'est-ce pas la même chose ?

— Miss Betty flirte avec le percepteur, tandis que moi, c'est avec le charbonnier.

***

Mr Bromfield vient d'avoir son premier enfant : un fils. Tenant dans les bras son nouveau-né, il fait pour lui, à haute-voix, mille projets d'avenir :

— Darling, dit sa femme, avec indulgence, songe bien qu'il faudra que quelqu'un le remplace à la tête du gouvernement pendant qu'il remportera le Grand Steeple, qu'il fera la traversée de la Manche à la nage ou qu'il ira à Stockholm chercher son Prix Nobel.

***

Au centre d'essais en vol de Farnborough, un visiteur dit à un ingénieur en aéronautique :

— C'est infernal, ces déflagrations, à chaque fois qu'un avion franchit le mur du son.

— Ouais, mais, à part cela, il y a de bons côtés, dans le métier. L'onde de choc, produite par chaque passage du mur du son fait régulièrement sauter les élastiques des culottes de toutes nos dactylos.

***

Le guide d'un musée de province affirme avec force :

— Messieurs-dames, regardez bien ce lit. Cromwell et la Reine Victoria y ont couché.

Un visiteur s'esclaffe :

— Sûrement pas en même temps !

— Et pourquoi pas ? fait le guide, piqué au vif. Voyez vous-même : c'est un lit à deux places.

***

Lu, dans un salon de thé où de vieilles dames peu argentées, viennent papoter, le temps d'un « five o'clock » :

« Ne critiquez pas notre thé. Vous-même n'êtes-vous pas vieillottes et faiblouillardes ? »

***

— Je connais, raconte un snob, un

lord très, très riche, qui n'a qu'un défaut. Il est somnanbule.

— Il marche dans son sommeil ?

— Ah ! non ! Quand même pas ! Il a les moyens ! Non, il s'est arrangé pour engager un chauffeur, somnanbule, lui aussi.

***

Un mari, affreusement jaloux, s'écrie:

— Mildred, de qui vient cette lettre?

— Pourquoi voulez-vous le savoir, Herbert ?

— Ah ! ça, Mildred, fait le jaloux, vous êtes bien curieuse.

***

Un joueur de golf se désole :

— J'ai perdu ma balle.

— Comment était-elle ?

— Toute neuve. Depuis trois mois que je m'entraîne, tous les matins, je ne l'avais pas frappée trois fois !

***

La femme d'un homme d'affaires ramasse la chemise qu'il a quittée dans la salle de bains et, en examinant le col, elle questionne :

— Dis-moi, darling, est-ce que tu as changé de secrétaire ou bien est-ce toujours Miss Gladenstone avec un rouge à lèvres différent ?

***

Sur une galère de Sa Majesté, un garde-chiourme annonce :

— A titre exceptionnel, distribution d'un litre de vin et ce soir, au menu, bœuf rôti... Ne vous réjouissez pas trop vite. Demain matin, le capitaine veut faire du ski nautique !

***

Un touriste américain, qui visite l'Angleterre, admire une superbe pelouse.

— Comment, demande-t-il au jardinier, obtenez-vous un gazon pareil ?

— Très simplement. Il suffit de semer, arroser, rouler, tondre; arroser, rouler, tondre et cela pendant deux cents ans.

***

Dans un ministère, le chef de bureau dit à un de ses employés :

— Vous me demandez un congé exceptionnel pour aller, demain, enterrer votre grand-mère dans le Norfolk. Je croyais que c'était votre grand-père qui était mort.

— Ah ! non, proteste l'employé, mon grand-père, c'est pour dans six semaines, le jour du match-retour Bristol-Ipswich.

***

Le contrôleur dit à une vieille dame:

— Votre billet est pour Newcastle et ce train va à Paddington.

— Ça, c'est ennuyeux, grommelle la voyageuse. Et ça arrive souvent au chauffeur de se tromper comme ça ?

***

Un élève, d'une rare mauvaise volonté, se voit donner comme sujet de rédaction :

« Racontez un match de cricket. »

Il expédie l'affaire en deux lignes :

— Je suis arrivé au stade. Il pleuvait. La rencontre a été annulée.

***

Un invité fouille dans la bibliothèque du manoir où il passe le week-end.

— Oh ! s'écrie-t-il, ça, ce doit être un bon livre.

— Non, répond laconiquement, le châtelain.

— Vous l'avez lu ?

— Non. Et je ne le lirai jamais. Voyez-vous, ce livre, trois de mes amis me l'ont déjà emprunté — et tous les trois me l'ont rendu. C'est un test qui ne trompe pas.

***

— Tu es dans une forme splendide, dit un homme d'affaires à un collègue qu'il retrouve sur une plage de Plymouth. Que fais-tu pour cela dans l'année ?

— Je fréquente une salle de gymnastique. Mais je te préviens tout de suite que c'est affreusement snob. Pour t'en donner une idée, ils ont installé l'air conditionné partout. Même dans la salle où l'on prend les bains de vapeur.

***

— Pourquoi, Billy, demande une jeune fille, veux-tu absolument repousser, d'une journée, la cérémonie de notre mariage ?

— Parce que, répond son fiancé, j'ai calculé que, sinon, le jour de nos noces d'or tomberait un samedi. Et je n'ai nullement l'intention de perdre l'habitude de jouer au golf le samedi.

***

La maîtresse de maison dit, aimablement, à une invitée :

— Miss Hornblower, nous ferez-vous la grâce de nous chanter quelque chose ?

— Oh ! minaude la vieille fille, je n'oserai jamais, devant tout le monde.

— Rassurez-vous, lance un monsieur à la dent acérée : s'il y a beaucoup de monde quand vous commencerez de chanter, je peux vous assurer qu'il n'y en aura plus beaucoup lorsque vous terminerez.

***

— Mon mari se lève tous les matins, à sept heures, pour l'émission de culture physique de la BBC, raconte une dame à une amie.

— Mais j'ignorais qu'il faisait des exercices.

— Pas lui. Mais la voisine d'en face, en petite tenue et, devant sa fenêtre grande ouverte.

***

— Alors, Mr Gabsby, interroge le psychiatre, quel est votre problème ?

— Voilà, explique son patient, chaque nuit, je fais le même cauchemar.

— Ah ! Quel genre de cauchemar ?

— Je rêve que je suis marié.

— Oui. Et avec qui ?

— Avec ma femme. C'est bien pourquoi j'appelle ça un cauchemar.

***

Lu, dans un bulletin paroissial d'une petite ville du Kent :

« Les obsèques de notre ami Grover Morton avaient attiré une foule considérable. Il semblait qu'on ne verrait jamais la fin du cortège qui l'accompagna au cimetière — non plus que celle du sermon du père Flanagan qui est bien le plus incorrigible bavard que la terre ait jamais porté. »

***

Une femelle perroquet a été achetée par la vieille Miss Pembroke qui s'efforce, des semaines durant, de la faire parler sans obtenir le moindre résultat. Jusqu'au jour où le volatile se met en colère et s'écrie :

— Parler ! Parler ! Et moi, est-ce que je te demande de pondre des œufs ?

***

Un homme, qui a tout sacrifié dans sa vie pour jouer au golf, meurt et, arrivé au Ciel, s'aperçoit avec ravissement qu'il va passer l'éternité sur un splendide parcours de golf. Vite, il saisit un de ses clubs et crie à la cantonade :

— Une balle !

A ce moment, un diablotin lui répond :

— Précisément, il n'y a pas de balles. Car vous êtes en Enfer et c'est là votre punition.

***

— Maman, confie une jeune mariée à sa mère, Doug est jaloux comme un tigre. Il a juré que si jamais, un jour, je le trompais, il me tuerait.

— Bah, ma petite Margaret, fait la mère, avec insouciance, ton père m'a souvent, lui aussi, fait cette menace. Et puis, tu vois, je suis toujours bien vivante !

***

Une ouvreuse de cinéma permanent du Strand a épousé un mordu de football. Celui-ci l'emmène au stade de Wembley assister à un grand match.

Au début de la seconde mi-temps, la dame, qui s'est ennuyée pendant la première, s'étonne :

— Tu veux absolument revoir le même programme ?

***

Un de ses amis s'étonnait, auprès du Premier Ministre de Sa Majesté :

— Pourquoi avoir accordé une audience à ce membre du Parlement ? Tout le monde sait que c'est un parfait imbécile.

— Mais, mon cher, répondit le Premier Ministre, n'oubliez pas que les imbéciles sont nombreux en Grande-Bretagne et ils ne sauraient être mieux représentés.

***

— Une chose m'intrigue, dit une touriste britannique à l'amie qui l'accompagne en Grèce. J'ai examiné très attentivement les ruines du Parthénon. Et, au bas d'une colonne, j'ai lu cette mention : « Made in Japan. »

***

A l'école du dimanche, le pasteur questionne :

— Jimmy, sais-tu ce qu'il y a dans la Bible ?

— Oui, je le sais.

— Très bien. Alors, qu'y a-t-il dans la Bible ?

— Une recette de pudding, une lettre d'amour, reçue par ma sœur, Marilyn, un ticket de bingo et un reçu du Mont-de-Piété, quand maman est allée y déposer l'argenterie.

***

La femme d'un « mordu » de football l'interroge, à son retour du stade :

— C'était bien, ce match Angleterre-France ?

— Nous nous sommes battus comme des lions. Nous avons marqué un but superbe.

— Et les Français ?

— Ils étaient minables. Il faut vraiment qu'ils aient eu de la chance pour marquer leur cinq buts.

***

La fils d'un député travailliste questionne :

— Qu'est-ce que c'est, un traître ?

— Eh bien, c'est, par exemple, un homme qui était travailliste et qui passe chez les conservateurs.

— Et si c'est un conservateur qui rejoint les travaillistes, comment l'appelle-t-on ?

— Un converti.

***

Dans une rue de Nottingham, une vieille dame marche sur une peau de banane, qu'un gamin a jetée sur un trottoir. Après une longue course, en battant des bras pour tenter de reprendre son équilibre, elle s'affale à plat ventre dans un caniveau. Un jeune agent s'approche. Il la saisit sous les bras, pour l'aider à se relever et l'interroge :

— Vous avez glissé ?

Ulcérée d'une question aussi stupide, la vieille dame répond :

— Pas du tout. Je me suis engagée pour les prochains championnats de planche à roulette. Alors, dès que j'en ai l'occasion, je m'entraîne.

***

Un gentleman à l'éloquence soporifique, s'indigne :

— Quel goujat, cet Henderson ! On m'a rapporté qu'il avait dit de moi : « Je donnerais bien cent livres pour qu'on le jette à coups de pied hors du club. »

— Il n'a vraiment aucun sens de l'argent, répond son interlocuteur. C'est un rare plaisir que je serais prêt, personnellement, à payer d'au moins deux cents livres.

***

Par un après-midi venteux, une jeune Anglaise, en visite à Paris, a sa jupe brusquement soulevée par une rafale.

Venant en sens inverse, un passant, ravi de ce spectacle gratuit, s'en met plein la vue et sourit largement.

— Monsieur, lui dit la dame en arrivant à sa hauteur, je vois que vous n'êtes pas un gentleman.

— Madame, réplique-t-il, après ce que j'ai vu, je peux assurer que vous n'en êtes pas un non plus !

***

Le petit Sam affirme à son oncle qu'il est le plus fort, à l'école du dimanche, pour l'étude de la Bible.

Tirant de sa poche une pièce de cinquante pence, le brave tonton dit :

— On va voir cela tout de suite. Quel est le fruit qu'Ève a fait manger à Adam et qui les a fait chasser tous deux du Paradis terrestre ?

— Eh, doucement, s'écrie le gamin. Je n'en suis pas encore là !

***

Cette annonce a été publiée par le plus sérieux des journaux britanniques, le *Times* :

« Par suite de circonstances imprévues, la Société des extra-lucides ne tiendra pas, lundi prochain, sa réunion annuelle. »

***

Un sergent instructeur d'une compagnie de parachutistes de la Royal Air Force avertit les nouvelles recrues :

— Le règlement m'oblige de vous signaler que la proportion des accidents mortels est de un pour mille... De toute façon, cela ne vous concerne pas puisque vous n'êtes que trente.

***

Dans un hôtel parisien, fréquenté presque exclusivement par des touristes, une Anglaise quinquagénaire appelle la réception :

— Allô, dit-elle, d'une voix haletante. Je viens de m'apercevoir qu'il y avait un jeune homme à l'allure d'un sadique qui m'attendait dans ma chambre, dissimulé dans un placard. Il a l'air animé des plus mauvaises intentions à mon égard... Voulez-vous me faire monter une bouteille de champagne et deux coupes.

***

Le capitaine d'une équipe de football, particulièrement minable raconte :

— Dimanche dernier, il pleuvait tellement que nous avons dû disputer le match revêtus de nos imperméables.

— Et le public ?

— Le public ? Nous lui avons prêté un parapluie.

***

Le directeur du collège décroche son téléphone à l'appel de la sonnerie.

— Hello, fait une petite voix, pouvez-voux excuser l'élève Peter Wolvercote qui n'est pas venu à la gymnastique parce qu'il avait une grosse angine.

— Mais... qui est à l'appareil ?

— Heu... c'est mon père.

***

Pendant la Seconde Guerre mondiale, un soldat du corps d'occupation anglais en Égypte recrache la soupe que le cuistot vient de verser dans sa gamelle.

— Pouah ! s'écrie-t-il. C'est plein de sable !

— Et alors ?

— Et alors, je suis ici pour protéger l'empire britannique — pas pour le bouffer.

***

Une serveuse, nouvellement engagée, vient se plaindre au patron d'un restaurant de Soho :

— C'est complètement idiot, votre idée de nous déguiser en petits lapins ! Avec ce système, les clients ne nous donnent plus de pourboire. Ils se contentent de nous laisser le cresson qui accompagne leurs grillades.

***

Un étudiant de Cambridge, qui a séché les cours un bonne partie de l'année, demande à son professeur de physique :

— Si je fais un gros effort, au cours des quinze prochains jours, croyez-vous que je puisse réussir à mon examen ?

— Mon ami, répond le professeur, imaginez que vous soyez un thermomètre. Vous pouvez le faire monter en le serrant très fort dans vos mains — mais ce n'est pas ainsi que vous réchaufferez la pièce où il se trouve.

***

Un citoyen désabusé explique pourquoi il a totalement cessé de s'intéresser aux joutes oratoires entre conservateurs et travaillistes :

— Vouloir un changement de gouvernement, finalement, c'est un peu comme jeter un citron et mordre dans un autre en espérant qu'il sera moins amer.

***

Un arbitre de football rentre chez lui :

— J'ai suivi à la télé le match que tu as arbitré, cet après-midi, lui dit sa femme. J'ai pris rendez-vous pour toi, mercredi matin, avec un bon occuliste.

***

Le juge se fait sévère :

— Après avoir frappé un policier, vous êtes grimpé vous réfugier en haut d'un réverbère.

— Votre Honneur, répond le prévenu, si vous aviez été, comme moi, poursuivi par deux éléphants bleus et un crocodile orange, vous auriez certainement eu la même réaction que moi.

***

Un garde-pêche s'étonne :

— Mais, que faites-vous ? Ce sont bien des pièces d'un penny que vous jetez dans la rivière ?

— Voyez-vous, répond le pêcheur bredouille, je leur ai tout proposé, à ces idiots de poissons, tout ce que je pouvais leur offrir : des mouches, des asticots, du chènevis, de la pâte de blé. Jamais ils n'ont voulu mordre. Alors, j'ai décidé de leur donner de quoi s'acheter eux-mêmes ce qui leur fera plaisir.

***

Lu, dans la rubrique musicale du *Times*, cette brève et éloquente information :

« Hier soir, à Covent Garden, le pianiste Gregory Almageddon s'est attaqué à Chopin. Chopin a eu le dessous. »

***

Au temps où la pendaison existait encore, en Angleterre, un condamné, mené au gibet, soupirait :

— Ce que c'est que la malchance ! Mon avocat tenait le jury sous sa coupe. Les jurés ruisselaient de larmes, en écoutant sa plaidoirie. Mon acquittement était certain. Là-dessus, voilà que cet imbécile d'avocat attrape le hoquet. Tout le monde a commencé à se tordre de rire et ils m'ont condamnés à la peine capitale.

***

— Gwendolyn, dit un père de famille, notre petit Michael grandit et il commence à poser des questions bien embarrassantes.

— Lesquelles, par exemple ?

— Eh bien, tout à l'heure il m'a laissé sans voix : il m'avait demandé ce qui a bien pu me passer par la tête le jour où j'ai eu l'idée stupide de te demander en mariage.

***

Une bourgeoise dit à sa nouvelle bonne :

— Quand vous montez sur une chaise pour faire les carreaux, Carol, mettez donc un vieux numéro du *Daily Mirror* sur la chaise.

— Oh ! répond la bonne, c'est inutile : je suis bien assez grande comme ça.

***

Dans un élégant salon de thé de Regent Street, deux épouses d'industriels échangent des propos désabusés :

— Les affaires vont mal.

— Ne m'en parlez pas, ma pauvre Suzy ! Figurez-vous que mon mari a si peu gagné d'argent, cette année, que nous sommes obligés de conserver notre yacht de l'année dernière !

***

Un jeune attaché d'ambassade arrive au Foreign Office. Un diplomate, à la veille de prendre sa retraite, lui donne sa première leçon :

— Tout l'art de la diplomatie consiste à partager le gâteau de telle sorte que chacun s'imagine avoir reçu la plus grosse part.

***

— Dis-moi, Elvis, demande un joueur de tennis à son partenaire, pourquoi tes balles sont-elles toujours recouvertes de morceaux de sparadrap?

— Oh ! fait l'autre, avec insouciance, c'est quand ma sœur, qui a quinze ans, me les emprunte pour aller à une suprise-party et impressionner ses petits camarades.

***

Une vieille dame entre dans une pharmacie.

— Monsieur, dit-elle au pharmacien, votre visage franc et ouvert me laisse penser que vous êtes un honnête homme...

— En effet, madame.

— Vous n'avez jamais été condamné ? Vous n'avez jamais empoisonné un de vos clients par distraction ? Vous n'êtes pas de ces individus sans foi ni loi qui ne songent qu'à s'enrichir en mettant en péril la vie de leurs semblables ?

— Mais non, madame !

— Très bien. En ce cas, veuillez me donner pour dix pence de bicarbonate de soude.

***

Une septuagénaire très coquette dépose, comme témoin, dans un procès.

— Quel est votre âge ?

— Heu... eh bien, Votre Honneur, répond-elle, embarrassée, disons que je suis plus près de cinquante ans que de quarante.

***

Un touriste britannique, ne parlant pas un mot d'espagnol, veut acheter des billets pour la corrida. Il essaie d'exprimer son désir à une serveuse de l'hôtel mais elle ne comprend rien à son baragouin. En désespoir de cause, il passe une main derrière sa tête pour former deux cornes avec deux doigts, en faisant mine d'écumer.

Frappée d'une illumination, la serveuse va trouver la directrice de l'hôtel et lui dit :

— Señora, il y a un Anglais, là-bas, qui voudrait parler au patron.

***

Un marin de Sa Majesté a fait la connaissance d'une adorable sirène, avec laquelle il file le parfait amour. Un jour, il la trouve patraque :

— Il faudrait que je consulte, lui dit-elle.

— Oui, fait le matelot, embarrassé, mais qui dois-je faire venir, dans ta grotte : un médecin ou un vétérinaire ?

***

A la grande époque de l'Empire britannique, un explorateur avait été fait prisonnier par une tribu de cannibales.

Au moment où ceux-ci s'apprêtaient à le faire cuire, dans leur chaudron, il obtint sa libération en leur montrant la cicatrice de son opération de l'appendicite.

— Voyez, dit-il aux anthropophages je suis immangeable. Vos voisins d'à-côté avaient essayé de m'entamer : ils ont dû y renoncer.

***

Le patron d'une gargote a passé, dans la presse, une annonce pour engager un cuisinier.

— Pourquoi, l'interroge un candidat, exigez-vous de votre cuisinier qu'il soit chauve ?

— Pour avoir un alibi lorsqu'un client se plaint de trouver un cheveu dans sa soupe.

***

Un pasteur dresse un tableau apocalyptique de la fin du monde.

— Ce jour-là, les ténèbres envahiront les continents, les vents souffleront en tempête, les océans atteindront le sommet des montagnes...

— S'il vous plaît, questionne un gamin, croyez-vous que, pour la circonstance, l'instituteur nous donnera congé ?

***

— Mon mari, soupire la femme d'un commissaire de Scotland Yard, ne pense qu'à son métier. C'en est au point que, lorsqu'il éteint la télévision, le soir, avant d'aller se coucher, il n'omet jamais d'effacer soigneusement ses empreintes digitales sur le bouton.

***

Au milieu du brouillard londonien à couper au couteau, une dame réveille son mari :

— Darling, il est l'heure de te lever. J'entends, dans le parc, les oiseaux qui commencent à tousser.

***

Au club, où il retrouve ses habituels partenaires de bridge, un gentleman raconte :

— Je m'étais lié d'amitié avec un playboy, nommé Steve Busfield. Je l'avais introduit chez moi et je l'invitais à dîner trois fois par semaine. Hélas, l'ingrat m'a bien mal payé de ma bonté à son égard.

— Il a séduit votre femme ?

— Si ce n'était que cela ! Mais voilà qu'il a enlevé la femme de chambre.

***

A un nouveau membre du Parlement, un vieux routier de la politique explique :

— Apprenez mon jeune ami, qu'il y a trois choses importantes concernant un discours dans cette assemblée. 1°) Ce qu'on dit. 2°) Comment on le dit. 3°) Pourquoi on le dit. Des trois, la première raison est, de loin, la moins importante.

***

— Monsieur le directeur, dit un employé, je suis un bon citoyen, désireux de contribuer, par mon civisme, au redressement économique de la Grande-Bretagne. C'est pourquoi je vous propose deux pour cent de réduction sur les dix pour cent d'augmentation que je me proposais de vous réclamer.

***

Voyant un film, à la télévision, sur le couronnement d'Élisabeth II d'Angleterre, une petite fille questionne sa mère :

— Pourquoi porte-t-elle une couronne, la belle dame ?

— Parce que c'est la Reine, ma chérie.

— Ah ! dit la fillette, songeuse. Alors, pour avoir une belle couronne comme ça, elle avait dû trouver une fève d'or dans sa galette.

***

— A l'heure de l'apéritif, ce soir, ordonne un aristocrate anglais à son valet de chambre, vous me servirez mon whisky avec des olives noires. Vous entendez bien : pas de vertes, uniquement des noires. Lady Diana vient de mourir d'une crise cardiaque.

***

Le fils d'un pasteur, lui-même entré dans la carrière ecclésiastique, se rebelle au moment de célébrer son premier mariage :

— Non, dit-il, je ne peux pas.

— Et pourquoi donc ? s'étonnent les fiancés.

— Mon père m'a fait cent fois jurer de ne jamais participer à un jeu de hasard.

***

— Mrs Peabody, interroge le détective de Scotland Yard, vous avez, si j'en crois vos premières déclarations, été victime d'une tentative de cambriolage.

— En effet.

— Et vous avez blessé le cambrioleur qui avait pénétré dans votre cottage par effraction ?

— Oui.

— Où est-il, maintenant, ce cambrioleur ?

— Son complice l'a emmené sur son dos.

— Ils étaient deux ?

— Oui. Celui que j'ai blessé... et celui que j'avais visé.

***

Un acteur d'une troupe shakespearienne aborde un de ses camarades de tournée :

— Tu sais le malheur qui est arrivé à ce pauvre Andrew ?

— Non, dis vite !

— Il est parti avec ma femme !

***

Découpé dans la page « Annonces

matrimoniales », d'un journal de Liver-pool :

« Célibataire, cinquantaine, aimant manger breakfast en silence en faisant mots croisés, cherche compagne mêmes goûts, qualité primordiale : non bavarde. Adeptes du mariage s'abstenir. »

***

— J'ai un sujet formidable, annonce un scénariste à un producteur de cinéma. Nous allons tourner un film plein de suspense où l'on verra deux frères en conflit parce que l'un, Bill, veut être astronaute et l'autre, Ted, plongeur sous-marin.

— Heu... Où est le suspense, là-dedans ?

— Je ne vous ai pas dit qu'il s'agissait de deux frères *siamois* ?

***

Prévenu, par la maîtresse de maison, le soir du Réveillon, d'avoir à se méfier d'un redoutable raseur, un invité se précipite, la main tendue vers le fâcheux en s'écriant :

— J'ai beaucoup entendu parler de vous, Mr Willoughby. Qu'avez-vous à dire pour votre défense ?

***

— Je sais très bien, capitaine Pennington, dit une secrétaire à l'officier auprès duquel elle vient d'être affectée, que vous êtes littéralement obsédé par les problèmes d'espionnage. Mais je voudrais que vous perdiez l'habitude de regarder, dix fois par jour, si je ne dissimule pas un appareil photographique dans mon soutien-gorge.

***

Vu cet avis, affiché dans un pub de l'East End :

« Le directeur de cet établissement n'est pas responsable des trench-coats, manteaux, lodens et autres imperméables volés, à moins d'être pris sur le fait. »

***

Un homme d'affaires, qui a fait fortune en peu d'années, a acheté un château historique dans lequel il a invité à un grand cocktail toute la « gentry » londonienne qu'il fait défiler devant sa galerie de tableaux.

— Voici deux Rembrandt, explique-t-il avec fierté. Ici, un Rubens, là un Picasso, dans ce coin, un Cézanne.

— Mais, risque un de ses invités, tous sont signés Blumenfield.

— Pas si bête, fait le nouveau riche. J'ai tout mis au nom de ma femme.

***

Au zoo de Londres, un gorille, s'ennuyant de son Afrique natale, se laissait dépérir en refusant toute nourriture. En un mois, il avait perdu quarante livres.

Le directeur, affolé, entreprit de l'entraîner par l'exemple. Tous les matins, il s'installa dans la cage du singe et se mit à manger goûlument, devant lui, des bananes, des cacahuètes et des éclairs au chocolat.

Quinze jours plus tard, on pouvait déjà juger du résultat. Le gorille était toujours aussi efflanqué, mais le directeur avait grossi de plus de dix livres.

***

Dans une penderie, une mite s'attaque gaiement à une veste de tweed. Mais, en recrachant la première bouchée, elle s'écrie :

— Pouah ! Décidément, je ne supporterai jamais la cuisine anglaise !

***

Un touriste britannique, très digne, était entré dans un restaurant de Calais, pour y déjeuner.

Après quelque minutes d'attente, le serveur lui apporta le poulet froid qu'il avait commandé — et se prit les pieds dans une marche.

Le gentleman, imperturbable, reçut la portion de poulet sur le genou droit. Sans sourciller, il désigna son genou gauche au serveur et dit, d'une voix tranquille :

— Un peu de mayonnaise, please.

***

— On m'a fait cadeau d'un chien de garde vraiment extraordinaire, s'extasie un banlieusard. Quelle sécurité ça donne, un chien comme ça ! La nuit, si j'entends un bruit suspect, il me suffit de me lever, d'aller jusqu'à la niche du chien et de le réveiller : aussitôt il se met à aboyer.

***

Certains poissons d'avril, lancés par la presse, la radio ou la télévision méritent de passer à la postérité.

« Si vous avez des noyaux de pêche ou de datte, apportez-les, demain, entre midi et 13 heures, à Trafalgar Square. Ils serviront à reboiser le Sahara. »

***

Un monsieur, très obligeant, a prêté vingt livres à son ami Silverstone. Mais, malgré tous ses efforts, il ne parvient pas à se faire rembourser. Le jour de Christmas, il fait une nouvelle tentative. Entrant à l'improviste chez Silverstone, il le trouve attablé devant une plantureuse dinde.

— Comment, s'écrie-t-il, outré, quand je te réclame mon argent, tu prétends que tu n'as pas un penny et tu manges de la dinde pour Noël !

— Je vais t'expliquer, réplique l'autre, avec des sanglots dans la voix. Si je mange cette pauvre bête qui était

ma seule compagnie, c'est, justement, que je n'avais plus les moyens de la nourrir.

***

Un psychiatre tente de tester l'esprit de répartie d'un de ses nouveaux patients.

— Que feriez-vous, Mr Burroughs, lui demande-t-il brusquement si, un jour, rentrant chez vous à l'improviste, vous trouviez votre femme au lit avec le Premier Ministre ?

— Rien du tout. Il serait bien assez puni comme ça !

***

Un Anglais raconte à un ami du Continent :

— Nous autres, Britanniques, sommes très formalistes. Ainsi, quand une femme nous plaît, il nous arrive souvent d'attendre un an avant de solliciter d'elle le premier baiser.

— Ah ! ah ! s'esclaffe son interlocuteur. A ce moment-là, il y a longtemps qu'un Français a déjà commencé de toucher les Allocations familiales.

***

— Allô, docteur Barnstaple ? dit une dame. Ici Mrs Scrooge. Pouvez-vous passer de toute urgence pour soigner mon mari, victime d'une chute en réparant la gouttière ?

— Je prends ma trousse et j'accours, Mrs Scrooge. Votre mari est-il gravement blessé ?

— Je ne sais pas, docteur.

— Comment, vous ne savez pas !

— Non. Pour l'instant, il n'en est encore qu'à aller joyeusement chercher son échelle dans l'atelier.

***

Un sauvage explique, dans son dialecte, au reporter-photographe du

News of the World, qu'il a mis à cuire dans sa grande marmite :

— Nous n'avions jamais eu l'idée de pratiquer le cannibalisme. Ça nous est venu un jour où l'un des hommes de notre tribu nous a rapporté de la ville quelques exemplaires de votre journal où on ne parlait que de ça dans les histoires drôles et dans les dessins humoristiques.

***

En piteux état, un supporter de l'équipe de football de Manchester revient du stade où ses favoris rencontraient les joueurs de Liverpool. Tout en entreprenant de panser ses plaies, sa femme l'interroge :

— Quel est le résultat du match ?

— Trois buts pour Manchester, deux pour Liverpool, répond-il et, en ce qui concerne les supporters, 75 blessés à 56.

***

La femme du directeur d'une fabrique britannique d'automobiles referme la Bible qu'elle vient de feuilleter :

— Tu te rends compte, dit-elle, à son mari, que Dieu a fait le monde en six jours !

— Eh oui, soupire-t-il. Aujourd'hui, le même boulot, avec les syndicats sur le dos, ça lui prendrait six mois !

***

Au milieu du brouillard à couper au couteau, deux voitures entrent en collision, dans la banlieue de Londres A tâtons, les deux conducteurs descendent et se dirigent l'un vers l'autre.

— J'avais la priorité, dit le premier.

— Ça ne compte pas, répond l'autre. Nous sommes dans mon garage.

***

Sur son lit de mort, une dame se confesse à son mari :

— Mon chéri, en trente ans de vie conjugale, je ne t'ai trompé que deux fois : la première, avec ton ami William et la seconde, avec le 3ème régiment de Highlanders.

***

Dans un pénitencier, un nouvel arrivant interroge celui dont il va partager désormais la cellule :

— Puis-je vous demander votre nom ?

— John Mallory.

— Et pourquoi êtes-vous ici ?

— Il y a un an, j'ai cambriolé la banque Ferguson. Et vous-même, pourquoi êtes-vous en prison ?

— C'est vrai : je ne me suis pas présenté. Je suis le banquier Ferguson.

***

Dans un bar, un consommateur s'inquiète :

— S'il vous plaît, demande-t-il au barman, en lui montrant son verre aux trois quarts vide, vous m'avez bien servi du whisky avec de l'eau gazeuse ?

— En effet.

— Et qu'avez-vous versé en premier : l'eau ou le whisky ?

— Le whisky, monsieur.

— Ah ! bien. Alors, je ne vais sans doute pas tarder à y arriver.

***

Toute la philosophie des affaires est peut-être résumée dans ce petit dialogue, entendu dans un pub, proche de la City :

— Savez-vous que je me suis associé avec Campbell ?

— Et sur quelle base ?

— Un accord de trois ans. Lui apporte son argent et moi mon expérience.

— Et que se passera-t-il, dans trois ans ?

— Eh bien, moi j'aurai l'argent et Campbell l'expérience.

***

— Je regrette, mon ami, dit un monsieur, au jeune homme timide qui a sollicité un entretien mais je ne peux pas vous accorder la main de ma fille, Flossie : elle s'est fiancée hier. En revanche, si vous voulez de ma femme, je vous la donne bien volontiers. Je viens de demander le divorce.

***

Une ménagère quitte son cottage en disant à son mari :

— Wilson, je vais chez la voisine pour lui emprunter quelques morceaux de sucre. J'en ai pour cinq minutes, à peine. En m'attendant, tu n'auras qu'à tourner la soupe toutes les demi-heures.

***

Leur cuirassé ayant été torpillé, pendant la dernière guerre, un jeune enseigne et un vieux loup de mer dérivent, depuis plusieurs jours, sur un radeau de fortune, à bord duquel ils sont parvenus à dresser une voile.

Reste, maintenant, à s'orienter, d'après les étoiles. Hélas ! Le résultat n'est guère concluant et l'enseigne s'emporte :

— Enfin, vous n'allez pas me dire qu'après avoir navigué pendant vingt-cinq ans, tout ce que vous avez retenu, c'est que la mousse pousse sur le côté nord des arbres !

***

Une dame examine, d'un air dégoûté, un poulet étique. Le marchand de volailles s'approche, tentateur :

— Vous pouvez l'acheter en toute confiance. Je fais venir mes volailles d'un élevage du Cumberland.

— Je n'en doute pas, répond la dame. Vous avez seulement tort de les faire venir à pied.

***

— Monsieur le directeur, dit le chef de groupe d'une grande compagnie d'assurances, je réclame une promotion pour Frederick Merton, l'un des meilleurs éléments de mon équipe de démarcheurs.

— Et qu'a-t-il fait de si extraordinaire, ce Merton ?

— Il a réussi à persuader le maire d'une petite commune du Sussex de faire assurer la pompe à incendie du village contre les dégâts du feu.

***

— Non, non et non ! hurle le rédacteur en chef, en déchirant la copie que vient de lui apporter un jeune journaliste. C'est beaucoup trop long. Refaites-moi ce papier en supprimant tous les détails inutiles !

— Bon, répond le jeune homme, pas contrariant.

Il repart vers la salle de rédaction et, quelques instants plus tard, revient avec un texte de trois lignes :

« M. Burt Silverman roulait à 120 miles à l'heure sur l'autoroute mouillée. L'enterrement aura lieu après-demain à 15 heures. »

***

Entamant la leçon d'histoire, la jolie maîtresse d'école écrit au tableau:

— Trafalgar 1805.

Un de ses grands élèves l'interroge :

— Miss, on peut vous appeler à quelle heure, à ce numéro-là ?

***

Pendant la dernière guerre, une Londonienne installait son pliant pour prendre place dans la file d'attente qui s'étirait devant une charcuterie.

— C'est fou, confia-t-elle à sa

voisine, ce que j'ai pu maigrir avec ces restrictions. Tenez : c'en est au point qu'à présent, je dois emprunter les bretelles de mon mari pour tenir ma gaine.

***

Dans un grand magasin, un homme essaie un pyjama :

— On va voir s'il te va bien, dit sa femme. Ronfle, Fred.

***

Deux époux se réveillent au même moment, au milieu de la nuit.

— C'est terrible, raconte la femme, encore bouleversée et tremblante. Je viens de faire un horrible cauchemar. Nous étions en promenade en barque sur le Loch Ness. Tout à coup, la tempête se levait, la barque se renversait et nous étions jeté à l'eau. Toi, tu parvenais à nager vers la berge mais moi je coulais à pic.

— C'est curieux, dit son mari, très joyeux. J'étais en train de faire *exactement* le même rêve.

***

Un avocat défend un homme, accusé d'avoir outrepassé les droits de la légitime défense :

— Mon client était, Votre Honneur, dans la situation de ce vagabond auquel un fermier disait : « Pourquoi avoir blessé mon chien avec les dents d'une fourche au lieu d'employer contre lui l'autre extrémité de cet instrument ? » A quoi le vagabond répondit : « Et votre chien, pour m'attaquer, pourquoi a-t-il utilisé le bout avec les dents au lieu de l'autre extrémité ? »

***

Un mari dit à sa femme :

— Tes cakes me rappellent exactement ceux que faisait ma mère.

— Oh ! darling, s'écrie l'épouse,

que je suis contente ! Ta mère était une si bonne cuisinière.

— Oui. Mais il y a une chose qu'elle a toujours raté : c'est les cakes.

***

Un inspecteur, nouvellement engagé par Scotland Yard, s'était vu remettre, par son chef hiérarchique, six clichés différents d'un criminel à rechercher.

Le lendemain, il téléphonait :

— Ça y est, j'ai déjà coffré quatre de vos gangsters. Et, pour les deux autres, ce n'est plus qu'une question d'heures.

***

Vu cet écriteau dans un pub de Park Lane :

« Nous n'avons confiance qu'en Dieu. Les autres doivent payer comptant. »

***

— Allô, dit une voix masculine, l'Agence de placement Barnaby and Smither ?

— Oui, monsieur.

— Vous êtes la directrice de cette agence ?

— Oui, monsieur.

— C'est bien vous qui avez envoyé une cuisinière que vous avez décrite comme « une perle » chez M. Sloane à Park Lane ?

— Oui, monsieur.

— Voulez-vous venir dîner à la maison demain soir ? Ça vous apprendra.

***

Un mari, rentrant chez lui plus tôt que prévu, trouve sa femme assise sur les genoux de leur médecin de famille.

— Docteur Rushton, hurle-t-il, que fait ma femme, en combinaison, sur vos genoux ?

— Je l'ausculte, répond le médecin, sans se démonter.

— Et pourquoi, vous-même, êtes-vous en caleçon ?

— Ça, secret professionnel !

***

Dans Picadilly, une charmante Londonienne dit à un touriste étranger qui marchait depuis un bon moment à côté d'elle :

— Enfin, vous n'allez pas me suivre ainsi juqu'à chez moi, au 55 bis Great Russel Street, 4ème étage, porte droite, attention, il y a une marche...

***

— C'est terrible, raconte un monsieur, ce que c'est coquet, une jeune fille. Mes amis Sullivan ont une fille de dix-sept ans. Récemment, elle a fait une fugue de trois jours. Ses parents ne s'en sont absolument pas aperçu. Ils étaient persuadés qu'elle était toujours dans la salle de bains.

***

Dans un bar de Soho, un nouveau client s'étonne :

— C'est la première fois que je vois les toilettes comporter trois portes avec les inscriptions : Ladies, Gentlemen et Divers.

— On voit bien, répond le barman, que vous n'avez jamais vu la clientèle qu'on a ici !

***

— Combien réclamez-vous pour vous occuper des enfants ? demande une mère de famille à une candidate baby-sitter.

— Pour cinq livres par soirée, répond la jeune fille, je les garde. Et pour une livre de plus, je les aime.

***

Une jeune femme vient trouver sa mère :

— C'est affreux, Hughie ne m'aime plus. Il va m'abandonner.

— Voyons, fait la mère, pourquoi penses-tu cela ?

— Chaque soir, explique l'épouse, il lit, une heure durant, les annonces de l'*Evening Mirror*.

— Mais, ma chérie, dit sa mère, rassurante, ton père aussi a toujours jeté un coup d'œil, le soir, aux annonces. Et il ne m'a pas quittée pour autant.

— Oui, sanglote la fille, mais Hughie, lui, ne lit que les annonces matrimoniales.

***

Un représentant de commerce se présente dans une petite ferme du Surrey.

— Pardon, madame, demande-t-il à la fermière, j'aimerais voir votre mari.

— Ben, répond-elle, il est dans la porcherie, en train de donner à manger aux cochons. Allez-y. Vous le reconnaîtrez facilement. C'est celui qui a le béret.

***

Une jeune fille retrouve son fiancé dans le square où ils s'étaient fixé un rendez-vous.

— Qu'avez-vous, Herbert ? Vous avez l'air contrarié ?

— Votre petit-frère nous a surpris, hier, en train de nous embrasser dans votre chambre... et il m'a dit qu'il avertirait votre père, à moins que je n'achète son silence. Que dois-je faire ?

La jeune fille lui répond, en souriant:

— Oh ! *D'habitude*, on lui donne une livre.

***

— Ça y est ! annonce une secrétaire à ses camarades de bureau, je suis fiancée.

— Ah ! Et avec qui ?

— Avec un garçon formidable. Il

s'appelle Grover et, quand il m'embrasse, il me dit toujours : « Darling, tu as les lèvres fraîches comme la rosée du matin. »

— Ah ! s'écrient ses collègues en chœur, c'est ce Grover-là !

***

— Quelle belle fourrure, Mrs Euston ! s'écrie une dame, en examinant le manteau d'une de ses voisines. Combien a-t-elle coûté ?

— Un baiser.

— Que vous avez donné à votre mari ?

— Non. Qu'il a donné à la baby-sitter.

***

Un illusionniste évoque le bon temps de sa gloire passée.

— J'avais un numéro formidable. Je sciais ma femme en deux. Et puis nous nous sommes quittés...

— Et où vit-elle, à présent ?

— A Bournemouth et à Newcastle.

***

Un locataire dit à la gardienne de son immeuble, en partant à son bureau de la City, un matin :

— Vous avez peut-être entendu du bruit, chez nous, cette nuit. C'est Bobby, notre chien qui n'avait pas été sage. Ma femme a été obligée de le corriger à coups de manche à balai.

— Oui, fait la gardienne, en ricanant. Et je l'ai même entendue qui le menaçait de ne plus le laisser sortir le soir s'il s'avisait de rentrer encore une fois à deux heures du matin, en sentant le whisky à plein nez !

HISTOIRES IRLANDAISES

— Pat, dit la mère d'un petit Irlandais, va jusqu'au pub et regarde si ton père y est toujours.

Un quart d'heure plus tard, le gamin est de retour.

— Il revient à la maison, annonce-t-il.

— Ah! très bien, dit la mère. Et sur quel trottoir ?

— Sur les deux!

***

Un pauvre hère d'Irlandais débarque à New York. Un douanier lui fait ouvrir son baluchon contenant une chemise, deux mouchoirs et cinq billets d'une livre.

— C'est tout ce que vous avez ? s'étonne le douanier.

— Si j'en avais plus, répond l'Irlandais, croyez-vous que j'aurais abandonné mon beau pays pour venir mourir d'ennui ici ?

***

— Ronald, dit une jeune femme, affolée, je viens de regarder dans le buffet. C'est terrible! La bouteille de vieux whisky, que nous avions précieusement mise de côté pour le cas où l'un de nous serait malade, est entièrement vide. Qu'a-t-il pu se passer ?

— Précisément, honey, répond le mari, avec une superbe désinvolture, la semaine dernière, j'ai été bien malade mais, avec mon bon cœur, je ne t'en ai rien dit pour ne pas te traumatiser.

***

Venue, pour la première fois de sa vie, assister à une rencontre de rugby, une Irlandaise découvre avec stupéfaction les rites de ce sport. A la quatrième mêlée, elle n'y tient plus. Elle se penche vers son mari et ricane :

— Regarde-les s'arrêter de jouer toutes les cinq minutes pour papoter. Et tu viendras me dire, après cela, que nous sommes les seules, nous les femmes, à échanger de petits secrets!

***

Accouru au chevet d'un vieux pochard de matelot qui est à l'agonie, le curé s'indigne de le trouver une bouteille de rhum à la main.

— Vous n'allez pas me dire, O'Hara, s'écrie-t-il, qu'en un tel moment, cette bouteille est votre seule consolation.

— Oh! non, fait l'ivrogne, en clignant de l'œil. J'en ai encore une autre dans le buffet.

***

Un pasteur astucieux a fait accord avec une grande agence de voyage pour qu'elle joigne, à ses prospectus, l'avis suivant :

« Quand vous aurez visité le monde entier, si vous songiez à aller au Ciel ? Réservez, dès dimanche prochain votre passage en assistant à l'office, au temple Saint-Paul. »

***

— Mon aîné, Samuel, dit une Irlandaise, est professeur à l'Université de Dublin. Mon second fils, Peter, est magistrat et mon troisième, Cyril, est un peintre fort apprécié des connaisseurs. Heureusement, mon plus jeune, Olivier, s'est expatrié, aux États-Unis. Il a trouvé une bonne place de barman, à Broadway et ce sont ses mandats qui permettent à toute la famille de subsister.

***

On demandait à une rousse et incandescente Irlandaise :

— Qu'emporteriez-vous pour lire si votre bateau faisait naufrage et si vous deviez passer un an sur une île déserte ?

Elle n'hésita pas une seconde :

Un beau marin tatoué.

***

— S'il vous plaît, demande timidement un pauvre homme, auriez-vous des bouteilles de bières vides à me donner ?

— Vous croyez, glapit la mégère qui lui a ouvert la porte, que j'ai une tête à boire de la bière ?

— Heu... non, en effet. Mais, par contre, vous avez sûrement des bouteilles de vinaigre.

***

Un arbitre de football irlandais vient consulter une voyante :

— C'est terrible, je me réveille en sursaut la nuit après avoir fait d'horribles cauchemars... Je suis affreusement complexé... Le prochain match, que je dois arbitrer, se déroulera samedi en huit. J'ai peur d'être encore chahuté...

La voyante regarde dans sa boule de cristal et dit au monsieur :

— Je vous vois, sur une immense pelouse verte... vous courez de droite à gauche, et derrière vous, j'aperçois une foule énorme qui vous poursuit...

A ce moment, l'arbitre, tout pâle, interroge :

— Est-ce que j'ai beaucoup d'avance ?

***

Dans un pub, deux habitués sirotent une dernière bière, avant la fermeture.

— Je me demande, soupire l'un, ce que je vais bien pouvoir raconter à ma femme, ce soir, pour justifier mon retard.

— Moi, dit l'autre, je n'ai pas ce genre de problème.

— Comment est-ce possible ?

— Lorsque je rentre tard, de deux choses l'une : ou ma femme dort, et je me garde de la réveiller; ou elle ne dort pas et, en ce cas, pas question, pour moi, de placer un mot.

***

Un curé irlandais a l'habitude de remonter le moral de ses paroisiens en leur disant :

— Vous vous tracassez pour vos péchés. Mais, tout de même, n'exagérez pas. N'oubliez pas que le Bon Dieu lui-même n'est pas infaillible. Après tout, c'est bien lui qui a créé l'homme.

***

Deux amateurs d'ale se retrouvent, au lendemain d'une gigantesque beuverie. Le premier questionne :

— Tu as réussi à te coucher, hier ?

— Oui, fait l'autre. J'ai eu de la chance : j'ai pu sauter dans mon lit, juste au moment où il passait devant moi.

***

Dans un cross scolaire, le petit Patrick était parti dans les derniers. Il semblait être définitivement distancé quand, soudain, il accéléra, remonta tous ses concurrents et franchit le premier la ligne d'arrivée.

— Comment, lui demanda-t-on, as-tu fait pour gagner ainsi ?

— J'ai prié le Bon Dieu.

— Comment cela ?

— Je lui ai dit : « Mon Dieu, si tu es d'accord, on va faire équipe. Alors, toi, tu te charges de me lever les jambes et moi, je me charge de les baisser. » C'est comme ça qu'on a remporté la victoire.

***

— Mon pauvre ami, dit le médecin de l'hôpital, vous voilà avec le côté gauche paralysé et cela ne peut avoir qu'une cause : l'alcool.

— Voyons, ricane le patient, c'est impossible : je n'ai jamais tenu mon verre de whisky que de la main droite !

***

Dans un pub, un débardeur des quais de Belfast menace de toute sa hauteur un petit bonhomme avec lequel il s'est pris de querelle.

— Vous n'êtes qu'un minus, lui lance-t-il, méprisant.

— Oh! fait l'autre, vous n'oseriez pas dire cela si ma femme était là !

***

La femme d'un pasteur protestant rentre chez elle, toute pimpante.

— Encore une nouvelle robe! s'indigne le pasteur.

— Je n'ai pas pu résister, c'est le diable qui m'a tentée.

— Il fallait hurler : « Arrière Satan. »

— Je l'ai fait. Il est passé derrière moi. Et il a achevé de me convaincre en me disant : « De dos, elle vous va encore mieux. »

***

A l'issue d'une soirée bien arrosée, au pub, deux amis rentrent chez eux en voiture. Soudain, l'un d'eux s'écrie :

— Eh! attention, William ! Tu as failli nous jeter sur un réverbère !

— Comment, fait l'autre, très étonné, ce n'est donc pas toi qui conduis ?

***

Bien campé sur ses six petites jambes, un Martien pénètre dans un bar de Belfast. Il commande un whisky puis, désignant d'un des huit doigts de l'une de ses cinq mains le juke-box scintillant, d'où s'élève la voix de l'idole des Irlandais, il dit au patron :

— Vous servirez aussi un verre à mademoiselle.

***

En Irlande, un curé propose aux enfants du patronnage :

— Je donne un shilling à qui me citera le plus grand homme qui ait jamais existé.

Les réponses fusent de toutes parts :
— Christophe Colomb.
— Nelson.
— Winston Churchill.

Un petit garçon lève la main :
— Saint Patrick, dit-il.

— Bravo! approuve le curé. C'est exactement ce qu'il fallait répondre. Voici ton shilling. Comment te nommes-tu ?

— Abraham Lévy.

— Et, interroge le prêtre, un peu surpris, qu'est-ce qui t'a fait dire Saint Patrick ?

— En réalité, explique le gamin, en empochant sa pièce, je pensais Moïse mais les affaires sont les affaires.

***

Un client se plaint au patron du pub :

— Regardez, il y a une mouche qui s'est noyée dans ma bière.

— Avec le prix que je pratique, répond le tenancier, il m'est impossible d'équiper, en plus, les mouches de ceintures de sauvetage.

***

— On se barbe, ici, disent quelques Britanniques, bloqués dans leur chalet de montagne par le mauvais temps. Qu'est-ce qu'on pourrait faire d'amusant ?

L'un d'eux suggère :

— J'ai une idée. On va jouer à la « roulette irlandaise ». C'est une fort agréable variante de la roulette russe. Voilà : les joueurs, en nombre illimité, s'installent dans une pièce, chacun devant une bouteille de whisky. On parle, on rit, on chante, même, si l'on en a envie et chaque joueur boit sa bouteille de whisky jusqu'à la dernière goutte. A ce moment, l'une des personnes présentes quitte discrètement la pièce. Le jeu consiste, pour ceux qui restent, à deviner lequel est sorti.

***

A un de ses paroissiens, qui vient d'acheter sa première voiture, un pasteur remet une médaille de Saint-Christophe :

— Si vous ne dépassez pas le 60 miles à l'heure, lui dit-il, elle vous protégera.

— Et si je fais du 100 miles à l'heures ?

— En la présentant, à l'entrée du Paradis, vous aurez une chance d'entrer sans faire la queue.

***

A l'école du dimanche, le prêtre tente d'expliquer à ses jeunes ouailles le sens du mot récompense. Il interroge une petite fille qui l'écoute attentivement :

— Dis-moi, Lisbeth, toi, quand tu as été sage et que tu as bien travaillé en classe, que fait ta maman pour exprimer qu'elle est contente ?

— Eh bien, répond la gamine, en ce cas-là, elle m'autorise à rester au lit, au lieu d'aller à l'école du dimanche.

***

Rien n'est plus bizarre que le rugby.

Ce sport pratiqué par trente garçons qui, visiblement, n'ont pas besoin d'exercice, devant quelques milliers de personnes qui, elles, en auraient bien besoin.

***

Une Irlandaise raconte à une amie :

— Nellie Shaft a eu dix-sept enfants en dix-sept ans, et puis elle s'est arrêtée parce qu'elle était à court de nom.

— Pour baptiser ses enfants ?

— Non. Pour traiter son mari.

***

Un médecin examine un Irlandais presque sourd.

— Dans votre cas, dit très fort le toubib, il ne faut plus boire d'alcool et votre ouïe s'améliorera certainement

L'homme suit ce bon conseil et, en effet, il entend déjà beaucoup mieux.

Plusieurs semaines se passent et, un jour, l'Irlandais revient à la consultation.

— Vous vous êtes remis à boire, lui dit sévèrement le médecin.

— Ah! ça oui, je le reconnais. Mais j'ai une excuse : rien de ce que j'ai pu entendre n'était aussi bon que l'alcool.

***

Une Irlandaise, appartenant à l'Armée du Salut dit, d'un ton sévère, à un mendiant qui lui tend son chapeau crasseux :

— Si vous cessiez de boire du whisky, vous pourriez avoir l'espoir de devenir centenaire.

— J'aurais volontiers suivi votre conseil, ricane-t-il, mais il arrive trop tard : j'ai fêté hier mon cent-deuxième anniversaire.

***

Tandis que le curé irlandais procède à un baptême, l'un des quinze frères et sœurs du nouveau-né se met à pleurer bruyamment.

— Tais-toi, lui ordonne sa mère, ou sinon, tu ne viendras pas ici l'année prochaine.

***

Un « bobby » irlandais interpelle un individu à la démarche zigzagante :

— Quelle excuse valable avez-vous pour errer dans les rues, visiblement pris de boissons, à quatre heures du matin ?

— Si j'avais une excuse valable, répond le pochard, je serais déjà rentré chez moi et je l'aurais fournie à ma femme.

***

— Je pense, dit le médecin à un patient un peu patraque, que c'est le whisky qui cause vos malaises. Pour en être sûr, vous allez rester deux mois sans boire la moindre goutte d'alcool et nous verrons bien si votre état s'améliore.

— Je vous propose une autre formule, docteur. Pendant ces deux mois, je vais boire deux fois plus que d'habitude. Et on verra bien si mon état empire.

***

— Ne me raconte pas, Georgie, que tu as été à une conférence! dit une dame à son couche-tard de mari. On n'a jamais vu une conférence se terminer à trois heures du matin.

— Tu l'aurai vu, répond, sans se troubler l'époux, si tu avais eu à faire, comme moi, à un conférencier bègue.

***

— Vous aviez un peu trop forcé sur le whisky, hier soir, Mr Kelly, dit un chauffeur de bus à un des habitués de la ligne.

— C'est vrai mais comment le savez-vous ?

— Vous vous êtes levé pour offrir votre siège à une dame. Et vous n'étiez que tous les deux, comme voyageurs.

***

Un Irlandais, qui ne se sent pas bien, va consulter un médecin. Celui-ci conclut ainsi son examen :

— Il vous faut abandonner l'une de ces deux choses : le whisky ou les femmes.

— S'il vous plaît, questionne le patient, quelle année, le whisky ?

***

Au cours d'une discussion orageuse, une femme menace :

— Un mot de plus, Bert, et je retourne chez ma mère !

— En ce cas, répond son mari, n'oublie pas d'emmener avec toi ton père, ta sœur et ton cousin.

***

— Mes biens chers frères, dit un pasteur, en déversant sur les fidèles, assis juste sous la chaire, le contenu d'un seau d'eau, depuis mon dernier appel à votre générosité pour faire réparer le toit de notre église, la situation s'est considérablement aggravée...

***

Une jeune Irlandaise, en vacances à Paris, entre dans un bureau de poste et, dans un mauvais français interroge :

— Auriez-vous une lettre pour moi ? L'employé questionne :

— Poste restante ?

— Oh! non, monsieur, Catholique.

***

Un étranger s'arrête dans un pub irlandais et questionne le tenancier :

— Dites-moi, mon brave, y a-t-il un grand chien noir avec une tache blanche au cou, dans ce village ?

— Heu, non, dit le cafetier.

— Ah! Alors, je viens d'écraser le pasteur.

***

— Ce qu'il vous faut, Mr Harrington, dit un médecin à l'Irlandais qui se plaint de maux d'estomac, c'est boire chaque matin, au breakfast, un grand verre d'eau tiède.

— Mais je le fais depuis trente-cinq ans, répond l'homme. La seule différence, c'est que ma femme me sert cette eau tiède dans une tasse en appelant cela du café.

***

Devenu un des plus célèbres acteurs d'Hollywood, Burt Lancaster n'a jamais oublié sa petite enfance, dans le quartier irlandais de New York.

— Quand mes parents émigrèrent d'Irlande pour chercher fortune en Amérique, raconte-t-il, ils vivaient avec l'idée que, là-bas, les rues étaient pavées d'or. Dès son arrivée, mon père fit trois constatations :

1°) Les rues n'étaient pas pavées d'or.

2°) Elles n'étaient même pas pavées du tout.

3°) Pour les paver, on comptait sur lui.

***

Un pasteur a affiché cet avis à la porte du temple :

« Un véritable chrétien, c'est celui qui n'hésite pas, pendant les vacances, à mettre son perroquet en pension chez la pire commère de la ville. »

***

— Moi, dit un Irlandais, en savourant sa bière, je suis absolument terrible. Un véritable fauve. A chaque fois que je me mets en colère, je tue un homme.

— Fichtre ! Et tu te mets souvent en colère ?

— Ça ne m'est encore jamais arrivé.

***

— Comment avez-vous crevé ce pneu ? interroge le dépanneur.

— Oh ! bêtement, répond l'Irlandais. En roulant sur une bouteille de whisky.

— Vous ne l'aviez donc pas vue ?

— Non. L'homme l'avait dans la poche.

HISTOIRES GALLOISES

Un petit Gallois décrit, dans une rédaction, la première fois qu'il a vu un mineur :

— Il était tout noir, des pieds à la tête. On ne voyait que ses yeux. Ce qui fait que, quand il fermait les yeux, on ne voyait plus rien du tout.

***

Un match de rugby se déroule dans une gadoue épouvantable. Un joueur, crotté jusqu'au nez, crie à celui qui a le ballon :

— A moi !

— Qu'est-ce qui me prouve, répond l'autre, dans le même état, que tu appartiens bien à mon équipe ? Tu as le mot de passe ?

***

Un journaliste interrogeait la grande vedette de l'écran, Richard Burton, champion de descente toutes catégories.

— Que fait votre père ?

— Il a tenu à rester, dans son village du pays de Galles, près de la mine où il a longtemps travaillé au fond.

— Et que pense-t-il de vos films ?

— Il n'en a jamais vu un seul. Voici pourquoi : son petit village gallois est tout en longueur. La mine est en bas et le cinéma en haut. Entre les deux, il y a dix-sept pubs. Quand mon père arrive au troisième, il faut le ramener chez lui.

***

Lu cette affiche à la devanture d'un magasin d'articles de sport :

« Ici, nous vendons tout ce dont vous avez besoin pour pratiquer le golf, à l'exception des jurons. Mais si vous utilisez nos clubs et nos balles, vous n'aurez jamais l'occasion de jurer. »

***

L'entraîneur d'une équipe de rugby galloise raconte :

— Je ne me suis vraiment rendu compte à quel point la télévision était entrée dans nos habitudes que la semaine dernière, quand un de mes joueurs a absolument refusé de jouer à l'aile gauche, sous prétexte que la caméra le prendrait alors sous son plus mauvais profil.

***

Au Pays de Galles, les mères ont coutume de répéter à leurs enfants :

— Surtout, n'imite pas le buvard qui comprend tout à l'envers.

***

— Ce qu'il faut, pour être heureux dans la vie, dit un Gallois à un compagnon de beuverie, c'est la santé et le travail.

— Et vous êtes heureux ?

— Oui. Parce que j'ai une bonne santé et ma femme un bon boulot.

***

Une équipe de mineurs descend dans le puits de charbon où ils vont creuser toute la journée.

— Tu va voir, dit un vétéran à un petit jeune, le gars qui manœuvre

l'ascenseur a un gag dont il ne se lasse jamais.

Effectivement, arrivé au fond de la fosse, il annonce, gaiement :

— Sous-sol ! Gaines élastiques ! Chapeaux de paille ! Pochettes-surprises !

***

Un promeneur interroge un berger gallois qui accompagne son troupeau :

— Vous avez beaucoup de moutons ?

— Je ne sais pas.

— Comment cela ? Vous n'avez jamais essayé de les compter ?

— Oh ! si ! Mais à chaque fois que j'arrive à cinquante, je m'endors.

***

— Hier, raconte un Gallois à un copain, j'ai fait la connaissance, dans un bar, de deux filles superbes : une blonde et une brune. J'ai téléphoné à Mike, mais il était au Mexique. J'ai appelé George : il se mariait. Dave était immobilisé chez lui par la grippe. Finalement, j'ai bien dû me résoudre à rentrer avec les deux filles.

— Mais, s'étonne son ami, tu as mon numéro. Pourquoi n'as-tu pas cherché à me joindre ?

— Ah ! non ! Parce que, toi, tu serais venu !

***

— Mon mari, explique une dame à une amie, occupe tous ses samedis à arbitrer des matches de football.

— Qu'est-ce que cela lui rapporte ?

— Une guinée par match, et environ vingt livres de tomates... malheureusement un peu trop mûres, le plus souvent.

***

Un individu, complètement ivre, monte dans un bus et, surpris par l'accélération du départ, va s'affaler sur les genoux d'une voyageuse à l'air revêche.

— Espèce de sale ivrogne, proteste-t-elle. Je vous jure que si j'étais dans votre état, je me tirerais une balle entre les deux yeux.

— Madame, réplique-t-il, peut-être que, dans ce cas-là... vous vous tireriez une balle... entre les deux yeux... Mais ce qui est certain... c'est que si vous étiez... vraiment... dans mon état... vous vous rateriez.

***

Une fermière dit à son mari qui rentre de l'étable :

— Demain. c'est notre cinquième anniversaire de mariage. Je vais tuer une dinde, à cette occasion.

— Sandy, proteste son mari, pourquoi te venger sur un animal innocent ? Moi, à ta place, je tordrais plutôt le cou à ton idiot de cousin qui nous a présentés.

***

— Quelle est au juste, demandait un pasteur gallois à l'une de ses nouvelles ouailles, votre avis sur l'enfer et le paradis ?

— Je suis gêné pour vous répondre, répondit le fidèle, j'ai des amis des deux côtés.

***

Le véritable amateur de sport se reconnaît à un test très simple : il va au stade, le samedi après-midi — même si son téléviseur n'est pas en panne.

***

— Moi, vous voyez, dit un comptable gallois, quand j'ai beaucoup de travail qui s'accumule, du courrier en retard, par exemple, je m'installe, un soir, dans mon bureau avec une bonne bouteille de whisky et, deux heures après, c'est liquidé.

— Votre courrier ?

— Qui pense encore au courrier ? Non : le whisky.

***

Dans un pub, un client s'indigne :

— Enfin, il n'y a pas moyen d'être servi, ici ! Voilà sept fois de suite que je vous commande une bière.

— Oh ! pardon, monsieur, dit le garçon.

Puis, d'une voix forte, il crie vers le préposé au comptoir :

— Et sept bières ! Sept !

***

Commentant un match du Tournoi des Cinq Nations où les rugbymen s'étaient montrés meilleurs dans les passes à la main que dans les coups de pied, un journaliste sportif écrit :

— L'équipe de Galles est parfaite jusqu'à la ceinture. En dessous, ça laisse beaucoup à désirer. »

***

Deux chasseurs regardent, avec ébahissement, une minuscule valise, couverte d'étiquettes, qui tombe du ciel.

— Je te l'avais dit, Topham, fait l'un d'eux, que l'oiseau que tu as blessé était sûrement un pigeon-voyageur.

***

Un industriel gallois réunit ses employés :

— Mes bons amis, leur dit-il, je viens de recevoir longuement vos délégués syndicaux qui m'ont exposé vos problèmes. Je les comprends. Mieux, je les approuve. Hélas, vous me réclamez de l'argent et moi, je n'en ai pas à vous donner. Toutefois, votre démarche n'aura pas été inutile. Je vais faire un geste en votre faveur. Dorénavant, au lieu de me dire respectueusement « Monsieur le directeur », je vous autorise à m'appeler familièrement par mon prénom Harry.

***

Un astucieux pasteur clôt son sermon par cet appel :

— Mes chers paroissiens, notre église est en bien mauvais état. Elle aurait besoin de réparations mais cela coûte cher. Que tous ceux qui sont d'accord pour verser une livre, à cette intention, veuillent bien se lever.

Et, à ce moment, il fait signe à l'organiste de jouer un air approprié : Le « God save the Queen »

***

Une dame en noir interroge le gardien du cimetière :

— Je n'arrive pas à trouver la tombe de mon mari.

— Quel nom ? fait l'employé en consultant son plan.

— Andrew Chester.

— Ah! non, dit le gardien. Je ne vois pas d'Andrew Chester, ici. J'ai juste une Mary Chester.

— C'est bien lui, s'écrie la veuve. Tout est à mon nom !

***

Un policier voit, agrippé à un réverbère, un ivrogne qui ne tient plus debout.

— Eh bien, questionne le « bobby », vous n'avez pas honte de vous mettre dans cet état ?

— J'ai... hic... une excuse. C'est... hic... l'anniversaire du jour... hic... où j'ai commencé... hic... ma cure de désintoxication.

***

La veuve d'un banquier va demander au pasteur combien il lui prendrait pour prononcer l'oraison funèbre du défunt.

— Je vous recommande mon discours à 50 livres, dit le pasteur. Dans dix ans ceux qui l'auront entendu citeront encore, avec émerveillement, les qualités de feu votre mari.

— Non, non, proteste la dame : 50 livres, c'est trop cher.

— Alors, prenez mon discours à 25 livres. Je dirai que c'était un bon et brave homme.

— Sincèrement, je trouve cela encore trop cher.

— Bon. Je vais vous faire ce discours pour 10 livres. Seulement, à ce prix-là, je serai forcé de dire la vérité.

***

Un Gallois, qui a l'habitude de passer ses vacances dans une île de la Côte Atlantique, interroge un petit garçon du village :

— Ton oncle Buddy a toujours son beau bateau blanc, qu'il a acheté l'année dernière ?

— Vousconnaissez, répond le gamin, ce petit rocher à fleur d'eau, à environ cinq cents yards de la côte ?

— Oui.

— Eh bien, mon oncle ne le connaissait pas.

***

Un ouvrier d'une usine d'automobiles de Cardiff vient de gagner plus de trois mille livres au concours de pronostics de football.

— Votre vie va être transformée, lui dit un reporter.

— Et comment! A partir de demain, j'abandonne mon vieux vélo, j'achète un tandem et j'engage un chauffeur pour qu'il me conduise, chaque matin, à l'usine.

***

Une jeune fille questionne son soupirant :

— Alors, Charlie, as-tu demandé ma main à mon père ?

— Je lui ai passé un coup de fil.

— Et qu'a-t-il répondu ?

— « Oui. Vous pouvez l'épouser demain, si vous voulez. »

— C'est tout ?

— Non, avant de racrocher, il a ajouté : « Au fait, qui est à l'appareil ? »

***

— Ma fille, raconte une habitante de Cardigan, va aller terminer ses études de chant à Londres.

— Cela va vous coûter cher.

— Pas du tout ! Ce sont nos voisins qui se sont cotisés pour régler tous ses frais.

***

La maîtresse donne à résoudre ce petit problème de calcul mental :

— Tom, imagine que Stanley a dix billes. Tu lui en prends trois...

— Sûrement pas, rugit Stanley. Ce n'est pas pour rien que j'apprends le karaté !

***

Un maître-nageur de Kilrush dit à la jeune fille à laquelle il apprend, depuis quelques jours, les rudiments de la natation :

— Aujourd'hui, Miss Powers, j'aimerais mieux que vous me payiez votre leçon d'avance... La mer est tellement mauvaise, ce matin.

***

Un couple de Gallois marche en silence dans un champ. Soudain, la femme se retourne et voit un taureau qui les regarde, d'un air furieux. Folle de terreur, elle court vers un pommier et grimpe sur une branche pour se mettre hors d'atteinte.

Son mari, perdu dans ses pensées, ne s'est aperçu de rien. Il continue d'avancer paisiblement, ce qui ne fait qu'exciter la hargne du taureau. Celui-ci fonce sur l'homme, le fait sauter en l'air d'un coup de corne puis le piétine allègrement. Le malheureux, qui s'est évanoui sous le choc, met cinq bonnes minutes à reprendre conscience.

— Voyons, Molly, dit-il, d'un ton plaintif, pourquoi te mettre ainsi en colère alors que je te jure que j'ai rompu depuis plus d'un mois avec ma secrétaire ?

***

— Mortimer, dit le pasteur à un vieux paysan gallois, pourquoi ne venez-vous jamais à l'office du dimanche ?

— Voyez-vous, monsieur le pasteur, je me tiens le raisonnement suivant. Si Dieu est aussi bon que vous le dites, il me pardonnera de toute façon. Mais, en revanche, si le Diable est aussi méchant que vous le prétendez, il risquerait de se formaliser de me voir aller tous les dimanches au temple !

***

— Encore de la pluie ! s'écrie un Gallois, désespéré. Ah ! que je regrette les trois semaines que j'ai passées, l'année dernière, dans le désert du Nevada.

— Il fait si chaud que ça là-bas ?

— C'est sec à un point tel que j'y ai vu des poissons de trois ans qui n'avaient pas encore réussi à apprendre à nager.

***

Le directeur d'une importante entreprise, très fier de lui, raconte sa vie et sa carrière à un pasteur, assis à côté de lui dans un banquet.

— Je peux dire une chose, c'est que je me suis fait entièrement moi-même...

— C'est fort bien, mon fils, répond le pasteur. Voilà qui décharge le Tout-Puissant d'une lourde responsabilité.

***

— Je ne comprends pas, dit le juge au vagabond qui comparaît devant lui : une brave fermière vous avait donné à manger un gâteau qu'elle venait de confectionner et, au lieu de la remercier vous avez jeté une pierre dans ses fenêtres.

— Ce n'était pas une pierre, Votre Honneur, proteste le miséreux. C'était le gâteau.

***

Un Gallois va voir son médecin et, après avoir relevé les jambes de son pantalon, il lui montre de vilaines plaies qu'il a sur les tibias.

— Pourriez-vous me soigner ça ? demande-t-il.

— Bien sûr, fait le médecin, d'autant que cela me rappelle ma jeunesse. Moi, aussi, j'ai pratiqué le rugby.

— Vous vous trompez, docteur, dit le patient. Ce n'est pas le rugby mais le bridge que je pratique — avec, hélas, toujours ma femme pour partenaire.

***

— Pourquoi, Larry, s'étonne le patron de la taverne, veux-tu toujours que je te serve deux bières d'un coup ?

— Eh bien, voilà : dès que j'ai bu une bière, je deviens un autre homme. Et cet homme-là a soif, lui aussi.

***

Un matelot d'un bateau de pêche gallois, en Mer du Nord, s'écrie, en ramenant les filets :

— Quelle chance ! Mais quelle chance !

— De quoi parlez-vous, Evans ? s'étonne le patron-pêcheur.

— C'est bien vrai que la femelle hareng pond des millions d'œufs, chaque année ?

— Eh bien, vous imaginez le boucan que ça ferait si, après chaque œuf pondu, elle se mettait à le crier avec autant d'ardeur que la poule ?

***

A la sortie du temple où vient d'être célébrée son union, le jeune Gallois dit à son garçon d'honneur :

— Je devais avoir l'air d'un parfait imbécile, pendant la cérémonie.

— Pas du tout, répond son ami. Mais on voyait bien que tu n'étais pas toi-même.

***

Une brave femme, vivant dans une lointaine campagne du Pays de Galles, explique au curé de son village :

— Mon neveu de Londres vient passer une semaine chez moi avec sa femme et leurs huit enfants. J'en suis tellement heureuse que je vous donne une livre pour vos bonnes œuvres.

Huit jours plus tard, elle dit, au même curé :

— Ça y est, mon neveu est reparti, avec toute sa marmaille ! J'en suis tellement heureuse que je vous donne cinq livres pour vos bonnes œuvres.

***

Un pêcheur revient chez lui honteusement, à la nuit tombée.

— Alors, Mr Snoridge, s'écrie ironiquement le tenancier du pub de son village, encore bredouille ?

— Pire que cela !

— Pire que bredouille ?

— Hélas ! Quelqu'un m'a volé les trois tanches que j'avais achetées chez Mrs Ball, la poissonnière.

***

LEURS MEILLEURS MOTS

AGATHA CHRISTIE

Winston Churchill disait, avec admiration, d'Agatha Christie :

— C'est la femme à qui le crime a le plus rapporté, depuis Lucrèce Borgia.

***

Agatha Christie est morte à quatre-vingt-cinq ans. Elle venait de publier son 85e roman policier dans lequel elle s'était enfin décidée à tuer son détective favori, Hercule Poirot, après s'être rendu compte qu'il devait avoir dans les cent vingt-cinq ans.

***

Après un premier mariage malheureux avec le Major Christie qui l'avait abandonnée pour une femme beaucoup plus jeune, la romancière avait épousé sir Max Mallowan, un archéologue qu'elle n'allait plus quitter, l'accompagnant même dans ses campagnes de fouilles.

Elle se sentait, avec lui, de nombreux points communs.

— Les archéologues, disait-elle, sont aussi des détectives, les détectives du passé. La seule différence, c'est que leur enquête remonte à quatre mille ans en arrière. A partir de quelques indices, eux retrouvent une civilisation et le policier un meurtrier.

***

Agatha Christie s'avouait ravie de cette seconde union :

— Je conseille à toutes les jeunes filles d'épouser un archéologue : plus vous vieillissez, plus vous êtes certaine de l'intéresser.

***

Une dame de son âge la laissa sans voix quand elle l'aborda, au cours d'un cocktail, pour lui dire :

— J'ai trouvé un moyen de doubler à coup sûr l'intérêt de vos livres. Désormais, je commence à les lire à partir de la page 50. Ainsi, je bénéficie d'un double suspense : je me demande à la fois comment cela va finir et comment diable ça a bien pu commencer.

***

Agatha Christie avait la réplique instantanée. Une autre de ses lectrices s'étonnait :

— Comment se fait-il que vos deux derniers romans, bien que comportant le même nombre de pages, ne soient pas vendus le même prix ?

— C'est normal, répondit-elle. Le plus cher comporte trois crimes de plus que l'autre.

***

Quand ils paraissent en feuilleton, les romans d'Agatha Christie tenaient les foules en haleine et elle en avait conscience.

Un jour, dans une librairie londonienne, un de ses admirateurs lui tendit son carnet d'autographes. Elle y écrivit : « Amitiés » et signa.

L'homme protesta :

— N'ajouterez-vous pas quelques mots ?

En souriant, Agatha Christie reprit le carnet et inscrivit, sous sa signature : « La suite à demain. »

***

— Comment trouvez-vous vos idées de romans ? lui demandait-on.

— En faisant la vaisselle, expliqua-t-elle. C'est une besogne tellement stupide qu'à chaque fois il me vient des idées de meurtre.

***

Si on la pressait un peu, elle ajoutait :

— Pour inventer mes criminels, j'observe mes amis.

En fait, elle avait adapté à sa façon le vieux proverbe anglais : « Une pomme par jour éloigne le médecin » en le complétant ainsi... « surtout si on vise bien. »

C'est dans sa baignoire, en croquant ces fruits qui provoquèrent indirectement le premier crime de l'histoire (celui d'Abel par Caïn) qu'elle agençait méticuleusement ses intrigues.

— Je suis une grosse cylindrée, plaisantait-elle. Je consomme trois livres de pommes au chapitre.

***

— Tout de même, lui disait un interviewer, vous avez bien un secret ?

Elle hésita un instant puis acquiesça :

— Il tient en une phrase : un roman policier n'est pas forcément bon parce qu'on ne peut pas en trouver la solution, mais il est forcément mauvais si on n'a pas envie de la chercher. J'ai toujours écrit des romans dont, personnellement, j'avais hâte de connaître le dénouement.

WINSTON CHURCHILL

Le 30 novembre 1874 naissait, dans l'une des trois cent vingt pièces du château de Blenheim (Comté d'Oxford), Spencer Winston Churchill, descendant de l'illustre duc de Marlborough, vainqueur des armées de Louis XIV.

— A Blenheim, écrira-t-il, dans son âge mûr, j'ai pris deux décisions importantes : celle de naître et celle de me marier. Je suis profondément satisfait des deux.

Il se fit dans les divers collèges qu'il fréquenta une solide réputation de cancre. Son père, excédé, le fit admettre (après deux échecs) à l'école militaire de Sandhurst (le Saint-Cyr britannique).

Un examinateur, le capitaine James, soupira, devant tant d'ignorance :

— Il est difficile de croire que ce garçon soit passé *par* Harrow. Pour moi, il a plutôt dû passer *dessous*.

***

Une seule chose l'intéressait : les chevaux.

— J'ai toujours considéré, disait-il, à la fin de sa longue vie, que le remplacement du cheval par le moteur à explosion marque une sombre date dans l'histoire de l'Humanité.

***

— Pourtant, reconnaissait-il volontiers, dans un cheval, le milieu est aussi inconfortable que les deux extrémités sont dangereuses.

***

En 1900, il est élu député dans la circonscription d'Oldham qui l'avait blackboulé deux ans plus tôt. Ils pressent son prodigieux avenir et confie à un ami :

— Un jour, je ne serai plus connu parce que je suis le fils de lord Randolph Churchill mais lui sera connu parce qu'il est mon père.

***

Il sera député conservateur puis ministre libéral avant de devenir député libéral puis ministre conservateur.

A un politicien français, il confia :

— Je suis hostile aux hémicycles. Il est trop facile de glisser insensiblement de la gauche à la droite sans se faire remarquer. Chez nous, si l'on veut changer de parti, il faut traverser toute la salle. Je sais ce que je dis, je l'ai fait deux fois.

***

Obstinément contre le vote des femmes, il devint vite la cible des suffragettes.

— Deux choses me déplaisent en vous, lui dit l'une d'elles : votre nouvelle politique et votre moustache.

— Rassurez-vous, lui répondit-il : vous ne risquez d'entrer en contact ni avec l'une, ni avec l'autre.

***

En juin 1940, la Grande-Bretagne était au bord de l'effondrement. Churchill, alors Premier Ministre, galvanisa ses compatriotes par un discours radiodiffusé d'un exemplaire fermeté.

— Nous nous battrons, affirmait-il, sur les grèves, nous nous battrons dans les champs ou dans les rues. Nous nous battrons sur les collines...

Puis, posant la main sur le micro, il ajouta :

— ... Et comme nous n'avons rien d'autre pour nous battre, nous leur cognerons sur la tête avec des bouteilles de bière.

***

On lui disait :

— Vous donnez au peuple britannique le courage dont il a besoin.

— Erreur, fit-il. Il a déjà le courage. Je ne fais que le souligner.

***

Il aimait beaucoup le champagne. Un jour, il confia à un ami français :

— Jusqu'à présent, je buvais du champagne Veuve Clicquot, parce que je me disais : « Cette pauvre femme, son mari est mort à la guerre et je dois faire quelque chose pour elle. » Mais il me semble que, maintenant, j'ai assez fait pour elle, alors, désormais, pour ne pas faire de tort aux autres, je prends aussi d'autres marques.

***

Bernard Law Montgomery, futur vicomte d'El Alamein et Maréchal de l'Empire britannique, avait reçu, dans le secteur de Brighton dont il dirigeait la défense, la visite du Premier ministre, Winston Churchill.

Les deux hommes dînèrent ensemble.

— Je ne bois pas, dit d'emblée, Montgomery, je ne fume pas et je me sens en forme à 100 %.

— Et moi, répondit Churchill, je bois, je fume et je me sens en forme à 200 %.

***

Le Président des Etats-Unis, Franklin Roosevelt, l'admirait beaucoup :

— Il a, s'extasiait-il, cent idées brillantes par jour et, sur le lot, quatre au moins sont bonnes.

***

Winston Churchill préparait avec minutie toutes ses interventions, fussent-elles les plus spontanées en apparence. Il se souvenait qu'il n'avait rien d'un orateur né et qu'à ses débuts, à la Chambre, il lui était arrivé plus d'une fois de rester sans voix, incapable de poursuivre son argumentation.

Un journaliste lui demanda, un jour :

— Quelle est la meilleure recette de l'éloquence ?

— Un bon stylo, répondit Churchill et une bonne paire de lunettes.

***

— Prenez la parole quand vous êtes fou de colère, conseillait-il, et vous ferez votre brillant discours — que vous regretterez toute votre vie.

***

Churchill, merveilleux orateur, ne se faisait aucune illusion sur la faveur que lui accordaient les foules.

— Cela ne vous émerveille-t-il pas, lui demandait-on, lorsque vous prononcez un discours, de voir que dix mille personnes viennent vous écouter ?

— Franchement non, répondit-il, parce que je sais qu'elles seraient dix fois plus nombreuses pour me voir pendu.

***

Il avait la détestable habitude, lorsqu'il devait prendre un train, d'arriver à la gare à la toute dernière seconde.

— Mon père, expliquait sa fille, en souriant, est un sportif. Il veut toujours laisser au train sa chance.

***

Avant de mourir, âgé de quatre vingt-dix ans, en 1965, il occupa sa longue retraite à la peinture qui était devenue sa passion.

— Quand je serai au Paradis, disait-il souvent, je passerai mon premier million d'années à peindre. J'aurai une palette dans laquelle le vermillon et l'orangé seront les couleurs les plus ternes.

***

Il expliquait :
— La peinture, c'est comme les guerres. Cela vous permet d'échapper, pendant quelque temps à votre entourage en général et à votre femme en particulier.

***

— Pourquoi, lui demandait-on, ne peignez-vous que des paysages ?
— Parce que, avoua-t-il, jamais un arbre n'est venu se plaindre à moi qu'il n'était pas ressemblant.

***

Un indiscret avait demandé à Winston Churchill :
— Croyez-vous en Dieu ?
Le vieux « lion » répondit, en fronçant les sourcils :
— C'est une question que, seul, peut poser un continental.

CHARLES DICKENS

John Dickens, père de Charles, qui allait devenir le plus célèbre romancier anglais, était un homme charmant mais un chef de famille déplorable : bohême, dépensier, imprévoyant. Ayant perdu sa place à la Trésorerie de la Marine, il avait entraîné sa misérable famille à Londres où, selon lui, un homme de sa trempe aurait plus de possibilités.

Un soir, il rentra triomphant en annonçant :
— J'ai trouvé une situation.

Le petit Charles eut le tort de se réjouir trop vite : la situation en question lui était destinée. C'est ainsi qu'à onze ans, il alla travailler dans une fabrique de cirage.

***

Un feuilletonniste débutant demandait à Charles Dickens le secret de son prodigieux succès.

L'auteur de *David Copperfield* le lui confia, volontiers :
— Faites-les rire, faites-les pleurer, mais, surtout, faites-les attendre.

***

DISRAELI ET GLADSTONE

Le premier ministre de la Reine Victoria, Benjamin Disraeli, rompu aux jeux de la politique, disait, avec son humour habituel :

— Une assemblée est une bête féroce qu'il faut regarder entre les deux yeux, sans cela, elle vous dévore.

***

Il refusait de se voir affubler d'une étiquette politique.

— Je suis, disait-il, un radical pour déraciner ce qui est mal et un conservateur pour conserver ce qui est bon.

***

On demandait à Disraeli :

— Qu'est-ce qu'un politicien ?

— C'est, dit-il, un homme capable de parler avec assurance sur n'importe quel sujet.

— Et un homme d'Etat ?

— Un politicien qui a appris à se taire.

***

La Reine Victoria, qui prisait beaucoup l'esprit de Disraeli, lui demanda, un jour :

— Quelle est, pour vous, la différence entre l'amour et l'amitié ?

— L'amitié, répondit-il, c'est être confortablement rempli de rôti de bœuf. L'amour, c'est être pétillant de champagne.

***

Dans un moment d'abandon, il fit cette confidence :

— Le monde est gouverné par tout à fait d'autres personnages que ne se l'imaginent ceux qui ne se tiennent pas dans les coulisses.

***

***

Disraeli, chef du parti conservateur, fort de l'amitié de la Reine Victoria, pour la première fois Premier ministre en 1868, détestait cordialement le libéral William Gladstone qui le lui rendait bien.

— Quelle est, demandait-on à Disraeli, la différence entre un malheur et une calamité ?

— Supposez, dit-il, que Gladstone tombe dans la Tamise : c'est un malheur. Mais si quelqu'un plonge et le sauve, ça, c'est une calamité.

***

Des amis communs avaient réussi à les réconcilier :

— Allez, leur conseilla-t-on, faites la paix devant les journalistes.

Disraeli fit le premier pas. Il tendit la main à Gladstone en lui disant :

— Je vous souhaite tout ce que vous me souhaitez !

— Vous voyez, protesta Gladstone, en prenant la presse à témoin, il recommence !

***

William Gladstone s'avouait surpris par l'attitude de ses voisins d'Outre-Manche :

— Le Français, disait-il, s'intéresse à la politique et y croit. Si j'arrêtais cent Parisiens dans la rue et leur demandais de faire partie du ministère, quatre-vingt dix-neuf accepteraient; quatre-vingt dix-neuf Londoniens refuseraient.

***

Au moment de quitter ce monde, Gladstone, qui fut à quatre reprises Premier Ministre de la Reine Victoria, résumait ainsi son expérience :

— Dans ma longue vie, j'ai appris deux règles de sagesse : la première, de pardonner beaucoup; la deuxième, de n'oublier jamais.

CONAN DOYLE

Sir Arthur Conan Doyle, auquel nous devons les enquêtes de Sherlock Holmes, arrivait, un jour, en train à Paris, de Cannes où il avait passé l'hiver.

A la gare de Lyon, il héla un taxi pour se faire conduire à son hôtel et, comme le chauffeur avait roulé vite, il le récompensa d'un généreux pourboire.

— Merci, M. Conan Doyle, lui dit le chauffeur.

— Comment m'avez-vous reconnu ? s'étonna l'écrivain.

— Oh ! c'était facile. Le journal de ce matin signalait votre départ de Cannes. A votre habillement, j'ai vu que vous étiez Anglais. Et votre coupe de cheveux prouve que vous avez eu affaire à un coiffeur du Sud de la France.

— Et vous ne disposiez d'aucun autre indice ?

— Aucun. A part, évidemment, votre nom, inscrit sur les étiquettes de vos bagages.

***

Doyle était venu à Davos, en 1894. Il y découvrit non pas les joies du ski mais ses misères. Rentré à Londres, il relata ainsi son expérience dans le *Strand Magazine* :

— Extérieurement, une paire de skis ne présente en soi rien de bien malicieux. Personne ne se douterait, à premier vue, des facultés qui couvent en eux. Vous les chaussez donc et vous vous tournez en souriant vers vos amis pour voir s'ils vous regardent. Mais, au même moment, vous plongez comme un fou de la tête dans un tas de neige et vous trépignez furieusement des deux pieds jusqu'à ce que, à demi relevé, vous replongiez de nouveau dans ce même tas de neige, sans espoir d'être sauvé. Vos amis se réjouissent ainsi d'un spectacle dont ils ne vous auraient jamais cru capable. C'est à peu près ce

qui arrive au débutant. Comme tel, on s'attend naturellement à certaines difficultés et l'on est rarement déçu. Mais, lorsque vous avez réalisé quelques progrès, les choses deviennent bien pires encore.

GRAHAM GREENE

— Quelles sont, demandait-on au romancier Graham Greene, les meilleures choses qui soient sur cette terre ?

— La meilleure odeur, répondit-il, est celle du pain ; le meilleur goût, celui du sel ; le meilleur amour, celui des enfants.

***

L'auteur du *Troisième Homme* venait d'apprendre qu'un de ses romans allait être publié aux Etats-Unis.

Aussitôt, il s'inquiéta :

— Qui doit en faire la traduction ?

RUDYARD KIPLING

Le bruit courait, à Londres, qu'une revue avait payé une série d'articles à l'écrivain Rudyard Kipling au tarif, mirifique pour l'époque, d'un shilling le mot.

La femme d'un lord qui voulait posséder, dans sa collection, un autographe de l'auteur du *Livre de la Jungle*, lui fit parvenir un shilling en le priant de lui adresser « un mot ».

Kipling s'exécuta de bonne grâce. Par retour du courrier, il répondit : « *Thanks* » (Remerciements).

***

On demandait à Kipling :

— Qu'est-ce que la bonne éducation ?

— La bonne éducation, répondit-il,
c'est tout ce qui vous paraîtrait superflu si vous viviez seul sur une île déserte.

***

Il avait été enthousiasmé par la rapi-
dité des premières automobiles.

— Le cheval, s'écria-t-il, après tout,
n'est qu'un cheval; l'auto est une machine à temps.

***

Kipling était un fervent admirateur
de Jules Verne.

— Le meilleur moyen de faire apprendre le français à un jeune Anglais,
disait-il, est de lui offrir deux exemplaires de *Vingt mille lieues sous les
mers*, l'un en français, l'autre en anglais.
Cela fait, on enlèvera la seconde moitié
du roman dans la version britannique.
Enthousiasmé, le jeune Anglais n'aura
pas de repos avant qu'il ne soit capable
de lire la deuxième partie de la version
originale.

***

Il manifestait une grande indulgence
pour les critiques :

— Le premier imbécile venu, disait-
il, peut écrire mais seulement un imbécile sur deux peut fait de la critique
littéraire.

SOMERSET MAUGHAM

— Pourquoi, demandait une dame
au romancier Somerset Maugham, les
femmes charmantes épousent-elles toujours des hommes insignifiants ?

— Parce que, répondit-il, les hommes

intelligents n'épousent pas les femmes
charmantes.

***

On parlait, devant lui, de l'intuition
féminine :

— Je n'y ai jamais beaucoup cru,
dit-il. Cela correspond trop à ce qu'elles
ont envie de croire pour que je sois
persuadé qu'il s'agit seulement d'une
coïncidence.

***

L'auteur de *Servitude humaine*
détestait être harcelé au téléphone par
des importuns qui, le plus souvent,
après quelques compliments, s'effor-
çaient de lui soutirer de l'argent.

— Au paradis, assurait-il si les Bienheureux utilisent le téléphone, ils
diront ce qu'ils ont à dire sans ajouter
un mot de plus. C'est à des détails de
ce genre que l'on s'apercevra qu'on est
bien au paradis.

***

Un critique l'interrogeait :

— Quel est, selon vous, votre place
dans la littérature anglaise ?

— Je me place, répondit-il, au tout
premier rang des écrivains de second
ordre.

***

— J'ai trouvé votre dernier livre
fort inférieur aux précédents, disait un
critique à Somerset Maugham.

— Seul, répliqua-t-il, un médiocre
écrivain est toujours égal à lui-même.

***

Un de ses amis lui confiait :

— La vie conjugale ne m'inspire
qu'un profond ennui.

— On ne peut pas attendre du
mariage qu'il soit amusant, répondit-
il avec malice. Sinon, la loi ne le

protégerait pas et l'église ne le sanctifierait pas.

***

— Mes livres m'ont rapporté beaucoup d'argent, reconnaissait, à la fin de sa vie, Somerset Maugham. Et je constate que l'argent est le sixième sens sans lequel les cinq autres n'ont guère d'occasions de briller.

GEORGE BERNARD SHAW

En 1925, le Prix Nobel de littérature fut attribué à l'écrivain irlandais George Bernard Shaw, alors âgé de soixante-neuf ans.

— C'est sans doute, ironisa celui-ci, en témoignage de gratitude parce que je n'ai rien publié pendant l'année. Je refuse ce prix car il s'agit d'une bouée jetée à un nageur qui a déjà atteint le rivage.

Et le grand humoriste ajouta :

— Je puis pardonner à Nobel d'avoir inventé la dynamite, mais seul un démon à face humaine a pu inventer le Prix Nobel.

***

Un libraire lui disait :

— Ah ! si tous vos admirateurs achetaient vos livres !

— Si tous mes admirateurs achetaient mes livres, répondit Shaw, j'aurais peut-être moins d'admirateurs.

***

Une mère-poule lui présentait sa grande fille, en lui disant :

— Je suis sûre qu'en elle sommeille le génie d'un grand écrivain.

— Chut ! fit l'humoriste. Ne le réveillez surtout pas.

***

— C'est par souci d'économie, disait George Bernard Shaw, que j'ai choisi la profession littéraire. L'écrivain n'étant pas vu par ses clients n'a pas besoin de s'habiller correctement.

***

Il aimait à raconter comment, écœuré après qu'une de ses premières œuvres ait été renvoyée, avec une égale indifférence, par une douzaine d'éditeurs, il en avait enfoui le manuscrit au fond de son grenier.

— Eh bien, s'amusait-il à rappeler, je l'ai retrouvé, intact, vingt ans plus tard. Même les souris n'étaient pas parvenues à l'entamer.

***

En 1933, Shaw découvrit l'Amérique, invité par le magnat de la presse William Randolph Hearst. En regagnant son pays natal, il déclara :

— J'ai pris grand soin de ne jamais adresser un mot courtois aux Etats-Unis et je me suis gaussé d'eux comme d'une peuplade de rustres. J'ai présenté le peuple américain comme composé de 99 % d'idiots; ils m'adorent tout simplement.

***

Il interrogeait une dame de la haute société londonienne :

— Accepteriez-vous de passer une nuit avec un homme que vous n'aimez pas, pour 100 000 livres ?

— Sans hésitation, dit son interlocutrice.

— Et pour une livre ?

— Non mais, s'indigna la dame, pour qui me prenez-vous ?

— En fait, fit malicieusement Shaw, je suis déjà fixé sur ce point. Ce que je cherche à savoir, maintenant, c'est à partir de quel tarif.

***

Rien ne l'émeuvait moins que le spectacle d'une femme en train de pleurer. Quand on s'étonnait de son indifférence, il expliquait :

— J'ai lu, dans un vieux livre, que ce sont les femmes qui ont appris aux crocodiles à pleurer. Or, personne n'a jamais songé à consoler un crocodile.

***

— L'avantage de la prison sur le collège, disait-il, c'est qu'en prison on n'est pas obligé de lire les livres écrits par les geôliers.

***

Un étudiant, qui s'était mis en tête de composer une anthologie des écrivains du XXe siècle, avait écrit à George Bernard Shaw pour lui demander l'autorisation de reproduire quelques pages de son œuvre.

— J'espère, lui disait-il, que vous comprendrez. Je ne puis vous offrir la somme que vous exigez d'ordinaire. Je suis encore très jeune.

— Qu'à cela ne tienne, mon enfant, lui répondit l'humoriste. J'attendrai que vous ayez grandi.

***

— La minorité, professait-il, a parfois raison mais une chose est sûre : la majorité a toujours tort.

***

D'un de ses amis, qui accumulait les mensonges, Shaw disait :

— La punition du menteur n'est pas de n'être plus cru mais de ne plus pouvoir croire personne.

***

Il affirmait avec force :

— Il est toujours dangereux pour un homme de se montrer sincère — à moins qu'il ne soit totalement stupide.

***

Shaw se faisait une gloire de sa misogynie qui ne se relâcha jamais de toute sa vie.

— Les femmes ne sont jamais ni bonnes ni mauvaises, elles sont pires ! disait-il. Elles n'auront de cesse, maintenant qu'elles sont électrice, d'empoisonner la vie des collectivités comme elles ont, jusqu'ici, empoisonné la vie des individus.

***

— J'ai acquis la conviction, assurait-il, que si un homme tirait au sort toutes les décisions qu'il peut avoir à prendre, sa vie ne serait pas très différente de celles qu'il a prises en réfléchissant profondément.

***

George Bernard Shaw disait volontiers :

— Évidemment, c'est Dieu qui a créé l'homme. Mais comme, à l'époque, les brevets d'invention n'existaient pas, de nos jours, n'importe qui a le droit de l'imiter.

***

L'auteur de *Pygmalion* avait retrouvé, chez un bouquiniste, un exemplaire d'une de ses œuvres qu'il avait adressé à un éminent critique, accompagné de cette dédicace :

Avec mes hommages

Il racheta le volume et l'envoya de nouveau au critique, en inscrivant sur la page de garde :

Avec mes hommages réitérés.

***

— Une forte instruction, affirmait-il, nous prive de la joie d'apprendre et diminue beaucoup l'intérêt de la conversation d'autrui. Moi-même, j'avoue que c'est en prenant le thé chez une amie dont j'étais follement amoureux que j'ai appris que Napoléon Ier était mort à Sainte-Hélène.

***

Il avait, sur le bonheur, un avis bien personnel.
— Le bonheur, professait-il, est comme le blé : on ne devrait pas avoir le droit d'en consommer si on n'en produit pas.

***

— Après avoir entendu une jeune fille jouer du piano pendant une demi-heure, disait George Bernard Shaw, rien ne me détend plus que de m'asseoir dans le fauteuil du dentiste et de me faire plomber quelques dents.

***

Un conservateur lui reprochait ses idées avancées et quelque peu utopiques.
— Laissons faire les fous, lui répondit Shaw, voyez où les sages nous ont conduits.

***

— Si je suis sain d'esprit, ajoutait-il, le reste du monde ne devrait pas être laissé en liberté.

***

L'un des magnats du cinéma hollywoodien, Samuel Goldwyn voulait lui acheter les droits d'une de ses pièces. L'offre était peu intéressante mais Goldwyn jouait sur la corde sensible :
— Songez, disait-il, aux millions de gens, à travers le monde, qui apprécieront ainsi votre art.
— Le drame, répondit Shaw, c'est que vous ne pensez qu'à l'art, tandis que moi, je ne pense qu'à l'argent.

***

Quand on lui demandait à quelle époque il aurait aimé vivre, Shaw répondait en souriant :
— Sous le Premier Empire. Parce qu'à ce moment là, il n'y avait qu'*un* homme qui se prenait pour Napoléon.

***

George Bernard Shaw, qui connaissait bien ses compatriotes, soupirait devant leurs luttes fratricides :
— Si l'on met un Irlandais à la broche, on en trouve toujours un autre pour l'arroser.

***

Il répétait, volontiers :
— On aura une bonne idée du degré d'éducation d'un homme et d'une femme, en observant la façon dont ils se conduisent pendant une scène de ménage.

***

Shaw aimait raconter cette anecdote :
— J'avais un ami qui hésitait entre les diverses formes de suicide. Finalement, c'est le mariage qu'il a choisi.

***

— Pourquoi continuez-vous de travailler à votre âge ? disait-on à Shaw, dans les dernières années de sa vie. Vous pourriez vous reposer.
— Des vacances perpétuelles, ricana-t-il, c'est, pour moi, une assez bonne définition de l'enfer.

***

— Êtes-vous sportif ? demandait un jeune reporter à George Bernard Shaw.
— Sportif ! rugit-il. Apprenez, mon

jeune ami, que le seul sport que j'aie jamais pratiqué c'est la marche à pied, en suivant le corbillard d'amis qui, eux, faisaient du sport.

***

Pourtant, il se passionna pour la bicyclette, dès 1895, alors qu'il était âgé de trente-neuf ans. Pendant près d'un demi-siècle, il allait en faire son moyen de transport favori :

— Un jour, raconta-t-il, en dévalant à toute allure une colline, je faillis me rompre les os et tuer en même temps le philosophe Bertrand Russel, qui traversait imprudemment la route, à ce moment précis.

Et le facétieux Irlandais ajoutait, en souriant dans sa barbe :

— Si j'avais réussi ce coup double, les conséquences pour la philosophie et pour le théâtre auraient mérité qu'on en parle.

***

Dans toute sa carrière, il n'écrivit qu'un seul article sur le sport. On lui avait demandé d'assurer le compte rendu d'un match de base-ball. Il s'en tira par une pirouette en écrivant :

— Le base-ball présente un grand avantage sur le cricket : c'est que c'est plus vite fini.

***

George Bernard Shaw avait dépassé les quatre-vingt-dix ans quand un journaliste l'interrogea :

— Qu'avez-vous appris de plus utile, au cours de votre longue vie ?

— Qu'il existe, contre le ronflement, un remède souverain. Mon père, quand j'étais enfant, m'a dit qu'il suffisait de fermer la bouche et de respirer par le nez. J'ai suivi ses conseils et je n'ai jamais ronflé.

***

Peu avant sa mort, Shaw reçut la visite de deux de ses admirateurs qui avaient amené leur fils de douze ans. Il lui tendit la main en lui disant :

— Dans cinquante ans, mon garçon, tu pourras dire avec fierté : « J'ai serré la main de Bernard Shaw. » Et les gens te demanderont : « Mais qui diable était ce Bernard Shaw ? »

PETER USTINOV

L'auteur-interprète de L'Amour des quatre colonels, Peter Ustinov, l'affirme avec force :

— L'éducation britannique est, pour un enfant, la meilleure du monde... s'il parvient à en réchapper.

***

Peter Ustinov explique ainsi pourquoi il n'a jamais été tenté par la politique :

— Les hommes politiques sont très vulnérables et moi je suis lâche. D'autre part, je crois que les gens qui arrivent en haut de l'échelle sont surtout ceux qui n'avaient pas les qualités nécessaires pour rester en bas. Les grands médecins restent de grands médecins, les grands avocats restent de grands avocats. Mais les avocats qui ne sont pas très doués, deviennent ministres ou même Premiers Ministres.

***

— Tout de même, lui demanda, un jour, un interviewer, vous avez bien une couleur politique ?

— Oui, avoua-t-il, je suis de l'extrême-centre.

***

Peter Ustinov a défini à sa façon la Communauté économique européenne :

— C'est une alliance solidement établie sur la méfiance et les antipathies réciproques.

***

— Vous êtes musicien ? lui demandait un journaliste.

— J'adore la musique, répondit Ustinov. Un homme doit toujours avoir une passion pour quelque chose qu'il ne sait pas très bien faire.

LA REINE VICTORIA

Quand naquit le deuxième enfant de la Reine Victoria, le futur Edouard VII, le vieux duc de Wellington, vainqueur de Waterloo, interrogea la nurse :

— Alors, fille ou garçon ?

A quoi la nurse répondit dignement :

— Votre Grâce, c'est un Prince.

***

La Reine Victoria se refusait obstinément à lire les journaux qui pouvaient la critiquer.

— Ce qui importe, disait-elle, ce n'est pas ce qu'ils pensent de moi; c'est ce que je pense d'eux.

***

Victoria régna pendant soixantequatre ans sur le Royaume-Uni. Le Prince de Galles, son fils, qui se voyait vieillir sans accéder au trône, confia, un jour, à un ami parisien :

— Vous autres, Français, parlez toujours du Père Eternel. Mais que diriez-vous de la mère éternelle ?

EDGAR WALLACE

Edgar Wallace, prolifique auteur de romans policiers, entretenait soigneusement la légende selon laquelle quelques heures lui suffisaient pour rédiger une histoire complète.

Un jour, un de ses amis l'appelait au téléphone.

— Je ne peux pas déranger Mr Wallace, dit sa bonne. Il commence à l'instant un nouveau roman.

— Parfait, dit l'ami, j'attendrai qu'il ait fini. Je ne quitte pas.

***

Il était venu assister à une séance du Parlement britannique. Un de ses amis l'interrogea :

— En quoi cela vous intéresse-t-il ?

— Quand on écrit des histoires d'escrocs, répondit Wallace, il ne faut jamais perdre une occasion d'enrichir sa documentation.

OSCAR WILDE

Le grand humoriste irlandais, Oscar Wilde, avait de qui tenir. Sa mère, Speranza, savait être de la plus cinglante ironie. A un poète, dont elle venait d'écouter les vers, elle disait :

— Votre sonnet est destiné à la postérité. Je doute qu'il atteigne son adresse.

***

Un de ses amis poussait, devant Wilde, des cris d'horreur à propos d'un ouvrage qui venait de paraître :

— Les livres que le monde appelle immoraux, lui répondit-il, sont ceux qui lui montrent sa propre honte.

560

***

L'auteur du *Portrait de Dorian Gray* avait une devise :

— Il n'est qu'une seule chose horrible au monde, qu'un seul péché irrémissible : l'ennui.

***

Il confiait à un ami :

— Je suis exténué. Ce matin, j'ai retiré une virgule d'un de mes poèmes. Et ce soir, je l'ai remise.

***

— La différence entre la littérature et le journalisme, affirmait Wilde, c'est que le journalisme est illisible et que la littérature n'est pas lue.

***

Un auteur sans talent se plaignait à lui :

— Il y a contre moi une véritable conspiration du silence. Que puis-je faire ?

— Vous y joindre, suggéra Wilde.

***

Il se méfiait à juste titre des recueils de bons mots, où il figurait en bonne place.

— Citer les mots de quelqu'un, disait-il, c'est mettre sous verre une collection de beaux papillons qui ont perdu leur lumière et leur éclat.

***

Oscar Wilde, qui aimait manier le paradoxe, disait, avec une feinte indignation :

— Il est absolument monstrueux de voir comme, derrière votre dos, les gens disent de vous des choses qui sont entièrement et absolument vraies.

***

— Une femme, assurait-il, commence par résister aux avances d'un homme. Ensuite, elle l'empêche de s'enfuir.

***

— Votre célébrité, demandait-on à Oscar Wilde, n'est-elle pas parfois insupportable ?

— S'il est au monde, répondit-il, rien de plus fâcheux que d'être quelqu'un dont on parle, c'est, assurément d'être quelqu'un dont on ne parle pas.

***

Il affirmait :

— Les enfants commencent par aimer leurs parents. Ensuite, ils les jugent. Quelquefois, ils leur pardonnent.

***

La première de la pièce *L'Éventail de Lady Windermere* avait été un triomphe. A la fin du spectacle, la salle réclama l'auteur pendant cinq minutes. Oscar Wilde parut enfin, méprisant et enjôleur, une cigarette à la main, comble de l'insolence devant un tel public.

— Mesdames, messieurs, dit-il, il n'est peut-être pas très convenable de fumer devant vous, mais il n'est pas très convenable non plus de me déranger quand je fume.

Il continua sur ce ton pendant dix minutes et son discours, soigneusement improvisé, eut autant de succès que la pièce.

***

— Une cigarette, affirmait-il, est le type même du plaisir : c'est exquis et cela vous laisse inassouvi.

***

Il ajoutait :

— Les cigarettes à bout doré sont terriblement chères. Je ne puis me permettre d'en fumer que lorsque je suis endetté.

***

Quand il entra au collège, Oscar Wilde se refusa obstinément à devenir membre de l'équipe de football en expliquant :

— Le football est sûrement très bien pour des filles endurcies mais vraiment peu indiqué pour des garçons délicats.

***

— Tout grand homme, de nos jours, s'écriait-il, a ses disciples. Et c'est malheureusement toujours Judas qui écrit sa biographie.

***

Au moment d'entreprendre un grand rangement, dans son grenier, Wilde soupira :

— Que de choses nous mettrions au rebut, si nous ne craignions de les voir ramassées par autrui !

***

Quand on lui faisait reproche d'afficher une opinion diamétralement opposée à celle qu'il professait un mois plus tôt, il répondait :

— Les gens bien élevés contredisent les autres. Les sages se contredisent eux-mêmes.

***

Wilde, au moment de rendre le dernier soupir, à Paris, en 1900, trouva encore la force de faire un mot d'esprit :

— Je meurs, dit-il, comme j'ai toujours vécu : au-dessus de mes moyens.

***

Il n'y a aucune inscription sur la tombe d'Oscar Wilde au Père-Lachaise :

son nom seul est gravé, ainsi que les dates, 1856-1900, suivies de la formule « Requiescat in pace. »

Mais Hesketh Pearson a eu l'idée d'imaginer ce qu'aurait pu être son épitaphe. Il la trouva dans une phrase que dit un jour Wilde à son meilleur ami, Robert Ross, et elle résume « son esprit, son charme, sa mélancolie et sa gentillesse. »

Lorsque sonnera la trompette du Jugement Dernier et que nous reposerons tous deux sous notre tombeau de porphyre, je me retournerai et je te murmurerai à l'oreille : « Robbie, Robbie, si on faisait semblant de n'avoir rien entendu ? »

COCKTAIL

L'éditeur allemand Tauchnitz fut l'ami de tous les grands écrivains anglais de l'époque victorienne. Rien ne l'amusait tant qu'une lettre de l'auteur de *Barry Lyndon*, William Thackeray, auquel il avait adressé un chèque en le priant d'excuser son mauvais anglais.

Thackeray lui répondit, avec son humour habituel :

— Une missive accompagnée de livres, de shillings et de pence est toujours en bon anglais.

***

Quand mourut, en 1603, la Grande Elizabeth Iere d'Angleterre, celui qui avait été l'un de ses plus fidèles collaborateurs, Robert Cecil, déclara :

— Elle était plus qu'un homme, et quelquefois moins qu'une femme.

***

— Avant de me marier, disait le poète anglais Lord Rochester, j'avais six théories sur la meilleure façon d'élever

les enfants; à présent, j'ai six enfants –
et plus aucune théorie.

***

— A votre avis, demandait-on au
poète anglais Milton, que faisait Dieu,
avant la création ?

L'auteur du *Paradis perdu* répondit
sèchement :

— Il préparait un enfer pour les
curieux.

***

Un examinateur voulant faire dire à
un candidat que Milton était aveugle,
lui demanda :

— John Milton n'était-il pas affligé
d'une terrible infirmité ?

— Heu... oui, répondit le jeune
homme. Il était poète.

***

L'humoriste P.G. Woodhouse avait
ainsi dédié un de ses livres :

« A ma femme et à ma fille qui, par
leur aide constante et leurs bienveillants
conseils, ont réussi à ce que ce livre
soit écrit en deux fois plus de temps
qu'il ne m'en aurait fallu normalement. »

***

— Il y a encore une grande décou-
verte à faire en littérature, a remarqué
l'historien et critique anglais Thomas
Carlyle : ce serait de payer les écrivains
selon la quantité de livres qu'ils s'enga-
geraient *à ne pas écrire*.

***

L'amiral anglais Horace Nelson, qui
gagna la bataille d'Aboukir et celle de
Trafalgar, où il fut tué, confiait volontiers :

— Je dois tous mes succès, dans la
vie, à ce que j'ai toujours et en toutes
choses été en avance d'un quart d'heure.

***

On parlait de la politique devant
l'auteur de l'*Ile au trésor*, Robert Louis
Stevenson.

— La politique, dit-il, est peut-être
la seule profession pour laquelle aucune
préparation n'est nécessaire.

***

Le Dr Samuel Johnson, auteur d'un
monumental dictionnaire de la langue
anglaise, faisait une cour pressante à
une jeune femme qui n'était pas insensible à ses avances.

Un jour, il lui dit :

— Ma chère, je dois vous avouer
que ma famille n'est pas sans reproche :
un de mes oncles a été pendu.

— Dans ma famille, répondit-elle en
souriant, aucun ne s'est jamais fait
prendre mais je sais qu'une cinquantaine de mes ancêtres aurait amplement
mérité la corde.

***

— On n'est jamais vraiment équi-
table avec un écrivain, disait Samuel
Johnson. De son vivant, on le juge sur
son plus médiocre livre; et dès qu'il est
mort, sur son meilleur.

***

— Les voyages, a remarqué l'humoriste Chester Anthony, sont l'occasion,
pour les Anglais, de se sentir fiers d'être
britanniques, et de donner gentiment
mais fermement aux étrangers le regret
de n'être pas anglais.

***

— Qu'est-ce, demandait-on au célèbre acteur britannique, David Niven,
qu'un gentleman ?

— C'est, répondit-il, un monsieur
qui, lorsqu'il rencontre une femme
entre deux âges, opte pour le moins
vraisemblable.

***

Henry James, l'auteur des *Ailes de la colombe*, disait d'un critique :

— Il est sans façons, familier, et son langage est usuel; il met ses deux coudes sur la table et il boucle son sac hebdomadaire en un ballot fort mal ficelé. On croirait avoir un épicier qui détaille son tapioca ou sa semoule et fait bon poids pour le prix; son style semble en être le papier d'emballage.

***

Le « Premier » britannique Lloyd George ne prenait jamais de repos, en été.

A ceux qui s'en étonnaient il expliquait :

— Pour moi, un changement de soucis est aussi bon que des vacances.

***

On racontait à l'auteur de *Calvacade*, Noël Coward, surnommé « le Sacha Guitry anglais », qu'un acteur, renommé pour sa stupidité, s'était fait sauter la cervelle d'un coup de revolver.

— C'est incroyable ! s'exclama Coward. Comment a-t-il pu viser en plein dans une cible aussi minuscule ?

***

Le poète Lord Byron aimait relire d'anciennes correspondances.

— Un des plaisirs de relire de vieilles lettres, disait-il, est de savoir qu'elles ne nécessitent plus de réponse.

MINA ET ANDRE GUILLOIS

HISTOIRES MÉDITERRANÉENNES

Un toréro espagnol a dû se résoudre à se faire opérer de l'appendicite. Quand il se réveille, après l'opération, il s'étonne d'avoir la tête entourée de bandages.

— Que s'est il passé ? demande-t-il à une infirmière.

— Vous connaissez l'adresse diabolique de Dr Tortilla, votre chirurgien, explique celle-ci. Il était venu des spécialistes du monde entier pour le voir opérer sur vous et il s'est littéralement surpassé. C'est simple, il s'est montré d'une telle habileté qu'à l'unanimité ses confrères ont décidé de lui accorder la queue et les deux oreilles.

***

— C'est épouvantable, se plaint un fonctionnaire de la Sécurité Sociale d'Ajaccio à son beau-frère, avec le chef que j'ai, il m'est impossible de dormir au bureau.

— Pourquoi, il te réveille ?

— Non. Mais il ronfle.

***

Dans un pays d'Afrique du Nord, un touriste américain est abordé par un personnage louche qui lui propose :

— Mon z'ami, tu veux une petite fille de douze ans ?

— Fichez-moi la paix !

— Ti préfère pitêtre un beau petit garçon.

— Ecoutez, explique le touriste, je ne veux pas de petite fille ; je ne veux pas de petit garçon ; ce que je veux, c'est le consul américain.

— Ah ! dit l'arabe... Ça sera cher. Mais on devrait y arriver.

***

Une agence matrimoniale de Milan s'est lancée avec ce slogan :

« Un homme a absolument besoin d'une femme pour affronter la vie.

Il y a tellement de choses dont il ne peut pas faire retomber la faute sur le gouvernement. »

***

— Au cours de mes vacances en France, raconte un Américain à ses compatriotes, restés au pays, j'ai eu l'occasion de faire un petit séjour à Monte-Carlo. C'est formidable, l'organisation dans les hôtels, là-bas. Pendant que vous remplissez votre fiche d'hôtel, un employé s'empare de votre valise pour la monter dans votre chambre — et un autre employé porte directement votre portefeuille au Casino.

***

Dans une librairie de Bastia, un Corse demande un livre sur le jardinage.

— Je vous conseille celui-ci, dit le libraire. Quand vous l'aurez lu, votre travail sera à moitié fait.

— Vraiment ? Alors, en ce cas, donnez m'en deux.

***

— Moi, dit un Italien, pêcheur invétéré, je vais régulièrement passer mes vacances à Venise. Avouez que c'est merveilleux, cette ville, où l'on peut lancer sa ligne dans l'eau par la fenêtre de son hôtel !

***

Un beau toréro espagnol est en train de faire l'amour avec une de ses admiratrices, une touriste américaine qu'il déçoit atrocement.

— La prochaine fois, lui conseille-t-elle, demande à un de tes picadors de t'accompagner. En te plantant quelques banderilles au bon moment ça t'animerait peut-être un peu.

***

Un napolitain, marié à une femme très jalouse, craignait de se trahir en murmurant le nom de ses bonnes fortunes.

Alors, le soir, il glisse désormais ses deux mains sous son oreiller. C'est le seul moyen qu'il ait trouvé pour ne pas parler en dormant.

***

Sur une plage italienne, un playboy a l'air tracassé.

— Que se passe-t-il ? questionne un de ses amis. Tu sembles soucieux.

— Il y a de quoi, dit le Don Juan. Figure-toi que je ne me rappelle plus si j'ai rendez-vous à trois heures avec une fille ou à une heure avec trois filles.

***

— Pourquoi, demande le professeur d'histoire, Néron a-t-il mis le feu à Rome ?

— Heu... répond l'élève pris de court,

parce qu'il n'avait pas de lampes flashes pour prendre quelques bonnes photos-couleurs.

***

Une jeune Anglaise, en vacances en Espagne, avait profité d'un endroit désert pour se baigner, en simple appareil, dans une petite crique. Quand elle sort de l'eau, après bien des ébats, elle se heurte à un carabinier au visage écarlate qui lui dit :

— Señorita. Voilà plus d'une heure que j'observe votre manège. Il est interdit de se baigner en offensant la pudeur comme vous l'avez fait. Je dois vous infliger une amende de cent pesetas.

Sans discuter, la jeune fille lui tend un billet de cent pesetas.

Et le carabinier, sans parvenir à la quitter des yeux, lui rend machinalement la monnaie sur mille.

***

— Une chose m'intrigue, dit une touriste à l'amie qui l'accompagne en Grèce. J'ai examiné très attentivement les ruines du Parthénon. Et, au bas d'une colonne, j'ai lu cette mention : « Made in Japan ».

***

La femme d'un ingénieur d'une compagnie pétrolière s'est enfuie, en compagnie d'un jeune Bédouin dont elle est tombée follement amoureuse.

Dès qu'il est prévenu de cette fugue, le mari se précipite sur les pas des amants qui sont partis, à dos de chameau, à travers le désert.

Il a emmené avec lui un vieil indigène qui examine soigneusement les traces laissées par les fugitifs.

— Alors ? questionne enfin le pauvre homme.

— Eh bien, si j'en juge par ces traces, ils se sont arrêtés sept fois... dont une pour boire.

***

Une maman chameau va faire inscrire sa petite chamelle, en âge de prendre un époux, dans une agence matrimoniale réservée aux camélidés.

— Toutefois, dit-elle à la directrice de l'agence, je dois honnêtement vous préciser que ma fille est affligée d'une légère infirmité.

— Et laquelle ?

— Elle n'a pas de bosse.

***

Un Corse se désespère :

— Enfin, Dominique, dit-il à son fils, je sais bien que ton arrière grand-père était un fainéant. Ton grand-père était un fainéant. Ton grand-oncle était un fainéant. Je suis un fainéant comme mes trois frères. Cela ne me surprend donc pas vraiment que, toi aussi, tu sois un fainéant. Mais il y a des limites! A plus de trente ans, tu devrais fonder un foyer. Imagine que tu aies des enfants. Ils pourront peut-être travailler pour toi et te nourrir quand tu seras vieux.

— C'est une bonne idée, ça, papa, que je me marie et que j'aie des enfants, réplique son fils, sans quitter sa position allongée, à l'ombre d'un châtaignier sous lequel il fait la sieste. Dis donc, par hasard, tu ne connaîtrais pas une femme enceinte ?

***

Une jeune fille était allée passer quinze jours en Italie. A son retour, une de ses collègues l'interroge :

— C'était bien, là-bas ?

— Divin.

— Et qu'est-ce qui t'a le plus frappée, à Rome ?

La jeune fille réfléchit quelques instants puis répond, les yeux encore tout chavirés de bonheur :

— Alberto.

***

Un cheik cherche désespérément comment il pourrait dépenser les *royalties* que lui rapporte le pétrole extrait de son pays.

— J'ai une idée, suggère un de ses conseillers : achetez à chacune des 326 femmes de votre harem une Cadillac suffisamment longue pour pouvoir utiliser quatre Volkswagen comme pare-chocs.

***

Deux explorateurs traversent le Sahara en jeep. Soudain, l'un d'eux saisit son appareil photo et le braque vers une dune en criant.

— Une oasis! Une oasis!

— Mais non, fait l'autre. C'est un mirage.

— Aucune importance! Il n'y a pas de pellicule dans mon appareil.

***

Un Marseillais est immensément fier que sa femme ait donné le jour à leur premier-né, un quart d'heure plus tôt.

Et justement le facteur sonne à la porte.

— Une lettre recommandée, annonce-t-il, pour monsieur Marius.

— Lequel ? demande l'heureux papa. Le père ou le fils ?

***

En voyage d'affaires au Moyen-Orient, un riche Américain assiste à une vente aux esclaves. Quand monte sur l'estrade une sculpturale jeune fille totalement nue, à l'exception du voile traditionnel sur le visage, il dit à l'organisateur de la vente :

— Je suis acheteur à une condition : que vous lui retiriez d'abord son voile. Sinon, comment voulez-vous qu'on juge la marchandise ?

***

567

Dans un harem, on procède sans anesthésie sur un prisonnier du sultan, à une opération destinée à en faire un eunuque. L'homme se met à hurler :

— Au secours ! Au secours !

— S'il ne se tait pas immédiatement, ordonne le sultan au chirurgien, coupez-lui donc *aussi* la langue !

***

— C'est curieux, dit un amateur de corrida, comme un taureau devient furieux quand on lui agite une cape rouge sous le nez.

— Pas du tout, proteste le matador. Ce sont seulement les vaches qui se fâchent, dans ces cas-là.

— Mais pourquoi un taureau se met-il en colère, en voyant une cape rouge ?

— Parce qu'il est vexé qu'on le prenne pour une vache.

***

— C'est quand même un monde, soupire un automobiliste qui vient de faire le plein : ce sont les pays où le pétrole coule à flot qui ont inventé le seul moyen de transport qui ne consomme aucune énergie : le tapis volant.

***

Dans un petit village d'Estramadure, un gamin, hors d'haleine, entre dans la boutique de l'épicier.

— Vite, dit-il... mon père... est dans le champ... à... côté de la rivière... et le taureau le poursuit.

— Bon, fait l'épicier, je vais à son secours.

— Ce n'est pas cela que je vous demande, dit l'enfant. Je voudrais un film super-huit lumière du jour, pour recharger ma caméra.

***

Deux Corses se promènent. Soudain,

l'un d'eux, d'un coup de talon, rageur écrase un escargot.

— Qu'est-ce qui te prend, Antoine, fait l'autre. Tu es fou ?

— Non. Mais il commençait à m'énerver à nous suivre, ainsi, depuis plus d'une demi-heure.

***

Un émir, invité à déjeuner par l'Ambassadeur de France, consulte son agenda, en déclarant :

— Quand vous voudrez, à l'exception des 3, 5, 6, 8, 11, 15, 16, 17, 21, 23, 27, 28 et 30 de ce mois. Ces jours-là, je me marie.

***

Une Anglaise, visitant Venise, est allée faire un tour, à bord d'une gondole où elle se trouve seule avec le gondolier.

Tout à coup, celui-ci arrête son moteur. Et, s'approchant avec la mine d'un loup qui s'apprête à dévorer le petit Chaperon Rouge, il dit en découvrant un affreux sourire :

— J'espère que vous aimer flirter.

— Pas du tout, fait l'Anglaise.

— Ah ! alors, en ce cas, j'espère que vous aimez nager !

***

Un Marseillais vient pour la première fois de sa vie à Paris. Il monte dans un autobus et voit une dame donner deux tickets au conducteur en indiquant sa destination.

— Madeleine.

Le Marseillais, suivant cet exemple, donne, à son tour, deux tickets en disant :

— Marius.

***

Un Corse affirme :

— Ma femme et moi formons le plus heureux des couples.

— Ah! dit son interlocuteur. Et quel est votre secret ?

— Eh bien, pour être heureux, dans la vie, il faut avoir un bon boulot et une bonne santé.

— Et vous avez les deux ?

— Oui. Enfin, ma femme a un bon boulot — et moi j'ai une bonne santé.

***

Une dame visite la Grèce, en automobile, avec une amie. Celle-ci lui propose :

— Je vais te photographier devant les ruines d'un temple.

— Attention, objecte la dame, on va voir la voiture.

— C'est vrai, fait son amie en souriant, ce serait un anachronisme.

— Oui, mais surtout, dit la conductrice, mon mari croira tout de suite que c'est moi qui ai renversé les colonnes du temple.

***

Au cœur du Sahara, un bédouin interroge un autre bédouin :

— Alors, ce permis de conduire, tu l'as eu ?

— Penses-tu. L'examinateur m'a fait emprunter le parcours le plus difficile : celui où il y a un palmier.

***

Un impresario, visitant le Moyen-Orient, avait fait la connaissance d'un cheik ruiné par une révolution de palais. Celui-ci lui expliqua :

— Je possédais cinq cents concubines et il m'arrivait parfois de faire l'amour vingt fois de suite en une seule nuit.

— Cela ferait une attraction formidable, dit l'impresario. Je vous engage.

Ils rentrent tous deux en Amérique. L'impresario organise une soirée chez des multimillionnaires, amateurs de spectacles sortant de l'ordinaire. On a recouru aux bons offices de vingt jeunes personnes peu farouches.

Le cheik détrôné prend place sur un divan aux côtés de la première. Puis il passe à la deuxième, et ainsi de suite.

A la douzième, sous les huées du public, il déclare forfait.

L'impresario, effondré, vient le retrouver en coulisses :

— Je ne comprends pas, balbutie le malheureux cheik. Tout à l'heure, ça avait pourtant bien marché, aux répétitions.

***

Deux Corses, plus paresseux encore que la moyenne des Corses, s'installent à une terrasse de café où ils demeurent ainsi en silence pendant un quart d'heure.

Soudain, l'un d'eux se met à bâiller :

— Oh! Antoine, lui dit l'autre, profite donc que tu as la bouche ouverte pour appeler le garçon.

***

L'une des soixante-quinze femmes d'un émir d'Arabie fait quelques achats dans un magasin de produits de beauté.

— Je suis tentée par ce parfum, dit-elle à la vendeuse.

— Vous avez raison, répond celle-ci. Je suis sûre que votre mari n'y résistera pas : il a tout à fait l'odeur du pétrole brut.

***

Un bandit sicilien s'étonne :

— Tu n'as plus ton revolver, fiston ?

— Non, papa. Je l'ai échangé.

— Et contre quoi ?

— Contre une montre.

— Bravo. Alors, maintenant, quand on te frappera, au lieu de tuer ton agresseur, tu lui donneras l'heure.

***

Dans un marché d'Extrême-Orient,

un cheik vient d'acheter une nouvelle femme.

— Je vous reprends votre ancienne épouse au prix de l'Argus, dit le marchand, pour peu qu'elle soit en bon état.

— Ça oui, fait le client. Elle a les pare-chocs et le pot d'échappement un peu fatigués mais la suspension et les reprises sont encore formidables.

***

Un Parisien, qui a passé les vacances dans l'île de Beauté, raconte :

— J'ai vu, près de Bastia, le coq le plus paresseux du monde. Le matin, il attend qu'un autre coq chante le premier. Et lui se contente de hocher la tête en signe d'approbation.

***

Un touriste, visitant un musée d'Athènes interroge le guide :

— Ce crâne humain a quel âge, au juste ?

— 500 003 ans, répond le guide.

— Comment, s'extasie le touriste, avez-vous pu déterminer cet âge avec tant de précision ?

— Oh! très simplement. Quand j'ai pris mon poste, il y a de cela trois ans, mon prédécesseur m'a dit qu'il avait 500 000 ans.

***

Un émir d'Arabie Saoudite explique à un ingénieur d'une compagnie pétrolière, venu travailler dans son pays :

— J'ai deux cents femmes, dans mon harem. Et vous, combien en avez-vous ?

— Une seule.

— Une seule! s'extasie l'émir. Veinard! Alors, vous êtes presque célibataire!

***

Vu cette pancarte, à la devanture d'un restaurant italien :

« Avez-vous déjà lutté avec notre spaghetti ? »

***

A une escale du Moyen-Orient, le commandant de bord d'un antique avion à hélices, appartenant à une petite compagnie locale, proclame avec force :

— Je ne reprendrai les commandes de cet avion pourri sous aucun prétexte. Ce serait un véritable suicide!

On débarque donc les passagers et ceux-ci, après une demi-heure d'attente, sont conviés à reprendre leur place.

— Tout va bien, à présent, affirme le responsable de la compagnie.

— Ah! bon, s'écrie une passagère, rassurée. On a sans doute changé l'appareil ?

— Non, non. Absolument pas.

— On a au moins changé les moteurs ? s'inquiète la dame.

— Non.

— Mais, alors, qu'a-t-on fait ?

— On a changé le pilote.

***

Le plus célèbre des toreros espagnols était un grand anxieux qui n'arrivait jamais à dormir, la veille d'une corrida. Sauf depuis que ses *peones* ont trouvé un truc infaillible. Ils attendent qu'il se soit mis au lit et, toute la nuit, ils déversent un véritable déluge sur le toit de sa maison, à l'aide de lances d'incendie.

— Tiens, se dit le torero, il pleut. Tant mieux : la corrida sera annulé demain.

Et tranquillisé, il s'endort paisiblement.

***

Assis à une terrase de café, devant la baie d'Ajaccio, deux Corses rêvent :

— Que ferais-tu, demande le premier, si tu gagnais deux millions au tiercé ?

A quoi l'autre répond, avec sincérité :

— Rien. Absolument rien.

***

Dans un hôtel d'une ville touristique de Turquie, un client est éveillé en sursaut. Les yeux écarquillés, il voit le parquet de sa chambre qui oscille comme le pont d'un navire pendant une tempête, les murs qui se transforment en accordéons, le plafond qui tombe en lambeaux. Il sonne. Un domestique apparaît :

— Qu'est-ce que c'est ? interroge le voyageur.

— Un tremblement de terre, monsieur.

— Un tremblement de terre ? Ah ! vous me rassurez. Je craignais d'être victime d'un étourdissement, à cause du soleil.

***

Dans un camping du Midi, une femme s'en prend vigoureusement à son mari :

— Enfin, Alfred, quand on a tiré, comme toi, dix ans de réclusion criminelle pour avoir incendié volontairement trente hectares de pinède, on est mal venu de faire celui qui ne sait pas allumer un réchaud à butane.

***

L'empereur romain bâille d'ennui, en voyant, pour la trois centième fois, un chrétien aux prises avec un lion furieux.

— Il va falloir me trouver de l'inédit un peu plus excitant, dit-il à son chef des divertissements impériaux. Par exemple, demain, mettez donc en présence, dans l'arène, Flavius Gracchus avec sa femme... après avoir averti celle-ci que, depuis trois mois, il la trompe avec la fille de Papirus.

***

Deux Marseillais rivalisent de galéjades :

— J'ai connu un pays, en Afrique, dit l'un, où les champignons poussent aussi haut que des chênes.

— Peuh ! fait l'autre, moi, en Asie, j'ai vu un endroit où ce sont les chênes qui poussent à l'abri des champignons.

***

Assis sur une chaise-longue, un vieux Corse est en train de manger des cerises dont il crache mollement les noyaux. Un touriste l'interroge :

— Alors, père Marinelli, ça va ?

— On fait aller, répond le Corse. Vous voyez, on plante.

***

Tous les Don Juan ont dû être alléchés par cette annonce, parue dans *Ouest-France* :

« Importante entreprise de Travaux Publics recherche pour Moyen-Orient dragueurs confirmés. Personnel très qualifié pour chantiers équipés de dragues suceuses. »

***

Un enfant de la Canebière, monté à Paris, va se faire faire une carte d'identité. L'agent du commissariat, remplissant la demande, note, à haute voix :

— Nez aquilin, bouche moyenne.

— Pas du tout, proteste l'autre : né à Marseille, Bouches-du-Rhône.

***

Un riche Américain, visitant l'Italie, trouve chez un antiquaire, pour le prix dérisoire de cinquante millions de lires, un tableau inconnu, manifestement du Titien. Il va l'acheter quand une inquiétude lui vient :

— Comment pourrais-je le faire sortir de ce pays sans risquer d'ennuis avec votre ministère des Beaux-Arts ? demande-t-il au marchand.

— C'est très simple, explique celui-ci. N'importe quel étudiant en peinture

571

vous brossera, par-dessus, un paysage anodin. Quand votre tableau sera arrivé à New York, vous le confierez à un spécialiste en restauration qui décapera ce paysage et fera apparaître votre Titien dans toute sa splendeur.

— C'est génial, approuve l'Américain.

Il envoie son chef d'œuvre, ainsi maquillé, aux Etats-Unis et, quelques semaines plus tard, il reçoit un télégramme :

« Selon instruction, ai nettoyé paysage. Trouvé dessous Titien. Puis ai nettoyé Titien. Trouvé portrait Mussolini. Dois-je continuer ? »

***

Dans un harem, le maître de palais interroge le sultan :

— Seigneur, quelle favorites auront, ce soir, la faveur de partager la couche royale ?

— Donnez-leur à chacune un numéro, dit le potentat. Et téléphonez ensuite à Paris pour connaître les résultats du tirage du loto.

***

— Il paraît, raconte un Grec, que le plus riche armateur du pays vient d'acheter une voiture décapotable extraordinaire pour un prix fabuleux. Il est vrai qu'elle comporte un gadget fantastique. Dès qu'on sent les premières gouttes de pluie tomber, on appuie sur un bouton...

— Et la capote se relève ?

— Non. La pluie s'arrête.

***

Un Napolitain rentre chez lui, effondré, après sa première journée dans l'administration où il s'est fait engager par recommandation. Il s'affale sur une chaise et explique à sa femme :

— Cette brute de chef de bureau nous a fait travailler comme quatre.

Et il ajoute, en s'épongeant le front :

— Encore heureux que nous étions douze !

***

A Venise, un propriétaire mécontent menace un de ses locataires :

— Si vous ne me payez pas vos loyers en retard, je vous jette dehors.

— Je m'en fous, répond le mauvais payeur. Je sais nager.

***

Au cœur du Sahara, un homme revêtu de la parfaite tenue du pêcheur sous-marin, avec le tube respiratoire, le masque, les palmes et le fusil à air comprimé, marche, péniblement, dans le sable brûlant.

Un employé d'une société pétrolière, roulant en jeep sur une piste du désert, le découvre avec stupéfaction.

— S'il vous plaît, demande l'homme, à quelle distance se trouve la mer ?

— La mer ? Mais elle est au moins à 400 kilomètres !

Alors, le pêcheur sous-marin s'extasie :

— Quelle plage, hein !

***

— J'adore l'Italie, dit un homme à un ami. Je dois à ce pays les heures les plus paisibles de ma vie.

— Mais, fait l'autre, tu n'as jamais mis les pieds de ta vie, en Italie.

— Non, c'est vrai. Mais ma femme va y passer un mois chaque année.

***

Un roi du pétrole d'Arabie convoque un des plus célèbres médecins du globe et lui dit :

— L'une des cent vingt-sept femmes de mon harem, Yasmina, ma préférée, est malade. Voyez cette caisse pleine de pièces d'or. Que vous tuiez ma femme ou que vous la guérissiez, cette fortune est à vous.

Le médecin tente l'impossible mais la malade meurt. Il va annoncer la triste nouvelle au cheik et tend la main vers la caisse de pièces d'or.

— Ainsi, dit le multimillionnaire, vous avouez avoir tué ma femme.

— Absolument pas.

— L'auriez-vous guérie, alors ?

— Hélas, non.

— En ce cas, nos conventions étaient formelles : si vous ne l'avez ni tuée, ni guérie, je ne vous dois rien.

HISTOIRES D'UN PEU PARTOUT

Le rédacteur en chef du grand quotidien de Tokyo s'arrache les cheveux :

— Il faut lancer le titre de la « une » dans dix minutes et il n'y a pas un meurtre, pas un hold-up, pas un règlement de compte dans l'actualité de la journée! On ne va tout de même pas sortir avec notre première page en blanc!

— Allons, patron, le rassure son adjoint, pas de découragement. Il faut faire jusqu'au bout confiance à la nature humaine!

***

Dans un cabaret de Hambourg, un client appelle le maître d'hôtel :

— Vous annoncez bien que vos serveuses évoluent la poitrine nue.

— En effet, monsieur.

— Alors, dites-moi pourquoi cette belle brune, là-bas, n'a qu'un sein à l'air ?

— Qui ça ? Ah! oui! L'explication est très simple, monsieur. C'est qu'elle ne travaille ici qu'à mi-temps.

***

Sur une banquise, un esquimau s'apprête à photographier sa femme.

— Pâle comme tu l'es, au milieu de toute cette neige, lui dit-il, je me demande si cela valait vraiment la peine que je charge mon appareil avec une pellicule couleur.

***

On interroge un fakir hindou, venu en vacances à Paris :

— Qu'est ce qui vous a le mieux plu, là-bas ?

Et le fakir de répondre, avec une mine gourmande :

— Le métro, aux heures de pointe.

***

Un hebdomadaire de Bavière a publié cet important « erratum » :

« Une erreur malencontreuse s'est glissée dans notre dernier numéro. Les légendes concernant les champignons vénéneux et les champignons comestibles ont été interverties. Les survivants auront rectifié d'eux-mêmes. »

***

Une agence de voyage propose une croisière particulièrement originale pour gens un peu démunis :

« Pour 1 500 francs seulement, vous pouvez passer quinze jours dans un petit hôtel de la proche banlieue parisienne. Mais, attention, pour ce prix-là, on vous poste de Tahiti, en supplément gratuit, une vingtaine de cartes postales, destinées aux amis que vous voulez impressionner. »

***

Un membre important du gouvernement révolutionnaire portugais dit au curé de sa paroisse :

— Nous avons décidé que Satan serait, désormais, considéré comme un fonctionnaire appointé par l'Etat.

— Pourquoi ? s'étonne le curé.

— Parce qu'ainsi, nous sommes certains que, le jour où nous irons en enfer, le Diable, étant fonctionnaire, se contentera de passer à son bureau vers 11 heures du matin et de signer le registre avant de s'en aller.

***

Un routier revient des Indes, au volant de son camion.

— Rien à déclarer ? lui demande un douanier.

— Rien du tout.

Le gabelou passe derrière le camion, soulève la bâche et aperçoit un éléphant qui porte une tartine de pain ficelée sur chaque oreille.

— Et ça ? rugit-il.

— Et alors, proteste le camionneur, avec indignation, on ne peut plus mettre ce qu'on veut dans son sandwich, maintenant ?

***

— J'ai l'esprit large, dit un gros commerçant sud-africain, et l'on ne peut pas me taxer de racisme. Mais, quand même, ce n'est pas de gaîté de cœur que j'ai vu mon fils se mettre en ménage avec un inspecteur des contributions sénégalais.

***

Dans le Pacifique, un requin femelle, très énamouré, tourne avec coquetterie autour d'un superbe requin mâle.

— Ecarte-toi, lui dit celui-ci. Je suis radio-actif.

— C'est quand même un monde ! soupire la femelle. Depuis les expériences atomiques, vous, les hommes, vous avez tous la même excuse.

***

Le catalogue d'une Importante firme de farces et attrapes de Bonn (Allemagne Fédérale), comporte cet argument irrésistible :

« Maison de confiance. Fournisseur des principaux Ministères. »

***

Sur l'île déserte où ils ont trouvé refuge, à la suite d'un naufrage, un jeune homme et une jeune femme viennent de faire l'amour pour la cinquième fois de la journée, comme ils en ont l'habitude depuis six mois qu'ils se sont rencontrés en s'agrippant à la même épave.

Etendus sous les palmiers, ils bavardent :

— Je voulais vous demander, dit soudain le jeune homme. Avez-vous des projets pour le prochain week-end ?

***

Un diplomate, rentrant de Pékin, l'a dit :

— Ceux qui annoncent ce que pourra être la Chine dans vingt ans d'après ce qu'ils en voient aujourd'hui, me font penser à ceux qui auraient pu prévoir ce qu'allait être Sophia Loren d'après sa photo en première communiante.

***

— Bien sûr, dit une charmante automobiliste de Francfort, au motard qui l'a fait stopper sur le bas-côté, je roulais du côté gauche de la route. Mais c'était tout simplement pour m'entraîner, avant d'aller passer quinze jours en Angleterre.

***

Voyant l'air surpris de sa femme, un Japonais lui explique :

— Regarde ce que j'ai dans l'oreille. C'est un appareil ultra-moderne contre la surdité.

— Oh! s'écrie sa femme. C'est merveilleux! Alors, maintenant, tu entends comme tout le monde ?

— Non, non, dit le Japonais. Je t'assure qu'il n'y avait rien dans la boîte à lettres.

***

Un ouvrier allemand frappe énergiquement à la porte du bureau de son patron :

— Dites donc, mon vieux, fait-il au directeur, vous pourriez pousser un peu votre vélomoteur de l'entrée. Il m'empêche de sortir ma Mercedes.

***

L'envoyé spécial d'un grand quotidien turc téléphone à son rédacteur en chef :

— Le tremblement de terre n'a fait qu'une seule victime : un nommé Kryczwaxsniewmuchskifz.

— Renseignez-vous, hurle le patron. Comment s'appelait-il *avant* la catastrophe ?

***

— Marie, dit une bourgeoise à sa femme de ménage, vous qui mettez au moins deux heures à nettoyer cinq pièces, j'aimerais que vous lisiez ce titre, dans le journal : « Aux Philippines, un typhon a balayé une ville entière en trente secondes ». Et, maintenant, prenez-en de la graine.

***

Un missionnaire évangélise des Esquimaux :

— Si vous ne vous conduisez pas bien, sur cette terre, leur dit-il, après votre mort, vous irez en enfer.

— Qu'est-ce que c'est, l'enfer ? demande un Esquimau.

— Un endroit glacial où on ne peut jamais faire de feu, dit le missionnaire.

Un autre prêtre qui a assisté à cette scène l'interroge ensuite.

— Qu'est-ce qui vous a pris de leur raconter qu'en enfer il fait un temps glacial ?

— Vous ne comprenez donc pas que si je leur avais parlé de la chaleur qui y règne, ils auraient aussitôt tout fait pour aller y passer l'éternité.

***

Sur un marché d'Extrême-Orient, un fakir semble tenté par un sabre tout rouillé.

— Si c'est pour avaler, lui dit le marchand, je me permets de vous recommander, plutôt, celui-ci, en acier inoxydable.

***

— Qu'est-ce que vous fabriquez là ? demande le commandant d'un paquebot à un homme démuni de billet.

— Je ne suis pas du tout un passager clandestin, explique celui-ci. En fait, j'étais simplement monté sur ce bateau pour accompagner un ami.

— Et où est-il, votre ami ?

— Sur le quai de Hong Kong. Il me cherche.

***

Deux automobiliste autrichiens rivalisent de récits d'aventures plus extravagants les uns que les autres.

— Figure-toi, dit l'un, que j'étais dans les Alpes, au sommet d'un col. Je me mets à dévaler la pente à cent kilomètres à l'heure quand, soudain, je perds une roue...

— Et tu ne t'es pas tué ? demande naïvement l'autre.

— Non, heureusement, la Providence veillait : c'était la roue de secours.

***

Quel est le comble pour un Japonais ?

576

C'est d'être au soleil et de faire une ombre chinoise.

***

Un de ses neveux, qui avait voyagé à travers le monde entier, racontait à un vieux fermier :

— Un jour, en Inde, j'ai fait la connaissance d'un maharadjah immensement riche. Il possédait cent vaches sacrées et deux mille femmes.

Et le vieux fermier, avec un sifflet d'admiration :

— Et bien, dis donc : cent vaches ! C'est énorme !

***

Dans une boutique d'animaux exotiques de Bangkok, un touriste demande au vendeur :

— Combien valent ces deux serpents ?

— Celui-là : 400 dollars et celui-ci 600.

— Tiens, pourquoi cette différence ?

— Le premier est un serpent à lunettes.

— Et le second, beaucoup plus cher ?

— Il porte des verres de contact.

***

Un fonctionnaire de l'ONU va dans un des derniers pays d'Afrique dominés par les Blancs et le spectacle qui s'offre à ses yeux le réjouit.

Dans deux barques, une douzaine de Blancs rament en traînant derrière eux un Noir juché sur deux skis nautiques.

— Eh bien, s'écrie l'envoyé de l'ONU, c'est magnifique. Je vois que le racisme n'existe plus, ici. Quelle belle chose de voir des Blancs s'échiner pour le plaisir sportif d'un Noir.

— Vous rigolez ! s'écrie son interlocuteur. On jurerait que vous ne savez pas que le crocodile se pêche au vif !

***

Un travailleur yougoslave, venu travailler en France, avait à remplir pour la première fois de sa vie, un de ces copieux questionnaires dont la Sécurité Sociale a le secret.

Après de longues hésitations, en face de la mention « Né », il inscrivit simplement : « Oui ».

***

Au cours d'un reportage en Nouvelle-Guinée, un envoyé spécial de *Paris-Match* avait été capturé par une tribu de cannibales qui s'apprêtaient à le faire mijoter dans la marmite d'eau bouillante, prévue à cet effet. Le jeune homme décida de tenter le tout pour le tout. Il se mit à hurler :

— Relâchez-moi ou cela vous côtera cher. Je suis journaliste, vous entendez : JOUR — NA — LIS — TE !

À sa grande surprise, le roi des sauvages comprenait le français. Frottant sa panse énorme et se léchant les babines, le souverain des cannibales s'approcha de sa victime et questionna :

— Quel est votre titre exact, dans le magazine où vous travaillez ?

— Rédacteur.

— Eh bien, soyez heureux, dans cinq minutes, vous allez être *rédacteur en chef.*

HISTOIRES AMÉRICAINES

Un agent électoral d'un candidat à la Présidence des États-Unis interroge un fermier :

— Au prochaines élections présidentielles, voterez-vous démocrate ?

— Sûrement pas, rugit le fermier.

— Et pourquoi ?

— Voyez-vous : mon arrière grand-père était républicain, mon grand-père était républicain, mon père était républicain, donc, moi-même je suis républicain.

— Mais alors, s'esclaffe son interlocuteur : si votre arrière grand-père, votre grand-père et votre père avaient été des idiots, vous-mêmes seriez un idiot ?

— Ah! non! En ce cas-là, je serais démocrate.

***

Un Américain, qui a tout sacrifié dans sa vie pour jouer au golf, meurt et, arrivé au Ciel, s'aperçoit avec ravissement qu'il va passer l'éternité sur un splendide parcours de golf. Vite, il saisit un de ses clubs et crie à la cantonnade !

— Une balle !

A ce moment, un diablotin lui répond :

— Précisément, il n'y a pas de balles, Car vous êtes en enfer et c'est là votre punition.

***

— Ma cliente, Miss Newton, dit un avocat, spécialiste des drames passionnels, au moment où les jurés vont se retirer pour délibérer, s'excuse d'avoir manifesté une certaine confusion dans sa déposition, mais elle a été troublée par la présence de tant de messieurs infiniment séduisants, parmi les membres de ce jury. Si vous voulez bien l'acquitter et me laisser vos numéros de téléphone, elle se fera un plaisir d'aller vous présenter ses excuses à domicile.

***

Un bateau est en train de faire naufrage. Au milieu de l'affolement général, une grande vedette hollywoodienne s'apprête à prendre place dans un canot de sauvetage mais elle pousse un cri d'horreur en voyant les passagers qui y sont déjà installés.

— Ah! non, dit-elle au capitaine, pas question, pour moi, de monter là-dedans, si je n'y retrouve pas ma manucure, mon coiffeur, mon couturier, mon impresario et mon agent de publicité.

***

A un nouvel arrivant, dans une ville de Far-West, aux mœurs particulièrement rudes, un vieux chercheur d'or explique :

— Ici, petit, tu as le choix entre devenir shérif ou être pendu. Le pire, c'est encore de devenir shérif.

***

Un multimillionnaire raconte complaisamment ses débuts :

— Quand je suis arrivé à Chicago, j'avais tout juste un dollar en poche.

— Et comment l'avez-vous utilisé ? questionnent ses auditeurs, alléchés.

— Ce dollar m'a servi à payer le télégramme dans lequel je réclamais 50 000 dollars à papa pour monter ma première affaire.

***

Un couple d'Américains visite le Louvre et tombe en arrêt devant une momie égyptienne, entourée de bandelettes.

— Qu'est-ce que ça veut dire 1348 AV JC ? fait la femme.

— Oh ! dit le mari, c'est sans doute le numéro de la voiture qui l'a renversé.

***

Dans un saloon où les bagarres sont quotidiennes, un étranger dit au patron :

— Toute cette sciure, c'est sans doute pour permettre à vos clients de cracher par terre.

— Quelle sciure ? s'exclame le propriétaire du saloon. Ce que vous appelez ainsi, c'est tout simplement ce qui reste de mon mobilier, après la bataille rangée d'hier soir.

***

Venu du Grand Nord, un trappeur canadien, en voyage d'agrément avec sa femme, a dépensé tout son argent et il cherche un moyen d'en récupérer suffisamment pour regagner son pays natal.

C'est pourquoi il se rend aux bureaux d'un grand journal de la capitale et, dans la rubrique « Occasions diverses » fait insérer cette petite annonce :

« Céderais Canadienne très chaude, petite taille, yeux marron. »

***

Un multimillionnaire raconte comment, en 1940, chassé d'Europe par les persécutions, il débarqua aux États-Unis avec un mouchoir de rechange pour tout bagage.

Il était sur le quai, perdu et affolé, quand un policier le prit aux épaules et le poussa sans ménagement en criant :

— Avancez, avancez...

— C'est ce que j'ai fait, explique modestement le petit émigrant, devenu depuis directeur d'une des plus grandes firmes du monde.

***

Un spécialiste de l'énergie nucléaire dit à un reporter :

— Moi, quand un problème me paraît insoluble, je l'expose en détail à ma femme.

— Et elle y comprend quelque chose ?

— Rien du tout. Mais, par contre, ce qui arrive souvent, c'est qu'après le lui avoir ainsi expliqué, *moi*, j'y comprends enfin quelque chose.

***

Un élève, d'une rare mauvaise volonté, se voit donner comme sujet de rédaction :

— Racontez un match de base-ball.

Il expédie l'affaire en deux lignes :

« Je suis arrivé au stade. Il pleuvait. La rencontre a été annulée. »

***

Pour un grand gala officiel, deux généreux sud-américains ont sorti toutes leurs décorations. En se retrouvant au buffet, ils se jettent un regard venimeux.

— Nous avons exactement les cinquante-quatre mêmes, dit le premier. Mais, celle-ci, qu'est-ce que c'est, au juste ?

— Ça, explique l'autre, c'est la médaille des grands médaillés.

***

Un soldat américain, après avoir passé six mois au Vietnam, avait obtenu une permission de détente de quinze jours. Fou de joie, il retrouve, à Chicago, sa jeune femme qui l'accueille avec des transports d'enthousiasme.

Après une soirée des plus mouvementée, ils s'endorment enfin, éperdus de bonheur.

Et, au petit matin, la femme se met à rêver. Dans son sommeil, elle crie :

— Chéri, on frappe, c'est mon mari !

Aussitôt, mû comme par un ressort, le GI saute du lit, rassemble ses vêtements épars et file se cacher dans un placard.

***

Un producteur américain annonce :

— Je vais tourner un « remake » d'*Autant en emporte le vent*. En Suisse, à cause des impôts. Naturellement, cela implique quelques petites modifications du scénario. Par exemple, au lieu de ramasser le coton, les Noirs des plantations du Sud iront, sur les sommets neigeux, cueillir des edelweiss.

***

Un Anglais et un Américain bavardent, sur le transatlantique à bord duquel ils traversent l'Atlantique :

— Voyez-vous, dit l'Américain, votre faiblesse à vous, les Anglais, c'est de vivre trop entre vous. Tenez, moi, par ma mère, j'ai du sang russe, du sang italien, du sang norvégien, du sang grec et du sang brésilien.

— J'aurais été ravi de connaître madame votre mère, dit l'Anglais en s'inclinant. D'après ce que vous me dites, elle avait l'air d'avoir un sacré tempérament.

***

Un entraîneur de boxe marron dit à un de ses poulains :

— Je t'ai arrangé un match avec Kid Hurricane. Il est bien convenu que tu te coucheras pour le compte au cinquième round.

— Au cinquième round, gémit le boxeur. Mais je n'arriverai jamais à tenir jusque là !

***

Des soldats américains effectuaient une dernière séance de tir avant l'embarquement pour Iwo Jima. Une nouvelle recrue, tremblant d'énervement, ne mit pas une seule balle dans la cible.

— Pensez-vous, demanda-t-il piteusement à son sergent, que cela risque de m'empêcher de partir pour le Pacifique ?

— De partir, je ne crois pas, dit le sergent, mais d'en revenir, ça, il y a des chances !

***

Dans une rue de Paris, un passant se trouve nez à nez avec une dame :

— Tiens, s'écrie-t-il, voilà une éternité que je ne vous avais pas vue. Où étiez-vous donc passée ?

— J'étais en Amérique, explique la dame.

— Et vous y êtes restée longtemps ?

— Oh ! environ trois maris.

***

Un homme d'affaires reproche à sa secrétaire :

— Depuis quelques mois, Miss Sullivan, les lettres que vous me donnez à signer sont bourrées de faute de frappe...

— Bien sûr, dit la jeune femme. C'est à cause des réductions de chauffage pour économiser l'énergie.

— Quel est le rapport ? questionne le patron.

— Il est simple : avez-vous déjà essayé de taper à la machine avec des moufles ?

***

L'Amérique, c'est ce pays où, si vous ne consultez pas deux fois par semaine un psychanalyste, les gens pensent que vous devez être complètement cinglé.

***

Un agent du Federal Bureau of Investigations arrive tout droit de New York et va trouver le shérif d'une petite ville du Kansas. Lui collant sous le nez sa carte d'agent fédéral, portant sa photographie, il lui dit :

— Je recherche un dangereux malfaiteur.

— Avec une sale tête comme la sienne, fait le shérif, je vous jure que je ne vais pas mettre longtemps à l'envoyer en prison !

***

Au temps de la prohibition, Eliot Ness accueillait un jeune homme, désireux d'entrer dans la glorieuse brigade des *Incorruptibles*.

— Supposez, lui dit-il, que vous vous trouvez dans une voiture de la police quand, soudain, vous êtes pris en chasse par les hommes d'Al Capone qui roulent à 60 miles à l'heure. Que faites-vous ?

Au moins du 90, répond le candidat détective, sans une hésitation.

***

Une dame est dans l'ascenseur qui monte au sommet de l'Empire State Building.

Soudain, elle s'inquiète et questionne l'employé chargé des manœuvres :

— Si les câbles venaient à se rompre, irions-nous vers le haut ou vers le bas ?

— Etes-vous croyante ? demande-t-il.

— Oui.

— Alors, la réponse dépend de la vie que vous avez menée.

***

Un astronaute émerge de sa capsule, après dix jours passés dans l'espace. Sa femme se précipite vers lui pour l'embrasser mais, soudain, la mine rongée par la jalousie, elle lui demande, d'un ton sévère :

— Peux-tu m'expliquer ce que fait ce long cheveu vert, là, sur ta combinaison ?

***

— Ça y est ! dit un chef indien, les bagarres ont cessé avec mon grand rival, Nuage Doré.

— Ah ! Vous avez enterré la hache de guerre ?

— Non. J'ai enterré Nuage Doré.

***

A la grande époque de la ruée vers l'or, un banquier de San Francisco, qui venait de mourir, trouva le paradis encombré d'une foule de pauvres hères dont la compagnie lui déplaisait.

— Il doit bien y avoir un moyen de s'en débarrasser, se dit-il.

Après mûres réflexions, il eut une idée de génie. Il écrivit sur un morceau de papier :

« On a trouvé de l'or en enfer ».

Il laissa tomber le papier à terre. Quelques instants plus tard, un homme le ramassait, écarquillait les yeux et courait annoncer la nouvelle à son meilleur ami.

En une minute, tout le paradis bruissait de la rumeur, cent fois répétée :

— On a trouvé de l'or en enfer.

Dans un mouvement irrésistible, les bienheureux se précipitèrent sur la porte du paradis, la firent sauter et entrèrent en enfer.

— Ouf ! s'écria le banquier, satisfait d'avoir enfin ses aises.

C'est alors qu'une inquiétude le saisit.

— Et s'il y avait quelque chose de vrai dans cette histoire ?

Et, à son tour, il déserta le paradis.

***

— Voici ma petite note, monsieur, dit la babby-sitter : 212 dollars.

— Vous vous moquez de moi, proteste le père de famille.

— Pas du tout. Les 12 dollars sont pour avoir gardé votre fils pendant trois heures. Et les 200 autres pour m'abstenir de répéter à votre femme ce qu'il m'a raconté à propos de vous et de la bonne.

***

— J'ai visité Reno, la capitale du divorce, raconte un grand voyageur. Là-bas, les bureaux des juges, chargés de prononcer des divorces éclairs, sont ouverts de 7 heures du matin à minuit. Et, en plus, pendant les heures de fermeture, il y a une sonnette « pour les cas d'urgence ».

***

— C'est la fin, a remarqué un spécialiste américain des maladies mentales. Nous en sommes arrivés au point où un psychiatre ne se sent vraiment bien dans sa peau que s'il va consulter, deux fois par semaine, un de ses confrères.

***

Une bande de gamins de Brooklyn, jouant aux Indiens, s'est acharnée toute une journée après une petite fille du quartier censée être la fille du shérif. Enfin, ils la détachent du poteau de torture auquel ils l'avaient attachée, toute nue, pour la cingler de leurs badines.

La malheureuse, en larmes, prend son élan pour courir chez elle mais le chef des « Indiens » s'interpose :

— Attends, visage pâle, lui dit-il. Pas quitter ainsi les Indiens.

Et, en ouvrant son pantalon, il ajoute :

— Toi fumer d'abord le calumet de la paix.

***

Un guide, à l'usage des touristes américains visitant l'Europe, donne ce conseil, à propos des taxis :

— Donnez pour pourboire la somme qui vous paraît la plus raisonnable. Si le chauffeur bondit de son siège, vous ouvre la porte et vous baise la main, c'était trop. S'il crache par terre et vous pince les doigts dans la porte, c'était trop peu. Si rien de tout cela n'arrive, vous êtes tombé juste.

***

Aux États-Unis, le directeur d'une grande entreprise fait visiter ses usines à son fils de dix ans.

— Regarde bien tout cela, lui dit-il. Un jour, ça appartiendra à tes ex-épouses.

***

Fou de rage, après avoir reçu une fessée pourtant bien méritée, un petit garçon lance à sa mère :

— Je vais m'en aller. Loin. Très loin. Si loin que ça te coûtera au moins cent dollars rien que pour m'envoyer une carte postale.

***

Un Américain, qui s'est toujours très bien conduit dans la vie, vient de mourir. Il monte au ciel où Saint Pierre l'accueille en l'informant qu'il est admis parmi les Bienheureux.

— Tenez, dit Saint Pierre, voici votre harpe pour chanter les louanges du Seigneur.

— Merci, dit l'Américain.

Et mû par la force de l'habitude, il interroge :

— C'est combien, le premier versement ?

***

Au cœur de la jungle amazonienne, un explorateur, après trois mois d'une marche épouisante, vient de découvrir une des dernières tribus d'Indiens sauvages. Il saisit sa caméra pour filmer une femme en train de piler le manioc.

— Attention, lui dit-elle. Il faut d'abord que vous vous entendiez, pour le cachet, avec mon impresario.

***

Un petit Américain arrive chez lui, en traînant derrière lui un minuscule requin qu'il a attrapé.

— Maman! s'exclame-t-il, regarde ce que j'ai pêché.

— Mais, il est énorme! s'extasie la mère.

— Pas si gros que ça, dit le gamin. Par contre, le requin qui a mangé papa, alors là, oui, il était gigantesque!

***

Au cours d'une réunion ultra-secrète sur les préparatifs concernant la fabrication de la première bombe atomique, à Oak Ridge, un savant avait commencé son exposé en racontant une histoire drôle.

La conférence terminée, l'un des auditeurs vint trouver le savant pour lui demander :

— Seriez-vous assez aimable pour me répéter cette excellente blague, à présent que nous sommes en tête-à-tête, de telle sorte qu'elle ne soit plus couverte par le secret militaire et que je puisse la redire à mes collègues.

***

A Las Vegas, la capitale du jeu, un touriste quittant son hôtel, tend au portier un billet de dix dollars, en lui disant :

— Auriez-vous de la monnaie ?

— Monsieur, répond dignement le portier, en empochant la coupure, apprenez qu'ici, dix dollars, *c'est de la monnaie.*

***

Le médecin traitant d'un magnat du pétrole téléphone en plein nuit à son patient :

— J'ai examiné vos radios. J'aimerais passer vous voir.

— Venez, dit le milliardaire, affolé.

Dès que le médecin est arrivé, son richissime patient l'interroge :

— C'est grave ?

— Très. Si vous ne me payez pas tous les honoraires que vous me devez, je ne pourrai pas continuer de payer les traites de mon yacht.

***

Dans les Montagnes Rocheuses, un trappeur s'était brusquement trouvé nez-à-nez avec un terrifiant grizzly.

— Que veux-tu ? questionna l'ours.

— Etre enveloppé dans une chaude fourrure, fit le chasseur. Et toi ?

— Moi, dit l'ours, faire un bon repas. Mais j'y songe, poursuivit l'animal, suis moi dans mon antre. Nous pourrons certainement arriver à un accord.

Le trappeur accepta et, sitôt dans son repaire, le grizzly se jeta sur lui et le dévora.

— Eh bien, fit-il en se léchant les babines, je crois que tout le monde est content. Moi, j'ai copieusement déjeuné. Et lui est bien enveloppé dans une chaude fourrure.

***

Aux Etats-Unis, le livreur d'un fleuriste apporte une couronne.

— Placez-la ici, lui ordonne son client, sur le disjoncteur.

Et comme le jeune garçon semble surpris, il lui explique :

— C'est pour honorer la mémoire de mon pauvre frère. Il y a tout juste cinq ans aujourd'hui qu'il est passé sur la chaise électrique.

***

— Rappelez-vous toujours, disait un rédacteur en chef à une jeune journaliste, ce grand principe de Joseph Pulitzer : l'exactitude est, à un journal ce que la vertu est à une femme.

— A un détail près, toutefois, objecta la demoiselle.

— Et lequel, s'il vous plaît ?

— Et bien... Un journal peut toujours publier un rectificatif.

***

Une actrice d'Hollywood appelle son médecin :

— Docteur, venez vite ! Je me suis blessée en prenant mon bain de lait.

— Comment cela s'est-il passé ?

— Bêtement : la vache m'est tombée dessus, juste après avoir glissé sur la savonnette.

***

A la fois raciste et horriblement jaloux, un Américain observe sa femme qui s'est endormie la première. Soudain, rouge de colère, il la saisit par les cheveux, la jette toute nue sur la descente de lit et lui flanque une correction mémorable.

— Qu'est-ce qui se passe ? gémit la malheureuse. J'étais en train de rêver que j'achetais du tissus.

— Du tissu ! rugit le jaloux. J'aurais voulu que tu voies l'air extasié que tu avais, en écartant tes mains l'une de l'autre de quarante centimètres et en disant : « Vous auriez le même en noir et en grande largeur ? ».

***

Au Texas, une veuve dit à une amie :

— Ah ! mon pauvre mari n'a jamais eu de chance — sauf à la fin.

— Que lui est-il donc arrivé ?

— En creusant sa tombe, on a fait jaillir du pétrole !

***

Un Américain, écœuré par le montant des impôts qu'il a à payer, s'écrie :

— C'est la revanche du Destin. Nous avons volé ce pays aux Indiens qui nous scalpaient — et nous l'avons confié à des hommes politiques qui nous tondent.

***

Au cours de son sermon, un pasteur du Kentucky vante la divine prévoyance du Créateur. Un de ses paroissiens proteste :

— Ce n'est quand même pas toujours bien fait le monde. Regardez : c'est nous les Américains qui avons le plus de voitures — alors que les Russes, avec la Sibérie, ont le plus de place de parking !

***

Cette petite annonce a paru, dans le magazine de la Société Protectrice des animaux américaine :

« A vendre occasion. Magnifique niche tout confort. Conviendrait à grand chien ou petit mari. »

***

Aux USA, dans un bastion sudiste, de tout temps démocrate, on procède au dépouillement du scrutin.

Soudain, à la stupeur générale, on découvre un bulletin en faveur du candidat républicain.

— Mettez-le de côté, dit le Président du bureau. Nous aviserons plus tard.

On reprend le dépouillement et voici que l'on trouve un second bulletin républicain. Cette fois, le sourire revient sur le visage du chef des scrutateurs.

— C'est bien ce que je pensais, explique-t-il : ce tricheur a réussi à voter deux fois. Annulez ces deux bulletins.

***

Dans un collège très snob, un petit noir fait son entrée. Les autres élèves l'entourent, aussitôt, avec curiosité. L'un d'eux, plus hardi que les autres, lui lance !

— Tu es un nègre !

— Pas du tout, fait le nouveau, vivement. C'est juste un gros grain de beauté !

***

En Oklahoma, un pochard comparaît en audience de flagrant délit, inculpé de conduite en état d'ivresse. Il proteste :

— Je suis aussi sobre que Votre Honneur !

— Notez, dit le juge au greffier, que l'inculpé plaide coupable.

***

Dans une république d'Amérique du Sud, un condamné à mort s'étonne :

— Pourquoi vos hommes s'apprêtent-ils à m'exécuter avec des arcs et des flèches, au lieu des fusils habituels ?

— Parce que, explique l'officier chargé de commander le « feu », j'ai un mal de tête épouvantable et je ne pourrais absolument pas supporter le bruit d'une salve.

***

— Bon, dit le psychanalyste, mon cher Mr Morrison, après cinq ans de soins, à raison de trois séances par semaine, nous avons réussi à vous guérir de votre psychasthénie, de votre claustrophobie et de votre schizophrénie. A présent, nous allons passer aux choses sérieuses. Voyons, rabaissez un peu votre jupe, et faites attention, avec vos chaussures à talons, vous allez complètement saccager mon divan !

***

Dans un petit village du Texas, une troupe de comédiens amateurs était venue jouer *Macbeth*. A la fin de la pièce, les spectateurs se mirent à hurler :

— L'auteur ! L'auteur !

Ne voulant pas les décevoir, le directeur de la troupe s'affubla d'une fausse barbe et se fit présenter ainsi :

— Voici l'auteur. M. William Shakespeare.

C'est alors qu'en même temps, les six cents cow-boys présents dégainèrent et l'abattirent sans aucune pitié.

***

A la belle époque du Far-West, une bande d'Indiens, qui a attaqué une diligence, a tué tous les hommes pour les scalper. Quant à la seule femme présente dans la voiture, une chanteuse de saloon, ils lui font subir quelques violences.

Après trois heures de ce traitement, un peu flageolante, elle ouvre un œil et s'aperçoit qu'il ne reste plus qu'un Indien qui attend son tour.

— Ouf ! s'écrie-t-elle. Enfin, le dernier des Mohicans !

***

Un attaché ministériel téléphone à un jeune journaliste, récemment affecté au service « politique intérieure » du *Daily Scoop* :

— Vous ne connaissez pas votre métier, lui dit-il, je vous fais une déclaration ultra-confidentielle, en vous faisant promettre le secret et, ce matin, vous n'en soufflez même pas un mot dans votre journal.

***

Un Français explique à un Américain :

— Voyez cette tour de douze étages, nous l'avons construite en quinze jours.

— Peuh ! s'esclaffe le Yankee.

— Vous pouvez faire mieux ? J'aimerais en avoir la preuve, ricane le Français.

— Eh bien, chez nous, enchaîne l'Américain, vous voyez un matin les ouvriers commencer les fondations d'un gratte-ciel de cinquante étages. Et, en repassant le soir, vous voyez les premiers locataires expulsés parce qu'ils n'ont pas payé leur loyer.

***

Un amateur d'oiseaux exotiques achète, en Amérique du Sud, un perroquet destiné à tenir compagnie à celui qu'il possédait déjà.

— Comment est la maison ? questionne le nouveau en entrant dans la cage.

— Oh! fait l'autre, il n'y a aucun problème. Le mari est un brave homme placide, la femme ne s'occupe que de ses toilettes, la bonne n'oublie jamais de donner la nourriture. Il n'y a que leur gamin dont il faut se méfier.

— Tiens, s'étonne le premier, et pourquoi ?

— Oh! il est terrible! Il répète tout ce qu'on dit.

***

Un homme d'affaires, devant se rendre à Mexico, avait écrit préalablement à un hôtel qu'on lui avait recommandé, un peu à l'écart de la ville :

— Veuillez me retenir une chambre avec terrasse, petit salon, salle de bain... etc. etc. etc.

Lorsqu'il arriva, il fut accueilli par trois ravissantes señoritas brunes qui lui firent visiter sa chambre, en tous points conforme à ses désirs.

Puis, comme elles ne faisaient pas mine de se retirer, le voyageur interrogea l'une de ses charmantes hôtesses :

— Mais, qui êtes-vous au juste ?

— Eh bien, dit-elle, les trois et coetera.

TABLE DES MATIÈRES

La composition de ce livre
a été effectuée par EUROCOM S.A., Paris,
l'impression et le brochage ont été effectués
sur presse CAMERON
dans les ateliers de la S.E.P.C. à Saint-Amand-Montrond (Cher)
pour le compte de France Loisirs

Achevé d'imprimer le 5 février 1982

Dépôt légal : 1ᵉʳ trimestre 1982.
— N° d'édit. 6636. — N° d'imp. 207. —
Imprimé en France

MANITOUWADGE PUBLIC LIBRARY